Dictionnaire de la comptabilité
et des disciplines connexes

Dictionnaire de la comptabilité
et des disciplines connexes

Sonia Cavalieri D'Oro

Fernand Sylvain, C.A.

Professeur titulaire
Faculté des sciences de l'Administration
Université Laval – Québec

Avec la collaboration de :

Murielle Arsenault, C.A., traductrice
Jean-François Joly, Directeur de la traduction et de la terminologie,
    Ordre des comptables agréés du Québec
Dominique Ledouble, Secrétaire général, Ordre des experts comptables
    et des comptables agréés – Paris
Henri Olivier, Directeur, Centre belge de normalisation de la comptabilité
    et du revisorat – Bruxelles

Deuxième édition
Entièrement revue, corrigée et augmentée

Institut Canadien des Comptables Agréés
Ordre des experts comptables et des comptables agréés – Paris
Institut des reviseurs d'entreprises – Bruxelles

© Tous droits réservés
Dépôt légal (Québec), quatrième trimestre de 1982
L'Institut Canadien des Comptables Agréés
150, rue Bloor ouest
Toronto, Ontario   M5S 2Y2
ISBN   0-88800-099-5
Imprimé au Canada
Avril 1986

*Je dédie cet ouvrage
à Éliane,
mon épouse,
ainsi qu'à mes deux enfants,
Marc et Caroline,
dont la compréhension
m'a soutenu tout au
long de ce travail.*
                    F.S.

Table des matières

Préface

En 1977, l'Institut Canadien des Comptables Agréés publiait la première édition du *Dictionnaire de la comptabilité.* Cet ouvrage, qui répondait à un besoin certain, remplaçait *Termes comptables* dont la première édition a été publiée en 1957 et la deuxième en 1963. Le fait qu'il ne se soit écoulé que cinq ans depuis la parution de la première édition du *Dictionnaire* est un indice révélateur de l'évolution rapide et constante que la comptabilité a connue au cours des dernières années.

La présente édition du *Dictionnaire de la comptabilité et des disciplines connexes* est très différente de celle qui a été publiée en 1977. Le nombre de termes a plus que doublé, passant de 2 518 à 5 140. Cet accroissement s'explique, en partie, par la nécessité de définir plusieurs termes anglais d'usage courant dont le sens échappe parfois aux francophones et pour lesquels les équivalents français sont peu connus ou font parfois défaut. De plus, dans cette édition, l'auteur précise les différences conceptuelles et terminologiques existant entre le Canada, la France et la Belgique, ce qui permet d'affirmer que le *Dictionnaire de la comptabilité* a maintenant une envergure internationale. Il faut savoir gré à l'Ordre des experts comptables et des comptables agréés de France et à l'Institut des reviseurs d'entreprises de Belgique ainsi qu'au représentant de chacun de ces organismes, M. Dominique Ledouble et M. Henri Olivier, d'avoir grandement collaboré à la réalisation de cette édition internationale.

L'Institut Canadien des Comptables Agréés exprime également sa gratitude à tous ceux qui ont contribué à la publication de la présente édition. Il convient d'abord de souligner le travail du Comité chargé de la rédaction de la nouvelle édition de *Terminology for Accountants.* Les membres de ce Comité, dont l'auteur du *Dictionnaire* faisait partie, ont travaillé pendant près de trois ans, sous la direction de M. David Selley, à la préparation de *Terminology for Accountants* qui renferme 1 621 termes. Ce faisant, ils ont contribué à la rédaction du *Dictionnaire* dont le contenu s'inspire en partie de l'ouvrage anglais de même nature. Nos remerciements s'adressent aussi à toutes les personnes qui, de près ou de loin, ont participé à l'élaboration de la deuxième édition du *Dictionnaire de la comptabilité,* notamment Mme Murielle Arsenault, C.A., président du Comité de terminologie française de l'Ordre des comptables agréés du Québec, et M. Jean-François Joly, Directeur de la traduction et de la terminologie au sein du même organisme.

Finalement, l'Institut Canadien des Comptables Agréés tient à remercier chaleureusement l'auteur du Dictionnaire, M. Fernand Sylvain, C.A., professeur titulaire de comptabilité à la Faculté des Sciences de l'administration de l'Université Laval, qui inlassablement, au cours des trois dernières années, a travaillé à la réalisation de cet ouvrage. C'est une compétence, une énergie et une détermination hors du commun qui lui ont permis de mener à bien la réalisation de cette oeuvre exceptionnelle. Nous ne doutons pas que le *Dictionnaire de la comptabilité et des disciplines connexes* procurera d'immenses avantages à la profession comptable canadienne, française et belge ainsi qu'aux dirigeants d'entreprises, aux professeurs, aux étudiants, aux traducteurs et au public en général.

John H. Denman, C.A.
Directeur des monographies
Institut Canadien des Comptables Agréés

Toronto, décembre 1982.

Avant-propos de M. E. Salustro

Président d'Honneur du Conseil supérieur de l'Ordre des experts comptables et des comptables agréés

Dans son dictionnaire des idées reçues, Flaubert note à l'article «Dictionnaire»: «En dire: n'est fait que pour les ignorants». Devant le travail accompli par M. Sylvain et son équipe, nous devons tous revendiquer la qualité d'ignorants! La somme qu'il nous propose va bien au-delà de son titre, trop modeste à vrai dire.

L'harmonisation comptable internationale est devenue depuis quelques années un thème majeur de réflexion et d'action. Bien des initiatives ont été lancées, bien des réflexions menées... Reste qu'il est indispensable de rapprocher deux aires linguistiques, la française et l'anglaise, deux conceptions de la comptabilité, la continentale et l'insulaire.

M. Sylvain jette un pont entre ces divers éléments et ce n'est pas là son moindre mérite. La première édition du Dictionnaire de la comptabilité conçue dans un contexte canadien tentait un rapprochement de deux langues mais n'observait que la réalité comptable canadienne. Avec la deuxième édition, qui observe également les réalités européennes, ce n'est plus seulement un dictionnaire de langue qui nous est offert, mais un dictionnaire raisonné; M. Sylvain n'est-il pas là le disciple de Condillac pour qui «L'art de raisonner se réduit à une langue bien faite»?

La notion de culture évolue. C'est autant grâce aux langages techniques qu'à l'oeuvre littéraire qu'une langue garde toute sa vivacité et conserve ses usagers. À cet égard, le *Dictionnaire de la comptabilité et des disciplines connexes* est un incomparable outil de promotion de notre langue. Qu'on ne se méprenne pas!

M. Sylvain n'entend pas réduire artificiellement les différences existant de part et d'autre de l'Atlantique; loin de proposer je ne sais quel sabir comptable, M. Sylvain, rompu à une longue pratique de l'anglais et du français, respecte scrupuleusement les particularités de chacun; mieux, il les rappelle et les met en perspective, confirmant ainsi, *a contrario* et avec quel éclat, l'opinion de Goethe pour qui «celui qui ne connaît pas les langues étrangères ne sait rien de sa propre langue».

Les grands dictionnaires se désignent non par leur titre mais par leur auteur. Nul doute que tous les experts comptables feront «au SYLVAIN» un accueil digne de ses qualités.

Paris, décembre 1982.

Avant-propos de M. A. Hoste

Président de l'Institut des reviseurs d'entreprises

L'élaboration d'un dictionnaire technique est une contribution très importante au développement de la profession comptable. La difficulté de communication entre l'expert comptable, ses clients et le grand public a été maintes fois soulignée. L'utilisation d'un vocabulaire précis est le corollaire de la concision que s'imposent les professionnels. Encore faut-il que tous parlent le même langage.

L'influence de la terminologie anglo-saxonne sur le vocabulaire de la comptabilité et de la révision des comptes ne peut pas être niée. La mise en parallèle des expressions françaises et anglaises facilite la compréhension autant que la traduction.

Un des écueils auxquels l'auteur de cet ouvrage a été confronté est l'influence des législations nationales sur la terminologie. En Europe, un progrès a été enregistré par la publication d'une directive de la Communauté européenne relative aux comptes annuels. Les nuances restent cependant importantes. Dans un grand nombre de cas, elles sont mises en évidence par le dictionnaire. Celui-ci n'entre cependant pas dans trop de détails de manière à ne pas alourdir inutilement les commentaires.

Il y a lieu de se réjouir de l'important travail accompli par l'auteur, le professeur Fernand Sylvain. Nous sommes persuadés que les experts comptables manifesteront beaucoup d'intérêt à l'égard de cet ouvrage issu d'une collaboration internationale.

Bruxelles, décembre 1982.

Introduction

Un peu plus de cinq ans se sont écoulés depuis la parution de la première édition du *Dictionnaire de la comptabilité*. Selon les commentaires reçus, il semble que cet ouvrage ait été grandement utile malgré ses lacunes. C'est pour corriger ces lacunes et pour refléter l'évolution constante et rapide de la terminologie de la comptabilité et des disciplines connexes que les travaux en vue de publier une deuxième édition ont commencé dès 1979, c'est-à-dire moins de trois ans après la date de publication de la première édition.

Deux autres événements ont amené l'auteur à entreprendre très tôt les travaux devant aboutir à la publication de cette deuxième édition : en premier lieu, la mise sur pied, au Canada, d'un comité chargé de la rédaction d'une nouvelle édition de *Terminology for Accountants* et, en deuxième lieu, les démarches entreprises par M. Dominique Ledouble, Secrétaire général du Conseil supérieur de l'Ordre des experts comptables et des comptables agréés de France, qui proposait dès 1977 un élargissement des définitions et équivalents proposés afin que le *Dictionnaire* puisse être utilisé dans tous les pays francophones.

Pour donner suite à la proposition de M. Ledouble, une mission fut organisée grâce à la collaboration des gouvernements français et québécois. L'objectif de la mission était d'étudier en France la faisabilité du projet. Les nombreuses personnes rencontrées alors accueillirent favorablement l'idée d'internationaliser le *Dictionnaire de la comptabilité* et on suggéra de conserver l'anglais comme langue de départ.

Les travaux qui ont mené à la publication de la présente édition ont été longs et ardus. Il a fallu d'abord dépouiller de nombreux ouvrages publiés au Canada, aux États-Unis, au Royaume-Uni, en France et en Belgique. On détermina ensuite les termes à définir, on arrêta les équivalents français et on esquissa les définitions. Tout ce travail a fait l'objet de nombreuses révisions à différents stades : en premier lieu par un comité restreint composé de Mme Murielle Arsenault, de M. Jean-François Joly et de l'auteur, en second lieu par M. Ledouble et ses collaborateurs en présence de M. Joly et de l'auteur, en troisième lieu, par M. Henri Olivier, Directeur du Centre belge de normalisation de la comptabilité et du revisorat et, finalement, par un certain nombre de personnes qui ont lu individuellement le manuscrit et ont fait de nombreux commentaires qui ont, sans aucun doute, contribué à améliorer la qualité de l'ouvrage.

Le contenu de cette deuxième édition est très différent de celui du *Dictionnaire* publié en 1977. Le nombre d'entrées qui était de 2 518 est passé à 5 140, ce qui représente une augmentation de plus de 100 pour cent. Comme dans la première édition, l'objectif poursuivi dans le dictionnaire n'est pas de se limiter aux seuls termes touchant à la comptabilité. Il est souhaitable qu'un ouvrage de cette nature renferme tous les termes techniques que le comptable est susceptible d'utiliser dans l'exercice de sa profession. On trouvera donc dans le *Dictionnaire* un grand nombre de termes relevant de disciplines autres que la comptabilité, ce qui justifie le nouvel intitulé : *Dictionnaire de la comptabilité et des disciplines connexes*. Cette extension du *Dictionnaire* dans des domaines ne relevant pas strictement de la comptabilité a suscité des difficultés quant au choix des termes à inclure ou à exclure. La ligne de démarcation était parfois difficile à établir et dépendait d'une décision assez souvent arbitraire de la part de l'auteur. Pour aider le lecteur à identifier la nature des termes, les domaines d'emploi sont donnés au début de chaque définition, sauf pour les termes comptables.

Les usagers visés par le *Dictionnaire de la comptabilité et des disciplines connexes* sont les mêmes que pour la première édition. C'est un dictionnaire qui s'adresse surtout aux experts-comptables. Il ne fait aucun doute toutefois que cet ouvrage pourra être utile à une foule d'autres personnes : les hommes d'affaires, les professeurs, les étudiants en administration des affaires quelle que soit leur spécialisation, les terminologues, les traducteurs, les fonctionnaires et le public en général.

De nombreuses définitions sont suivies de notes dont l'objet est triple : 1) expliciter les définitions en donnant des exemples et en y ajoutant parfois un aspect encyclopédique, 2) signaler certaines difficultés d'ordre linguistique, et 3) faire ressortir les différences existant entre la situation canadienne ou québécoise, d'une part, et la situation française et belge, d'autre part. Pour ce qui est du dernier point, on pensait, au point de départ, que les différences entre les terminologies comptables en usage au Canada, en France et en Belgique étaient très nombreuses. Il existe certes des différences et il ne peut en être autrement en raison des lois qui varient d'un pays à un autre et de la façon dont la profession comptable est structurée dans ces trois pays. L'*appendice C* met en évidence les principales différences entre les terminologies en usage au Canada, en France et en Belgique, mais on se rendra compte que leur nombre est finalement assez restreint. L'objectif de cet ouvrage n'est pas d'uniformiser ces terminologies (il convient que chaque pays conserve ce qui lui est propre, pourvu que la langue ne soit pas fautive), mais de faire connaître ce qui est en usage ailleurs de façon à ce que tous puissent saisir la portée des termes utilisés.

Il convient de rappeler que, comme dans la première édition, ce sont les termes anglais et non les équivalents français qui sont définis. De plus, comme les divers termes français donnés pour les entrées anglaises sont rarement de parfaits synonymes, les nuances qu'il y a lieu de faire ressortir sont généralement précisées dans une note explicative.

Dans certains équivalents français, on a utilisé des parenthèses qui indiquent la possibilité d'une double lecture. On peut donc se dispenser parfois des mots mis entre parenthèses. Ainsi le terme anglais *stores requisition* se rend par **bon de sortie (de magasin)**, c'est-à-dire par **bon de sortie** si le contexte est clair et par **bon de sortie de magasin** s'il est nécessaire d'être plus explicite.

Dans les définitions du dictionnaire qui trouvent leur application autant en France et en Belgique qu'au Canada, il arrive parfois que certains termes ne sont pas les mêmes dans ces trois pays. Le terme employé en France et en Belgique accompagne alors entre parenthèses le terme en usage au Canada. C'est ainsi, par exemple, que les termes **réviseur**, **révision** et **comptes annuels** sont entre parenthèses immédiatement après les termes **vérificateur**, **vérification** et **états financiers**. Le lecteur est alors invité à ne retenir que le terme qui lui convient le mieux.

Dans les notes qui suivent les définitions, il est quelquefois fait mention de certains termes anglais utilisés à la place des équivalents français suggérés. Cette mention de termes mis en italiques n'a pas pour objet d'encourager leur emploi mais tout simplement de constater un usage qui a cours parfois en France, parfois en Belgique, parfois au Canada.

La présentation adoptée pour cette deuxième édition ne permet pas le groupement de termes en fonction de leur générique comme cela avait été fait dans la première édition. On trouvera toutefois, pour ces génériques, les termes qui s'y rapportent après les lettres *V.a. (Voir aussi)*. Ainsi la définition de *depreciation methods* est suivie de la liste des différentes méthodes d'amortissement, ce qui permettra au lecteur de trouver facilement la définition de celles-ci en consultant le dictionnaire aux entrées indiquées.

La présente édition n'aurait pu voir le jour sans les encouragements, l'aide et la collaboration de plusieurs personnes. La publication d'un dictionnaire ne peut être l'oeuvre d'une seule personne même si celui qui en est le maître d'oeuvre doit, à la manière d'un bénédictin, y consacrer des milliers d'heures de travail.

Mes remerciements s'adressent d'abord à mon épouse Éliane et à mes enfants Caroline et Marc qui ont accepté de se priver fréquemment de ma présence au cours des trois dernières années de labeur intense qu'il a fallu consacrer à ce travail. Leur patience a été sans borne et je leur en sais gré.

Quatre personnes ont collaboré d'une façon très étroite à la réalisation de cette deuxième édition du *Dictionnaire de la comptabilité* : Mme Murielle Arsenault, M. Jean-François Joly, M. Dominique Ledouble et M. Henri Olivier. Les nombreuses réunions tenues avec les deux premières personnes ont été très fructueuses et les commentaires formulés par les deux dernières soit verbalement, soit par écrit étaient indispensables pour assurer la description fidèle de la situation française et belge.

D'autres personnes ont contribué à la préparation de cette deuxième édition du *Dictionnaire de la comptabilité* en formulant des commentaires judicieux destinés à en améliorer le contenu. Ces personnes sont : M. Robert Dubuc du service de linguistique de Radio-Canada qui a revu le manuscrit au nom de l'Office de la langue française du Québec, M. Antoni Dandonneau et Mme Marie-Éva de Villers membres du personnel de ce dernier organisme, M. André Desrochers, directeur administratif de l'Ordre des comptables agréés du Québec, M. Bernard de Vienne et M. Lucien Forgues (avec la collaboration de Mme Estelle Thibeault-Sirois et de M. Dominique Raymond), M. Maurice Perrier du Bureau des traductions du Secrétariat d'état à Ottawa, et le personnel du Service de la traduction et de la terminologie de l'Ordre des comptables agréés du Québec. Un certain nombre d'autres personnes ont formulé des suggestions sur le contenu éventuel de la deuxième édition du *Dictionnaire de la comptabilité*, notamment : Mme Carole Gauthier de Thorne Riddell & Cie, Mme Brigitte Van Coillie-Tremblay de la Régie des services publics du Québec, MM. Albert Garneau et Jean-Guy Gagné de Samson, Bélair et Associés, MM. Michel Legault et Guy Charest de l'Université Laval, M. Réjean Brault de l'Université du Québec à Trois-Rivières, Mme Anne-Marie Robitaille de Deloitte, Haskins & Sells, M. Yvan Cloutier de Charette, Fortier, Hawey & Cie, M. Bernard Robert de Maheu, Noiseux, Roy et Associés, Mme Barbara McClintock de Raymond, Chabot, Martin, Paré et Associés, M. Jean-Pierre Lefebvre de Price Waterhouse et Cie, M. André Pérès de l'École des Hautes Études Commerciales et M. Bruno Couture du Bureau des traductions du Secrétariat d'État à Montréal.

Il convient aussi de signaler la collaboration soutenue que j'ai reçue de l'Institut Canadien des Comptables Agréés et plus particulièrement de M. R.D. Thomas, directeur général de la recherche, et de M. John Denman, directeur des monographies. Les encouragements constants de ces deux personnes m'ont permis de me rendre jusqu'au bout de l'exécution de ce long travail que fut la rédaction du *Dictionnaire de la comptabilité et des disciplines connexes*.

Finalement, je me dois de remercier ma secrétaire, Mme Jeannine Vandry-Beauchemin, qui a participé avec compétence et dévouement au travail de transcription du manuscrit.

J'adresse mes plus sincères remerciements à tous ces collaborateurs. C'est en partie grâce à eux qu'il a été possible de publier cette deuxième édition du *Dictionnaire de la comptabilité* qui, en plus d'être entièrement revue et augmentée, est devenue internationale.

Fernand Sylvain, C.A.
Professeur titulaire
Faculté des sciences de l'Administration
Université Laval, Québec

Québec, décembre 1982.

Identification des domaines d'emploi avec leur abréviation

actuariat	*act.*
Administration	*Adm.*
affaires	*aff.*
analyse financière	*anal. fin.*
assurances	*ass.*
banque	
Bourse	
commerce	*comm.*
comptabilité	*compt.*
comptabilité publique	*compt. publ.*
comptabilité successorale	*compt. succ.*
droit	*dr.*
droit canadien	*dr. can.*
économie	*écon.*
expertise comptable	*E.C.*
fiducie	*fid.*
finance	*fin.*
fiscalité	*fisc.*
fiscalité canadienne	*fisc. can.*
gestion	*gest.*
industries extractives	*ind. extr.*
informatique	*inf.*
langage courant	*lang. cour.*
marketing	*mark.*
mathématiques	*math.*
mathématiques financières	*math. fin.*
organisation de l'entreprise	*org. de l'entr.*
organisation des entreprises	*org. des entr.*
organismes sans but lucratif	*O.S.B.L.*
production	*prod.*
profession	*prof.*
profession comptable	*prof. compt.*
relations de travail	*rel. de tr.*
rentes	
statistique et échantillonnage	*stat.*
transport	*transp.*

Les termes dont le domaine d'emploi n'est pas identifié appartiennent directement à la comptabilité générale ou à la comptabilité de gestion.

Autres abréviations du dictionnaire

abrév.	**abréviation**
adj.	**adjectif**
Belg.	**Belgique**
Can.	**Canada**
C.E.E.	**Communauté économique européenne**
fam.	**familier**
Fr.	**France**
n.	**nom**
syn.	**synonyme**
U.K.	**United Kingdom**
U.S.	**United States**
V.	**Voir**
v.	**verbe**
V.a.	**Voir aussi**
v. int.	**verbe intransitif**
v. tr.	**verbe transitif**

ABANDONMENT 1.
CESSION, ALIÉNATION
Voir **disposal** 1.

ABANDONMENT 2.
DÉLAISSEMENT, ABANDON
(ass.) Arrangement par lequel l'assuré cède à l'assureur le droit de propriété sur des marchandises sinistrées, ou sur ce qu'il en reste, contre paiement de l'indemnité qui aurait été versée en cas de perte totale. *N.B.* Le terme **abandon** s'emploie particulièrement pour désigner l'action de laisser des marchandises ou des biens à des tiers (compagnies d'assurances, transporteurs, douanes, etc.) en règlement total ou partiel de ce qui leur est dû.

ABATEMENT 1.
DIMINUTION, RÉDUCTION
Action de diminuer une dépense que l'entreprise a déjà engagée ou qu'elle projette d'engager.

ABATEMENT 2.
DÉFALCATION
(fisc.) Déduction de produits d'exploitation ou de produits financiers peu importants en vue de déterminer le coût net d'une opération. Ainsi on peut défalquer le produit de la vente de sous-produits ou leur valeur de réalisation nette du coût total de production. *N.B.* D'une manière générale, le terme **défalcation** s'entend de toute somme qui est retranchée d'une quantité. On défalque, par exemple, les charges des produits d'exploitation et on défalque la provision pour créances douteuses du poste Comptes clients.

ABATEMENT 3.
DÉGRÈVEMENT, CRÉDIT (D'IMPÔT)
(fisc.) Diminution d'un impôt, d'une taxe ou d'une charge.fiscale. *N.B.* Les termes **abattement** et **déduction** désignent généralement les sommes prises en considération pour réduire le montant de l'assiette fiscale, mais ils s'emploient aussi parfois pour désigner une réduction de l'impôt lui-même. *Syn.* **tax credit** 2. *V.a.* **dividend tax credit**, **exemption** 2., **employment tax credit**, **investment tax credit** et **tax relief**.

ABNORMAL SPOILAGE
GASPILLAGE
(prod.) Perte de produits attribuable à des opérations de production inefficaces et ne respectant pas les normes établies. Généralement, le coût de ces produits est passé immédiatement en charges au lieu d'être incorporé au coût des produits fabriqués. *Comparer avec* **normal spoilage**. *V.a.* **scrap** *n.*, **spoilage** et **waste** 1.

---

* Contrairement à la première édition, les termes anglais sont placés par ordre alphabétique continu, à l'exception des termes au pluriel qui suivent leur singulier.

ABSORBED BURDEN
FRAIS (GÉNÉRAUX) IMPUTÉS, CHARGES IMPUTÉES
Voir **applied burden**.

ABSORPTION COSTING
(MÉTHODE DU) PRIX DE REVIENT COMPLET, (MÉTHODE DU) COÛT (DE REVIENT) COMPLET
Méthode qui consiste à inclure les frais de fabrication fixes dans le coût d'un produit en plus du coût des matières directes, du coût de la main-d'oeuvre directe et des frais généraux de fabrication variables. *N.B.* En France, d'autres frais fixes, par exemple les frais fixes du siège social, peuvent être inclus dans le coût complet. En Belgique, on obtient le coût de revient d'un produit en ajoutant au coût d'acquisition des matières premières, des matières consommables et des fournitures, les coûts de fabrication directement imputables au produit ainsi que la quote-part des coûts de production qui ne sont qu'indirectement imputables à ce produit pour autant que ces coûts concernent la période de fabrication. Par définition, le **coût complet** est un coût constitué de la totalité des charges qui peuvent lui être rapportées par tout traitement analytique approprié : affectation, répartition, imputation. *Syn.* **full cost accounting** 1. et **full costing** 2. *Comparer avec* **direct costing**. *V.a.* **cost accounting methods**.

ACCELERATED DEPRECIATION
AMORTISSEMENT ACCÉLÉRÉ
Amortissement comptabilisé à un taux plus élevé qu'à l'ordinaire ou au moyen de méthodes (par exemple la méthode de l'amortissement dégressif) ayant pour effet de produire des charges plus élevées au cours des premiers exercices par rapport à celles des exercices ultérieurs. *V.a.* **depreciation expense**.

ACCEPTANCE 1.
ACCEPTATION
(dr.) Engagement pris par le tiré de payer à l'échéance un effet de commerce sur lequel il a inscrit la mention *accepté* ou *bon pour acceptation* suivie de sa signature. *V.a.* **banker's acceptance** et **trade acceptance**.

ACCEPTANCE 2.
ACCEPTATION, EFFET ACCEPTÉ
(dr.) Effet de commerce accepté par le tiré.

ACCEPTANCE SAMPLING
ÉCHANTILLONNAGE POUR ACCEPTATION, SONDAGE POUR ACCEPTATION
(stat.) Type de sondage qui ne conduit à l'acceptation d'un lot entier (la **population**) que lorsque le nombre d'articles défectueux trouvés dans l'échantillon est inférieur à un certain nombre (appelé **critère d'acceptation**, **borne d'acceptation** ou **niveau d'acceptation**). Dans le cas contraire, le lot entier sera rejeté. *V.a.* **sampling** 2.

ACCESS
ACCÈS (À LA MÉMOIRE DE L'ORDINATEUR)
(inf.) Faculté d'enregistrer des données ou des programmes dans une mémoire informatique ou d'en lire le contenu. *V.a.* **access time**, **random access**, **remote access** et **sequential access**.

ACCESSORY EXPENSES
FRAIS ACCESSOIRES, FRAIS COMPLÉMENTAIRES, FAUX FRAIS
Voir **incidental expenses**.

ACCESS TIME
TEMPS D'ACCÈS
(inf.) Temps qui s'écoule entre l'interprétation d'une instruction de commande et le moment où un dispositif de mémoire est en état de recevoir ou de transmettre des données. *V.a.* **access**.

ACCOMMODATION ALLOWANCE
INDEMNITÉ DE LOGEMENT
(rel. de tr.) Avantage accordé à un membre du personnel par son employeur qui prend à sa charge, en tout ou en partie, les frais de logement de cette personne. *V.a.* **allowance** 4.

ACCOMMODATION ENDORSEMENT
ENDOSSEMENT DE COMPLAISANCE

(dr.) Endossement qui facilite l'obtention de crédit au porteur d'un effet de commerce. *N.B.* La mention elle-même portée au dos d'un effet de commerce et facilitant l'obtention de crédit porte le nom d'**endos de complaisance**. *V.a.* **accommodation paper** et **endorsement** 2.

ACCOMMODATION PAPER
BILLET DE COMPLAISANCE, EFFET DE COMPLAISANCE, EFFET DE CAVALERIE

(dr.) Effet signé, sans exiger de contrepartie, par une personne agissant à titre de souscripteur, d'endosseur ou d'accepteur en vue d'aider une autre personne à obtenir du crédit. *N.B.* L'endosseur d'un **effet de complaisance** s'expose à devoir acquitter l'effet si le souscripteur ne le paie pas à l'échéance. Parfois, l'effet endossé est fictif et peut n'avoir comme raison d'être que d'obtenir frauduleusement des fonds. L'**effet de cavalerie** peut aussi être défini comme un effet de complaisance permettant des reports d'échéance ou créant un nouvel effet pour remplacer celui qui est échu. *V.a.* **accommodation endorsement** et **accommodation party**.

ACCOMMODATION PARTY
SOUSCRIPTEUR PAR COMPLAISANCE, ENDOSSEUR PAR COMPLAISANCE, ACCEPTEUR PAR COMPLAISANCE, TIREUR DE COMPLAISANCE

(dr.) Personne qui a signé un effet de complaisance ou de cavalerie. *V.a.* **accommodation endorsement** et **accommodation paper**.

ACCOUNT 1.
COMPTE

Tableau où figure en débits et en crédits les flux en valeur enregistrés au cours d'une période donnée, c'est-à-dire les variations (augmentations ou diminutions), traduites en unités monétaires : 1) des éléments du patrimoine de l'entreprise (**comptes d'actif, de passif** et **de capitaux propres**), 2) des éléments qui contribuent à former le résultat de son activité économique (**comptes de produits** et **de charges**), 3) des engagements hors bilan (**comptes d'engagements**), et 4) des éléments qui ne peuvent être imputés à un compte déterminé (**comptes d'attente** ou **comptes d'ordre**). D'une manière plus générale, un **compte** est une unité de classement et d'enregistrement des écritures comptables ou des éléments de la **nomenclature comptable**.

ACCOUNT 2.
(RELEVÉ DE) COMPTE

État résumant les opérations effectuées entre des particuliers ou des entreprises au cours d'une période donnée. *V.a.* **statement of account**.

ACCOUNTS 1.
ÉTATS FINANCIERS, COMPTES ANNUELS (Fr., Belg. et C.E.E.), DOCUMENTS DE SYNTHÈSE (Fr.)
Voir **financial statements**.

ACCOUNTS 2.
COMPTES, LIVRES COMPTABLES, REGISTRES COMPTABLES

Ensemble des registres et livres dans lesquels l'entreprise enregistre les informations financières la concernant. *V.a.* **accounting records**.

ACCOUNTABILITY
OBLIGATION DE RENDRE (DES) COMPTE(S), OBLIGATION DE RÉPONDRE DE, OBLIGATION REDDITIONNELLE, RESPONSABILITÉ

(gest.) Obligation imposée à un gestionnaire (dirigeant, administrateur public, etc.) par la loi, un règlement ou un contrat, de démontrer qu'il a géré ou contrôlé, en conformité avec certaines conditions explicites ou implicites, les ressources qui lui sont confiées. *N.B.* On peut, si nécessaire, préciser la nature de la responsabilité au moyen d'un adjectif approprié : **responsabilité sociale**, **responsabilité fonctionnelle**, etc. Parfois utilisé au Canada comme une traduction de *accountability*, le terme **imputabilité** désigne en fait la possibilité de considérer une personne, du point de vue matériel et moral, comme l'auteur d'une infraction. *V.a.* **liability** 3. et **stewardship accounting**.

ACCOUNTABLE
RESPONSABLE, COMPTABLE adj.

(gest.) Se dit de quelqu'un qui a des comptes à rendre en raison des obligations découlant d'une charge ou de la responsabilité de gérer des ressources appartenant à autrui.

ACCOUNTABLE ADVANCE
AVANCE À JUSTIFIER

(compt. publ.) Avance, prélevée sur un crédit parlementaire, consentie à un bénéficiaire qui doit rendre compte de la somme reçue ou la rembourser.

ACCOUNTANCY 1.
COMPTABILITÉ

Terme désignant la comptabilité envisagée tant au point de vue théorique que pratique.

ACCOUNTANCY 2.
PROFESSION COMPTABLE

Terme désignant la profession exercée par le comptable.

ACCOUNTANT 1.
COMPTABLE

Personne dont la profession consiste à organiser le service d'information financière ou comptable de l'entreprise et à en assurer le bon fonctionnement. *N.B.* En pratique, le substantif **comptable** s'emploie aussi pour désigner une personne au service d'une entreprise et dont le rôle consiste à passer les écritures dans les livres comptables. *V.a.* **bookkeeper**.

ACCOUNTANT 2. *(fam.)*
EXPERT-COMPTABLE

Voir **public accountant**.

ACCOUNTANT 3.
AGENT COMPTABLE

(compt. publ.) Titre de divers comptables de l'État ou d'autres organismes publics.

ACCOUNTANT'S COMMENTS
COMMENTAIRES DE L'EXPERT-COMPTABLE, COMPTE RENDU DE MISSION

(E.C.)(Can.) Document rédigé par l'expert-comptable à la fin d'une **mission avec examen**. Ce document que l'on joint aux états financiers de l'entreprise renferme une description du travail que l'expert-comptable a effectué et la déclaration que, n'ayant pas reçu mission de le faire, il n'a pas procédé à une vérification des comptes et qu'en conséquence, il n'exprime pas d'opinion sur ces derniers. *N.B.* En France, le document que l'expert-comptable annexe aux comptes annuels et dans lequel il décrit la nature des travaux exécutés lorsqu'il n'exprime pas d'opinion sur les comptes s'appelle **compte rendu de l'expert-comptable**. *Comparer avec* **auditor's report** 1. et **notice to readers**. *V.a.* **audit assurance** 2., **denial of opinion**, **disclaimer of opinion** et **review engagement**.

ACCOUNT CURRENT
COMPTE DE MANDATAIRE

(dr.) Compte rendu des opérations effectuées entre deux personnes, établi par l'une à l'intention de l'autre. *N.B.* En anglais, on n'emploie le terme *account current* que pour tenir compte des relations entre un mandataire et un mandant. *Comparer avec* **current account** 1. *V.a.* **account sales**.

ACCOUNT FOR 1.
COMPTABILISER, INSCRIRE, ENREGISTRER, PASSER (UNE ÉCRITURE)

Porter une opération dans les livres comptables. *V.a.* **enter** et **recognize**.

ACCOUNT FOR 2.
PRÉSENTER UN RELEVÉ DE COMPTE
Faire connaître à un client de l'entreprise les opérations qui le concernent et qu'il a effectuées avec celle-ci au cours d'une période donnée.

ACCOUNT FOR 3.
RENDRE COMPTE
(gest.) Faire rapport de ce que l'on a fait ou de ce qui s'est produit et justifier les résultats obtenus.

ACCOUNT FORM (OF BALANCE SHEET)
DISPOSITION HORIZONTALE (DU BILAN), PRÉSENTATION HORIZONTALE (DU BILAN),
   PRÉSENTATION (DU BILAN) EN TABLEAU, PRÉSENTATION (DU BILAN) EN DEUX VOLETS,
   PRÉSENTATION EN FORME DE COMPTE
Mode de présentation du bilan dans lequel le total de l'actif inscrit du côté gauche est égal au total du passif et des capitaux propres inscrits du côté droit d'une même feuille. *V.a.* **balance sheet, form of**.

ACCOUNT FORM (OF STATEMENT)
PRÉSENTATION EN TABLEAU
Présentation d'un état financier (ou compte) en deux colonnes de chiffres dont le total de chacune est égal.

ACCOUNTING 1.
COMPTABILITÉ
Système d'information financière permettant de saisir et d'enregistrer, le plus souvent en unités monétaires, les opérations d'une entreprise, de les regrouper, de les classer, puis de présenter et d'interpréter les résultats auxquels elles donnent lieu. *N.B.* La **comptabilité** peut aussi être définie comme un système d'information qui fournit en bon ordre des données chiffrées pour décrire *a posteriori* une situation ou une évolution, pour éclairer des prévisions, pour rapprocher celles-ci des réalisations et pour faciliter la prise de décisions de la part des parties intéressées. Au Canada, l'emploi du terme **sciences comptables** pour désigner à la fois la comptabilité, la vérification et les disciplines connexes, par exemple la fiscalité et l'informatique appliquée à la comptabilité, est très répandu. *Comparer avec* **bookkeeping.** *V.a.* **financial accounting** et **management accounting**.

ACCOUNTING 2.
REDDITION DE COMPTES, COMPTE RENDU COMPTABLE
(dr.) Compte rendu dressé en bonne et due forme portant sur la façon dont une personne s'est acquittée de ses responsabilités, par exemple le compte rendu dressé par un mandataire, un syndic, un exécuteur testamentaire, etc. *V.a.* **statement of charge and discharge**.

ACCOUNTING ASSUMPTIONS
POSTULATS COMPTABLES, CONVENTIONS COMPTABLES DE BASE
Voir **accounting concepts**.

ACCOUNTING CHANGE 1.
MODIFICATION COMPTABLE
Changement attribuable à l'une ou l'autre des trois causes suivantes : a) une modification de conventions comptables, b) une révision d'estimations comptables, et c) une correction d'erreurs influant sur les états financiers (ou comptes annuels) d'un exercice antérieur. *V.a.* **accounting error**.

ACCOUNTING CHANGE 2.
CHANGEMENT DE MÉTHODE COMPTABLE, CHANGEMENT DE CONVENTION COMPTABLE
Changement en vertu duquel l'entreprise adopte une nouvelle façon de comptabiliser une opération donnée ou d'évaluer un élément d'actif ou de passif.

ACCOUNTING CLERK
AIDE-COMPTABLE, COMMIS COMPTABLE, COMMIS AUX ÉCRITURES, TENEUR DE LIVRES
Voir **bookkeeper**.

ACCOUNTING CONCEPTS
POSTULATS COMPTABLES, CONVENTIONS COMPTABLES DE BASE

Hypothèses concernant l'environnement social et économique ainsi que l'utilisation de l'information comptable, sur lesquelles repose la formulation des principes comptables. *Syn.* **accounting assumptions, accounting postulates** et **accounting principles** 1. *V.a.* **accounting principles** 2., **conceptual framework (for financial reporting), entity concept, going concern concept, stable monetary unit concept** et **time period concept**.

ACCOUNTING CONTROL
CONTRÔLE COMPTABLE

Procédés comptables utilisés en vue de vérifier l'exactitude arithmétique de l'information fournie par les livres et documents comptables. Ainsi le solde d'un **compte collectif** doit correspondre au total des soldes des comptes individuels du grand livre auxiliaire correspondant. *V.a.* **control** 3. et **internal control** 1.

ACCOUNTING CONVENTIONS
POSTULATS, NORMES ET CONVENTIONS COMPTABLES

Expression vague employée en anglais pour désigner à la fois les postulats, les normes et les conventions comptables. *V.a.* **accounting policies**.

ACCOUNTING CYCLE
CYCLE COMPTABLE

Processus de comptabilisation des opérations d'un exercice, allant de l'inscription et du classement des opérations à l'établissement des états financiers (ou comptes annuels) et à la clôture des comptes. *Comparer avec* **operating cycle** et **production cycle**.

ACCOUNTING DEFICIENCY
IRRÉGULARITÉ COMPTABLE, LACUNE COMPTABLE

Lacune attribuable au fait de ne pas se conformer aux normes comptables, y compris le fait de ne pas présenter, dans les états financiers (ou comptes annuels), des informations qui devraient y figurer. *Comparer avec* **auditing deficiency**.

ACCOUNTING DEPARTMENT
SERVICE DE LA COMPTABILITÉ, SERVICES COMPTABLES

Service(s) chargé(s) de tenir les comptes de l'entreprise et d'établir ses états financiers (ou comptes annuels).

ACCOUNTING DESIGNATION
TITRE COMPTABLE PROFESSIONNEL

(prof. compt.) Titre que porte une personne inscrite au tableau d'un organisme professionnel de comptables.

ACCOUNTING ENGAGEMENT
MISSION COMPTABLE, MISSION DE COMPTABILITÉ

Mission confiée à un expert-comptable et portant sur l'exécution de travaux de comptabilité pour le compte d'un tiers. *Comparer avec* **audit engagement**. *V.a.* **professional engagement of a public accountant**.

ACCOUNTING ENTITY 1.
DIVISION COMPTABLE, SECTION COMPTABLE, UNITÉ COMPTABLE

Unité formant un tout au point de vue comptable, c'est-à-dire ayant une comptabilité distincte et des états financiers (ou comptes annuels) qui lui sont propres. *Syn.* **accounting unit** 1. *Comparer avec* **economic unit** 2.

ACCOUNTING ENTITY 2.
ENTITÉ COMPTABLE, UNITÉ COMPTABLE

(compt. publ.) Unité formée de personnes élues ou désignées par les pouvoirs publics et ayant la responsabilité légale d'effectuer des opérations financières et de prendre des décisions s'y rapportant.

ACCOUNTING ENTRY
ÉCRITURE (COMPTABLE), INSCRIPTION COMPTABLE

Voir **entry**.

ACCOUNTING EQUATION
IDENTITÉ FONDAMENTALE, ÉQUATION COMPTABLE, ÉGALITÉ FONDAMENTALE

Équation sur laquelle se fonde la comptabilité en partie double. Selon cette équation qui prend souvent la forme de **A = CE + CP**, l'actif **A** est égal à la somme des capitaux empruntés **CE** et des capitaux propres **CP**. L'équation comptable peut aussi prendre la forme **A = P**, le passif **P** représentant alors à la fois le **passif externe** (les dettes à l'égard des tiers) et le **passif interne** (les capitaux propres), c'est-à-dire la provenance de la totalité des ressources de l'entreprise. *Syn.* **accounting identity** et **balance sheet equation.** *V.a.* **balance sheet**.

ACCOUNTING ERROR
ERREUR COMPTABLE

Erreur attribuable à un calcul erroné, à une mauvaise interprétation de certains renseignements, au défaut de prendre en considération des faits connus lors de l'établissement des états financiers (ou comptes annuels) ou à l'adoption d'une pratique comptable inacceptable. *V.a.* **accounting change** 1.

ACCOUNTING FIRM
CABINET D'EXPERT(S)-COMPTABLE(S), CABINET D'EXPERTISE COMPTABLE, (SOCIÉTÉ)
   FIDUCIAIRE (Fr.), CABINET DE REVISEURS D'ENTREPRISES (Belg.)

(E.C.) Ensemble constitué par la clientèle, le personnel, le local et l'équipement d'un ou plusieurs experts-comptables et dont l'objet premier est d'organiser, de vérifier, d'apprécier et de redresser, s'il y a lieu, la comptabilité des entreprises. *N.B.* En France, le terme **fiduciaire** est largement employé pour désigner un cabinet d'expertise comptable sans que ce cabinet exerce nécessairement les fonctions de fidéicommis. En Belgique, le terme **fiduciaire** est aussi utilisé pour désigner un conseil fiscal et comptable, mais cette personne ou le cabinet auquel elle appartient n'a pas le droit de pratiquer le **contrôle légal des comptes** comme c'est aussi le cas en France. *Syn.* **accounting practice** 2. *V.a.* **firm** 2., **practice** 2. et **public accounting**.

ACCOUNTING FOR INFLATION
COMPTABILITÉ DES EFFETS DE L'INFLATION, COMPTABILITÉ D'INFLATION

Comptabilité qui, à l'encontre de la comptabilité au coût d'origine, vise à tenir compte des effets de l'inflation en indexant les états financiers (ou comptes annuels) sur le niveau général des prix ou en les établissant à la valeur actuelle ou au coût actuel. *N.B.* Parfois, les comptes ainsi redressés reflètent à la fois les valeurs actuelles ou les coûts actuels et les effets de l'évolution du niveau général des prix. La comptabilité au coût actuel n'a pas toutefois pour objet premier de redresser les comptes pour refléter les effets de l'inflation. *Syn.* **inflation accounting.** *V.a.* **constant dollar accounting**, **current cost accounting**, **current value accounting** et **general price-level accounting**.

ACCOUNTING IDENTITY
IDENTITÉ FONDAMENTALE, ÉQUATION COMPTABLE, ÉGALITÉ FONDAMENTALE
Voir **accounting equation**.

ACCOUNTING INCOME
BÉNÉFICE COMPTABLE

(Can.) Résultat sur lequel se fonde le calcul des impôts afférents à un exercice. Le bénéfice comptable est égal au bénéfice avant impôts et postes extraordinaires augmenté ou diminué, selon le cas, des postes extraordinaires (avant déduction des impôts s'y rapportant) et des éléments non imposables ou non déductibles, c'est-à-dire les **écarts permanents.** *N.B.* Au canada, la **comptabilité fiscale** étant très souvent différente de la **comptabilité d'entreprise**, il se produit des écarts temporaires entre les deux comptabilités. Les impôts relatifs au bénéfice de l'exercice sont alors différents des impôts exigibles, ce qui donne lieu à des **impôts reportés**. En France et en Belgique, les **écarts temporaires** n'influent pas nécessairement sur la comptabilisation des impôts. Il en résulte alors que les impôts figurant dans le compte de résultat ne diffèrent habituellement pas des impôts exigibles. En Belgique, les impôts des sociétés sont calculés sur l'ensemble des bénéfices constatés au cours de l'exercice, c'est-à-dire l'affectation aux réserves autres que les **réserves immunisées**, les pertes et dépenses rejetées par l'Administration fiscale, certaines rémunérations d'administrateurs, commissaires et liquidateurs ainsi que le bénéfice distribué aux associés. *Syn.* **pre-tax accounting income.** *Comparer avec* **taxable income.** *V.a.* **deferred income taxes**.

ACCOUNTING MACHINE
MACHINE COMPTABLE

Machine utilisée pour tenir les livres et produire les documents et pièces à la fois internes et externes auxquels les opérations effectuées donnent lieu. *Syn.* **bookkeeping machine**. *V.a.* **electric accounting system**.

ACCOUNTING MANUAL
GUIDE COMPTABLE, GUIDE DE COMPTABILITÉ

Ouvrage renfermant une description détaillée des pratiques comptables en vigueur dans une entreprise. Ce guide comprend généralement une liste des procédés et des formulaires en usage ainsi qu'une description des responsabilités attribuées à chaque membre du service de la comptabilité. *Comparer avec* **auditing manual** et **procedure manual**.

ACCOUNTING METHODS
MÉTHODES COMPTABLES, PRATIQUES COMPTABLES, PROCÉDÉS COMPTABLES

Voir **accounting procedures** 1.

ACCOUNTING PERIOD 1.
PÉRIODE COMPTABLE

Voir **financial period** 1.

ACCOUNTING PERIOD 2.
EXERCICE (FINANCIER), EXERCICE (COMPTABLE)

Voir **fiscal year**.

ACCOUNTING POLICIES
CONVENTIONS COMPTABLES

Règles particulières adoptées par l'entreprise en matière de comptabilité et méthodes qu'elle utilise en vue d'appliquer ces règles. *V.a.* **accounting conventions**.

ACCOUNTING POSTULATES
POSTULATS COMPTABLES, CONVENTIONS COMPTABLES DE BASE

Voir **accounting concepts**.

ACCOUNTING PRACTICE 1.
CLIENTÈLE (D'UN EXPERT-COMPTABLE)

Ensemble des clients d'un expert-comptable. *V.a.* **practice** 1.

ACCOUNTING PRACTICE 2.
CABINET D'EXPERT(S)-COMPTABLE(S), CABINET D'EXPERTISE COMPTABLE, (SOCIÉTÉ) FIDUCIAIRE (Fr.), CABINET DE REVISEURS D'ENTREPRISES (Belg.)

Voir **accounting firm**.

ACCOUNTING PRACTICES
MÉTHODES COMPTABLES, PRATIQUES COMPTABLES, PROCÉDÉS COMPTABLES

Voir **accounting procedures** 1.

ACCOUNTING PRINCIPLES 1.
POSTULATS COMPTABLES, CONVENTIONS COMPTABLES DE BASE

Voir **accounting concepts**.

ACCOUNTING PRINCIPLES 2.
PRINCIPES COMPTABLES

Règles fondamentales portant sur la mesure, le classement et l'interprétation des informations d'ordre économique ainsi que sur la présentation de ces informations dans les états financiers (ou comptes annuels). *Syn.* **ac-**

counting standards 2. *(fam.)*. *V.a.* **accounting concepts, accrual principle, conservatism principle, consistency principle, cost principle, disclosure principle, matching principle** 1., **materiality principle, objectivity principle, realization principle** et **substance over form principle**.

ACCOUNTING PRINCIPLES 3.
PRINCIPES COMPTABLES, NORMES COMPTABLES, RÈGLES COMPTABLES

Normes ou règles qu'une entreprise est tenue de suivre pour comptabiliser certaines opérations par opposition à des méthodes comptables entre lesquelles il est permis de faire un choix pour traiter d'autres opérations. *V.a.* **accounting procedures** 1., **accounting standards** 1. et **generally accepted accounting principles**.

ACCOUNTING PROCEDURES 1.
MÉTHODES COMPTABLES, PRATIQUES COMPTABLES, PROCÉDÉS COMPTABLES

Modalités d'application systématique des différents principes ou normes comptables. *Syn.* **accounting methods** et **accounting practices**. *V.a.* **accounting principles** 3.

ACCOUNTING PROCEDURES 2.
PROCÉDURES COMPTABLES

Ensemble des étapes suivies dans l'exécution matérielle du travail comptable et l'application du processus comptable.

ACCOUNTING PROCESS
PROCESSUS COMPTABLE

Processus dont l'objet est de présenter à temps une information fidèle et qui consiste principalement à inscrire les opérations, à en faire un sommaire, à établir des rapports financiers et à interpréter le contenu de ces derniers. *V.a.* **process** *n.*

ACCOUNTING RATE OF RETURN
(TAUX DE) RENDEMENT COMPTABLE, (TAUX DE) RENDEMENT NOMINAL

Taux de rendement égal au quotient du bénéfice annuel que l'entreprise prévoit tirer d'un projet d'investissement par le capital initial ou le capital moyen investi dans ce projet.

ACCOUNTING RECORDS
REGISTRES (ET PIÈCES) COMPTABLES, LIVRES COMPTABLES, DOCUMENTS COMPTABLES

Livres, pièces justificatives et toute autre documentation comptable. *N.B.* Les entreprises sont généralement obligées de tenir des livres qu'elles doivent conserver pendant une certaine période au même titre que les pièces comptables, contrats, registres et autres documents constituant leurs **archives commerciales** afin de satisfaire aux exigences que le fisc, les lois sur les sociétés et les autres lois pertinentes leur imposent en cette matière. *Syn.* **books** et **records**. *V.a.* **accounts** 2. et **documentary evidence**.

ACCOUNTING STANDARDS 1.
NORMES COMPTABLES

Règles adoptées par les associations comptables professionnelles (au Canada, le Comité de recherche comptable de l'*Institut Canadien des Comptables Agréés*) ou d'autres organismes comme le *Financial Accounting Standards Board (U.S.)*, le *Conseil national de la comptabilité* (France) et la *Commission des normes comptables* (Belgique), et portant sur la façon précise de comptabiliser les opérations susceptibles de faire l'objet de différents traitements comptables. *V.a.* **accounting principles** 3., **financial accounting standards** *(U.S.)*, et **standard** 1.

ACCOUNTING STANDARDS 2. *(fam.)*
PRINCIPES COMPTABLES

Voir **accounting principles** 1.

ACCOUNTING SUMMARIES
RELEVÉS COMPTABLES

(Can.) États dressés à partir des registres comptables destinés à l'information interne ou établis en vue d'être annexés aux déclarations d'impôts ou à d'autres documents exigés par l'Administration publique. Les relevés comptables revêtent souvent la même forme et portent généralement les mêmes intitulés que les états financiers.

ACCOUNTING SYSTEM
SYSTÈME COMPTABLE, (SYSTÈME DE) COMPTABILITÉ

Ensemble des règles et des pratiques convenant à une entreprise donnée et se rapportant à l'inscription et au contrôle des opérations ainsi qu'à la communication de leurs résultats. *Syn.* **system of accounts**. *V.a.* **chart of accounts**.

ACCOUNTING TREATMENT
TRAITEMENT COMPTABLE

Façon d'inscrire une opération ou un groupe d'opérations dans les livres comptables.

ACCOUNTING UNIT 1.
DIVISION COMPTABLE, SECTION COMPTABLE, UNITÉ COMPTABLE

Voir **accounting entity** 1.

ACCOUNTING UNIT 2.
UNITÉ COMPTABLE (D'EXPLOITATION)

Groupe, section ou division d'une entreprise dont on isole les coûts, et parfois les produits et les ressources, afin d'exercer un meilleur contrôle et de mieux évaluer le rendement obtenu. *V.a.* **cost centre**, **investment centre**, **profit centre** et **section** 1.

ACCOUNT PAYABLE 1.
COMPTE (DE) CRÉDITEUR, COMPTE FOURNISSEUR

Compte de tiers dans lequel on inscrit les sommes à payer à un tiers. *Syn.* **book debt** 1. *V.a.* **intercompany account payable**.

ACCOUNT PAYABLE 2.
DETTE, SOMME À PAYER

Somme due à un créancier, le plus souvent un fournisseur de marchandises ou de services.

ACCOUNTS PAYABLE
CRÉDITEURS, (COMPTES) FOURNISSEURS

Poste du bilan où figurent les dettes sur achats de marchandises, prestations de services et autres opérations. *V.a.* **trade accounts payable**.

ACCOUNTS PAYABLE LEDGER
GRAND LIVRE DES (COMPTES) FOURNISSEURS, (GRAND LIVRE) AUXILIAIRE (DES) FOURNISSEURS

Livre auxiliaire qui renferme les comptes individuels des fournisseurs d'une entreprise et auquel correspond le **compte collectif** Fournisseurs du grand livre général.

ACCOUNT RECEIVABLE 1.
COMPTE (DE) DÉBITEUR, COMPTE CLIENT

Compte de tiers dans lequel on inscrit les sommes à recouvrer d'un tiers. *Syn.* **book debt** 2. *V.a.* **claim** *n.* 2. et **intercompany account receivable**.

ACCOUNT RECEIVABLE 2.
CRÉANCE, SOMME À RECOUVRER

Somme réclamée à un débiteur et résultant le plus souvent de la vente de marchandises ou de la prestation de services.

ACCOUNTS RECEIVABLE
DÉBITEURS, CRÉANCES, (COMPTES) CLIENTS

Poste du bilan où figurent les créances sur ventes de marchandises, prestations de services et autres opérations. *Syn.* **receivables**. *V.a.* **trade accounts receivable** et **trade and other accounts receivable**.

ACCOUNTS RECEIVABLE LEDGER
GRAND LIVRE DES (COMPTES) CLIENTS, (GRAND LIVRE) AUXILIAIRE (DES) CLIENTS

Livre auxiliaire qui renferme les comptes individuels des clients d'une entreprise et auquel correspond le **compte collectif** Clients du grand livre général. *Syn.* **customers' ledger**.

ACCOUNTS RECEIVABLE TURNOVER
(TAUX DE) ROTATION DES COMPTES CLIENTS, (COEFFICIENT DE) ROTATION DES COMPTES CLIENTS

Quotient du solde du poste Clients à la fin d'un exercice par le chiffre d'affaires de cet exercice. *Syn.* **receivables turnover**. *V.a.* **collection period (of receivables)**, **ratio analysis** et **turnover** 1.

ACCOUNT SALES
COMPTE RENDU DES OPÉRATIONS DE CONSIGNATION, RAPPORT SUR LES OPÉRATIONS DE CONSIGNATION

(comm.) Rapport que le **consignataire** dresse à l'intention du **consignateur** et portant sur les marchandises reçues en consignation, les articles non vendus, le produit brut des ventes, les frais qu'il a engagés, les commissions qu'il a gagnées et la somme nette qu'il doit au consignateur. *V.a.* **account current**, **consignment (sale)** et **goods on consignment**.

ACCRETION
ACCROISSEMENT, AUGMENTATION, CROISSANCE

(lang. cour.) Croissance attribuable à des causes naturelles (par exemple la croissance des arbres); augmentation provenant de sources externes (par exemple les versements à une caisse de retraite). *Comparer avec* **appreciation**.

ACCRUAL
PRODUIT À RECEVOIR, CHARGE À PAYER

Élément d'actif ou de passif auquel correspond un produit ou une charge qui n'a pas fait l'objet d'une rentrée ou d'une sortie de fonds. Le plus souvent, les éléments de cette nature sont comptabilisés en fin d'exercice au moyen d'écritures de régularisation pour respecter le principe de l'indépendance des exercices ainsi que celui du rapprochement des produits et des charges. *V.a.* **accrue** *v. tr.*, **accrued asset**, **accrued expense**, **accrued liability**, **accrued revenue** et **time period concept**.

ACCRUALS 1.
COMPTES DE RÉGULARISATION

Comptes résultant de l'application du principe de l'indépendance des exercices et de celui du rapprochement des produits et des charges. Selon ces principes, il faut, à la fin d'un exercice, redresser le solde des comptes de produits et de charges afin que le bénéfice soit déterminé de la façon la plus exacte possible et qu'à chaque exercice soit imputé tout ce qui lui revient et rien d'autre. La correction en question donne lieu à l'inscription, dans le bilan, de comptes de régularisation, c'est-à-dire des **comptes de régularisation-actif** (les charges payées d'avance et les produits à recevoir) et des **comptes de régularisation-passif** (les charges à payer et les produits reçus d'avance). *V.a.* **accrue** *v. tr.*, **accrued asset**, **accrued liability**, **deferred revenue** 1. et **prepaid expenses**.

ACCRUALS 2.
CHARGES DÉTERMINÉES PAR ABONNEMENT, CHARGES ABONNÉES

Sommes résultant de la répartition en fractions égales, entre des périodes plus courtes que l'exercice (trimestres ou mois le plus souvent), de charges (par exemple l'amortissement, l'indemnité de vacances, les impôts fonciers, les loyers, les réparations, les frais de publicité, etc.) dont le montant annuel est connu avec suffisamment de précision au début de l'exercice. Le **système d'abonnement** doit être utilisé par les entreprises qui veulent obtenir des résultats nets périodiques (mensuels ou trimestriels). En cas de publication de telles **situations intercalaires**, les comptes de charges par abonnement non soldés sont groupés dans le bilan avec les comptes de régularisation-passif. *N.B.* La méthode décrite ci-dessus est connue sous le nom de **comptabilisation des charges par abonnement**.

ACCRUAL BASIS OF ACCOUNTING
(MÉTHODE DE LA) COMPTABILITÉ D'EXERCICE, COMPTABILITÉ D'ENGAGEMENTS (Fr.),
COMPTABILITÉ EN CRÉANCES ET DETTES (Fr.)

Méthode qui consiste à tenir compte, dans la détermination du bénéfice net d'une entreprise, des produits et des charges découlant des opérations d'un exercice lorsque les produits sont gagnés et les charges engagées, sans considération du moment où les opérations sont réglées par un encaissement ou un décaissement ou de toute autre façon. *N.B.* En comptabilité publique, cette méthode s'appelle **système de l'exercice** et elle consiste à imputer toutes les opérations effectuées à l'exercice qui leur a donné naissance en vue du contrôle de la conformité. *Comparer avec* **cash basis of accounting**. *V.a.* **modified accrual method**.

ACCRUAL METHOD OF TAX ALLOCATION
(FORMULE DU) REPORT D'IMPÔT VARIABLE

(Can.) Mode d'application de la méthode du report d'impôt qui consiste à considérer l'écart entre les impôts afférents à l'exploitation d'un exercice donné et les impôts exigibles de cet exercice, comme des impôts qui ne seront exigibles ou recouvrables qu'ultérieurement. Le calcul des impôts, qui est tenu pour provisoire, est susceptible d'être modifié au cours des exercices à venir lorsque les taux d'imposition changeront et lorsque les montants des recouvrements ou des versements éventuels seront déterminés avec plus de précision. *Comparer avec* **deferral method of tax allocation**. *V.a.* **interperiod tax allocation methods**.

ACCRUAL PRINCIPLE
PRINCIPE D'ANNUALITÉ, RÈGLE DE RATTACHEMENT (À L'EXERCICE)

Principe comptable qui demande de rattacher les produits et les charges à l'exercice qui les a vu naître. *V.a.* **accounting principles** 2. et **matching principle** 1.

ACCRUE *v. intr.*
COURIR, S'ACCROÎTRE, S'ACCUMULER

S'accroître; s'ajouter à titre d'augmentation, par exemple les intérêts afférents à un prêt.

ACCRUE *v. tr.*
INSCRIRE DES PRODUITS À RECEVOIR, INSCRIRE DES CHARGES À PAYER

Enregistrer dans les livres comptables un élément (des intérêts, des impôts fonciers, des salaires, etc.) s'accumulant avec le temps ou découlant d'un service reçu ou rendu. Cet élément n'est toutefois généralement pas exigible ou recouvrable légalement au moment où il est comptabilisé. *V.a.* **accrual** et **accruals** 1.

ACCRUED ASSET
PRODUIT À RECEVOIR

Droit à un bien (par exemple des intérêts à recevoir) qu'une personne acquiert avec le passage du temps ou en rendant des services. Bien que ce droit ne puisse pas encore être exercé, il constitue un élément d'actif et il est comptabilisé en fin d'exercice même s'il n'a pas encore donné lieu à une rentrée de fonds. *V.a.* **accrual**, **accruals** 1. et **accrued revenue**.

ACCRUED BENEFIT VALUATION METHOD
MÉTHODE RÉTROSPECTIVE

(rentes) Méthode d'évaluation actuarielle permettant d'estimer les prestations attribuables aux participants à un régime de retraite du fait de leurs années de service précédant la date de l'évaluation. *Comparer avec* **projected benefit valuation method**.

ACCRUED EXPENSE
CHARGE CONSTATÉE PAR RÉGULARISATION

Charge imputable à l'exercice et donnant naissance à une dette qui ne deviendra légalement exigible qu'ultérieurement. Cette charge qui doit figurer dans l'état des résultats (ou compte de résultat) de l'exercice fait l'objet d'une écriture de régularisation en fin d'exercice même si elle ne donnera lieu à une sortie de fonds que plus tard. *V.a.* **accrual** et **accrued liability**.

ACCRUED INTEREST
INTÉRÊTS COURUS

(fin.) Intérêts que rapportent des effets de commerce ou des obligations pour la période comprise entre la dernière date de paiement ou d'encaissement des intérêts et la date de clôture des comptes ou, selon le cas, la date d'émission, de remboursement, d'acquisition ou de vente des obligations. *V.a.* **interest** 1.

ACCRUED LIABILITY
CHARGE À PAYER

Dette (par exemple des intérêts à payer) qu'une personne contracte avec le passage du temps. Bien que cette dette ne soit pas encore légalement exigible, elle constitue un élément de passif et elle est comptabilisée en fin d'exercice même si elle n'a pas encore donné lieu à une sortie de fonds. *V.a.* **accrual**, **accruals** 1., **accrued expense** et **payable**.

ACCRUED REVENUE
PRODUIT CONSTATÉ PAR RÉGULARISATION

Produit imputable à l'exercice et conférant un droit qui ne pourra être exercé qu'ultérieurement. Ce produit qui doit figurer dans l'état des résultats (ou compte de résultat) de l'exercice fait l'objet d'une écriture de régularisation en fin d'exercice même s'il ne donnera lieu à une rentrée de fonds que plus tard. *V.a.* **accrual** et **accrued asset**.

ACCRUE TO SOMEONE *v. intr.*
REVENIR À QUELQU'UN, DEVENIR EXIGIBLE POUR QUELQU'UN

(dr.) Acquérir un droit ou un avantage, par exemple le droit de recouvrer une créance ou celui de recevoir une pension.

ACCUMULATED DEPLETION
PROVISION POUR ÉPUISEMENT, PROVISION POUR RECONSTITUTION DE GISEMENTS

Montant cumulatif représentant le coût des ressources naturelles passé en charges depuis le début de leur exploitation. *N.B.* En France, on emploie aussi l'expression **provision pour renouvellement**; la provision à constituer alors en vue de renouveler un bien consommé n'existe qu'en vertu d'une décision fiscale particulière et pour des secteurs spécifiques (mines, concessions, etc.). *V.a.* **depletion expense**.

ACCUMULATED DEPRECIATION
AMORTISSEMENT (CUMULÉ), (MONTANT CUMULÉ DES) AMORTISSEMENTS

Montant cumulatif représentant la partie du coût des immobilisations corporelles passée en charges depuis le moment de leur utilisation par l'entreprise. *V.a.* **depreciation expense**.

ACID TEST RATIO
INDICE DE LIQUIDITÉ, RATIO DE TRÉSORERIE, COEFFICIENT DE LIQUIDITÉ, RATIO DE LIQUIDITÉ

(anal. fin.) Quotient des disponibilités (encaisse, titres négociables et comptes clients) par le total du passif à court terme. *Syn.* **liquidity ratio** et **quick ratio**. *V.a.* **liquid assets** et **ratio analysis**.

ACKNOWLEDGEMENT OF RECEIPT
ACCUSÉ DE RÉCEPTION

(comm.) Avis que l'expéditeur reçoit d'une autre personne pour l'informer que la chose qu'il lui a envoyée s'est rendue à destination. *V.a.* **receipt** 3.

ACQUIRED SHARE
ACTION RACHETÉE

Action déjà émise qu'une société rachète en vue de l'annuler ou de la revendre. *N.B.* En France et en Belgique, on entend par **amortissement du capital** le remboursement partiel ou total aux actionnaires de leur capital avant la date de liquidation. Les **actions** intégralement **amorties** sont des **actions de jouissance** par opposition aux **actions non amorties** appelées **actions de capital** parce qu'elles représentent une part réelle du capital social. *Syn.* **reacquired share** *(fam.)* et **repurchased share** *(fam.)*. *Comparer avec* **redeemable share** et **redeemed share**. *V.a.* **share** 2.

ACQUISITION 1.
ACQUISITION
(dr.) Obtention du droit de propriété sur un bien par voie d'achat, d'échange, de donation, etc.

ACQUISITION 2.
ACQUISITION, PRISE DE PARTICIPATION, PRISE DE CONTRÔLE, ABSORPTION
(fin.) Opération financière par laquelle une entreprise s'assure le droit d'exercer un contrôle sur une autre en acquérant tout ou partie de son capital social. *N.B.* Les actions ainsi acquises peuvent l'être de gré à gré, par l'intermédiaire d'un agent de change ou par le truchement d'une **offre publique d'achat (O.P.A.)**. *V.a.* **business combination**, **takeover** et **takeover bid**.

ACQUISITION COST
COÛT D'ACHAT, COÛT D'ACQUISITION, VALEUR D'ACQUISITION, PRIX D'ACQUISITION, VALEUR
  D'ACHAT
(comm.) Prix coûtant d'un bien majoré de tous les autres frais (frais juridiques, frais de transport et d'installation, etc.) qu'il est nécessaire d'engager avant que l'entreprise ne puisse utiliser ce bien. *N.B.* Pour les marchandises, les matières et les fournitures, le coût d'achat comprend le montant figurant sur les factures d'achat majoré de tous les **coûts incorporables**, c'est-à-dire les frais d'approvisionnement, les frais de transport et les frais de stockage jusqu'au stade ultime de leur vente ou de leur utilisation par l'entreprise. *Comparer avec* **historical cost**. *V.a.* **cost** 1. et **incidental expenses**.

ACQUISITION EQUATION
ÉQUATION DE REGROUPEMENT
Équation portant sur un regroupement d'entreprises et ayant comme premier membre les éléments de l'actif net acquis et comme second membre, la contrepartie donnée par l'acquéreur. *Syn.* **purchase equation**.

ACQUISITION REVIEW
ÉTUDE PRÉALABLE À L'ACQUISITION, ÉTUDE PRÉREGROUPEMENT
Voir **purchase investigation**.

ACTIVE BUSINESS
ENTREPRISE EXPLOITÉE ACTIVEMENT
(fisc. can.) Entreprise qui a un volume important d'opérations commerciales habituelles par rapport à ses ressources en capital. Les bénéfices que réalise cette entreprise proviennent des efforts de son personnel et son activité principale n'est pas le placement.

ACTIVE BUSINESS INCOME
REVENU TIRÉ D'UNE ENTREPRISE EXPLOITÉE ACTIVEMENT
(fisc. can.) Bénéfice directement imputable à une entreprise exploitée activement et revenus connexes provenant d'éléments d'actif que cette entreprise utilise. *V.a.* **business income**.

ACTIVE FILE
DOSSIER OUVERT, DOSSIER ACTIF
(lang. cour.) Dossier auquel on se réfère régulièrement et auquel on peut ajouter des documents. *Comparer avec* **closed file**.

ACTIVITY ACCOUNTING
COMPTABILITÉ PAR CENTRES DE RESPONSABILITÉ, COMPTABILITÉ PAR DESTINATION (Belg.)
Voir **responsibility accounting**.

ACTIVITY RATIO
NIVEAU D'ACTIVITÉ, RATIO D'ACTIVITÉ
(prod.) Rapport entre l'activité réelle et l'activité normale exprimée généralement en pourcentage de la capacité normale de production. *V.a.* **overhead application**.

ACT OF BANKRUPTCY
ACTE DE FAILLITE

(dr. can.) Acte accompli par un débiteur et ayant pour conséquence de permettre aux créanciers d'entamer des procédures en vertu de la Loi sur les faillites. *V.a.* **bankruptcy**, **file a petition in bankruptcy** et **go bankrupt**.

ACT OF GOD
ÉVÉNEMENT FORTUIT

(ass.) Événement attribuable le plus souvent à un cataclysme, qu'un contrat d'assurance ne couvre généralement pas et qui peut donner naissance à une perte considérée en comptabilité comme étant extraordinaire.

ACT OF SUBROGATION
ACTE DE SUBROGATION

(ass.) Écrit par lequel l'assuré cède à l'assureur ses droits de recours après versement de l'indemnité à laquelle un sinistre donne lieu. *V.a.* **subrogation**.

ACTUAL COST
COÛT RÉELLEMENT ENGAGÉ, COÛT RÉEL

Coût auquel donne lieu l'acquisition d'un bien ou la fabrication d'un produit, par opposition à un coût prévu ou budgété. *Syn.* **real cost**. *Comparer avec* **budgeted cost** et **standard cost**.

ACTUARIAL ASSUMPTIONS
HYPOTHÈSES ACTUARIELLES

(rentes et *ass.)* Hypothèses portant sur les événements futurs susceptibles d'influer sur les charges d'un régime de retraite ou le coût d'un contrat d'assurance. Ces événements sont notamment : 1) les décès, l'âge et le roulement du personnel, 2) le rendement futur des investissements ainsi que les plus-values et les moins-values s'y rapportant, et 3) les changements apportés à la rémunération des participants et aux avantages sociaux qui leur sont attribués.

ACTUARIAL COST METHODS
MÉTHODES ACTUARIELLES D'ATTRIBUTION DES COÛTS

(act. et *rentes)* Techniques qu'utilise un actuaire pour déterminer, d'une part, le coût afférent à l'attribution de prestations de retraite et, d'autre part, la façon de répartir ce coût sur un nombre donné de périodes. *Syn.* **funding methods**.

ACTUARIAL DEFICIENCY
DÉFICIT ACTUARIEL, INSUFFISANCE ACTUARIELLE

Voir **experience loss**.

ACTUARIAL GAIN 1. *(vieilli)*
GAIN ACTUARIEL

(act. et *rentes)* Terme employé pour désigner un excédent actuariel *(experience gain)* ou une diminution de la dette actuarielle (ou les deux à la fois), attribuable soit à l'adoption de nouvelles hypothèses actuarielles ou d'une nouvelle méthode actuarielle, soit à des changements apportés au régime de retraite en cause. *V.a.* **experience gain**.

ACTUARIAL GAIN 2. *(U.S.)*
EXCÉDENT ACTUARIEL

Voir **experience gain**.

ACTUARIAL LIABILITY 1.
DETTE ACTUARIELLE, ENGAGEMENT ACTUARIEL

(act. et *rentes)* Excédent de la valeur actuarielle actualisée du total des prestations qui seront versées aux participants en vertu d'un régime de retraite sur la valeur actuarielle actualisée des coûts actuariels normaux du régime. *V.a.* **past service pension liability** et **unfunded actuarial liability**.

ACTUARIAL LIABILITY 2.
RÉSERVE ACTUARIELLE
Voir **actuarial reserve**.

ACTUARIAL LOSS 1. *(vieilli)*
PERTE ACTUARIELLE
(act. et *rentes)* Terme employé pour désigner une insuffisance actuarielle *(experience loss)* ou une augmentation de la dette actuarielle (ou les deux à la fois), attribuable soit à l'adoption de nouvelles hypothèses actuarielles ou d'une nouvelle méthode actuarielle, soit à des changements apportés au régime de retraite en cause. V.a. **experience loss**.

ACTUARIAL LOSS 2. *(U.S.)*
DÉFICIT ACTUARIEL, INSUFFISANCE ACTUARIELLE
Voir **experience loss**.

ACTUARIAL PRESENT VALUE
VALEUR ACTUARIELLE ACTUALISÉE
(act. et *rentes)* Valeur actualisée, à une date donnée, d'un versement ou d'une série de versements effectué(s) à différentes dates, dont le montant est déterminé en fonction d'un ensemble d'hypothèses actuarielles. *V.a.* **unfunded actuarial liability**.

ACTUARIAL RESERVE
DETTE ACTUARIELLE, ENGAGEMENT ACTUARIEL
(ass.) Montant, y compris les primes futures et les revenus de placement, qui permettra à une compagnie d'assurances sur la vie de respecter, à la date d'échéance, les engagements auxquels donnent lieu les contrats d'assurance et de rente en vigueur à une date donnée. *Syn.* **actuarial liability** 2.

ACTUARIAL VALUATION
ÉVALUATION ACTUARIELLE, EXPERTISE ACTUARIELLE
(act. et *rentes)* Évaluation périodique d'un régime de retraite faite par un actuaire et consistant dans : 1) la détermination de la valeur de l'actif de la caisse de retraite, 2) une estimation de la valeur actuarielle actualisée des prestations à verser en vertu du régime, 3) une évaluation des gains ou pertes actuariels, et 4) une estimation des cotisations futures que l'employeur aura à verser. *N.B.* On donne parfois à cette évaluation actuarielle le nom de **bilan technique**.

ACTUARIAL VALUE OF ASSETS
VALEUR ACTUARIELLE DE L'ACTIF
(act. et *rentes)* Valeur des actifs d'une caisse de retraite dont se sert un actuaire aux fins d'une évaluation actuarielle.

ACTUARY
ACTUAIRE
(act.) Spécialiste de la statistique et du calcul des probabilités appliqués aux problèmes d'assurances, de prévoyance et d'amortissement. *N.B.* Les calculs de l'actuaire servent notamment à déterminer le montant des primes d'assurance-vie et les sommes à verser dans une caisse de retraite, compte tenu de certains facteurs, notamment la durée de vie probable des assurés ou des participants.

ADDED VALUE
VALEUR AJOUTÉE
(écon.) Accroissement de valeur que l'entreprise apporte aux biens et aux services en provenance de tiers dans l'exercice de ses activités professionnelles. *N.B.* La **valeur ajoutée** est mesurée par la différence entre la valeur de la production de la période et les consommations de biens et services fournis par des tiers pour cette production. Elle comprend notamment les salaires et les charges sociales, les impôts directs, les charges financières et la marge bénéficiaire brute. *V.a.* **value added tax**.

ADDENDUM
AJOUT

(lang. cour.) Élément ajouté à un texte original, par exemple un manuscrit et un contrat. *N.B.* Les notes additionnelles figurant à la fin d'un ouvrage s'appellent **addenda**.

ADDITIONAL TAX ASSESSMENT
REDRESSEMENT FISCAL, RAPPEL D'IMPÔTS

(fisc.) Expression qui désigne le complément d'impôt exigé du contribuable par l'Administration fiscale pour réparer ou compenser une insuffisance, inexactitude, omission ou dissimulation dans les sommes qu'il a déclarées pour asseoir le montant de l'impôt exigible. *N.B.* Un redressement fiscal peut parfois donner lieu à un remboursement des impôts payés en trop. *Syn.* **income tax reassessment**. *V.a.* **assessment** 1., **reassessment notice** et **tax assessment**.

ADDITIONS
ACQUISITIONS

Ensemble des immobilisations corporelles que l'entreprise a acquises au cours d'un exercice. *Comparer avec* **disposals**.

ADDRESS
ADRESSE

(inf.) Symbole ou nombre identifiant un emplacement de mémoire. *Syn.* **location** 2. *V.a.* **direct address** et **storage location.**

ADJUSTED COST BASE
PRIX DE BASE RAJUSTÉ

(fisc. can.) Prix de base ou coût d'origine d'un bien, modifié pour tenir compte des divers redressements prévus dans la loi et comparé au prix de vente en vue de déterminer le gain ou la perte en capital résultant de la vente de ce bien. *V.a.* **cost base.**

ADJUSTED TRIAL BALANCE
*BALANCE DE VÉRIFICATION RÉGULARISÉE, BALANCE (DE VÉRIFICATION) APRÈS
    INVENTAIRE (Fr. et Belg.)*

Balance de vérification que le comptable établit après avoir passé les écritures de régularisation (ou d'inventaire). *V.a.* **adjusting entry** 1. et **trial balance.**

ADJUSTING ENTRY 1.
*ÉCRITURE DE RÉGULARISATION, ÉCRITURE DE REDRESSEMENT, ÉCRITURE
    D'INVENTAIRE (Fr. et Belg.)*

Écriture passée avant la clôture des comptes et ayant pour objet : 1) de répartir des produits et des charges entre plusieurs exercices, par exemple la ventilation de la paye lorsque l'exercice se termine entre deux dates de paye, 2) d'inclure dans l'état des résultats (ou compte de résultat) une partie d'une charge payée d'avance ou d'un produit reçu d'avance, et 3) d'inscrire les dotations aux comptes d'amortissements (immobilisations corporelles et incorporelles) et aux comptes de provisions (créances douteuses, dépréciation des stocks, risques et charges). *V.a.* **adjusted trial balance**, **adjustment** 1. et **correcting entry.**

ADJUSTING ENTRY 2.
ÉCRITURE D'AJUSTEMENT

Écriture passée pour rétablir la concordance entre deux comptes ou deux séries de données. Ainsi on redressera l'inventaire comptable (dans le cas des stocks, par exemple) pour tenir compte des différences pouvant exister entre ce chiffre et les résultats d'un dénombrement, c'est-à-dire l'inventaire physique. *V.a.* **book inventory** 2. et **physical inventory.**

ADJUSTING ENTRY 3.
*ÉCRITURE DE CORRECTION, ÉCRITURE DE REDRESSEMENT, ÉCRITURE RECTIFICATIVE, (ÉCRITURE
    D')EXTOURNE*

Voir **correcting entry**.

ADJUSTMENT 1.
RÉGULARISATION, REDRESSEMENT
Changement apporté au solde d'un compte, généralement en fin d'exercice, en vue de mieux déterminer les produits et les charges, d'une part, et la valeur attribuée aux éléments correspondants de l'actif et du passif, d'autre part. *V.a.* **adjusting entry** 1.

ADJUSTMENT 2.
CORRECTION, REDRESSEMENT
Procédure mise en oeuvre en vue de rectifier une erreur commise lors de l'enregistrement d'une opération. *N.B.* En France et en Belgique, le terme **redressement** s'emploie particulièrement dans le contexte de la constatation de toutes sortes d'erreurs, y compris une erreur découverte par l'Administration fiscale. *V.a.* **correcting entry**.

ADJUSTMENT 3.
AJUSTEMENT
(comm.) Toute modification apportée notamment au prix d'un produit, à un tarif ou aux salaires du personnel.

ADMINISTRATION BUDGET
BUDGET D'ADMINISTRATION
(gest.) Budget qui regroupe toutes les charges afférentes à l'ensemble des fonctions (direction générale, personnel, comptabilité, finance, secrétariat et contentieux) qui contribuent à la gestion de l'entreprise. *V.a.* **budget** *n.* 1.

ADMINISTRATION EXPENSES
FRAIS D'ADMINISTRATION, FRAIS ADMINISTRATIFS, FRAIS DE GESTION, CHARGES
   ADMINISTRATIVES
Voir **administrative expenses**.

ADMINISTRATIVE EXPENSES
FRAIS D'ADMINISTRATION, FRAIS ADMINISTRATIFS, FRAIS DE GESTION, CHARGES
   ADMINISTRATIVES
Frais inhérents à la gestion générale de l'entreprise, engagés pour assurer sa bonne marche. *Syn.* **administration expenses**.

ADMINISTRATOR 1.
ADMINISTRATEUR, GESTIONNAIRE
(gest.) Personne qui administre les biens, les affaires d'une entreprise. *N.B.* En France et en Belgique, le gestionnaire d'une société à responsabilité limitée (S.A.R.L.) et celui d'une société de personnes à responsabilité limitée (S.P.R.L.) s'appelle un **gérant** tandis que celui d'une société anonyme (S.A.) porte le nom d'**administrateur**. *V.a.* **qualifying share(s)**.

ADMINISTRATOR 2.
ADMINISTRATEUR JUDICIAIRE (Can.), ADMINISTRATEUR PROVISOIRE, CURATEUR (À SUCCESSION
   VACANTE)
(dr.) Titre donné à la personne désignée par le tribunal pour gérer une succession. *Comparer avec* **executor** et **trustee** 1. *V.a.* **fiduciary**.

AD VALOREM
AD VALOREM, À LA VALEUR, SUR LA VALEUR
(fisc.) Locution latine signifiant *suivant la valeur de* qui s'emploie pour qualifier des marchandises sur lesquelles il faut payer des droits calculés en fonction de leur valeur.

ADVANCE 1.
AVANCE (SUR NOTE DE FRAIS)
(lang. cour.) Somme versée à une personne pour lui permettre d'effectuer des dépenses dont elle devra rendre compte plus tard. *Syn.* **expense advance**. *V.a.* **out-of-pocket costs**.

ADVANCE 2.
AVANCE, ACOMPTE, ARRHES
(comm.) **Somme à valoir** sur le prix d'un contrat, de services ou de marchandises, versée avant que le contrat ne soit exécuté, les services rendus ou les marchandises livrées. *N.B.* Le terme **avance** convient davantage dans le cas où la somme est versée avant toute exécution de commande. En revanche, on utilise le terme **acompte** lorsque la somme versée tire sa justification de l'exécution partielle de la commande. Dans le cas des **arrhes**, la somme versée n'est pas restituée s'il y a rupture du contrat tandis qu'elle peut l'être lorsqu'il s'agit d'une **avance**. *V.a.* **deposit** 3., **downpayment** et **earnest money**.

ADVANCE 3.
PRÊT, AVANCE
(fin.) Somme prêtée par une personne à une autre ou par une entreprise à une autre, par exemple la somme versée par une société mère à sa filiale.

ADVANCE BILLING
FACTURATION PAR ANTICIPATION
(comm.) Montant facturé avant que le bénéficiaire de la somme touchée n'ait rendu les services ou exécuté les travaux commandés. *V.a.* **billing** et **pro-forma invoice**.

ADVANCE NOTICE
PRÉAVIS
(dr.) Avertissement que la partie qui prend l'initiative d'une rupture d'un contrat (un contrat de travail, par exemple) est tenue de donner à l'autre partie, dans un délai et des conditions déterminées. *V.a.* **notice** 1.

ADVANCE PAYMENT
PAIEMENT ANTICIPÉ, PAIEMENT PAR ANTICIPATION
(comm.) Somme versée avant que les marchandises n'aient été livrées ou les services rendus. *Syn.* **payment in advance**. *V.a.* **prepayment**.

ADVERSE OPINION
OPINION DÉFAVORABLE (Can.), *REFUS DE CERTIFIER (Fr. et Belg.)*
(E.C.) Déclaration de l'expert-comptable énonçant que l'information financière présentée dans les états financiers (ou comptes annuels) n'est pas fidèle puisque ces derniers ne sont pas conformes aux principes comptables généralement reconnus (ou à d'autres règles comptables appropriées communiquées au lecteur). *V.a.* **auditor's opinion**.

ADVERTISING EXPENSES
FRAIS DE PUBLICITÉ
Dépenses que l'entreprise engage pour promouvoir la vente de ses produits ou de ses services.

AFFAIRS, STATEMENT OF
BILAN DE RÉALISATION ÉVENTUELLE, BILAN D'OUVERTURE DE LIQUIDATION
Voir **statement of affairs**.

AFFILIATED COMPANY
SOCIÉTÉ LIÉE, SOCIÉTÉ APPARENTÉE, SOCIÉTÉ AFFILIÉE (Can.), SOCIÉTÉ
   ASSOCIÉE (Can., Belg. et C.E.E.)
(org. des entr.) Société ayant un lien de participation dans une autre société par l'intermédiaire de ses propriétaires ou de sa direction, ou reliée à une autre pour des raisons qui peuvent différer selon les pays, les lois en cause et les organismes concernés. *N.B.* Un ensemble de sociétés affiliées constitue un **groupe**. *Syn.* **affiliated corporation**, **associated company** 1., **associated corporation**, **corporate affiliate** et **related company**. *V.a.* **company subject to significant influence** et **subsidiary (company)**.

AFFILIATED CORPORATION
SOCIÉTÉ LIÉE, SOCIÉTÉ APPARENTÉE, SOCIÉTÉ AFFILIÉE (Can.), SOCIÉTÉ ASSOCIÉE (Can., Belg. et C.E.E.)

Voir **affiliated company**.

AFFILIATED FIRM
CABINET AFFILIÉ, CABINET ASSOCIÉ

(prof. compt.) Cabinet (d'experts-comptables) qui entretient des relations permanentes avec un autre cabinet dont il est juridiquement distinct. *V.a.* **correspondent auditor**.

AGED TRIAL BALANCE
BALANCE CHRONOLOGIQUE, BALANCE PAR ANTÉRIORITÉ DES SOLDES

Balance dans laquelle on ventile le solde des comptes clients en fonction du temps écoulé depuis la date effective des opérations ou depuis le moment où les créances sont devenues exigibles. *V.a.* **aging of accounts receivable**.

AGENCY
AGENCE

(comm.) Établissement commercial indépendant (par exemple une agence de voyages) servant d'intermédiaire pour le traitement de certaines affaires. *N.B.* Le terme **agence** peut aussi désigner un établissement commercial qui représente une entreprise et fonctionne sous son contrôle de même que le local d'un de ces établissements. *V.a.* **agent**.

AGENCY FUND
FONDS EN FIDÉICOMMIS, FONDS EN FIDUCIE

(compt. publ.) Compte dans lequel une Administration publique inscrit les biens que des tiers lui confient.

AGENCY ISSUE
PLACEMENT POUR COMPTE, SOUSCRIPTION À TITRE DE MANDATAIRE, SOUSCRIPTION SANS RESPONSABILITÉ

Voir **best efforts offering**.

AGENCY RELATIONSHIP
RELATION DE MANDATAIRE

(E.C.) Relation existant entre un expert-comptable qui a accepté une mission de vérification (ou révision) et un autre expert-comptable à qui il confie le mandat de l'exécuter en tout ou en partie. Ainsi l'expert-comptable engagé par une société mère pourrait expressément confier à un autre expert-comptable, en accord avec son client, le mandat de vérifier (ou réviser) en son nom les états financiers (ou comptes annuels) d'une filiale. *V.a.* **correspondent auditor**.

AGENDA
ORDRE DU JOUR

(lang. cour.) Matières, sujets et questions dont une assemblée délibérante doit discuter tour à tour; document écrit constatant ces sujets et l'ordre dans lequel ils doivent être abordés.

AGENT
AGENT, FONDÉ DE POUVOIR, DÉLÉGUÉ, MANDATAIRE

(dr.) Personne physique ou morale (le **mandataire**) qui reçoit le mandat de conclure des contrats pour le compte d'un tiers (le **mandant**). *Syn.* **proxy** 1. *Comparer avec* **broker** 1. et 2. et **principal** 3. *V.a.* **agency** et **attorney**.

AGE OF AN ACCOUNT
ANCIENNETÉ D'UN COMPTE

(comm.) Temps écoulé à compter de la date de facturation de marchandises ou de services et dont le titulaire du compte n'a pas encore réglé le prix. *V.a.* **aging of accounts receivable**.

AGING OF ACCOUNTS RECEIVABLE
CLASSEMENT CHRONOLOGIQUE DES COMPTES CLIENTS, CLASSEMENT PAR ANTÉRIORITÉ (DES SOLDES) DES COMPTES CLIENTS

Méthode qui consiste à classer les comptes clients en fonction du temps qui s'est écoulé depuis la date effective des opérations (généralement la date de facturation) ou depuis le moment où les créances sont devenues exigibles. *V.a.* **aged trial balance** et **age of an account**.

AGREED PRICE
PRIX CONVENU

(dr.) Prix stipulé dans un contrat de vente ou de prestation de services.

ALGORITHM
ALGORITHME

(inf.) Ensemble de règles déterminées servant à résoudre un problème au moyen d'un nombre fini d'opérations en attribuant des valeurs numériques à des expressions mathématiques.

ALL-FINANCIAL-RESOURCES CONCEPT
(THÉORIE DE LA) PRÉSENTATION INTÉGRALE DES RESSOURCES FINANCIÈRES, CONCEPTION GLOBALE DU TABLEAU DE FINANCEMENT (Fr.)

Théorie selon laquelle l'état de l'évolution de la situation financière (ou tableau de financement) doit faire ressortir tous les aspects du financement de l'entreprise et de l'investissement de ses fonds plutôt que les seules opérations qui influent sur les fonds. Ainsi l'acquisition d'un terrain contre une émission de nouvelles actions doit figurer à la fois à titre de ressource (les actions émises) et d'emploi (le terrain acquis). *V.a.* **statement of changes in financial position**.

ALL-INCLUSIVE CONCEPT OF NET INCOME
FORMULE DU BÉNÉFICE NET GLOBAL

(Can.) Formule selon laquelle on tient compte, dans l'état des résultats, des effets de toutes les opérations (courantes et non courantes) ayant contribué à augmenter ou à diminuer les capitaux propres (à l'exclusion des opérations portant sur ceux-ci). *Comparer avec* **current operating performance concept**. *V.a.* **clean surplus concept**.

ALLOCATE
VENTILER, RÉPARTIR

Répartir une somme entre différents comptes ou différents services, par exemple ventiler le loyer entre différents services selon la superficie qu'occupe chacun d'eux.

ALLOCATION 1.
VENTILATION, RÉPARTITION

Action de ventiler une somme, le plus souvent proportionnellement, au moyen de coefficients appelés **clés de répartition**; résultat de cette action. *Syn.* **apportionment** 1. et **distribution** 3. *V.a.* **breakdown** et **cost allocation**.

ALLOCATION 2.
AFFECTATION (DES RESSOURCES), RÉPARTITION (DES RESSOURCES)

(gest.) Attribution des ressources disponibles et répartition de celles-ci sur les différents secteurs concernés.

ALLOCATION BASIS OF ACCOUNTING
(MÉTHODE DE LA) COMPTABILITÉ AVEC VENTILATION, (MÉTHODE DE LA) COMPTABILITÉ AVEC RÉPARTITION

Méthode qui consiste, après que l'on a enregistré les opérations d'une entreprise, à répartir les rentrées ou les sorties de fonds s'y rapportant soit sur un certain nombre d'exercices (par exemple la ventilation du coût d'un bien sur plusieurs exercices), soit sur un certain nombre de produits, centres ou sections (par exemple la répartition du salaire d'un cadre pour un exercice donné). *N.B.* Le processus de ventilation n'a pour but que de déterminer le bénéfice d'un exercice ou le coût complet d'un produit, d'une section ou d'un service et n'a aucun effet comme tel sur le flux de l'encaisse. *Comparer avec* **cash flow basis of accounting**.

ALLOCATION (TO A PROVISION)
DOTATION

Action d'imputer une somme à un exercice en la portant respectivement dans un compte de charge et dans un compte de provision. *V.a.* **provision** 3.

ALLOTED SHARES
ACTIONS ATTRIBUÉES, ACTIONS RÉPARTIES

(fin.) Actions pour lesquelles l'entreprise a reçu des souscriptions que la direction a formellement acceptées. *V.a.* **share** 2.

ALLOTMENT 1.
ATTRIBUTION, RÉPARTITION

(fin.) Acceptation, par le conseil d'administration, de souscriptions à des actions qu'il a l'intention d'émettre, et attribution de ces actions aux souscripteurs.

ALLOTMENT 2.
AFFECTATION

(compt. publ.) Subdivision d'un budget dans lequel on précise les crédits pouvant être utilisés au cours d'une période, selon la nature des dépenses ou celle des activités, des projets ou des programmes en cause.

ALLOWANCE 1.
RÉFACTION

(comm.) Réduction opérée sur le prix des marchandises au moment de leur livraison ou de leur enlèvement lorsqu'elles ne respectent pas les conditions convenues (défaut de fabrication ou dommage en cours de transport). *V.a.* **discount** *n.* 1.

ALLOWANCE 2.
RABAIS, REMISE, ABATTEMENT, RISTOURNE, ESCOMPTE

Voir **discount** *n.* 1.

ALLOWANCE 3.
ABATTEMENT, MOINS-VALUE, DÉPRÉCIATION, DÉCOTE, RÉDUCTION DE VALEUR

Réduction opérée sur la valeur comptable d'un bien afin d'en déterminer la valeur de réalisation approximative. *N.B.* Le terme **abattement** désigne la constatation comptable de la perte de valeur d'un patrimoine résultant de causes dont les effets ne sont pas nécessairement irréversibles, sinon il s'agit d'un **amortissement**. *Syn.* **write down** *n. V.a.* **depreciation** 2., **loss in value**, **provision** 3., **valuation allowance** et **write down** *v.* 1.

ALLOWANCE 4.
INDEMNITÉ

(rel. de tr.) Somme d'argent, généralement forfaitaire, qui s'ajoute parfois au salaire à titre de dédommagement pour des dépenses engagées à l'occasion du travail (**indemnité de repas, de logement, de transport**, etc.) ou pour des conditions économiques jugées anormales ou provisoires (**indemnité d'éloignement, de vie chère**, etc.). *V.a.* **accommodation allowance, expense account, living allowance** et **per diem allowance**.

ALLOWANCE 5.
ALLOCATION

(écon.) Prestation individualisée de la collectivité publique soit en argent, soit en nature (par exemple les allocations familiales), allouée périodiquement à différents titres de la législation sociale pendant le temps que dure une charge ou une dépense.

ALLOWANCE 6.
MARGE DE TOLÉRANCE

(prod.) Écart acceptable entre les caractéristiques réelles d'un objet fabriqué ou d'un produit et les caractéristiques prévues.

ALLOWANCE FOR DOUBTFUL ACCOUNTS
PROVISION POUR CRÉANCES DOUTEUSES, PROVISION POUR DÉPRÉCIATION (FINANCIÈRE) DES
  COMPTES CLIENTS

Compte de contrepartie où figurent les sommes que l'entreprise estime ne pouvoir recouvrer de ses clients. *N.B.* En Belgique, les créances douteuses ne peuvent faire l'objet de provisions (sauf exceptions comme dans le cas des banques) et on parlera alors de **réduction de valeur sur créances**. *V.a.* **doubtful account**.

ALLOWANCE METHOD
(MÉTHODE D')IMPUTATION FONDÉE SUR LA CONSTITUTION D'UNE PROVISION

Méthode qui a pour objet de mieux rapprocher les produits et les charges en imputant à l'exercice une charge estimative (par exemple les créances douteuses et les frais relatifs à des garanties) et en portant la même somme au crédit d'un compte de contrepartie (par exemple le compte Provision pour créances douteuses) ou d'un compte de passif (par exemple le compte Dette relative à des garanties). *Comparer avec* **direct charge off method**.

ALL-PURPOSE FINANCIAL STATEMENTS
ÉTATS FINANCIERS À VOCATION GÉNÉRALE, COMPTES ANNUELS À VOCATION GÉNÉRALE, ÉTATS
  FINANCIERS À USAGE GÉNÉRAL, COMPTES ANNUELS À USAGE GÉNÉRAL

Voir **general purpose financial statements**.

ALPHANUMERIC
ALPHANUMÉRIQUE

(inf.) Composé de lettres ou de chiffres, ou des deux à la fois et, par extension, de signes quelconques.

ALTERATION
CHANGEMENT, MODIFICATION

(lang. cour.) Action de modifier une immobilisation, qui toutefois n'influe ni sur sa valeur vénale, ni sur sa capacité de service.

ALTERNATIVES
SOLUTIONS DE RECHANGE, OPTIONS, POSSIBILITÉS

(gest.) **Choix** qui s'offrent à la direction d'une entreprise qui, par exemple, désire effectuer des investissements mais qui ne peut mettre à exécution tous les projets envisagés en raison d'un budget limité. N.B. Employé au singulier, le terme anglais *alternative* désigne une des solutions à un problème donné. En français, l'**alternative** est toujours unique puisqu'elle est la situation elle-même dans laquelle il n'existe que deux partis possibles, par exemple, pour un employé, accepter une mutation ou être obligé de se démettre.

AMALGAMATION
(CONCENTRATION PAR) FUSION, ABSORPTION PAR FUSION

(fin.) Regroupement de plusieurs sociétés en vertu duquel une nouvelle société acquiert l'actif et prend en charge le passif des sociétés regroupées. *V.a.* **business combination**, **merger** et **statutory amalgamation**.

AMENDMENT (OF AN ENTRY) BY ALTERATION
SURCHARGE D'UNE ÉCRITURE

Modification d'une écriture comptable qui peut, de ce fait, devenir illisible. *N.B.* Cette pratique est généralement interdite en comptabilité et, dans certains pays, par la loi.

AMORTIZATION 1.
AMORTISSEMENT

Réduction jugée irréversible, répartie sur une période déterminée, du montant porté à certains postes du bilan (éléments d'actif corporel ou incorporel amortissables). *N.B.* Le terme anglais *amortization* est un générique que l'on peut aussi employer à la place des termes *depletion* et *depreciation*, mais il ne s'emploie généralement que pour désigner l'amortissement des immobilisations incorporelles et l'extinction graduelle d'une dette à long terme. *V.a.* **depletion expense**, **depreciation 2.** et **depreciation expense**.

AMORTIZATION 2.
AMORTISSEMENT (FINANCIER)
(fin.) Remboursement graduel ou provision pour l'extinction d'une dette (généralement à moyen ou à long terme) selon un plan d'amortissement prévoyant l'extinction du principal (amortissement financier au sens strict) et le paiement des intérêts s'y rapportant. *V.a.* **amortization table** 1.

AMORTIZATION EXPENSE
DOTATION AUX AMORTISSEMENTS, ANNUITÉ D'AMORTISSEMENT, AMORTISSEMENT (DE L'EXERCICE) (Can.)
Charge supportée par un exercice au titre de l'amortissement des immobilisations incorporelles (brevets d'invention, frais d'établissement, etc.). *V.a.* **depreciation expense**.

AMORTIZATION PERIOD
PÉRIODE D'AMORTISSEMENT
Temps pendant lequel une immobilisation incorporelle est amortie, ou une dette à long terme éteinte.

AMORTIZATION PLAN
PLAN D'AMORTISSEMENT, PLAN DE REMBOURSEMENT
(fin.) Plan établi par la direction et prévoyant la façon dont une dette sera éteinte et les intérêts s'y rapportant payés.

AMORTIZATION TABLE 1.
TABLEAU D'AMORTISSEMENT, PLAN D'AMORTISSEMENT, TABLEAU DE REMBOURSEMENT
(fin.) Tableau qui matérialise le plan de remboursement ou d'amortissement d'un emprunt. Ce tableau indique, pour chaque période, le capital non encore remboursé au début de la période, le montant du versement (appelé **annuité de remboursement**) décomposé en intérêts et amortissement de la dette, et le capital restant dû après le versement. *Syn.* **redemption table**. *V.a.* **amortization** 2. et **redemption**.

AMORTIZATION TABLE 2.
TABLEAU D'AMORTISSEMENT
Tableau dans lequel, pour une émission d'obligations, figurent, à chaque date d'intérêt, les intérêts versés, les intérêts débiteurs, la prime ou l'escompte amorti (la différence entre les intérêts versés et les intérêts débiteurs) et la valeur comptable des obligations.

AMORTIZED COST
FRACTION NON AMORTIE DU COÛT, COÛT NON AMORTI
Coût d'acquisition d'un bien incorporel, diminué de la partie passée en charges à titre d'amortissement ou de perte. *N.B.* La somme ainsi passée en charges porte le nom de **fraction amortie du coût**. *Syn.* **unamortized cost**.

AMORTIZED VALUE
FRACTION NON AMORTIE DE LA VALEUR, VALEUR NON AMORTIE, VALEUR (NETTE) APRÈS AMORTISSEMENT, VALEUR COMPTABLE RÉSIDUELLE
Valeur attribuée à un élément d'actif ou de passif, diminuée de la partie passée en charges à titre d'amortissement ou de perte. *N.B.* La somme ainsi passée en charges s'appelle **fraction amortie de la valeur**. *Syn.* **depreciated value**, **residual value** 2. et **unamortized value**.

AMOUNT
MONTANT
(lang. cour.) Chiffre auquel s'élève un total, un calcul, un dénombrement.

AMOUNT BROUGHT (CARRIED) FORWARD 1.
REPORT, MONTANT À REPORTER
Se dit d'un montant que l'on doit reporter à la page suivante.

AMOUNT BROUGHT (CARRIED) FORWARD 2.
REPORT, MONTANT REPORTÉ
Se dit d'un montant que l'on a reporté de la page précédente.

ANALOG COMPUTER
CALCULATEUR ANALOGIQUE
(inf.) Ordinateur dans lequel on utilise essentiellement des représentations analogiques de données. Le **traitement** est dit **analogique** lorsque les grandeurs physiques représentant les informations traitées sont directement proportionnelles aux données ou leur sont rattachées par une fonction continue. *N.B.* Dans un calculateur analogique, la grandeur physique représentative des données et des résultats est une tension ou une intensité électrique. *Comparer avec* **digital computer**.

ANALYSIS 1.
ANALYSE
(lang. cour.) Examen méthodique d'un problème et de chacune de ses composantes. *V.a.* **correlation analysis**, **cost/benefit analysis**, **financial analysis**, **incremental analysis**, **input/output analysis**, **network analysis**, **ratio analysis**, **regression analysis** et **sensitivity analysis**.

ANALYSIS 2.
ANALYSE
(E.C.) Technique de vérification (ou révision) dont l'objet est d'analyser et d'évaluer le contenu des livres comptables ainsi que les relations existant entre l'information financière et différents renseignements de nature connexe.

ANALYSIS OF FINANCIAL STATEMENTS
ANALYSE DES ÉTATS FINANCIERS, ANALYSE DES COMPTES ANNUELS
(anal. fin.) Phase de l'analyse financière portant sur les états financiers (ou comptes annuels). *Syn.* **financial statement analysis**. *V.a.* **financial analysis**.

ANALYTICAL AUDIT(ING)
VÉRIFICATION ANALYTIQUE, RÉVISION ANALYTIQUE
(E.C.) Technique de vérification (ou révision) dont l'objet est d'évaluer l'efficacité des systèmes comptables et des mesures de contrôle interne de l'entreprise au moyen de graphiques d'acheminement et de sondages approfondis portant sur un nombre limité d'opérations. *Syn.* **systems-based auditing**. *V.a.* **audit** *n.* 3. et **flow chart** 1.

ANALYTICAL REVIEW
EXAMEN ANALYTIQUE
(E.C.) Technique qui comporte soit l'un ou l'autre, soit les deux éléments suivants : 1) la comparaison de l'information financière de l'exercice actuel avec celle des exercices précédents, avec celle figurant au budget de l'exercice en cours et, s'il y a lieu, avec les statistiques relatives à l'entreprise et au secteur d'activité dans lequel elle évolue, et 2) le **contrôle de cohérence**, c'est-à-dire l'étude de la cohérence des informations financières, compte tenu des relations existant entre elles.

ANCILLARY OPERATIONS
SERVICES AUXILIAIRES, ACTIVITÉS AUXILIAIRES
(O.S.B.L.) Activités accessoires exercées par un organisme sans but lucratif et qui, le plus souvent, sont génératrices de recettes. *V.a.* **revenue producing activity**.

ANNUAL MEETING OF SHAREHOLDERS
ASSEMBLÉE ORDINAIRE ANNUELLE DES ACTIONNAIRES, ASSEMBLÉE GÉNÉRALE (ORDINAIRE)
(dr.) Réunion que tiennent annuellement les actionnaires en vue d'approuver les états financiers (ou comptes annuels) et de délibérer sur les affaires de la société en général. *V.a.* **special meeting of shareholders**.

ANNUAL (RE)PAYMENT
ANNUITÉ DE REMBOURSEMENT, VERSEMENT ANNUEL, PAIEMENT ANNUEL
(fin.) Versement annuel, en principe constant, destiné à éteindre une dette et comprenant à la fois une partie du principal et les intérêts depuis le dernier versement. *V.a.* **annuity** 1., **monthly payment** et **quarterly payment**.

ANNUAL REPORT
RAPPORT ANNUEL, RAPPORT D'EXERCICE, RAPPORT (ANNUEL) DE GESTION

Document soumis annuellement par les administrateurs ou les dirigeants d'une société, aux actionnaires, propriétaires et autres personnes intéressées. Ce document qui porte sur les résultats et la situation financière de la société comprend généralement un compte rendu de la direction ou du conseil d'administration, les états financiers (ou comptes annuels) et, au Canada, le rapport du vérificateur, en France, le rapport du commissaire aux comptes et, en Belgique, le rapport du commissaire reviseur. *N.B.* En France et en Belgique, ce document est communément appelé une **plaquette**.

ANNUITANT
TITULAIRE DE RENTE, CRÉDIRENTIER, RENTIER, PENSIONNÉ, ALLOCATAIRE DE RENTE,
PRESTATAIRE

(rentes) Personne qui bénéficie d'une rente ou, selon le cas, d'une pension. *Syn.* **beneficiary** 3. et **payee** 2. *V.a.* **recipient**.

ANNUITY 1.
ANNUITÉ

(fin.) Somme versée périodiquement par un débiteur et comprenant à la fois le remboursement d'une partie d'un capital emprunté et le paiement des intérêts. *N.B.* Le remboursement d'un emprunt est dit à **annuité constante** lorsque la somme versée périodiquement est la même. Dans ce cas, les remboursements se font au moyen d'annuités successives comportant de plus en plus de capital et des intérêts de moins en moins élevés. *V.a.* **annual (re)payment**.

ANNUITY 2.
VERSEMENT PÉRIODIQUE

(math. fin.) Somme égale versée périodiquement qui donne lieu, selon le cas, au calcul de la valeur capitalisée ou de la valeur actualisée de l'ensemble des versements. *V.a.* **future value** et **present value**.

ANNUITY 3.
RENTE, REDEVANCE, PENSION

(rentes) Produit périodique qu'une personne (**débirentier**) est tenue (par contrat, jugement ou disposition testamentaire) de servir au titulaire d'une rente viagère ou d'une pension (**crédirentier**). *Syn.* **annuity payment** 1. *V.a.* **annuity instalment, deferred annuity** 2., **life annuity** et **pension benefits** 1.

ANNUITY CERTAIN
RENTE CERTAINE

(rentes) Annuité qu'une personne, par exemple un assureur, verse pendant un nombre défini d'années, indépendamment de toute éventualité (par exemple la durée de vie du prestataire) et de toute condition.

ANNUITY DUE 1.
ANNUITÉ DE DÉBUT DE PÉRIODE

(math. fin.) Somme périodique versée en début de période. Dans ce cas, le premier versement est effectué au début de la première période (ou à la fin de la période 0). *Syn.* **annuity in advance**. *Comparer avec* **annuity in arrears**.

ANNUITY DUE 2.
RENTÈ PAYABLE D'AVANCE

(rentes) Rente payable par anticipation par rapport à une rente payable à l'expiration du terme prévu.

ANNUITY IN ADVANCE
ANNUITÉ DE DÉBUT DE PÉRIODE

Voir **annuity due** 1.

ANNUITY IN ARREARS
ANNUITÉ DE FIN DE PÉRIODE

(math. fin.) Somme périodique versée à la fin de la période. Dans ce cas, le premier versement est effectué à la fin de la première période. *Syn.* **ordinary annuity**. *Comparer avec* **annuity due** 1.

ANNUITY INSTALMENT
ARRÉRAGE(S)

(ass. et rentes) Chaque terme échu d'une rente. *N.B.* Le montant des arrérages dépend de l'âge d'entrée en jouissance, et la compagnie d'assurances s'engage moyennant une prime unique à verser les arrérages convenus tant que vivra la personne sur la tête de laquelle repose la rente. *V.a.* **annuity** 3.

ANNUITY METHOD (OF DEPRECIATION)
MÉTHODE DE L'AMORTISSEMENT À INTÉRÊTS COMPOSÉS (DOTATION UNIFORME)

Méthode qui consiste à inclure dans le calcul de l'amortissement périodique les trois éléments suivants : 1) une charge périodique s'accumulant au cours de toute la durée d'utilisation à un taux d'intérêt constant de façon à recouvrer le coût à amortir, 2) des intérêts calculés sur les charges accumulées antérieurement, et 3) des intérêts calculés sur le solde non amorti du coût du bien. Le total des éléments établis en 1) et 2) est porté au crédit du compte Amortissement cumulé tandis que le troisième élément est inclus dans les produits d'exploitation de l'exercice. Selon cette méthode, seuls les deux premiers éléments influent sur le bénéfice qui, par le fait même, est égal à celui qui résulte de l'emploi de la méthode de l'amortissement à intérêts composés caractérisé par une dotation croissante, sauf si une partie de l'amortissement est incorporée au coût de revient des produits fabriqués et non encore vendus. *Comparer avec* **sinking fund method (of depreciation)**. *V.a.* **compound interest methods (of depreciation)** et **depreciation methods**.

ANNUITY PAYMENT 1.
RENTE, REDEVANCE, PENSION

Voir **annuity** 3.

ANNUITY PAYMENT 2.
SERVICE DE LA RENTE

(rentes) Versement des arrérages d'une rente.

ANTEDATED
ANTIDATÉ

(lang. cour.) Se dit d'un document portant une date antérieure à celle à laquelle il a été rédigé. *N.B.* On entend par **antidate** la date antérieure à la date exacte, apposée sur un texte ou un acte légal. *Comparer avec* **postdated**.

ANTI-DILUTIVE EFFECT
EFFET ANTIDILUTION, DILUTION NÉGATIVE

(anal. fin. et compt.) (Can.) Effet sur le calcul du bénéfice dilué par action d'une émission éventuelle d'actions ordinaires, caractérisé par une augmentation du bénéfice par action ou une diminution de la perte par action. On dit alors qu'il y a **antidilution**. *Comparer avec* **dilutive effect**. *V.a.* **dilution** 1. et **fully diluted earnings per share**.

APPLICATION FORM 1.
IMPRIMÉ DE DEMANDE, FORMULE DE DEMANDE

(rentes) Formulaire que doit remplir la personne postulant un poste ou ayant droit à une rente, une indemnité, etc. *V.a.* **apply for a job**.

APPLICATION FORM 2.
PROPOSITION

(ass.) Formulaire ayant pour objet de faire part à l'assureur des circonstances qu'il doit connaître pour se faire une opinion sur le risque à prendre en charge.

APPLICATION OF FUNDS
UTILISATION DES FONDS, EMPLOIS (DES FONDS), AFFECTATION DES FONDS
Partie de l'état de l'évolution de la situation financière (ou tableau de financement) où l'on décrit l'utilisation que l'entreprise a faite de ses ressources au cours de l'exercice. *N.B.* Le terme **emplois** désigne aussi les éléments d'actif figurant dans le bilan d'une entreprise et on distingue les **emplois fixes** (les actifs immobilisés), les **emplois cycliques** (les actifs circulants) et les **emplois définitifs** (les pertes) qui traduisent un appauvrissement de l'entreprise. *Comparer avec* **source of funds**. *V.a.* **statement of changes in financial position** et **statement of source and application of funds**.

APPLIED BURDEN
FRAIS (GÉNÉRAUX) IMPUTÉS, CHARGES IMPUTÉES
Frais généraux attribués à un produit ou une activité au moyen d'un coefficient d'imputation. *N.B.* Les frais généraux imputés en fonction du volume normal d'activité pour l'exercice portent le nom de **frais imputés rationnels**. L'addition de ces frais au coût des matières et à celui de la main-d'oeuvre directe, donne lieu à un coût total que l'on désigne par l'expression **coût rationnel global**. *Syn.* **absorbed burden** et **applied overhead**. *V.a.* **burden rate**, **normal cost** et **overhead**.

APPLIED COST
COÛT AFFECTÉ, COÛT RÉPARTI, COÛT IMPUTÉ
Coût attribué en tout ou en partie à un produit ou une activité. *N.B.* Il existe une distinction nette entre un **coût affecté** (inscrit sans calcul intermédiaire), un **coût réparti** (inscrit à l'aide d'une formule ou **clé de répartition** fondée sur les surfaces occupées, la puissance installée, etc.) et un **coût imputé** (inscrit ou calculé à l'aide d'un coefficient d'imputation). *V.a.* **cost allocation**.

APPLIED OVERHEAD
FRAIS (GÉNÉRAUX) IMPUTÉS, CHARGES IMPUTÉES
Voir **applied burden**.

APPLY AGAINST
IMPUTER, PORTER EN DIMINUTION DE
Inscrire une somme en contrepartie d'un poste créditeur ou débiteur. Ainsi on porte une charge estimative au crédit d'un compte de provision, par exemple le compte Provision pour garanties, et on porte une créance définitivement irrécouvrable au débit du compte Provision pour créances douteuses.

APPLY FOR A JOB
POSER SA CANDIDATURE À UN POSTE, FAIRE ACTE DE CANDIDATURE
(aff.) Postuler un poste en réponse, le plus souvent, à une offre d'emploi. *V.a.* **application form** 1.

APPOINTMENT 1.
NOMINATION
(gest.) Action de nommer quelqu'un à un emploi, à une fonction.

APPOINTMENT 2.
RENDEZ-VOUS
(lang. cour.) Rencontre convenue entre deux ou plusieurs personnes.

APPORTIONMENT 1.
VENTILATION, RÉPARTITION
Voir **allocation** 1.

APPORTIONMENT 2.
RÉPARTITION
(compt. succ.) Action de répartir les rentrées et les sorties de fonds d'une succession entre les revenus et le capital afin de déterminer la part des usufruitiers et celle des légataires.

APPRAISAL
ÉVALUATION (À DIRE D'EXPERT), EXPERTISE, ESTIMATION, APPRÉCIATION

(aff.) Travail fait par un spécialiste, appelé généralement un **expert**, à qui on demande son avis sur la situation d'une affaire et, plus particulièrement, sur la valeur de terrains, de bâtiments et d'équipements. La valeur ainsi déterminée peut être le coût de remplacement, le coût de remplacement diminué de l'amortissement constaté, ou le prix du marché. *N.B.* Lorsque l'intervention de l'expert porte sur l'évaluation des résultats d'une expertise antérieure, elle se nomme **contre-expertise**. *V.a.* **survey** et **valuation**.

APPRAISAL INCREASE CREDIT
PLUS-VALUE CONSTATÉE PAR EXPERTISE, PLUS-VALUE D'EXPERTISE, EXCÉDENT DE RÉÉVALUATION, ÉCART DE RÉÉVALUATION, PLUS-VALUE DE RÉÉVALUATION

Contrepartie, au crédit du bilan, des augmentations d'actif constatées par expertise. *Syn.* **appraisal increment**, **appraisal surplus** *(vieilli)*, **revaluation reserve** *(vieilli)* et **revaluation surplus** *(vieilli)*. *V.a.* **increase in value** et **write up** *v.* 1.

APPRAISAL INCREMENT
PLUS-VALUE CONSTATÉE PAR EXPERTISE, PLUS-VALUE D'EXPERTISE, EXCÉDENT DE RÉÉVALUATION, ÉCART DE RÉÉVALUATION, PLUS-VALUE DE RÉÉVALUATION

Voir **appraisal increase credit**.

APPRAISAL METHOD (OF DEPRECIATION)
MÉTHODE DE L'AMORTISSEMENT FONDÉ SUR UNE EXPERTISE

Méthode qui consiste à déterminer l'amortissement d'un exercice en faisant la différence entre la valeur d'expertise d'un bien au début de l'exercice et la valeur de ce même bien à la fin de l'exercice. *V.a.* **depreciation methods**.

APPRAISAL SURPLUS *(vieilli)*
PLUS-VALUE CONSTATÉE PAR EXPERTISE, PLUS-VALUE D'EXPERTISE, EXCÉDENT DE RÉÉVALUATION, ÉCART DE RÉÉVALUATION, PLUS-VALUE DE RÉÉVALUATION

Voir **appraisal increase credit**.

APPRAISED VALUE
VALEUR CONSTATÉE PAR EXPERTISE, VALEUR D'EXPERTISE, VALEUR À DIRE D'EXPERT, VALEUR ESTIMATIVE, VALEUR D'ESTIMATION

Valeur découlant de la réévaluation, par un **expert**, d'éléments de l'actif ou du passif. *V.a.* **value** *n.*

APPRECIATION
APPRÉCIATION, PLUS-VALUE

(écon.) Accroissement de la valeur d'un bien par rapport à son coût d'acquisition ou à sa valeur comptable sans que ce bien ait subi des transformations qui justifieraient l'augmentation de valeur constatée. *N.B.* En règle générale, ce terme désigne les accroissements attribuables à des facteurs externes comme la hausse des prix, plutôt que des plus-values provenant de la bonne gestion d'un bien par son propriétaire. On entend aussi par **plus-value** l'accroissement de la valeur d'un bien entre deux expertises successives ou la différence positive entre la valeur d'expertise d'un bien et sa valeur comptable. *Comparer avec* **accretion**. *V.a.* **increase in value**.

APPROPRIATE A SUM FROM, TO
PRÉLEVER UNE SOMME SUR

(fin.) Affecter à une fin particulière, une somme déterminée prise à même un budget ou un fonds.

APPROPRIATED RETAINED EARNINGS
BÉNÉFICES NON RÉPARTIS AFFECTÉS

(Can.) Partie des bénéfices non répartis que l'on vire dans un compte de réserve et qui ne peut faire l'objet de dividendes. *Comparer avec* **unappropriated earnings**. *V.a.* **reserve** 1. et **retained earnings**.

APPROPRIATE FUNDS FOR, TO
AFFECTER DES FONDS À
(fin.) Utiliser des sommes pour réaliser un projet ou pour faire fonctionner un service.

APPROPRIATENESS OF EVIDENCE
PERTINENCE DE L'INFORMATION, INFORMATION (PROBANTE) ADÉQUATE
(E.C.) En vérification (ou révision), qualité de la documentation et autres éléments de preuve que l'expert-comptable a pu obtenir sur un sujet particulier. *Comparer avec* **sufficient evidence**.

APPROPRIATION 1.
AFFECTATION
Action de virer une partie du bénéfice net ou des bénéfices non répartis à un compte particulier, par exemple une réserve, en vue d'en restreindre la distribution.

APPROPRIATION 2.
AUTORISATION (D'ENGAGER UNE DÉPENSE)
(gest.) Autorisation donnée d'effectuer, à un moment déterminé, une dépense dont la nature et le montant font l'objet de restrictions précises.

APPROPRIATION 3.
CRÉDIT, LIGNE BUDGÉTAIRE, AFFECTATION BUDGÉTAIRE
(compt. publ.) Approbation par l'Administration publique d'une prévision budgétaire limitant le montant à affecter à une fin particulière. Cette approbation ne donne toutefois pas l'autorisation d'effectuer la dépense. *N.B.* Certains crédits prévus par l'État peuvent être non budgétaires.

APPROPRIATION ACCOUNT 1.
COMPTE D'AFFECTATIONS
(U.K.) Compte où l'on crédite les bénéfices et débite les virements représentant l'affectation qui a été faite de ces bénéfices. *V.a.* **reserve** 1.

APPROPRIATION ACCOUNT 2.
COMPTE DE CRÉDITS, COMPTE DES AFFECTATIONS BUDGÉTAIRES
(compt. publ.) Compte où l'on inscrit les sommes qu'une Administration publique a affectées à une fin particulière.

APPROPRIATION ACCOUNTING
COMPTABILITÉ D'AFFECTATIONS
(compt. publ.) Comptabilité qui, pour une Administration publique, consiste à tenir compte de toutes les recettes gagnées et, en même temps, de toutes les dépenses correspondantes ayant fait l'objet d'affectations, que l'on ait contracté un engagement réel ou non à l'égard de ces affectations.

APPROPRIATION LEDGER
GRAND LIVRE DES CRÉDITS, GRAND LIVRE DES AUTORISATIONS BUDGÉTAIRES, GRAND LIVRE
DES AFFECTATIONS BUDGÉTAIRES
(compt. publ.) Grand livre dans lequel on tient un compte pour chaque affectation budgétaire. En règle générale, chacun des comptes renferme le montant de l'affectation originaire, les virements subséquents, les engagements, les dépenses, les soldes non engagés et les soldes non dépensés.

ARBITRAGE
(OPÉRATION D')ARBITRAGE
(Bourse) Achat et vente simultanés de titres, de biens ou de devises, dans l'espoir d'un meilleur rendement ou de meilleures chances de plus-values. *N.B.* L'**arbitrage** se fait **comptant contre terme** (**arbitrage dans le temps** ou **arbitrage temporel**) lorsque l'investisseur vend un bien, une devise ou un titre à terme pour le racheter simultanément au comptant ou inversement. L'**arbitrage** se fait **de place à place** (**arbitrage dans l'espace** ou **arbitrage spatial**) lorsque l'investisseur vend un bien, une devise ou un titre sur une place et, au même moment,

rachète ce même bien, cette même devise ou ce même titre sur une autre de manière à profiter de la différence de prix, de cours ou de taux d'intérêt qui existe entre les deux places. *Comparer avec* **hedge** *n. V.a.* **forward exchange contract**, **futures market**, **interest rate futures market** et **speculation**.

ARBITRATION
ARBITRAGE

(E.C.) Moyen de résolution de comptes, par exemple les honoraires demandés à un client par un expert-comptable, par voie extra-judiciaire.

ARM'S LENGTH
SANS LIEN DE DÉPENDANCE, DE PLEINE CONCURRENCE, EN CONCURRENCE, NON PRIVILÉGIÉ, À DISTANCE (fam.)

(compt. et *fisc.)* Terme s'appliquant à des opérations conclues dans des conditions de pleine concurrence entre des parties indépendantes ayant comme objectif de retirer, des opérations effectuées, le maximum d'avantages économiques. *N.B.* Les expressions **de pleine concurrence** et **en concurrence** se disent des conditions dans lesquelles un marché est conclu tandis que les termes **non privilégié** et **non favorisé** s'appliquent à l'une des deux parties qui participent à l'opération ou aux relations qu'elles entretiennent. *Comparer avec* **non-arm's length**.

ARRANGEMENT
CONCORDAT

(dr.) Convention conclue entre une entreprise en cessation de paiements (le **failli concordataire**) et ses créanciers (les **créanciers concordataires**) par laquelle l'entreprise s'engage à payer tout ou partie de ses dettes dans un délai déterminé sous la condition d'être définitivement libérée envers eux. *N.B.* Si le concordat n'intervient pas dans le cadre d'une procédure de **règlement judiciaire**, on dit qu'il s'agit d'un **concordat amiable**. La procédure qui aboutit au paiement de l'intégralité des dettes mais avec un report d'échéance donne lieu à un **pacte d'atermoiement**. L'extinction des dettes moyennant l'abandon de tout ou partie de l'actif fait l'objet d'un **concordat par abandon d'actif**. *Syn.* **composition** 1. et **creditors' arrangement**. *V.a.* **bankruptcy** et **proposal**.

ARRAY
TABLEAU DE DONNÉES ORDONNÉES

(stat.) Tableau dans lequel figurent les données d'une série statistique classées par ordre de grandeur.

ARREARS
ARRIÉRÉ

(fin.) Somme restant due (par exemple une créance arriérée, un dividende arriéré et des intérêts arriérés) en raison d'un retard sur les délais de paiement convenus. *V.a.* **in arrears, to be** et **outstanding** 1.

ARREARS OF DIVIDEND
ARRIÉRÉ DE DIVIDENDE, DIVIDENDE ARRIÉRÉ

(fin.) Dividende qu'une société a omis de verser et qu'elle doit, plus tard, servir prioritairement aux détenteurs d'actions dites à dividende cumulatif. *Syn.* **dividend in arrears**. *V.a.* **dividend** 1. et **in arrears, to be**.

ARREARS OF INTEREST
ARRIÉRÉ D'INTÉRÊTS, INTÉRÊTS EN SOUFFRANCE, INTÉRÊTS ARRIÉRÉS

(fin.) Intérêts exigibles que l'emprunteur n'a pas acquittés. *Syn.* **default interest** 1. et **interest in arrears**. *Comparer avec* **interest on arrears**. *V.a.* **interest** 1. et **in arrears, to be**.

ARTICLES OF APPRENTICESHIP
STAGE

Voir **practical training**.

ARTICLES OF ASSOCIATION
STATUTS (D'UNE SOCIÉTÉ)

(dr. can.) Règles de régie interne adoptées par une société de capitaux constituée par enregistrement. *N.B.* Ces règles sont comparables aux **règlements d'une société** par actions constituée par lettres patentes, statuts ou acte constitutif. *V.a.* **by-laws** 2.

ARTICLES OF INCORPORATION
STATUTS (CONSTITUTIFS), ACTE CONSTITUTIF (Can.), ACTE DE CONSTITUTION (Can.)

Voir **instrument of incorporation**.

ARTIFICIAL PERSON
PERSONNE MORALE

(dr.) Organisme n'ayant pas d'existence corporelle, auquel la loi reconnaît la personnalité juridique. *Comparer avec* **natural person**. *V.a.* **body corporate**, **legal entity** et **person**.

ASKED PRICE
COURS VENDEUR, COURS DE VENTE, OFFRE

(Bourse) Prix auquel se vend, sur un marché officiel, un bien (titre ou marchandise), le plus souvent par l'intermédiaire d'un courtier (ou agent de change). *Comparer avec* **bid price**. *V.a.* **bid/asked price**.

ASSEMBLER
ASSEMBLEUR

(inf.) Programme qui sert à transformer en langage-machine un programme écrit en langage assembleur ainsi qu'à regrouper des sous-programmes ou les différentes parties d'un programme.

ASSEMBLY LINE
CHAÎNE DE MONTAGE, LIGNE DE MONTAGE

(prod.) Série d'opérations par lesquelles on assemble les pièces d'un mécanisme, d'une machine ou d'un objet complexe.

ASSESS 1.
ÉVALUER

(fisc.) Déterminer la valeur d'un bien-fonds en vue du calcul des impôts fonciers s'y rapportant. *V.a.* **value** *v.*

ASSESS 2.
COTISER, FAIRE PAYER

(lang. cour.) Établir la quote-part que quelqu'un devra verser à une association professionnelle, à un régime de retraite, etc. *V.a.* **contribute** et **dues**.

ASSESS 3.
ÉTABLIR

(fisc.) Déterminer, de la part de l'Administration fiscale, les impôts qu'un particulier doit payer sur son revenu, ou une société, sur ses bénéfices.

ASSESSED VALUE
VALEUR IMPOSABLE, VALEUR TAXABLE

(fisc.) Valeur retenue pour l'assiette de certains impôts, droits et taxes. *V.a.* **value** *n.*

ASSESSMENT 1.
(DÉTERMINATION DE L'ASSIETTE D')IMPOSITION, TAXATION, COTISATION

(fisc.) Processus de détermination des impôts à payer ou de l'assiette des taxes, impôts ou droits à payer. *Syn.* **levy**. *V.a.* **additional tax assessment** et **tax assessment**.

ASSESSMENT 2.
APPEL DE FONDS

(fin.) **Argent frais** demandé aux actionnaires, associés ou autres pour augmenter le capital de l'entreprise ou éponger son déficit. *V.a.* **call**.

ASSESSMENT NOTICE
AVIS D'ÉVALUATION, EXTRAIT DE RÔLE

(fisc.) Avis qu'une Administration publique envoie au contribuable pour l'informer de la valeur imposable de ses biens-fonds. *N.B.* Parfois, l'**extrait de rôle** et l'**avertissement**, c'est-à-dire le formulaire sur lequel figure le montant des impôts fonciers, ne constituent qu'un seul et même document. *V.a.* **notice of assessment** et **tax notice**.

ASSESSMENT ROLL
RÔLE D'ÉVALUATION, CADASTRE, RELEVÉ CADASTRAL

(fisc.) Document sur lequel figure la liste des propriétaires de biens-fonds, dans une municipalité donnée, avec la valeur imposable de ces biens.

ASSESSOR
CONTRÔLEUR DES CONTRIBUTIONS, INSPECTEUR DES IMPÔTS

(fisc.) Fonctionnaire chargé de vérifier les déclarations des contribuables et d'établir définitivement le montant de leurs impôts sur le revenu. *V.a.* **notice of assessment**.

ASSET
(ÉLÉMENT D')ACTIF, BIEN, VALEUR ACTIVE

Terme qui, d'une façon générale, désigne un bien appartenant en propre à une personne physique ou morale.

ASSETS
ACTIF, BIENS, ÉLÉMENTS D'ACTIF, ACTIFS, VALEURS ACTIVES

Éléments du patrimoine ayant une valeur économique positive pour l'entreprise. L'actif est constitué de l'ensemble des soldes débiteurs des comptes du bilan, notamment les valeurs disponibles et réalisables, les valeurs d'exploitation, les charges payées d'avance et les valeurs immobilisées. L'ensemble de ces valeurs se subdivise soit en actif à court terme et actif à long terme, soit en actif circulant et actif fixe. *N.B.* On utilise aussi le terme **emplois** pour désigner les biens acquis par l'entreprise grâce aux ressources dont elle dispose. Certains éléments d'actif pris isolément ou globalement ont une **valeur d'échange** tandis que d'autres (par exemple les frais d'établissement) ne présentent une **valeur à l'inventaire** que pour l'entreprise en exploitation. *V.a.* **balance sheet**, **current assets**, **fixed assets** et **long-term asset(s)**.

ASSET FORMATION
FORMATION DE CAPITAL

Voir **capital formation**.

ASSET TURNOVER
(TAUX DE) ROTATION DE L'ACTIF, (COEFFICIENT DE) ROTATION DE L'ACTIF

(anal. fin.) Nombre de fois que le total de l'actif est compris dans le chiffre d'affaires. *V.a.* **turnover** 1.

ASSIGNEE
CESSIONNAIRE

(dr.) Personne à qui est transmis, à titre onéreux ou gratuit, un bien, une créance ou tout autre droit. *N.B.* La personne qui a acquis d'une autre un droit ou une obligation s'appelle **ayant cause** tandis qu'une personne qui a droit à quelque chose est un **ayant droit**. *Comparer avec* **assignor**.

ASSIGNMENT 1.
CESSION, TRANSPORT, TRANSFERT, TRANSMISSION

(dr.) Transmission, par une personne (le **cédant**) à une autre (le **cessionnaire**), d'un droit, d'une obligation ou de la possession d'un bien que le cessionnaire garde en fidéicommis ou qu'il utilise pour son propre avantage ou

celui de ses créanciers. *N.B.* Selon le cas, on parle de **cession de droits mobiliers**, de **cession d'une créance** (*assignment of a claim*), de **cession d'usufruit** (*assignment of interest*), de **transmission d'un bien** (*assignment of a property*), etc. *Syn.* **transfer** 2. *V.a.* **assignment of receivables** 1. et 2.

ASSIGNMENT 2.
AFFECTATION

(rel. de tr.) Action d'assigner un poste ou une mission à quelqu'un; le poste ou la mission même (assigné à quelqu'un).

ASSIGNMENT OF RECEIVABLES 1.
CESSION DE CRÉANCES

(dr.) Convention par laquelle un créancier cède son **droit de créance** sur ses débiteurs à un tiers qui devient créancier. *V.a.* **assignment** 1.

ASSIGNMENT OF RECEIVABLES 2.
MOBILISATION DE CRÉANCES, MOBILISATION DE(S) COMPTES CLIENTS

(fin.) Mode de financement à court terme ou d'obtention de crédit par cession ou affectation en garantie de comptes clients. *N.B.* Le prêteur n'achète pas les créances comme dans le cas de l'**affacturage**, mais il les utilise seulement en garantie du prêt qu'il consent. La **mobilisation des créances** transforme celles-ci en disponibilités, ce qui se fait aussi à l'échéance en les portant à l'encaissement ou avant l'échéance en les portant à l'escompte si elles sont matérialisées par un effet de commerce. *Syn.* **pledging of receivables.** *V.a.* **assignment** 1. et **factoring**.

ASSIGNOR
CÉDANT

(dr.) Personne qui cède quelque chose à une autre, à titre onéreux ou gratuit, par exemple, une créance ou tout autre bien. *Comparer avec* **assignee**.

ASSISTANT DIRECTOR
DIRECTEUR ADJOINT

(gest.) Cadre d'une compétence comparable à celle du directeur dont il relève et qu'il peut remplacer au besoin. *V.a.* **director** 2.

ASSISTANT SENIOR
VÉRIFICATEUR ADJOINT, RÉVISEUR ADJOINT

(prof. compt.) Dans un cabinet d'experts-comptables, assistant chargé de seconder le responsable du dossier ou le chef de mission. *V.a.* **senior (auditor)** et **senior-in-charge**.

ASSISTANT TO THE DIRECTOR
ADJOINT AU DIRECTEUR

(gest.) Personne associée à une autre pour lui rendre des services particuliers mais non pour la remplacer. *V.a.* **director** 2.

ASSOCIATED COMPANY 1.
SOCIÉTÉ LIÉE, SOCIÉTÉ APPARENTÉE, SOCIÉTÉ AFFILIÉE (Can.), SOCIÉTÉ ASSOCIÉE (Can., Belg. et C.E.E.)

Voir **affiliated company**.

ASSOCIATED COMPANY 2.
CORPORATION ASSOCIÉE

(fisc. can.) Société reliée à une autre au cours d'une année d'imposition selon des modalités définies dans la Loi de l'impôt sur le revenu du Canada.

ASSOCIATED CORPORATION
SOCIÉTÉ LIÉE, SOCIÉTÉ APPARENTÉE, SOCIÉTÉ AFFILIÉE (Can.), SOCIÉTÉ ASSOCIÉE (Can., Belg. et C.E.E.)

Voir **affiliated company**.

ASSOCIATIVE STORAGE
MÉMOIRE ASSOCIATIVE

(inf.) Mémoire dont chaque emplacement est identifié par une partie de son contenu et non par sa position physique. *V.a.* **memory**.

ATTENDANCE SHEET
FEUILLE DE PRÉSENCE

(lang. cour.) Feuille constatant les présences et sur laquelle figurent, dans le cas des assemblées générales de sociétés, le nombre, le nom des actionnaires présents ainsi que le nombre de voix et les pouvoirs de représentation dont sont porteurs les **fondés de pouvoir**. *V.a.* **time sheet** 1.

ATTEST FUNCTION
FONCTION D'ATTESTATION, (MISSION DE) CERTIFICATION (Fr. et Belg.)

(E.C.) Rôle joué par l'expert-comptable lorsqu'il exprime une opinion professionnelle au terme d'une mission de vérification (ou révision). *V.a.* **audit engagement**.

ATTORNEY
FONDÉ DE POUVOIR

(dr.) Personne à qui est confié le mandat d'agir au nom d'une autre personne et, plus particulièrement de la représenter, de voter en son nom, etc. *V.a.* **agent** et **power of attorney**.

ATTRIBUTE MEASURED
CARACTÉRISTIQUE MESURÉE

Caractéristique quantifiable d'un élément qui doit être mesuré en comptabilité. Ainsi la valeur d'origine et le coût de remplacement sont deux caractéristiques d'un élément d'actif. *N.B.* Il importe de ne pas confondre la caractéristique à mesurer (le **quantifié**) avec l'unité de mesure utilisée (le **quantifiant**). En comptabilité traditionnelle, la caractéristique mesurée est la valeur d'origine et l'unité de mesure utilisée est l'unité de numéraire. *V.a.* **measuring unit**.

ATTRIBUTE(S) SAMPLING
ÉCHANTILLONNAGE PAR ATTRIBUTS, SONDAGE DES ATTRIBUTS

(stat.) Type de sondage qui consiste à examiner les individus inclus dans un échantillon afin de savoir s'ils contiennent un certain attribut ou caractéristique qualitative, par exemple un type donné d'erreurs, en vue de déterminer si cette caractéristique est présente dans la population. *Comparer avec* **variables sampling**. *V.a.* **estimation sampling** et **sampling** 2.

AUCTION SALE
VENTE AUX ENCHÈRES

(comm.) Vente dans laquelle plusieurs acheteurs sont en concurrence pour l'acquisition d'un même bien, finalement attribué au plus offrant.

AUDIT *n.* 1.
VÉRIFICATION

(gest. et E.C.) Étude critique de documents et d'autres preuves en vue de déterminer l'authenticité et l'exactitude d'un registre ou d'une assertion, ou pour évaluer la conformité à des lignes de conduite ou à des clauses contractuelles. *V.a.* **tax audit**.

AUDIT *n.* 2.
RÉVISION (DES COMPTES)

(E.C.) (Fr. et Belg.) Examen auquel procède un professionnel compétent et indépendant en vue d'exprimer une opinion motivée sur la fidélité de l'image que les comptes annuels donnent de la situation et des résultats de

l'entreprise. *N.B.* Le terme anglo-saxon *audit* qui est fréquemment utilisé en France et en Belgique a le sens de **révision comptable** et on l'emploie surtout pour des missions de nature contractuelle tandis que l'on parle de **révision légale** ou de **contrôle légal** pour désigner le travail effectué par le **commissaire aux comptes** (France) ou le **commissaire-reviseur** (Belgique). *V.a.* **financial auditing**.

AUDIT *n.* 3.
VÉRIFICATION (DES COMPTES)

(E.C.) (Can.) En matière d'états financiers ou de toute autre information financière, étude des registres comptables et des documents s'y rapportant en vue d'exprimer une opinion sur la fidélité de la présentation de ces états en conformité avec les principes comptables généralement reconnus ou d'autres règles comptables appropriées communiquées aux lecteurs. *V.a.* **analytical audit(ing)**, **audit engagement**, **audit testing**, **auditor's report** 1., **balance sheet audit** 1., **cash audit**, **comprehensive audit(ing)**, **computer audit**, **continuous audit**, **detailed audit**, **external audit**, **financial auditing**, **flow audit**, **interim audit** 1. et 2., **internal audit**, **joint audit**, **management audit**, **partial audit**, **pre-audit**, **pre-year-end audit**, **special audit**, **statutory audit**, **value-for-money audit(ing)** et **year-end audit** 1. et 2.

AUDIT *v.*
VÉRIFIER (Can.), RÉVISER (Fr. et Belg.)

(E.C.) Procéder à une vérification (ou révision) des registres comptables et des documents à l'appui en vue de se prononcer sur la fidélité de la présentation de l'information financière.

AUDITABILITY
VÉRIFIABILITÉ, CONTRÔLABILITÉ

(E.C.) Caractère de ce qui est vérifiable ou contrôlable. *V.a.* **verifiability**.

AUDIT AROUND THE COMPUTER
VÉRIFICATION HORS LOGICIEL, RÉVISION HORS LOGICIEL

(E.C.) Vérification (ou révision) ne comportant pas le suivi des données à travers l'ordinateur et ne tenant compte que des phases visibles du traitement de l'information. *Comparer avec* **audit through the computer**. *V.a.* **computer audit**.

AUDIT ASSISTANT
AIDE-VÉRIFICATEUR, AIDE-RÉVISEUR, ASSISTANT

(prof. compt.) Personne exécutant des travaux de vérification (ou révision) sous la direction et la responsabilité d'un expert-comptable, le **chef de mission**.

AUDIT ASSURANCE 1.
(DEGRÉ DE) CERTITUDE, (DEGRÉ DE) CONVICTION

(E.C.) Degré d'assurance que l'expert-comptable acquiert relativement à la véracité ou la validité de l'information faisant l'objet d'une vérification (ou révision). *Syn.* **audit satisfaction**. *V.a.* **reasonable assurance**.

AUDIT ASSURANCE 2.
DÉCLARATION DE FIABILITÉ

(E.C.) (Can.) Rapport de vérification (ou révision) ou autre forme de déclaration de l'expert-comptable qui confère une crédibilité accrue à l'information qui en fait l'objet. *N.B.* En France et en Belgique, on parle, dans ce cas, d'**attestation** ou de **certification**. *V.a.* **accountant's comment**, **auditor's opinion**, **auditor's report** 1., **comfort letter**, **limited (audit) assurance** et **negative assurance**.

AUDIT ASSURANCE 3.
CRÉDIBILITÉ, FIABILITÉ

(E.C.) Satisfaction accrue qu'acquiert l'utilisateur des états financiers (ou comptes annuels) et de toute autre information financière du fait qu'un expert-comptable y a joint une **déclaration de fiabilité**.

AUDIT COMMITTEE
COMITÉ DE VÉRIFICATION (Can.)

(E.C.) Comité constitué de membres du conseil d'administration d'une société dont la responsabilité est de revoir les états financiers (ou comptes annuels) avant de les soumettre au conseil d'administration. Ce comité, qui sert d'agent de liaison entre l'expert-comptable et le conseil d'administration, s'occupe notamment des questions suivantes : renouvellement du mandat de l'expert-comptable, orientation du travail de ce dernier, étude des résultats de sa mission et de ses commentaires sur le contrôle interne, et discussion de l'information financière à publier. *N.B.* En France et en Belgique, on donne à ce comité le nom de comité d'*audit*.

AUDIT COVERAGE
ÉTENDUE DE LA VÉRIFICATION, ÉTENDUE DE LA RÉVISION
Voir **audit scope** 1.

AUDIT EFFECTIVENESS
EFFICACITÉ DE LA VÉRIFICATION, EFFICACITÉ DE LA RÉVISION

(E.C.) Caractéristique d'une mission de vérification (ou révision) au cours de laquelle l'expert-comptable a atteint l'objectif qu'il poursuivait ou obtenu les effets prévus. *Comparer avec* **audit efficiency**. *V.a.* **effective audit**.

AUDIT EFFICIENCY
EFFICIENCE DE LA VÉRIFICATION, EFFICIENCE DE LA RÉVISION

(E.C.) Caractéristique d'une mission de vérification (ou révision) au cours de laquelle l'expert-comptable a maximisé le rapport entre les services produits (les extrants) et les ressources utilisées (les intrants). *Comparer avec* **audit effectiveness**. *V.a.* **efficient audit**.

AUDIT ENGAGEMENT
MISSION DE VÉRIFICATION, MISSION DE RÉVISION

(E.C.) Mission confiée à un expert-comptable et portant sur les travaux qu'il devra exécuter en vue d'exprimer, à titre de vérificateur (ou réviseur), une opinion sur les états financiers (ou comptes annuels) d'une entreprise ou sur toute autre information financière. Au terme de sa mission, l'expert-comptable rédige un document intitulé au Canada **rapport du vérificateur**, en France **rapport du réviseur** ou **rapport du commissaire aux comptes** et en Belgique **rapport du reviseur**. *Comparer avec* **accounting engagement**. *V.a.* **attest function**, **audit** *n.* 3. et **professional engagement of a public accountant**.

AUDIT EVIDENCE
INFORMATION PROBANTE

(E.C.) Preuves documentaires et autres informations pertinentes sur lesquelles l'expert-comptable s'appuie pour se former une opinion. *V.a.* **audit scope** 1., **documentary evidence** et **evidence**.

AUDIT EXAMINATION
(TRAVAIL DE) VÉRIFICATION, EXAMEN (vieilli)
Voir **examination**.

AUDITING DEFICIENCY
VÉRIFICATION INCOMPLÈTE, RÉVISION INCOMPLÈTE, LACUNE DANS LA VÉRIFICATION, LACUNE
   DANS LA RÉVISION

(E.C.) Limitation de l'examen de l'expert-comptable ou manque de renseignements essentiels empêchant ce dernier d'exprimer une opinion sans réserve. *Comparer avec* **accounting deficiency**.

AUDITING MANUAL
GUIDE DE VÉRIFICATION, MANUEL DE VÉRIFICATION, GUIDE DE RÉVISION, MANUEL DE RÉVISION

(E.C.) Ouvrage dans lequel on retrouve les directives, les lignes de conduite et les procédés ayant une application générale dans l'accomplissement d'une mission de vérification (ou révision). *Syn.* **audit manual**. *Comparer avec* **accounting manual** et **procedure manual**.

AUDITING PRACTICES
TECHNIQUES DE VÉRIFICATION, TECHNIQUES DE RÉVISION, PROCÉDÉS DE VÉRIFICATION,
   PROCÉDÉS DE RÉVISION
Voir **auditing techniques**.

AUDITING PROCEDURES 1.
PROCÉDURES DE VÉRIFICATION, PROCÉDURES DE RÉVISION
(E.C.) Ensemble des actes que l'expert-comptable accomplit et des mesures qu'il prend afin d'obtenir l'information probante dont il a besoin pour atteindre les objectifs de sa mission. *Comparer avec* **auditing techniques**.

AUDITING PROCEDURES 2.
TECHNIQUES DE VÉRIFICATION, TECHNIQUES DE RÉVISION, PROCÉDÉS DE VÉRIFICATION,
   PROCÉDÉS DE RÉVISION
Voir **auditing techniques**.

AUDITING STANDARDS
NORMES DE VÉRIFICATION, NORMES DE RÉVISION
(E.C.) Normes que doit respecter l'expert-comptable concernant : 1) la qualité du travail à accomplir, 2) les objectifs à atteindre par la mise en oeuvre des procédés pertinents de vérification (ou révision) employés, et 3) la pertinence du rapport qu'il doit délivrer. *V.a.* **examination standards**, **general auditing standard**, **generally accepted auditing standards**, **reporting standards** 2. et **standard** 1.

AUDITING TECHNIQUES
TECHNIQUES DE VÉRIFICATION, TECHNIQUES DE RÉVISION, PROCÉDÉS DE VÉRIFICATION,
   PROCÉDÉS DE RÉVISION
(E.C.) Moyens dont dispose l'expert-comptable pour recueillir l'information probante dont il a besoin, par exemple la **confirmation**, l'**observation**, l'**analyse** et le **sondage**. *Syn.* **auditing practices** et **auditing procedures** 2. *Comparer avec* **auditing procedures** 1. *V.a.* **audit program** et **computer assisted audit techniques**.

AUDIT MANUAL
GUIDE DE VÉRIFICATION, MANUEL DE VÉRIFICATION, GUIDE DE RÉVISION, MANUEL DE RÉVISION
Voir **auditing manual**.

AUDIT MEMORANDUM
RÉSUMÉ DE LA VÉRIFICATION, RÉSUMÉ DE LA RÉVISION, SYNTHÈSE DE LA VÉRIFICATION,
   SYNTHÈSE DE LA RÉVISION
(E.C.) Relevé des points saillants notés par l'expert-comptable au cours d'une mission de vérification (ou révision) en vue d'en faire une synthèse et d'en tirer des conclusions.

AUDITOR
VÉRIFICATEUR (Can.), RÉVISEUR (Fr.), REVISEUR (Belg.)
(E.C.) Personne chargée de délivrer un rapport sur des états, comptes ou registres après les avoir vérifiés (ou révisés). *N.B.* Le terme *auditeur* a toujours été utilisé en France pour désigner les personnes dont la responsabilité est de vérifier les comptes de l'Administration à la Cour des comptes. Depuis quelques années, toutefois, l'emploi de ce terme a tendance à s'étendre à d'autres secteurs de l'activité économique. Le **commissaire aux comptes** est, en France, la personne que la loi charge de contrôler et de certifier les comptes des sociétés en vue d'assurer la protection et l'information des actionnaires et des tiers face aux dirigeants. Le **commissariat aux comptes** désigne la fonction de celui qui est chargé de donner un avis sur les comptes des sociétés, conformément à la loi. En Belgique, le vérificateur des comptes est connu sous le nom de **reviseur** et la fonction exercée par ce dernier s'appelle **revisorat**. Dans ce pays, on emploie le terme *auditeur* pour désigner des personnes remplissant certaines fonctions au Conseil d'État et à la Cour des comptes. On ne l'emploie jamais pour désigner le reviseur externe, mais on le retrouve parfois dans l'expression *auditeur* interne. *V.a.* **auditor general**, **external auditor**, **internal auditor**, **management auditor**, **public accountant** et **statutory auditor**.

AUDITOR GENERAL
VÉRIFICATEUR GÉNÉRAL
(compt. publ.) (Can.) Haut fonctionnaire de l'État, responsable devant le parlement de la vérification des comptes publics. *V.a.* **auditor**.

AUDITOR'S APPROACH
STRATÉGIE DU VÉRIFICATEUR
(E.C.) (Can.) Planification du travail du vérificateur fondée sur la présence de systèmes de contrôle interne et prévoyant les procédés de vérification requis si les systèmes font défaut.

AUDITOR'S CERTIFICATE *(vieilli)*
RAPPORT DU VÉRIFICATEUR, RAPPORT DU RÉVISEUR (Fr.), RAPPORT DE VÉRIFICATION, RAPPORT DE RÉVISION, RAPPORT DU REVISEUR (Belg.)
Voir **auditor's report** 1. et 2.

AUDITOR'S OPINION
OPINION DU VÉRIFICATEUR, OPINION DU RÉVISEUR, AVIS DU VÉRIFICATEUR, AVIS DU RÉVISEUR, CERTIFICATION (Fr.), ATTESTATION DU REVISEUR (Belg.)
(E.C.) Avis exprimé par l'expert-comptable dans le rapport qu'il rédige au terme d'une mission de vérification (ou révision). *V.a.* **adverse opinion**, **audit assurance** 2., **auditor's report** 1. et 2., **denial of opinion**, **disclaimer of opinion**, **opinion paragraph**, **piecemeal opinion**, **qualified opinion**, **reservation (of opinion)** et **unqualified opinion**.

AUDITOR'S REPORT 1.
RAPPORT DU VÉRIFICATEUR, RAPPORT DE VÉRIFICATION
(E.C.) (Can.) Document rédigé par l'expert-comptable au terme d'une mission de vérification. Ce document renferme une description du travail qu'il a effectué et une opinion quant à la fidélité de la présentation des états financiers ou de toute autre information financière, selon les principes comptables généralement reconnus (ou d'autres règles comptables appropriées communiquées au lecteur). *Syn.* **auditor's certificate** et **audit report**. *Comparer avec* **accountant's comments** et **notice to readers**. *V.a.* **audit** *n.* 3., **audit assurance** 2., **auditor's opinion**, **long-form report**, **opinion paragraph**, **reservation paragraph**, **scope paragraph**, **short-form report** et **standard report**.

AUDITOR'S REPORT 2.
RAPPORT DU RÉVISEUR (Fr.), RAPPORT DE RÉVISION, RAPPORT DU REVISEUR (Belg.)
(E.C.) (Fr. et Belg.) Document dans lequel l'expert-comptable déclare que les comptes annuels donnent, à une date précise, une image fidèle du patrimoine de l'entreprise, de sa situation financière et de ses résultats. *N.B.* En Belgique et en France, on attache une importance aussi grande au respect des dispositions légales qu'à l'image fidèle. *Syn.* **auditor's certificate** et **audit report**. *V.a.* **auditor's opinion**.

AUDITOR'S REPORT 3.
RAPPORT DE L'EXPERT-COMPTABLE
(E.C.) Tout rapport soumis par un expert-comptable après exécution des travaux que comportait sa mission.

AUDIT PACKAGE
PROGICIEL DE VÉRIFICATION, PROGICIEL DE RÉVISION
(E.C.) Ensemble de programmes standards de vérification (ou révision). *V.a.* **package**.

AUDIT PROGRAM
PROGRAMME DE VÉRIFICATION, PROGRAMME DE RÉVISION
(E.C.) Liste détaillée des méthodes et techniques que l'expert-comptable utilise pour remplir la mission qui lui a été confiée. *V.a.* **auditing techniques** et **program** *n.* 1.

AUDIT REPORT
RAPPORT DU VÉRIFICATEUR, RAPPORT DU RÉVISEUR (Fr.), RAPPORT DE VÉRIFICATION, RAPPORT DE RÉVISION, RAPPORT DU REVISEUR (Belg.)
Voir **auditor's report** 1. et 2.

AUDIT SAMPLING
VÉRIFICATION PAR SONDAGE(S), RÉVISION PAR SONDAGE(S)
Voir **audit testing**.

AUDIT SATISFACTION
(DEGRÉ DE) CERTITUDE, (DEGRÉ DE) CONVICTION
Voir **audit assurance** 1.

AUDIT SCOPE 1.
ÉTENDUE DE LA VÉRIFICATION, ÉTENDUE DE LA RÉVISION
(E.C.) Ensemble de l'information sur laquelle porte le travail de l'expert-comptable. *Syn.* **audit coverage** et **scope** 1. *V.a.* **audit evidence**, **extent of audit testing** et **implications of an audit**.

AUDIT SCOPE 2.
DÉLIMITATION DE LA VÉRIFICATION, DÉLIMITATION DE LA RÉVISION, OBJET DE LA VÉRIFICATION, OBJET DE LA RÉVISION
(E.C.) Ensemble des états financiers (ou comptes annuels) qui constituent l'objet de l'opinion que l'expert-comptable exprime au terme de sa mission. *N.B.* On peut également parler ici de **champ de la vérification**, **champ de la révision**, **périmètre de la vérification** et **périmètre de la révision**. *Syn.* **scope** 2.

AUDIT SENIOR
CHEF D'ÉQUIPE, CHEF DE MISSION, SUPERVISEUR
Voir **senior-in-charge**.

AUDIT SOFTWARE
LOGICIEL DE VÉRIFICATION, LOGICIEL DE RÉVISION
(inf. et E.C.) Programmes et sous-programmes informatisés utilisés par un expert-comptable pour vérifier (ou réviser) les comptes d'une entreprise le plus souvent tenus au moyen d'un ordinateur. *V.a.* **computer audit** et **software**.

AUDIT TEAM
ÉQUIPE DE VÉRIFICATION, ÉQUIPE DE RÉVISION
(E.C.) Groupe de personnes responsables de l'exécution d'une mission de vérification (ou révision).

AUDIT TEST
SONDAGE DE VÉRIFICATION
(E.C.) Sondage qui consiste, d'une part, à corroborer la vraisemblance de valeurs établies, tirées le plus souvent des livres comptables et, d'autre part, à évaluer la qualité des systèmes qui ont produit ces valeurs. *V.a.* **compliance test** et **substantive test**.

AUDIT TESTING
VÉRIFICATION PAR SONDAGE(S), CONTRÔLE PAR SONDAGE(S)
(E.C.) Vérification (ou révision) des comptes effectuée au moyen de sondages portant sur les opérations d'une période donnée et les écritures comptables auxquelles elles ont donné lieu. Dans ce cas, l'expert-comptable n'étudie qu'un nombre restreint d'individus choisis suivant un plan d'échantillonnage qui laisse espérer que les constatations puissent être extrapolées à l'ensemble de la population. *N.B.* Les **sondages de vérification** (ou **révision**) peuvent être des **sondages raisonnés** ou des **sondages statistiques**. *Syn.* **audit sampling** et **test audit**. *Comparer avec* **detailed audit**. *V.a.* **audit** *n.* 3., **spot check** et **test check**.

AUDIT THROUGH THE COMPUTER
*VÉRIFICATION TRANS-LOGICIEL, RÉVISION TRANS-LOGICIEL, VÉRIFICATION PAR LOGICIEL,
    RÉVISION PAR LOGICIEL*
(E.C.) Vérification (ou révision) des registres comptables comportant le suivi des données à travers l'ordinateur.
Comparer avec **audit around the computer**. *V.a.* **computer audit**.

AUDIT TRAIL 1.
PISTE DE VÉRIFICATION, PISTE DE RÉVISION, CHEMIN DE VÉRIFICATION, CHEMIN DE RÉVISION
(E.C.) Piste permettant à l'expert-comptable de retracer les données depuis leur entrée dans le système jusqu'à
leur sortie sous forme de documents synthétiques, ou vice versa. *Comparer avec* **management trail**.

AUDIT TRAIL 2.
PISTE DE VÉRIFICATION
(inf.) Vérification permettant de retrouver toutes les traces laissées par une donnée traitée par l'ordinateur, ou de
remonter d'une valeur imprimée ou stockée vers l'entrée correspondante (**vérification à rebours** ou **vérification
rétrospective**).

AUTHORIZED CAPITAL
CAPITAL (SOCIAL) AUTORISÉ
(fin.) (Can.) Nombre d'actions de chaque catégorie (actions ordinaires, actions privilégiées, etc.) avec leur valeur
nominale, s'il y a lieu, qu'une société peut émettre en conformité avec les dispositions de ses statuts constitutifs
ainsi que de la loi en vertu de laquelle elle est constituée. *V.a.* **capital stock**.

AUTHORIZED CREDIT
*LIGNE DE CRÉDIT, OUVERTURE DE CRÉDIT, AUTORISATION DE CRÉDIT, LIGNE DE DÉCOUVERT,
    CRÉDIT AUTORISÉ, MARGE DE CRÉDIT (Can.)*
Voir **line of credit**.

AUTOMATED CREDIT DISTRIBUTION
DISTRIBUTION AUTOMATISÉE DU CRÉDIT, SERVICE DES PAIEMENTS DIRECTS
(banque) Système qui consiste, pour une banque, lors de la réception, sur bande magnétique, d'une instruction, à
voir à ce que la somme en jeu soit automatiquement portée au crédit du compte du bénéficiaire par l'intermédiaire
d'une chambre de compensation, ce qui élimine la nécessité d'émettre un chèque, de le poster, de le présenter à
la banque, etc. *V.a.* **electronic funds transfer system (EFTS)**.

AUTOMATIC RETIREMENT AGE
ÂGE OBLIGATOIRE DE LA RETRAITE
(rentes) Âge auquel une rente est automatiquement liquidée et auquel le salarié doit quitter ses fonctions. *V.a.*
early retirement, **late retirement** et **retirement** 3.

AUTOMATION
AUTOMATISATION
(inf. et prod.) Fonctionnement automatique, sans intervention humaine, de machines sous le contrôle d'un
programme unique, le plus souvent informatisé. *N.B.* L'**automatisation** est aussi la transformation d'un procédé,
d'un processus ou d'une installation en vue de les rendre automatiques.

AUTOMOTIVE EQUIPMENT
MATÉRIEL ROULANT
(aff.) Ensemble des véhicules utilisés dans un service ou une exploitation. *Syn.* **rolling stock**. *V.a.* **transportation equipment**.

AUXILIARY STORAGE
MÉMOIRE AUXILIAIRE
(inf.) Mémoire utilisée comme complément de la mémoire principale, avec un temps d'accès plus long et une
capacité généralement plus grande. *V.a.* **memory**.

AVAILABILITY OF CREDIT
FACILITÉ DE CRÉDIT

(fin.) Crédit que des établissements financiers, notamment les banques et les sociétés de crédit, offrent aux particuliers ou aux entreprises.

AVERAGE
MOYENNE

(stat.) Expression de l'état quantitatif d'un phénomène déterminé dont l'objet est de représenter les données d'un groupe au moyen d'un seul chiffre. *N.B.* Il existe trois sortes de moyennes : la **moyenne arithmétique**, la **moyenne géométrique** et la **moyenne harmonique**. *V.a.* **mean**, **moving average** et **weighted average**.

AVERAGE COLLECTION PERIOD (OF RECEIVABLES)
*PÉRIODE MOYENNE DE RECOUVREMENT (DES CRÉANCES), DÉLAI MOYEN DE RECOUVREMENT
(DES CRÉANCES), DÉLAI MOYEN DE RÈGLEMENT DES COMPTES CLIENTS, DURÉE MOYENNE DE
RÈGLEMENT DES COMPTES CLIENTS*

Voir **collection period (of receivables)**.

AVERAGE COST
COÛT MOYEN

Quotient du coût total des unités acquises ou fabriquées à différentes dates par le nombre total des unités acquises ou produites au cours d'une période donnée.

AVERAGE COST METHOD
MÉTHODE DU COÛT MOYEN

Méthode qui consiste à attribuer à une unité (article en stock ou titre de placement) une valeur fondée sur le coût moyen des unités que possédait l'entreprise au cours d'une période donnée. *V.a.* **cost flow methods**, **moving average method** et **weighted average method**.

AVERAGE TAX RATE
TAUX D'IMPOSITION MOYEN, TAUX D'IMPOSITION EFFECTIF

(fisc.) Taux égal au quotient du total des impôts d'un particulier ou d'une société par le revenu imposable de ce particulier ou le bénéfice imposable de cette société. *Syn.* **effective tax rate**. *Comparer avec* **marginal tax rate**.

AVERAGE YIELD
(TAUX DE) RENDEMENT MOYEN, TAUX DE RENTABILITÉ MOYEN

(anal. fin.) Rendement tiré en moyenne d'un investissement ou d'un certain nombre d'investissements au cours d'une période donnée, le plus souvent un an.

AVERAGING OF INCOME
ÉTALEMENT DU REVENU (IMPOSABLE)

(fisc.) Dispositions des lois fiscales ayant pour objet d'alléger le fardeau du contribuable qui réalise un revenu élevé au cours d'une année d'imposition donnée. *Syn.* **income averaging**. *V.a.* **forward averaging** et **general averaging**.

AVOIDABLE COST
COÛT ÉVITABLE

Coût marginal que l'entreprise peut éviter d'engager en adoptant une solution plutôt qu'une autre. *Syn.* **escapable cost**. *Comparer avec* **unavoidable cost**. *V.a.* **opportunity cost**.

B

BACKLOG
COMMANDES EN ATTENTE, CARNET DE COMMANDES, PORTEFEUILLE DE COMMANDES
(comm.) Ensemble des commandes reçues mais non encore livrées ou exécutées. *N.B.* L'expression **carnet de commandes** désigne aussi le carnet sur lequel sont enregistrées les commandes, en particulier celles que les représentants reçoivent de leurs clients. *Syn.* **unfilled orders**. *Comparer avec* **back order** 1.

BACKLOG DEPRECIATION
AMORTISSEMENT EN RETARD, RATTRAPAGE D'AMORTISSEMENT
Dans la comptabilité au coût actuel et pour un exercice donné, montant égal à la différence entre, d'une part, l'amortissement imputé à l'exercice et calculé en fonction du coût actuel du bien en cause et, d'autre part, le redressement qui doit être apporté au solde du compte Amortissement cumulé en vue de refléter la capacité de service absorbée jusqu'à la fin de l'exercice en cours. Pour la durée d'utilisation totale d'un bien, l'amortissement en retard est égal à la différence entre le total des annuités d'amortissement (à l'exclusion de l'amortissement en retard) et le coût actuel de ce bien (à l'état neuf) à la fin de sa vie utile. *Syn.* **catch up adjustment**. *V.a.* **current cost accounting**.

BACK ORDER 1.
RESTE DE COMMANDE, SOLDE D'UNE COMMANDE
(comm.) Partie d'une commande que l'entreprise a reçue d'un client pour des marchandises ou des services, mais qu'elle n'a pas encore livrée ou exécutée. *Comparer avec* **backlog**.

BACK ORDER 2.
ARRIÉRÉ DE COMMANDE, COMMANDE EN SOUFFRANCE, COMMANDE EN RETARD
(comm.) Commande non exécutée à la date où elle aurait dû l'être. *V.a.* **outstanding** 5.

BACK ORDER 3.
LIVRAISON DIFFÉRÉE
(comm.) Livraison du reste d'une commande.

BACKUP EQUIPMENT
MATÉRIEL DE SECOURS, MATÉRIEL DE SOUTIEN
Voir **stand-by equipment**.

BAD DEBT
CRÉANCE IRRÉCOUVRABLE, PERTE SUR CRÉANCE, PERTE SUR PRÊT
Créance, effet ou prêt qu'une entreprise ou un établissement financier a définitivement perdu parce que, par exemple, le débiteur a fait faillite. *Syn.* **credit loss** et **uncollectible account**. *Comparer avec* **doubtful account**.

BAD DEBT RECOVERED
RENTRÉE SUR CRÉANCE RADIÉE, RENTRÉE SUR CRÉANCE PASSÉE EN CHARGES,
  RECOUVREMENT SUR CRÉANCE RADIÉE, REPRISE DE RÉDUCTION DE VALEUR D'UNE
  CRÉANCE (Belg.)

Somme recouvrée sur une créance passée en charges ou radiée antérieurement parce que l'on avait jugé à ce moment-là, compte tenu des circonstances, qu'elle était définitivement irrécouvrable. *N.B.* Si la créance qui est recouvrée a fait l'objet d'une charge portée en entier au crédit du compte Provision pour créances douteuses, on parlera alors de **recouvrement sur créance (entièrement) provisionnée**.

BAD WORK
MALFAÇON
Voir **defect** 2.

BALANCE *n.* 1.
SOLDE (DE COMPTE), SOLDE D'UN COMPTE

Excédent des débits sur les crédits ou, selon le cas, des crédits sur les débits inscrits dans un compte. *Syn.* **balance of account** 1. *V.a.* **credit balance** et **debit balance**.

BALANCE *n.* 2.
RELIQUAT
Voir **balance of account** 2.

BALANCE *v. intr.*
ÊTRE EN ÉQUILIBRE, ÊTRE ÉQUILIBRÉ

Dans une comptabilité en partie double, avoir une égalité entre le total des débits et celui des crédits. *N.B.* Un grand livre auxiliaire est en équilibre lorsque le total des soldes des comptes qui s'y trouvent est égal au solde du compte collectif correspondant.

BALANCE *v. tr.*
FAIRE LA BALANCE (DES COMPTES), BALANCER (fam.)

Dans une comptabilité en partie double, s'assurer que le total des débits est égal au total des crédits ou que le total des soldes des comptes d'un grand livre auxiliaire est égal au solde du compte collectif correspondant.

BALANCE AN ACCOUNT, TO
SOLDER UN COMPTE, ARRÊTER UN COMPTE, BALANCER UN COMPTE (fam.)

Rendre égal ou équilibrer le total des crédits avec celui des débits d'un compte en ajoutant son solde au total le moins élevé. *N.B.* L'expression **solder un compte** s'emploie aussi pour désigner l'action de **clôturer un compte**. On entend par **arrêté de compte** l'opération consistant à calculer les totaux du débit et du crédit d'un compte, et à en déterminer le solde.

BALANCE BROUGHT (CARRIED) FORWARD 1.
SOLDE À REPORTER
Solde que l'on reporte à la page suivante.

BALANCE BROUGHT (CARRIED) FORWARD 2.
SOLDE À NOUVEAU, SOLDE REPORTÉ, REPORT (À NOUVEAU)
Solde que l'on a reporté de la page précédente.

BALANCED BUDGET
BUDGET ÉQUILIBRÉ
(compt. publ.) Budget dans lequel le total des recettes prévues est égal au total des dépenses prévues.

BALANCE OF ACCOUNT 1.
SOLDE (DE COMPTE), SOLDE D'UN COMPTE
Voir **balance** *n.* 1.

BALANCE OF ACCOUNT 2.
RELIQUAT
Ce qui reste dû après qu'un compte de passif a été soldé; ce qui reste d'une somme à payer ou à recouvrer. *Syn.*
balance *n.* 2.

BALANCE SHEET
BILAN
Document de synthèse exposant à une date donnée la situation financière et le patrimoine d'une entreprise et dans lequel figurent la liste des éléments de l'actif et du passif ainsi que la différence qui correspond aux capitaux propres. Les règles sur lesquelles se fonde la détermination de la valeur à attribuer aux différents postes du bilan n'ont pas nécessairement pour objet de refléter la valeur économique de l'entreprise. *N.B.* On entend aussi par **bilan** un état représentatif de la structure du patrimoine d'une entreprise à une date déterminée. Le bilan se présente généralement sous la forme d'un tableau dont la partie gauche est appelée **actif** (série de biens classés dans un ordre rationnel) et la partie droite **passif** (dettes envers les tiers ou **passif externe** et dettes envers les actionnaires ou l'exploitant, c'est-à-dire le **passif interne**). Le bilan découle d'un inventaire dressé à la clôture de l'exercice et reflète, d'une part, les **emplois**, c'est-à-dire l'utilisation que l'entreprise a faite de son capital et, d'autre part, les **ressources** mises à sa disposition. *Syn.* **statement of financial position**. *V.a.* **accounting equation**, **assets**, **capital** 1., **classified balance sheet**, **financial position**, **liabilities** et **unclassified balance sheet**.

BALANCE SHEET ACCOUNTS
COMPTES DE BILAN, COMPTES DE VALEURS, COMPTES PERMANENTS
Voir **real accounts**.

BALANCE SHEET AUDIT 1.
VÉRIFICATION DU BILAN, RÉVISION DU BILAN
(E.C.) Vérification (ou révision) effectuée en vue d'exprimer une opinion sur la situation financière d'une entreprise. En règle générale, le travail à faire dans ce cas ne comporte pas un examen poussé des opérations. *V.a.* **audit** *n.* 3.

BALANCE SHEET AUDIT 2. *(fam.)*
VÉRIFICATION DES ÉTATS FINANCIERS, RÉVISION DES COMPTES ANNUELS
Voir **year-end audit** 2.

BALANCE SHEET DATE
DATE (D'ÉTABLISSEMENT) DU BILAN, DATE DE CLÔTURE DE L'EXERCICE, DATE DE L'ARRÊTÉ DES COMPTES
Date à laquelle l'entreprise dresse son bilan après avoir procédé à un inventaire, c'est-à-dire après avoir recensé d'une manière exhaustive les éléments de son actif et de son passif. *V.a.* **end of (fiscal) year**.

BALANCE SHEET EQUATION
IDENTITÉ FONDAMENTALE, ÉQUATION COMPTABLE, ÉGALITÉ FONDAMENTALE
Voir **accounting equation**.

BALANCE SHEET, FORM OF
MODE DE PRÉSENTATION DU BILAN
Présentation des postes du bilan en tableau (disposition horizontale), en liste (disposition verticale) ou en mettant en évidence le fonds de roulement. *V.a.* **account form**, **financial position form** et **report form**.

BALANCE SHEET ITEM
POSTE DU BILAN
Élément constitutif de chaque rubrique du bilan.

BALLOON LOAN
EMPRUNT ASSORTI D'UN REMBOURSEMENT FORFAITAIRE

(fin.) Emprunt, par exemple un emprunt hypothécaire, remboursable en totalité après un certain temps, le plus souvent au moyen du produit d'un autre emprunt hypothécaire comportant des conditions différentes.

BALLOON PAYMENT
VERSEMENT FORFAITAIRE ET FINAL

(fin.) Paiement représentant la dernière tranche de remboursement d'un emprunt lorsque les versements périodiques prévus ne suffisent pas pour rembourser le principal de la dette à la date où elle doit être éteinte.

BALL PARK FIGURE *(fam.)*
CHIFFRE APPROXIMATIF

(lang. cour.) Chiffre résultant d'une estimation ne reposant sur aucune analyse systématique.

BANK
BANQUE

(banque) Établissement qui fait profession de recevoir du public et des entreprises, sous forme de dépôts ou autrement, des fonds qu'il emploie pour payer les chèques tirés par ses clients sur leur compte et pour effectuer des opérations de crédit, des opérations financières ou des opérations d'escompte.

BANK ACCEPTANCE
ACCEPTATION DE BANQUE

Voir **banker's acceptance**.

BANK ACCOUNT
COMPTE EN BANQUE, COMPTE BANCAIRE

(banque) Compte ouvert dans une banque où sont enregistrés tous les mouvements de fonds qui affectent la position du déposant ou titulaire de ce compte. *N.B.* Les principaux comptes bancaires sont les comptes chèques, les comptes courants, les comptes de dépôt, les comptes d'épargne, les comptes à vue et les comptes à intérêt quotidien. *Syn.* **banking account**. *V.a.* **chequing account**, **current account** 2., **daily interest account**, **deposit account** et **joint (bank) account**.

BANK CHARGES
FRAIS BANCAIRES, FRAIS DE BANQUE, AGIO(S)

(banque) Frais d'administration que la banque porte au débit du compte de ses clients, notamment au titre du traitement des chèques, à l'exception toutefois des intérêts et de l'escompte. *N.B.* Le terme **agio(s)** désigne l'ensemble des rémunérations (intérêts, commissions, change) perçues par une banque en échange des services rendus. Il existe différentes acceptions de l'agio qui peut être bancaire, boursier et monétaire, mais la première est la plus connue. *V.a.* **bank discount** 2. et 3., **exchange** 1. et **service charges**.

BANK COLLECTION
RECOUVREMENT DE BANQUE, ENCAISSEMENT PAR BANQUE

(banque) Encaissement d'une somme par une banque au nom d'un de ses clients.

BANK CONFIRMATION
CONFIRMATION BANCAIRE, CONFIRMATION DE BANQUE

(banque et E.C.) Document que l'expert-comptable obtient de la banque d'une entreprise dont il vérifie (ou révise) les comptes. Ce document révèle le solde du ou des comptes en banque de cette entreprise à une date précise et comprend des renseignements portant sur les emprunts bancaires effectués, les biens donnés en garantie, etc.

BANK DISCOUNT 1.
ESCOMPTE (COMMERCIAL), CRÉDIT D'ESCOMPTE

(banque et fin.) Opération de crédit par laquelle une banque met à la disposition du porteur d'un effet de commerce non échu, le produit net de cet effet, c'est-à-dire après déduction des intérêts et frais, contre le transfert à son profit de la propriété de la créance et de ses accessoires. *N.B.* L'action de transmettre à un autre (le plus souvent une banque) un effet de commerce s'appelle **négociation**.

BANK DISCOUNT 2.
ESCOMPTE (COMMERCIAL)
(banque) Montant représentant les intérêts et frais qu'une banque déduit de la valeur nominale d'un effet au moment où elle l'escompte. *Syn.* **discount** *n.* 4. *V.a.* **bank charges**.

BANK DISCOUNT 3.
ESCOMPTE (RATIONNEL)
(banque) Montant représentant les intérêts et frais qu'une banque déduit de la valeur d'un effet à l'échéance au moment où elle l'escompte. *V.a.* **bank charges**.

BANK DRAFT
TRAITE DE BANQUE, TRAITE BANCAIRE
(banque) Ordre donné par une personne (le tireur) à une banque (le tiré) de payer une somme à une autre personne (le bénéficiaire) et, par extension, le titre où cet ordre est donné. *V.a.* **cashier's check**.

BANKER'S ACCEPTANCE
ACCEPTATION DE BANQUE
(banque et fin.) Opération de crédit par laquelle une banque engage sa signature au profit d'un client, pour un montant déterminé en acceptant une traite tirée sur elle par le client. La banque accepte la traite en portant la mention *acceptée* suivie de sa signature. *Syn.* **bank acceptance**. *V.a.* **acceptance** 1.

BANKING ACCOUNT
COMPTE EN BANQUE, COMPTE BANCAIRE
Voir **bank account**.

BANKING GROUP
CONSORTIUM BANCAIRE
(banque) Groupement de banques en vue d'effectuer des opérations financières importantes.

BANK LOAN 1.
PRÊT BANCAIRE, PRÊT DE BANQUE
(banque) Somme prêtée par une banque à un particulier ou à une entreprise.

BANK LOAN 2.
EMPRUNT BANCAIRE, CRÉDIT BANCAIRE
(banque) Somme empruntée à une banque par un particulier ou une entreprise.

BANK MONEY ORDER
MANDAT DE BANQUE (Can.), ORDRE DE VIREMENT
(banque) Titre constatant la remise d'une somme à une banque par une personne avec mandat de la verser à une personne désignée (le destinataire). *N.B.* On parle d'**ordre de virement** dans les cas où la somme en cause est portée du débit du compte en banque d'une personne au crédit du compte d'une autre personne. *V.a.* **money order** et **postal money order**.

BANK NOTE
BILLET DE BANQUE
(fin.) Instrument de paiement en papier créé par la Banque centrale d'un pays. *N.B.* Les billets de banque constituent la **monnaie fiduciaire**. *V.a.* **paper money**.

BANK OVERDRAFT
DÉCOUVERT (EN BANQUE), DÉCOUVERT (BANCAIRE)
(banque et fin.) **Facilité de trésorerie** consentie par un banquier à son client, titulaire d'un compte courant dont le solde peut, moyennant l'autorisation de la banque, être débiteur pour une période donnée. *N.B.* Il convient de distinguer cette **facilité de caisse**, accordée par un banquier, du **dépassement de crédit**, expression qui

désigne la position d'un client dont les prélèvements sur un compte en banque ont dépassé le découvert autorisé par le banquier. *Syn.* **cash overdraft** et **overdraft** 1. *V.a.* **line of credit**.

BANK PRIME RATE
TAUX (D'INTÉRÊT) PRÉFÉRENTIEL
Voir **prime rate**.

BANK RATE
TAUX D'ESCOMPTE, TAUX DE L'ESCOMPTE
Voir **discount rate** 2.

BANK RECONCILIATION
(ÉTAT DE) RAPPROCHEMENT BANCAIRE, (ÉTAT DE) RAPPROCHEMENT DE BANQUE
État comptable faisant ressortir les différences entre le solde du compte en banque et le solde du compte Banque dans les livres de l'entreprise. *N.B.* Au Canada, au lieu de parler de rapprochement bancaire ou de rapprochement de banque, on emploie généralement les expressions **conciliation bancaire** et **conciliation de banque**. *V.a.* **cut-off bank reconciliation** et **reconciliation of accounts**.

BANKRUPT *adj.*
FAILLI, EN FAILLITE
(dr.) Situation d'une entreprise ou d'un particulier qui a fait faillite. *V.a.* **bankruptcy**, **file a petition in bankruptcy** et **go bankrupt**.

BANKRUPT *n.*
FAILLI
(dr.) Entreprise ou particulier qui a fait faillite. *V.a.* **bankruptcy**, **file a petition in bankruptcy** et **go bankrupt**.

BANKRUPTCY
FAILLITE
(lang. cour. et *dr.)* Dans la langue générale, état d'une entreprise qui n'est pas en mesure de respecter ses engagements. *N.B.* Au Canada, la faillite est la situation juridique d'une société ou d'un particulier qui a fait cession de ses biens ou contre lequel une ordonnance de séquestre a été émise. En France, la loi connaît plusieurs types de procédures collectives : 1) le **règlement judiciaire** dans lequel l'entreprise poursuit son activité, 2) la **liquidation des biens** dans les cas où l'entreprise doit disparaître, et 3) la **suspension provisoire de poursuites**; la notion de faillite suppose l'incapacité de payer à bonne date, tandis que l'**insolvabilité** couvre les cas où le produit de la réalisation de la totalité de l'actif est inférieur au total du passif à rembourser. En Belgique, on définit la faillite comme une procédure d'exécution collective s'appliquant au commerçant qui a cessé ses paiements et dont le crédit est ébranlé; la faillite résulte du jugement déclaratif de faillite laquelle n'entraîne pas nécessairement la disparition de l'entreprise car le tribunal peut permettre la poursuite contrôlée de l'exploitation dans le cadre du **concordat après faillite**. *Comparer avec* **insolvency** et **solvency**. *V.a.* **act of bankruptcy**, **arrangement**, **bankrupt** *adj.* et *n.*, **file a petition in bankruptcy**, **fraudulent bankruptcy**, **go bankrupt**, **proposal** et **suspension of payments**.

BANK STATEMENT
RELEVÉ BANCAIRE, RELEVÉ DE (COMPTE EN) BANQUE, ÉTAT DE COMPTE BANCAIRE, ARRÊTÉ DE COMPTE BANCAIRE
(banque) Relevé de compte périodique (le plus souvent établi une fois par mois) qu'une banque communique à chacun de ses clients pour les informer des changements survenus dans leur compte, par exemple un compte courant ou un compte chèques personnel, au cours de la période. *N.B.* Ce relevé est parfois accompagné des chèques payés par la banque ainsi que des pièces justifiant les écritures particulières passées au compte du client, ce qui ne se pratique ni en France ni en Belgique.

BAR CHART
GRAPHIQUE À TUYAUX D'ORGUE, GRAPHIQUE À BARRES, DIAGRAMME À BÂTONS
(stat.) Représentation graphique d'un phénomène au moyen de bandes verticales ou horizontales selon une échelle exprimée en valeurs absolues ou en pourcentages. *V.a.* **chart** et **histogram**.

BARE OWNER
NU-PROPRIÉTAIRE

(dr.) Propriétaire d'un bien sur lequel une autre personne a un droit d'usufruit. *Comparer avec* **life tenant**. *V.a.* **nominal owner** et **owner**.

BARE PROPERTY
NUE-PROPRIÉTÉ

(dr.) Ensemble des attributs du droit de propriété qui reviennent au propriétaire d'un bien sur lequel une autre personne a un droit d'usufruit. *Comparer avec* **usufruct**.

BARGAIN
OCCASION, AUBAINE

(comm.) Achat à bon prix; marché avantageux pour l'acheteur et, par extension, l'objet lui-même de ce marché. *V.a.* **second-hand good**.

BARGAIN PURCHASE OPTION
OPTION D'ACHAT À PRIX DE FAVEUR, OPTION D'ACHAT À UN PRIX PRÉFÉRENTIEL

(comm.) Disposition d'un contrat de location permettant au preneur (ou locataire) d'acheter le bien loué à un prix suffisamment inférieur à la juste valeur prévisible du bien à la date où l'option pourra être levée de sorte que, à la date d'entrée en vigueur du bail, il paraisse assuré que le preneur se prévaudra de cette option d'achat. *V.a.* **lease-option agreement** et **option**.

BARGAIN RENEWAL OPTION
*OPTION DE RENOUVELLEMENT À PRIX DE FAVEUR, OPTION DE RENOUVELLEMENT À UN PRIX
    PRÉFÉRENTIEL*

(comm.) Disposition d'un contrat de location permettant au preneur (ou locataire) de renouveler le bail à un loyer suffisamment inférieur au juste prix de location prévisible du bien à la date où l'option pourra être levée de sorte que, à la date d'entrée en vigueur du bail, il paraisse assuré que le preneur se prévaudra de cette option de renouvellement. *V.a.* **lease renewal** et **option**.

BARTER TRANSACTION
(OPÉRATION DE) TROC, ÉCHANGE, COMPENSATION

(comm.) Opération qui consiste à échanger des biens ou des services sans contrepartie en argent. *N.B.* Le terme **compensation** s'emploie particulièrement pour les opérations de commerce international où, par exemple, une **vente d'usine clés en main** est payée avec les produits de l'usine. *Syn.* **swap**.

BASE
ASSIETTE, BASE

(rentes et fisc.) Base, fondement du calcul d'une prestation, d'une imposition. *V.a.* **depreciation base** et **tax basis**.

BASE PRICE
PRIX DE RÉFÉRENCE, PRIX DE BASE

(stat.) Prix d'un bien constaté ou convenu à une époque déterminée et auquel on se réfère pour mesurer les variations de prix enregistrées au cours d'une période donnée. *V.a.* **base year**.

BASE STOCK
STOCK INDISPENSABLE, STOCK MINIMAL, STOCK-OUTIL

(gest.) Stock minimal d'un article, ou plus généralement d'une famille d'articles, que l'on estime justifié par l'activité normale d'une entreprise. *N.B.* Le stock-outil augmenté d'une certaine quantité et répondant plus à un but de spéculation qu'au souci d'éviter des ruptures de stock constitue un **stock stratégique** ou un **stock d'opportunité**.

BASE STOCK METHOD
MÉTHODE DU STOCK INDISPENSABLE, MÉTHODE DU STOCK MINIMAL, MÉTHODE DU STOCK-OUTIL
Méthode qui consiste à déterminer le coût des articles vendus ou utilisés par l'entreprise au cours d'une période en posant l'hypothèse qu'elle a constamment en magasin une quantité minimale, déterminée à l'avance, d'articles évalués à un prix fixe (le plus souvent le prix le plus ancien payé pour les articles en question). *V.a.* **cost flow methods**.

BASE YEAR
ANNÉE DE RÉFÉRENCE, ANNÉE DE BASE
(stat.) Année sur laquelle on se fonde pour déterminer différents indices de prix ou pour étudier les tendances des données financières portant sur un certain nombre d'exercices. *V.a.* **base price**, **horizontal analysis** et **price index**.

BASIC EARNINGS PER SHARE
BÉNÉFICE PAR ACTION EN CIRCULATION, BÉNÉFICE NON DILUÉ PAR ACTION
(anal. fin. et *compt.) (Can.)* Bénéfice de l'exercice attribuable à chaque action ordinaire en circulation durant l'exercice, compte non tenu des émissions éventuelles d'actions ordinaires. *Syn.* **earnings per share** 2. *Comparer avec* **fully diluted earnings per share**. *V.a.* **earnings per share** 1.

BASIS OF CONTRIBUTIONS
ASSIETTE DES COTISATIONS
(rentes et *ass.)* Base sur laquelle sont calculées les cotisations versées au titre d'un régime de retraite, de l'assurance-chômage, etc. Pour les salariés, l'assiette des cotisations correspond à la totalité ou à une partie de leur salaire.

BASKET PURCHASE
ACHAT À UN PRIX GLOBAL, ACHAT À UN PRIX FORFAITAIRE
Voir **lump-sum purchase**.

BATCH 1.
LOT
(comm.) Quantité individualisée et parfaitement identifiée d'une marchandise qui constitue un ensemble distinct en raison de l'association des éléments de cette marchandise à un certain stade (fabrication, stockage, transport, vente, etc.). *N.B.* On entend par **alotissement** l'opération qui consiste à répartir les marchandises en lots ou à les entreposer dans un ordre qui facilite leur identification, leur enlèvement ou leur distribution ultérieure.

BATCH 2.
LOT
(inf.) Groupe de données rassemblées en vue d'être traitées l'une après l'autre dans la même phase de traitement.

BATCH PROCESSING
TRAITEMENT PAR LOTS, TRAITEMENT GROUPÉ, TRAITEMENT DIFFÉRÉ
(inf.) Mode de traitement de l'information suivant lequel les données à traiter sont groupées par lots pour être ensuite traitées les unes à la suite des autres en un seul passage. *Syn.* **stacked batch processing**. *V.a.* **data processing** 2.

BEAR
BAISSIER
(Bourse) Spéculateur qui joue à la baisse sur le marché des valeurs mobilières ou un autre marché officiel. *Comparer avec* **bull**.

BEARER
PORTEUR, DÉTENTEUR, POSSESSEUR, TITULAIRE
(dr.) Personne qui détient un titre ou un effet de commerce; personne au profit de laquelle un effet de commerce a

été souscrit ou qui en bénéficie par voie d'endossement. *N.B.* Le porteur d'un titre n'en est pas nécessairement le titulaire ou le possesseur. L'expression **au porteur** est la mention portée sur un chèque (chèque au porteur) ou un effet de commerce (effet au porteur) lorsque l'on ne veut pas indiquer le nom du bénéficiaire. Cette expression s'emploie aussi pour des valeurs mobilières non immatriculées qui sont transmissibles de main à main et dont le détenteur est considéré comme le propriétaire. *Syn.* **holder**. *V.a.* **owner**.

BEARER BILL
EFFET AU PORTEUR

(dr.) Tout effet de commerce dont le libellé ne précise pas le nom du bénéficiaire. *V.a.* **bearer cheque**.

BEARER BOND
OBLIGATION AU PORTEUR

(fin.) Obligation non immatriculée, c'est-à-dire dont le nom du détenteur ne figure ni sur un registre ni sur le titre lui-même. *V.a.* **bond** 1.

BEARER CHEQUE
CHÈQUE (PAYABLE) AU PORTEUR

(banque) Chèque émis avec la mention *au porteur* au lieu du nom d'un bénéficiaire et que quiconque peut encaisser dès lors qu'il le détient. *N.B.* Le *bearer cheque* n'est pas différent du *cheque made to cash* sauf que le mot *cash* figure sur cette dernière sorte de chèque; en français toutefois, on inscrira, dans les deux cas, sur le chèque, la mention *au porteur*. *Syn.* **cheque made to cash**. *V.a.* **bearer bill**, **cashier's cheque** et **cheque**.

BEARER SECURITY
TITRE AU PORTEUR

(fin.) Titre libellé au nom de son propriétaire, ce qui en fait un titre appartenant généralement à celui qui en a la possession. *Comparer avec* **registered security**. *V.a.* **street security** *(fam.)*.

BEAR MARKET
MARCHÉ À LA BAISSE

(Bourse) Marché des valeurs mobilières caractérisé par une baisse du cours de l'ensemble de ces valeurs. *Comparer avec* **bull market**. *V.a.* **buyer's market**.

BEGINNING INVENTORY
STOCK D'OUVERTURE, STOCK INITIAL, STOCK AU DÉBUT (DE L'EXERCICE)

Marchandises, produits ou articles qu'une maison d'affaires a en magasin au début d'une période ou d'un exercice; valeur attribuée à ces biens. *Syn.* **opening inventory**. *Comparer avec* **ending inventory**. *V.a.* **inventory** *n.* 2.

BELL-SHAPED CURVE
COURBE EN (FORME DE) CLOCHE

(stat.) Représentation graphique d'une distribution normale, qui tire son nom de la forme de courbe qui en résulte. *V.a.* **normal curve** et **normal distribution**.

BENCHMARK
POINT DE REPÈRE, JALON

(lang. cour.) Point sur lequel se fondent les comparaisons entre plusieurs données ou séries de données. *V.a.* **yardstick**.

BENEFICIAL OWNER
PROPRIÉTAIRE (VÉRITABLE)

(dr.) Propriétaire réel d'un bien, généralement un titre, dans le cas où ce dernier est immatriculé au nom d'une autre personne. *Comparer avec* **nominal owner**. *V.a.* **owner**.

BENEFICIARY 1.
BÉNÉFICIAIRE

(lang. cour.) Personne qui, à quelque titre que ce soit, bénéficie d'un avantage, d'un droit, d'un privilège.

BENEFICIARY 2.
BÉNÉFICIAIRE, ATTRIBUTAIRE
(ass.) Personne appelée à retirer éventuellement le produit d'un contrat d'assurance. *N.B.* En cas d'attribution à titre gratuit, ce qui est, par nature, une **attribution en propriété**, l'attributaire devient titulaire de la créance résultant du contrat.

BENEFICIARY 3.
TITULAIRE DE RENTE, CRÉDIRENTIER, RENTIER, PENSIONNÉ, ALLOCATAIRE DE RENTE, PRESTATAIRE
Voir **annuitant**.

BENEFIT 1.
PRESTATION, RENTE
(ass. et rentes) Somme versée à une personne en vertu d'un contrat d'assurance ou d'un régime de retraite.

BENEFIT 2.
INDEMNITÉ
(ass.) Somme versée par une compagnie d'assurances à la suite d'un sinistre; prestation que comportent les assurances à caractère indemnitaire : hospitalisation, frais médicaux, etc. *V.a.* **indemnity**.

BENEFIT 3.
SOMME ASSURÉE, CAPITAL
(ass.) Somme exigible à l'échéance d'un contrat d'assurance-vie ou au décès de l'assuré. *N.B.* Cette somme représente le capital du contrat ou encore le montant de la garantie, c'est-à-dire l'étendue juridique de la couverture d'un risque par l'assureur.

BENEFIT 4.
AVANTAGE
(ass.) Prestation en nature ou en espèces servie en application de dispositions législatives, réglementaires ou conventionnelles, tendant à l'amélioration de la condition sociale des personnes. *V.a.* **fringe benefits** 1.

BENEFIT 5.
PROFIT
Gain ou avantage pécuniaire que l'on retire d'une chose ou d'une activité. *V.a.* **gain**.

BENEFIT 6.
BÉNÉFICE
(ass.) Avantage procuré par quelque chose. *N.B.* Ainsi, en matière d'assurance sur la vie, le contractant attribue le bénéfice de l'assurance soit à sa femme, soit à ses enfants et descendants nés ou à naître.

BENEFIT BASED PENSION PLAN
RÉGIME DE RETRAITE À PRESTATIONS DÉTERMINÉES
(rentes) Régime de retraite dans lequel le montant des prestations est déterminé en fonction de la rémunération des participants au régime ou de leurs années de service, ou en fonction des deux à la fois. *Syn.* **defined benefit pension plan** et **unit benefit pension plan** 1. *V.a.* **pension plan**.

BENEFIT/COST RATIO
RATIO DES AVANTAGES AUX COÛTS ENGAGÉS, RATIO AVANTAGES-COÛTS
(gest.) Quotient de la valeur quantitative des avantages tirés d'une activité, programme ou projet, par les coûts afférents à cette activité, programme ou projet. *N.B.* Ce ratio s'appelle aussi parfois **ratio coûts-avantages**. *V.a.* **cost/benefit analysis**.

BENEFIT IN KIND
PRESTATION EN NATURE
(ass.) Prestation qui consiste dans la fourniture de biens et de services : vivres, vêtements, soins médicaux, fournitures pharmaceutiques, séjours hospitaliers, etc. *Comparer avec* **cash benefit**.

BEQUEST
LEGS
Voir **legacy**.

BEST EFFORTS OFFERING
PLACEMENT POUR COMPTE, SOUSCRIPTION À TITRE DE MANDATAIRE, SOUSCRIPTION SANS RESPONSABILITÉ
(fin.) Accord conclu entre une société et un négociant en valeurs mobilières en vertu duquel ce dernier, plutôt que d'agir à titre de preneur ferme, s'offre à vendre le plus grand nombre de titres possible que la société a l'intention d'émettre, moyennant une commission qu'elle lui versera pour les titres vendus. *N.B.* Il existe des **syndicats de placement** qui, lors de la signature d'une **convention de placement**, ne prennent pas d'engagement quant au montant auquel ils vendront les titres moyennant une **commission de placement**. *Syn.* **agency issue**. *V.a.* **public issue**, **syndicate** et **underwriter** 2.

BETTERMENT *(vieilli)*
AMÉLIORATION
Voir **improvement**.

BIAS
PARTIALITÉ, PARTI-PRIS, BIAIS
(E.C.) Altération, intentionnelle ou non, des conditions d'une expérience ou d'un sondage fait, par exemple, par l'expert-comptable, qui a pour effet de modifier les résultats dans un sens déterminé. *V.a.* **neutrality**.

BID
OFFRE D'ACHAT
(comm.) Proposition faite par l'acquéreur éventuel d'un bien à un prix qu'il fixe lui-même. *V.a.* **bid price**.

BID/ASKED PRICE
COURS ACHETEUR ET VENDEUR
(Bourse) Prix auquel un investisseur est disposé à acheter un titre ou une marchandise; prix auquel un propriétaire est disposé à vendre un titre ou une marchandise. Lorsque ces prix sont cotés, ils représentent, d'une part, le montant le plus élevé qu'un acheteur est prêt à payer et, d'autre part, le montant le plus faible qu'un vendeur est disposé à accepter pour un titre ou une marchandise sur un marché donné, à une date précise. *N.B.* Lorsqu'un courtier agit pour son propre compte, comme dans le cas des obligations au Canada, le cours acheteur est le prix que le courtier consent à payer à des investisseurs pour des obligations et le cours vendeur, le prix auquel il les vendra à d'autres investisseurs. Dans ce cas, le cours vendeur, pour une obligation donnée, sera quelque peu plus élevé que le cours acheteur. La différence entre les deux cours représente le gain réalisé par le courtier sur de telles opérations. *V.a* **asked price** et **bid price**.

BID BOND
CAUTION DE SOUMISSION, CAUTIONNEMENT DE SOUMISSION
(ass.) Contrat en vertu duquel une compagnie d'assurances garantit que l'entreprise participant à un appel d'offres exécutera un contrat de construction ou un marché dans le cas où elle serait choisie comme maître d'oeuvre. Ce **cautionnement** est dit **provisoire** par rapport au **cautionnement définitif** que doit obtenir l'entreprise à laquelle le contrat de construction ou le marché est adjugé. *V.a.* **bond** 2.

BID PRICE
COURS ACHETEUR, DEMANDE
(Bourse) Prix auquel quelqu'un est disposé à acheter un titre ou une marchandise sur un marché officiel, le plus souvent par l'intermédiaire d'un courtier (ou agent de change). *Comparer avec* **asked price**. *V.a.* **bid** et **bid/asked price**.

BILATERAL CONTRACT
CONTRAT BILATÉRAL, CONTRAT SYNALLAGMATIQUE
Contrat qui comporte des obligations réciproques, c'est-à-dire qui engage les parties contractantes les unes envers les autres. *Comparer avec* **unilateral contract**. *V.a.* **contract**.

BILL *n*. 1.
FACTURE, COMPTE, NOTE, ADDITION
(comm.) Pièce sur laquelle figurent les sommes qu'une personne doit à une autre. *N.B.* La **facture** est un document commercial. Le **compte** est un état indiquant le montant d'une ou plusieurs dépenses. La **note** (par exemple une note d'hôtel) est une pièce sur laquelle figurent les détails d'un compte. L'**addition** est une note indiquant le total des dépenses effectuées au restaurant. *V.a.* **check** *n*. 3. *(fam.)* et **invoice** *n*.

BILL *n*. 2.
EFFET (DE COMMERCE)
(dr.) Titre à ordre transmissible par endossement, faisant obligation de payer la somme indiquée, à une époque donnée, à la personne désignée par le titre ou par l'endos. *V.a.* **bill of exchange**, **commercial paper** 1. et **promissory note**.

BILL *v*.
FACTURER
(comm.) Délivrer un compte, c'est-à-dire remettre une facture ou un relevé de compte périodique à un client.

BILLING
FACTURATION
(comm.) Ensemble des opérations nécessaires à l'établissement d'une facture. *N.B.* Par extension, le terme **facturation** désigne le service chargé, dans une entreprise, de l'établissement des factures. *Syn.* **invoicing**. *V.a.* **advance billing**, **country club billing**, **cycle billing**, **descriptive billing** et **progress billing**.

BILL OF EXCHANGE
LETTRE DE CHANGE, TRAITE
(dr.) Effet de commerce par lequel une personne (le **tireur**) ordonne à une autre personne (le **tiré**) de verser, sans condition, une certaine somme d'argent, à vue, sur demande ou à une certaine date, à une troisième personne appelée **bénéficiaire**, au porteur ou à l'ordre de ce dernier. *Syn.* **draft**. *V.a.* **bill** *n*. 2.

BILL OF LADING
NOTE DE CHARGEMENT, LETTRE DE TRANSPORT, CONNAISSEMENT
(transp.) Reconnaissance écrite, émise par un transporteur attestant qu'il a reçu des marchandises qu'il s'engage à livrer à un endroit déterminé, à une personne désignée ou à son ordre (le **destinataire**). Le connaissement est à la fois reçu de marchandises, contrat de transport et engagement de livraison au titulaire à l'arrivée. Il constitue entre les mains du porteur régulier le titre de propriété des marchandises transportées. *N.B.* Le terme **connaissement** s'emploie surtout pour des marchandises expédiées par voie maritime, mais il s'utilise aussi parfois pour d'autres modes de transport aérien ou terrestre. *V.a.* **cargo**, **manifest**, **shipping slip** et **waybill**.

BILL OF MATERIALS
NOMENCLATURE
(prod.) Relevé de la nature et de la quantité des matières ou des pièces faisant partie d'un produit particulier. *V.a.* **specifications** 2.

BILL OF SALE
ACTE DE VENTE, CONTRAT DE VENTE
(dr.) Convention portant particulièrement sur la transmission de biens personnels.

BILL PAYABLE
EFFET À PAYER
(dr.) Traite ou billet à ordre dont le montant doit être payé par l'entreprise au bénéficiaire. *V.a.* **note payable**.

BILL RECEIVABLE
EFFET À RECEVOIR
(dr.) Traite ou billet à ordre dont le montant doit être recouvré du tiré ou du souscripteur. *V.a.* **note receivable**.

BINARY DIGIT
CHIFFRE BINAIRE, UNITÉ BINAIRE, «BIT»

(inf.) Chiffre représentant l'un des nombres entiers 0 ou 1 en numération binaire. *N.B.* La capacité de mémoire d'un ordinateur s'évalue en termes de *bits*, c'est-à-dire l'unité la plus petite de mémorisation dans un ordinateur, appelée aussi **unité de mesure de mémoire**. *Syn.* **bit**. *V.a.* **byte**.

BINARY (NUMBER) SYSTEM
SYSTÈME (DE NUMÉRATION) BINAIRE

(inf.) Système de numération dont la base est deux par rapport au système décimal dont la base est dix. *N.B.* Le système binaire qui a souvent son application dans les systèmes de traitement mécanique et électronique de l'information transmet deux états de l'information au moyen des deux chiffres 0 et 1.

BIN CARD
FICHE D'INVENTAIRE, FICHE DE CASIER

(gest.) Fiche sur laquelle figure la quantité d'un article entreposé dans un casier ou une case, sur une étagère ou dans un récipient. *N.B.* Le nombre figurant sur cette carte est constamment modifié en fonction des entrées et des sorties de l'article en question. Parfois, la fiche d'inventaire indique le stock minimal et le stock maximal que l'entreprise doit conserver. *V.a.* **inventory card**.

BINDING CONTRACT
CONTRAT IRRÉVOCABLE

(dr.) Contrat qui ne peut être annulé ou résilié. *V.a.* **irrevocable lease**.

BIT
CHIFFRE BINAIRE, UNITÉ BINAIRE, «BIT»

Voir **binary digit**.

BLANK CHEQUE 1.
FORMULE DE CHÈQUE

Voir **cheque specimen**.

BLANK CHEQUE 2.
CHÈQUE EN BLANC

(banque) Chèque que le tireur a signé mais sur lequel ne figure pas le nom du bénéficiaire ou la somme à payer. *V.a.* **cheque**.

BLANK ENDORSEMENT
ENDOSSEMENT EN BLANC

(dr.) Endossement qui se limite à la signature de l'**endosseur** par opposition à l'endossement qui précise le nom de l'**endossataire**. *V.a.* **endorsement** 2.

BLANKET COVERAGE
ASSURANCE À COUVERTURE GLOBALE, ASSURANCE GLOBALE, ASSURANCE À RISQUES ET À PRIMES VARIABLES

(ass.) Protection couvrant, en vertu d'un contrat d'assurance, un ensemble de personnes ou de biens, compte tenu des changements pouvant survenir dans les caractéristiques des personnes ou des biens assurés, de leur nombre, de leur quantité ou de l'endroit où ils se trouvent. *N.B.* L'expression **assurance à risques et à primes variables** convient particulièrement pour désigner des assurances couvrant des biens dont la quantité ou la valeur (ou les deux à la fois) fluctuent, par exemple les stocks. *V.a.* **comprehensive insurance** et **insurance**.

BLANKET PURCHASE ORDER
ORDRE PERMANENT, COMMANDE PERMANENTE

Voir **standing order**.

BLENDED INTEREST PAYMENT
PAIEMENT DE CAPITAL ET D'INTÉRÊTS RÉUNIS

(fin.) Paiement comprenant un remboursement de capital et les intérêts se rapportant au capital emprunté.

BLOCKED CURRENCY
MONNAIE BLOQUÉE, MONNAIE NON CONVERTIBLE, MONNAIE INCONVERTIBLE

(dr.) Monnaie que la loi interdit de retirer d'un pays ou de convertir en devise d'un autre pays. *N.B.* On emploie aussi parfois les termes **devise bloquée, devise non convertible** et **devise inconvertible.** *Comparer avec* **convertible** 2. *V.a.* **foreign currency**.

BLOCK OF SHARES
BLOC D'ACTIONS, PAQUET D'ACTIONS

(fin.) Nombre relativement élevé d'actions de la même entreprise faisant l'objet d'une opération boursière ou autre.

BLOCK PURCHASE
ACHAT EN BLOC

(fin.) Achat de l'ensemble des actifs d'une entreprise. *N.B.* Lorsque cet achat porte sur des actions d'une société donnée, on parlera plutôt d'achat d'un bloc d'actions. *V.a.* **lump-sum purchase**.

BLOCK SALE
VENTE EN BLOC

(fin.) Vente de l'ensemble des actifs d'une entreprise. *N.B.* Lorsque cette vente porte sur des actions d'une société donnée, on parlera plutôt de vente d'un bloc d'actions. *Syn.* **bulk sale**.

BLOTTER
BROUILLARD, MAIN COURANTE

Voir **day book**.

BLUE CHIP (STOCK)
VALEUR DE (BON) PÈRE DE FAMILLE, VALEUR DE PREMIER ORDRE, VALEUR SÛRE

(Bourse) Actions d'une société réputée pour l'importance de son chiffre d'affaires, la qualité de sa gestion, de ses produits ou de ses services et la sûreté de ses débouchés, ce qui lui permet de réaliser des bénéfices et de payer des dividendes, quelle que soit la conjoncture. *N.B.* Habituellement, de telles actions constituent un placement sûr, mais leur rendement est relativement faible. *Syn.* **gilt-edged security**.

BOARD OF DIRECTORS
CONSEIL D'ADMINISTRATION

(org. de l'entr.) Ensemble des personnes élues par les actionnaires d'une société par actions pour en gérer les affaires. *N.B.* En France, la gestion d'une société anonyme est confiée soit à un conseil d'administration, soit à deux organismes appelés **directoire** et **conseil de surveillance**. Les membres du directoire (obligatoirement des personnes physiques) sont nommés par le conseil de surveillance et leur nombre peut être de un à cinq selon la taille des sociétés. Le directoire est investi de pouvoirs étendus pour agir au nom de la société, mais ces pouvoirs lui appartiennent en tant qu'organe collectif, ce qui n'exclut pas que ses membres puissent se répartir entre eux les tâches de direction. Le conseil de surveillance, qui est un organe de la société anonyme chargé du contrôle permanent de la gestion de la société, comprend de trois à douze membres désignés pour six ans par l'assemblée constitutive ou l'assemblée générale ordinaire. Il commente le rapport de gestion du directoire, donne certaines autorisations, nomme les membres du directoire et désigne le président de ce dernier organisme. *V.a.* **chairman of the board, deputy chairman, director** 1. et **executive committee** 1.

BOARD OF TRUSTEES
CONSEIL (D'ADMINISTRATION)

(O.S.B.L.) Groupe de personnes à qui incombe la responsabilité de gérer les affaires d'un organisme sans but lucratif. *V.a.* **executive committee** 2. et **trustee** 2.

BODY CORPORATE
PERSONNE MORALE

(dr.) Groupement ou établissement titulaire d'un patrimoine collectif et d'une certaine capacité juridique mais n'ayant pas d'existence corporelle ou physique. *Syn.* **corporate body** *et* **corporation** 1. *V.a.* **artificial person**, **legal entity** et **business corporation**.

BONA FIDE 1.
DE BONNE FOI

(dr.) Expression qui s'emploie pour décrire la loyauté dans la conclusion et l'exécution d'actes juridiques. La bonne foi est aussi la croyance erronée mais non fautive en l'existence d'un fait, d'un droit ou d'une règle juridique.

BONA FIDE 2.
AUTHENTIQUE, VÉRITABLE

(dr.) Se dit d'un document, d'un titre, etc. dont l'authenticité ne peut être mise en doute.

BOND 1.
OBLIGATION

(fin.) Titre d'emprunt nominatif ou au porteur, remis par une société ou une collectivité publique à ceux qui lui prêtent des capitaux pour répondre à une demande d'emprunt à long terme. Le montant de ce titre est appelé **nominal** ou **principal** et se présente habituellement en **coupures** d'un même chiffre, le plus souvent au Canada 1 000 $. *N.B.* La société émettrice affecte généralement des biens à la garantie du remboursement des capitaux empruntés. L'obligation ne donne aucun droit à la gestion, est rémunérée par un intérêt fixe et est remboursable à l'échéance suivant les modalités de l'emprunt obligataire. *Syn.* **debenture** 1. *V.a.* **bearer bond**, **bond with detachable warrant**, **callable bond**, **collateral trust bond**, **commodity bond**, **compound interest bond**, **convertible bond**, **coupon bond**, **debenture** 2., **extendible bond**, **first mortgage bond**, **government bond**, **guaranteed bond**, **income bond**, **indexed bond**, **mortgage bond**, **participating bond**, **registered bond**, **retractable bond**, **savings bond**, **serial bonds**, **sinking fund bonds** et **term bonds**.

BOND 2.
(ASSURANCE) CAUTION, (ASSURANCE DE) CAUTIONNEMENT

(ass.) Contrat en vertu duquel une personne (la **caution**) s'engage envers une autre personne (le **cautionné**) à garantir l'exécution d'une obligation prise à l'égard d'une troisième personne (le **bénéficiaire**). *Syn.* **guarantee bond**. *V.a.* **bid bond**, **deposit** 6., **fidelity bond**, **guarantee** 1. et **performance bond**.

BOND CERTIFICATE
(CERTIFICAT D')OBLIGATION

(fin.) Document, le plus souvent transmissible et négociable, remis à chaque obligataire par l'entreprise ou l'organisme qui a émis les obligations. *Comparer avec* **share certificate**. *V.a.* **certificate** et **interim certificate**.

BOND CONVERSION
CONVERSION D'OBLIGATIONS

(fin.) Action d'échanger des obligations convertibles contre des actions. *V.a.* **convertible bond**.

BOND DISCOUNT
ESCOMPTE D'ÉMISSION (D'OBLIGATIONS) (Can.), ESCOMPTE À L'ÉMISSION D'OBLIGATIONS (Can.), PRIME D'ÉMISSION (Fr. et Belg.)

(fin.) Excédent de la valeur nominale d'obligations sur leur prix d'émission. Une obligation est émise à un prix inférieur à sa valeur nominale lorsque le taux d'intérêt effectif qu'elle rapporte à la date d'émission est plus élevé que le taux d'intérêt contractuel ou nominal. *N.B.* En France et en Belgique, on utilise l'expression **prime d'émission**, que les obligations soient émises à un prix inférieur ou supérieur à leur valeur nominale. On emploie aussi dans ces deux pays l'expression **prime en dedans** lorsque le prix d'émission est inférieur à la valeur nominale, l'expression **prime en dehors** lorsque la valeur de remboursement est supérieure à la valeur nominale (le prix d'émission étant alors le pair), et l'expression **prime double** lorsque le prix d'émission est inférieur à la valeur nominale et le remboursement supérieur à cette valeur (cumul de la prime d'émission et de la prime de remboursement). En Belgique, on parle de **prime de remboursement** pour désigner la différence entre le montant versé par le créancier obligataire et le montant à rembourser, que la prime soit en dedans ou en dehors *Syn.* **discount on bonds**. *Comparer avec* **bond premium**. *V.a.* **discount** *n.* 3.

BOND DISCOUNT (OR PREMIUM) AMORTIZATION METHODS
MÉTHODES D'AMORTISSEMENT DE L'ESCOMPTE (OU DE LA PRIME) D'ÉMISSION

Méthodes utilisées pour amortir l'excédent positif ou négatif de la valeur nominale d'obligations sur leur prix d'émission (ou leur coût d'acquisition) et, par le fait même, pour déterminer périodiquement les intérêts débiteurs de la société émettrice (ou les intérêts créditeurs de l'obligataire). *V.a.* **effective interest method** et **straight-line method of discount (or premium) amortization**.

BONDED DEBT
EMPRUNT OBLIGATAIRE, EMPRUNT-OBLIGATIONS, DETTE OBLIGATAIRE

(fin.) Somme que doit une entreprise au titre des obligations qu'elle a émises. *Syn.* **bond liability** et **bonds payable**. *V.a.* **funded debt** 1. et **long-term liability**.

BONDED GOODS
MARCHANDISES SOUS DOUANE

(comm.) Marchandises conservées dans un entrepôt jusqu'à ce que les droits de douane s'y rapportant aient été acquittés. *V.a.* **in bond**.

BONDED WAREHOUSE 1.
MAGASINS GÉNÉRAUX, ENTREPÔT PUBLIC (Can.)

(comm.) Établissement exploité par des personnes physiques ou morales qui mettent à la disposition du public des locaux destinés à recevoir et à stocker des marchandises permettant éventuellement de constituer une garantie à un prêt. *Syn.* **public warehouse**. *V.a.* **warehouse** et **warehouse receipt** 2.

BONDED WAREHOUSE 2.
ENTREPÔT DE DOUANE, ENTREPÔT SOUS DOUANE, MAGASIN SOUS DOUANE

(comm.) Lieu où sont déposées les marchandises pour lesquelles les droits de douane n'ont pas encore été acquittés. *N.B.* On distingue l'**entrepôt réel** appartenant à la douane, de l'**entrepôt fictif** placé dans les locaux d'un commerçant ou dans le véhicule d'un transporteur sous contrôle de la douane. *V.a.* **warehouse**.

BOND FLOATATION COSTS
FRAIS D'ÉMISSION D'OBLIGATIONS, FRAIS DE LANCEMENT D'OBLIGATIONS

Voir **bond issue expenses**.

BONDHOLDER
(CRÉANCIER) OBLIGATAIRE, DÉTENTEUR D'OBLIGATIONS, PORTEUR D'OBLIGATIONS

(fin.) Personne physique ou morale qui détient une ou plusieurs obligations. *N.B.* Les obligataires sont des créanciers d'un genre particulier puisque leurs droits s'exercent dans le cadre d'un emprunt collectif à long terme. En France, les obligataires d'un même emprunt sont groupés de plein droit en une masse qui jouit de la personnalité civile pour la défense de leurs intérêts. Au Canada, c'est le fiduciaire qui représente la **masse des obligataires** et a la responsabilité d'agir en leur nom. En Belgique, la masse des obligataires n'a pas de personnalité juridique.

BOND INDENTURE
ACTE DE FIDUCIE, ACTE FIDUCIAIRE

(dr. can.) Contrat conclu par l'intermédiaire d'un fiduciaire entre les obligataires et la société émettrice. *N.B.* En France, les relations entre la société émettrice et la masse des obligataires est légale et ne découle pas d'un contrat. En Belgique, la masse des obligataires n'a pas de personnalité juridique. *V.a.* **indenture** et **trust indenture**.

BOND ISSUE
ÉMISSION D'OBLIGATIONS

(fin.) Mise en circulation d'obligations. Ensemble des obligations mises en circulation à une même date.

BOND ISSUE EXPENSES
FRAIS D'ÉMISSION D'OBLIGATIONS, FRAIS DE LANCEMENT D'OBLIGATIONS

Frais résultant d'une émission d'obligations, notamment les frais juridiques, les frais de vérification (ou révision), de publicité, de vente et d'impression des certificats, et les frais découlant de la mise en gage des biens hypothéqués. *Syn.* **bond floatation costs**. *V.a.* **floatation costs**.

BOND LIABILITY
EMPRUNT OBLIGATAIRE, EMPRUNT-OBLIGATIONS, DETTE OBLIGATAIRE
Voir **bonded debt**.

BOND MARKET
MARCHÉ DES OBLIGATIONS, MARCHÉ OBLIGATAIRE
(fin.) Marché où s'échangent les obligations émises par les collectivités publiques et les sociétés. *N.B.* Au Canada, les obligations sont négociées par l'intermédiaire d'un courtier agissant pour son propre compte alors qu'en France et en Belgique, les obligations sont inscrites à la cote officielle tout comme les actions.

BOND PREMIUM
PRIME D'ÉMISSION (D'OBLIGATIONS), PRIME À L'ÉMISSION D'OBLIGATIONS
(fin.) Excédent du prix d'émission d'obligations à la date d'émission sur leur valeur nominale. *N.B.* Une obligation est émise à un prix supérieur à sa valeur nominale lorsque le taux d'intérêt effectif qu'elle rapporte à la date d'émission est moins élevé que le taux d'intérêt contractuel ou nominal. *Syn.* **premium on bonds**. *Comparer avec* **bond discount** 1. *V.a.* **call premium** et **premium** 1.

BOND RATING
NOTATION DES OBLIGATIONS
(fin.) Attribution d'une cote, par des services d'informations financières, aux obligations émises par une entreprise ou un organisme quelconque, compte tenu du taux d'intérêt contractuel de ces obligations, des biens donnés en garantie, des autres dettes et de la cote de solvabilité de cette entreprise ou de cet organisme.

BOND REFUNDING
REFINANCEMENT D'OBLIGATIONS
(fin.) Émission d'obligations dont le produit est destiné au remboursement d'obligations émises antérieurement. *V.a.* **refunding**.

BOND SINKING FUND
FONDS D'AMORTISSEMENT, CAISSE D'AMORTISSEMENT, FONDS DE REMBOURSEMENT
Voir **sinking fund**.

BONDS PAYABLE
EMPRUNT OBLIGATAIRE, EMPRUNT-OBLIGATIONS, DETTE OBLIGATAIRE
Voir **bonded debt**.

BOND WITH DETACHABLE WARRANT
OBLIGATION AVEC BON DE SOUSCRIPTION DÉTACHABLE
(fin.) Obligation accompagnée d'un titre détachable procurant à son détenteur le droit d'acquérir des actions de la société émettrice à un prix stipulé d'avance au cours d'une période donnée. *V.a.* **bond** 1., **detachable warrant** et **stock purchase warrant**.

BONUS
GRATIFICATION, PRIME
(rel. de tr.) Supplément de salaire, constituant une récompense, que l'employeur verse à un employé soit spontanément, soit en vertu d'un usage ou d'un engagement, soit pour reconnaître un bon service ou une performance exceptionnelle. *N.B.* Le supplément de rémunération accordé pour un motif déterminé peut être une **prime de rendement**, une **prime de productivité** et plus particulièrement les différentes **primes d'objectifs** accordées au titre de la stimulation de l'équipe de vente.

BONUS SHARE
ACTION GRATUITE, ACTION DONNÉE EN PRIME
(fin.) Action que la société remet à titre gratuit à l'investisseur qui acquiert des obligations ou des actions nouvellement émises. *V.a.* **share** 2.

BOOK DEBT 1.
COMPTE (DE) CRÉDITEUR, COMPTE FOURNISSEUR
Voir **account payable** 1.

BOOK DEBT 2.
COMPTE (DE) DÉBITEUR, COMPTE CLIENT
Voir **account receivable** 1.

BOOK ENTRY
ÉCRITURE (COMPTABLE), INSCRIPTION COMPTABLE
Voir **entry**.

BOOK INVENTORY 1.
STOCK COMPTABLE
Marchandises, matières, fournitures, produits semi-ouvrés, produits finis, produits ou travaux en cours et emballages commerciaux qui sont la propriété de l'entreprise et qu'elle est censée avoir en magasin selon les informations fournies par les registres comptables. *V.a.* **inventory** *n*. 1. et **perpetual inventory**.

BOOK INVENTORY 2.
INVENTAIRE COMPTABLE
Inventaire qui découle des chiffres figurant dans les livres ou sur des fiches, après la mise à jour des écritures constatant tous les mouvements antérieurs à l'instant de référence. *N.B.* Le rapprochement du chiffre de l'inventaire comptable avec les résultats du dénombrement des articles stockés peut faire apparaître des écarts d'inventaire et conduit à une écriture de correction dont l'objet est de rétablir la concordance qui s'impose. *V.a.* **adjusting entry** 2., **continuous inventory**, **inventory** *n*. 2., **inventory overage** 1., **inventory shortage** 1., **perpetual inventory (method)** et **physical inventory**.

BOOKKEEPER
AIDE-COMPTABLE, COMMIS COMPTABLE, COMMIS AUX ÉCRITURES, TENEUR DE LIVRES
Personne dont la fonction principale est de tenir les livres comptables. *Syn.* **accounting clerk** et **entering clerk**. *V.a.* **accountant** 1.

BOOKKEEPING
TENUE DES LIVRES, COMPTABILITÉ (fam.)
Travail qui consiste à classer et à inscrire les opérations d'une entreprise dans les livres comptables. *Comparer avec* **accounting** 1. *V.a.* **double entry bookkeeping** et **single entry bookkeeping**.

BOOKKEEPING MACHINE
MACHINE COMPTABLE
Voir **accounting machine**.

BOOKKEEPING VOUCHER
PIÈCE COMPTABLE, PIÈCE JUSTIFICATIVE
Toute pièce justifiant la passation d'une écriture comptable. *V.a.* **voucher**.

BOOK OF ACCOUNT
LIVRE DE COMPTES, LIVRE (COMPTABLE), REGISTRE (COMPTABLE)
Tout livre ou registre qui fait partie du système comptable et dans lequel on inscrit les opérations d'une entreprise, le plus souvent en unités monétaires. Les livres de comptes comprennent les journaux et les grands livres.

BOOK OF ORIGINAL ENTRY
LIVRE-JOURNAL, JOURNAL (ORIGINAIRE)
Livre dans lequel on inscrit les opérations individuellement et chronologiquement avant d'en faire un sommaire, s'il y a lieu, et de les reporter aux grands livres. Les livres-journaux comprennent le journal général et les journaux auxiliaires. *Syn.* **journal** 1. *V.a.* **general journal**, **original entry**, **record** *n*. 1. et **special journal**.

BOOK PROFIT 1. *(fam.)*
PROFIT COMPTABLE, BÉNÉFICE COMPTABLE
Profit figurant dans les livres comptables.

BOOK PROFIT 2. *(fam.)*
PROFIT COMPTABLE, PROFIT NON RÉALISÉ, PROFIT NON MATÉRIALISÉ, PROFIT LATENT
Profit comptabilisé et résultant le plus souvent d'une plus-value constatée par expertise. *V.a.* **unrealized** 2.

BOOKS
REGISTRES (ET PIÈCES) COMPTABLES, LIVRES COMPTABLES, DOCUMENTS COMPTABLES
Voir **accounting records**.

BOOK VALUE
VALEUR COMPTABLE
Montant attribué à un poste dans les livres comptables et les états financiers (ou comptes annuels). La valeur comptable est fonction du modèle comptable choisi, lequel peut être fondé sur la valeur d'origine, la valeur actuelle, etc. *Syn.* **carrying value** et **stated value** 2. *V.a.* **net book value** et **value** *n.*

BOOK VALUE OF A BUSINESS
VALEUR (MATHÉMATIQUE) COMPTABLE D'UNE ENTREPRISE
Terme qui désigne l'actif net, c'est-à-dire l'actif moins le passif externe figurant au bilan. *N.B.* L'expression **valeur mathématique (théorique ou bilancielle) comptable d'une entreprise** s'emploie pour représenter le montant de sa situation nette comptable. De même, on utilise l'expression **valeur mathématique intrinsèque d'une entreprise** pour désigner la valeur de cette dernière, dégagée à partir de la valeur réelle des postes du bilan. Les réserves latentes et occultes sont alors prises en compte. La **valeur mathématique intrinsèque d'une action** est égale au quotient de la valeur mathématique intrinsèque de l'entreprise par le nombre d'actions émises. *Syn.* **equity value** 1. *V.a.* **going concern value**.

BOOK VALUE PER SHARE
VALEUR (MATHÉMATIQUE) COMPTABLE D'UNE ACTION
Quotient du total des capitaux propres par le nombre d'actions émises et en circulation. *N.B.* Au Canada, ce calcul s'applique généralement aux actions ordinaires, compte tenu des droits et des privilèges de participation des autres classes d'actions.

BOOT STRAP
AMORCE
(inf.) Suite d'instructions enregistrées dans l'unité centrale, conçues pour appeler automatiquement en mémoire principale le reste du programme en vue de son exécution. *N.B.* Ainsi une amorce de chargeur permet de lancer l'exploitation d'un ordinateur, même à distance, par un seul signal.

BORROWING
EMPRUNT
Voir **loan** 2.

BORROWING POWER
CAPACITÉ D'EMPRUNT
(fin.) Possibilité qu'une entreprise a de faire appel à l'emprunt, compte tenu de sa structure financière et de sa capacité d'autofinancement.

BOTTLENECK
GOULOT D'ÉTRANGLEMENT
(prod.) Secteur de production dont la carence gêne l'ensemble du développement économique et, par extension, secteur de l'entreprise qui, en cas de ralentissement, paralyse son activité générale.

BOTTOM LINE (FIGURE) *(fam.)*
BÉNÉFICE NET, RÉSULTAT NET

Terme employé pour désigner le chiffre figurant sur la dernière ligne de l'état des résultats (ou compte de résultat), c'est-à-dire le bénéfice net. *V.a.* **income** 1.

BRANCH
SUCCURSALE

(org. des entr.) Établissement sans individualité juridique, subordonné à un autre et qui concourt au même objet. *Comparer avec* **home office**.

BRANCH ACCOUNTING
COMPTABILITÉ DES SUCCURSALES

Système comptable dont l'objet est, en premier lieu, de déterminer la situation financière et les résultats de chaque succursale et, en second lieu, d'établir les états financiers (ou comptes annuels) de l'ensemble de l'entreprise.

BRANCH MANAGER
GÉRANT DE SUCCURSALE, DIRECTEUR DE SUCCURSALE

(gest.) Salarié à la tête d'une succursale. *N.B.* Le **gérant de succursale** a généralement des pouvoirs étendus et agit comme mandataire de son employeur tandis que le **directeur d'une succursale** a des pouvoirs plus restreints et n'agit pas à titre de mandataire.

BRANCH OFFICE
BUREAU RÉGIONAL

(ass.) Bureau où les agents sont recrutés, formés et dirigés.

BREACH OF CONTRACT
INEXÉCUTION, RUPTURE DE CONTRAT

(dr.) Le fait de ne pas se conformer aux obligations découlant d'un contrat.

BREACH OF TRUST
ABUS DE CONFIANCE

(lang. cour.) Conduite abusive d'un responsable, qui l'amène à poser des actes (malversation, détournement de fonds, etc.) préjudiciables à ceux dont il est chargé de surveiller les intérêts.

BREAKDOWN *n.*
VENTILATION, RÉPARTITION

(lang. cour.) Décomposition d'un budget, d'un compte ou d'une somme entre ses différents éléments de façon à en connaître le détail. *V.a.* **allocation** 1.

BREAK-EVEN CHART
GRAPHIQUE DE RENTABILITÉ, GRAPHIQUE DU POINT MORT

(gest.) Diagramme où figurent les produits et les charges correspondant à différents degrés d'activité et dont l'objet est de faire ressortir le seuil de rentabilité appelé aussi point mort. *Syn.* **profit-volume graph**. *V.a.* **chart**.

BREAK-EVEN POINT
POINT MORT, SEUIL DE RENTABILITÉ, CHIFFRE D'AFFAIRES CRITIQUE

Niveau d'activité auquel l'entreprise réalise des produits d'exploitation égaux à ses charges d'exploitation. Le **point mort** est représenté par le chiffre d'affaires (exprimé en dollars ou en quantité) qui permet de recouvrer d'abord les charges variables puis les charges fixes. *N.B.* Ce n'est que lorsque la totalité de ces dernières charges a été couverte, grâce à la marge sur coûts variables, qu'un bénéfice peut être dégagé. *V.a.* **cost/volume/profit analysis** et **margin of safety**.

BREAK-UP VALUE
VALEUR DE LIQUIDATION, PRIX DE LIQUIDATION

Voir **liquidation value**.

BRIDGING ADVANCE
CRÉDIT DE RELAIS
(fin.) Avance à court terme consentie par un établissement financier à un client (par exemple un entrepreneur au moment où il exécute des travaux) en attendant qu'il reçoive des fonds d'une autre source. *N.B.* La banque assure parfois le **relais** d'une opération financière en consentant un **crédit de soudure**, c'est-à-dire une avance que l'entreprise remboursera lorsque les actions ou les obligations qu'elle a l'intention d'émettre seront effectivement émises. *Syn.* **gap financing**. *V.a.* **interim financing**.

BROKEN PERIOD *(fam.)*
EXERCICE TRONQUÉ, EXERCICE ÉCOURTÉ
Tout exercice ayant une durée plus courte que celle de l'exercice normal. *V.a.* **fiscal period** 3.

BROKER 1.
AGENT, REPRÉSENTANT, INTERMÉDIAIRE
(comm. et *fin.)* Personne qui agit à titre d'intermédiaire, souvent pour le compte des deux parties en cause. *Comparer avec* **agent**. *V.a.* **intermediary**.

BROKER 2.
COURTIER, COMMISSIONNAIRE, AGENT DE CHANGE
(comm. et *fin.)* Personne qui fait profession de s'entremettre pour le compte d'un tiers (le **commettant**) dans des opérations boursières, immobilières ou commerciales. *N.B.* Le **commissionnaire** agit en son nom propre pour le compte du commettant, il est rémunéré par une commission dont le taux est préalablement fixé d'après le prix des biens ayant fait l'objet de l'opération et il a l'obligation de rendre compte à son commettant du prix auquel il a traité avec les autres contractants. Le **courtier** est un mandataire ayant le statut de commerçant qui agit soit à la vente, soit à l'achat, pour le compte d'un ou de plusieurs mandants. Il met les parties en rapport, constate leur accord et est rémunéré par un courtage fixe ou proportionnel. Enfin, un **agent de change** est une personne qui, pour le compte de tiers, effectue des opérations boursières. *Syn.* **dealer** 1. *Comparer avec* **agent**. *V.a.* **stockbroker**.

BROKER 3.
CAMBISTE
(fin.) Personne qui effectue des opérations de change pour le compte d'autrui. *Syn.* **foreign exchange dealer**.

BROKERAGE
COURTAGE
(fin.) Terme désignant à la fois l'activité d'un cambiste, d'un agent de change ou d'un courtier, sa profession et la commission destinée à rémunérer une opération de courtage.

BROKERAGE FEES
COURTAGE, FRAIS DE COURTAGE, DROITS DE COURTAGE
(fin.) Commission destinée à rémunérer un courtier, cambiste ou agent de change. *V.a.* **commission** 2.

BUDGET *n.* 1.
BUDGET
(gest.) Expression quantitative et financière d'un programme d'action envisagé pour une période donnée. Le budget est établi en vue de planifier l'exploitation future et contrôler *a posteriori* les résultats obtenus. *N.B.* On entend par **enveloppe budgétaire** les limites fixées aux crédits prévus pour un programme déterminé durant une période donnée, ce qui n'exclut pas toutefois la possibilité de modifier plus tard la répartition interne de ces crédits. *Comparer avec* **forecasts** et **projection**. *V.a.* **administration budget, budgeting, capital budget, cash budget, continuous budget, financial budget, fixed budget, flexible budget, master budget, operating budget** 1. et 2., **production budget, purchase budget** et **sales budget**.

BUDGET *n.* 2.
PRÉVISIONS BUDGÉTAIRES, DONNÉES PRÉVISIONNELLES
(gest.) Chiffres figurant dans le budget dressé par une entreprise commerciale ou un organisme sans but lucratif. *Syn.* **budget estimates**.

BUDGET *n.* 3.
BUDGET, CRÉDITS (BUDGÉTAIRES)
(compt. publ.) Sommes accordées à une unité administrative publique pour sa gestion.

BUDGET *v.* 1.
ÉTABLIR LE BUDGET, BUDGÉTER
(gest.) Déterminer les prévisions budgétaires.

BUDGET *v.* 2.
BUDGÉTISER
(gest.) Inscrire des sommes à un budget. *N.B.* L'inscription de sommes au budget s'appelle **budgétisation**.

BUDGETARY ACCOUNTS
COMPTES BUDGÉTAIRES
(compt. publ.) Comptes dans lesquels sont inscrites les recettes ainsi que les dépenses figurant au budget.

BUDGETARY CONTROL
CONTRÔLE BUDGÉTAIRE, GESTION BUDGÉTAIRE
(gest.) Technique administrative qui prévoit l'établissement d'un budget et d'un **plan de gestion**, ses modalités d'exécution ainsi que la comparaison des résultats obtenus avec les objectifs fixés à l'origine. *N.B.* Une telle comparaison révèle des **écarts budgétaires** dont il y a lieu de rechercher les causes. Une action corrective doit alors être immédiatement entreprise. Le **contrôle budgétaire** permet ainsi de s'assurer que l'entreprise poursuit son activité dans la ligne de conduite tracée et elle peut alors prendre les mesures nécessaires pour l'y ramener s'il en est besoin. *Comparer avec* **budget planning**. *V.a.* **control** 3.

BUDGETARY CUTS
RÉDUCTIONS BUDGÉTAIRES, RESTRICTIONS BUDGÉTAIRES, COMPRESSIONS BUDGÉTAIRES
(Adm.) Réductions que des conditions économiques difficiles obligent une Administration publique à apporter lors de l'établissement de son budget.

BUDGETARY DEFICIT
DÉFICIT (BUDGÉTAIRE)
(compt. publ.) Excédent des dépenses prévues sur les recettes figurant au budget. *Syn.* **deficit** 4. *Comparer avec* **budgetary surplus**. *V.a.* **budget variance** 1.

BUDGETARY EXPENDITURE
DÉPENSE BUDGÉTAIRE
(compt. publ.) Dépense figurant dans le budget établi par une unité administrative publique.

BUDGETARY REVENUE
RECETTE BUDGÉTAIRE
(compt. publ.) Recette figurant dans le budget établi par une unité administrative publique.

BUDGETARY SURPLUS
EXCÉDENT (BUDGÉTAIRE), SURPLUS BUDGÉTAIRE
(compt. publ.) Prépondérance des recettes prévues sur les dépenses figurant au budget. *Syn.* **surplus** 2. *Comparer avec* **budgetary deficit**. *V.a.* **budget variance** 1.

BUDGETED BALANCE SHEET
BILAN PRÉVISIONNEL
Bilan montrant la situation financière prévue de l'entreprise à une date future, compte tenu des objectifs recherchés et des contraintes envisageables.

BUDGETED COST
COÛT BUDGÉTÉ, COÛT PRÉVU

Coût résultant d'une prévision, compte tenu des événements qui se produiront le plus probablement. *Comparer avec* **actual cost** et **standard cost**.

BUDGETED STATEMENTS
ÉTATS (FINANCIERS) PRÉVISIONNELS

États établis à des fins de planification et de contrôle avant que l'exercice ne commence ou que les opérations n'aient effectivement lieu. *V.a.* **forecasts** et **pro-forma statements**.

BUDGET ESTIMATES
PRÉVISIONS BUDGÉTAIRES, DONNÉES PRÉVISIONNELLES
Voir **budget** *n.* 2.

BUDGET INFORMATION
INFORMATION PRÉVISIONNELLE

Information accompagnant parfois les états financiers (ou comptes annuels) surtout dans le cas d'organismes sans but lucratif et comprenant le budget de l'exercice courant et, le plus souvent, celui de l'exercice suivant. *V.a.* **forecasts**.

BUDGETING
ÉTABLISSEMENT DU BUDGET, ÉLABORATION DU BUDGET

(gest.) Processus d'établissement des prévisions budgétaires. *V.a.* **budget** *n.* 1. et **zero base budgeting**.

BUDGET PLANNING
PLANIFICATION BUDGÉTAIRE

(gest.) Technique administrative qui consiste à déterminer les prévisions budgétaires, selon un plan d'ensemble, à des fins de contrôle. *Comparer avec* **budgetary control**.

BUDGET VARIANCE 1.
ÉCART BUDGÉTAIRE, ÉCART SUR BUDGET

Excédent des frais réels sur le total des frais fixes préétablis et des frais variables ajustés à l'activité réelle; excédent des recettes ou des dépenses sur les prévisions d'une Administration publique; excédent d'une somme engagée sur la somme effectivement dépensée. *N.B.* Dans les deux derniers cas, cet excédent est aussi désigné par le terme **boni**. *V.a.* **budgetary deficit**, **budgetary surplus** et **variance** 2.

BUDGET VARIANCE 2.
ÉCART BUDGÉTAIRE GLOBAL

Somme de deux écarts afférents aux frais généraux, c'est-à-dire l'écart budgétaire sur prix et l'écart de rendement. *V.a.* **efficiency variance**, **overhead variances** et **standard cost variances**.

BUFFER INVENTORY 1.
STOCK D'ALERTE, STOCK CRITIQUE

(gest.) Quantité de stock correspondant au niveau d'alerte, c'est-à-dire le niveau minimal du stock qui, lorsqu'il est atteint, nécessite l'adoption de mesures de réapprovisionnement d'urgence, hors routine. *V.a.* **minimum stock**, **reorder point** et **safety stock**.

BUFFER INVENTORY 2.
STOCK TAMPON

(prod.) Dans une chaîne de production non équilibrée, quantité de matières, pièces ou produits stockés entre les divers postes de travail.

BUFFER MEMORY
MÉMOIRE TAMPON
Voir **buffer storage**.

BUFFER STORAGE
MÉMOIRE TAMPON

(inf.) Mémoire spécialisée ou zone de mémoire permettant, par stockage temporaire, le transfert de données entre deux organes ayant des caractéristiques de transfert différentes (organes non synchronisés ou de vitesses inégales, ou opérant l'un en série et l'autre en parallèle). *Syn.* **buffer memory**. *V.a.* **memory**.

BUG
ERREUR, IMPERFECTION

(inf.) Élément qu'un programme renferme et qui peut être la cause d'inexactitudes. *N.B.* Si les erreurs sont attribuables au mauvais fonctionnement du matériel, on parlera alors plutôt de **défaut de fonctionnement**. *V.a.* **debug**.

BUILDINGS
BÂTIMENTS

Poste du bilan où figurent les constructions (usines, immeubles, entrepôts, etc.) qui sont la propriété de l'entreprise et qu'elle utilise pour son exploitation. *N.B.* Font partie des bâtiments les fondations et leurs appuis, les murs, les planchers, les toitures ainsi que les aménagements faisant corps avec eux, à l'exclusion de ceux qui peuvent en être facilement détachés ou encore de ceux qui, en raison de leur nature et de leur importance, justifient une inscription distincte en comptabilité. Les **immeubles par nature** sont des immeubles fixes qui ne peuvent être transportés ailleurs sans être altérés (par exemple une usine) tandis que les **immeubles par destination** sont en réalité des biens meubles dont la loi fait des immeubles en raison du lien qui les unit à un immeuble par nature (par exemple les équipements reliés à un bâtiment).

BUILDING OCCUPANCY EXPENSES 1.
FRAIS D'OCCUPATION, FRAIS D'UTILISATION

Dépenses engagées par le propriétaire en vue de conserver ou d'améliorer un immeuble dont il a la jouissance. *N.B.* Les dépenses sont dites nécessaires lorsqu'elles sont commandées par le souci de ne pas laisser le bien se détériorer, elles sont utiles lorsqu'elles donnent une plus-value au bien et elles sont voluptuaires lorsqu'elles sont faites dans un but d'agrément. Les dépenses engagées par une personne qui a la jouissance d'un immeuble sans en être le propriétaire, pour sa conservation, son amélioration et son embellissement portent le nom de **impenses**. *Syn.* **occupancy expenses**.

BUILDING OCCUPANCY EXPENSES 2.
CHARGES LOCATIVES

Charges incombant au locataire d'une propriété immobilière. *Syn.* **occupancy expenses**.

BULK, IN
VRAC, EN

(comm.) Se dit de marchandises expédiées pêle-mêle, sans être arrimées et sans emballage. *N.B.* L'expression **en vrac** s'emploie aussi pour désigner les marchandises vendues non conditionnées et généralement sans marque.

BULK SALE
VENTE EN BLOC

Voir **block sale**.

BULL
HAUSSIER

(Bourse) Spéculateur qui joue à la hausse sur le marché des valeurs mobilières ou un autre marché officiel. *Comparer avec* **bear**.

BULL MARKET
MARCHÉ À LA HAUSSE

(Bourse) Marché des valeurs mobilières caractérisé par une hausse du cours de l'ensemble de ces valeurs. *Comparer avec* **bear market**. *V.a.* **seller's market**.

BURDEN
FRAIS GÉNÉRAUX
Voir **overhead**.

BURDEN RATE
COEFFICIENT D'IMPUTATION DES FRAIS GÉNÉRAUX
Coefficient utilisé par l'entreprise pour imputer les frais généraux à ses divers produits fabriqués ou à ses différents services. *Syn.* **overhead rate**. *V.a.* **applied burden**, **overapplied burden**, **overhead**, **predetermined factory overhead rate** et **underapplied burden**.

BUSINESS 1.
AFFAIRES
(aff.) Ensemble cohérent d'activités industrielles, commerciales, financières ou agricoles, assumées par un individu ou par une entreprise pour son propre compte ou pour le compte d'autrui (**agent d'affaires**). *N.B.* Dans une entreprise, les affaires se traduisent par des opérations dont la valeur cumulée sur une certaine période représente le chiffre d'affaires.

BUSINESS 2.
ENTREPRISE, FIRME, ÉTABLISSEMENT, MAISON
Voir **business firm**.

BUSINESS 3.
FONDS DE COMMERCE
(aff.) Ensemble d'éléments mis en oeuvre par un commerçant ou un industriel dans l'établissement qu'il exploite. *N.B.* Le **fonds de commerce** est généralement constitué d'éléments incorporels (clientèle, achalandage, nom commercial, droit au bail, licences, droits de propriété industrielle et commerciale, etc.) et corporels (matériel, outillage et agencement). *V.a.* **goodwill**.

BUSINESS CARD
CARTE D'AFFAIRES, CARTE PROFESSIONNELLE
(aff.) Carte sur laquelle on fait imprimer son nom, son adresse et ses titres.

BUSINESS COMBINATION
REGROUPEMENT D'ENTREPRISES
(fin.) Opération par laquelle une entreprise s'unit à une autre ou s'assure le contrôle de l'actif de cette dernière. *N.B.* Le regroupement peut s'effectuer juridiquement de différentes façons et donner lieu à une entité économique dont la nature variera selon les circonstances. *V.a.* **acquisition** 2., **amalgamation**, **conglomerate business combination**, **horizontal business combination**, **merger**, **single-step acquisition**, **statutory amalgamation**, **step-by-step acquisition** et **vertical business combination**.

BUSINESS COMBINATION, METHODS OF ACCOUNTING FOR A
(MÉTHODES DE) COMPTABILISATION D'UN REGROUPEMENT D'ENTREPRISES
Méthodes comptables qui peuvent être utilisées pour inscrire les effets d'un regroupement d'entreprises au moment où l'opération y donnant lieu est effectuée. *V.a.* **new entity method**, **pooling of interests method** et **purchase method**.

BUSINESS CORPORATION
SOCIÉTÉ DE CAPITAUX, SOCIÉTÉ PAR ACTIONS, SOCIÉTÉ COMMERCIALE (Can.), SOCIÉTÉ À RESPONSABILITÉ LIMITÉE (S.A.R.L.) (Fr.), SOCIÉTÉ ANONYME (S.A.) (Fr. et Belg.), COMPAGNIE (À FONDS SOCIAL) (Québec), SOCIÉTÉ DE PERSONNES À RESPONSABILITÉ LIMITÉE (S.P.R.L.) (Belg.)
(dr) Entité juridique, avec capital social, distincte et indépendante de ses actionnaires et ayant pour objet la fabrication d'un produit, le commerce de marchandises ou la prestation de services. *N.B.* Dans une entreprise de cette nature, les actionnaires ne sont responsables des dettes de la société que jusqu'à concurrence du capital qu'ils y ont investi. Au Canada, la législation fédérale parle de **société commerciale** alors qu'au Québec la loi utilise le terme **compagnie**. Dans les deux cas, on exige que la raison sociale renferme le terme limitée (Ltée) ou

Inc. En France, on retrouve la **société à responsabilité limitée** (S.A.R.L.) dans laquelle aucun des associés n'est responsable au-delà de son apport mais où les parts sociales non négociables sont relativement difficiles à céder à des tiers, et la **société anonyme** (S.A.) dans laquelle les parts sociales sont représentées par des actions généralement transmissibles et négociables. La société anonyme doit compter au moins sept actionnaires et disposer d'un capital social minimal si elle fait appel public à l'épargne. La loi prévoit que la société à responsabilité limitée dont le nombre d'associés dépasse 50 doit, dans les deux ans, être convertie en société anonyme. En Belgique, les sociétés commerciales sont celles qui ont pour objet l'exploitation d'une entreprise commerciale ou l'accomplissement d'actes de commerce; est considéré comme entreprise commerciale au sens de la loi tout organisme dont l'objet est de pourvoir à la production, à l'échange ou à la circulation des biens ou des services pour autant que ces activités constituent des actes de commerce. Les deux formes de sociétés commerciales les plus courantes en Belgique sont la **société de personnes à responsabilité limitée** (S.P.R.L.) et la **société anonyme** (S.A.). *Syn.* **corporation** 2. et **limited (liability) company** 1. *V.a.* **body corporate**, **company** 1. et 2., **limited (liability) company** 2., **private company** et **public company**.

BUSINESS DAY
JOUR OUVRABLE, JOUR DE TRAVAIL

(aff.) Jour consacré normalement au travail par opposition à un jour de congé, un jour chômé ou un jour férié.

BUSINESS DEVELOPMENT
PROSPECTION (DE CLIENTÈLE), RECHERCHE DE CLIENTS

Voir **practice development**.

BUSINESS FIRM
ENTREPRISE, FIRME, ÉTABLISSEMENT, MAISON

(aff.) Organisation de production de biens ou de services à caractère commercial. *N.B.* L'entreprise met en oeuvre des moyens intellectuels, humains, matériels et financiers pour extraire, produire, transformer ou distribuer des biens et des services, conformément à des objectifs définis par une direction personnelle hiérarchisée ou collégiale et faisant intervenir, selon des dosages divers, des motivations de profit et d'utilité sociale. *Syn.* **business** 2., **concern** et **firm** 1. *V.a.* **commercial concern**, **enterprise**, **establishment**, **manufacturing concern**, **profit-oriented organization**, **service concern** et **undertaking**.

BUSINESS FORM
FORMULE COMMERCIALE, FORMULAIRE COMMERCIAL, IMPRIMÉ COMMERCIAL

(aff.) Feuille de papier imprimée le plus souvent à de nombreux exemplaires, et servant à noter les détails d'une opération commerciale. *V.a.* **form**.

BUSINESS HOURS
HEURES D'OUVERTURE, HEURES DE BUREAU

(aff.) Heures pendant lesquelles une entreprise est accessible à la clientèle. *V.a.* **working hours**.

BUSINESS INCOME
REVENU TIRÉ D'UNE ENTREPRISE

(fisc. can.) Revenu qu'un contribuable tire d'une entreprise au cours d'une année d'imposition; le revenu en question correspond au bénéfice de cette entreprise calculé selon les dispositions pertinentes des lois fiscales. *N.B.* En France, cette notion s'apparente aux **bénéfices industriels et commerciaux (B.I.C.)**. *V.a.* **active business income**.

BUSINESS INTERRUPTION INSURANCE
ASSURANCE (CONTRE LES) PERTES D'EXPLOITATION

(ass.) Assurance des charges fixes de l'entreprise et de son bénéfice pendant la période consécutive à un sinistre et jusqu'à remise en marche complète, c'est-à-dire le plus souvent, jusqu'à ce que le chiffre d'affaires atteigne le niveau antérieur au sinistre. *V.a.* **insurance**.

BUSINESS LAW
DROIT DES AFFAIRES
(dr.) Ensemble des lois régissant l'exploitation des entreprises à but lucratif.

BUSINESS LIMIT
PLAFOND DES AFFAIRES
(fisc. can.) Limite annuelle, aux fins du calcul de la déduction accordée aux petites entreprises, du revenu imposable d'une entreprise exploitée activement. *V.a.* **small business deduction** et **total business limit**.

BUSINESS MACHINE
MACHINE DE BUREAU
(aff.) Toute machine utilisée pour exécuter le travail de bureau et le travail comptable. *Syn.* **office machine**.

BUSINESSMAN
HOMME D'AFFAIRES, ENTREPRENEUR, CHEF D'ENTREPRISE, DIRIGEANT D'ENTREPRISE
(aff.) Personne qui dirige une entreprise commerciale ou qui participe à sa gestion.

BUSINESS OPPORTUNITY
CRÉNEAU (COMMERCIAL)
(mark.) Secteur du marché d'un produit ou d'un service, répondant à une attente du public, actuellement non ou insuffisamment exploité; ouverture sur un marché non exploité. *V.a.* **outlet** 2.

BUSINESS OUTLET
POINT DE VENTE
Voir **outlet** 1.

BUSINESS PAPER
EFFET DE COMMERCE, EFFET FINANCIER, PAPIER COMMERCIAL, PAPIER FINANCIER
Voir **commercial paper** 1., 2., 3. et 4.

BUSINESS PAPERS
PAPIERS D'AFFAIRES, DOCUMENTS COMMERCIAUX
(aff.) Documents ou pièces utilisés par l'entreprise et attestant notamment l'existence des opérations conclues avec des tiers. *V.a.* **voucher** 2.

BUSINESS POLICIES
POLITIQUE GÉNÉRALE
(gest.) Politique (lignes de comportement, règles d'étude et d'action, disciplines de gestion) définie par l'entreprise pour conduire ses activités et pour réaliser ses desseins. *N.B.* Cette politique générale, qui se définit à court, moyen et long terme, comprend les politiques commerciale, financière, humaine et les politiques de recherche, de développement et de production. *V.a.* **policy** 2.

BUSINESS PREMISES
LOCAUX COMMERCIAUX
(aff.) Pièces d'un bâtiment dont l'entreprise a besoin pour son exploitation.

BUSINESS REPLY MAIL
ENVELOPPE-RÉPONSE, CARTE-RÉPONSE
(aff.) Enveloppe ou carte généralement affranchie d'avance dont le libellé a été préparé, et qu'il suffit de remplir pour passer une commande, demander une documentation, etc. *Syn.* **return envelope**.

BUSINESS SERVICES
SERVICES COMMERCIAUX
(mark.) Services de l'entreprise chargés de la commercialisation de ses produits.

BUSINESS TRANSACTION
OPÉRATION COMMERCIALE
(aff.) Acte conclu par une entreprise dans le cadre de son exploitation. *V.a.* **deal**, **operation(s)** 2. et **transaction** 1.

BUY AND SELL AGREEMENT
CONVENTION DE RACHAT DE PARTS D'ASSOCIÉS, CONVENTION DE RACHAT D'ACTIONS
(aff.) Convention déterminant les modalités de rachat de la part d'un associé ou actionnaire dans une entreprise, habituellement en cas de décès.

BUY AND SELL INSURANCE AGREEMENT
ASSURANCE-RACHAT DE PARTS (D'ASSOCIÉS)
Voir **buy-out insurance**.

BUYER'S MARKET
MARCHÉ ACHETEUR, MARCHÉ À LA BAISSE
(écon.) Situation qui existe dans une industrie ou une région lorsque l'offre est supérieure à la demande. On parle alors de **marché favorable à l'acheteur** ou dominé par lui. *Comparer avec* **seller's market**. *V.a.* **bear market**.

BUYING EXPENSES
FRAIS D'APPROVISIONNEMENT, CHARGES D'APPROVISIONNEMENT
Frais accessoires auxquels donnent lieu les activités exercées par le service des achats. *V.a.* **purchasing department** 1.

BUYING RATE
COURS ACHETEUR, TAUX DE CHANGE ACHETEUR
(fin.) Prix auquel un cambiste est disposé à acheter une devise à un moment donné, compte tenu du taux de change alors en vigueur. *Comparer avec* **selling rate**. *V.a.* **current rate**, **forward rate**, **historical rate**, **rate of exchange** et **spot rate**.

BUY INSURANCE, TO
S'ASSURER
(ass.) Contracter ou souscrire une assurance.

BUY-OUT INSURANCE
ASSURANCE-RACHAT DE PARTS (D'ASSOCIÉS)
(ass.) Assurance souscrite généralement par les associés d'une société dans le but d'obtenir les fonds nécessaires au rachat, par les survivants, de la part détenue par l'un d'entre eux à son décès. *N.B.* Quand cette disposition est incluse dans un contrat de société, on parle de **clause de rachat**. *Syn.* **buy and sell insurance agreement**. *V.a.* **insurance**.

BY-LAWS 1.
RÈGLEMENTS, ARRÊTÉS
(dr.) Règlements administratifs d'intérêt local.

BY-LAWS 2.

STATUTS (D'UNE SOCIÉTÉ), RÈGLEMENT (D'UNE SOCIÉTÉ)

(dr.) Ensemble des dispositions fixant les règles du fonctionnement d'une association ou d'une société par actions et, dans ce dernier cas, les relations entre les actionnaires. *N.B.* On entend par **règlement** un ensemble de règles de régie interne. *V.a.* **articles of association**.

BY-PRODUCT

SOUS-PRODUIT, PRODUIT DÉRIVÉ, PRODUIT SECONDAIRE, PRODUIT ACCESSOIRE

(prod.) Produit de moindre importance obtenu lors de la fabrication du produit principal ou de la transformation d'une matière première. *N.B.* Comme les sommes retirées de la vente d'un sous-produit sont généralement défalquées du coût total engagé, il en résulte une diminution du coût du produit principal. *Comparer avec* **co-product** et **joint products**.

BYTE

MULTIPLET, OCTET

(inf.) Chaîne d'éléments binaires (*bits*) de longueur fixe traitée comme un tout. *N.B.* Le nombre d'éléments binaires requis pour mémoriser une lettre ou un chiffre est généralement de huit, d'où le nom de **octet**. *V.a.* **binary digit**.

C

CAAT
(TECHNIQUES DE) VÉRIFICATION INFORMATISÉE (T.V.I.), (TECHNIQUES DE) RÉVISION INFORMATISÉE (T.R.I.)
Abrév. de **computer assisted audit (techniques)**.

CALENDAR YEAR
ANNÉE CIVILE
(lang. cour.) Période de douze mois comprise entre le 1er janvier et le 31 décembre. *Comparer avec* **fiscal year** et **natural business year**.

CALL
APPEL (DE FONDS), APPEL DE VERSEMENTS
(fin.) Acte par lequel le conseil d'administration demande aux souscripteurs, par voie de résolution, de verser tout ou partie du prix convenu pour les actions auxquelles ils ont souscrit. *N.B.* Le terme **appel de fonds** désigne aussi l'opération par laquelle une entreprise demande des fonds additionnels à ses associés, à ses actionnaires. *V.a.* **assessment** 2. et **non-fully paid share**.

CALLABLE BOND
OBLIGATION REMBOURSABLE PAR ANTICIPATION, OBLIGATION REMBOURSABLE À VUE
(fin.) Obligation que la société émettrice peut rembourser avant l'échéance conformément aux dispositions de l'acte de fiducie ou du contrat d'émission. *Syn.* **redeemable bond**. *Comparer avec* **retractable bond**. *V.a.* **bond** 1. et **call premium**.

CALL AND CHECK
COLLATIONNEMENT
(E.C.) Opération qui consiste à faire une lecture en parallèle des états financiers (ou comptes annuels) pour s'assurer que la version définitive est conforme à la version antérieure (manuscrite ou dactylographiée et corrigée) et, comme contrôle supplémentaire, à refaire les additions. *Syn.* **call and foot**. *V.a.* **call-checker**.

CALL AND FOOT
COLLATIONNEMENT
Voir **call and check**.

CALL AND PUT OPTION
STELLAGE
(Bourse) Marché à terme où l'acheteur a le choix, à une échéance donnée, entre l'achat et la vente d'un titre à des cours différents. *N.B.* L'acheteur d'un stellage pense que le cours du titre va faire l'objet de fluctuations importantes. Ainsi l'acheteur d'un stellage de 100 actions d'une société à 115/128 s'engage à l'échéance à acheter 100 de ces actions à 128 ou à en vendre le même nombre à 115. *Syn.* **put and call option**. *V.a.* **call (option)** et **put (option)**.

CALL-CHECKER
CORRECTEUR

(E.C.) Personne qui participe au travail de collationnement dans un cabinet d'experts-comptables. *V.a.* **call and check**.

CALLED-UP CAPITAL
CAPITAL APPELÉ

(dr. et fin.) Montant du capital versé ou à verser lors de la constitution d'une société par actions ou subséquemment jusqu'à concurrence du prix d'émission des actions. *V.a.* **capital stock** et **paid-up capital**.

CALL FOR TENDERS
APPEL D'OFFRES

(comm.) Opération, appuyée sur un document, par laquelle un acheteur éventuel de biens ou de fournitures ou un loueur éventuel de services invite un ou plusieurs fournisseurs à lui présenter des propositions précises en vue de la conclusion d'un marché. *N.B.* Un **marché sur adjudication** est caractérisé par l'appel à la concurrence et le contrat sera alors attribué au candidat qui a présenté la proposition de prix la plus avantageuse. Dans le domaine des **marchés de l'État** ou **marchés publics**, l'appel d'offres est dit ouvert lorsque quiconque peut déposer une offre; il est dit restreint lorsque seuls sont admis à déposer une offre les candidats que l'Administration a décidé de consulter. *V.a.* **procurement contract** et **tender**.

CALL LOAN
PRÊT REMBOURSABLE SUR DEMANDE (Can.), PRÊT (REMBOURSABLE) À VUE, EMPRUNT
*   *REMBOURSABLE SUR DEMANDE (Can.), EMPRUNT (REMBOURSABLE) À VUE, CRÉDIT À VUE,*
*   *CRÉDIT DE CAISSE (Belg.)*

Voir **demand loan**.

CALL (OPTION)
OPTION D'ACHAT

(Bourse) Option négociable donnant à son détenteur le droit d'acheter un nombre déterminé d'actions à un prix stipulé d'avance (le plus souvent un prix quelque peu supérieur à leur cours au moment de l'acquisition de l'option) à une date quelconque au cours d'une période donnée. *N.B.* Le spéculateur qui acquiert une telle option estime au moment où il en fait l'acquisition que le cours des actions en viendra à dépasser le prix convenu. Si cette prévision se réalise, il achètera les actions au prix convenu et il pourra les revendre au prix du marché, ce qui lui permettra de réaliser un profit, compte tenu du prix payé pour son option. Si, au contraire, le cours des actions faiblit, il renoncera à lever son option et il subira une perte égale au prix payé pour cette dernière. *Comparer avec* **put (option)**. *V.a.* **call and put option** et **option**.

CALL PREMIUM
PRIME DE REMBOURSEMENT (ANTICIPÉ)

(fin.) Somme que la société émettrice doit verser à un obligataire en sus de la valeur nominale d'une obligation remboursée avant la date d'échéance. *N.B.* En France et en Belgique, le terme **prime de remboursement** désigne aussi la prime ajoutée à la valeur nominale d'une obligation lors de son remboursement à l'échéance. *V.a.* **bond premium**, **callable bond** et **redemption premium**.

CALL PRICE
PRIX DE REMBOURSEMENT, VALEUR DE REMBOURSEMENT, PRIX DE RACHAT, VALEUR DE RACHAT
Voir **redemption price**.

CANADIAN DOLLAR APPROACH *(Can.)*
MÉTHODE DE LA MONNAIE D'ARRIVÉE
Voir **parent currency approach**.

CANCEL 1.
RÉSILIER, RÉSOUDRE, ANNULER

(dr.) Mettre fin à un contrat soit par l'accord des deux parties, soit par la volonté d'une seule. *N.B.* Certains contrats renferment une **clause résolutoire** dont l'objet est d'annuler le contrat en cas de non respect d'une de ses

clauses. Le verbe **résilier** s'emploie pour un **contrat à exécution successive** (un bail, par exemple) alors que le verbe **résoudre** s'emploie pour un **contrat instantané** (une vente, par exemple). Quant au verbe **annuler**, il a, en droit, le sens de rendre sans effet en raison d'une décision d'un tribunal déclarant, par exemple, qu'un contrat n'était pas valide. *V.a.* **contract**.

CANCEL 2.
ANNULER

(lang. cour.) Supprimer, rendre nul, par exemple annuler une commande, annuler un rendez-vous, annuler ses engagements et annuler une dette au moyen du dernier versement.

CANCELLABLE LEASE
CONTRAT DE LOCATION RÉSILIABLE, BAIL RÉSILIABLE

(dr.) Bail auquel le locataire a·le droit de mettre fin au moment où il jugera bon de le faire.

CANCELLATION OF REGISTRATION
RETRAIT D'AGRÉMENT

Voir **deregistration** 1.

CANCELLED CHEQUE
CHÈQUE PAYÉ, CHÈQUE OBLITÉRÉ

(banque) Chèque payé et généralement oblitéré par la banque sur laquelle il a été tiré. *N.B.* Cette expression est inusitée en France et en Belgique où les banques ne retournent pas les chèques payés au tireur. *V.a.* **cheque**.

CANCELLED SHARE
ACTION ANNULÉE

(fin.) Action rachetée par la société émettrice et annulée subséquemment. *V.a.* **share** 2.

CANVASSING
SOLLICITATION

(O.S.B.L.) Action, pour un organisme sans but lucratif, de faire campagne auprès du public ou auprès de ses membres en vue d'obtenir les fonds dont il a besoin pour ses activités. *V.a.* **fund raising campaign**.

CAPACITY 1.
CAPACITÉ DE PRODUCTION, POTENTIEL DE PRODUCTION, CAPACITÉ DE FONCTIONNEMENT

(prod.) Aptitude d'une entreprise à produire une certaine quantité de biens ou de services. *N.B.* La capacité de production est généralement exprimée en termes d'unités ou extrants que l'entreprise peut tirer de son processus de fabrication par unité de temps, le plus souvent par heure de main-d'oeuvre directe. La capacité de production doit être distinguée du **potentiel de l'entreprise** qui représente l'ensemble des capacités de recherche, d'action et de réalisation ainsi que les ressources scientifiques, humaines, techniques, productives, financières et commerciales qui existent dans l'entreprise. *V.a.* **excess capacity**, **ideal capacity**, **idle capacity**, **normal capacity** et **practical capacity**.

CAPACITY 2.
CAPACITÉ (DE MÉMOIRE)

(inf.) Nombre d'éléments binaires, de caractères, d'octets ou de mots qu'une mémoire peut contenir.

CAPACITY COST
COÛT DE CAPACITÉ, COÛT D'ACTIVITÉ

Coût qui reflète l'emploi rationnel fait de la capacité disponible (moyens de production, de vente, etc.) en fonction du niveau d'activité (volume de production, chiffre d'affaires, etc.). *N.B.* L'**imputation rationnelle** des charges de structure ou des charges fixes permet de faire apparaître le résultat d'une activité exercée au-dessous ou au-dessus de la norme. *V.a.* **committed costs**, **enabling costs**, **idle capacity cost** et **stand-by costs**.

CAPACITY VARIANCE
ÉCART SUR VOLUME (D'ACTIVITÉ), ÉCART D'ACTIVITÉ

Voir **volume variance**.

CAPITAL 1.
CAPITAL, CAPITAUX PROPRES, FONDS PROPRES, SITUATION NETTE
Participation du ou des propriétaires d'une entreprise dans son actif. *N.B.* Pris dans ce sens, le terme **capital** désigne l'excédent de l'actif sur le passif externe. *V.a.* **balance sheet**, **net worth** et **owners' equity**.

CAPITAL 2.
CAPITAL (SOCIAL), CAPITAL-ACTIONS (Can.)
(fin.) Partie des capitaux propres d'une société qui provient des actionnaires et qui ne peut leur être remise qu'une fois respectées les dispositions des statuts de la société ou de la loi en vertu de laquelle elle est constituée. *V.a.* **capital stock** et **contribution** 1.

CAPITAL 3.
CAPITAUX PERMANENTS, CAPITAL (PERMANENT)
(fin.) Moyens de financement utilisés par l'entreprise pour acquérir ses éléments d'actif de longue durée. *N.B.* Les capitaux permanents comprennent essentiellement les capitaux propres et les emprunts à long et moyen terme. *V.a.* **fixed capital** et **permanent capital**.

CAPITAL 4.
MASSE SUCCESSORALE, MASSE (DES BIENS)
Voir **corpus**.

CAPITAL ACCOUNT
COMPTE (DE) CAPITAL
Compte dans lequel figurent les capitaux investis, le plus souvent en permanence, dans l'entreprise. *Comparer avec* **current account** 3. et **revenue accounts**.

CAPITAL ASSET
VALEUR IMMOBILISÉE, BIEN IMMOBILISÉ, IMMOBILISATION
Bien corporel ou incorporel que l'entreprise a l'intention de conserver et d'utiliser pendant un temps relativement long; dans une comptabilité par fonds, élément d'actif faisant partie du fonds des immobilisations ou du fonds de capital et d'emprunt. *Syn.* **permanent asset**. *V.a.* **fixed asset**.

CAPITAL ASSETS 1.
VALEURS IMMOBILISÉES, IMMOBILISATIONS, ACTIF IMMOBILISÉ
Ensemble des biens corporels et incorporels que l'entreprise a l'intention de conserver ou d'utiliser pendant un temps relativement long. *N.B.* Par extension, les termes **valeurs immobilisées** et **immobilisations** comprennent aussi les **immobilisations financières**, par exemple les participations dans d'autres sociétés. *V.a.* **fixed assets**, **intangible assets** et **long-term asset(s)**.

CAPITAL ASSETS 2.
BIENS DU FONDS DES IMMOBILISATIONS, BIENS IMMOBILISÉS
(compt. par fonds) Ensemble des biens qui font partie du fonds des immobilisations ou du fonds de capital et d'emprunt. *V.a.* **capital fund**.

CAPITAL ASSET PRICING MODEL (CAPM)
MODÈLE D'ÉQUILIBRE DES MARCHÉS FINANCIERS, MODÈLE D'ÉQUILIBRE RENDEMENT-RISQUE, MODÈLE D'ÉQUILIBRE DES ACTIFS FINANCIERS
(fin.) Modèle financier qui met explicitement l'accent sur la prime relative au risque que les investisseurs exigent pour acquérir ou conserver des titres, en sus du rendement qu'ils retireraient d'un investissement sans risque.

CAPITAL BUDGET
BUDGET DES INVESTISSEMENTS, BUDGET DES IMMOBILISATIONS, BUDGET DES DÉPENSES EN CAPITAL
(gest.) Budget prévoyant les investissements dont la rentabilité s'étendra sur plus d'un an et la façon de les financer. *N.B.* Ce budget tire sa source du **plan d'investissement** dont il constitue une tranche annuelle. *Comparer avec* **operating budget** 1. *V.a.* **budget** *n.* 1.

CAPITAL BUDGETING 1.
ÉTABLISSEMENT DU BUDGET DES INVESTISSEMENTS
(gest.) Action d'établir le budget dans lequel figurent les investissements que l'entreprise a l'intention d'effectuer au cours d'une période donnée.

CAPITAL BUDGETING 2.
CHOIX DES INVESTISSEMENTS
(gest.) Méthode de gestion consistant à faire une étude des retombées de divers projets d'investissement comportant des caractéristiques différentes (durée, rendement, urgence, facteurs humains, écologiques et sociologiques) en vue de permettre à l'entreprise d'arrêter son choix sur le ou les projets qu'il conviendra de réaliser.

CAPITAL CONTRIBUTION
APPORT (DE CAPITAL)
Voir **contribution** 1.

CAPITAL COST ALLOWANCE
AMORTISSEMENT FISCAL, ALLOCATION DU COÛT EN CAPITAL (Can.)
(fisc.) Déduction tenant lieu de l'amortissement dont les lois et règlements fiscaux permettent de tenir compte dans le calcul du bénéfice ou du revenu imposable. *N.B.* Au Canada, cet élément peut différer de l'amortissement comptable de l'exercice. *V.a.* **undepreciated capital cost (UCC)**.

CAPITAL EVASION
FUITE DE(S) CAPITAUX, ÉVASION DE(S) CAPITAUX
(fin.) Placement de capitaux à l'étranger afin de se soustraire indûment à la fiscalité de son pays ou de se garantir contre les fluctuations de la monnaie de ce dernier ou contre les décisions gouvernementales touchant l'économie. *V.a.* **evasion** et **tax evasion**.

CAPITAL EXPENDITURE
DÉPENSE EN IMMOBILISATIONS, DÉPENSE EN CAPITAL, (DÉPENSE D')INVESTISSEMENT
Dépense effectuée par l'entreprise en vue d'acquérir une immobilisation qui lui procurera des avantages au cours d'un certain nombre d'exercices. *N.B.* En comptabilité nationale, on parlera, dans ce cas, de **formation brute de capital fixe**. *Comparer avec* **revenue expenditure** 1. *V.a.* **capital item**, **capital transaction** 2., **capitalization** 1., **capitalized expenditure** et **expenditure** 1.

CAPITAL EXPENDITURES VOTE
CRÉDIT DE DÉPENSES EN CAPITAL
(compt. publ.) Sommes affectées par une Administration publique à l'acquisition de biens immobilisés.

CAPITAL FORMATION
FORMATION DE CAPITAL
(fin.) Action, pour une entreprise, d'obtenir les ressources nécessaires à son exploitation. *Syn.* **asset formation**.

CAPITAL FUND
FONDS DE CAPITAL ET D'EMPRUNT
(compt. par fonds) Fonds où l'on retrouve les immobilisations d'un organisme, ses dettes à long terme et son avoir en immobilisations. *N.B.* En France, pour les collectivités locales, on parle de **sections d'investissement** qui retracent toutes les opérations en capital, c'est-à-dire les recettes et les dépenses qui accroissent ou diminuent la valeur du patrimoine. *Comparer avec* **general fund**. *V.a.* **capital assets** 3. et **fund accounting**.

CAPITAL GAIN 1. *(fam.)*
GAIN EN CAPITAL, PLUS-VALUE DE CESSION, PLUS-VALUE (MATÉRIALISÉE)
Profit réalisé lors de la cession d'une immobilisation, par exemple un terrain, à un prix supérieur à son coût d'acquisition. *V.a.* **gain** et **increase in value**.

CAPITAL GAIN 2.
GAIN EN CAPITAL (Can.), PLUS-VALUE (Fr.), PLUS-VALUE DE RÉALISATION (Belg.)
(fisc.) Expression à laquelle les lois fiscales donnent un sens particulier.

CAPITAL GAIN 3. *(fam.)*
GAIN SUR RÈGLEMENT DE DETTES, GAIN SUR REMISE DE DETTES
Gain résultant d'une réduction de dettes à laquelle des créanciers ont consenti à l'occasion, par exemple, d'une réorganisation. *V.a.* **remission of a debt**.

CAPITAL GOODS
BIENS D'ÉQUIPEMENT
(écon.) Biens de production (machines-outils, outillage, matériel, etc.) destinés à produire d'autres biens ou à rendre des services. *Comparer avec* **consumer goods**.

CAPITAL IMPAIRMENT
INSUFFISANCE DE CAPITAL, CARENCE EN CAPITAL, INSUFFISANCE DES CAPITAUX PROPRES
(fin.) Situation d'une entreprise dont l'actif net est inférieur au capital qui y a été investi en permanence. *Syn.* **impairment of capital**. *V.a.* **deficiency in assets** et **shareholders' deficiency**.

CAPITAL INTENSIVE INDUSTRY
INDUSTRIE (À PRÉDOMINANCE) DE CAPITAL, INDUSTRIE CAPITALISTIQUE
(écon.) Secteur d'activité caractérisé par l'abondance des capitaux fixes nécessaires à l'exploitation des entreprises appartenant à ce secteur. *Comparer avec* **labour intensive industry**.

CAPITAL ITEM
ÉLÉMENT EN CAPITAL, BIEN IMMOBILISÉ, IMMOBILISATION
Élément que l'entreprise doit porter au débit d'un compte d'actif plutôt que d'un compte de résultats. *V.a.* **capital expenditure** et **capitalization** 1.

CAPITALIZATION 1.
CAPITALISATION
Action de porter une dépense au débit d'un compte d'actif plutôt qu'à un compte de résultats. *V.a.* **capital expenditure**, **capital item** et **capital transaction** 2.

CAPITALIZATION 2.
CAPITALISATION
(math. fin.) Calcul du capital correspondant à des revenus ou des bénéfices échelonnés dans le temps, effectué au moyen d'un processus d'actualisation. *N.B.* On entend aussi par **capitalisation** la transformation des intérêts d'une somme due en un capital susceptible de produire lui-même des intérêts. *V.a.* **capitalize** 2.

CAPITALIZATION 3.
STRUCTURE DU CAPITAL, STRUCTURE DES CAPITAUX PERMANENTS
Voir **capital structure**.

CAPITALIZATION OF EARNINGS
CAPITALISATION DES BÉNÉFICES
(math. fin.) Processus ayant pour objet de déterminer la valeur économique d'une entreprise en calculant la valeur actualisée de ses bénéfices futurs.

CAPITALIZATION RATE
TAUX DE CAPITALISATION
(math. fin.) Taux d'intérêt utilisé pour calculer la valeur du capital à investir en vue d'obtenir des bénéfices d'un montant donné pendant un nombre indéfini d'exercices. *V.a.* **discount rate** 1.

CAPITALIZE 1.
CAPITALISER
Inscrire dans un compte d'actif une dépense que l'on est fondé à amortir sur plusieurs exercices.

CAPITALIZE 2.
CAPITALISER
(math. fin.) Déterminer, par un processus d'actualisation, la valeur d'un capital correspondant à une série de revenus ou de bénéfices échelonnés dans le temps. *V.a.* **capitalization** 2.

CAPITALIZE 3.
CAPITALISER
(fin.) Convertir, transformer en capital, par exemple capitaliser des intérêts.

CAPITALIZE 4.
CAPITALISER
(Can.) Virer une partie des bénéfices non répartis à un compte de capital-actions et de surplus d'apport, par exemple lors de la distribution d'un dividende en actions. *N.B.* En France et en Belgique, le même résultat est obtenu par l'incorporation au capital d'une société, d'une partie de ses réserves.

CAPITALIZE 5.
POURVOIR EN CAPITAL, DOTER EN CAPITAL, FINANCER
Voir **fund** *v.* 1.

CAPITALIZED EXPENDITURE
DÉPENSE IMMOBILISÉE, DÉPENSE CAPITALISÉE
Dépense portée à l'actif et ayant trait à l'acquisition d'un bien d'une durée relativement longue dont l'entreprise se servira pour son exploitation. *V.a.* **capital expenditure**.

CAPITALIZED VALUE
VALEUR CAPITALISÉE
(math. fin.) Valeur résultant de l'actualisation des bénéfices annuels de l'entreprise pour un temps indéterminé à un taux de rendement approprié.

CAPITAL LEASE
(CONTRAT DE) LOCATION-ACQUISITION
(dr. et compt.) Bail en vertu duquel le preneur jouit pratiquement de tous les avantages et assume la plupart des risques inhérents à la propriété du bien loué qui, pour cette raison, figure à l'actif du bilan du preneur avec mention, au passif, de l'obligation correspondante prise en charge. *Comparer avec* **sales-type lease**. *V.a.* **lease**.

CAPITAL LEVERAGE
EFFET DE LEVIER (DE LA DETTE), LEVIER FINANCIER
Voir **leverage** 1.

CAPITAL LOSS 1. *(fam.)*
PERTE EN CAPITAL, MOINS-VALUE DE CESSION, MOINS-VALUE (MATÉRIALISÉE)
Perte subie par l'entreprise lors de la cession d'un de ses éléments d'actif, par exemple un terrain, à un prix inférieur à son coût d'acquisition.

CAPITAL LOSS 2.
PERTE EN CAPITAL (Can.), MOINS-VALUE (Fr. et Belg.)
(fisc.) Expression à laquelle les lois fiscales donnent un sens particulier.

CAPITAL MAINTENANCE CONCEPT
NOTION DE LA PRÉSERVATION DU PATRIMOINE
(écon. et compt.) Notion selon laquelle le bénéfice d'une entreprise est déterminé en se fondant sur la prémisse

qu'un bénéfice n'existe que si l'entreprise a su conserver intact son capital. *V.a.* **distributable income, financial capital maintenance concept, operating capability maintenance concept** et **physical capital maintenance concept**.

CAPITAL MARKET
MARCHÉ FINANCIER, MARCHÉ DES CAPITAUX
Voir **financial market**.

CAPITAL PROJECT
PROJET D'INVESTISSEMENT
Voir **investment project**.

CAPITAL PROPERTY
BIEN EN IMMOBILISATIONS
(fisc. can.) Bien de nature relativement permanente dont le coût doit être capitalisé et inclus dans le calcul du revenu ou du bénéfice imposable d'un certain nombre d'exercices par voie d'amortissement.

CAPITAL RATIONING
RATIONNEMENT DU CAPITAL
(fin.) Contraintes portant sur les sommes à affecter à l'acquisition d'immobilisations, imposées par la direction lors de l'établissement du budget des investissements.

CAPITAL STOCK
CAPITAL SOCIAL, CAPITAL-ACTIONS (Can.)
(dr. et fin.) Intérêt dans les capitaux propres d'une société représenté par les actions que cette société peut émettre en vertu de ses statuts ou son acte de constitution. *Syn.* **share capital** et **stock** *n.* 1. *V.a.* **authorized capital, called-up capital, capital** 2., **common stock, contributed capital, convertible stock, cumulative stock, issued capital, non-cumulative stock, paid-up capital, participating stock, preferred stock, redeemable stock, stated capital, subscribed capital, uncalled capital** et **unissued capital**.

CAPITAL STRUCTURE
STRUCTURE DU CAPITAL, STRUCTURE DES CAPITAUX PERMANENTS
(fin.) Classement, selon leur nature, des capitaux investis dans une société par ses créanciers (le plus souvent, les créanciers à long terme seulement) et les actionnaires. *N.B.* Le terme **structure financière** englobe également les dettes à court terme et se rapporte à la façon dont l'entreprise est financée. *Syn.* **capitalization** 3. et **financial structure**. *V.a.* **overcapitalization** et **undercapitalization**.

CAPITAL SURPLUS 1. *(vieilli)*
EXCÉDENT DE CAPITAL, SURPLUS DE CAPITAL (vieilli)
(dr. can.) Expression utilisée dans certaines lois sur les sociétés pour désigner des bénéfices qui ne peuvent être distribués à la suite du rachat d'actions privilégiées. *V.a.* **surplus** 1.

CAPITAL SURPLUS 2. *(vieilli)*
SURPLUS DE CAPITAL (vieilli), EXCÉDENT DE CAPITAL (Can.)
Prime à l'émission d'actions. *V.a.* **contributed surplus** 1. et **surplus** 1.

CAPITAL TO FIXED ASSETS RATIO(S)
RATIO(S) DE FINANCEMENT
(anal. fin.) Ratio(s) permettant d'apprécier la façon dont l'entreprise a financé l'acquisition de ses immobilisations en comparant les capitaux permanents ou les capitaux propres avec l'actif immobilisé net ou avec l'actif immobilisé brut. *V.a.* **ratio analysis**.

CAPITAL TRANSACTION 1.
OPÉRATION PORTANT SUR LES CAPITAUX PROPRES
Opération amenant un changement dans les capitaux propres de l'entreprise à la suite, par exemple, d'un apport de capitaux, d'un rachat d'actions, de la comptabilisation d'une plus-value ou de la création d'une réserve.

CAPITAL TRANSACTION 2.
OPÉRATION EN CAPITAL
Opération ayant pour objet l'acquisition de biens immobilisés. *V.a.* **capital expenditure** et **capitalization** 1.

CAPM
MODÈLE D'ÉQUILIBRE DES MARCHÉS FINANCIERS, MODÈLE D'ÉQUILIBRE RENDEMENT-RISQUE, MODÈLE D'ÉQUILIBRE DES ACTIFS FINANCIERS
Abrév. de **capital asset pricing model**.

CARD
FICHE, CARTE
(lang. cour.) Feuille de carton destinée à recevoir des renseignements à conserver, et classée méthodiquement dans une boîte (**fichier**) ou dans un meuble spécial (**classeur**). *N.B.* En comptabilité, il est question notamment de fiche client, fiche fournisseur, fiche stock, etc.

CAREER AVERAGE PAY FORMULA
RÉGIME SALAIRES DE CARRIÈRE
Voir **career earnings pension plan**.

CAREER EARNINGS PENSION PLAN
RÉGIME SALAIRES DE CARRIÈRE
(rentes) Régime de retraite dont la rente est déterminée en fonction du salaire moyen calculé pour la totalité des années de service des participants. *Syn.* **career average pay formula**. *Comparer avec* **final average earnings pension plan**. *V.a.* **pension plan**.

CARGO
CHARGEMENT, CARGAISON, FRET
(transp.) Marchandises transportées par bateau, camion, chemin de fer ou avion. *N.B.* Le terme **cargaison** désigne strictement l'ensemble des marchandises dont un navire de commerce est chargé. *Syn.* **freight** 2. *V.a.* **bill of lading**, **freighter** et **manifest**.

CARRIER
TRANSPORTEUR, ENTREPRENEUR DE TRANSPORTS
(transp.) Personne ou entreprise qui fait profession de transporter des marchandises pour le compte d'autrui.

CARRY BACK
REPORT RÉTROSPECTIF, REPORT EN AMONT, REPORT SUR LES EXERCICES PRÉCÉDENTS
Action d'inscrire rétroactivement un produit, une charge, un gain ou une perte dans l'état des résultats (ou compte de résultat) d'un certain nombre d'exercices précédents. *N.B.* La notion de report rétrospectif ne s'applique le plus souvent que dans le cas du report de pertes permis par le fisc. *V.a.* **loss carry back**.

CARRY FORWARD
REPORT PROSPECTIF, REPORT EN AVAL, REPORT SUR LES EXERCICES SUIVANTS
Action d'inscrire prospectivement un produit, une charge, un gain ou une perte dans l'état des résultats (ou compte de résultat) d'un certain nombre d'exercices à venir. *V.a.* **loss carry foward**.

CARRYING CHARGES 1.
FRAIS DE POSSESSION, FRAIS DE JOUISSANCE
Frais résultant de la possession d'un bien (par exemple des marchandises) mais ne se rattachant pas au coût d'acquisition de ce bien.

CARRYING CHARGES 2.
FRAIS FINANCIERS, FRAIS DE CRÉDIT
Voir **finance charges**.

CARRYING CHARGES 3.
FRAIS DE COUVERTURE

(Bourse) Frais afférents à des titres achetés à terme moyennant la constitution d'une couverture correspondant à un pourcentage du coût total d'acquisition. *V.a.* **margin** 2. et **margin requirement** 2.

CARRYING VALUE
VALEUR COMPTABLE

Voir **book value**.

CARRY-OVER
REPORT

Action d'inscrire un produit, une charge, un gain ou une perte dans l'état des résultats (ou compte de résultat) d'un certain nombre d'exercices. *N.B.* En fiscalité, on entend par report le droit d'imputer une perte courante rétroactivement (**report rétrospectif**) ou prospectivement (**report prospectif**) à un certain nombre d'exercices passés ou futurs déterminés par la législation fiscale. *V.a.* **loss carry-over**.

CARTEL
CARTEL

Groupe d'entreprises d'un même secteur d'activité qui, tout en conservant leur individualité, s'entendent pour limiter sur certains points leur indépendance économique dans le dessein de restreindre la concurrence. *Comparer avec* **consortium**.

CASH *v.*
RECOUVRER, ENCAISSER

(comm. et *fisc.)* Recevoir une somme d'argent d'un client, une indemnité d'une société d'assurances, etc.; pour le fisc, **percevoir** un impôt. *Syn.* **collect** *v.*

CASH *n.* 1.
NUMÉRAIRE, MONNAIE LÉGALE, ARGENT

(écon.) Monnaie (billets de banque ou pièces de monnaie) ayant cours libératoire, c'est-à-dire permettant à un débiteur de se libérer de sa dette à l'égard d'un créancier. *Syn.* **money** 2. *V.a.* **currency** 1. et **legal tender**.

CASH *n.* 2.
ENCAISSE, CAISSE, BANQUE, TRÉSORERIE

Pièces de monnaie, billets de banque, mandats postaux, bons de poste, chèques, traites à vue acceptées dont la validité ne fait pas de doute et, par extension, solde d'un compte d'épargne ou d'un compte courant dans une banque ou un autre établissement financier. *N.B.* Le terme **caisse** désigne aussi le coffre dans lequel on dépose les espèces et, par extension, le **guichet**, local ou service où l'on opère des mouvements d'espèces.

CASH *n.* 3.
ESPÈCES, ARGENT COMPTANT

(écon.) Billets de banque (**monnaie fiduciaire**) et petite monnaie (**monnaie divisionnaire**). *N.B.* L'expression **en espèces** s'emploie pour désigner une des façons dont une opération est réglée, par exemple le versement d'un dividende en espèces. Cette expression ne s'applique toutefois strictement qu'à la monnaie ayant cours légal et, contrairement au terme anglais *cash*, elle ne comprend pas les chèques.

CASH *n.* 4.
BANQUE ET CAISSE, ENCAISSE

Poste du bilan où figurent les éléments qui constituent la **trésorerie** d'une entreprise. *V.a.* **cash on hand**.

CASH *adj.*
(AU) COMPTANT

(comm.) Se dit d'une opération dont le règlement entraîne un décaissement immédiat.

CASH AND CARRY
COMMERCE DE GROS EN LIBRE-SERVICE, LIBRE-SERVICE DE GROS, PAYER ET EMPORTER
(comm.) Méthode de vente en libre-service pratiquée dans un entrepôt de gros où les consommateurs, détaillants et utilisateurs professionnels choisissent la marchandise, paient à la sortie et emportent aussitôt ce qu'ils ont acheté.

CASH AUDIT
CONTRÔLE DE CAISSE, VÉRIFICATION DE CAISSE
(E.C.) Vérification détaillée du journal des encaissements et du journal des décaissements d'un exercice, effectuée en vue d'établir la justesse des caisses dont différentes personnes ont la responsabilité. *V.a.* **audit** *n.* 3. et **cash count**.

CASH BASIS OF ACCOUNTING
(MÉTHODE DE LA) COMPTABILITÉ DE CAISSE
Méthode qui consiste à ne comptabiliser les produits et les charges qu'au moment où les opérations en cause donnent lieu à des rentrées ou à des sorties de fonds. *N.B.* En comptabilité publique, cette méthode qui porte le nom de **système de la gestion** consiste à rattacher les opérations d'exécution à l'exercice budgétaire au cours duquel elles sont effectuées en vue d'une meilleure gestion courante de la trésorerie. *Comparer avec* **accrual basis of accounting**. *V.a.* **modified cash basis of accounting**.

CASH BENEFIT
PRESTATION EN ESPÈCES
(ass.) Prestation constituée d'une somme d'argent destinée à fournir un revenu de substitution à un assuré qui se trouve privé de son salaire du fait de maladie, maternité, invalidité, vieillesse. *Comparer avec* **benefit in kind**.

CASH BOOK
LIVRE DE CAISSE, JOURNAL DE CAISSE, JOURNAL DE TRÉSORERIE
Livre comptable dans lequel sont consignées les écritures relatives aux encaissements (débits) et aux décaissements (crédits) d'une entreprise. *N.B.* Le plus souvent, en pratique, on utilise deux livres, le premier pour inscrire les rentrées de fonds ou les encaissements, et le second pour inscrire les sorties de fonds ou les décaissements. *V.a.* **cash disbursements journal** et **cash receipts journal**.

CASH BUDGET
BUDGET DE CAISSE, BUDGET DE TRÉSORERIE, PRÉVISIONS DE TRÉSORERIE
(gest.) Budget portant sur les rentrées et les sorties de fonds d'une période et visant à déterminer les sommes que l'entreprise devra emprunter ou pourra investir. *N.B.* En comptabilité publique, le budget de caisse s'appelle **budget de gestion**. *V.a.* **budget** *n.* 1. et **cash flow forecasts**.

CASH CONTRIBUTION
APPORT EN NUMÉRAIRE, APPORT EN ESPÈCES
(fin.) Somme investie en espèces dans l'entreprise par son propriétaire ou ses actionnaires. *Comparer avec* **contribution in kind**. *V.a.* **contribution** 1.

CASH COUNT
COMPTAGE DE CAISSE, COMPTE DE LA CAISSE
(E.C.) **Récolement** des sommes confiées à une personne, effectué à des fins de contrôle et donnant lieu à un **relevé de caisse**. *V.a.* **cash audit**.

CASH CREDIT
CRÉDIT DE TRÉSORERIE, CRÉDIT DE CAISSE, AVANCE
(fin.) Crédit destiné à financer des besoins généraux, qu'un établissement financier accorde à l'entreprise après un examen approfondi de sa situation financière.

CASH DEFICIENCY
INSUFFISANCE DE CAISSE
(fin.) Situation d'une entreprise dont les liquidités sont insuffisantes.

CASH DEFICIT
DÉFICIT DE CAISSE, DÉFICIT DE TRÉSORERIE, DÉCOUVERT DE TRÉSORERIE

(fin.) Excédent des sommes dont l'entreprise a besoin pour son fonctionnement sur celles dont elle dispose. *Comparer avec* **cash surplus**.

CASH DIFFERENCE
DIFFÉRENCE DE CAISSE, ÉCART DE CAISSE

Voir **cash over/short**.

CASH DISBURSEMENTS JOURNAL
JOURNAL DES DÉCAISSEMENTS, JOURNAL DES SORTIES DE FONDS

Livre dans lequel sont inscrites les sorties de fonds d'une période donnée. *Comparer avec* **cash receipts journal**. *V.a.* **cash book** et **disbursement**.

CASH DISCOUNT
ESCOMPTE DE CAISSE, ESCOMPTE AU COMPTANT, ESCOMPTE DE RÈGLEMENT

(comm.) Réduction de prix consentie par l'entreprise à un débiteur qui règle sa dette avant l'expiration d'une période déterminée. *V.a.* **discount** *n.* 1., **discount period**, **purchase discount** et **sales discount**.

CASH DIVIDEND
DIVIDENDE EN ESPÈCES, DIVIDENDE EN NUMÉRAIRE

Partie du bénéfice de l'exercice qu'une société par actions distribue périodiquement en argent à ses actionnaires. *V.a.* **dividend** 1.

CASH DRAIN
ÉPUISEMENT (PROGRESSIF) DES DISPONIBILITÉS

(fin.) Situation d'une entreprise dont l'exploitation et la réalisation de projets d'investissement provoquent une diminution anormale de ses disponibilités.

CASH EQUIVALENT VALUE
VALEUR EN ESPÈCES, VALEUR AU COMPTANT

(comm.) Valeur marchande attribuée à un bien lorsqu'une opération portant sur ce bien n'est pas réglée en espèces.

CASH EQUIVALENTS
QUASI-ESPÈCES

(fin.) Solde en banque et titres facilement monnayables. *Syn.* **near cash**.

CASH FLOW(S) 1.
MOUVEMENTS DE TRÉSORERIE, MOUVEMENTS DE (L'EN)CAISSE, FLUX DE L'ENCAISSE, FLUX MONÉTAIRE

(fin.) Rentrées et sorties de fonds afférentes à une période ou attribuables à une opération donnée, un projet d'investissement, etc. *V.a.* **statement, cash flow**.

CASH FLOW 2. *(fam.)*
MARGE BRUTE D'AUTOFINANCEMENT (M.B.A.), FONDS AUTOGÉNÉRÉS

(anal. fin.) Expression utilisée principalement par les analystes financiers pour désigner les fonds provenant de l'exploitation, c'est-à-dire le chiffre trouvé en redressant le bénéfice net pour y ajouter ou en retrancher certains éléments comme les pertes ou les gains n'intéressant pas le fonds de roulement, les amortissements, les dotations aux provisions pour pertes (si elles n'influent pas sur le fonds de roulement) et les impôts sur le revenu reportés de l'exercice. Ce chiffre représente la capacité d'autofinancement dégagée au cours de l'exercice. *N.B.* En France, la marge brute d'autofinancement correspond à ce que l'on désigne généralement par l'expression *cash flow net* par opposition au *cash flow brut* qui correspond au bénéfice net augmenté des impôts de l'exercice et des dotations aux amortissements ainsi qu'aux provisions ayant un caractère de réserve. *Syn.* **funds from operations**. *V.a.* **self-financing**.

CASH FLOW BASIS OF ACCOUNTING
COMPTABILITÉ FONDÉE SUR LES FLUX DE L'ENCAISSE

Comptabilité qui consiste à n'inscrire que les informations financières constituant des mouvements réels ou potentiels de l'encaisse et à établir des états financiers (ou comptes) qui ne reflètent que ces informations. Dans cette comptabilité, on ne considère nullement l'amortissement et la ventilation des coûts communs. Par ailleurs, il ne s'agit pas strictement d'une comptabilité de caisse, puisqu'on tient compte des charges à payer et des produits à recevoir qui influeront éventuellement sur l'encaisse. Enfin, comme dans cette comptabilité, on peut considérer les valeurs actuelles (par exemple les prix de sortie) susceptibles d'influer éventuellement sur l'encaisse, on va plus loin que la comptabilité d'exercice et on y retrouve des éléments qui ne font pas partie de l'état de l'évolution de l'encaisse. *Comparer avec* **allocation basis of accounting**.

CASH FLOW FORECASTS
PRÉVISIONS DE CAISSE, PRÉVISIONS DE TRÉSORERIE

(gest.) Prévisions portant à la fois sur la détermination des crédits à court terme (notamment bancaires) nécessaires au financement de l'exploitation et sur leur utilisation. *N.B.* Ces prévisions figurent dans le budget de caisse et découlent de l'établissement d'un **plan de trésorerie**. *Syn.* **cash forecasts**. *V.a.* **cash budget**.

CASH FLOW PER SHARE
MARGE BRUTE D'AUTOFINANCEMENT (M.B.A.) PAR ACTION, FONDS AUTOGÉNÉRÉS PAR ACTION

(anal. fin.) Quotient de la marge brute d'autofinancement d'un exercice par le nombre d'actions en circulation.

CASH FLOW SQUEEZE
COUP DE BÉLIER (fam.)

(fin.) Déséquilibre de trésorerie passager provoqué par un accident conjoncturel et caractérisé par un ralentissement de l'expansion accompagné d'un gonflement des stocks, d'une prolongation de la durée de crédit accordé aux clients et, conséquemment, d'une diminution encore plus grande des liquidités déjà réduites par le phénomène de stockage dû à la **mévente**. *N.B.* L'équilibre ne sera rétabli que lorsque les stocks et les créances sur la clientèle auront retrouvé leur niveau normal et que la reprise de la production, donc des achats, aura fait réapparaître des comptes fournisseurs d'un montant suffisant.

CASH FLOW STATEMENT
(ÉTAT DE L')ÉVOLUTION DE L'ENCAISSE, (ÉTAT DES) MOUVEMENTS DE LA TRÉSORERIE, (TABLEAU DES) VARIATIONS DE L'ENCAISSE

Voir **statement, cash flow**.

CASH FORECASTS
PRÉVISIONS DE CAISSE, PRÉVISIONS DE TRÉSORERIE

Voir **cash flow forecasts**.

CASHIER'S CHEQUE
TRAITE DE BANQUE, TRAITE BANCAIRE

(banque) (U.S.) Traite tirée par une banque sur elle-même et que la personne qui se l'est procurée moyennant paiement remet à son débiteur en vue de lui donner l'assurance qu'il touchera, sur présentation de ce document, la somme qui y figure. *V.a.* **bank draft**, **bearer cheque** et **cheque**.

CASH IN BANK
FONDS (DISPONIBLES) EN BANQUE

(fin.) Solde des comptes bancaires d'une entreprise, représentant des fonds qu'elle peut utiliser pour son exploitation.

CASH IN ESCROW
FONDS MIS EN MAIN TIERCE, FONDS ENTIERCÉS (Can.)

Voir **escrow funds**.

CASH INFLOW
RENTRÉE DE FONDS, RENTRÉE D'ARGENT, ENCAISSEMENT
(fin.) Argent retiré d'un investissement effectué par l'entreprise. *Comparer avec* **cash outflow**.

CASH IN HAND
ENCAISSE, FONDS EN CAISSE, ARGENT EN CAISSE
Voir **cash on hand**.

CASH MANAGEMENT
GESTION DE LA TRÉSORERIE
(gest.) Action dont l'objet est d'assurer l'entreprise qu'elle disposera des fonds nécessaires à son exploitation courante et qu'elle tirera un rendement optimal de ses liquidités.

CASH OFFER
OFFRE D'ACHAT AU COMPTANT, OFFRE D'ACHAT EN NUMÉRAIRE
(fin.) Offre d'acheter un bien, une marchandise ou un certain pourcentage des actions d'une autre société moyennant un paiement en espèces.

CASH ON DELIVERY (COD)
CONTRE REMBOURSEMENT (C.R.)
(comm.) Condition de vente obligeant l'acheteur à payer le coût des marchandises achetées, au moment de leur livraison. *N.B.* Les marchandises ainsi vendues donnent lieu à une vente connue sous le nom de **vente contre remboursement**.

CASH ON HAND
ENCAISSE, FONDS EN CAISSE, ARGENT EN CAISSE
Sommes incluses dans la caisse et les comptes bancaires d'une entreprise. *Syn.* **cash in hand**. *V.a.* **cash** *n*. 4.

CASH OPERATION
OPÉRATION DE CAISSE, OPÉRATION DE TRÉSORERIE, OPÉRATION AU COMPTANT, MARCHÉ AU COMPTANT
Voir **cash transaction** 1. et 2.

CASH OUTFLOW
SORTIE DE FONDS, SORTIE D'ARGENT, DÉCAISSEMENT
(fin.) Dépense à laquelle donne lieu un investissement. *Comparer avec* **cash inflow**.

CASH OVERAGE
EXCÉDENT DE CAISSE, ÉCART DE CAISSE POSITIF
Excédent du solde d'une caisse sur le solde d'ouverture augmenté ou diminué des montants figurant sur les pièces attestant des rentrées et des sorties de fonds d'une période donnée. *Comparer avec* **cash shortage**. *V.a.* **cash over/short**.

CASH OVERDRAFT
DÉCOUVERT (EN BANQUE), DÉCOUVERT (BANCAIRE)
Voir **bank overdraft**.

CASH OVER/SHORT
DIFFÉRENCE DE CAISSE, ÉCART DE CAISSE
Écart entre le total des sommes effectivement reçues ou déboursées au cours d'une période et les sommes figurant sur les pièces attestant des rentrées et des sorties de fonds de la période. *Syn.* **cash difference**. *V.a.* **cash overage** et **cash shortage**.

CASH PAYMENT
PAIEMENT (AU) COMPTANT, PAIEMENT EN ESPÈCES, PAIEMENT EN NUMÉRAIRE

(comm.) Paiement qui survient lors de l'achat ou très tôt après la réception de la facture. *N.B.* En fait, beaucoup de paiements au comptant sont, de par les délais de traitement des informations, des paiements effectués quelques jours après la livraison de la marchandise et la réception de la facture. *Syn.* **payment in cash**. *Comparer avec* **payment in kind**. *V.a.* **cash transaction** 2.

CASH POSITION
(POSITION DE) TRÉSORERIE, (SITUATION DE) TRÉSORERIE

(fin.) Ensemble des liquidités dont l'entreprise dispose à un moment donné.

CASH PRICE
PRIX (AU) COMPTANT

(comm.) Prix pratiqué dans le cas où le paiement de la marchandise ou du service a lieu immédiatement au moment de la commande ou de la livraison ou très peu de temps après.

CASH RECEIPTS JOURNAL
JOURNAL DES ENCAISSEMENTS, JOURNAL DES RENTRÉES DE FONDS

Livre dans lequel sont inscrites les rentrées de fonds d'une période donnée. *Comparer avec* **cash disbursements journal**. *V.a.* **cash book** et **receipt** 1.

CASH REQUIREMENTS
BESOINS DE TRÉSORERIE, BESOINS DE LIQUIDITÉS

(fin.) Fonds dont l'entreprise a besoin pour son exploitation ou pour financer l'acquisition d'immobilisations.

CASH SALE
VENTE AU COMPTANT

(comm.) Cession de biens (généralement des marchandises) à une personne physique ou morale contre le paiement immédiat de la facture par l'acheteur. *V.a.* **conditional sales agreement**, **credit sale** et **instalment sale**.

CASH SHORTAGE
DÉFICIT DE CAISSE, ÉCART DE CAISSE NÉGATIF

Somme qui manque pour équilibrer le solde d'une caisse avec le solde d'ouverture augmenté ou diminué des montants figurant sur les pièces attestant des rentrées et des sorties de fonds d'une période donnée. *Comparer avec* **cash overage**. *V.a.* **cash over/short** et **shortage** 2.

CASH STATEMENT
ÉTAT DE CAISSE, (ÉTAT DES) ENCAISSEMENTS ET DÉCAISSEMENTS, (ÉTAT DES) RENTRÉES ET SORTIES DE FONDS

Voir **statement of receipts and disbursements**.

CASH SURPLUS
EXCÉDENT DE CAISSE, EXCÉDENT DE TRÉSORERIE

(fin.) Excédent des sommes d'argent dont dispose l'entreprise sur celles dont elle a besoin pour fonctionner normalement. *Comparer avec* **cash deficit**.

CASH SURRENDER VALUE
VALEUR DE RACHAT (D'UN CONTRAT D'ASSURANCE)

(ass.) Somme qu'un assuré peut recouvrer lors de l'annulation de certains contrats d'assurance. Cette somme représente généralement le montant maximal que l'assuré peut emprunter sur ces contrats d'assurance. *N.B.* La **valeur de rachat** est **brute** (*cash value*) si aucune déduction n'est faite (à titre d'arriérés de primes ou d'avances) du montant pouvant être touché immédiatement ou si aucune somme n'est ajoutée à ce montant à titre, par exemple, de participation aux bénéfices. La **valeur de rachat** est **nette** (*cash surrender value*) dans le cas contraire. *Syn.* **surrender value**. *V.a.* **whole life insurance**.

CASH TRANSACTION 1.
OPÉRATION DE CAISSE, OPÉRATION DE TRÉSORERIE
(fin.) Opération ayant pour effet d'accroître les fonds d'une entreprise ou de les réduire. *Syn.* **cash operation**.

CASH TRANSACTION 2.
OPÉRATION AU COMPTANT, MARCHÉ AU COMPTANT
(comm.) Opération commerciale (achat ou vente d'un bien) qui doit être réglée immédiatement en espèces ou par chèque. *Syn.* **cash operation**. *V.a.* **cash payment**.

CASH VOUCHER
PIECE (JUSTIFICATIVE) DE CAISSE
Document justifiant un décaissement ou une sortie de fonds. *V.a.* **voucher** 1.

CASTING VOTE
VOIX PRÉPONDÉRANTE
(gest.) Droit de vote additionnel dont jouit le président d'une assemblée et lui permettant de trancher une question lorsque le nombre de voix exprimées pour et contre cette question est identique. *N.B.* Le président d'une assemblée ne jouit d'un voix prépondérante que si les règlements de l'organisme le lui accordent explicitement. Il existe alors deux situations : 1) le cas où le président a une deuxième voix, et 2) le cas où le président ne peut voter sauf en cas d'égalité des voix, ce qui lui donne alors exceptionnellement un droit de vote pour résoudre l'impasse.

CASUAL EMPLOYEE
(EMPLOYÉ) OCCASIONNEL, (EMPLOYÉ) AUXILIAIRE
(rel. de tr.) Employé qui travaille à temps partiel selon les besoins de l'entreprise qui l'engage. *Comparer avec* **regular staff**.

CASUALTY INSURANCE
ASSURANCE RISQUES DIVERS
(ass.) Assurance couvrant des risques de différentes natures. *V.a.* **insurance**.

CATCH UP ADJUSTMENT
AMORTISSEMENT EN RETARD, RATTRAPAGE D'AMORTISSEMENT
Voir **backlog depreciation**.

CATHODIC RAY TUBE TERMINAL (CRT TERMINAL)
TERMINAL À ÉCRAN CATHODIQUE, TERMINAL À ÉCRAN DE VISUALISATION
Voir **visual display unit**.

CCA
AMORTISSEMENT FISCAL, ALLOCATION DU COÛT EN CAPITAL (Can.)
Abrév. de **capital cost allowance**.

CCA
COMPTABILITÉ AU COÛT ACTUEL, COMPTABILITÉ EN COÛT ACTUELS
Abrév. de **current cost accounting**.

CEILING PRICE
PRIX PLAFOND
Prix maximal demandé pour une marchandise ou un service. *Comparer avec* **floor price**. *V.a.* **price range**.

CENTRAL PROCESSING UNIT (CPU)
UNITÉ CENTRALE DE TRAITEMENT
(inf.) Partie principale de l'ordinateur où s'effectuent les traitements et qui comprend les organes centraux de commande, de calcul, de traitement et de contrôle. *Syn.* **main frame**. *V.a.* **instruction control unit**.

CERTIFICATE
CERTIFICAT, TITRE

(fin.) Document, le plus souvent transmissible et négociable, remis à un obligataire ou à un actionnaire par la société qui l'a émis. *V.a.* **bond certificate** et **share certificate**.

CERTIFIED CHEQUE
CHÈQUE CERTIFIÉ, CHÈQUE VISÉ

(banque) Chèque pour lequel la banque sur laquelle il est tiré constate l'existence d'une provision équivalente au montant du chèque et la bloque jusqu'au terme du délai légal de présentation. *N.B.* En France et en Belgique, la loi distingue le **chèque visé** du **chèque certifié**. Dans le cas d'un **chèque visé**, on demande au tiré un **visa de chèque** qui consiste, pour la banque, à apposer sa signature sous la formule «*visé pour la somme de . . .* », ce qui signifie simplement que, à ce moment, la provision pour payer le chèque existe. *V.a.* **cheque**.

C & F
COÛT ET FRET (C.F.)

Abrév. de **cost and freight**.

CHAIN OF STORES
CHAÎNE (DE MAGASINS)

(comm.) Organisation de magasins ou d'établissements du même genre qui utilisent, dans chaque exploitation, la même enseigne, des agencements et des équipements semblables et qui fournissent les mêmes produits et services, le tout dans le cadre d'une même politique commerciale. *V.a.* **multiple stores**.

CHAIRMAN OF THE BOARD
PRÉSIDENT DU CONSEIL D'ADMINISTRATION

(gest.) Personne qui préside aux délibérations du conseil d'administration d'une société. *N.B.* Au Canada, le président du conseil d'administration joue un rôle équivalent à celui du président des sociétés françaises. En revanche, la personne qui porte le titre de **président** dans les sociétés canadiennes est appelée **directeur général** en France. Le plus souvent, dans ce dernier pays, ces deux fonctions sont remplies par une même personne qui porte le titre de **président-directeur général** (**P.D.G.**). *V.a.* **board of directors**, **chief executive officer** et **deputy chairman**.

CHANGE *n.*
APPOINT, MONNAIE (D'APPOINT)

(lang. cour.) Petite monnaie que l'on ajoute à des billets de banque pour atteindre un montant à régler; complément d'une somme en petite monnaie. *V.a.* **small change**.

CHANGE *v.*
DONNER LA MONNAIE, RENDRE LA MONNAIE, FAIRE L'APPOINT

(lang. cour.) Remettre à une personne le complément d'une somme en petite monnaie. *N.B.* L'expression **faire de la monnaie** signifie échanger une pièce de monnaie ou un billet de banque contre une valeur totale équivalente de pièces et de billets ayant une valeur individuelle plus petite. Par extension, **faire l'appoint** signifie régler exactement la somme due, de sorte que celui qui la reçoit n'ait aucune monnaie à rendre à celui qui la donne.

CHANGE FUND
FONDS D'APPOINT

(comm.) Argent déposé dans une caisse ou remis à des livreurs en vue de leur permettre de rendre la monnaie.

CHANGES IN FINANCIAL POSITION, STATEMENT OF
(ÉTAT DE L')ÉVOLUTION DE LA SITUATION FINANCIÈRE (Can.), TABLEAU DE FINANCEMENT (Fr. et Belg.), TABLEAU DES RESSOURCES ET EMPLOIS (Fr.)

Voir **statement of changes in financial position**.

CHANGES IN NET ASSETS, STATEMENT OF
(ÉTAT DE L')ÉVOLUTION DE LA VALEUR LIQUIDATIVE
Voir **statement of changes in net assets.**

CHARACTER
CARACTÈRE
Voir **digit** 2.

CHARGE *n.* 1.
DÉBIT, PASSATION EN CHARGES, IMPUTATION
Voir **debit** *n.* 1.

CHARGE *n.* 2.
CHARGE (HYPOTHÉCAIRE)
Voir **encumbrance** 2.

CHARGE *n.* 3.
PRIX DEMANDÉ, PRIX EXIGÉ
Prix réclamé pour un service ou une marchandise.

CHARGE *v.* 1.
DÉBITER, PORTER AU DÉBIT, PASSER EN CHARGES, IMPUTER
Voir **debit** *v.*

CHARGE *v.* 2.
DEMANDER UN PRIX, EXIGER UN PRIX, FAIRE PAYER
(aff.) Réclamer une certaine somme d'argent pour l'exécution de travaux, la vente d'un bien ou la prestation de services.

CHARGEABLE
AFFECTABLE, IMPUTABLE
Se dit d'une charge ou d'un coût susceptible d'être porté au débit d'un compte ou d'un centre de coûts.

CHARGEABLE HOURS
HEURES FACTURABLES
(prof.) Heures que, par exemple, un professionnel libéral peut porter au compte de son client pour le travail qu'il a exécuté.

CHARGE ACCOUNT
COMPTE (D'ACHATS À CRÉDIT)
(comm.) Compte résultant d'une entente conclue entre le fournisseur et son client permettant à ce dernier d'obtenir des marchandises ou des services aux conditions de règlement convenues entre eux.

CHARGE AND DISCHARGE, STATEMENT OF
REDDITION DE COMPTES, COMPTE DE LIQUIDATION
Voir **statement of charge and discharge.**

CHARGE OFF 1.
PASSER EN CHARGES, IMPUTER À L'EXERCICE, IMPUTER À L'EXPLOITATION
Inscrire un élément à titre de charge ou de perte, par exemple les frais de recherche engagés au cours d'un exercice. *V.a.* **debit** *v.*

CHARGE OFF 2.
RADIER, PASSER EN CHARGES, IMPUTER À L'EXERCICE, PASSER PAR PERTES ET PROFITS (Fr.)
Voir **write off** *v.*

CHARITABLE CORPORATION
ASSOCIATION PHILANTHROPIQUE, ASSOCIATION DE BIENFAISANCE
(O.S.B.L.) Association établie principalement pour exercer des activités qui procureront des avantages au public en général et plus particulièrement aux personnes dans le besoin. *Comparer avec* **membership corporation**. *V.a.* **non-profit organization**.

CHART
GRAPHIQUE
(stat.) Procédé de visualisation permettant notamment de présenter et d'analyser des informations de nature comptable ou autre et des statistiques. *V.a.* **bar chart**, **break-even chart**, **flow chart** 1. et 2. et **scatter diagram**.

CHARTER
CHARTE
(dr. can.) Document en vertu duquel sont constituées certaines sociétés par actions. *V.a.* **instrument of incorporation** et **letters patent**.

CHARTERING
AFFRÈTEMENT, NOLISEMENT
(transp.) Contrat par lequel une personne met à la disposition d'une autre, un navire, un avion, un véhicule pour transporter des passagers ou acheminer des marchandises, moyennant rémunération.

CHART OF ACCOUNTS
PLAN COMPTABLE
Liste codifiée de comptes classés selon leur nature et selon les différentes fonctions de l'entreprise, établie en vue de permettre une meilleure interprétation de l'information financière. *N.B.* En France, le **Plan comptable général** (**P.C.G.**) renferme les principes et règles recommandés par l'État en matière de comptabilité des entreprises. Chaque **plan comptable professionnel** (plan propre à une catégorie d'entreprises) a, en principe, un **plan de comptes** (liste méthodique de comptes) qui lui est particulier bien que s'inspirant, dans ses grandes lignes, du Plan comptable général. Le plan de comptes d'une entreprise est établi, selon le cas, par référence à celui du Plan comptable général ou du plan comptable professionnel. Le compte ouvert par une entreprise en application d'une loi ou d'un règlement et dont l'utilité, le contenu ou le fonctionnement n'est pas conforme aux dispositions du Plan comptable général porte le nom de **compte dérogatoire**. En Belgique, la loi stipule que le plan comptable doit être approprié à la nature et aux activités de l'entreprise; un arrêté détermine, pour la plupart des entreprises, un contenu minimal normalisé (**plan comptable normalisé**) et le plan doit être complété dans chaque cas par l'entreprise elle-même. *V.a.* **accounting system**, **coding of accounts**, **general ledger** et **uniform code of accounts**.

CHATTEL
BIENS MOBILIERS, BIENS MEUBLES
(lang. cour.) Tous les biens à l'exception des biens immeubles. *Comparer avec* **real estate**. *V.a.* **personal property**.

CHATTEL MORTGAGE
HYPOTHÈQUE MOBILIÈRE
(dr.) Sûreté réelle de droit anglais par laquelle un débiteur transfère à son créancier la propriété de biens meubles en garantie d'une dette. *N.B.* Le **nantissement** est aussi une sûreté réelle, qui suppose normalement la prise de possession par le créancier du bien nanti, à la différence du *chattel mortgage* qui implique uniquement le transfert du titre de propriété. *V.a.* **collateral** 2. et **mortgage** *n.* 1.

CHECK *n.* 1.
CONTRÔLE, VÉRIFICATION
(gest.) Contrôle exercé en vue de s'assurer de l'exactitude d'un registre, du bon fonctionnement d'une structure, d'un service ou d'un système. *V.a.* **control** 2.

CHECK *n.* 2. *(U.S.)*
CHÈQUE
Voir **cheque**.

CHECK *n.* 3. *(fam.)*
ADDITION
(lang. cour.) Note présentant le total des dépenses effectuées au restaurant. *V.a.* **bill** *n.* 1.

CHECK *v.* 1.
CONTRÔLER, VÉRIFIER
(gest.) Effectuer un examen en vue de s'assurer de l'exactitude d'un registre, du bon fonctionnement d'une structure, d'un service ou d'un système.

CHECK *v.* 2.
POINTER, COCHER, MARQUER D'UN SIGNE
(E.C.) Placer un signe vis-à-vis d'un poste ou d'un montant après l'avoir vérifié. *Syn.* **tick** *v. V.a.* **tick mark**.

CHECKING OF AN ACCOUNT
VÉRIFICATION D'UN COMPTE
(E.C.) Analyse de chacun des articles débit et crédit enregistrés dans un compte.

CHECK LIST
LISTE DE VÉRIFICATION, LISTE DE CONTRÔLE, LISTE DE POINTAGE, BORDEREAU DE CONTRÔLE,
 AIDE-MÉMOIRE
(gest.) Questionnaire qui comporte tous les éléments nécessaires à une recherche et à une vérification des méthodes ou des pratiques suivies dans un secteur donné, et que l'on doit cocher au fur et à mesure des réponses reçues ou des contrôles effectués pour être sûr de ne rien omettre. *N.B.* Le terme *check list* est aussi parfois employé en français pour désigner ce questionnaire.

CHECK MARK
MARQUE DE POINTAGE
Voir **tick mark**.

CHECK POINT
POINT DE CONTRÔLE, POINT DE REPRISE
(inf.) Point d'un programme où s'effectue, lors de son exécution, une halte automatique au cours de laquelle est écrit, sur un support externe, le contenu de la mémoire principale et des registres afin de permettre, en cas d'arrêt ultérieur, la reprise du traitement à partir du dernier point de contrôle.

CHEQUE
CHÈQUE
(banque) Effet de commerce par lequel le titulaire d'un compte bancaire (le **tireur**) donne l'ordre à son banquier ou à un établissement financier (le **tiré**) de payer à vue à son profit ou à celui d'un tiers (le **bénéficiaire**) une somme à prélever sur le crédit de son compte. *Syn.* **check** *n.* 2. *(U.S.). V.a.* **bearer cheque**, **blank cheque** 2., **cancelled cheque**, **cashier's cheque**, **certified cheque**, **cheque specimen**, **crossed cheque**, **not sufficient funds (NSF) cheque** et **stale-dated cheque**.

CHEQUE BOOK
CHÉQUIER, CARNET DE CHÈQUES
(banque) Carnet contenant des formules de chèques. *V.a.* **cheque specimen**.

CHEQUE MADE TO CASH
CHÈQUE (PAYABLE) AU PORTEUR
Voir **bearer cheque**.

CHEQUE REGISTER
LIVRE DES CHÈQUES, REGISTRE DES CHÈQUES
Livre auxiliaire dans lequel sont inscrits les chèques émis par l'entreprise.

CHEQUE SPECIMEN
FORMULE DE CHÈQUE
(banque) Support papier sur lequel est établi un chèque. *N.B.* La formule de chèque doit répondre à un certain nombre d'exigences, notamment la mention du nom de la banque tirée et du numéro de compte; elle comporte en sa partie inférieure une zone de caractères magnétiques qui permet, lors de son traitement, une lecture informatique des principales informations portées sur le chèque. *Syn.* **blank cheque** 1. *V.a.* **cheque** et **cheque book**.

CHEQUE WITHOUT FUNDS
CHÈQUE SANS PROVISION
Voir **not sufficient funds (NSF) cheque**.

CHEQUE WRITER
CHÉCOGRAPHE
(banque) Machine servant à émettre des chèques et, plus particulièrement, à inscrire le montant de ces derniers.

CHEQUING ACCOUNT
COMPTE (DE) CHÈQUES
(banque) Compte bancaire sur lequel le titulaire peut tirer des chèques et qui, en règle générale, ne rapporte aucun intérêt. *V.a.* **bank account**.

CHIEF ACCOUNTANT
CHEF COMPTABLE, DIRECTEUR DES SERVICES COMPTABLES
(gest.) Cadre responsable du service de la comptabilité d'une entreprise.

CHIEF EXECUTIVE OFFICER
DIRECTEUR GÉNÉRAL, CHEF DE LA DIRECTION
(gest.) Personne qui répond au conseil d'administration, de la gestion de l'entreprise et de son rendement. *V.a.* **chairman of the board**.

CHIP 1.
MICROPLAQUETTE, PUCE (fam.), CONFETTI
(inf.) Très petite plaquette de silicium qui constitue un circuit intégré et qui se fixe sur un **micromodule**.

CHIP 2.
MICRO-IMAGE OPTIQUE
(inf.) Cliché sur microfilm pouvant être classé dans un organe d'**archivage à accès sélectif**.

CIF
COÛT, ASSURANCE ET FRET (C.A.F.)
Abrév. de **cost, insurance and freight**.

CIRCULARIZE 1.
FAIRE PARVENIR À
(lang. cour.) Envoyer à des personnes ou à des entreprises un document ou un message pour connaître leur réaction. *V.a.* **mailing**.

CIRCULARIZE 2.
FAIRE CONFIRMER, DEMANDER CONFIRMATION
(E.C.) Pour un expert-comptable, demander à quelqu'un son avis sur un document qu'il lui expédie par voie postale. *V.a.* **confirmation**.

CIRCULATING ASSETS
ACTIFS CIRCULANTS, CAPITAUX CIRCULANTS, ACTIFS CYCLIQUES
Actifs qui sont absorbés ou transformés au cours d'un même cycle d'exploitation. Ces actifs permettent une reconstitution rapide de l'encaisse par le recouvrement des coûts d'acquisition et de transformation, et se caractérisent par une liquidité et une mobilité élevées. *Comparer avec* **fixed assets**. *V.a.* **current assets** et **working capital**.

CLAIM *n.* 1.
RÉCLAMATION, REVENDICATION
(dr.) Action de s'adresser à une autorité pour faire reconnaître un droit. *N.B.* Le terme réclamation désigne aussi l'écrit sur lequel est consignée la demande ou la reconnaissance de ce droit.

CLAIM *n.* 2.
CRÉANCE
(dr.) Droit permettant à son titulaire (le **créancier**) d'exiger d'une autre personne (le **débiteur**) l'exécution d'une obligation (remise d'une somme d'argent, prestation d'un service, etc.). *N.B.* Par extension, le terme créance désigne le titre constatant le droit d'exiger quelque chose de quelqu'un. *V.a.* **account receivable**.

CLAIM *n.* 3.
SINISTRE
(ass.) Événement (décès, incendie, accident, etc.) dont la réalisation fait naître une obligation de la part de l'assureur.

CLAIM *n.* 4.
DEMANDE DE RÈGLEMENT, DEMANDE D'INDEMNITÉ, DÉCLARATION DE SINISTRE
(ass.) Action par laquelle le bénéficiaire demande le paiement des sommes assurées en exécution d'un contrat d'assurance; écrit utilisé pour ce faire. *Syn.* **insurance claim**.

CLAIM *v.*
DÉDUIRE
(fisc.) Retrancher une somme en vue de déterminer l'assiette fiscale d'un particulier ou d'une société de capitaux.

CLASS 1.
CATÉGORIE, GROUPE
(ass.) Groupe de personnes assurées en vertu d'un même contrat.

CLASS 2.
CATÉGORIE (D'ACTIONS), CLASSE (D'ACTIONS)
(fin.) Groupe d'actions revêtant les mêmes caractéristiques.

CLASS 3.
CATÉGORIE (DE BIENS)
(fisc.) Groupe de biens auxquels s'applique un même taux d'amortissement fiscal. *Syn.* **tax pool**.

CLASS ACTION
RECOURS COLLECTIF
(dr.) Recours qu'une personne peut exercer sans mandat, au nom d'un groupe de personnes ayant des intérêts communs, après autorisation par le tribunal.

CLASSIFICATION
CLASSEMENT
Action de grouper ou de répartir des éléments dans les livres ou dans les comptes annuels selon leur nature ou selon la fonction ou l'activité exercée.

CLASSIFIED BALANCE SHEET
BILAN AVEC PRÉSENTATION ORDONNÉE, BILAN ORDONNÉ

Forme de présentation du bilan dans lequel les éléments de l'actif sont classés selon un critère de liquidité décroissante (par exemple au Canada) ou croissante (par exemple en France et en Belgique) et les éléments du passif selon un critère d'exigibilité décroissante ou croissante. *Comparer avec* **unclassified balance sheet**. *V.a.* **balance sheet**.

CLAUSE
CLAUSE

(dr.) Stipulation particulière d'un contrat, d'un accord, etc. *N.B.* Une clause d'un acte juridique, par exemple un testament, porte le nom de **disposition**. *V.a.* **contract**.

CLEAN OPINION *(fam.)*
OPINION SANS RÉSERVE

Voir **unqualified opinion**.

CLEAN REPORT *(fam.)*
RAPPORT SANS RÉSERVE

(E.C.) Rapport de vérification (ou révision) dans lequel l'expert-comptable émet une opinion sans restriction d'aucune sorte. *V.a.* **unqualified opinion**.

CLEAN SURPLUS CONCEPT
FORMULE DES BÉNÉFICES NON RÉPARTIS HORS POSTES NON COURANTS

(Can.) Théorie selon laquelle on exclut de l'état des bénéfices non répartis le résultat des opérations non courantes. Dans ce cas, le bénéfice qui figure dans l'état des résultats est dit global. *V.a.* **all-inclusive concept of net income**.

CLEARING ACCOUNT
COMPTE DE PASSAGE, COMPTE PROVISOIRE

Compte où l'on inscrit provisoirement des montants de même nature et susceptibles de se répéter qui, plus tard, seront virés dans d'autres comptes. *Comparer avec* **suspense account**.

CLEARING HOUSE
CHAMBRE DE COMPENSATION

(banque et *fin.)* Établissement où les opérations réciproques (notamment les opérations bancaires et les transferts d'actions) se règlent sans déplacement d'argent.

CLEAR OFF A MORTGAGE, TO
PURGER UNE HYPOTHÈQUE

Voir **pay off a mortgage, to**.

CLERICAL ERROR 1.
ERREUR D'ÉCRITURE(S), ERREUR ARITHMÉTIQUE

Erreur commise lors de l'enregistrement d'une opération ou lors de la transcription de données.

CLERICAL ERROR 2.
ERREUR ARITHMÉTIQUE

(lang. cour.) Erreur portant sur les résultats d'un calcul arithmétique.

CLERICAL STAFF
PERSONNEL DE BUREAU

(lang. cour.) Personnel chargé du travail de bureau, y compris le personnel du service de la comptabilité. *Syn.* **office staff**.

CLERICAL WORK
TRAVAIL DE BUREAU

(lang. cour.) Travail effectué par des employés de bureau, y compris la passation des écritures dans les livres comptables.

CLIENTELE
CLIENTÈLE

Voir **practice** 1.

CLIP A COUPON, TO
DÉTACHER UN COUPON

(fin.) Découper, dans un titre, un petit rectangle numéroté représentant un coupon que le bénéficiaire peut échanger, à la date prévue, contre la somme d'argent qui y figure. *V.a.* **coupon** 1., **coupon bond**, **cum dividend**, **cum rights** et **interest coupon**.

CLOCK CARD
CARTE DE POINTAGE

(rel. de tr.) Carte sur laquelle un salarié inscrit, avec une **machine à pointer** (appelée aussi **horodateur**), l'heure où il commence son travail et celle où il le finit. *Comparer avec* **job ticket** et **time sheet** 1.

CLOSE
SOLDER, FERMER, CLÔTURER

Passer aux livres les écritures de clôture.

CLOSE A DEAL
CONCLURE UNE AFFAIRE, CLORE UN MARCHÉ

(aff.) Amener une transaction ou un contrat à son règlement définitif.

CLOSE CORPORATION
SOCIÉTÉ (FERMÉE) À PEU D'ACTIONNAIRES

Voir **closely-held corporation**.

CLOSED ACCOUNT
COMPTE SOLDÉ, COMPTE CLOS, COMPTE FERMÉ

Compte de résultat (ou de gestion) dont le total des débits égale le total des crédits après la passation d'une écriture de clôture. *N.B.* L'expression **compte soldé** s'emploie aussi pour tout compte dont on détermine le solde à une date donnée. *V.a.* **ruling of an account**.

CLOSED-END COMPANY
SOCIÉTÉ D'INVESTISSEMENT À CAPITAL FIXE

Voir **closed-end investment company**.

CLOSED-END FUND
SOCIÉTÉ D'INVESTISSEMENT À CAPITAL FIXE

Voir **closed-end investment company**.

CLOSED-END INVESTMENT COMPANY
SOCIÉTÉ D'INVESTISSEMENT À CAPITAL FIXE

(fin.) Société dont les actions ou les unités de participation peuvent être transférées après leur émission mais ne peuvent être annulées ni rachetées à moins que les actionnaires n'en décident ainsi par voie de résolution, ou à moins qu'un règlement ou une loi ne prévoie ce rachat ou cette annulation. *Syn.* **closed-end company** et **closed-end fund**. *Comparer avec* **mutual fund** 1. *V.a.* **investment company** 2.

CLOSED-END MORTGAGE
EMPRUNT HYPOTHÉCAIRE PLAFONNÉ, PRÊT HYPOTHÉCAIRE À MONTANT FIXE
(fin.) Contrat hypothécaire ne permettant pas d'emprunter des sommes supplémentaires qui seraient garanties par le même bien. *Comparer avec* **open-end mortgage**. *V.a.* **mortgage** *n.* 1.

CLOSED FILE
DOSSIER CLOS
(lang. cour.) Dossier auquel on compte ne plus rien ajouter. *Comparer avec* **active file**. *V.a.* **current file**.

CLOSELY HELD CORPORATION
SOCIÉTÉ (FERMÉE) À PEU D'ACTIONNAIRES
(org. des entr.) Société dont un petit nombre d'actionnaires seulement détiennent les actions. *Syn.* **close corporation**. *Comparer avec* **widely held corporation**. *V.a.* **private company**.

CLOSE OF BUSINESS
FERMETURE DES BUREAUX
(aff.) Heure à laquelle une entreprise ferme ses bureaux. Parfois, cette heure représente le moment où expire le délai pour présenter certains documents, par exemple une réponse à un **appel d'offres**.

CLOSING BALANCE
SOLDE DE CLÔTURE, SOLDE DE FERMETURE
Solde d'un compte à la fin d'un exercice. *Comparer avec* **opening balance**.

CLOSING COSTS
FRAIS DE CLÔTURE (D'UNE TRANSACTION), FRAIS DE CONCLUSION (D'UNE OPÉRATION)
Frais divers engagés pour conclure une transaction, le plus souvent une transaction immobilière.

CLOSING ENTRY
ÉCRITURE DE CLÔTURE, ÉCRITURE DE FERMETURE
Écriture passée par le comptable à la fin de l'exercice afin de virer les soldes des comptes de produits et de charges dans le compte Sommaire des résultats et de là dans le compte Bénéfices non répartis ou Capital. *N.B.* En France, le virement des soldes des comptes de produits et de charges se fait dans un compte intitulé Résultat à répartir.

CLOSING INVENTORY
STOCK DE CLÔTURE, STOCK DE FERMETURE, STOCK FINAL, STOCK À LA FIN (DE L'EXERCICE)
Voir **ending inventory**.

CLOSING PROCEDURES
PROCÉDURES D'INVENTAIRE, OPÉRATIONS D'INVENTAIRE
Voir **periodic procedures**.

CLOSING QUOTATION
COURS DE CLÔTURE, DERNIER COURS
(Bourse) Cours d'un titre ou d'une marchandise à la fin d'une séance de Bourse.

COBOL
COBOL
(inf.) Abréviation de *common business oriented language*. Langage évolué de programmation utilisé pour traiter des problèmes de gestion des entreprises.

COD
CONTRE REMBOURSEMENT (C.R.)
Abrév. de **cash on delivery**.

CODE OF ETHICS
CODE DE DÉONTOLOGIE
(prof.) Code renfermant les règles de conduite professionnelle auxquelles sont soumis les membres d'une profession libérale. *V.a.* **corporation** 3., **ethics** et **professional responsibility**.

CODING OF ACCOUNTS
CODIFICATION DES COMPTES
Action d'attribuer un numéro ou un code aux comptes faisant partie d'un plan comptable. *V.a.* **chart of accounts**.

COEFFICIENT OF VARIATION
COEFFICIENT DE VARIATION, COEFFICIENT DE DISPERSION
(stat.) Indice servant à comparer des grandeurs de types différents, égal au quotient de l'écart-type par la moyenne. *V.a.* **standard deviation**.

CO-INSURANCE 1.
RÈGLE PROPORTIONNELLE
(ass.) Clause d'un contrat d'assurance exigeant que l'entreprise fasse assurer un bien pour un certain pourcentage (le plus souvent 80%, 90% ou 100%) de la valeur de ce bien, à défaut de quoi elle doit supporter une fraction proportionnelle de la perte subie. *V.a.* **insurance**.

CO-INSURANCE 2.
COASSURANCE
(ass.) Assurance d'un gros risque par plusieurs assureurs, chacun d'eux prenant en charge une quote-part de la somme assurée. *N.B.* Pour faciliter les opérations, une seule société (la **société apéritrice** ou l'**apériteur**) se charge de la gestion du contrat, c'est-à-dire des relations avec l'assuré. Ainsi chaque société, en cas de sinistre, ne paiera pas une somme élevée qui risquerait de menacer l'équilibre de ses opérations. *Comparer avec* **reinsurance**. *V.a.* **insurance**.

COLD REVIEW
CONTRE-RÉVISION DU DOSSIER, CONTRÔLE AU SECOND DEGRÉ (Fr. et Belg.)
(E.C.) Procédé par lequel un cabinet d'expertise comptable vise à s'assurer du contrôle de la qualité de la vérification (ou révision) et qui consiste, au cours de la phase finale, à faire examiner le dossier par une personne (le plus souvent un associé) qui n'a pas participé à la mission.

COLLATE
INTERCLASSER
(inf.) Réunir plusieurs fichiers, rangés suivant le même critère, en un seul ensemble dont les éléments, rangés dans le même ordre, sont constitués soit d'un article, soit de plusieurs articles de même nature provenant chacun d'un fichier différent.

COLLATERAL 1. *(fam.)*
BIEN DONNÉ EN NANTISSEMENT, BIEN DONNÉ EN GAGE, BIEN DONNÉ EN GARANTIE, BIEN AFFECTÉ EN GARANTIE, BIEN GREVÉ D'UNE HYPOTHÈQUE
(dr.) Tout bien qu'une personne (l'emprunteur) affecte à la garantie du remboursement d'une dette résultant d'un prêt consenti par une autre personne (le prêteur). *N.B.* Le bien ainsi affecté à la garantie d'une dette peut être immeuble (un terrain ou un bâtiment dans le cas d'obligations hypothécaires) ou meuble (des créances ou des stocks dans le cas d'un emprunt bancaire). Le **gage** (portant sur un bien meuble) et l'**antichrèse** (portant sur un immeuble) sont les deux formes traditionnelles du nantissement. En principe, le **nantissement** suppose la dépossession du débiteur, mais il existe actuellement diverses formes de **nantissement sans dépossession**. En règle générale, on réserve le terme gage aux formes classiques du **nantissement mobilier** (c'est-à-dire **nantissement avec dépossession**) et on emploie plutôt le terme nantissement (et aussi, dans certains cas, le terme **warrant**) pour les formes nouvelles qui n'impliquent pas dépossession. En Belgique, la loi impose la dépossession dans le cas du nantissement. *Syn.* **collateral security** 2. *V.a.* **guarantee** 1., **hypothecate**, **mortgage** *v.*, **pledge** *v.*, **pledge** *n.* 2. et **secured liability**.

COLLATERAL 2.
SÛRETÉ RÉELLE, GARANTIE RÉELLE
(dr.) Droit réel constitué sur un bien pour garantir l'exécution d'une obligation, par exemple le remboursement d'une dette. *V.a.* **chattel mortgage**, **guarantee** 1. et **lien**.

COLLATERAL LOAN
PRÊT GARANTI, EMPRUNT GARANTI
(dr.) Prêt qu'un établissement financier consent moyennant l'affectation par l'emprunteur d'un bien destiné à garantir le remboursement de la dette contractée. *N.B.* Dans ce cas, l'adjectif anglais *collateral* a le sens de garanti.

COLLATERAL NOTE
BILLET GARANTI, EFFET GARANTI
(dr.) Billet à ordre constatant l'existence d'une dette garantie. *N.B.* Dans ce cas, l'adjectif anglais *collateral* a le sens de garanti. *Syn.* **secured note**.

COLLATERAL SECURITY 1.
SÛRETÉ SUPPLÉMENTAIRE, SÛRETÉ ACCESSOIRE
(dr.) Garantie accessoire accordée en plus de la garantie principale et à laquelle le débiteur n'aura recours que si le produit de la réalisation du bien principal cédé en nantissement ne suffit pas pour éteindre la dette ainsi garantie. *N.B.* Dans ce cas, l'adjectif anglais *collateral* a le sens d'accessoire, additionnel ou supplémentaire.

COLLATERAL SECURITY 2.
*BIEN DONNÉ EN NANTISSEMENT, BIEN DONNÉ EN GAGE, BIEN DONNÉ EN GARANTIE, BIEN
    AFFECTÉ EN GARANTIE, BIEN GREVÉ D'UNE HYPOTHÈQUE*
Voir **collateral** 1. *(fam.)*.

COLLATERAL TRUST BOND
OBLIGATION GARANTIE PAR NANTISSEMENT DE TITRES
(fin.) Obligation garantie par la remise de valeurs mobilières au fiduciaire. *V.a.* **bond** 1.

COLLECT *adj.*
PORT DÛ, PORT À PERCEVOIR
(comm. et transp.) Expression utilisée pour indiquer que le prix du transport d'une marchandise, d'une lettre ou d'un colis est payable par le destinataire. *Comparer avec* **prepaid**.

COLLECT *v.*
RECOUVRER, ENCAISSER
Voir **cash** *v.*

COLLECTIBLE
RECOUVRABLE
(aff.) Se dit d'une créance qu'il sera possible de réaliser au moment où elle deviendra exigible.

COLLECTION 1.
RECOUVREMENT
(aff.) Action, pour l'entreprise, de recouvrer des créances, c'est-à-dire de rentrer en possession de sommes que lui doivent ses clients.

COLLECTION 2.
PERCEPTION
(fisc.) Recouvrement des impôts par l'Administration publique.

COLLECTION CHARGES
FRAIS DE RECOUVREMENT

Frais engagés par l'entreprise pour recouvrer une créance, le plus souvent par l'intermédiaire d'une société de crédit ou d'une agence de recouvrement.

COLLECTION DEPARTMENT
SERVICE DU RECOUVREMENT

(org. de l'entr.) Service de l'entreprise dont la responsabilité est de recouvrer les comptes clients.

COLLECTION PERIOD (OF RECEIVABLES)
PÉRIODE MOYENNE DE RECOUVREMENT (DES CRÉANCES), DÉLAI MOYEN DE RECOUVREMENT (DES CRÉANCES), DÉLAI MOYEN DE RÈGLEMENT DES COMPTES CLIENTS, DURÉE MOYENNE DE RÈGLEMENT DES COMPTES CLIENTS

(anal. fin.) Période moyenne qui s'écoule avant que l'entreprise ne puisse recouvrer ses comptes. *N.B.* Cette période correspond au nombre de jours que l'on obtient en multipliant le solde moyen des comptes clients par 365, puis en divisant le produit obtenu par le chiffre d'affaires de l'exercice. *Syn.* **average collection period (of receivables)** et **number of days' sales in average receivables**. *V.a.* **accounts receivable turnover**.

COLLECTIVE AGREEMENT
CONVENTION COLLECTIVE (DE TRAVAIL)

(rel. de tr.) Entente écrite relative aux conditions de travail, conclue pour une période déterminée entre une ou plusieurs associations de salariés et un ou plusieurs employeurs ou associations d'employeurs. *Syn.* **labour agreement** et **union agreement**.

COLLUSION
COLLUSION

(lang. cour.) Entente secrète, le plus souvent entre des membres du personnel d'une même entreprise, en vue de commettre une fraude (détournement de fonds, vol de marchandises, etc.).

COMBINED FINANCIAL STATEMENTS
ÉTATS FINANCIERS CUMULÉS

Jeu d'états financiers regroupant les comptes de plusieurs entreprises entre lesquelles il existe généralement des relations. *N.B.* On établit, par exemple, des états de cette nature dans le cas d'un particulier qui détient des participations majoritaires dans plusieurs sociétés. *Comparer avec* **consolidated financial statements** et **group accounts**.

COMBINED JOURNAL AND LEDGER
JOURNAL-GRAND LIVRE, JOURNAL AMÉRICAIN, LIVRE SYNOPTIQUE

Livre comptable permettant l'enregistrement chronologique des opérations, en termes de débits et de crédits, dans des colonnes tenant lieu de comptes du grand livre général. *N.B.* Ce livre est particulièrement pratique lorsque le nombre d'écritures est peu élevé, parce qu'il permet d'éviter les travaux de transcription.

COMBINED STATEMENT OF INCOME AND RETAINED EARNINGS
(ÉTAT DES) RÉSULTATS ET (DES) BÉNÉFICES NON RÉPARTIS

(Can.) État qui regroupe, dans un même tableau, les résultats de l'exercice et les bénéfices non répartis.

COMFORT LETTER
LETTRE D'ACCORD PRÉSUMÉ

(E.C.) (Can.) Lettre dans laquelle l'expert-comptable présume de la fiabilité d'états financiers non vérifiés joints à un prospectus ou d'états financiers non définitifs inclus dans un prospectus préliminaire. *N.B.* En Belgique et en France, les expressions **lettre d'intention** et *lettre de confort* s'emploient pour désigner une lettre remise par une société mère à un banquier dans le but de marquer son soutien à une de ses filiales qui a effectué une opération financière, le plus souvent un emprunt. *Comparer avec* **consent letter**. *V.a.* **audit assurance** 2. et **negative assurance**.

COMMERCIAL CONCERN
ENTREPRISE COMMERCIALE
(comm.) Entreprise qui a pour objet essentiel la commercialisation (achat, distribution, vente) de produits sur le marché. *V.a.* **business firm**, **manufacturing concern** et **service concern**.

COMMERCIAL PAPER 1.
EFFET DE COMMERCE
(dr.) Titre négociable matérialisant une opération exclusivement commerciale (c'est-à-dire conclue entre commerçants). Ce titre représente une créance à échéance précisée et est transmissible par endossement. *N.B.* La mention portée sur un effet de commerce indiquant le lieu choisi pour son paiement porte le nom de **domiciliation**. *Syn.* **business paper**. *V.a.* **bill** *n.* 2.

COMMERCIAL PAPER 2.
EFFET FINANCIER
(dr. et fin.) Titre créé à l'occasion soit d'une vente à crédit par un commerçant à un particulier, soit d'un crédit bancaire ou d'un crédit accordé à un particulier ou à une entreprise par un établissement financier. *N.B.* L'effet financier est différent de l'effet de commerce en ce que ce dernier est utilisé exclusivement dans les opérations entre commerçants. *Syn.* **business paper**.

COMMERCIAL PAPER 3.
PAPIER COMMERCIAL
(dr. et fin.) Effet de commerce (traite ou billet à ordre) émis en représentation de créances commerciales et que le bénéficiaire peut remettre à l'escompte d'une banque. *Syn.* **business paper**.

COMMERCIAL PAPER 4.
PAPIER FINANCIER
(dr. et fin.) Titre émis en représentation d'un crédit bancaire; effet financier représentatif d'un crédit quelconque. *N.B.* Les valeurs mobilières sont également parfois qualifiées de **papier financier**. *Syn.* **business paper**.

COMMERCIAL PLANNING
PLANIFICATION COMMERCIALE
(mark.) Ensemble des décisions prises en vue d'organiser, de diriger et de coordonner les activités commerciales futures afin d'atteindre les objectifs généraux de l'entreprise.

COMMISSION 1.
COMMISSION
(comm.) Rémunération attribuée, par exemple à des représentants, et calculée au moyen d'un pourcentage appliqué au chiffre des ventes ou au bénéfice découlant de celles-ci. *N.B.* La prime allouée, aux fins de stimuler la vente, aux vendeurs d'un commerce de détail ou de gros, proportionnellement aux ventes qu'ils effectuent, porte plus particulièrement le nom de **guelte**.

COMMISSION 2.
COMMISSION
(banque et fin.) Frais demandés par un établissement financier, un agent de change ou un courtier, à ses clients, en rémunération des services qu'il leur a rendus. *V.a.* **brokerage fees**.

COMMITMENT
ENGAGEMENT
(dr.) Promesse de remplir une obligation financière ou autre à une date ultérieure, dont l'exécution éventuelle peut modifier le patrimoine de l'entreprise. *N.B.* La difficulté pratique d'évaluer les effets des engagements a conduit à la règle de les faire figurer sous une **rubrique** spéciale dite **hors bilan** située sous le bilan ou dans une note complémentaire. En France et en Belgique, on retrouve en annexe aux comptes annuels à la fois la liste des **engagements donnés** et celle des **engagements reçus**. Le terme **comptabilité d'engagements** est parfois employé pour évoquer la comptabilisation, dans des **comptes d'engagement** et des **comptes d'ordre**, d'opérations qui n'apparaissent pas au bilan. L'enregistrement des engagements de toute nature par les entreprises (par

exemple les engagements afférents à l'exécution d'un programme d'investissement) n'est pas requis et, en particulier, il n'est pas nécessaire d'enregistrer les contrats relevant de l'exploitation. *V.a.* **obligation** et **off-balance sheet commitment**.

COMMITTED COSTS
CHARGES DE STRUCTURE, FRAIS DE STRUCTURE, COÛTS DE STRUCTURE

Charges relatives à l'existence et au fonctionnement de l'entreprise et dont le montant varie principalement à la suite de décisions à long terme portant sur la capacité de production. *N.B.* Ces charges sont relativement fixes lorsque le niveau d'activité évolue peu au cours de la période de calcul. *V.a.* **capacity cost**, **enabling costs**, **fixed charge**, **fixed costs** et **stand-by costs**.

COMMODITY
MARCHANDISE, DENRÉE

(comm.) Tout produit qui se vend ou s'achète. *N.B.* Le terme **denrée** désigne une marchandise généralement destinée à l'alimentation, et une **denrée périssable** est celle qui exige une consommation à bref délai. Dans un sens restreint, le terme anglais *commodity* désigne un bien d'usage économique qui fait l'objet de spéculation. *V.a.* **goods** et **materials**.

COMMODITY BOND
OBLIGATION REMBOURSABLE EN NATURE

(fin.) Obligation que la société émettrice remboursera à l'échéance en remettant à son détenteur un bien donné ou une somme d'argent correspondant à la valeur de ce bien (métal précieux, pétrole, etc.) dont la nature et la quantité sont déterminées à la date d'émission. *N.B.* En règle générale, le taux d'intérêt que rapporte une telle obligation est moindre qu'une obligation ordinaire en raison de la plus-value que le bien en cause est susceptible de prendre. *V.a.* **bond** 1.

COMMODITY BROKER
COURTIER EN MARCHANDISES

(Bourse) Intermédiaire qui, pour le compte et au nom de tiers, effectue des opérations à la Bourse de marchandises.

COMMODITY FUTURES MARKET
MARCHÉ À TERME SUR MARCHANDISES

(Bourse) Marché à terme pratiqué dans les Bourses de commerce, sur des marchandises (céréales, sucre, coton, etc.) qui seront produites plus tard. *V.a.* **futures market**.

COMMODITY MARKET
BOURSE DE MARCHANDISES, BOURSE DE COMMERCE

(Bourse) Marché public sur lequel se négocient au comptant ou à terme, sans qu'elles soient physiquement présentes, des marchandises, le plus souvent des matières premières industrielles ou agricoles. *V.a.* **exchange** 2., **open market**, **over-the-counter market** et **stock exchange**.

COMMON COSTS
COÛTS COMMUNS, FRAIS COMMUNS, CHARGES COMMUNES

Coûts engagés par l'entreprise en vue de procurer des avantages à l'ensemble des secteurs plutôt qu'à l'un d'entre eux seulement. Ces coûts qui portent sur l'acquisition de matières, d'installations ou de services concourent à la fabrication de plusieurs produits ou à la prestation de divers services. *N.B.* Par opposition aux charges communes relatives à l'ensemble des produits, il existe des **charges spécifiques** afférentes à un produit ou à une famille de produits. De même, on parle de charges spécifiques d'un centre d'activité par opposition aux charges communes de l'ensemble de l'entreprise. *Comparer avec* **common revenue** et **direct costs**. *V.a.* **joint cost**.

COMMON-DOLLAR FINANCIAL STATEMENTS *(Can.)*
ÉTATS FINANCIERS INDEXÉS (SUR LE NIVEAU GÉNÉRAL DES PRIX), COMPTES ANNUELS INDEXÉS (SUR LE NIVEAU GÉNÉRAL DES PRIX), ÉTATS FINANCIERS EN POUVOIR D'ACHAT GÉNÉRAL, COMPTES ANNUELS EN POUVOIR D'ACHAT GÉNÉRAL

Voir **general purchasing power financial statements**.

COMMON DOLLARS
DOLLARS INDEXÉS, DOLLARS MILLÉSIMÉS

(écon.) (Can.) Dollars ayant un même pouvoir d'achat que l'on obtient en convertissant les dollars eux-mêmes au moyen d'un indice général des prix en vue d'éliminer les effets des fluctuations survenues dans le pouvoir d'achat de l'argent. *Syn.* **constant dollars** 2. *Comparer avec* **constant dollars** 1. et **nominal dollars**.

COMMON LAW
DROIT COUTUMIER ET JURISPRUDENTIEL, «COMMON LAW»

(dr.) Par opposition aux lois adoptées par l'État, ensemble de règles relatives à l'Administration et à la sécurité des personnes et des biens, qui tirent leur autorité des us et coutumes ainsi que des jugements prononcés par les tribunaux qui ont reconnu, confirmé ces us et coutumes et leur ont donné encore plus d'importance. *N.B.* Ce droit est d'origine anglaise et est conservé à des degrés divers dans les pays anglo-saxons.

COMMON REVENUE
PRODUIT (D'EXPLOITATION) COMMUN

Produit d'exploitation se rattachant à l'entreprise tout entière plutôt qu'à l'un de ses services ou l'un de ses secteurs. *Comparer avec* **common costs**.

COMMON SHARE
ACTION ORDINAIRE

(dr. et fin.) Action accordant généralement à son détenteur le droit de voter aux assemblées des actionnaires ainsi que celui de participer aux bénéfices de la société et à l'excédent de son actif sur son passif en cas de liquidation. *V.a.* **share** 2.

COMMON-SIZE STATEMENT
TABLEAU EN CHIFFRES RELATIFS, ÉTAT DRESSÉ EN POURCENTAGES

(anal. fin.) Tableau ou état dont les postes sont exprimés en pourcentages d'un des éléments qui en font partie, par exemple le total de l'actif ou le total du passif et des capitaux propres dans le cas du bilan, et le chiffre d'affaires dans le cas de l'état des résultats (ou compte de résultat) *V.a.* **percentage analysis**.

COMMON STOCK
CAPITAL-ACTIONS ORDINAIRE (Can.), ACTIONS ORDINAIRES

(dr. et fin.) Type d'actions accordant généralement à leurs détenteurs le droit de voter aux assemblées des actionnaires ainsi que celui de participer aux bénéfices de la société et à l'excédent de son actif sur son passif en cas de liquidation. *V.a.* **capital stock**.

COMMON STOCK EQUIVALENT
TITRES ÉQUIVALANT À DES ACTIONS ORDINAIRES

(U.S.) (anal. fin. et compt.) Titres qui, en raison de leurs caractéristiques et des circonstances entourant leur émission, sont traités comme des actions ordinaires dans le calcul du bénéfice par action.

COMPANY 1.
SOCIÉTÉ, COMPAGNIE, ASSOCIATION

(org. des entr.) Tout groupement avec ou sans but lucratif constitué ou non en société de capitaux, formé de personnes qui s'associent en vue d'atteindre un objectif commun. *N.B.* Les mots **et Cie** (et compagnie), à la fin d'une raison sociale, désignent les associés qui ne sont pas nommés. On appelle **société civile** une société qui a pour objet des opérations civiles, non commerciales. En revanche, sont **commerciales**, en raison de leur forme, quel que soit leur objet, les sociétés en nom collectif, les sociétés en commandite simple et les sociétés de capitaux. *V.a.* **business corporation**, **limited (liability) company** 2., **non-profit organization** et **partnership**.

COMPANY 2.
COMPAGNIE (À FONDS SOCIAL)

(dr.) (Québec) Société par actions constituée en vertu de la Loi sur les compagnies du Québec. *V.a.* **business corporation**.

COMPANY EXECUTIVE
DIRIGEANT DE SOCIÉTÉ
Voir **corporate executive**.

COMPANY SUBJECT TO SIGNIFICANT INFLUENCE
(SOCIÉTÉ) SATELLITE, SOCIÉTÉ DÉPENDANTE, SOCIÉTÉ CONTRÔLÉE
Société qui n'est pas une filiale mais sur laquelle la société dominante ou participante exerce une influence marquée au niveau des décisions financières et administratives. *V.a.* **affiliated company**, **controlled company**, **effectively controlled company**, **investee** et **significant influence**.

COMPARABILITY
COMPARABILITÉ
Caractéristique de l'information financière qui permet aux utilisateurs d'identifier les ressemblances et les différences pouvant exister entre deux ou plusieurs jeux d'états financiers (ou comptes annuels).

COMPARATIVE FIGURES
CHIFFRES (CORRESPONDANTS) DE L'EXERCICE PRÉCÉDENT
Chiffres d'une période ou d'un exercice antérieur, juxtaposés à ceux de la période ou de l'exercice courant à des fins de comparaison après avoir été redressés ou retraités si les circonstances l'exigent. *N.B.* On entend par **données comparatives** l'ensemble des chiffres figurant dans un tableau ou un état comaparatif.

COMPARATIVE STATEMENT
ÉTAT COMPARATIF, TABLEAU COMPARATIF
État ou tableau financier dans lequel figurent à la fois les chiffres de la période ou de l'exercice courant et, selon le cas, les chiffres de la période correspondante de l'exercice précédent ou ceux de l'exercice précédent.

COMPENSATING BALANCE
SOLDE COMPENSATEUR
(banque) (U.S.) Somme qu'une entreprise qui a contracté un emprunt bancaire doit conserver dans son compte en banque. *N.B.* Vu qu'il ne porte pas intérêt, ce solde, qui est égal à un certain pourcentage de la somme empruntée, a pour effet d'accroître le taux réel d'intérêt de la somme empruntée.

COMPENSATION 1.
INDEMNITÉ
(lang. cour.) Somme accordée par une personne ou une entreprise à une autre en réparation de dommages ou d'une injustice.

COMPENSATION 2.
RÉMUNÉRATION, RÉTRIBUTION
(lang. cour.) Salaires et autres avantages attribués par l'entreprise aux membres de son personnel et à ses administrateurs en contrepartie des services qu'ils lui ont rendus.

COMPILER
COMPILATEUR
(inf.) Programme destiné à transformer un programme énoncé dans un langage évolué **(programme-source)** en un programme **(programme-objet)** exprimé dans le langage-machine de manière à rendre possible son exécution. *N.B.* Si la traduction est faite ligne par ligne à chaque exécution, on parlera alors d'**interpréteur**. *V.a.* **source program**.

COMPLETED CONTRACT METHOD
(MÉTHODE DE LA) CONSTATATION DU PROFIT À L'ACHÈVEMENT DES TRAVAUX, (MÉTHODE DE LA) COMPTABILISATION DU PROFIT À L'ACHÈVEMENT DES TRAVAUX, MÉTHODE DE L'ACHÈVEMENT DES TRAVAUX
Méthode qui consiste à ne comptabiliser les produits d'exploitation et les charges s'y rapportant que lorsque

l'entreprise a fabriqué ou construit les articles, rendu les services ou exécuté les travaux entièrement ou en majeure partie. *V.a.* **income recognition methods** et **long-term contract**.

COMPLETED SALES BASIS
(MÉTHODE DE LA) CONSTATATION DU PROFIT À LA LIVRAISON, (MÉTHODE DE LA) COMPTABILISATION DU PROFIT À LA LIVRAISON, MÉTHODE DE LA LIVRAISON

Méthode généralement en usage qui consiste à comptabiliser les produits d'exploitation et les charges s'y rapportant lorsque l'entreprise a livré les marchandises ou rendu les services qui y donnent lieu. *Syn.* **sales basis of revenue recognition**. *V.a.* **income recognition methods**.

COMPLETENESS
INTÉGRALITÉ

Caractéristique de l'information comptable qui assure que les états financiers renferment toutes les données nécessaires à la présentation fidèle des phénomènes ou opérations en cause. *V.a.* **disclosure** 3.

COMPLIANCE PROCEDURE
(PROCÉDÉ DE) VÉRIFICATION DE (LA) CONFORMITÉ

(E.C.) Procédé de vérification (ou révision) utilisé par l'expert-comptable pour s'assurer du bon fonctionnement des contrôles internes en vigueur dans une entreprise. *N.B.* L'ensemble des procédés de ce genre constitue la vérification de la conformité. *Comparer avec* **substantive procedure**. *V.a.* **compliance test**.

COMPLIANCE TEST
SONDAGE DE CONFORMITÉ, TEST DE CONFORMITÉ

(E.C.) Sondage appliqué par l'expert-comptable en vue de déterminer si les contrôles internes qu'on lui dit être en vigueur fonctionnent véritablement. *N.B.* Ce sondage permet aussi d'établir si des erreurs se sont produites et, le cas échéant, de décider des moyens à mettre en oeuvre pour juger de la fiabilité du système. *Comparer avec* **substantive test**. *V.a.* **audit test** et **compliance procedure**.

COMPOSITE LIFE DEPRECIATION
AMORTISSEMENT PAR CLASSES HÉTÉROGÈNES (DE VALEURS ACTIVES)

Méthode qui consiste à calculer la **dotation aux amortissements** pour un ensemble de biens de nature différente plutôt que pour chacun de ces biens pris individuellement. *Comparer avec* **group depreciation**. *V.a.* **depreciation unit**.

COMPOSITION 1.
CONCORDAT

Voir **arrangement**.

COMPOSITION 2.
COMPROMIS, ARRANGEMENT, COMPOSITION (vieilli)

(dr.) Accord en vertu duquel un débiteur en difficulté financière s'entend avec ses créanciers pour ne leur verser qu'une partie des sommes qu'il leur doit.

COMPOUND INTEREST
INTÉRÊTS COMPOSÉS

(math. fin.) Intérêts calculés non seulement sur le capital emprunté mais également sur les intérêts accumulés de chaque échéance. *N.B.* Dans ce cas, l'emprunteur ne paie généralement les intérêts qu'au moment où il rembourse la somme empruntée. La capitalisation des intérêts échus d'une dette s'appelle **anatocisme**. *Comparer avec* **simple interest**. *V.a.* **interest** 1.

COMPOUND INTEREST BOND
OBLIGATION À INTÉRÊTS COMPOSÉS

(fin.) Obligation permettant à l'obligataire de toucher à l'échéance des intérêts composés sur les coupons joints à l'obligation s'il n'encaisse pas ces derniers au cours de la durée de l'émission. *V.a.* **bond** 1.

COMPOUND INTEREST METHOD OF DISCOUNT (OR PREMIUM) AMORTIZATION
MÉTHODE (DE DÉTERMINATION) DE L'INTÉRÊT RÉEL
Voir **effective interest method**.

COMPOUND INTEREST METHODS (OF DEPRECIATION)
MÉTHODES DE L'AMORTISSEMENT À INTÉRÊTS COMPOSÉS
Méthodes d'amortissement fondées sur l'hypothèse que les immobilisations rapportent un taux de rendement constant au cours de leur durée d'utilisation. *V.a.* **annuity method (of depreciation)** et **sinking fund method (of depreciation)**.

COMPREHENSIVE AUDIT(ING)
VÉRIFICATION INTÉGRÉE, RÉVISION INTÉGRÉE
(E.C.) Vérification (ou révision) qui, en plus d'être de nature comptable et financière, porte sur la façon dont un organisme a utilisé les ressources de toutes sortes dont il dispose. *N.B.* Cette vérification est principalement en usage dans le secteur public. *V.a.* **audit** *n.* 3., **financial auditing**, **planning programming and budgeting system** et **value-for-money audit(ing)**.

COMPREHENSIVE BUDGET
BUDGET DIRECTEUR, BUDGET GLOBAL, BUDGET GÉNÉRAL
Voir **master budget**.

COMPREHENSIVE INSURANCE
ASSURANCE MULTIRISQUE
(ass.) Assurance de plusieurs risques par un même contrat, par exemple l'**assurance tous risques** dans le cas de l'assurance automobile. *V.a.* **blanket coverage** et **insurance**.

COMPREHENSIVE TAX ALLOCATION METHODS
MÉTHODES DU REPORT D'IMPÔT
Voir **interperiod tax allocation methods**.

COMPTROLLER
CONTRÔLEUR (DE GESTION)
Voir **controller**.

COMPUTER
ORDINATEUR
(inf.) Matériel électronique de traitement de l'information permettant d'effectuer des opérations arithmétiques ou logiques au moyen de programmes pré-enregistrés. Un ordinateur comprend une unité de traitement, des unités d'entrée et des unités de sortie.

COMPUTER ASSISTED AUDIT (TECHNIQUES) (CAAT)
(TECHNIQUES DE) VÉRIFICATION INFORMATISÉE (T.V.I.), (TECHNIQUES DE) RÉVISION INFORMATISÉE, (T.R.I.)
(E.C. et *inf.)* Techniques informatisées dont l'expert-comptable se sert pour mettre en application ses procédés de vérification (ou révision). *V.a.* **audit techniques**.

COMPUTER AUDIT
VÉRIFICATION DANS UN CADRE INFORMATIQUE, RÉVISION DANS UN ENVIRONNEMENT INFORMATIQUE
(E.C. et *inf.)* Vérification (ou révision) des comptes d'une entreprise dont le système comptable est informatisé. *N.B.* Dans ce cas, l'expert-comptable a parfois recours à des techniques de vérification (ou révision) informatisée. *Syn.* **electronic data processing audit**. *V.a.* **audit** *n.* 3., **audit around the computer**, **audit software** et **audit through the computer**.

COMPUTER-BASE ACCOUNTING SYSTEM
COMPTABILITÉ INFORMATISÉE
Voir **electronic accounting system**.

COMPUTER COMMUNICATION
TÉLÉMATIQUE
Voir **telematics**.

COMPUTER CONTROL
*CONTRÔLE DANS UN CADRE INFORMATIQUE, CONTRÔLE DANS UN ENVIRONNEMENT
   INFORMATIQUE*
(inf.) Contrôle interne dont les caractéristiques tiennent compte du fait que le système comptable est informatisé.

COMPUTER LANGUAGE
LANGAGE MACHINE
(inf.) Langage qui définit les instructions sous une forme identique à celle qui est reconnue par les organes de programme de la machine; langage dans lequel est exprimé un programme au moment de son exécution par l'ordinateur et dont chaque instruction peut être mise en oeuvre directement par l'organe central de commande. *Syn.* **machine language**. *V.a.* **language**.

COMPUTER LOG
JOURNAL DE L'ORDINATEUR, JOURNAL DE BORD, JOURNAL DE MARCHE
(inf.) Compte rendu des opérations effectuées par l'ordinateur, ainsi que des erreurs que son mauvais fonctionnement a pu occasionner. *V.a.* **console print-out**, **log book** et **transaction log**.

COMPUTER PRINT-OUT
SORTIE SUR IMPRIMANTE, IMPRIMÉ D'ORDINATEUR, IMPRIMÉ-MACHINE
Voir **print-out**.

COMPUTER RUN
PASSAGE-MACHINE, PASSAGE (EN ORDINATEUR)
(inf.) Déroulement d'une opération ou d'une tâche en machine. Exécution d'un ou plusieurs travaux liés entre eux pour former une unité opérationnelle. En traitement séquentiel, exécution d'un programme itératif de façon à faire défiler une fois tous les fichiers d'entrée des données. *N.B.* Un passage ne correspond pas nécessairement à une phase complète de traitement. Ainsi une phase de tri de fichier comprend plusieurs passages successifs du fichier à trier. *Syn.* **run** 2.

CONCEPTUAL FRAMEWORK (FOR FINANCIAL REPORTING)
CADRE THÉORIQUE (DE LA COMPTABILITÉ), THÉORIE GÉNÉRALE DE LA COMPTABILITÉ
Théorie sur laquelle se fondent la formulation des normes comptables et la détermination de la nature, des objectifs et des limites de l'information financière publiée par les entreprises. *V.a.* **accounting concepts**.

CONCERN
ENTREPRISE, FIRME, ÉTABLISSEMENT, MAISON
Voir **business firm**.

CONDENSED FINANCIAL STATEMENTS
ÉTATS FINANCIERS CONDENSÉS, ÉTATS FINANCIERS SIMPLIFIÉS, COMPTES DE SYNTHÈSE
États financiers (ou comptes annuels) dans lesquels on groupe les postes de moindre importance en vue de mieux faire ressortir les traits généraux des résultats et de la situation financière d'une entreprise. *Syn.* **summary financial statements**.

CONDITIONAL DISCHARGE
LIBÉRATION SOUS CONDITION, LIBÉRATION CONDITIONNELLE
(dr.) Libération d'un débiteur des obligations qui ont suscité sa faillite, moyennant l'accomplissement de certaines conditions. *V.a.* **discharge** n. 2.

CONDITIONAL SALES AGREEMENT
VENTE CONDITIONNELLE, VENTE SOUS CONDITION

(dr.) Contrat de vente en vertu duqel le transport du titre de propriété dépend de l'accomplissement de certaines conditions. *N.B.* Par opposition à la vente sous condition, la **vente à condition** désigne une vente passée sous la condition résolutoire de la restitution des marchandises par l'acheteur si elles ne lui conviennent pas ou, si l'acheteur étant commerçant, elles n'ont pu être revendues dans un délai déterminé d'avance. *V.a.* **cash sale**, **credit sale** et **instalment sales**.

CONDOMINIUM 1.
COPROPRIÉTÉ (EN PARTS DIVISES)

(lang. cour.) Immeuble appartenant à plusieurs propriétaires; partie de cet immeuble appartenant en propre à chacun d'eux (**appartement en copropriété**, par exemple).

CONDOMINIUM 2.
ASSOCIATION DE CO-PROPRIÉTAIRES

(dr.) Association qui est responsable de la gestion d'une propriété, et dont les membres possèdent en propre des unités d'un immeuble et ont un **intérêt indivis** dans les éléments communs de la propriété en cause (terrain, corridors, salle de récréation, etc.). *V.a.* **co-operative**.

CONDOMINIUM 3.
COPROPRIÉTÉ (DIVISE)

(dr.) Droit de propriété sur un bien immobilier reconnu juridiquement et détenu conjointement par plusieurs personnes physiques ou morales. *N.B.* La **copropriété** est dite **indivise** lorsque chaque copropriétaire a une quote-part (fraction abstraite) d'un bien.

CONFIDENCE INTERVAL
INTERVALLE DE CONFIANCE

(stat.) Intervalle situé de part et d'autre d'une courbe décrivant un certain nombre d'observations et excluant les zones où résident des risques d'erreurs.

CONFIDENCE LEVEL
NIVEAU DE CONFIANCE

(stat.) Mesure de la probabilité, exprimée généralement en pourcentage (par exemple 90%, 95% ou 98%), qu'une caractéristique donnée d'une population se trouve à l'intérieur des limites estimatives que l'analyse des individus inclus dans un échantillon a permis d'établir. *N.B.* Ainsi l'analyse d'un échantillon permet de conclure que la probabilité est de 90%, 95% ou 98% que la valeur réelle de la population se situe à l'intérieur de la valeur estimative trouvée plus ou moins un certain montant. *V.a.* **precision**.

CONFIGURATION
CONFIGURATION

(inf.) Composition physique d'un ordinateur, précisée par la nature, le nombre et les caractéristiques essentielles de ses éléments.

CONFIRMATION
CONFIRMATION

(E.C.) Processus par lequel un expert-comptable demande à un tiers (banque, client, créancier, etc.) de lui fournir des informations particulières ou de se prononcer sur l'authenticité de certaines données. *V.a.* **circularize** 2., **negative confirmation** et **positive confirmation**.

CONFIRMATION REQUEST
DEMANDE DE CONFIRMATION

(E.C.) Demande adressée à des tiers par l'expert-comptable pour obtenir des informations ou corroborer le contenu de certains documents.

CONGLOMERATE BUSINESS COMBINATION
FUSION PAR CONGLOMÉRAT, REGROUPEMENT PAR CONGLOMÉRAT

(org. des entr.) Regroupement de sociétés exerçant des activités diversifiées. *V.a.* **business combination**.

CONGLOMERATE COMPANY
CONGLOMÉRAT

(org. des entr.) Groupe de sociétés à exploitation diversifiée, formé par la concentration financière d'entreprises exerçant des activités n'ayant aucun lien entre elles. *V.a.* **diversified company**.

CONSENT LETTER
LETTRE DE CONSENTEMENT, LETTRE D'ASSENTIMENT

(E.C.) Lettre accompagnant le prospectus (ou note d'information) déposée auprès de l'autorité compétente et par laquelle l'expert-comptable autorise la publication, dans le prospectus (ou note d'information), de son rapport sur l'information financière qui y figure. *Syn.* **letter of consent**. *Comparer avec* **comfort letter**.

CONSERVATISM PRINCIPLE
PRINCIPE DE PRUDENCE

Principe en vertu duquel le comptable attribue, d'une part, à un produit d'exploitation ou à un élément d'actif le montant le plus bas et, d'autre part, à une charge ou à un élément de passif le montant le plus élevé lorsqu'il est possible d'utiliser différentes méthodes de comptabilisation aussi acceptables les unes que les autres. *N.B.* Selon ce principe, une moins-value est enregistrée dès qu'elle apparaît probable mais une plus-value ne l'est que si elle s'est effectivement matérialisée. *V.a.* **accounting principles** 2.

CONSIDERATION
CONTREPARTIE

(dr.) Valeur (argent, bien, promesse d'agir d'une façon précise, etc.) cédée par une des parties à la suite de la conclusion d'une opération ou de la signature d'un contrat.

CONSIGNEE
CONSIGNATAIRE, DÉPOSITAIRE

(comm.) Personne qui reçoit en dépôt des marchandises pour les vendre au nom de leur propriétaire. *Comparer avec* **consignor**.

CONSIGNMENT (SALE)
(OPÉRATION DE) CONSIGNATION, VENTE EN CONSIGNATION, VENTE EN DÉPÔT

(comm.) Expédition de marchandises à une personne (le **consignataire**) pour qu'elle les vende au nom de l'expéditeur (le **consignateur**) moyennant une rémunération convenue sur le produit de la vente. *N.B.* Le consignateur demeure le propriétaire des marchandises jusqu'à ce que le consignataire les ait vendues en conformité avec les clauses du contrat. *V.a.* **account sales** et **goods on consignment**.

CONSIGNOR
CONSIGNATEUR, DÉPOSANT

(comm.) Personne qui confie à une autre des marchandises (dont elle demeure propriétaire) pour que cette dernière (le consignataire) les vende en son nom. *Comparer avec* **consignee**.

CONSISTENCY PRINCIPLE
PRINCIPE DE LA CONTINUITÉ (DES MÉTHODES) (Can.), PRINCIPE DE LA PERMANENCE (DES MÉTHODES)

Principe comptable en vertu duquel l'entreprise doit suivre les mêmes pratiques comptables d'un exercice à l'autre dans le cadre de l'établissement et de la présentation de ses états financiers (ou comptes annuels). *Comparer avec* **inconsistency**. *V.a.* **accounting principles** 2. et **uniformity**.

CONSOLE
PUPITRE (DE COMMANDE)

(inf.) Appareil sur lequel sont rassemblés les boutons et commutateurs de commande de l'ordinateur ainsi que les

instruments et voyants de contrôle à la disposition de l'ordinateur. *N.B.* Cet ensemble peut comporter, en plus d'un clavier, une imprimante par caractères et parfois un écran de visualisation, c'est-à-dire des appareils qui permettent un dialogue entre l'utilisateur et la machine. *V.a.* **keyboard console**.

CONSOLE PRINT-OUT
JOURNAL DU TERMINAL

(inf.) Compte rendu produit par l'ordinateur et renfermant un relevé des communications entre l'utilisateur et l'ordinateur au cours d'une période donnée. *V.a.* **computer log**, **log book** et **transaction log**.

CONSOLIDATED BALANCE SHEET
BILAN CONSOLIDÉ

Regroupement en un seul bilan (après élimination des opérations intersociétés) des éléments d'actif et de passif d'une société mère et de ses filiales en vue de faire ressortir la situation financière du groupe.

CONSOLIDATED DEBT
DETTE UNIFIÉE, DETTE CONSOLIDÉE

Dette résultant du regroupement de plusieurs dettes en une seule. *V.a.* **consolidation** 2.

CONSOLIDATED FINANCIAL STATEMENTS
ÉTATS FINANCIERS CONSOLIDÉS, COMPTES (ANNUELS) CONSOLIDÉS, ÉTATS FINANCIERS INTÉGRÉS, COMPTES (ANNUELS) INTÉGRÉS

États financiers (ou comptes annuels) d'une société mère groupés avec ceux d'une ou de plusieurs filiales, compte non tenu du fait qu'elles constituent des entités juridiques distinctes, de façon à faire ressortir la situation financière et les résultats du groupe économique que l'ensemble de ces sociétés constitue. *N.B.* L'établissement de comptes consolidés exige parfois d'effectuer des **retraitements de consolidation** dont le but est d'obtenir une plus grande homogénéité des comptes et, partant, des documents d'information aussi significatifs que possible. *Comparer avec* **combined financial statements** et **group accounts**.

CONSOLIDATED GOODWILL
SURVALEUR, DIFFÉRENCE DE PREMIÈRE CONSOLIDATION, ACHALANDAGE DE CONSOLIDATION (Can.)

Excédent, pour la société dominante (le plus souvent une société mère), du coût des actions qu'elle détient dans une société dépendante (ou filiale) sur la juste valeur attribuée à sa quote-part des éléments identifiables de l'actif net de cette dernière à la date de prise de participation. *Comparer avec* **purchase discrepancy**. *V.a.* **goodwill** et **negative goodwill**.

CONSOLIDATED SALES FIGURE
CHIFFRE D'AFFAIRES CONSOLIDÉ

Chiffre constitué par la somme des ventes que des sociétés consolidées par intégration ont réalisées, sous réserve de la compensation à effectuer pour que ce chiffre représente uniquement les affaires réalisées avec les tiers étrangers au groupe. *V.a.* **sales figure**.

CONSOLIDATION 1.
CONSOLIDATION, INTÉGRATION

Technique comptable qui consiste à regrouper les comptes d'une société mère avec ceux de sa ou de ses filiales en vue de connaître la situation financière et les résultats de l'ensemble des sociétés qui font partie du groupe. *N.B.* L'ensemble des sociétés consolidables ou des sociétés retenues en vue de l'établissement des comptes consolidés constitue le **périmètre de consolidation**. *V.a* **equity method**, **full consolidation** et **proportionate consolidation**.

CONSOLIDATION 2.
CONSOLIDATION

(fin.) Opération financière qui consiste à transformer en dette à long terme une dette à court terme devenue exigible. *N.B.* La consolidation peut aussi prendre la forme d'une transformation de dettes en capital social. *V.a.* **consolidated debt**.

CONSOLIDATION OF SHARES
REGROUPEMENT D'ACTIONS

(fin.) Réduction du nombre d'actions d'une catégorie particulière, qu'une société par actions effectue en remplaçant un nombre déterminé d'actions par une nouvelle action et en augmentant la valeur nominale des actions ou la valeur qui leur est attribuée. *Syn.* **reverse (stock) split** *(fam.)*. *Comparer avec* **stock split**.

CONSORTIUM
CONSORTIUM

(org. des entr.) Groupe d'entreprises réunies en vue d'atteindre des objectifs communs et de réaliser ensemble un certain nombre d'opérations. *Comparer avec* **cartel**.

CONSTANT DOLLARS 1.
DOLLARS CONSTANTS

(écon.) (Can.) Dollars d'une année de référence en fonction desquels les dollars d'une autre année sont convertis au moyen d'un indice de prix en vue d'éliminer les effets des fluctuations survenues dans le pouvoir d'achat de l'argent. *N.B.* En France et en Belgique on parle, dans ce cas, de **francs constants**. *Comparer avec* **common dollars** et **nominal dollars**. *V.a.* **constant monetary unit** et **purchasing power (of money)**.

CONSTANT DOLLARS 2.
DOLLARS INDEXÉS, DOLLARS MILLÉSIMÉS
Voir **common dollars**.

CONSTANT DOLLAR ACCOUNTING *(Can.)*
COMPTABILITÉ EN DOLLARS CONSTANTS

Méthode qui consiste à attribuer aux postes des états financiers (ou comptes annuels) un nombre d'unités monétaires ayant le même pouvoir d'achat, le plus souvent à la date où ces états (ou comptes) sont établis. *N.B.* La conversion d'unités de numéraire en unités de pouvoir d'achat à une date donnée trouve son application à la fois dans une comptabilité à la valeur d'origine et dans une comptabilité au coût actuel. *Comparer avec* **current cost accounting**, **current value accounting**, **general price-level (GPL) accounting** et **historical cost accounting**. *V.a.* **accounting for inflation**.

CONSTANT MONETARY UNIT
MONNAIE CONSTANTE

(écon.) Résultat de l'application, à une monnaie d'usage normal (appelée **monnaie courante**) qui se dévalorise, d'un coefficient en vue de corriger les déviations annuelles. *N.B.* La monnaie constante permet de faire des comparaisons valables dans le temps entre des grandeurs (notamment les prix) qui s'expriment en monnaie courante. *V.a.* **constant dollars** 1.

CONSTRAINED-SHARE COMPANY
SOCIÉTÉ PAR ACTIONS À PARTICIPATION RESTREINTE

(dr. can.) Société ouverte dont les statuts limitent l'émission ou le transfert des actions dans un but particulier, par exemple permettre à la société de satisfaire aux exigences de la loi concernant le pourcentage des actions que des Canadiens ou des sociétés résidant au Canada doivent détenir.

CONSTRUCTION WORK IN PROGRESS
IMMOBILISATIONS EN COURS

Immobilisations que l'entreprise construit pour elle-même et qui ne sont pas encore terminées à la date de l'arrêté des comptes; travaux de plus ou moins longue durée exécutés par des tiers pour le compte de l'entreprise.

CONSTRUCTIVE RECEIPT
RECETTE PRÉSUMÉE

(fisc. can.) Élément (par exemple des intérêts) que le contribuable doit inclure dans le calcul de son revenu imposable s'il peut disposer des fonds en cause, qu'il les ait touchés ou non. *N.B.* Ainsi les intérêts portés au crédit du compte en banque d'un contribuable constituent un élément de l'assiette fiscale de ce dernier. *V.a.* **deemed dividend**.

CONSULTANT
CONSEIL, CONSULTANT, CONSEILLER

(E.C.) Personne extérieure à une entreprise (expert-comptable, avocat, etc.) qui assiste les dirigeants dans un domaine délimité sans assumer la responsabilité de la décision proposée. *N.B.* Le terme **conseiller** désigne aussi un membre du personnel de l'entreprise qui formule des recommandations et des suggestions dans les matières relevant de sa compétence. *V.a.* **management consultant**.

CONSULTING PARTNER
ASSOCIÉ CONSEIL

(E.C.) Dans un cabinet d'experts-comptables, associé à la retraite qui continue de participer aux travaux du cabinet en qualité de consultant auprès de ses anciens associés. *V.a.* **partner**.

CONSUMED COST
COÛT ABSORBÉ, COÛT PASSÉ EN CHARGES, COÛT CONSOMMÉ, FRAIS ABSORBÉS

Voir **expired cost**.

CONSUMER CREDIT
CRÉDIT À LA CONSOMMATION

(écon.) Expression qui recouvre la plupart des différentes formes de crédit consenti aux particuliers, à l'exception des crédits immobiliers. *Comparer avec* **trade credit**.

CONSUMER GOODS
BIENS DE CONSOMMATION

(écon.) Biens qui satisfont directement les consommateurs ou leur ménage. *N.B.* On distingue les biens de grande consommation (**biens non durables** ou biens de consommation courante) et les **biens de consommation durables**. Les biens de consommation sont parfois appelés **biens finals** ou **biens d'usage**. *Comparer avec* **capital goods**.

CONSUMER PRICE INDEX (CPI)
INDICE DES PRIX À LA CONSOMMATION (I.P.C.)

(écon.) (Can.) Indice qui mesure le changement survenu dans le coût d'un panier de biens et de services achetés par les consommateurs. *V.a.* **cost of living index** et **price index**.

CONTAINER 1.
EMBALLAGE

(comm.) Contenant (sac, caisse, boîte, flacon, bidon, baril, etc.) permettant d'assurer, dans les meilleures conditions de sécurité, la manutention, la conservation, le stockage, le transport d'un produit. *N.B.* Par extension, le terme **emballage** désigne tous les objets employés dans le conditionnement du produit livré. *V.a.* **deposit** 5., **non-returnable container**, **packaging** et **returnable container**.

CONTAINER 2.
CONTENEUR

(transp.) Unité de chargement prenant la forme d'une caisse métallique destinée à faciliter le transport et la manutention de marchandises ou à permettre le regroupement de plusieurs colis en un seul emballage.

CONTESTED CLAIM
CRÉANCE LITIGIEUSE

Créance qui ne peut être recouvrée par l'entreprise parce qu'elle fait l'objet d'une contestation de la part du débiteur.

CONTINGENCY
ÉVENTUALITÉ

Situation incertaine qui est susceptible de donner lieu à un gain ou à une perte et dont l'issue ultime dépend d'un ou de plusieurs événements futurs qui échappent à la volonté de la direction et dont on ne sait s'ils se matérialiseront. *N.B.* Le dénouement de l'incertitude viendra confirmer une augmentation ou une diminution du passif ou de l'actif accompagnée, selon le cas, d'une perte ou d'un gain.

CONTINGENCY FUND
FONDS DE PRÉVOYANCE, FONDS POUR ÉVENTUALITÉS

(fin.) Argent ou titres mis de côté en vue de pourvoir à des dépenses imprévues. *Comparer avec* **reserve for contingencies** 1.

CONTINGENCY RESERVE
RÉSERVE POUR ÉVENTUALITÉS, RÉSERVE POUR RISQUES GÉNÉRAUX, RÉSERVE POUR IMPRÉVUS, RÉSERVE DE GARANTIE

Voir **reserve for contingencies** 1. et 2.

CONTINGENT ASSET
(ÉLÉMENT D')ACTIF ÉVENTUEL, BIEN ÉVENTUEL, ACTIF POTENTIEL

Bien dont la valeur se matérialisera si une éventualité donnée survient. Ainsi la valeur nominale d'un contrat d'assurance est un élément d'actif éventuel pour l'assuré et il en va de même des avantages futurs que procurera le report prospectif de pertes permis par le fisc.

CONTINGENT CONSIDERATION
CONTREPARTIE CONDITIONNELLE

(aff.) Contrepartie supplémentaire à verser en vertu d'un accord si certains événements ou opérations ont lieu ultérieurement. *V.a.* **contingent merger contract** et **earn-out provision**.

CONTINGENT FEES
HONORAIRES ÉVENTUELS, HONORAIRES CONDITIONNELS

(prof.) Pour un professionnel libéral, honoraires dont le montant dépend des résultats des travaux qu'il a exécutés ou des services qu'il a rendus.

CONTINGENT ISSUANCE
ÉMISSION (D'ACTIONS) ÉVENTUELLE

(fin.) Émission d'actions pouvant survenir à la suite de la conversion de dettes ou d'actions prioritaires, de l'exercice de droits, de la levée d'options, de l'accomplissement de certaines conditions ou de l'exécution de certains contrats, dont on tient compte dans le calcul du bénéfice par action. *V.a.* **fully diluted earnings per share**.

CONTINGENT LIABILITY
(ÉLÉMENT DE) PASSIF ÉVENTUEL, DETTE ÉVENTUELLE

Dette pouvant se matérialiser en raison de circonstances actuelles ou passées à la condition qu'une éventualité donnée survienne. Ainsi les billets escomptés constituent un élément de passif éventuel. *Comparer avec* **estimated liability**.

CONTINGENT MERGER CONTRACT
ACCORD DE REGROUPEMENT CONDITIONNEL

(org. des entr.) Accord de regroupement dans lequel l'acquéreur convient de verser une somme forfaitaire au moment où l'opération a lieu et une contrepartie supplémentaire si des événements ou des opérations précisés dans l'accord ont lieu ultérieurement. *N.B.* L'accord pourrait stipuler, par exemple, que le chiffre d'affaires (ou le bénéfice net) doit franchir un seuil donné au cours d'une certaine période ou que le cours des actions émises par l'acquéreur se maintiendra pendant un temps déterminé, à défaut de quoi la société acheteuse sera tenue d'émettre des actions supplémentaires en faveur du vendeur ou de lui céder de l'argent ou d'autres biens afin que la valeur de la contrepartie totale soit égale au montant spécifié dans l'accord. *V.a.* **contingent consideration**.

CONTINGENT RENTAL
LOYER CONDITIONNEL

(aff.) Loyer dont le montant dépend d'un facteur autre que le temps, par exemple un pourcentage du chiffre d'affaires, la fréquence d'utilisation, le taux d'intérêt préférentiel et l'indice des prix à la consommation.

CONTINUING EDUCATION
FORMATION (PROFESSIONNELLE) CONTINUE, FORMATION PERMANENTE

(prof.) Complément de formation acquis par un membre d'une profession libérale en suivant, de sa propre initiative ou pour satisfaire aux exigences de la corporation à laquelle il appartient, des activités de perfectionnement ou de recyclage afin de parfaire ses connaissances en vue d'une mise à jour et d'une amélioration continues de sa pratique professionnelle. *V.a.* **management development**, **professional development** et **training** 1.

CONTINUING OPERATIONS
SECTEUR(S) D'ACTIVITÉ (ENCORE) EN EXPLOITATION, ACTIVITÉS POURSUIVIES

Secteur(s) en exploitation par opposition à un ou plusieurs secteurs que la direction a décidé de ne plus exploiter. *Comparer avec* **discontinued operations**. *V.a.* **income from continuing operations**.

CONTINUITY CONCEPT
CONVENTION DE LA PERMANENCE DE L'ENTREPRISE (Can.), CONVENTION DE LA CONTINUITÉ DE L'EXPLOITATION

Voir **going concern concept**.

CONTINUOUS AUDIT
VÉRIFICATION CONTINUE, RÉVISION CONTINUE, VÉRIFICATION PERMANENTE, RÉVISION PERMANENTE

(E.C.) Vérification (ou révision) dont les différentes phases s'enchaînent selon une démarche continue ou se succèdent à intervalles rapprochés durant l'exercice. *V.a.* **audit** *n.* 3.

CONTINUOUS BUDGET
BUDGET PERPÉTUEL, BUDGET ROULANT, BUDGET CONTINU

(gest.) Budget mis à jour de façon systématique en ajoutant les données d'une période future supplémentaire (semaine, mois ou trimestre) après avoir enlevé les données de la période qui vient de se terminer. *Syn.* **moving budget** et **rolling budget**. *V.a.* **budget** *n.* 1.

CONTINUOUS INVENTORY
INVENTAIRE TOURNANT

(gest.) Répartition, en un certain nombre de groupes, des différents articles en stock et échelonnement des inventaires de ces groupes selon un programme de **récolements**, en principe, périodiques. *V.a.* **book inventory** 2., **perpetual inventory** et **physical inventory**.

CONTINUOUS PROCESS AUDITING
VÉRIFICATION PERMANENTE INFORMATISÉE, VÉRIFICATION SIMULTANÉE

(E.C. et inf.) Vérification qui consiste à choisir automatiquement les opérations à vérifier au cours de leur traitement grâce à un logiciel général de recherche documentaire ou à un logiciel greffé constitué de modules de vérification ajoutés à la structure du programme d'application.

CONTINUOUS VARIABLE
VARIABLE CONTINUE

(stat.) Variable qui n'offre pas d'interruptions et qui peut s'exprimer par des fractions, par exemple la taille des individus et la valeur monétaire des opérations incluses dans un échantillon. *Comparer avec* **discrete variable**.

CONTRA ACCOUNT 1.
COMPTE DE CONTREPARTIE

Compte dans lequel on inscrit les sommes à défalquer du solde d'un compte correspondant, par exemple le compte Amortissement cumulé (par rapport à un compte d'immobilisations amortissables) et le compte Rendus sur achats (par rapport au compte Achats). *V.a.* **valuation account**.

CONTRA ACCOUNT 2.
COMPTE CORRESPONDANT

Compte où figurent les sommes à recouvrer d'un client par rapport au compte où l'on retrouve les sommes que doit l'entreprise à ce client. *N.B.* On dit alors que les opérations sont réglées **compte à compte**. En principe, il ne peut, dans le bilan, être effectué de **compensation** entre deux éléments comptables concernant un même tiers ou entre deux opérations distinctes concernant le même élément. *V.a.* **current account** 1. et **offset**.

CONTRACT
CONTRAT, MARCHÉ

(dr.) Convention faisant naître des obligations entre les parties (les **cocontractants**) qui y souscrivent, ou encore créant ou transférant un droit réel. *N.B.* Il convient entre autres de distinguer le **contrat instantané** dont l'exécution a lieu dès la signature du contrat et le **contrat à prestations échelonnées**, par exemple un contrat d'abonnement, dont les prestations qui en font l'objet peuvent être échelonnées sur une période plus ou moins longue. *V.a.* **bilateral contract**, **cancel** 1., **clause**, **covenant**, **executory contract**, **indenture**, **long-term contract** et **unilateral contract**.

CONTRACT BOND
GARANTIE DE BONNE EXÉCUTION, GARANTIE DE BONNE FIN, CAUTION DE BONNE EXÉCUTION
Voir **performance bond**.

CONTRACT PRICE
PRIX CONTRACTUEL, PRIX FORFAITAIRE

(aff.) Prix résultant d'une convention ou d'un marché dans lequel une des parties s'engage à fournir quelque chose pour un **prix global** fixé à l'avance et immuable, qu'il y ait perte ou gain. *N.B.* Un **prix forfaitaire** se dit aussi d'un prix pratiqué dans le cas d'une vente par lots de plusieurs marchandises pour un prix global, en général inférieur au total des prix unitaires des différentes marchandises.

CONTRACTING OUT
IMPARTITION

(aff.) Acte par lequel un agent économique, par exemple une entreprise, fait participer un autre agent, de quelque manière que ce soit, à une réalisation d'ensemble. *N.B.* L'**impartition** recouvre notamment les formes suivantes : **sous-traitance**, **co-traitance** et **concession**. *Syn.* **farming-out**.

CONTRACTOR 1.
ENTREPRENEUR

(aff.) Chef d'une entreprise spécialisée dans la construction, les travaux publics et les travaux des habitations (plomberie, électricité, peinture, etc.). *N.B.* L'entreprise qui prend à sa charge l'exécution de tous les travaux porte le nom d'**entreprise générale** et son rôle est de soumissionner pour la totalité des prestations faisant l'objet d'un marché; le plus souvent, cette entreprise exécute le **gros oeuvre** et confie la réalisation d'une partie des travaux à des **sous-traitants**. Certaines entreprises générales ont toutefois les moyens de réaliser elles-mêmes les travaux de toutes spécialités. Le contrat par lequel une personne appelée **entrepreneur** s'engage à exécuter au profit d'une autre (le **maître de l'ouvrage**) moyennant un prix donné, des travaux qui consistent à ne fournir que son travail ou son industrie s'appelle **louage d'ouvrage**, **louage d'industrie** ou **contrat d'entreprise**. *V.a.* **general contractor** et **subcontractor**.

CONTRACTOR 2.
MAÎTRE DES TRAVAUX, MAÎTRE D'OEUVRE

(aff.) Personne chargée de la supervision de travaux de construction.

CONTRIBUTE
COTISER

(rentes) Verser une cotisation notamment à un régime de retraite ou de prévoyance. *V.a.* **assess** 2.

CONTRIBUTED CAPITAL
CAPITAL (D'APPORT)

Capital investi par les actionnaires et représenté par les sommes inscrites dans les comptes Capital (Capital-actions au Canada) et Prime d'émission, c'est-à-dire l'argent ou les autres biens remis à la société par les actionnaires au moment où ils ont réglé le prix convenu pour les actions émises en leur nom. *Syn.* **paid-in capital** *(U.S.)*. *V.a.* **capital stock**.

CONTRIBUTED SURPLUS 1.
SURPLUS D'APPORT

(Can.) Apport des actionnaires représenté par : 1) la prime à l'émission d'actions avec valeur nominale, 2) la partie du produit d'une émission d'actions sans valeur nominale que l'on ne porte pas au crédit du capital social, 3) le produit de la vente d'actions remises à la société à titre gratuit, 4) l'excédent du prix de vente d'actions rachetées sur leur prix de rachat, et 5) tout autre apport des actionnaires en plus de la valeur attribuée aux actions. *Syn.* **paid-in surplus**. *V.a.* **capital surplus** 2., **surplus** 1. et **statement of contributed surplus**.

CONTRIBUTED SURPLUS 2.
SURPLUS D'APPORT

(Can.) Partie de l'avoir des actionnaires où figure la valeur des biens cédés à titre gratuit à une société par des personnes qui ne sont pas des actionnaires. *V.a.* **donated surplus**.

CONTRIBUTED SURPLUS, STATEMENT OF
(ÉTAT DU) SURPLUS D'APPORT

Voir **statement of contributed surplus**.

CONTRIBUTING EMPLOYEE
COTISANT

Voir **contributor**.

CONTRIBUTION 1.
APPORT (DE CAPITAL)

(fin.) Ce que les associés mettent en commun lors de la création d'une société ou au cours de son existence. *Syn.* **capital contribution**. *V.a.* **capital** 2., **cash contribution**, **contribution in kind**, **financial contribution** et **investment** 2.

CONTRIBUTION 2.
COTISATION

(ass. et rentes) Quote-part versée par un salarié ou par son employeur aux divers régimes de prévoyance publics (régimes de sécurité sociale) ou privés (régimes privés de retraite ou autres). *V.a.* **employees' contributions** et **employer's contributions**.

CONTRIBUTION 3.
VERSEMENT

(ass. et rentes) Somme versée par une personne, à titre facultatif, dans un régime de prévoyance, par exemple au Canada, un régime d'épargne-retraite agréé.

CONTRIBUTION APPROACH
FORMULE DE LA MARGE SUR COÛTS VARIABLES, FORMULE DE LA MARGE BRUTE

Modèle d'analyse qui consiste à distinguer les coûts fixes des coûts variables afin de mieux étudier le comportement des coûts. *V.a.* **incremental analysis**.

CONTRIBUTION IN KIND
APPORT EN NATURE

(fin.) Terrains, bâtiments, titres, créances ou biens corporels ou incorporels (**apports en nature**) et travail, conseils, relations, connaissances techniques ou services (**apports en industrie**) qui peuvent constituer la contribution de certains associés lors de la création d'une société ou au cours de son existence. *N.B.* En France, le **commissaire aux apports** a pour fonction d'évaluer les apports en nature que reçoit une société anonyme ou une société à responsabilité limitée. À l'issue de sa mission, le commissaire aux apports est tenu de rédiger un rapport portant sur la valeur des apports et leur rémunération. En Belgique, la même tâche de contrôle est confiée à un reviseur d'entreprises. *Comparer avec* **cash contribution**. *V.a.* **contribution** 1.

CONTRIBUTION MARGIN 1.
MARGE SUR COÛTS VARIABLES, MARGE BRUTE

Excédent du prix de vente sur les coûts variables. *N.B.* La notion de marge sur coûts variables appliquée à un seul produit se rend par l'expression **apport d'un produit** que l'on définit comme la contribution de ce produit à la couverture des charges de structure communes à l'ensemble des produits fabriqués et à la réalisation d'un bénéfice. Le Plan comptable général français parle aussi dans ce cas de **marge contributive**. *V.a.* **gross margin** 2. et **margin** 1.

CONTRIBUTION MARGIN 2.
MARGE SECTORIELLE, BÉNÉFICE SECTORIEL, PROFIT SECTORIEL
Voir **segment (operating) margin**.

CONTRIBUTOR
COTISANT

(rentes) Participant qui verse ou pour le compte duquel sont versées des cotisations à un régime de retraite ou à un régime de prévoyance. *Syn.* **contributing employee**. *V.a.* **participant**.

CONTRIBUTORY PENSION PLAN
RÉGIME DE RETRAITE MIXTE, RÉGIME DE RETRAITE CONTRIBUTIF

(rentes) Régime de retraite financé en partie par les personnes participant au régime et en partie par leur employeur ou l'État. *Comparer avec* **non-contributory pension plan**. *V.a.* **pension plan**.

CONTRIBUTORY SERVICE
ANNÉES DE COTISATIONS

(rentes) Années de service pour lesquelles les cotisations normales ont été versées, ce qui donne lieu à l'attribution d'**éléments de retraite**. *V.a.* **credited service** et **pension unit**.

CONTROL 1.
CONTRÔLE, INFLUENCE (DOMINANTE)

(lang. cour.) Le fait d'exercer une influence déterminante. *N.B.* Ainsi une personne ou un groupe de personnes peut contrôler une société par actions lorsque cette personne ou ce groupe a le pouvoir d'élire la majorité des membres du conseil d'administration.

CONTROL 2.
CONTRÔLE

(E.C.) **Vérification** ponctuelle **de la concordance** entre ce qui s'est produit et ce que l'on prévoyait, par l'examen des écritures, des documents et des registres, par la révision des calculs, etc. *N.B.* Ainsi on peut contrôler l'authenticité et l'exactitude d'un document, d'un registre, d'une assertion; on peut comparer les coûts de revient réels avec des normes fixées au préalable; on peut vérifier le montant des intérêts courus, etc. En France et en Belgique, on emploie aussi le terme **contrôle** pour désigner la révision des comptes et on parlera, par exemple, de **contrôle légal des comptes**. *V.a.* **check** *n.* 1.

CONTROL 3.
CONTRÔLE

(gest.) Ensemble des mesures visant à assurer une gestion saine et efficace de l'entreprise. *N.B.* On parlera alors, dans ce cas, de contrôle interne, de contrôle comptable, de contrôle budgétaire et de contrôle de gestion. *V.a.* **accounting control**, **budgetary control**, **internal control** et **management control**.

CONTROL ACCOUNT
COMPTE COLLECTIF
Voir **controlling account**.

CONTROL BLOCK
BLOC DE CONTRÔLE
Voir **controlling interest** 1.

CONTROL BY EXCEPTION
CONTRÔLE PAR EXCEPTIONS

(gest.) Méthode de contrôle qui consiste à attirer l'attention de la direction de l'entreprise sur les exceptions et plus

particulièrement sur les écarts entre les prévisions budgétaires et les résultats réels. *V.a.* **management by exception**.

CONTROL CHARACTER
CARACTÈRE DE COMMANDE

(inf.) Caractère ayant une structure binaire particulière, dont le rôle est de provoquer ou d'arrêter l'exécution d'une fonction.

CONTROLLABLE COST
COÛT CONTRÔLABLE

Coût dont le montant peut changer soit à court terme, soit à long terme, par suite d'une décision d'un responsable ou de sa façon d'agir. *Comparer avec* **non-controllable cost**.

CONTROLLED COMPANY
SOCIÉTÉ CONTRÔLÉE, SOCIÉTÉ DÉPENDANTE

(org. des entr.) Société sur laquelle une personne ou une autre société exerce une influence dominante. *V.a.* **company subject to significant influence**, **effectively controlled company** et **significant influence**.

CONTROLLER
CONTRÔLEUR (DE GESTION)

(gest.) Cadre supérieur chargé du contrôle financier de l'entreprise. *Syn.* **comptroller**.

CONTROLLING ACCOUNT
COMPTE COLLECTIF

Compte dont le solde est égal au total des soldes des comptes d'un grand livre auxiliaire et dans lequel on retrouve généralement un sommaire des opérations inscrites en détail dans les comptes du grand livre auxiliaire. *N.B.* Au Canada, on parle aussi de **compte de contrôle.** *Syn.* **control account**. *V.a.* **subsidiary ledger**.

CONTROLLING COMPANY
SOCIÉTÉ DOMINANTE

Société exerçant une influence marquée sur une autre société appelée **société dépendante**. *V.a.* **investor** 2.

CONTROLLING INTEREST 1.
BLOC DE CONTRÔLE

(fin.) Bloc d'actions permettant d'exercer une influence dominante sur l'exploitation d'une société. *Syn.* **control block**. *V.a.* **majority interest**.

CONTROLLING INTEREST 2.
PARTICIPATION MAJORITAIRE, INTÉRÊTS MAJORITAIRES

Voir **majority interest**.

CONTROLLING SHAREHOLDER
ACTIONNAIRE MAJORITAIRE

(gest.) **Actionnaire dominant** qui est en mesure de faire élire au moins la majorité des membres du conseil d'administration.

CONTROL SYSTEM
SYSTÈME DE CONTRÔLE

(gest.) Système par lequel une entreprise s'assure que l'activité exercée se déroule conformément aux plans établis.

CONTROL TOTAL
TOTAL DE CONTRÔLE

(inf.) Résultat d'un calcul sur des quantités traitées, effectué à des fins de contrôle. *V.a.* **hash total**.

CONVERSATIONAL MODE
MODE DIALOGUÉ

(inf.) Mode de traitement de l'information permettant un dialogue entre un système informatique et l'utilisateur à un rythme voisin de celui d'une conversation.

CONVERSION
CONVERSION

(fin.) Action d'échanger un titre convertible contre un autre titre, une somme d'argent liquide contre des valeurs mobilières, une monnaie d'un pays en monnaie d'un autre pays, etc. *V.a.* **convertible** 1. et 2., **convertible bond** et **convertible share**.

CONVERSION AUDIT
VÉRIFICATION DE LA CONVERSION (DE SYSTÈMES)

(E.C.) Examen des nouvelles méthodes comptables et des fichiers résultant d'un changement important apporté au système comptable ainsi que de la façon dont ce changement s'est effectué. *N.B.* Cet examen se fait, par exemple, lorsque l'on passe d'une comptabilité manuelle à une comptabilité informatisée ou lorsque l'on acquiert un nouvel ordinateur.

CONVERSION COST
COÛT DE TRANSFORMATION

Coût de la main-d'oeuvre directe et frais généraux engagés par une entreprise industrielle pour transformer des matières en un ou plusieurs produits finis.

CONVERSION OF FOREIGN CURRENCY
CONVERSION DE DEVISES (ÉTRANGÈRES), CONVERSION DE MONNAIES (ÉTRANGÈRES)

(fin.) Action d'échanger la devise d'un pays contre celle d'un autre pays. *V.a.* **foreign exchange** 1. et **translation of foreign currency**.

CONVERSION PERIOD
PÉRIODE DE CONVERSION

(fin.) Période au cours de laquelle le détenteur d'une obligation convertible ou d'une action privilégiée convertible peut l'échanger contre des actions ordinaires.

CONVERSION PREMIUM
PRIME DE CONVERSION

(fin.) Différence entre le prix à payer pour acquérir une action en Bourse et le prix de conversion d'une obligation convertible en actions de même nature, compte tenu du **ratio de conversion**.

CONVERSION RATE
TAUX DE CONVERSION, RATIO DE CONVERSION

(fin.) Nombre d'actions ordinaires qu'il est possible d'obtenir en convertissant une obligation ou une action privilégiée convertible.

CONVERTIBLE 1.
CONVERTIBLE

(fin.) Qui peut faire l'objet d'une conversion; caractéristique de certains titres que leurs détenteurs peuvent échanger contre d'autres titres conformément à des conditions déterminées d'avance. *V.a.* **conversion**, **convertible bond** et **convertible share**.

CONVERTIBLE 2.
CONVERTIBLE

(fin.) Terme qui se dit d'une monnaie qui peut être convertie en monnaie d'un autre pays. *Comparer avec* **blocked currency**. *V.a.* **conversion** et **foreign currency**.

CONVERTIBLE BOND
OBLIGATION CONVERTIBLE (EN ACTIONS)

(fin.) Obligation susceptible d'être convertie, à la discrétion de celui qui la possède, en un nombre déterminé d'actions de la même société au cours d'une certaine période, compte tenu des conditions déterminées par la société emprunteuse lors de l'émission des obligations. *V.a.* **bond** 1., **bond conversion**, **conversion** et **convertible** 1.

CONVERTIBLE SHARE
ACTION CONVERTIBLE

(fin.) Action que son détenteur peut, à sa discrétion, échanger contre un nombre déterminé d'autres titres de la même société (en règle générale des actions ordinaires), conformément aux conditions stipulées dans le contrat d'émission. *V.a.* **conversion**, **convertible** 1. et **share** 2.

CONVERTIBLE STOCK
CAPITAL-ACTIONS CONVERTIBLE (Can.), ACTIONS CONVERTIBLES

(fin.) Type d'actions donnant à leurs détenteurs le droit de les échanger, s'ils le désirent, contre d'autres titres de la même société (en règle générale des actions ordinaires), conformément aux conditions stipulées dans le contrat d'émission. *V.a.* **capital stock**.

CONVEYANCE
ACTE DE CESSION

(dr.) Document qui permet de tranférer, d'une personne à une autre, le titre de propriété d'un bien, généralement un bien-fonds.

CO-OPERATIVE
COOPÉRATIVE

(org. des entr.) Groupement dont l'objet est de réduire, au bénéfice de ses membres et par l'effort de ceux-ci, le prix de revient et, le cas échéant, le prix de vente de certains produits ou de certains services (par exemple le loyer des différentes unités d'un immeuble d'habitation pour les membres de la coopérative qui y demeurent), en assumant les fonctions des entrepreneurs ou des intermédiaires dont la rémunération grèverait le prix de revient. *N.B.* Le membre d'une coopérative n'a habituellement droit qu'à un seul vote par opposition à l'actionnaire d'une société par actions qui jouit d'autant de droits de vote qu'il a d'actions. *V.a.* **condominium** 2., **credit union**, **dividend** 4., **share** 3. et **surplus earnings**.

CO-PRODUCT
CO-PRODUIT

(prod.) Produit qu'il est possible de fabriquer avec les installations qui servent à la fabrication d'un autre produit. *Comparer avec* **by-product** et **joint products**.

COPY
EXEMPLAIRE, DOUBLE

(lang. cour.) Chacun des objets (livres, publications, gravures, etc.) reproduit en série d'après un type commun. *N.B.* Le terme **copie** désigne la reproduction d'un écrit et se retrouve dans les expressions **copie fidèle**, **copie conforme** (c.c.), **photocopie**, etc. Le terme **double** se dit d'une chose semblable à une autre, d'un second original ou de la copie exacte d'un document, d'un acte. *V.a.* **duplicata** 1. et **original**.

COPYRIGHT 1.
DROIT D'AUTEUR, COPYRIGHT

(dr.) Droit exclusif que détient un auteur ou son mandataire d'exploiter à son profit, pendant une durée déterminée, une oeuvre littéraire, artistique ou scientifique. *V.a.* **royalty**.

COPYRIGHT 2.
TOUS DROITS RÉSERVÉS

(dr.) Mention de l'existence du droit d'auteur inscrite au début d'un ouvrage en vue de le protéger contre toute reproduction ou exploitation illégale.

CORE HOURS
PLAGE FIXE

(rel. de tr.) Dans un système d'horaire flexible, période de la journée pendant laquelle tout le personnel doit être présent. *Comparer avec* **flexible hours**.

CORNER
TRUST D'ACCAPARATEURS, TRUST DE MONOPOLISATEURS, MONOPOLE

(écon.) Contrôle d'une ressource ou des actions d'une entreprise donnée dans un marché libre, permettant à une personne ou à un groupe de personnes d'exercer une influence marquée sur le prix de cette ressource ou le cours de ces actions.

CORPORATE 1.
RELATIF À UNE SOCIÉTÉ

Adjectif utilisé pour désigner ce qui se rapporte à une société de capitaux. *N.B.* Ainsi on parlera des **impôts sur les bénéfices des sociétés** (*corporate income taxes*), des **documents et registres d'une société** (*corporate records*), d'un **avion d'affaires** (*corporate jet*), du **droit des sociétés** (*corporate law*), etc.

CORPORATE 2.
GÉNÉRAL, DU GROUPE, DU SIÈGE SOCIAL, DE L'ENTREPRISE, DE LA SOCIÉTÉ

Adjectif utilisé dans une entreprise à filiales multiples pour désigner les comptes de la société mère, les services qu'elle rend et les personnes qui en font partie. *N.B.* Ainsi les expressions *corporate controller* et *corporate accounting records* se rendent par **contrôleur général** ou **contrôleur du siège social** et par **direction générale de la comptabilité**.

CORPORATE AFFILIATE
SOCIÉTÉ LIÉE, SOCIÉTÉ APPARENTÉE, SOCIÉTÉ AFFILIÉE (Can.), SOCIÉTÉ
    ASSOCIÉE (Can., Belg. et C.E.E.)
Voir **affiliated company**.

CORPORATE ASSETS
ÉLÉMENTS D'ACTIF NON SECTORIELS

Ensemble des éléments d'actif qui ne peuvent être rattachés directement à un secteur d'activité particulier. *Comparer avec* **identifiable assets** 1. *V.a.* **corporate expenses**.

CORPORATE BODY
PERSONNE MORALE
Voir **body corporate**.

CORPORATE CREDIT
CRÉDIT AUX GRANDES SOCIÉTÉS

(fin.) Crédit accordé par les banques et d'autres établissements financiers aux grandes sociétés pour financer leur exploitation.

CORPORATE EXECUTIVE
DIRIGEANT DE SOCIÉTÉ

(gest.) Personne qui participe à la direction d'une société par actions. *Syn.* **company executive**.

CORPORATE EXPENSES
CHARGES DU SIÈGE SOCIAL

Frais généraux engagés par le siège social d'une entreprise et se rapportant à l'ensemble de l'exploitation. *N.B.* Ces frais qui ne sont pas incorporables suscitent des difficultés lors de la présentation d'informations sectorielles. *V.a.* **corporate assets**.

CORPORATE FINANCIAL STATEMENTS
ÉTATS FINANCIERS DE LA SOCIÉTÉ MÈRE, COMPTES ANNUELS DE LA SOCIÉTÉ MÈRE, COMPTES SOCIAUX

États (ou comptes) d'une société mère. *N.B.* Le terme **comptes sociaux** s'emploie particulièrement pour désigner les comptes de la société mère, par opposition aux états (ou comptes) consolidés du groupe.

CORPORATE IMAGE
RÉPUTATION DE LA SOCIÉTÉ

(aff.) Opinion que le public a d'une société donnée, de l'image qu'elle projette et de sa renommée.

CORPORATE (INCOME) TAX
IMPÔT SUR LES (BÉNÉFICES DES) SOCIÉTÉS

(fisc.) Impôt qui frappe les bénéfices des sociétés par actions. *N.B.* En France, sont soumises à cet impôt toutes les sociétés qui ont des associés ou actionnaires dont la responsabilité est limitée, c'est-à-dire les sociétés anonymes, les sociétés à responsabilité limitée et les sociétés en commandite. Les sociétés de personnes peuvent aussi s'y soumettre par option. En Belgique, la loi permet aux sociétés de personnes à responsabilité limitée (S.P.R.L.) de calculer leurs impôts de la même manière que les personnes physiques. *Syn.* **corporation (income) tax.** *V.a.* **income tax.**

CORPORATE JOINT VENTURE
SOCIÉTÉ EN PARTICIPATION PAR ACTIONS, SOCIÉTÉ COMMUNE D'INTÉRÊTS

(org. des entr.) Société par actions fondée par un groupe relativement restreint d'entreprises dans le but de réaliser un projet commun, ou d'effectuer certaines opérations, pour leur bénéfice commun. *V.a.* **joint venture.**

CORPORATE NAME
DÉNOMINATION SOCIALE

(aff.) Nom sous lequel est désignée une société de capitaux dans ses statuts. *V.a.* **firm name.**

CORPORATE TRUSTEE
SOCIÉTÉ DE FIDUCIE

Voir **trust company.**

CORPORATION 1.
PERSONNE MORALE

Voir **body corporate.**

CORPORATION 2.
SOCIÉTÉ DE CAPITAUX, SOCIÉTÉ PAR ACTIONS, SOCIÉTÉ COMMERCIALE (Can.), SOCIÉTÉ À RESPONSABILITÉ LIMITÉE (S.A.R.L.) (Fr.), SOCIÉTÉ ANONYME (S.A.) (Fr. et Belg.), COMPAGNIE (À FONDS SOCIAL) (Québec), SOCIÉTÉ DE PERSONNES À RESPONSABILITÉ LIMITÉE (S.P.R.L.) (Belg.)

Voir **business corporation.**

CORPORATION 3.
CORPORATION PROFESSIONNELLE, ORDRE PROFESSIONNEL

(prof.) Association de personnes qui exercent la même profession et qui sont soumises à certaines règles consignées dans un code de déontologie. *Syn.* **professional corporation.** *V.a.* **code of ethics.**

CORPORATION (INCOME) TAX
IMPÔT SUR LES (BÉNÉFICES DES) SOCIÉTÉS

Voir **corporate (income) tax.**

CORPUS
MASSE SUCCESSORALE, MASSE (DES BIENS)

(dr.) Capital d'une succession par opposition aux revenus qui en découlent. *Syn.* **capital 4.**, **estate capital** et **principal 2.** *Comparer avec* **estate revenue.** *V.a.* **estate.**

CORRECTING ENTRY
ÉCRITURE DE CORRECTION, ÉCRITURE DE REDRESSEMENT, ÉCRITURE RECTIFICATIVE, (ÉCRITURE
D')EXTOURNE

Écriture passée dans le but de corriger une erreur. *N.B.* Par définition, une **écriture d'extourne** est une écriture qui est l'inverse d'une écriture erronée. Elle est basée sur la règle comptable selon laquelle, en cas d'erreur, on ne rature jamais une écriture. *Syn.* **adjusting entry** 3. *V.a.* **adjusting entry** 1., **adjustment** 2., **correction of errors** et **reversal**.

CORRECTION OF ERRORS
CORRECTION D'ERREURS

Rectification d'erreurs découvertes dans les livres de l'entreprise ou dans ses états financiers (ou comptes annuels). *V.a.* **correcting entry** et **prior period adjustment**.

CORRELATION ANALYSIS
ANALYSE DE CORRÉLATION

(stat.) Méthode statistique servant à mesurer la relation entre deux variables appelées respectivement variable dépendante et variable indépendante. *V.a.* **analysis** 1.

CORRESPONDENT AUDITOR
VÉRIFICATEUR REPRÉSENTANT, RÉVISEUR REPRÉSENTANT, VÉRIFICATEUR MANDATAIRE,
RÉVISEUR MANDATAIRE, CORRESPONDANT

(E.C.) Expert-comptable qui agit à titre de représentant d'un cabinet d'expertise comptable pour vérifier (ou réviser) les livres d'autres entreprises ou pour exécuter diverses autres missions. *V.a.* **affiliated firm** et **agency relationship**.

COST 1.
COÛT (D'ACHAT), PRIX COÛTANT

Somme d'argent exigée en contrepartie de biens ou de services lors de leur acquisition et correspondant à leur juste valeur à ce moment-là. *Comparer avec* **loss** 1., **expenditure** 1. et **expenses**. *V.a.* **acquisition cost**.

COST 2.
COÛT DE REVIENT, PRIX DE REVIENT

Ensemble des coûts afférents à l'acquisition d'un bien (ou à une prestation de services) pour le concevoir, le produire et le mettre à la disposition, dans l'état où il se trouve au stade final, de l'utilisateur ou du consommateur. *N.B.* Il convient de distinguer le **prix de revient commercial** (prix d'achat d'une marchandise augmenté des frais afférents à son acquisition) et le **prix de revient de fabrication** appelé aussi **coût de revient usine** (coût qui comprend l'ensemble des charges nécessaires à la fabrication d'un bien ou d'un groupe homogène de produits). En France, le Conseil national de la comptabilité souhaite éviter l'emploi du terme prix lorsqu'il n'y a aucun échange avec l'extérieur.

COST 3.
DÉPENSE

Voir **expenditure** 1.

COST 4.
CHARGE (D'EXPLOITATION), FRAIS

Voir **expenses**.

COST ACCOUNTANT
COMPTABLE DE PRIX DE REVIENT

Comptable spécialisé dans l'analyse des coûts et des prix de revient. *Syn.* **plant accountant**.

COST ACCOUNTING
COMPTABILITÉ ANALYTIQUE (D'EXPLOITATION), COMPTABILITÉ DE PRIX DE REVIENT,
COMPTABILITÉ INDUSTRIELLE

Comptabilité qui a pour objet de classer, d'inscrire, d'analyser les données se rapportant à la production et à la distribution de biens et de services puis d'interpréter et de faire connaître les résultats obtenus. *N.B.* La comptabilité analytique couvre tous les domaines où des analyses de coûts doivent être effectuées et, comme telle, s'applique à toutes les entreprises, quelle que soit la nature de leurs activités. La comptabilité analytique a pour but de présenter des analyses portant sur les produits d'exploitation, les charges d'exploitation, les coûts et les résultats afin d'apprécier l'efficacité de la gestion en considérant les objectifs suivants : rendement et productivité techniques, profitabilité relative des produits ou services, et rentabilité des capitaux. En France et en Belgique, comme la comptabilité analytique est distincte de la comptabilité générale, on utilise des **comptes réfléchis** dont l'objet est d'assurer l'autonomie de la comptabilité analytique. Les comptes réfléchis permettent aussi de vérifier la **concordance** qui doit exister entre la comptabilité analytique et la comptabilité générale lorsque celles-ci sont tenues de façon autonome.

COST ACCOUNTING METHODS
MÉTHODES DE DÉTERMINATION DU PRIX DE REVIENT

Méthodes qui permettent de déterminer le coût d'un produit ou d'un service. *V.a.* **absorption costing**, **direct costing**, **estimated cost system**, **job cost system**, **process cost system** et **standard cost system**.

COST ALLOCATION
RÉPARTITION D'UN COÛT, VENTILATION D'UN COÛT

Processus qui consiste à répartir un coût (coût d'un achat en bloc, frais généraux, etc.) entre ses différents éléments selon un mode logique de ventilation. *N.B.* Il convient de distinguer le terme **affectation** (appellation réservée à des charges inscrites directement et sans calcul intermédiaire) du terme **répartition** (appellation réservée au classement aboutissant à l'inscription, dans des comptes de sections ou de reclassement de charges, des éléments qui ne peuvent être affectés directement aux comptes de coûts ou de prix de revient). En revanche, le terme **imputation** convient pour désigner l'inscription, dans des comptes de coûts ou de prix de revient, des frais indirects, après leur répartition, dans des comptes de sections ou de reclassement de charges, c'est-à-dire des comptes dont le contenu est homogène par rapport au critère de classement choisi. *Syn.* **cost apportionment**. *V.a.* **allocation** 1. et **applied cost**.

COST ANALYSIS
ANALYSE DES COÛTS

Étude de l'origine des coûts, de leur évolution et de leurs conséquences sur le coût de revient des produits que l'entreprise fabrique ou des services qu'elle rend.

COST AND FREIGHT (C & F)
COÛT ET FRET (C.F.)

(transp.) Condition de vente stipulant que le prix de vente comprend les frais de manutention et de transport de la marchandise jusqu'au lieu convenu. *N.B.* Le terme **fret** désigne : 1) le prix du transport des marchandises par mer et, par extension, par air ou par route, 2) la cargaison d'un navire ou le chargement d'un avion ou d'un camion, et 3) tout objet transporté en vertu d'un contrat de transport. *Comparer avec* **cost, insurance and freight**, **free alongside** et **free on board**. *V.a.* **delivery conditions** et **freight** 1.

COST APPORTIONMENT
RÉPARTITION D'UN COÛT, VENTILATION D'UN COÛT

Voir **cost allocation**.

COST BASE
PRIX DE BASE

(fisc. can.) Expression qui désigne essentiellement le coût d'origine d'un bien et qui est utilisée dans le cadre du calcul des gains en capital (les plus-values) ou des pertes en capital (les moins-values). *V.a.* **adjusted cost base**.

COST BASED PENSION PLAN
RÉGIME DE RETRAITE À COTISATIONS DÉTERMINÉES

(rentes) Régime de retraite dans lequel le montant des prestations est déterminé en fonction du fonds constitué par les cotisations des participants et de leur employeur et par les revenus de placement de ce fonds. *Syn.* **defined contribution pension plan** et **money-purchase pension plan**. *V.a.* **pension plan**.

COST/BENEFIT ANALYSIS
ANALYSE COÛTS-AVANTAGES, ANALYSE COÛTS-RENDEMENTS, ANALYSE DE RENDEMENT
(gest.) Étude d'un programme ou d'une activité par l'analyse qualitative et quantitative de tous les avantages et de tous les coûts relatifs à l'implantation et au fonctionnement de ce programme ou de cette activité. *V.a.* **analysis** 1. et **benefit/cost ratio**.

COST/BENEFIT EFFECTIVENESS
ÉQUILIBRE COÛTS-AVANTAGES
Qualité de l'information comptable qui consiste à maintenir un équilibre entre les coûts engagés pour obtenir des données et les avantages qu'elles procurent.

COST CENTRE
CENTRE DE COÛTS, CENTRE DE FRAIS, SECTION DE FRAIS
(gest. et *compt.)* Centre de responsabilité pour lequel un aménagement approprié des comptes permet de connaître et de contrôler les frais d'exploitation ou de production le concernant. *N.B.* Une **section** est dite **homogène** lorsque ses charges peuvent être ramenées à une unité commune appelée **unité d'oeuvre**. Dans les entreprises pratiquant la méthode des sections homogènes pour calculer les coûts de revient, il est souhaitable que les sections soient rattachées à des centres de responsabilité nettement définis. Le regroupement des frais qui peut alors en résulter présente un grand intérêt pour l'élaboration des budgets et le contrôle des coûts. Il convient de distinguer le **centre de coûts** du **centre d'analyse** qui est une division de l'unité comptable où sont analysés des éléments de charges indirectes préalablement à leur imputation aux coûts des produits intéressés. Les opérations d'analyse comprennent : l'**affectation** des charges qui peuvent être directement rattachées aux centres d'analyse, la **répartition** entre les centres des autres charges qu'ils doivent prendre en compte, et la **cession de prestations** entre centres. *V.a.* **accounting unit** 2., **investment centre**, **profit centre**, **responsibility centre** et **section** 1.

COST FLOW METHODS
MÉTHODES (D'ÉVALUATION DES STOCKS) FONDÉES SUR LE FLUX DES COÛTS
Méthodes de ventilation du coût total des marchandises destinées à la vente entre, d'une part, le coût des marchandises vendues et, d'autre part, le coût des stocks de clôture. *N.B.* Certaines de ces méthodes qui mettent plutôt l'accent sur l'écoulement matériel des articles en cause conviennent aussi pour déterminer le coût d'articles faisant partie d'un groupe homogène, par exemple des titres identiques achetés à des dates différentes et à des prix différents. *Syn.* **inventory cost allocation methods**. *V.a.* **average cost method**, **base stock method**, **cost method (for inventories)**, **dollar-value lifo method**, **first in, first out method**, **flow assumption**, **interchangeable goods**, **inventory valuation methods**, **last in, first out method**, **lower of cost and market method**, **moving average method**, **next in, first out method**, **specific identification method** et **weighted average cost method**.

COSTING 1.
ATTRIBUTION DES COÛTS, VALORISATION, ÉVALUATION, CHIFFRAGE
Méthode qui consiste, aux fins de la comptabilité, à attribuer aux quantités dénombrées (articles stockés ou titres de placement) une valeur correspondant généralement à leur coût. *Syn.* **pricing** 2. *V.a.* **pricing** 1.

COSTING 2.
ÉTABLISSEMENT DES PRIX DE REVIENT
Travail de comptabilité dont l'objet est de déterminer le prix de revient d'un produit ou d'un service.

COST, INSURANCE AND FREIGHT (CIF)
COÛT, ASSURANCE ET FRET (C.A.F.)
(transp.) Condition de vente stipulant que le prix de vente comprend les frais de manutention, d'assurance et de transport de la marchandise jusqu'au lieu convenu. *Comparer avec* **cost and freight**, **free alongside** et **free on board**. *V.a.* **delivery conditions** et **freight** 1.

COST LEDGER
GRAND LIVRE DES PRIX DE REVIENT, GRAND LIVRE DE LA FABRICATION, GRAND LIVRE DE L'USINE, GRAND LIVRE DE LA PRODUCTION, COMPTES ANALYTIQUES
Grand livre auxiliaire où l'on retrouve les comptes particuliers à la comptabilité analytique. *Syn.* **factory ledger**.

COST METHOD (FOR INVENTORIES)
(MÉTHODE D')ÉVALUATION DES STOCKS AU PRIX COÛTANT, (MÉTHODE DE) VALORISATION DES STOCKS AU PRIX COÛTANT

Méthode de détermination de la valeur des stocks fondée sur leur coût d'acquisition ou de fabrication. *V.a.* **cost flow methods** et **inventory valuation methods**.

COST METHOD (FOR INTERCORPORATE INVESTMENTS)
(MÉTHODE DE LA) COMPTABILISATION (DES PARTICIPATIONS) À LA VALEUR D'ACQUISITION

Méthode qui consiste essentiellement, pour la société dominante, à comptabiliser au coût d'acquisition sa participation dans la société dépendante et à ne considérer comme produit tiré de cette participation que les dividendes qu'elle a reçus de cette société et distribués à même les bénéfices réalisés après la date de prise de participation. *Comparer avec* **equity method**.

COST OF BORROWING
FRAIS D'EMPRUNT

(fin.) Frais administratifs et autres, à l'exclusion des intérêts, que doit assumer le bénéficiaire d'un prêt. *V.a.* **loan** 2.

COST OF CAPITAL
COÛT DU CAPITAL

(fin.) Taux de rendement minimal que l'entreprise doit réaliser sur ses nouveaux investissements afin de garantir aux actionnaires un rendement au moins comparable à celui qu'ils pourraient obtenir sur le marché s'ils effectuaient des investissements comportant le même risque. *N.B.* La façon la plus simple de calculer le coût du capital consiste à commencer par déterminer le coût des différents moyens de financement mis en oeuvre par l'entreprise (capitaux propres, dettes à long terme, etc.) puis à calculer un coût moyen pondéré en utilisant comme pondérations les parts respectives, exprimées en pourcentages, de chaque moyen de financement dans le financement global.

COST OF CARRYING AN INVENTORY
COÛT DE STOCKAGE, FRAIS DE STOCKAGE

Coût de détention des stocks comprenant les frais d'entreposage, l'assurance, les intérêts sur le capital investi dans les stocks ainsi que les risques de détérioration, d'obsolescence et de baisse des prix. *Syn.* **storage cost**.

COST OF GOODS AVAILABLE FOR SALE
(COÛT DES) MARCHANDISES DESTINÉES À LA VENTE, (COÛT DES) PRODUITS DESTINÉS À LA VENTE

Voir **goods available for sale**.

COST OF GOODS MANUFACTURED
COÛT DES PRODUITS FABRIQUÉS

Total des coûts (matières premières, main-d'oeuvre directe et frais généraux de fabrication) engagés par une entreprise industrielle, pour fabriquer les produits terminés au cours d'un exercice, à l'exclusion généralement des frais d'administration. *V.a.* **cost of goods sold** 2. et **statement, manufacturing**.

COST OF GOODS PURCHASED
COÛT DES MARCHANDISES ACHETÉES

Prix d'achat net des marchandises acquises par une entreprise commerciale, augmenté des frais de transport et d'entreposage.

COST OF GOODS SOLD 1.
COÛT (D'ACHAT) DES MARCHANDISES VENDUES (C.M.V.), PRIX COÛTANT DES MARCHANDISES VENDUES (P.C.M.V.)

Dans une entreprise commerciale, chiffre égal au stock initial de marchandises, augmenté des achats de l'exercice et diminué du stock final de marchandises. *N.B.* Parfois, dans l'état des résultats, le coût des marchandises vendues est déduit du chiffre d'affaires en vue de déterminer la marge bénéficiaire brute. *Syn.* **cost of sales**.

COST OF GOODS SOLD 2.
COÛT DES PRODUITS VENDUS (C.P.V.)

Dans une entreprise industrielle, chiffre égal au stock initial de produits finis, augmenté du coût des produits fabriqués durant l'exercice et diminué du stock final de produits finis. *N.B.* Parfois, dans l'état des résultats, le coût des produits vendus est déduit du chiffre d'affaires en vue de déterminer la marge bénéficiaire brute. *Syn.* **cost of sales**. *V.a.* **cost of goods manufactured** et **statement, manufacturing**.

COST OF LIVING ALLOWANCE
INDEMNITÉ DE CHERTÉ DE VIE, INDEMNITÉ DE VIE CHÈRE

(rel. de tr.) Augmentation salariale prévue, le plus souvent dans une convention collective, pour tenir compte d'un accroissement de l'indice des prix à la consommation.

COST OF LIVING INDEX
INDICE DU COÛT DE LA VIE, INDICE DES PRIX DE DÉTAIL (Belg.)

(écon.) Indice mesurant les changements survenus dans le prix des biens de consommation courante. *V.a.* **consumer price index**.

COST OF SALES
COÛT (D'ACHAT) DES MARCHANDISES VENDUES (C.M.V.), PRIX COÛTANT DES MARCHANDISES VENDUES (P.C.M.V.), COÛT DES PRODUITS VENDUS (C.P.V.)

Voir **cost of goods sold** 1. et 2.

COST OF SALES ADJUSTMENT
REDRESSEMENT AU TITRE DU COÛT DES MARCHANDISES VENDUES

(Can.) En comptabilité au coût actuel, redressement qu'il convient d'apporter au coût des marchandises vendues déterminé dans une comptabilité à la valeur d'origine afin d'obtenir un chiffre qui reflète le coût actuel des marchandises au moment de leur vente.

COST OR MARKET WHICHEVER IS LOWER
MÉTHODE DE LA VALEUR MINIMALE, (MÉTHODE D')ÉVALUATION À LA VALEUR MINIMALE

Voir **lower of cost and market method**.

COST OVERRUN
DÉPASSEMENT DES COÛTS

(gest.) Situation caractérisée par un excédent des coûts réels engagés sur les coûts prévus pour exécuter des travaux ou rendre des services.

COST-PLUS CONTRACT
CONTRAT EN RÉGIE INTÉRESSÉE, CONTRAT À PRIX COÛTANT MAJORÉ

(aff.) Contrat en vertu duquel la rémunération de l'entrepreneur est égale aux coûts engagés pour exécuter les travaux (on parle alors de **travaux en régie**) plus un montant forfaitaire ou une somme égale à un certain pourcentage des coûts engagés. *N.B.* Lorsqu'il s'agit de **marchés publics**, on donne à ce genre de contrats le nom de **marchés à prix coûtant majoré** ou de **marchés sur dépenses contrôlées**. *Comparer avec* **fixed price contract**.

COST PRINCIPLE
PRINCIPE DE LA VALEUR D'ACQUISITION, PRINCIPE DU COÛT

Principe de la comptabilité traditionnelle qui consiste à attribuer aux éléments de l'actif et du passif et, par le fait même, aux capitaux propres, une valeur qui est fonction de la valeur d'acquisition de ces éléments. *V.a.* **accounting principles** 2.

COST RATIO
RATIO DU PRIX COÛTANT AU PRIX DE DÉTAIL

Dans l'application de la méthode de l'inventaire au prix de détail, quotient du coût des marchandises destinées à la vente par le prix de détail de ces mêmes marchandises. *V.a.* **retail inventory method**.

COST SHEET
FICHE DE PRIX DE REVIENT, FICHE DE FABRICATION, ATTACHEMENT (Fr.)
Voir **job cost sheet**.

COST/VOLUME/PROFIT ANALYSIS
ANALYSE (DES INTERACTIONS) COÛT-VOLUME-PROFIT
(anal. fin.) Modèle d'analyse de l'incidence des variations des composantes du bénéfice net : frais fixes, frais variables, quantités vendues, prix de vente et composition du chiffre d'affaires. *V.a.* **break-even point**.

COUNT *v.*
DÉNOMBRER, COMPTER, INVENTORIER, RÉCOLER
(gest.) Faire le compte des articles en magasin, de l'argent dans une caisse, des titres confiés à une société de fiducie, etc. *V.a.* **surprise count**.

COUNT SHEET
RELEVÉ D'INVENTAIRE, FEUILLE DE DÉNOMBREMENT, FEUILLE DE COMPTAGE
Feuille où l'on compile les résultats d'un dénombrement.

COUNTERFEITED GOODS
MARCHANDISES CONTREFAITES, IMITATIONS FRAUDULEUSES
(lang. cour.) Marchandises reproduites par imitation et vendues sous le nom d'une marque de commerce réputée. *V.a.* **patent infringement**.

COUTERFEITER
FAUSSAIRE
(lang. cour.) Personne qui fabrique de faux billets de banque, imite une signature, etc. *N.B.* En droit, la personne qui se rend coupable de contrefaçon frauduleuse s'appelle un **contrefacteur**. *V.a.* **forgery**.

COUNTER-OFFER
SURENCHÈRE
Voir **increase in price**.

COUNTERSIGN
CONTRESIGNER
(dr.) Apposer sa signature sur un document déjà signé par une autre personne afin, le plus souvent, d'en garantir l'authenticité.

COUNTRY CLUB BILLING
FACTURATION AVEC PIÈCES JUSTIFICATIVES
(aff.) Mode de facturation consistant à joindre les pièces justificatives au relevé de compte adressé périodiquement au membre d'un club ou au détenteur d'une carte de crédit. *Comparer avec* **descriptive billing**. *V.a.* **billing**.

COUNT SHEET
RELEVÉ D'INVENTAIRE, FEUILLE DE DÉNOMBREMENT, FEUILLLE DE COMPTAGE
Feuille où l'on compile les résultats d'un dénombrement.

COUPON 1.
COUPON
(fin.) Partie détachable d'une obligation permettant à son détenteur de toucher à la date prévue les intérêts auxquels il a droit. *V.a.* **clip a coupon**, **coupon bond** et **interest coupon**.

COUPON 2.
COUPON
(fin.) (Fr. et Belg.) Partie détachable d'une action permettant à son détenteur de toucher des dividendes ou d'exercer un droit de souscription.

COUPON BOND

OBLIGATION À COUPONS

(fin.) Obligation à laquelle sont attachés des coupons d'intérêt que l'obligataire découpe à la date convenue et remet à la société émettrice ou à un établissement financier pour encaissement. *V.a.* **bond** 1., **clip a coupon**, **coupon** 1. et **interest coupon**.

COUPON RATE

TAUX D'INTÉRÊT NOMINAL, TAUX D'INTÉRÊT CONTRACTUEL

(fin.) Taux d'intérêt stipulé dans un contrat d'émission d'obligations et que la société émettrice a convenu de payer aux obligataires. *Comparer avec* **effective rate** 2. et **yield to maturity**. *V.a.* **nominal interest rate**.

COVENANT

CONVENTION (ACCESSOIRE), CLAUSE (RESTRICTIVE)

(dr.) Convention formelle, le plus souvent accessoire, conclue notamment dans le cadre d'une opération immobilière, d'un contrat de location ou d'emprunt, obligeant une des parties en cause à faire quelque chose ou lui interdisant d'agir d'une façon donnée. *N.B.* Ainsi l'acheteur d'un terrain peut s'engager à n'y ériger qu'un immeuble locatif ou à n'utiliser ce dernier qu'à des fins résidentielles. *V.a.* **contract**, **covenant not to compete** et **debt covenant**.

COVENANT NOT TO COMPETE

CLAUSE DE NON-CONCURRENCE

(dr.) Clause qui, dans un **contrat de représentation**, interdit au représentant de vendre des produits similaires pendant un certain temps après la résiliation du contrat. *N.B.* L'acquéreur d'une entreprise peut parfois exiger que l'on inclue dans le contrat d'acquisition une **clause de non-concurrence** par laquelle le vendeur s'engage à ne pas exploiter une entreprise de même nature pendant un certain temps dans une région donnée. *V.a.* **covenant**.

COVER 1.

COUVERTURE, ACOMPTE

Voir **margin** 2.

COVER 2.

COUVERTURE

(fin.) Opération d'achat ou de vente de devises en vue de solder des engagements financiers à terme ou au comptant, ou de liquider une position de change. *V.a.* **exchange position exposure**, **foreign exchange contract**, **forward exchange contract** et **foreign exchange position**.

COVERAGE 1.

COUVERTURE

(anal. fin.) Nombre de fois qu'une charge (par exemple les intérêts) est couverte par un **revenu de référence** (par exemple le bénéfice, compte non tenu des impôts et des intérêts). *V.a.* **ratio analysis**.

COVERAGE 2.

GARANTIE

(ass.) Engagement de courir un risque, pris par une compagnie d'assurances, l'État ou un organisme responsable de la gestion d'un régime d'avantages sociaux. *V.a.* **insurance coverage**.

CPI

INDICE DES PRIX À LA CONSOMMATION

Abrév. de **consumer price index**.

CPM

MÉTHODE DU CHEMIN CRITIQUE

Abrév. de **critical path method**.

CPU
UNITÉ CENTRALE DE TRAITEMENT
Abrév. de **central processing unit**.

Cr.
CRÉDIT (Ct)
Abrév. de **credit** *n.* 2.

CREDIBILITY
CRÉDIBILITÉ
Caractère de l'information comptable qui fait qu'elle mérite d'être crue.

CREDIT *n.* 1.
CRÉDIT
Écriture par laquelle le comptable inscrit soit une dette, un produit d'exploitation ou une augmentation des capitaux propres, soit la diminution d'une valeur active ou d'une charge. *N.B.* En comptabilité générale, le terme **imputation** s'emploie pour désigner l'affectation d'une somme au crédit d'un compte. Ainsi on parlera de l'imputation d'une somme à un compte de passif ou, selon le cas, de l'imputation d'un produit ou d'un revenu à l'exercice. *Comparer avec* **debit** *n.* 1.

CREDIT *(Cr.) n.* 2.
CRÉDIT (Ct)
Colonne de droite d'un compte; partie d'une écriture portée dans cette colonne. *Comparer avec* **debit** *n.* 2.

CREDIT *n.* 3.
CRÉDIT
(fin.) Somme d'argent mise à la disposition d'une personne physique ou morale (l'**emprunteur**) par une autre personne (le **prêteur**) contre une promesse de remboursement et moyennant le paiement d'intérêts. *N.B.* L'utilisation excessive et risquée par une société de sa **signature sociale** s'appelle **abus de crédit**. La mise d'une certaine somme à la disposition de son client par une banque dans des conditions déterminées constitue une **ouverture de crédit**. *V.a.* **line of credit**.

CREDIT *n.* 4.
AVOIR DU CRÉDIT
(fin.) Capacité d'acheter ou d'emprunter en retour d'une promesse de paiement à une date ultérieure; confiance dans la solvabilité de quelqu'un et sa réputation de crédit.

CREDIT *v.*
CRÉDITER, PORTER AU CRÉDIT, IMPUTER
Inscrire une somme au crédit d'un compte.

CREDIT AGENCY
SERVICE D'INFORMATIONS FINANCIÈRES, AGENCE D'ÉVALUATION DU CRÉDIT, AGENCE DE RENSEIGNEMENTS
(anal. fin.) Organisme qui, moyennant rémunération, évalue sur demande la **cote de solvabilité** des clients d'entreprises commerciales et industrielles. *Syn.* **credit bureau** et **rating agency**. *V.a.* **credit rating** 1. et **financial analysis**.

CREDIT BALANCE
SOLDE CRÉDITEUR
Solde d'un compte dans lequel le total des crédits l'emporte sur le total des débits. *Comparer avec* **debit balance**. *V.a.* **balance** *n.* 1.

CREDIT BUREAU
*SERVICE D'INFORMATIONS FINANCIÈRES, AGENCE D'ÉVALUATION DU CRÉDIT, AGENCE DE
  RENSEIGNEMENTS*
Voir **credit agency**.

CREDIT CARD
CARTE DE CRÉDIT
(fin.) Carte que certains établissements financiers mettent à la disposition de particuliers pour leur permettre de conclure, sans versement immédiat, des achats auprès des entreprises affiliées à ces établissements qui règlent les achats effectués et en demandent ultérieurement le remboursement au titulaire de la carte.

CREDIT CEILING
PLAFOND DE CRÉDIT
(fin.) Limite supérieure du crédit consenti à un particulier ou une entreprise par une banque ou une autre entreprise.

CREDIT DEPARTMENT
SERVICE DU CRÉDIT
(org. de l'entr.) Service dont la responsabilité est d'établir les délais de paiement ou de remboursement et de déterminer la **cote de solvabilité** des clients avant de consentir à leur prêter de l'argent, à leur accorder une ligne de crédit ou à leur vendre des marchandises.

CREDITED SERVICE
ANNÉES DÉCOMPTÉES, ANNÉES DE SERVICE RECONNUES
(rentes) Ensemble des périodes donnant lieu à une inscription de points (ou d'**éléments de retraite**) pour le calcul des prestations qui seront versées à chaque participant à un régime de retraite. *Syn.* **years of credited service**. *V.a.* **contributed service** et **pension unit**.

CREDIT FILE
DOSSIER DE CRÉDIT
(fin.) Ensemble des documents comptables et financiers, des pièces et renseignements administratifs, juridiques, fiscaux ou de toute autre nature qui accompagnent une demande de crédit formulée auprès d'une banque ou d'un autre établissement financier.

CREDIT INSURANCE
ASSURANCE CRÉDIT
(fin. et ass.) Contrat garantissant à un fournisseur ou à un créancier le paiement de tout ou partie de ses créances, en cas de défaillance de ses clients ou de ses débiteurs. *V.a.* **insurance**.

CREDIT ITEM
POSTE CRÉDITEUR, CRÉDIT
Poste ayant un solde créditeur; somme portée au crédit d'un compte. *Comparer avec* **debit item**.

CREDIT LINE
*LIGNE DE CRÉDIT, OUVERTURE DE CRÉDIT, AUTORISATION DE CRÉDIT, LIGNE DE DÉCOUVERT,
  CRÉDIT AUTORISÉ, MARGE DE CRÉDIT (Can.)*
Voir **line of credit**.

CREDIT LOSS
CRÉANCE IRRÉCOUVRABLE, PERTE SUR CRÉANCE, PERTE SUR PRÊT
Voir **bad debt**.

CREDIT MEMORANDUM
NOTE DE CRÉDIT, AVIS DE CRÉDIT
Voir **credit note**.

CREDIT NOTE
NOTE DE CRÉDIT, AVIS DE CRÉDIT

(comm.) Document établi par l'entreprise pour aviser son client qu'elle a réduit le solde de son compte en raison d'un rabais, d'un rendu ou de l'annulation d'une opération. *N.B.* La banque utilise aussi une **note de crédit**, par exemple, pour aviser un déposant qu'elle a porté au crédit de son compte le produit d'un billet recouvré en son nom. Le document attestant qu'un commerçant doit de l'argent à un client s'appelle aussi **avoir**. *Syn.* **credit memorandum**. *Comparer avec* **debit note**. *V.a.* **purchase return**, **return** 3. et **sales return**.

CREDITOR
CRÉANCIER

(dr.) Titulaire d'une créance, c'est-à-dire la personne physique ou morale à qui il est dû de l'argent. *N.B.* Le substantif **créditeur** désigne la personne qui a des sommes portées à son crédit dans les livres du débiteur (entreprise cliente, banque, etc.). *Comparer avec* **debtor**. *V.a.* **fully secured creditor**, **ordinary creditor**, **partially secured creditor**, **preferred creditor** et **secured creditor**.

CREDITORS' ARRANGEMENT
CONCORDAT

Voir **arrangement**.

CREDIT OUTSTANDING
ENCOURS DE CRÉDIT

(fin.) Montant des crédits mis à la disposition de l'entreprise par un établissement financier.

CREDIT PURCHASE
ACHAT À CRÉDIT

Achat qui, avec l'assentiment du fournisseur, ne sera réglé qu'à une date ultérieure. *Syn.* **term purchase**.

CREDIT RATING
COTE DE SOLVABILITÉ, COTE DE CRÉDIT

(fin.) Estimation de la possibilité, pour une entreprise ou un client, de faire face à ses obligations financières; résultat de cette estimation. *V.a.* **credit agency**.

CREDIT REPORT
RAPPORT DE SOLVABILITÉ

(fin.) Rapport donnant des informations sur la solvabilité d'une personne physique ou morale en vue de déterminer s'il y a lieu de lui faire crédit.

CREDIT RISK
RISQUE DE CRÉDIT

(fin.) Risque assumé par un établissement financier ou autre en raison du crédit qu'il accorde.

CREDIT SALE
VENTE À CRÉDIT

(fin.) Cession de biens (généralement des marchandises) à une personne physique ou morale en échange d'un engagement d'en payer le prix à une date ultérieure. *N.B.* Lors d'une vente à crédit, le transfert de propriété a lieu immédiatement même si le paiement n'intervient qu'à une date ultérieure. *Syn.* **term sale**. *V.a.* **cash sale**, **conditional sales agreement** et **instalment sale**.

CREDIT SQUEEZE
RESSERREMENT DU CRÉDIT, ENCADREMENT DU CRÉDIT

(fin.) Ensemble des mesures contraignantes imposées par la Banque centrale d'un pays à l'ensemble des autres établissements financiers (particulièrement les banques) pour limiter la progression des crédits qu'ils accordent et l'expansion de la **masse monétaire**.

CREDIT STANDING
DEGRÉ DE SOLVABILITÉ, RÉPUTATION DE SOLVABILITÉ
(fin.) Capacité d'une entreprise ou d'un client de faire face à ses obligations financières.

CREDIT TERMS
CONDITIONS DE PAIEMENT, CONDITIONS DE RÈGLEMENT
(fin.) Modalités prévues de règlement d'une facture (date d'échéance, escompte de caisse, intérêts de retard). *V.a.* **terms and conditions** et **terms of payment**.

CREDIT UNION
COOPÉRATIVE (D'ÉPARGNE ET) DE CRÉDIT, CAISSE DE CRÉDIT
(fin.) Établissement d'épargne et de crédit constitué selon la formule coopérative en vue de procurer des avantages à ses membres, de les inciter à l'épargne et de leur consentir des prêts. *N.B.* Au Canada, les coopératives de crédit le plus connues portent le nom de **caisses populaires**. *V.a.* **co-operative** et **share** 3.

CREMATION CERTIFICATE
CERTIFICAT DE DESTRUCTION DE DOCUMENTS
(fid.) Rapport dans lequel un fiduciaire ou une autre personne déclare sous serment que les documents qui y sont énumérés ont été détruits.

CRITICAL PATH METHOD (CPM)
MÉTHODE DU CHEMIN CRITIQUE
(gest.) Méthode de planification qui, en unissant par un **graphe** l'ensemble des tâches menant à la réalisation d'un projet, permet de trouver une solution optimale respectant les contraintes de temps. *N.B.* La figuration des liaisons dans le temps entre plusieurs opérations à effectuer pour réaliser une tâche s'appelle **graphe** ou **réseau**. Chaque tâche, qui ne peut être sautée sans éliminer l'ensemble, est représentée par un point. Les points sont reliés entre eux par des droites plus ou moins longues suivant le temps nécessaire pour terminer la tâche. Le temps le plus court pour parcourir l'ensemble constitue le **chemin critique**. *V.a.* **network analysis**, **PERT/cost (method)** et **program evaluation and review technique (PERT)**.

CROSS CHARGE
DÉBIT INTERNE, DÉBIT INTERSERVICE
Somme qu'un service de l'entreprise porte au débit du compte d'un autre service de la même entreprise. *V.a.* **transfer** 1.

CROSS SECTION ANALYSIS
ANALYSE SECTORIELLE
(anal. fin.) Analyse des états financiers (ou comptes annuels) de diverses entreprises pour un exercice donné par opposition à l'analyse des comptes d'une seule entreprise pour un certain nombre d'exercices. *Comparer avec* **time series analysis**. *V.a.* **vertical analysis**.

CROSS-CHECKING
CONTRE-VÉRIFICATION, COMPARAISON, RECOUPEMENT
(E.C.) Action de vérifier l'exactitude d'un montant ou d'un calcul par un rapprochement de données.

CROSSED CHEQUE
CHÈQUE BARRÉ
(banque) Chèque au recto duquel le tireur ou porteur a tracé deux barres parrallèles dans le but d'en subordonner le paiement à l'intervention d'une banque ou d'un établissement assimilé. *V.a.* **cheque**.

CROSSFOOTING
ADDITION HORIZONTALE, ADDITION TRANSVERSALE
(lang. cour.) Action d'additionner horizontalement le total de diverses colonnes de chiffres. *V.a.* **foot**.

CROSS-REFERENCE
RENVOI, RÉFÉRENCE, RAPPEL
(lang. cour.) Référence à une autre source où l'on donne des renseignements similaires ou complémentaires.

CROWN CORPORATION
SOCIÉTÉ D'ÉTAT, SOCIÉTÉ DE LA COURONNE
(Adm.) (Can.) Société appartenant à l'État et exerçant le plus souvent ses activités dans le domaine des services publics. *N.B.* Une telle société doit rendre compte de la gestion de ses affaires au Parlement ou à l'Assemblée nationale par l'intermédiaire d'un ministre du gouvernement. En France, il existe des **sociétés d'économie mixte** et des **sociétés nationales**. Ces dernières sociétés, qui appartiennent à l'État, prennent la forme de **régies**, de **sociétés anonymes**, etc., et elles sont tenues de faire rapport de leurs activités à la Cour des comptes. En Belgique, on parle d'**organismes d'intérêt public** lorsque la loi définit leur statut. La catégorie des entreprises publiques comprend également certaines sociétés de droit privé contrôlées par les pouvoirs publics et poursuivant un but commercial, par exemple la Société nationale d'investissements. *V.a.* **government controlled corporation**.

CRT TERMINAL
TERMINAL À ÉCRAN CATHODIQUE, TERMINAL À ÉCRAN DE VISUALISATION
Abrév. de **cathodic raytube terminal**.

CUM DIV.
AVEC DIVIDENDE, DIVIDENDE ATTACHÉ, COUPON ATTACHÉ (Fr. et Belg.)
Abrév. de **cum dividend**.

CUM DIVIDEND
AVEC DIVIDENDE, DIVIDENDE ATTACHÉ, COUPON ATTACHÉ (Fr. et Belg.)
(fin.) Qualificatif attribué à des actions dont le cours ou la valeur marchande comprend un dividende déclaré mais impayé. *N.B.* L'action se vend de cette façon depuis la date de déclaration du dividende jusqu'à la date de clôture des registres prévue. En France et en Belgique, les dividendes font l'objet de coupons numérotés que l'actionnaire détache à la date prévue pour obtenir ses dividendes. *Comparer avec* **ex dividend**. *V.a.* **clip a coupon** et **dividend** 1.

CUM RIGHTS
AVEC DROITS, DROITS ATTACHÉS, COUPON ATTACHÉ (Fr. et Belg.)
(fin.) Qualificatif attribué à des titres dont le cours ou la valeur marchande comprend le droit d'acheter de nouveaux titres. *N.B.* En France et en Belgique, les droits de souscription font l'objet de coupons numérotés attachés à un titre. On dit que le titre est coté coupon ou droit attaché avant que l'opération ne soit faite et qu'il est coté coupon détaché après qu'elle a eu lieu. *Comparer avec* **ex rights**. *V.a.* **clip a coupon** et **share right**.

CUMULATIVE DIVIDEND
DIVIDENDE CUMULATIF
(fin.) Dividende calculé à un taux annuel fixe et que la société en cause doit verser aux actionnaires privilégiés qui, dans le cas contraire, acquièrent un droit prioritaire sur les bénéfices que le conseil d'administration décidera de distribuer plus tard. *V.a.* **cumulative share** et **dividend** 1.

CUMULATIVE SHARE
ACTION À DIVIDENDE CUMULATIF
(fin.) Action privilégiée donnant droit à un dividende cumulatif. *V.a.* **cumulative dividend** et **share** 2.

CUMULATIVE STOCK
CAPITAL-ACTIONS À DIVIDENDE CUMULATIF (Can.), ACTIONS À DIVIDENDE CUMULATIF
(fin.) Type d'actions donnant droit à un dividende cumulatif. *V.a.* **capital stock**.

CUMULATIVE VOTING
(ÉLECTION PAR) DROITS DE VOTE CUMULATIFS
(org. des entr.) Mode de scrutin utilisé pour élire les membres du conseil d'administration en vertu duquel chaque

action confère à son détenteur autant de droits de vote qu'il y a d'administrateurs à élire. L'actionnaire peut, à sa discrétion, attribuer ses droits de vote à un ou plusieurs candidats. *Comparer avec* **majority rule voting**. *V.a.* **voting share**.

CURRENCY 1.
MONNAIE

(dr. et écon.) Ensemble des moyens de paiement qui permettent à un débiteur de se libérer de ses dettes vis-à-vis de ses créanciers. *N.B.* Il existe trois sortes de monnaie : la **monnaie fiduciaire** (les billets de banque), la **monnaie divisionnaire** (les espèces métalliques) et la **monnaie scripturale** (les comptes courants bancaires créditeurs, les comptes de dépôt à vue et les chèques). La monnaie fiduciaire et la monnaie divisionnaire constituent le **numéraire**. *V.a.* **cash** *n.* 1., **foreign currency** et **legal tender**.

CURRENCY 2.
MONNAIE (ÉTRANGÈRE), DEVISE (ÉTRANGÈRE)

Voir **foreign currency**.

CURRENT ACCOUNT 1.
COMPTE COURANT

Compte ouvert par l'entreprise au nom d'une personne ou d'une autre entreprise. *N.B.* Le terme **compte courant** désigne aussi la convention par laquelle seul le solde des créances et des dettes réciproques de deux personnes physiques ou morales ayant des relations d'affaires suivies, sera exigible à la clôture périodique ou définitive du compte. *Comparer avec* **account current**. *V.a.* **contra account** 2.

CURRENT ACCOUNT 2.
COMPTE COURANT (BANCAIRE)

(banque) **Compte à vue** ouvert dans un établissement bancaire sur lequel le titulaire peut tirer des chèques. *N.B.* En règle générale, ce compte ne porte pas intérêt ou porte intérêt à un taux minime. En France et en Belgique, le terme compte courant s'emploie pour désigner les comptes bancaires des commerçants, industriels et agriculteurs, alimentés notamment par des remises d'effets de commerce. Un compte courant bancaire, contrairement à un compte de dépôts, peut être créditeur ou débiteur, car l'ouverture d'un compte de cette nature est souvent assortie d'une **ouverture de crédit**. *Comparer avec* **deposit account**. *V.a.* **bank account**.

CURRENT ACCOUNT 3.
COMPTE COURANT, COMPTE D'ASSOCIÉ

Compte ouvert au nom de chacun des associés d'une société en nom collectif où sont inscrits leurs retraits et leur quote-part des bénéfices de la société. *Syn.* **partner's current account**. *Comparer avec* **capital account**. *V.a.* **personal account** 2.

CURRENT ASSET
ÉLÉMENT D'ACTIF À COURT TERME, BIEN À COURT TERME

Argent qu'une entreprise peut utiliser pour son exploitation ainsi que tout autre bien qui, dans le cours normal des affaires, sera converti en argent ou utilisé pour réaliser des produits d'exploitation au cours de la prochaine année ou du prochain cycle d'exploitation si celui-ci a une durée supérieure à un an.

CURRENT ASSETS
ACTIF À COURT TERME, FONDS DE ROULEMENT BRUT

Ensemble des éléments d'actif à court terme. *N.B.* Ces éléments qui se caractérisent par une certaine mobilité sont aussi qualifiés d'**actifs circulants** et comprennent notamment les **valeurs disponibles** (l'encaisse et les sommes déposées dans les banques), les **valeurs réalisables à court terme** (les créances sur les clients, les prêts à moins d'un an, les avances et acomptes versés aux fournisseurs, les titres de placement et les effets à recevoir), les **valeurs d'exploitation** (les stocks de matières premières, les marchandises, les fournitures, les produits semi-ouvrés, les produits finis, les travaux en cours et les emballages commerciaux) et les **comptes de régularisation-actif** (les produits à recevoir et les charges payées d'avance). *Comparer avec* **fixed assets**, **liquid assets**, **long-term assets** et **quick assets**. *V.a.* **assets**, **circulating assets** et **working capital**.

CURRENT COST
COÛT (DE REMPLACEMENT) ACTUEL

Valeur, exprimée en numéraire, de la contrepartie nécessaire pour acquérir un bien identique ou équivalent à celui que l'entreprise possède. *N.B.* Le mode d'acquisition envisagé peut être soit l'achat, soit la fabrication, selon ce qui convient le mieux pour l'entreprise. *Syn.* **current replacement cost**. *Comparer avec* **historical cost**. *V.a.* **current value** et **current cost accounting**.

CURRENT COST ACCOUNTING (CCA)
COMPTABILITÉ AU COÛT ACTUEL, COMPTABILITÉ EN COÛTS ACTUELS

Modèle comptable qui consiste à mesurer les postes des états financiers (ou comptes annuels) en fonction des coûts actuels plutôt que des valeurs d'origine ou toute autre valeur. *N.B.* Selon ce modèle comptable, les charges (par exemple le coût des marchandises vendues et les amortissements) sont déterminées en fonction des coûts actuels au moment où les marchandises sont vendues et les immobilisations utilisées. *Comparer avec* **constant dollar accounting**, **current value accounting**, **general price-level (GPL) accounting** et **historical cost accounting**. *V.a.* **accounting for inflation**, **backlog depreciation** et **current cost**.

CURRENT ENTRY PRICE
PRIX D'ENTRÉE COURANT

Prix en vigueur sur le marché où l'entreprise peut se procurer un bien donné. *N.B.* Cette expression désigne, selon le cas, le coût d'acquisition, de construction ou de reconstitution. *Syn.* **entry price**.

CURRENT EXIT PRICE
PRIX DE SORTIE COURANT

Prix, déduction faite des frais de vente, en vigueur sur le marché où l'entreprise vend ses produits. Prix auquel l'entreprise pourrait vendre ses actifs ou refinancer ses dettes. *Syn.* **exit price**.

CURRENT FILE
DOSSIER DE L'EXERCICE, DOSSIER COURANT

(E.C.) Dossier dans lequel l'expert-comptable accumule les informations dont il se servira pour exprimer une opinion sur les comptes soumis à son attention. *V.a.* **closed file**, **permanent file** et **working papers** 1.

CURRENT FUND
FONDS D'ADMINISTRATION GÉNÉRALE, FONDS DE FONCTIONNEMENT

Voir **general fund**.

CURRENT FUNDS
LIQUIDITÉS, BIENS LIQUIDES, ACTIF(S) LIQUIDE(S)

Voir **liquid assets**.

CURRENT LIABILITIES
PASSIF À COURT TERME, DETTES À COURT TERME

Ensemble des éléments de passif à court terme, c'est-à-dire les dettes (y compris les **comptes de régularisation-passif**) que l'entreprise devra régler au cours des douze prochains mois ou au cours du prochain cycle d'exploitation si celui-ci a une durée supérieure à un an. *N.B.* Les dettes échues ou immédiatement exigibles constituent le **passif exigible** appelé aussi **exigibilités**. *Syn.* **short-term liabilities**. *V.a.* **payable** et **working capital**.

CURRENT LIABILITY
DETTE (EXIGIBLE) À MOINS D'UN AN, ÉLÉMENT DE PASSIF À COURT TERME, DETTE À COURT TERME

Dette dont le règlement doit intervenir au cours de la prochaine année ou du prochain cycle d'exploitation si celui-ci a une durée supérieure à un an. *N.B.* Il convient généralement d'exclure du passif à court terme les dettes qui normalement en feraient partie, si l'entreprise doit les régler avec des ressources qui ne figurent pas dans l'actif à court terme. *Comparer avec* **long term liability**. *Syn.* **short-term liability**.

CURRENT MATURITIES
TRANCHE DE LA DETTE À LONG TERME (ÉCHÉANT) À MOINS D'UN AN, VERSEMENT(S) SUR LA DETTE À LONG TERME EXIGIBLE(S) À COURT TERME

Partie d'une dette à long terme échéant au cours des douze prochains mois et normalement incluse dans le passif à court terme. *Syn.* **current portion of long term debt**.

CURRENT-NONCURRENT METHOD
MÉTHODE DU COURT TERME-LONG TERME

Méthode qui consiste à convertir, d'une part, les postes de l'actif à court terme et du passif à court terme au taux de change à la date de l'arrêté des comptes et, d'autre part, les éléments à long terme au taux en vigueur au moment où les opérations qui ont donné lieu à ces éléments ont été effectuées. *V.a.* **translation of foreign currency methods**.

CURRENT OPERATING PERFORMANCE CONCEPT
FORMULE DU BÉNÉFICE NET HORS POSTES NON COURANTS

(Can.) Formule selon laquelle l'état des résultats ne doit comprendre que les opérations courantes. *N.B.* Selon ce mode de présentation, les opérations de nature extraordinaire survenues au cours de l'exercice sont exclues du calcul du bénéfice net. *Comparer avec* **all-inclusive concept of net income**.

CURRENT PORTION OF LONG TERM DEBT
TRANCHE DE LA DETTE À LONG TERME (ÉCHÉANT) À MOINS D'UN AN, VERSEMENT(S) SUR LA DETTE À LONG TERME EXIGIBLE(S) À COURT TERME

Voir **current maturities**.

CURRENT RATE
TAUX COURANT, COURS ACTUEL, COURS DE CLÔTURE

Taux de change en vigueur à la date de clôture des comptes. *Comparer avec* **historical rate**. *V.a.* **buying rate**, **forward rate**, **rate of exchange**, **selling rate** et **spot rate**.

CURRENT RATE METHOD
MÉTHODE DU TAUX COURANT, MÉTHODE DU COURS ACTUEL, MÉTHODE DU COURS DE CLÔTURE

Méthode qui consiste à convertir tous les postes de l'actif et du passif d'un établissement étranger au taux de change en vigueur à la date de clôture des comptes. *V.a.* **translation of foreign currency methods**.

CURRENT RATIO
RATIO DU FONDS DE ROULEMENT, RATIO DE SOLVABILITÉ À COURT TERME, RATIO D'ENDETTEMENT À COURT TERME, RATIO DE LIQUIDITÉ GÉNÉRALE

(anal. fin.) Quotient du total de l'actif à court terme (le total des valeurs disponibles, des valeurs réalisables et des valeurs d'exploitation) par le passif à court terme. *Syn.* **working capital ratio**. *V.a.* **liquid assets** et **ratio analysis**.

CURRENT REPLACEMENT COST
COÛT (DE REMPLACEMENT) ACTUEL

Voir **current cost**.

CURRENT SERVICE PENSION COST
CHARGE (DE RETRAITE) AU TITRE DES SERVICES COURANTS, COÛT DES SERVICES COURANTS

Passation en charges de la partie du coût global des prestations acquises par le personnel en raison des services qu'il a rendus au cours de l'exercice. *N.B.* Le coût des services courants constitue ce qui est généralement connu sous le nom de **coût actuariel normal**. *Comparer avec* **past service pension cost**. *V.a.* **normal actuarial cost** et **pension costs** 1.

CURRENT VALUE
VALEUR ACTUELLE

Terme générique désignant à la fois le prix d'entrée courant, le prix de sortie courant, la valeur actualisée, le coût de remplacement, etc. *V.a.* **current cost**, **current value accounting**, **historical cost**, **present value** et **value** *n*.

CURRENT VALUE ACCOUNTING
COMPTABILITÉ À LA VALEUR ACTUELLE, COMPTABILITÉ EN VALEURS ACTUELLES

Modèle comptable qui consiste à mesurer les postes des états financiers en fonction des valeurs actuelles plutôt que des valeurs d'origine ou d'acquisition. *Syn.* **fair-value accounting** *(vieilli)*. *Comparer avec* **constant dollar accounting**, **current cost accounting**, **general price-level (GPL) accounting** et **historical cost accounting**. *V.a.* **accounting for inflation** et **current value**.

CURRENT YIELD
TAUX DE RENDEMENT COURANT

(fin.) Taux de rendement d'un titre, le plus souvent une obligation, à une date donnée, compte tenu des produits financiers qu'il rapporte, du risque qui s'y rattache et, s'il y a lieu, du temps qui doit s'écouler avant que n'arrive son échéance. *V.a.* **effective rate** 2. et **yield** 1.

CUSTOMER SERVICE
(SERVICE) APRÈS-VENTE, SERVICE À LA CLIENTÈLE

(comm.) Ensemble d'opérations de service effectuées par le fournisseur (généralement à ses frais) après la conclusion de la vente et dont l'objet est de faciliter au client l'usage, l'entretien et la réparation du bien qu'il a acheté.

CUSTOMERS' LEDGER
GRAND LIVRE DES (COMPTES) CLIENTS, (GRAND LIVRE) AUXILIAIRE (DES) CLIENTS

Voir **accounts receivable ledger**.

CUSTOM-MADE PROGRAM
PROGRAMME PERSONNALISÉ, PROGRAMME INDIVIDUALISÉ, PROGRAMME SUR MESURE

Voir **tailor-made program**.

CUSTOM ORDER
COMMANDE À FAÇON

(prod.) Commande exécutée par un entrepreneur ou un travailleur indépendant (un **façonnier**), pour le compte d'autrui, sur une matière première ou un produit qui lui est fourni. *V.a.* **special order work**.

CUSTOMS DECLARATION
DÉCLARATION EN DOUANE

(fisc.) Formalité à laquelle sont soumises les importations et exportations de marchandises. *N.B.* La déclaration peut être verbale, mais elle est généralement écrite et elle précise la nature et la provenance des marchandises ou leur destination.

CUSTOMS DUTIES
DROITS DE DOUANE

Droits imposés par l'Administration sur des marchandises à leur sortie d'un pays ou lors de leur entrée dans un pays.

CUSTOM WORK
TRAVAIL EXÉCUTÉ SUR COMMANDE, FABRICATION SUR COMMANDE

(prod.) Travail exécuté par l'entreprise en réponse aux commandes reçues de ses clients. *V.a.* **job lot production** et **manufacturing**.

CUT EXPENDITURES, TO
RÉDUIRE LES DÉPENSES, DIMINUER LES DÉPENSES, COMPRIMER LES DÉPENSES, TAILLER DANS LES DÉPENSES, COUPER DANS LES DÉPENSES

(aff. et *Adm.)* Apporter des réductions dans les dépenses en raison des ressources moins grandes qu'une entreprise retire de son exploitation, ou une administration, de ses recettes fiscales.

CUT-OFF
DÉMARCATION, TEMPS D'ARRÊT DES COMPTES, COUPURE DE L'EXERCICE, ARRÊTÉ DES COMPTES

Arrêt théorique de l'inscription des opérations ou de l'écoulement des marchandises en vue de respecter le principe de l'indépendance des exercices. *N.B.* La date où s'effectue cet arrêt théorique porte le nom de **date de l'arrêté des comptes**. *V.a.* **time period concept**.

CUT-OFF BANK RECONCILIATION
RAPPROCHEMENT BANCAIRE DE CONTRÔLE

(banque) Rapprochement bancaire établi à des fins de contrôle quelques jours après la clôture d'un exercice au moyen de documents (chèques payés, bordereaux de dépôt, etc.) que l'expert-comptable obtient directement de la banque. *V.a.* **bank reconciliation** et **reconciliation of accounts**.

CYCLE BILLING
FACTURATION CYCLIQUE

(comm.) Méthode qui consiste à établir les relevés de comptes par groupes de clients et à facturer ceux-ci une fois par **cycle de facturation**, par opposition à la méthode ordinaire qui consiste à facturer tous les clients à la fin d'une même période, le plus souvent un mois. *V.a.* **billing**.

DAILY INTEREST ACCOUNT
COMPTE À INTÉRÊT QUOTIDIEN

(banque) Compte bancaire rapportant des intérêts calculés sur le solde minimal quotidien et que la banque porte au crédit de ce compte mensuellement ou semestriellement. *V.a.* **bank account**.

DAILY LOAN
PRÊT AU JOUR LE JOUR
Voir **day loan**.

DATA 1.
DONNÉE(S)

(inf.) Représentation conventionnelle d'une information convenant à son traitement par des moyens automatiques.

DATA 2.
INFORMATION

(inf.) Élément de connaissance susceptible de faire l'objet d'un traitement automatique, puis d'être communiqué ou conservé.

DATA BANK
BANQUE DE DONNÉES, BANQUE D'INFORMATIONS

(inf.) Ensemble de fichiers apparentés, constamment mis à jour, le plus souvent par ordinateur, rassemblant des données dans un domaine défini de connaissances et organisé pour être offert aux consultations d'utilisateurs.

DATA BASE
BASE (COMMUNE) DE DONNÉES

(inf.) Ensemble de données se retrouvant dans au moins un fichier et nécessaires au traitement d'une application sous tous ses aspects. *N.B.* Les données ainsi rassemblées sont généralement homogènes et tendent à la même fin. Cet ensemble de données est organisé en vue de son utilisation par des programmes correspondant à des applications distinctes de manière à réduire les redondances des données et à accroître leur indépendance et celle des programmes.

DATA BASE MANAGEMENT SYSTEM
SYSTÈME DE GESTION D'UNE BASE DE DONNÉES

(inf.) Ensemble des programmes utilisés pour emmagasiner physiquement les données que l'ordinateur a traitées ou qu'il doit traiter.

DATA CENTRE
CENTRE (D')INFORMATIQUE, CENTRE DE TRAITEMENT DE L'INFORMATION

(inf.) Service où l'on traite l'information pour le compte d'un certain nombre d'utilisateurs. *N.B.* On n'emploie

généralement ce terme que pour les centres de traitement électronique de l'information. *Syn.* **electronic data processing centre**. *V.a.* **electronic data processing department** et **service bureau**.

DATA COLLECTION
COLLECTE DE DONNÉES

(stat.) Rassemblement, éventuellement après recherche ou enquête, d'informations pour les besoins notamment de la comptabilité, de l'analyse statistique ou d'une étude de marché. *Syn.* **data gathering**.

DATA DIDDLING
TRIPOTAGE DES DONNÉES

Voir **data tampering**.

DATA ENCODER
ENCODEUSE

(inf.) Appareil de saisie qui transcrit les données frappées au clavier sur un support magnétique ou autre.

DATA FLOWCHART
ORGANIGRAMME DE DONNÉES

(inf.) Organigramme représentant le cheminement des données qui interviennent dans la résolution d'un problème ou définissant les grandes phases du traitement ainsi que les différents supports employés.

DATA GATHERING
COLLECTE DE DONNÉES

Voir **data collection**.

DATA PROCESSING 1.
INFORMATIQUE

(inf.) Science du traitement rationnel, notamment par machines automatiques, de l'information considérée comme le support des connaissances humaines et des communications dans les domaines technique, économique et social.

DATA PROCESSING 2.
TRAITEMENT DE L'INFORMATION, TRAITEMENT DES DONNNÉES

(inf.) Application systématique d'une suite d'opérations sur des données. *V.a.* **batch processing**, **distributed data processing**, **electronic data processing**, **in-house data processing**, **in-line processing**, **integrated data processing**, **multiprocessing**, **off-line processing**, **on-line processing**, **real time processing**, **remote batch processing** et **teleprocessing**.

DATA PROCESSING 3. *(fam.)*
INFORMATIQUE, TRAITEMENT ÉLECTRONIQUE DE L'INFORMATION

Voir **electronic data processing (EDP)**.

DATA TAMPERING
TRIPOTAGE DES DONNÉES

(inf.) Manipulation de données informatisées avec l'intention de commettre une fraude, de nuire au traitement des données ou d'avoir accès à des registres dont la nature est confidentielle. *Syn.* **data diddling**.

DATED RETAINED EARNINGS
BÉNÉFICES NON RÉPARTIS DEPUIS LA RÉORGANISATION

(Can.) Bénéfices non répartis d'une société par actions accumulés depuis la date d'une réorganisation ou d'une quasi-réorganisation. *V.a.* **quasi-reorganization** et **reorganization** 1.

DATE OF DECLARATION
DATE DE DÉCLARATION

Voir **declaration date**.

DATE OF MATURITY
(DATE D')ÉCHÉANCE, DATE D'EXIGIBILITÉ
Voir **maturity date**.

DATE OF PAYMENT (OF A DIVIDEND)
DATE DE PAIEMENT (D'UN DIVIDENDE), DATE DE VERSEMENT (D'UN DIVIDENDE)
(fin.) Date à laquelle une société sert un dividende à ses actionnaires en conformité avec une décision prise antérieurement par le conseil d'administration. *Comparer avec* **declaration date** et **record date**. *V.a.* **payment date**.

DATE OF RECORD
DATE DE CLÔTURE DES REGISTRES
Voir **record date**.

DAY BOOK
BROUILLARD, MAIN COURANTE
Registre ou simple cahier qui sert à enregistrer les opérations comptables au fur et à mesure qu'elles se produisent, en vue de les reporter et de les reclasser dans une comptabilité régulière. *N.B.* Le plus souvent, au lieu de tenir un tel registre, on se sert plutôt d'une copie des factures, des rubans de caisse enregistreuse, etc. Le terme **main courante** s'emploie particulièrement dans le domaine de l'hôtellerie. *Syn.* **blotter**.

DAY LOAN
PRÊT AU JOUR LE JOUR
(fin.) Prêt consenti par une banque sur une base quotidienne. *Syn.* **daily loan** et **day-to-day loan**.

DAYS OF GRACE
JOURS DE GRÂCE, TERME DE GRÂCE, DÉLAI DE GRÂCE
(dr.) Délai que la loi accorde à un débiteur pour régler une dette après son échéance. *N.B.* Au Canada, ce délai est de trois jours pour les effets de commerce autres que ceux qui sont payables sur demande. En France et en Belgique, la loi ne prévoit aucun délai de grâce.

DAY-TO-DAY LOAN
PRÊT AU JOUR LE JOUR
Voir **day loan**.

DCF
*FLUX MONÉTAIRE ACTUALISÉ, VALEUR ACTUALISÉE DES RENTRÉES NETTES DE FONDS, VALEUR
ACTUALISÉE NETTE (V.A.N.)*
Abrév. de **discounted cash flow**.

DEADLINE
ÉCHÉANCE, DATE LIMITE, HEURE LIMITE
(dr.) Moment où se termine un délai convenu ou prescrit. *V.a.* **meet a deadline**.

DEAL
AFFAIRE
(aff.) Marché conclu ou à conclure avec quelqu'un. *V.a.* **business transaction** et **transaction** 1.

DEALER 1.
COURTIER, COMMISSIONNAIRE, AGENT DE CHANGE
Voir **broker** 2.

DEALER 2.
CONCESSIONNAIRE
(comm.) Intermédiaire qui a reçu un droit exclusif de vente dans une région. *Syn.* **sole agent**. *V.a.* **franchise**.

DEATH BENEFIT
CAPITAL-DÉCÈS, INDEMNITÉ (EN CAS) DE DÉCÈS, PRESTATION DE DÉCÈS
(rentes) Somme unique (capital-décès) ou rente payable, au décès du participant, à ses ayants droit. *V.a.*
lump-sum death benefit.

DEBENTURE 1. *(U.K.)*
OBLIGATION
Voir **bond** 1.

DEBENTURE 2.
OBLIGATION NON GARANTIE, DÉBENTURE (Can.)
(fin.) Titre de créance négociable qui n'est généralement pas garanti par des biens spécifiques mais plutôt par la
réputation de crédit de l'organisme qui l'a émis. *N.B.* Le terme **débenture** convient particulièrement dans le cas où
la société émettrice transporte implicitement ou explicitement en garantie tous ses biens, à l'exception de ceux qui
l'ont déjà été. *Syn.* **unsecured bond.** *V.a.* **bond** 1.

DEBIT *n.* 1.
DÉBIT, PASSATION EN CHARGES, IMPUTATION
Écriture par laquelle le comptable inscrit soit une valeur active ou une charge, soit la diminution d'une dette, des
capitaux propres ou d'un produit d'exploitation. *N.B.* L'expression **passation en charges** ne s'utilise que dans le
cas de l'inscription d'une somme au débit d'un compte de charge. En comptabilité générale, le terme **imputation**
s'emploie pour désigner l'affectation d'une somme au débit d'un compte; ainsi on parlera de l'imputation d'une
somme à un compte d'actif ou, selon le cas, d'imputation à l'exercice (somme portée au débit d'un compte de
charge). *Syn.* **charge** *n.* 1. *Comparer avec* **credit** *n.* 1.

DEBIT *(Dr.)* *n.* 2.
DÉBIT (Dt)
Colonne de gauche d'un compte; partie d'une écriture portée dans cette colonne. *Comparer avec* **credit** *n.* 2.

DEBIT *v.*
DÉBITER, PORTER AU DÉBIT, PASSER EN CHARGES, IMPUTER
Porter une somme au débit d'un compte. *N.B.* Voir la note accompagnant le terme **debit** *n.* 1. pour connaître le
sens particulier des termes **passer en charges** et **imputer.** *Syn.* **charge** *v.* 1. *V.a.* **charge off** 1.

DEBIT BALANCE
SOLDE DÉBITEUR
Solde d'un compte dans lequel le total des débits l'emporte sur le total des crédits. *Comparer avec* **credit
balance.** *V.a.* **balance** *n.* 1.

DEBIT INTEREST
INTÉRÊTS DÉBITEURS
Voir **interest expense.**

DEBIT ITEM
POSTE DÉBITEUR, DÉBIT
Poste ayant un solde débiteur; somme portée au débit d'un compte. *Comparer avec* **credit item.**

DEBIT MEMORANDUM
NOTE DE DÉBIT
Voir **debit note.**

DEBIT NOTE
NOTE DE DÉBIT
(comm.) Document établi par le client à l'intention d'un de ses fournisseurs pour l'aviser qu'il a réduit le solde de

son compte en raison d'un rabais, d'un rendu ou de l'annulation d'une opération. *N.B.* La banque utilise aussi une note de débit pour aviser un déposant des sommes (intérêts, frais bancaires, etc.) portées au débit de son compte. *Syn.* **debit memorandum**. *Comparer avec* **credit note**.

DEBT 1.
DETTE

(dr.) Somme d'argent qu'une personne physique ou morale (le **débiteur**) est obligée de payer à une autre (le **créancier**) à une date ultérieure précise ou indéterminée. *Syn.* **liability** 1.

DEBT 2. *(fam.)*
DETTE À LONG TERME, DETTE À PLUS D'UN AN
Voir **long-term liability**.

DEBT CEILING
PLAFOND DE LA DETTE

(fin.) Montant maximal auquel une dette peut s'élever.

DEBT COLLECTOR
AGENT DE RECOUVREMENT, AGENCE DE RECOUVREMENT

(fin.) Personne ou établissement à qui une autre personne ou une entreprise confie la responsabilité de recouvrer ses créances.

DEBT COVENANT
CLAUSE RESTRICTIVE (D'UN CONTRAT DE PRÊT)

(dr.) Disposition d'un contrat de prêt destinée à protéger le prêteur en limitant le total des dettes que la société emprunteuse peut contracter, en restreignant les dividendes qu'elle pourra déclarer, en établissant le montant du fonds de roulement ou le ratio de solvabilité qu'elle devra maintenir, etc. *Syn.* **protective covenant**. *V.a.* **covenant**.

DEBT DUE
DETTE EXIGIBLE, DETTE ÉCHUE

(dr.) Dette dont le créancier peut exiger le règlement.

DEBT-EQUITY RATIO
RATIO D'ENDETTEMENT, RATIO D'AUTONOMIE FINANCIÈRE, RATIO DE SOLVABILITÉ À LONG TERME
Voir **debt ratio(s)**.

DEBT FINANCING
FINANCEMENT PAR EMPRUNT

(fin.) Action, pour l'entreprise, d'obtenir des fonds en contractant des engagements financiers soit par l'émission de titres (obligations et billets), soit par convention avec des banques ou d'autres établissements financiers. *Comparer avec* **equity financing**.

DEBTOR
DÉBITEUR

(dr.) Personne qui a contracté une dette à l'égard d'une autre. *Comparer avec* **creditor**.

DEBT RATIO(S)
RATIO D'ENDETTEMENT, RATIO D'AUTONOMIE FINANCIÈRE, RATIO DE SOLVABILITÉ À LONG TERME

(fin.) **Ratio(s) de structure financière** permettant d'apprécier l'équilibre financier de l'entreprise, sa capacité d'emprunt et le caractère spéculatif de sa situation financière en comparant soit les capitaux propres avec les capitaux permanents, soit les capitaux propres ou les capitaux permanents avec le total du passif (externe) ou le passif à long terme seulement. *V.a.* **debt-equity ratio**, **debt to equity ratio**, **equity to capital ratio**, **equity to debt ratio**, **leverage ratio** et **ratio analysis**.

DEBT REDEMPTION
REMBOURSEMENT D'UNE DETTE

(fin.) Action d'éteindre une dette (emprunt obligataire, billets, comptes fournisseurs, etc.).

DEBT SECURITY 1.
TITRE D'EMPRUNT

(fin.) Pour la société emprunteuse, titre (billet, obligation, etc.) attestant l'existence d'une dette.

DEBT SECURITY 2.
TITRE DE CRÉANCE

(fin.) Pour le créancier, titre (billet, obligation, etc.) émis par une société et attestant l'existence d'une créance.

DEBT SERVICE
SERVICE DE LA DETTE, SERVICE DE L'EMPRUNT

(fin.) Ensemble des sommes qu'une entreprise ou un organisme public est tenu de verser au cours d'un exercice au titre des capitaux empruntés et comprenant à la fois les intérêts et les remboursements de principal.

DEBT TO EQUITY RATIO
RATIO D'ENDETTEMENT, RATIO D'AUTONOMIE FINANCIÈRE, RATIO DE SOLVABILITÉ À LONG TERME
Voir **debt ratio(s)**.

DEBUG
METTRE AU POINT (UN PROGRAMME), DÉBARRASSER DE SES ERREURS

(inf.) Déceler, localiser et éliminer les erreurs de programmation ou les défauts de fonctionnement d'un matériel. *V.a.* **bug**.

DECENTRALIZED OPERATION
GESTION DÉCENTRALISÉE

(gest.) Mode de gestion qui consiste à rendre autonomes les principaux secteurs d'une entreprise (divisions, directions, services, etc.).

DECISION MAKER
DÉCIDEUR

(gest.) Personne à qui il revient de prendre des décisions portant sur les activités du secteur dont elle est responsable.

DECISION MAKING 1.
PROCESSUS DÉCISIONNEL, PROCESSUS DE DÉCISION

(gest.) Ensemble des étapes à franchir pour arriver à une décision.

DECISION MAKING 2.
PRISE DE DÉCISION(S)

(gest.) Action de décider.

DECISION MODEL
GRILLE DE DÉCISION, MODÈLE DÉCISIONNEL

(gest.) Mode de présentation analytique et quantifiée des éléments nécessaires à la prise d'une décision, permettant de comparer les diverses solutions possibles et de choisir la solution optimale.

DECISION PACKAGE
DEVIS DÉCISIONNEL

(gest.) Jeu de documents dans lesquels on décrit une activité particulière en vue d'évaluer cette dernière et de décider de l'approuver ou de la rejeter. *N.B.* Les documents en question justifient les coûts à engager pour accroître ou maintenir les effectifs ou services afférents à cette activité particulière. *V.a.* **zero base budgeting**.

DECISION TREE
ARBRE DE DÉCISION, SCHÉMA DE DÉCISION, DIAGRAMME DE DÉCISION

(gest.) Représentation schématique des diverses solutions d'un problème, compte tenu de tous les facteurs pertinents et parfois aléatoires. *N.B.* La **méthode de l'arbre de décision** consiste à analyser des problèmes complexes impliquant une séquence de décisions dans laquelle la seconde décision dépend de la première et ainsi de suite.

DECISION UNIT
UNITÉ DÉCISIONNELLE

(gest.) Activité, fonction, programme ou opération discrète qui peut être identifiée comme un objet d'attention important pour la direction aux fins de l'évaluation, de la planification et de la prise de décisions. *V.a.* **zero base budgeting**.

DECLARATION 1.
DÉCLARATION, ATTESTATION

(ass.) Document fourni par une personne pour faire connaître l'existence d'un fait, par exemple le relevé que l'assureur demande à l'assuré de lui remettre pour l'aider à évaluer le risque qu'il prend en délivrant un contrat d'assurance. *V.a.* **proof of claim**.

DECLARATION 2.
DÉCLARATION (D'UN DIVIDENDE)

(fin.) (Can.) Résolution adoptée par le conseil d'administration d'une société par actions qui ainsi s'engage à servir, à une date déterminée, un dividende aux actionnaires inscrits à la date de clôture des registres. *N.B.* En France et en Belgique, le conseil annonce souvent le dividende à venir, mais ceci n'a juridiquement aucune valeur. C'est l'assemblée générale qui, lors de l'approbation des comptes annuels, décide du dividende. Les sociétés françaises et belges peuvent, sous certaines conditions, verser en cours d'année des **acomptes de dividendes**.

DECLARATION DATE
DATE DE DÉCLARATION

(fin.) (Can.) Date à laquelle le conseil d'administration d'une société par actions décide, par voie de résolution, qu'un dividende sera servi, quelque temps plus tard, aux actionnaires inscrits à la date de clôture des registres. *Syn.* **date of declaration**. *Comparer avec* **record date** *et* **date of payment (of a dividend)**.

DECLINING BALANCE METHOD (OF DEPRECIATION)
(MÉTHODE DE L')AMORTISSEMENT DÉGRESSIF (À TAUX CONSTANT), (MÉTHODE DE L')AMORTISSEMENT DÉCROISSANT (À TAUX CONSTANT)

Voir **diminishing balance method (of depreciation)**.

DECREASE IN VALUE
MOINS-VALUE, PERTE DE VALEUR, DÉPRÉCIATION

Voir **loss in value**.

DEDUCT
DÉDUIRE, DÉFALQUER, SOUSTRAIRE, DISTRAIRE

(lang. cour.) Retrancher une somme d'argent d'une autre. *N.B.* Ainsi, dans le bilan, la provision pour créances douteuses est défalquée du poste Clients.

DEDUCTIBLE *adj.*
DÉDUCTIBLE, ADMIS EN DÉDUCTION, ADMISSIBLE

(fisc.) Se dit de sommes que le contribuable peut déduire lors du calcul de son revenu imposable.

DEDUCTIBLE *n.*
FRANCHISE

(ass.) Part d'un dommage qu'un assuré conserve à sa charge. *N.B.* Le terme **franchise** s'emploie aussi pour

désigner la première période d'un contrat pendant laquelle un emprunteur ne rembourse pas le capital prêté, le poids de bagage au-delà duquel le voyageur doit payer un supplément de transport ainsi que certaines exemptions et exonérations.

DEDUCTION AT SOURCE
RETENUE (À LA SOURCE), PRÉCOMPTE, PRÉLÈVEMENT

(dr. et *fisc.)* Somme retenue par une personne à même les montants dus à un bénéficiaire en vue de la remettre à un tiers en vertu d'une loi ou d'un accord privé. *N.B.* En France, le terme **précompte** désigne aussi un impôt égal au tiers des dividendes prélevés sur des bénéfices n'ayant pas supporté l'impôt sur les bénéfices au taux plein ou sur des bénéfices réalisés au cours d'exercices clos depuis plus de cinq ans. En Belgique, on distingue le **précompte mobilier** qui correspond à une retenue à la source de 20% des intérêts et dividendes et le **précompte professionnel** qui est une retenue d'impôt sur les revenus professionnels des personnes sous contrat d'emploi. Cet impôt peut faire l'objet d'un remboursement si les calculs définitifs font apparaître des retenues excessives. *V.a.* **payroll deductions**, **tax deduction at source** et **withholding tax**.

DEEMED DIVIDEND
DIVIDENDE PRÉSUMÉ

(fisc. can.) Dividende réputé avoir été versé et touché. *N.B.* Ainsi un prêt consenti, dans certaines conditions, à un administrateur peut être considéré comme un dividende imposable. *V.a.* **constructive receipt**.

DEFALCATION
DÉTOURNEMENT (DE FONDS), MALVERSATION

Voir **embezzlement**.

DEFAULT
MANQUEMENT (À SES ENGAGEMENTS), INEXÉCUTION, DÉFAILLANCE

(dr.) Le fait d'être en défaut, c'est-à-dire de ne pas respecter les clauses d'un contrat ou d'un accord, par exemple ne pas payer les intérêts ou le principal d'une dette à l'échéance. *V.a.* **failure to pay**.

DEFAULTER
DÉFAILLANT

(dr.) Personne qui manque à ses engagements.

DEFAULT INTEREST 1.
ARRIÉRÉ D'INTÉRÊTS, INTÉRÊTS EN SOUFFRANCE, INTÉRÊTS ARRIÉRÉS

Voir **arrears of interest**.

DEFAULT INTEREST 2.
INTÉRÊTS MORATOIRES, INTÉRÊTS DE RETARD, INTÉRÊTS DE PÉNALISATION

Voir **interest on arrears**.

DEFECT 1.
DÉFAUT, VICE

(lang. cour.) Imperfection plus ou moins grave qui a pour effet de rendre une chose inutilisable ou impropre à sa destination.

DEFECT 2.
MALFAÇON

(prod.) **Défectuosité** dans un ouvrage qui n'a pas été exécuté suivant les prescriptions de la commande ou les règles de l'art. *Syn.* **bad work**.

DEFECTIVE UNITS
ARTICLES DÉFECTUEUX

(prod.) Rebuts causés par une **défaillance** du processus de fabrication. *V.a.* **scrap** *n.*

DEFERMENT
REPORT, ÉTALEMENT

Sortie ou rentrée de fonds reportée sur un ou plusieurs exercices ultérieurs au cours desquels sera constaté la charge ou le produit correspondant. *N.B.* Le terme **étalement** ne s'utilise que si la sortie ou la rentrée de fonds est répartie sur plusieurs exercices. *Syn.* **deferral**. *V.a.* **deferred charge** et **deferred revenue** 1.

DEFERMENT OF A DEBT
SURSIS DE PAIEMENT

(dr.) Permission accordée à un débiteur de différer le paiement d'une dette devenue exigible. *N.B.* Il ne faut pas confondre le **délai de grâce** avec le **sursis de paiement** qui est une procédure assez rare s'appliquant au commerçant qui a cessé temporairement ses paiements mais qui a des biens suffisants pour satisfaire ses créanciers en intérêts et principal.

DEFERRAL
REPORT, ÉTALEMENT
Voir **deferment**.

DEFERRAL METHOD (INVESTMENT TAX CREDIT)
MÉTHODE DU REPORT (DES DÉGRÈVEMENTS D'IMPÔT POUR INVESTISSEMENTS)

Méthode de comptabilisation des dégrèvements d'impôt pour investissements qui consiste à reporter ces dégrèvements et à les incorporer au bénéfice de chacun des exercices au cours desquels l'entreprise utilise le bien qui y donne lieu. *Comparer avec* **flow-through method (investment tax credit)**. *V.a.* **investment tax credit**.

DEFERRAL METHOD OF TAX ALLOCATION
(FORMULE DU) REPORT D'IMPÔT FIXE

(Can.) Mode d'application de la méthode du report d'impôt qui consiste à considérer l'écart entre les impôts imputés à un exercice donné et les impôts exigibles de cet exercice comme un report, à des exercices ultérieurs, d'avantages qui se sont matérialisés ou de frais qui ont été passés en charges durant l'exercice en cours. *N.B.* Selon cette méthode, les impôts comptabilisés ne sont pas modifiés au cours des exercices suivants même s'il se produit des changements dans les taux d'imposition. *Comparer avec* **accrual method of tax allocation**. *V.a.* **interperiod tax allocation methods**.

DEFERRED ANNUITY 1.
ANNUITÉ DIFFÉRÉE, RENTE DIFFÉRÉE

(math. fin.) Somme qui ne sera versée périodiquement qu'à compter d'une certaine date future par rapport à celle où le placement qui y donne lieu est effectué.

DEFERRED ANNUITY 2.
ANNUITÉ DIFFÉRÉE, RENTE DIFFÉRÉE

(ass.) Rente à laquelle un assuré aura droit à une date déterminée s'il est encore vivant à cette date, moyennant le paiement d'une prime fixe durant sa vie active. *N.B.* La **rente différée** équivaut à une **retraite**. *V.a.* **annuity** 3.

DEFERRED ASSET
*FRAIS À LONG TERME PAYÉS D'AVANCE, CHARGE COMPTABILISÉE D'AVANCE, CHARGE
  REPORTÉE, FRAIS REPORTÉS*
Voir **deferred charge**.

DEFERRED CHARGE
*FRAIS À LONG TERME PAYÉS D'AVANCE, CHARGE COMPTABILISÉE D'AVANCE, CHARGE
  REPORTÉE, FRAIS REPORTÉS*

Dépense ne constituant pas une acquisition d'immobilisations corporelles ou financières, qui procurera des avantages à l'entreprise durant un certain nombre d'exercices et qui figurera dans le bilan jusqu'à complet amortissement. *N.B.* Dans un sens large, le terme **frais à long terme payés d'avance** peut comprendre les frais d'établissement et certaines immobilisations incorporelles comme les frais de développement capitalisés. Tous ces éléments qui ne constituent pas à proprement parler des valeurs actives mais des charges à reporter figurent dans le bilan pour des raisons techniques et comptables et sont parfois désignés par le terme **non-valeurs**. *Syn.* **deferred asset, deferred cost, deferred debit** et **deferred expense**. *V.a.* **deferment** et **prepaid expenses**.

DEFERRED COMPENSATION PLAN
RÉGIME DE RÉMUNÉRATION DIFFÉRÉE
(rel. de tr.) Régime en vertu duquel le paiement de la rémunération pour services rendus par le personnel est reporté à une date ultérieure.

DEFERRED COST
FRAIS À LONG TERME PAYÉS D'AVANCE, CHARGE COMPTABILISÉE D'AVANCE, CHARGE REPORTÉE, FRAIS REPORTÉS
Voir **deferred charge**.

DEFERRED CREDIT
PRODUIT COMPTABILISÉ D'AVANCE, PRODUIT REÇU D'AVANCE, PRODUIT REPORTÉ, CRÉDIT REPORTÉ
Voir **deferred revenue** 1.

DEFERRED DEBIT
FRAIS À LONG TERME PAYÉS D'AVANCE, CHARGE COMPTABILISÉE D'AVANCE, CHARGE REPORTÉE, FRAIS REPORTÉS
Voir **deferred charge**.

DEFERRED EXPENSE
FRAIS À LONG TERME PAYÉS D'AVANCE, CHARGE COMPTABILISÉE D'AVANCE, CHARGE REPORTÉE, FRAIS REPORTÉS
Voir **deferred charge**.

DEFERRED INCOME
PRODUIT COMPTABILISÉ D'AVANCE, PRODUIT REÇU D'AVANCE, PRODUIT REPORTÉ, CRÉDIT REPORTÉ
Voir **deferred revenue** 1.

DEFERRED INCOME TAXES
IMPÔTS (SUR LE REVENU) REPORTÉS, IMPÔTS DIFFÉRÉS (Fr. et Belg.)
Montant cumulatif provenant d'un accroissement (reports créditeurs) ou d'une diminution (reports débiteurs) des impôts comptabilisés pour un certain nombre d'exercices par rapport aux impôts effectivement exigibles. Cette différence est attribuable à des écarts temporaires entre le bénéfice comptable (sur lequel se fonde la détermination des impôts d'un exercice) et le revenu imposable (sur lequel se calculent les impôts exigibles). *N.B.* En France et en Belgique, il existe des **impôts latents** qu'il faut éviter de confondre avec les **impôts différés**. Les impôts latents sont des charges fiscales liées à l'existence d'éléments imposables qui trouvent leur origine dans l'exercice écoulé, mais dont l'imposition au cours d'exercices ultérieurs sera la conséquence d'une décision de l'entreprise. En France et en Belgique, le **bilan fiscal** n'est rien d'autre que le **bilan comptable** redressé sur quelques points particuliers car il y a unité de principe entre les deux bilans. *Syn.* **deferred taxes**. *V.a.* **accounting income, deferred tax credit, deferred tax debit, interperiod tax allocation methods, tax allocation** et **timing differences**.

DEFERRED MAINTENANCE
ENTRETIEN DIFFÉRÉ
(gest.) Toute mesure qu'une entreprise aurait dû prendre pour corriger des défauts portant sur une structure ou un matériel, défauts qui rendraient dangereux un immeuble ou l'une ou l'autre de ses parties, ou qui permettraient aux éléments de la nature de les endommager. *V.a.* **maintenance** 1.

DEFERRED PAYMENT
PAIEMENT DIFFÉRÉ

(fin.) Paiement qu'il est possible de reporter à une date ultérieure au titre, par exemple, d'un achat à tempérament.

DEFERRED PROFIT-SHARING PENSION PLAN
RÉGIME DE RETRAITE À PARTICIPATION DIFFÉRÉE AUX BÉNÉFICES

(rentes) Régime de retraite à cotisations déterminées dans lequel les cotisations versées par l'entreprise sont fonction des bénéfices qu'elle réalise au cours des années où le personnel en cause est à son service. *V.a.* **pension plan**.

DEFERRED PROFIT-SHARING PLAN
RÉGIME DE PARTICIPATION DIFFÉRÉE AUX BÉNÉFICES, RÉGIME D'INTÉRESSEMENT DIFFÉRÉ

(rel. de tr.) **Régime d'intéressement** en vertu duquel un employeur attribue aux membres de son personnel, en sus de leur salaire ou de leur traitement, des sommes susceptibles de leur être versées plus tard et calculées en fonction du bénéfice net de l'entreprise. *V.a.* **incentive plan** et **profit-sharing plan**.

DEFERRED REVENUE 1.
PRODUIT COMPTABILISÉ D'AVANCE, PRODUIT REÇU D'AVANCE, PRODUIT REPORTÉ, CRÉDIT REPORTÉ

Produit déjà encaissé ou comptabilisé à titre de somme à recevoir, se rapportant à un exercice ultérieur et figurant au passif du bilan jusqu'à ce que les prestations les justifiant aient été effectuées. *N.B.* Dans ce cas, l'entreprise a, en un sens, une **dette en nature**. *Syn.* **deferred credit, deferred income, revenue received in advance, unearned income** et **unearned revenue**. *V.a.* **accruals** 1. et **deferment**.

DEFERRED REVENUE 2.
CONTRIBUTIONS REPORTÉES

(O.S.B.L.) Contributions reçues ou simplement enregistrées avant qu'elles ne soient gagnées parce que les conditions stipulées par les donateurs n'ont pas encore été remplies.

DEFERRED SHARE
ACTION À DIVIDENDE DIFFÉRÉ

(fin.) Action qui ne donne le droit de recevoir des dividendes qu'à une date ultérieure jusqu'à la réalisation d'une condition déterminée. *V.a.* **share** 2.

DEFERRED TAX CREDIT
REPORT CRÉDITEUR D'IMPÔT

Impôts reportés, dont le solde est créditeur, attribuables à un excédent du bénéfice comptable sur le revenu (ou bénéfice) imposable. *Syn.* **tax credit**. *Comparer avec* **deferred tax debit**. *V.a.* **deferred income taxes**.

DEFERRED TAX DEBIT
REPORT DÉBITEUR D'IMPÔT

Impôts reportés, dont le solde est débiteur, attribuables à un excédent du revenu (ou bénéfice) imposable sur le bénéfice comptable. *Syn.* **tax debit**. *Comparer avec* **deferred tax credit**. *V.a.* **deferred income taxes**.

DEFERRED TAXES
IMPÔTS (SUR LE REVENU) REPORTÉS, IMPÔTS DIFFÉRÉS (Fr. et Belg.)

Voir **deferred income taxes**.

DEFERRED VESTING
ACQUISITION DIFFÉRÉE

(rentes) Attribution d'avantages conférés par un régime de retraite et portés au compte des participants mais sur lesquels ils n'acquièrent un droit certain qu'au moment où ils auront satisfait à certaines conditions d'âge ou de participation. *V.a.* **vesting** 1.

DEFICIENCY ACCOUNT 1.
RAPPORT D'INSOLVABILITÉ
Rapport qu'un débiteur insolvable établit en vue d'expliquer l'excédent du passif sur la valeur de réalisation estimative des éléments de l'actif.

DEFICIENCY ACCOUNT 2.
COMPTE DE DÉFICIT, COMPTE D'INSOLVABILITÉ
Compte du grand livre où, après la liquidation, figure l'excédent du passif sur l'actif.

DEFICIENCY IN ASSETS
INSUFFISANCE DE L'ACTIF
Excédent de la valeur comptable du passif d'une société sur la valeur comptable de son actif, attribuable à un déficit supérieur au capital d'apport. *V.a.* **capital impairment** et **shareholders' deficiency**.

DEFICIENCY LETTER
DEMANDE DE RÉVISION
(fin.) (Can.) Lettre dans laquelle une commission des valeurs mobilières demande de corriger des lacunes relevées dans la présentation d'un prospectus.

DEFICIT 1.
DÉFICIT
Excédent du total des pertes nettes que l'entreprise a subies sur le total des bénéfices qu'elle a réalisés et qu'elle n'a pas distribués.

DEFICIT 2.
PERTE (NETTE), PERTE (NETTE) DE L'EXERCICE, RÉSULTAT DÉFICITAIRE, DÉFICIT
Voir **loss** 2.

DEFICIT 3.
DÉFICIT
(O.S.B.L.) Somme manquant pour équilibrer les recettes et les dépenses d'un organisme sans but lucratif.

DEFICIT 4.
DÉFICIT (BUDGÉTAIRE)
Voir **budgetary deficit**.

DEFINED BENEFIT PENSION PLAN
RÉGIME DE RETRAITE À PRESTATIONS DÉTERMINÉES
Voir **benefit based pension plan**.

DEFINED CONTRIBUTION PENSION PLAN
RÉGIME DE RETRAITE À COTISATIONS DÉTERMINÉES
Voir **cost based pension plan**.

DEL CREDERE
DUCROIRE
(comm.) Acte par lequel un commissionnaire ou un représentant de commerce se porte garant de la solvabilité de l'acheteur. *N.B.* Le terme **ducroire** désigne aussi la prime accordée par l'entreprise au commissionnaire qui répond des personnes auxquelles il vend la marchandise.

DELINQUENT
ARRIÉRÉ, EN SOUFFRANCE, EN RETARD, ÉCHU
Voir **overdue**.

DELINQUENT DEBTOR

DÉBITEUR DÉFAILLANT, DÉBITEUR EN DÉFAUT

(dr.) Débiteur qui manque à ses engagements à l'égard de ses créanciers.

DELIVERY

LIVRAISON

(comm. et fin.) Remise matérielle de marchandises, de titres ou de devises. *N.B.* Ainsi on parlera de livraison de marchandises à bonne date, de livraison de titres au jour convenu, et de livraison de devises à l'échéance d'un contrat de change à terme.

DELIVERY CONDITIONS

CONDITIONS DE LIVRAISON

(comm. et transp.) Modalités de livraison des marchandises et de règlement des frais de transport. *V.a.* **cost and freight**, **cost, insurance and freight**, **free alongside** et **free on board**.

DELIVERY LEAD TIME

DÉLAI DE LIVRAISON

(gest.) Durée qui s'écoule entre l'acceptation d'une commande et le moment où elle est exécutée. *V.a.* **lead time** 1.

DELIVERY SLIP

BORDEREAU DE LIVRAISON

(comm. et transp.) Bordereau signé par le destinataire pour attester qu'il a effectivement reçu les marchandises commandées. *N.B.* Le **document d'accompagnement** d'une marchandise fournissant le détail exact de ce qui est livré s'appelle **bon de livraison**. *V.a.* **slip**.

DELIVERY SUPPLIES

FOURNITURES DE LIVRAISON

(comm. et transp.) Articles divers qu'une entreprise utilise pour emballer les produits vendus et les livrer. *V.a.* **supplies**.

DELPHI TECHNIQUE

MÉTHODE DELPHI

(gest.) Méthode de prévision qui a pour but d'obtenir un consensus d'un groupe d'experts à qui l'on demande séparément leur opinion sur la mise en marché d'un produit, l'établissement d'un budget de production, etc.

DEMAND

DEMANDE

(écon.) Quantité d'un bien ou d'un service destinée à satisfaire les besoins des différents agents économiques (producteurs, consommateurs, importateurs, exportateurs et pouvoirs publics) en qualité d'utilisateurs ou de consommateurs de ce bien ou de ce service. *Comparer avec* **supply**.

DEMAND DEPOSIT

DÉPÔT À VUE

(banque) Somme déposée dans une banque ou un autre établissement financier et que le déposant peut retirer à sa discrétion. *Comparer avec* **term deposit**.

DEMAND LOAN

PRÊT REMBOURSABLE SUR DEMANDE (Can.), PRÊT (REMBOURSABLE) À VUE, EMPRUNT REMBOURSABLE SUR DEMANDE (Can.), EMPRUNT (REMBOURSABLE) À VUE, CRÉDIT À VUE, CRÉDIT DE CAISSE (Belg.)

(dr.) Prêt remboursable à un moment déterminé à la discrétion de l'emprunteur ou du prêteur. *N.B.* Un **prêt à vue** comporte la signature d'un effet qui est remboursable à sa première présentation, sans que l'emprunteur jouisse d'un délai de grâce, sauf au Canada où la loi accorde trois jours de grâce. *Syn.* **call loan**. *Comparer avec* **term loan**. *V.a.* **due on demand** et **on demand**.

DEMURRAGE 1.
(INDEMNITÉ DE) SURESTARIE(S), (FRAIS DE) SURESTARIE(S)
(transp.) Indemnité payée par l'**affréteur** à l'**armateur** pour le temps excédentaire pendant lequel un navire est retenu pour le chargement ou le déchargement de marchandises. *N.B.* Le **temps de base** dont dispose l'**affréteur**, au terme du **contrat d'affrètement**, pour charger ou décharger le navire dans des ports déterminés s'appelle **temps de planche** ou **jours de planche**.

DEMURRAGE 2.
DROIT DE STATIONNEMENT, FRAIS DE STATIONNEMENT
(transp.) Somme payée par l'affréteur pour le temps excédentaire pendant lequel un wagon de chemin de fer ou tout autre véhicule est retenu pour le chargement ou le déchargement de marchandises. *V.a.* **goods on demurrage**.

DENIAL OF OPINION
RÉCUSATION
(E.C.) (Can.) Déclaration dans laquelle l'expert-comptable explique que les circonstances qui ont entouré l'exécution de sa mission de vérification l'empêchent de juger si l'information financière est présentée fidèlement en conformité avec les principes comptables généralement reconnus (ou d'autres règles comptables appropriées communiquées au lecteur). *N.B.* Cette déclaration de l'expert-comptable affirmant qu'il n'est pas en mesure de juger si les comptes annuels présentent une image fidèle de la situation financière de l'entreprise et de ses résultats s'appelle en France **impossibilité de certifier** et, en Belgique, **déclaration d'abstention**. *V.a.* **accountant's comments**, **auditor's opinion** et **reservation (of opinion)**.

DENOMINATED IN FOREIGN CORRENCY
LIBELLÉ EN MONNAIE ÉTRANGÈRE
(fin.) Se dit d'un poste du bilan dont le montant est exprimé en monnaie d'un autre pays.

DENOMINATION
COUPURE
(fin.) Valeur nominale attribuée à un billet de banque ou à une obligation. *N.B.* Au Canada, dans le cas des obligations, cette valeur est généralement de 1 000 $.

DEPARTMENT 1.
SERVICE, ATELIER, SECTION
(org. de l'entr.) Terme désignant une division administrative d'une entreprise ou une section de fabrication constituée par un ensemble de personnes travaillant sous l'autorité d'un même chef, et généralement délimitée géographiquement. *V.a.* **section** 1.

DEPARTMENT 2.
MINISTÈRE
(Adm.) Administration dépendant d'un ministre.

DEPARTMENT 3.
RAYON (DE MAGASIN)
(comm.) Partie d'un magasin réservée au commerce d'une marchandise.

DEPARTMENT HEAD
CHEF DE SERVICE
(org. de l'entr.) Personne ayant la responsabilité de gérer un service d'une entreprise ou d'une Administration.

DEPARTMENT STORE
GRAND MAGASIN
(comm.) Magasin de grandes proportions, facilement accessible au public, vendant au détail, dans un même établissement, la quasi-totalité des biens de consommation et offrant certains services dans un ensemble de **rayons** (sections du magasin réservées à la vente d'articles de même nature ou complémentaires) dont chacun fait office de magasin spécialisé.

DEPENDENT
PERSONNE À CHARGE
(fisc.) Personne qui dépend d'une autre pour sa subsistance.

DEPENDENT VARIABLE
VARIABLE DÉPENDANTE, VARIABLE EXPLIQUÉE
(stat.) Variable (généralement désignée par la lettre y) exprimée en fonction de la variable indépendante. *N.B.* Ainsi le coût de la main-d'oeuvre dépend de la quantité d'articles inclus dans un lot et une analyse de régression portant sur un certain nombre de lots permet de prévoir le coût de la main-d'oeuvre qu'il faudra engager pour traiter différents lots dont la taille varie. *Comparer avec* **independent variable**. *V.a.* **regression analysis** et **variable**.

DEPLETABLE RESOURCE
RESSOURCE NON RENOUVELABLE
(ind. extr.) Ressource naturelle, par exemple le pétrole, qui ne peut être remplacée ou renouvelée, par opposition, par exemple, à l'hydro-électricité. *V.a.* **wasting asset**.

DEPLETION
ÉPUISEMENT
(ind. extr.) Réduction de la quantité de certaines ressources naturelles (gisements miniers ou pétrolifères, bois sur pied, etc.) par suite d'extraction ou de consommation. *N.B.* La dépréciation de la valeur d'un gisement de pétrole résultant de son exploitation s'appelle **déplétion**. *V.a.* **wasting asset**.

DEPLETION EXPENSE
DOTATION À LA PROVISION POUR ÉPUISEMENT, DOTATION À LA PROVISION POUR
RECONSTITUTION DES GISEMENTS
Somme passée en charges et représentant le coût ou parfois la valeur actuelle des ressources naturelles que l'entreprise a extraites au cours d'un exercice. *V.a.* **accumulated depletion** et **amortization** 1.

DEPOSIT 1.
DÉPÔT
(dr.) Action de confier des biens (de l'argent, des titres, etc.) à la garde d'un tiers (le **dépositaire**) qui s'engage à remettre ces biens à leur propriétaire (le **déposant**) lorsque celui-ci les réclamera.

DEPOSIT 2.
DÉPÔT
(banque) Somme remise par une personne à une banque ou à un autre établissement financier qui la porte au crédit du compte de cette personne.

DEPOSIT 3.
ACOMPTE, ARRHES
(comm.) **Paiement** partiel **à valoir** sur le montant d'une dette qui prendra naissance après la conclusion d'un marché ou d'un contrat. *V.a.* **advance** 2., **earnest money** et **downpayment**.

DEPOSIT 4.
VERSEMENT INITIAL, ACOMPTE
Voir **downpayment**.

DEPOSIT 5.
CONSIGNE, (PRIX DE) CONSIGNATION
(comm.) Somme que doit verser un client qui reçoit un emballage consigné, et que le vendeur lui remboursera au moment où l'emballage sera retourné. *V.a.* **container** 1., **non-returnable container** et **returnable container**.

DEPOSIT 6.
CAUTIONNEMENT, DÉPÔT (DE GARANTIE)
(dr.) Fonds ou titres remis à des tiers à titre de **cautionnement** ou pour garantir l'exécution d'un contrat ou d'une

obligation, et dont leur propriétaire ne peut disposer jusqu'à la réalisation d'une condition déterminée. *Syn.* **guarantee deposit**. *V.a.* **bond** 2. et **escrow funds**.

DEPOSIT ACCOUNT
COMPTE DE DÉPÔTS

(banque) Expression employée pour désigner le compte bancaire d'un particulier qui doit généralement avoir un solde créditeur dans les livres du dépositaire. *Comparer avec* **current account** 2. *V.a.* **bank account**.

DEPOSIT CERTIFICATE
CERTIFICAT DE DÉPÔT, CERTIFICAT DE PLACEMENT

(fin.) Titre indiquant qu'un investisseur a confié une somme à une banque ou à un autre établissement financier pour un temps déterminé ne dépassant généralement pas cinq ans, moyennant des intérêts versés périodiquement au déposant. *N.B.* Le plus souvent, l'investisseur peut, dans ce cas, demander que son titre lui soit remboursé avant l'échéance. *Syn.* **investment certificate**. *Comparer avec* **guaranteed investment certificate**.

DEPOSIT IN ESCROW
DÉPÔT EN MAIN TIERCE

(dr.) Bien confié à un tiers (une société de fiducie, par exemple) jusqu'à ce qu'un événement donné se produise. *V.a.* **escrow (agreement)**.

DEPOSIT SLIP
BORDEREAU DE DÉPÔT, BORDEREAU DE VERSEMENT

(banque) Relevé détaillé des sommes (argent, chèques, etc.) que le titulaire d'un compte en banque y dépose à un moment donné. *V.a.* **slip**.

DEPRECIABLE COST *(fam.)*
COÛT AMORTISSABLE

Assiette de l'amortissement d'une immobilisation corporelle comptabilisée au coût d'acquisition. *V.a.* **depreciation base**.

DEPRECIABLE LIFE
DURÉE AMORTISSABLE, DURÉE DE VIE ·

Nombre d'années (ou **unités d'oeuvre**, par exemple le nombre de kilomètres pour un camion) sur lesquelles l'**assiette de l'amortissement** doit être répartie. *V.a.* **useful life** 1.

DEPRECIATED COST
FRACTION NON AMORTIE DU COÛT, COÛT NON AMORTI

Coût d'acquisition d'un bien corporel diminué de la partie passée en charges à titre d'amortissement ou de perte. *N.B.* La somme ainsi portée en charges porte le nom de **fraction amortie du coût**. *Syn.* **undepreciated cost**. *V.a.* **undepreciated capital cost (UCC)**.

DEPRECIATED VALUE
FRACTION NON AMORTIE DE LA VALEUR, VALEUR NON AMORTIE, VALEUR (NETTE) APRÈS AMORTISSEMENT, VALEUR COMPTABLE RÉSIDUELLE

Voir **amortized value**.

DEPRECIATION 1.
DÉPRÉCIATION

(écon.) Perte de valeur subie par un bien, attribuable à des phénomènes purement techniques (**dépréciation physique** ou **usure**) consécutifs à l'utilisation du bien ou à l'action du milieu, ou à des phénomènes d'origine économique (**dépréciation fonctionnelle** ou **obsolescence**) comme le progrès technique et les changements de comportement des acheteurs. *N.B.* La **dépréciation physique** est relativement certaine tandis que la **dépréciation fonctionnelle** est parfois très aléatoire. *V.a.* **obsolescence**.

DEPRECIATION 2.
AMORTISSEMENT (POUR DÉPRÉCIATION)
Constatation comptable systématique d'un amoindrissement de la valeur d'une immobilisation corporelle résultant de l'usage, du temps, des changements technologiques et de toute autre cause dont les effets sont jugés irréversibles. *N.B.* En raison des difficultés que suscite la mesure de cet amoindrissement de valeur, l'**amortissement** consiste généralement dans l'**étalement** du coût d'achat d'un bien amortissable sur sa durée de vie probable. Cet étalement qui prend la forme d'un **plan d'amortissement** peut être calculé suivant diverses modalités. *V.a.* **allowance** 3., **amortization** 1., **depreciation methods**, **depreciation schedule**, **write down** *v.* 1. et **write off** *v.*

DEPRECIATION ACCOUNTING
(MÉTHODE D')IMPUTATION AXÉE SUR L'AMORTISSEMENT
Méthode comptable qui consiste à répartir, d'une façon systématique et rationnelle, le coût d'acquisition d'un bien (ou toute autre valeur qui pourrait lui être attribuée) diminué éventuellement de sa valeur résiduelle, sur sa durée d'utilisation prévue. *N.B.* Dans une comptabilité fondée sur les valeurs d'origine, ce processus a uniquement pour objet de répartir le coût du bien amortissable plutôt que d'en déterminer la valeur. *Comparer avec* **replacement accounting** et **retirement acccounting**.

DEPRECIATION BASE
ASSIETTE DE L'AMORTISSEMENT
Coût d'acquisition d'un bien (ou toute autre valeur qui pourrait lui être attribuée) diminué éventuellement de sa valeur résiduelle, que l'on doit répartir, à titre d'amortissement, sur un certain nombre d'exercices. *V.a.* **base** et **depreciable cost**.

DEPRECIATION EXPENSE
DOTATION AUX AMORTISSEMENTS, ANNUITÉ D'AMORTISSEMENT, AMORTISSEMENT (DE L'EXERCICE) (Can.)
Somme découlant, pour un exercice donné, de la répartition systématique du coût d'acquisition d'un bien (ou parfois de sa valeur actuelle), diminué éventuellement de sa valeur résiduelle, sur la durée d'utilisation prévue de ce bien. *N.B.* L'**amortissement comptable** est une charge calculée par opposition à d'autres charges dites réelles, par exemple les salaires et les réparations. Selon le Plan comptable général français, on donne le nom d'**amortissements dérogatoires** aux amortissements ou fractions d'amortissements ne correspondant pas à l'objet normal d'un amortissement pour dépréciation et comptabilisés en application de textes particuliers; les amortissements dérogatoires font partie des **provisions réglementées**. *V.a.* **accelerated depreciation**, **accumulated depreciation**, **amortization** 1. et **amortization expense**.

DEPRECIATION METHODS
MÉTHODES D'AMORTISSEMENT, PROCÉDÉS D'AMORTISSEMENT
Méthodes qui peuvent être utilisées pour déterminer l'amortissement comptable d'un exercice. *V.a.* **annuity method**, **appraisal method**, **depreciation** 2., **diminishing balance method**, **double-declining balance method**, **production method**, **sinking fund method**, **straight-line method** et **sum-of-the-years'-digits method**.

DEPRECIATION OF MONEY
DÉPRÉCIATION DE L'ARGENT, DÉVALORISATION DE LA MONNAIE, ÉROSION MONÉTAIRE, AVILISSEMENT DE L'ARGENT
(écon.) Perte de pouvoir d'achat de la monnaie d'un pays, attribuable à certains facteurs, comme la hausse des prix, un déséquilibre de la demande par rapport à l'offre, etc.

DEPRECIATION POLICY
POLITIQUE D'AMORTISSEMENT
(gest.) Ligne de conduite adoptée par l'entreprise en matière d'amortissement de ses immobilisations corporelles et portant particulièrement sur la méthode qu'elle doit choisir, compte tenu de la nature de ses immobilisations, des lois fiscales, etc. *V.a.* **policy** 2.

DEPRECIATION RATE
TAUX D'AMORTISSEMENT

Taux utilisé pour calculer l'amortissement périodique qui alors s'obtient en multipliant l'assiette de l'amortissement par ce taux ou, dans le cas de l'amortissement dégressif à taux constant, l'assiette de l'amortissement diminuée de l'amortissement cumulé.

DEPRECIATION SCHEDULE
PLAN D'AMORTISSEMENT, TABLEAU D'AMORTISSEMENT

(gest.) Tableau prévisionnel indiquant la réduction de la valeur d'origine d'un bien par tranches successives sur une période correspondant à la durée d'utilisation prévue de ce bien. V.a **depreciation** 2.

DEPRECIATION UNIT
UNITÉ D'AMORTISSEMENT

Bien ou groupe de biens formant une unité aux fins du calcul de l'amortissement. *V.a.* **composite life depreciation**, **group depreciation** et **item depreciation**.

DEPUTY CHAIRMAN
VICE-PRÉSIDENT DU CONSEIL D'ADMINISTRATION

(gest.) Personne dont le rôle est de seconder ou de remplacer le président du conseil d'administration. *V.a.* **board of directors** et **chairman of the board**.

DEREGISTRATION 1.
RETRAIT D'AGRÉMENT

(rentes) Action de retirer l'agrément à un régime de retraite qui ne satisfait plus aux normes. *Syn.* **cancellation of registration**, **revocation of registration** et **withdrawal of registration**. *Comparer avec* **registration** 2.

DEREGISTRATION 2.
RADIATION

(prof.) Sanction disciplinaire prise par un organisme professionnel et consistant à rayer le nom d'une personne du tableau des membres de cet organisme. *N.B.* En Belgique, l'expression **retrait d'agrément** évoque le retrait des autorisations administratives complémentaires à la qualité des reviseurs d'entreprises, nécessaires pour exercer la revision des comptes des institutions financières ou des compagnies d'assurances.

DESCRIPTIVE BILLING
FACTURATION ÉNUMÉRATIVE, FACTURATION SANS PIÈCES

(aff.) Mode de facturation qui consiste à dresser la liste des factures sur le relevé de compte envoyé périodiquement à un client ou à un détenteur d'une carte de crédit sans y joindre les pièces justificatives. *Comparer avec* **country club billing**. *V.a.* **billing**.

DESIGNATED FUNDS
FONDS AFFECTÉS À DES FINS PARTICULIÈRES

(O.S.B.L.) Fonds ne comportant aucune restriction mais que le conseil d'administration a décidé d'affecter à des fins précises.

DESIGNATED SURPLUS *(vieilli)*
SURPLUS DÉSIGNÉ

(fisc. can.) Terme utilisé autrefois pour désigner essentiellement les bénéfices non répartis d'une société au moment où une autre société en obtenait le contrôle.

DESIGN EXPENSES
FRAIS DE CONCEPTION

Frais engagés pour la création de nouveaux produits ou biens industriels, l'agencement de locaux, etc.

DETACHABLE WARRANT
BON DE SOUSCRIPTION (D'ACTIONS) DÉTACHABLE

(fin.) Droit qu'une société accorde à un obligataire ou un actionnaire privilégié d'acquérir un certain nombre d'actions (le plus souvent des actions ordinaires) dans les délais prescrits, à un prix stipulé d'avance, qu'il soit ou non encore détenteur du certificat d'obligation ou d'action privilégiée lui conférant ce droit. *N.B.* En France et en Belgique, on parle d'**obligation avec warrant** (prononcer *varan*), c'est-à-dire un droit que l'investisseur peut exercer en détachant un coupon du titre. *V.a.* **bond with detachable warrant** et **stock purchase warrant**.

DETAILED AUDIT
VÉRIFICATION DÉTAILLÉE, RÉVISION DÉTAILLÉE

(E.C.) Vérification (ou révision) des comptes comportant un examen minutieux de toutes les écritures, opérations et pièces justificatives ou de la majorité d'entre elles. *Comparer avec* **audit testing**. *V.a.* **audit** *n.* 3.

DETECTIVE CONTROL
CONTRÔLE DE DÉTECTION

(gest.) Mesure de contrôle interne ayant pour objet de déceler les erreurs et les irrégularités, ou d'augmenter au maximum les chances de les découvrir. *Comparer avec* **preventive control**.

DETERRENT FEE
TARIF MODÉRATEUR, TICKET MODÉRATEUR

(lang. cour.) Droit ou paiement qu'un organisme exige du bénéficiaire d'un service pour éviter les recours abusifs.

DEVALUATION (OF A CURRENCY)
DÉVALUATION (D'UNE MONNAIE)

(écon.) Diminution volontaire, de la part d'un État, de la parité de sa monnaie par rapport à l'or ou une **monnaie de référence**. *N.B.* La **dévaluation** est souvent décidée à la suite d'un déficit important de la **balance commerciale**, dû à une compétitivité insuffisante de l'économie du pays en cause et à une forte inflation. *Comparer avec* **revaluation of a currency**.

DEVELOPER
PROMOTEUR (IMMOBILIER)
Voir **real estate developer**.

DEVELOPMENT EXPENSES 1.
FRAIS DE DÉVELOPPEMENT, FRAIS DE MISE AU POINT

Dépenses relatives au travail de transposition des découvertes issues de la recherche. *N.B.* Ce travail, qui se situe avant le commencement de l'exploitation commerciale, consiste à mettre au point des matériaux, appareils, produits ou systèmes nouveaux ou sensiblement améliorés. *Comparer avec* **research expenses**. *V.a.* **research and development expenses**.

DEVELOPMENT EXPENSES 2.
FRAIS DE MISE EN VALEUR, FRAIS DE MISE EN EXPLOITATION, FRAIS D'AMÉNAGEMENT

(ind. extr.) Dépenses préalables à l'exploitation d'un gisement pétrolifère ou minier ou de toute autre ressource naturelle.

DEVELOPMENT EXPENSES 3.
FRAIS DE LANCEMENT, FRAIS PROMOTIONNELS

Dépenses effectuées pour lancer un nouveau produit. *V.a.* **promotional expenses**.

DEVELOPMENT STAGE ENTERPRISE
ENTREPRISE NOUVELLE, ENTREPRISE AU STADE DE LA MISE EN VALEUR

(org. de l'entr.) Entreprise qui n'a pas encore commencé son exploitation et dont les activités consistent notamment dans la planification financière, la recherche et le développement, la prospection, l'acquisition de bâtiments, de matériel, etc., la recherche de débouchés et le rodage du matériel de production.

DEVIATION
DISPERSION, ÉCART
(stat.) Le fait, pour des données d'une série statistique, d'être éloignées d'une valeur centrale (moyenne, médiane, mode). *Syn.* **dispersion**. *V.a.* **scatter diagram**, **standard deviation** et **variance** 3. et 4.

DEVISE
LÉGUER (UN BIEN-FONDS)
(dr.) Transmettre un bien immeuble par testament.

DIARY
AGENDA
(lang. cour.) Carnet contenant une page pour chaque jour, semaine ou mois, dans lequel une personne inscrit ce qu'elle doit faire, ses rendez-vous, ses dépenses, etc.

DIFFERENTIAL ANALYSIS
ANALYSE MARGINALE, ANALYSE DIFFÉRENTIELLE
Voir **incremental analysis**.

DIFFERENTIAL COST
COÛT MARGINAL, COÛT DIFFÉRENTIEL, FRAIS MARGINAUX
Voir **incremental cost**.

DIGIT 1.
CHIFFRE
Voir **figure** *n.* 1.

DIGIT 2.
CARACTÈRE
(inf.) Élément d'un ensemble employé conventionnellement pour constituer, représenter des données et commander l'exécution des opérations. *N.B.* Les caractères en question peuvent être des lettres, des chiffres, des signes de ponctuation ou d'autres symboles. *Syn.* **character**.

DIGITAL
NUMÉRIQUE
(inf.) Se dit, par opposition à analogique, de la présentation de données au moyen de caractères (généralement des chiffres), et aussi des systèmes, dispositifs ou procédés employant ce mode de représentation discrète.

DIGITAL COMPUTER
CALCULATEUR NUMÉRIQUE
(inf.) Calculateur qui effectue des opérations sur les nombres. *N.B.* Les **calculatrices de bureau** et les **organes de calcul** des ordinateurs sont des calculateurs numériques. *Comparer avec* **analog computer**.

DILUTION 1.
DILUTION
(fin.) Phénomène lié à l'émission de nouvelles actions et dont l'effet est une diminution du bénéfice par action ou une augmentation de la perte par action. *V.a.* **anti-dilutive effect**, **dilutive effect** et **fully diluted earnings per share**.

DILUTION 2.
DILUTION
(fin.) Phénomène lié à l'émission de nouvelles actions et dont l'effet, pour les actionnaires qui ne peuvent les acquérir au prorata des actions qu'ils détiennent, est une diminution de leur influence dans la société en cause. *V.a.* **watered stock** 2. *(fam.)*.

DILUTIVE EFFECT
EFFET DE DILUTION

(anal. fin. et *compt.)* Effet sur le bénéfice par action d'une émission éventuelle d'actions ordinaires, caractérisé par une diminution de ce chiffre ou une augmentation de la perte par action. *Comparer avec* **anti-dilutive effect**. *V.a.* **dilution** 1. et **fully diluted earnings per share**.

DIMINISHING BALANCE METHOD (OF DEPRECIATION)
(MÉTHODE DE L')AMORTISSEMENT DÉGRESSIF (À TAUX CONSTANT),
(MÉTHODE DE L')AMORTISSEMENT DÉCROISSANT (À TAUX CONSTANT)

Méthode qui consiste à calculer l'amortissement périodique en multipliant, chaque année, par le même taux, le solde du compte où figure le coût du bien à amortir après déduction de l'amortissement cumulé qui s'y rapporte. *N.B.* En France et en Belgique, il est possible qu'après un certain temps, on puisse repasser au système d'amortissement linéaire. *Syn.* **declining balance method (of depreciation)**, **fixed percentage of declining balance method (of depreciation)** et **reducing balance method (of depreciation)**. *V.a.* **depreciation methods**.

DIRECT ACCESS
ACCÈS SÉLECTIF, ACCÈS DIRECT

Voir **random access**.

DIRECT ADDRESS
ADRESSE DIRECTE

(inf.) Symbole ou nombre identifiant un emplacement de mémoire à partir duquel l'ordinateur lit ou écrit une donnée traitée ou à traiter, ou une instruction à exécuter. *V.a.* **address**.

DIRECT CHARGE OFF METHOD
(MÉTHODE DE LA) PASSATION DIRECTE EN CHARGES

Méthode qui consiste à n'imputer une charge à l'exercice que si l'entreprise a effectivement subi une perte (créance irrécouvrable) ou engagé réellement une dépense (travaux relatifs à des garanties). *N.B.* Cette méthode qui ne permet pas de bien rapprocher les produits et les charges porte le nom de **(méthode de la) radiation directe des créances irrécouvrables** lorsqu'elle est appliquée aux mauvaises créances. *Syn.* **write off method**. *Comparer avec* **allowance method**.

DIRECT COSTING
MÉTHODE DES COÛTS PROPORTIONNELS, MÉTHODE DES COÛTS VARIABLES

Méthode qui consiste à n'inclure dans le coût d'un produit que les charges (matières premières, main-d'oeuvre directe et frais généraux de fabrication variables) qui fluctuent avec le volume d'activité de l'entreprise sans qu'il y ait nécessairement exacte proportionnalité entre la variation des charges et la fluctuation du chiffre d'affaires correspondant. *N.B.* Selon cette méthode, les frais fixes sont passés immédiatement en charges et, par le fait même, ne sont pas incorporés au coût des stocks de produits en cours et de produits finis. Le terme *direct costing* que l'on emploie parfois en français établit, par définition, une distinction entre les **coûts variables** et les **coûts fixes** et n'a aucun lien avec la notion de **coût direct**. *Syn.* **marginal costing** 2. et **variable costing**. *Comparer avec* **absorption costing**. *V.a.* **cost accounting methods**.

DIRECT COSTS
COÛTS DIRECTS, FRAIS DIRECTS, CHARGES DIRECTES

Coûts directement affectables, sans calcul intermédiaire, à un produit, une opération ou un centre de coûts. *N.B.* Le terme **coût direct** désigne généralement un coût constitué, d'une part, de charges qui peuvent être directement affectées à un produit, par exemple les matières premières et la main-d'oeuvre directe (ce sont le plus souvent des **charges opérationnelles** ou **variables**) et, d'autre part, de charges qui, même si elles transitent par des centres d'analyse, peuvent être rattachées à ces centres sans ambiguïté (certaines de ces charges sont **opérationnelles** ou **variables**, d'autres sont **de structure** ou **fixes**). Les **charges** dites **opérationnelles** affectées directement à un produit, à une famille de produits ou à un centre d'activité sont des **charges spécifiques** par opposition aux **charges communes** relatives à l'ensemble des produits ou à l'entreprise tout entière. *Comparer avec* **common costs**, **indirect costs** 1. et **semi-direct costs**. *V.a.* **direct overhead**.

DIRECT FINANCING LEASE
(CONTRAT DE) LOCATION-FINANCEMENT
(dr. et *compt.)* Contrat de location dans lequel, du point de vue du bailleur, les avantages et les risques inhérents à la propriété du bien sont presque tous transférés au preneur. Dans ce cas, la juste valeur du bien loué pour le locataire, à la date d'entrée en vigueur du bail, est identique à celle qu'il a dans les livres du bailleur qui, habituellement, n'est ni un fabricant ni un distributeur. *Comparer avec* **financing lease** *(vieilli). V.a.* **lease**.

DIRECT LABOUR
MAIN-D'OEUVRE DIRECTE
Main-d'oeuvre utilisée dans une usine pour transformer des matières qui font partie intégrante des produits fabriqués. *Comparer avec* **indirect labour**. *V.a.* **labour** et **labour cost**.

DIRECT LABOUR RATE VARIANCE
ÉCART SUR TAUX DE LA MAIN-D'OEUVRE, ÉCART DE TAUX SUR LA MAIN-D'OEUVRE
Voir **labour rate variance**.

DIRECT LABOUR USAGE VARIANCE
ÉCART SUR UTILISATION DE LA MAIN-D'OEUVRE, ÉCART DE TEMPS SUR LA MAIN-D'OEUVRE
Voir **labour usage variance**.

DIRECT LABOUR VARIANCE
ÉCART SUR MAIN-D'OEUVRE (DIRECTE)
Voir **labour variance**.

DIRECT MATERIALS
MATIÈRES DIRECTES
Objets, matières destinés à être incorporés aux produits fabriqués. *N.B.* Parfois, la matière directe d'une **entreprise d'aval** est le produit fini d'une **entreprise d'amont**. On donne le nom de **bien intermédiaire** à un bien de production fini, acheté à l'extérieur et incorporé dans la fabrication d'un autre bien sans subir de transformation. *Comparer avec* **raw materials**. *V.a.* **materials**.

DIRECT OFFSET APPROACH
COORDINATION PAR RÉDUCTION DIRECTE
(rentes) Méthode de coordination consistant à déduire (en tout ou en partie) les cotisations ou les rentes prévues par un régime général de celles qui sont payables aux termes d'un régime complémentaire de retraite.

DIRECTOR 1.
ADMINISTRATEUR
(gest.) Membre du conseil d'administration d'une société par actions. *V.a.* **board of directors**.

DIRECTOR 2.
DIRECTEUR, CHEF DE SERVICE
(gest.) Personne qui dirige un service d'une entreprise ou d'une Administration. *Syn.* **manager** 4. *V.a.* **assistant director**, **assistant to the director** et **manager** 2.

DIRECTORS' CIRCULAR
CIRCULAIRE DU CONSEIL D'ADMINISTRATION
(Bourse) (Can.) Document que la Commission des valeurs mobilières oblige le conseil d'administration d'une société à remettre aux actionnaires pour les informer de l'existence d'une **offre publique d'achat** faite par une autre société.

DIRECTORS' FEES
JETONS DE PRÉSENCE
(gest.) Rémunération fixe allouée aux administrateurs d'une société par actions pour leur participation aux réunions du conseil d'administration. *N.B.* En pratique, les sociétés versent parfois aux administrateurs une

somme annuelle, qu'ils aient ou non assisté aux séances du conseil d'administration. En Belgique, les sociétés versent aux administrateurs un pourcentage appelé **tantième** calculé sur les bénéfices de l'exercice à titre de rémunération pour les fonctions qu'ils exercent. En France, les **tantièmes** n'existent plus depuis 1975. *V.a.* **fees** 1.

DIRECTORY
RÉPERTOIRE

(inf.) Liste du contenu d'une bibliothèque. *V.a.* **program library**.

DIRECT OVERHEAD
FRAIS GÉNÉRAUX SPÉCIFIQUES, FRAIS GÉNÉRAUX DIRECTS

Frais généraux se rapportant à une opération déterminée ou à un secteur particulier d'activité. *V.a.* **direct costs** et **overhead**.

DIRECT POSTING
INSCRIPTION DIRECTE, ENREGISTREMENT DIRECT

Tenue des livres qui consiste à enregistrer directement les opérations dans les comptes du grand livre général sans les inscrire auparavant dans les livres-journaux.

DIRECT TAXES
IMPÔTS DIRECTS

(fisc.) Impôts assis sur la matière imposable elle-même. *N.B.* Les principaux impôts directs sont les **impôts fonciers**, les **impôts sur le revenu des personnes physiques (I.R.P.P.)** et les **impôts sur les bénéfices des sociétés**. *Comparer avec* **indirect taxes**. *V.a.* **income tax**, **property tax** et **tax** *n.* 1.

DISABILITY INCOME
PENSION D'INVALIDITÉ, RENTE D'INVALIDITÉ

(ass.) Pension ou rente versée au détenteur d'une assurance-invalidité lorsque son état est caractérisé par une incapacité de travail ou de gain résultant d'un accident ou d'une maladie.

DISABILITY RETIREMENT
RETRAITE POUR INVALIDITÉ

(rentes) Cessation de services d'un participant à un régime de retraite frappé d'invalidité, ouvrant droit à une rente de retraite avant l'âge normal de la retraite.

DISALLOWED DEDUCTION
CHARGE NON DÉDUCTIBLE, CHARGE NON ADMISSIBLE, DÉPENSE NON DÉDUCTIBLE

(fisc.) Charge que le fisc ne permet pas de déduire lors de la détermination du revenu ou du bénéfice imposable.

DISBURSEMENT
DÉCAISSEMENT, DÉBOURS, SORTIE DE FONDS, SORTIE D'ARGENT

Somme d'argent déboursée à la suite d'opérations d'exploitation (achats de marchandises, frais de personnel, charges générales, dépenses de commercialisation, frais financiers, etc.) ou d'opérations hors exploitation (acquisition d'immobilisations, prise de participation, frais de développement, remboursement d'une dette, etc.). *N.B.* Le terme **déboursé** n'est pas un substantif et ne peut donc être employé pour rendre le terme anglais *disbursement. Comparer avec* **expenditure** 1., **expenses** et **receipt** 1. *V.a.* **cash disbursements journal**.

DISCHARGE *n.* 1.
QUITTANCE (POUR SOLDE DE TOUT COMPTE), ACQUIT

(dr.) Écrit par lequel un créancier reconnaît que le débiteur a acquitté sa dette; titre qui comporte libération, reçu ou décharge. *N.B.* L'expression **pour solde de tout compte** désigne le paiement qui solde un compte et enlève toute possibilité de contestation ultérieure, sauf en cas de disposition légale contraire. *V.a.* **paid** et **payment** 1.

DISCHARGE *n.* 2.
DÉCHARGE
(dr.) Libération d'une dette, d'une obligation, par exemple l'obligation pour un failli de régler ses dettes si l'on donne suite juridiquement à la faillite; acte qui atteste cette libération. *Syn.* **final discharge**. *V.a.* **conditional discharge**.

DISCHARGE *n.* 3.
QUITUS
(gest.) Acte par lequel on reconnaît qu'un comptable ou un gestionnaire s'est acquitté de façon normale et satisfaisante de sa tâche et qu'il peut être dégagé de toute responsabilité. *N.B.* Le responsable de la tenue d'un compte reçoit **quitus**, après la vérification définitive des éléments de ce compte, vérification que l'on désigne sous le nom de **apurement**. En comptabilité publique, ce **quitus** s'appelle **arrêt de décharge**.

DISCHARGE *n.* 4.
CONGÉDIEMENT
(rel. de tr.) Renvoi d'un salarié par l'employeur qui prend l'initiative de la rupture du contrat de travail, par mesure disciplinaire ou par suite d'un manque de travail. *V.a.* **lay off** 1. et 2.

DISCHARGE *v.* 1.
ACQUITTER, RÉGLER, REMBOURSER
(dr.) Payer intégralement le montant d'une dette ou de toute autre obligation. *Syn.* **pay** *v.* 1 et **pay off, to** 1.

DISCHARGE *v.* 2.
LIBÉRER, ACQUITTER
(dr.) Rendre quitte, libérer quelqu'un d'une dette, d'une obligation; revêtir un formulaire de la mention *pour acquit* suivie de la signature du créancier en vue de constater que le débiteur s'est libéré de sa dette. *V.a.* **paid**.

DISCHARGE *v.* 3.
LIBÉRER, RÉHABILITER
(dr.) Dégager un failli de ses dettes contractuelles après la fin des procédures relatives à la faillite. *N.B.* En Belgique, une des conditions de la **réhabilitation du failli** est qu'il ait réglé toutes les dettes de la faillite en principal et intérêts.

DISCIPLINARY SANCTION
SANCTION DISCIPLINAIRE
(prof.) Mesure prise contre un membre d'une corporation professionnelle qui a failli à ses engagements ou qui a été négligent dans l'exécution des travaux qui lui ont été confiés. *V.a.* **suspension**.

DISCLAIMER OF OPINION
DÉNI DE RESPONSABILITÉ, COMMENTAIRES SANS OPINION
(E.C.) (Can.) Rapport intitulé **Commentaires de l'expert-comptable** dans lequel celui-ci n'exprime aucune opinion sur les états financiers dressés par son client ou qu'il a aidé à dresser. *N.B.* Dans ces commentaires, l'expert-comptable affirme qu'il n'a pas vérifié les comptes mais qu'il a procédé (en vue de dresser les états financiers) à un examen fondé principalement sur des demandes de renseignements, des comparaisons et des discussions. En France, on entend par **absence d'opinion** l'acte par lequel l'expert-comptable indique dans un rapport de révision qu'il renonce à exprimer une opinion sur les comptes annuels d'une entreprise. Aux États-Unis, l'expression *disclaimer of opinion* est synonyme de l'expression canadienne *denial of opinion*. En Belgique, on parle de **déclaration d'abstention**. L'emploi de cette expression est limité à des cas bien précis et son utilisation ne peut être compensée par une forme quelconque de commentaire résultant d'un contrôle limité. *V.a.* **accountant's comments** et **auditor's opinion**.

DISCLOSURE 1.
DIVULGATION, RÉVÉLATION
(lang. cour.) Action de faire connaître ce qui a été volontairement caché.

DISCLOSURE 2.
PUBLICATION, PUBLICITÉ, PRÉSENTATION (DE RENSEIGNEMENTS), MENTION, INDICATION, DÉCLARATION
(gest.) Action de fournir l'information requise aux personnes qui en ont besoin pour prendre des décisions.

DISCLOSURE 3.
RENSEIGNEMENTS À FOURNIR, INFORMATION(S)
Informations que l'entreprise a fournies ou doit fournir aux utilisateurs des états financiers (ou comptes annuels). *N.B.* Souvent, on inclut certaines de ces informations dans les renseignements fournis par voie de notes.·*V.a.* **completeness**.

DISCLOSURE 4.
PRÉSENTATION D'INFORMATIONS PAR VOIE DE NOTES
Voir **note disclosure**.

DISCLOSURE PRINCIPLE
PRINCIPE DE BONNE INFORMATION
Obligation de présenter les états financiers (ou comptes annuels) de telle sorte qu'ils reflètent de manière fidèle et complète la situation financière de l'entreprise et les résultats de son exploitation. *V.a.* **accounting principles** 2., **disclosure standards**, **full disclosure**, **note disclosure** et **timely disclosure**.

DISCLOSURE REQUIREMENTS
OBLIGATIONS D'INFORMATION
(Bourse) Exigences imposées par les autorités boursières aux sociétés ouvertes et portant sur la publication des informations dont les investisseurs ont besoin pour prendre des décisions.

DISCLOSURE STANDARDS
NORMES DE PRÉSENTATION (DE L'INFORMATION), NORMES DE PUBLICITÉ
Normes que le comptable doit suivre afin de présenter, de la façon appropriée, dans les états financiers (ou comptes annuels), toute l'information dont le lecteur a besoin. *Syn.* **reporting standards** 1. et **standards of disclosure**. *V.a.* **disclosure principle** et **full disclosure**.

DISCONTINUED OPERATIONS
SECTEUR (D'ACTIVITÉ) ABANDONNÉ
Secteur d'activité dont la direction a décidé d'interrompre l'exploitation au cours de l'exercice ou dans un avenir immédiat. *Comparer avec* **continuing operations**. *V.a.* **income from discontinued operations**.

DISCOUNT *n.* 1.
RABAIS, REMISE, ABATTEMENT, RISTOURNE, ESCOMPTE
(comm.) Réduction consentie sur le prix courant ou le prix comptant d'une marchandise ou d'un service. *N.B.* Dans le langage courant, les termes **rabais**, **remise** et **abattement** sont à peu près synonymes, mais il existe entre ces termes des différences techniques. Un **abattement** est toute réduction consentie à l'acheteur sur le prix de vente d'une marchandise, un **rabais** (appelé aussi parfois **réfaction**) est une réduction exceptionnelle attribuable à un défaut de conformité ou de qualité des articles vendus et une **remise** est une réduction dépendant de l'importance de la vente ou de la profession du client. Le terme **ristourne** désigne une réduction calculée sur l'ensemble des opérations faites avec un même tiers et le terme **escompte** s'emploie particulièrement pour désigner un escompte de caisse. *Syn.* **allowance** 2. *V.a.* **allowance** 1., **cash discount**, **purchase allowances**, **purchase discount**, **quantity discount**, **rebate**, **sale** 2., **sales allowances**, **sales discount**, **trade discount** et **volume discount**.

DISCOUNT *n.* 2.
DÉPORT, DIFFÉRENCE DE CHANGE
(fin.) Différence en moins entre la cotation à terme d'une devise et sa cotation au comptant. *Comparer avec* **premium** 3. *V.a.* **exchange adjustment**.

DISCOUNT *n.* 3.
ESCOMPTE D'ÉMISSION (Can.), PRIME D'ÉMISSION (Fr. et Belg.)
Excédent de la valeur nominale d'un titre (action ou obligation) sur son prix d'émission. *Comparer avec* **premium** 1. *V.a.* **bond discount** et **share discount**.

DISCOUNT *n.* 4.
ESCOMPTE (COMMERCIAL)
Voir **bank discount** 2.

DISCOUNT *n.* 5.
ÉCART D'ACTUALISATION
(math. fin.) Excédent du montant d'un ou plusieurs versements qui ne seront touchés qu'ultérieurement sur la valeur actualisée, à une date donnée, de ce ou ces versements.

DISCOUNT *v.* 1.
ESCOMPTER
(fin.) Payer la valeur actualisée d'un billet à son bénéficiaire après qu'il l'a endossé.

DISCOUNT *v.* 2.
ACTUALISER
(math. fin.) Calculer la valeur à une date donnée d'un ou plusieurs versements qui ne seront touchés qu'ultérieurement. *V.a.* **discounting**.

DISCOUNT AMORTIZATION METHODS
MÉTHODES D'AMORTISSEMENT DE L'ESCOMPTE (Can.), MÉTHODES D'AMORTISSEMENT DE LA PRIME (Fr. et Belg.)
(fin.) Méthodes utilisées pour amortir, sur la durée des obligations, l'excédent de la valeur nominale de celles-ci sur leur prix d'émission ou leur coût d'acquisition et, par le fait même, pour déterminer périodiquement les intérêts débiteurs de la société émettrice ou les intérêts créditeurs de l'obligataire. *Comparer avec* **premium amortization methods**. *V.a.* **effective interest method** et **straight-line method of discount (or premium) amortization**.

DISCOUNTED CASH FLOW (DCF)
FLUX MONÉTAIRE ACTUALISÉ, VALEUR ACTUALISÉE DES RENTRÉES NETTES DE FONDS, VALEUR ACTUALISÉE NETTE (V.A.N.)
(math. fin.) Montant obtenu par l'actualisation mathématique des rentrées et des sorties de fonds afférentes, par exemple, à un investissement, et permettant de déterminer sa rentabilité et, dans le cas d'un élément d'actif ou de passif, de calculer la valeur qu'il convient d'attribuer à cet élément.

DISCOUNTED CASH FLOW METHODS
MÉTHODES DE L'ACTUALISATION DU FLUX MONÉTAIRE, MÉTHODES DE LA VALEUR ACTUALISÉE
(gest.) Méthodes d'évaluation de la rentabilité d'un projet d'investissement qui tiennent compte du fait qu'une somme d'argent reçue avant une autre a une plus grande valeur en raison de la possibilité de la placer et d'en tirer des intérêts. *V.a.* **internal rate of return method** et **net present value method**.

DISCOUNTED PAYBACK PERIOD
DÉLAI DE RÉCUPÉRATION ACTUALISÉ, DÉLAI DE RÉCUPÉRATION (BASE ACTUALISÉE)
Délai de récupération d'un investissement dans le calcul duquel on actualise les flux monétaires. *V.a.* **payback period**.

DISCOUNTED VALUE
VALEUR ACTUALISÉE, VALEUR ACTUELLE, VALEUR ESCOMPTÉE
Voir **present value**.

DISCOUNT FACTOR
FACTEUR D'ACTUALISATION, COEFFICIENT D'ACTUALISATION

(math. fin.) Facteur que l'on trouve généralement dans des tables et dont l'objet est de servir au calcul de la valeur actualisée d'un ou plusieurs versements à recevoir ultérieurement. *Syn.* **present value factor**.

DISCOUNT HOUSE
(MAGASIN) MINI-MARGE, MAGASIN DE VENTE AU RABAIS, MAGASIN À PRIX RÉDUITS

(comm.) Magasin de vente au détail pratiquant une politique systématique et généralisée de vente avec marges réduites, accompagnée le plus souvent d'une réduction maximale des services et des frais d'exploitation.

DISCOUNTING
ACTUALISATION

(math. fin.) Procédé mathématique qui permet de transformer une rentrée de fonds ou un bénéfice futur en une rentrée de fonds ou un bénéfice actuel afin de tenir compte de la préférence des agents économiques pour les biens présents. *N.B.* L'**actualisation** est un instrument qui facilite la prise de décisions économiques dont les effets s'étendent sur plusieurs années. *V.a.* **discount** *v.* 2. et **financial mathematics**.

DISCOUNT ON BONDS
ESCOMPTE D'ÉMISSION D'OBLIGATIONS (Can.), ESCOMPTE À L'ÉMISSION D'OBLIGATIONS (Can.),
    PRIME D'ÉMISSION (Fr. et Belg.)

Voir **bond discount**.

DISCOUNT ON SHARES
ESCOMPTE D'ÉMISSION D'ACTIONS, ESCOMPTE À L'ÉMISSION D'ACTIONS

Voir **share discount**.

DISCOUNT ORDER QUANTITY
SEUIL DE REMISE

(comm.) Quantité d'articles à commander en vue d'obtenir une remise quantitative. *V.a.* **quantity discount**.

DISCOUNT PERIOD
DÉLAI D'ESCOMPTE

(comm.) Période (généralement de dix jours) accordée par l'entreprise à ses clients pour régler leur compte s'ils veulent bénéficier d'un escompte de caisse. *V.a.* **cash discount**.

DISCOUNT RATE 1.
TAUX D'ACTUALISATION

(math. fin.) Taux d'intérêt utilisé pour déterminer, à une date donnée, la valeur d'un ou plusieurs versements à recevoir ultérieurement. *Syn.* **rate of discount**. *V.a.* **capitalization rate**.

DISCOUNT RATE 2.
TAUX D'ESCOMPTE, TAUX DE L'ESCOMPTE

(banque) Taux d'intérêt de l'argent fixé par la Banque centrale d'un pays et qu'elle applique lorsqu'elle réescompte les effets de commerce et les effets de toute nature qui lui sont présentés par les banques. *Syn.* **bank rate** et **rate of discount**.

DISCOVERY SAMPLING
ÉCHANTILLONNAGE DE DÉPISTAGE, SONDAGE DE DÉPISTAGE

(stat.) Type de sondage qui conduit à l'acceptation du lot entier (la population) lorsque l'échantillon ne renferme aucune erreur. *N.B.* Il s'agit effectivement d'un **échantillonnage pour acceptation** dont le **critère d'acceptation** est de 0 et dont l'objectif principal est de détecter au moins une erreur. *V.a.* **sampling** 2.

DISCOVERY VALUE ACCOUNTING
(MÉTHODE DE LA) CAPITALISATION DE LA VALEUR À LA DÉCOUVERTE

Méthode qui consiste à attribuer aux ressources naturelles découvertes une valeur égale à leur valeur de réalisation nette même si les coûts de prospection sont inférieurs à cette valeur. *Comparer avec* **full costing** 1., **reserve recognition accounting** et **successful efforts accounting**.

DISCREPANCY REPORT
LISTE D'ANOMALIES, LISTE D'ERREURS
(inf.) Relevé des erreurs que le traitement de données a pu susciter.

DISCRETE VARIABLE
VARIABLE DISCRÈTE, VARIABLE DISCONTINUE
(stat.) Variable qui présente des interruptions et qui ne peut s'exprimer par des fractions, par exemple le nombre d'individus dans un groupe et le nombre de factures de vente dans un échantillon. *Comparer avec* **continuous variable**.

DISCRETIONARY COSTS
COÛTS DISCRÉTIONNAIRES, FRAIS DISCRÉTIONNAIRES
Voir **managed costs**.

DISCUSSION MEMORANDUM
DOCUMENT DE TRAVAIL
(U.S.) Document publié par le *Financial Accounting Standards Board* pour exposer les solutions à un problème donné en vue de publier éventuellement un exposé-sondage sur ce problème et subséquemment une norme comptable que les entreprises devront respecter lors de l'établissement de leurs états financiers. *N.B.* Le terme document de travail est également employé au Canada pour désigner un type de document publié occasionnellement par le Comité de recherche comptable de l'*Institut Canadien des Comptables Agréés*. *V.a.* **memorandum** 4.

DISHONORED NOTE
BILLET REFUSÉ
(dr.) Billet à ordre que le souscripteur refuse ou néglige de payer à la date d'échéance s'il s'agit d'un emprunt à terme, ou lorsqu'il lui est présenté pour paiement dans le cas d'un billet payable sur présentation.

DISHONOUR *n.* 1.
REFUS D'ACCEPTATION
(dr.) Le fait, pour le tiré, de ne pas accepter un effet de commerce au moment où il lui est présenté. *Comparer avec* **honour** *n.* 1.

DISHONOUR *n.* 2.
REFUS DE PAIEMENT, DÉFAUT DE PAIEMENT, NON PAIEMENT
(dr.) Le fait, pour un débiteur, de ne pas acquitter une dette ou un effet de commerce échu. *Comparer avec* **honour** *v.*

DISINVESTMENT
DÉSINVESTISSEMENT
(gest.) Réduction ou suppression, par l'entreprise, des investissements dans un secteur d'activité donné. *Comparer avec* **investment** 1.

DISPATCHER
RÉGULATEUR (DU TRAFIC)
Personne qui, notamment chez un transporteur, assume la responsabilité de diriger le trafic (camions, trains, avions, etc.).

DISPERSION
DISPERSION, ÉCART
Voir **deviation**.

DISPLAY
AFFICHAGE, VISUALISATION
(inf.) Représentation visuelle de données. *V.a.* **visual display unit**.

DISPOSABLE CONTAINER
EMBALLAGE PERDU, EMBALLAGE NON CONSIGNÉ, EMBALLAGE JETABLE
Voir **non-returnable container**.

DISPOSAL 1.
CESSION, ALIÉNATION
(dr. et *compt.)* Transmission, à titre onéreux ou gratuit, d'une chose ou d'un droit dont on est propriétaire : cession d'une créance, cession de parts, cession de biens, abandon par un débiteur défaillant de ses biens, etc. *N.B.* Le terme **cession** que l'on préfère généralement dans le langage courant au terme **aliénation** désigne toute opération ou tout événement ayant pour résultat de faire sortir un élément de l'actif de l'entreprise (vente volontaire ou forcée, échange, mise hors service, réforme d'actif). La différence entre le produit de la vente d'un bien et sa valeur comptable constitue une **plus-value de cession** ou une **moins-value de cession**. Le terme **disposition** qui désigne une clause d'un acte juridique (contrat, testament, donation) se retrouve aussi dans l'expression **acte de disposition**, c'est-à-dire un acte dont l'objet est de faire sortir du patrimoine un bien, une valeur. *Syn.* **abandonment** 1. *V.a.* **retirement** 2.

DISPOSAL 2.
MISE AU REBUT, MISE AU RANCART
(gest.) Action de retirer un bien du service parce qu'il est devenu inutile ou usé. *V.a.* **retirement** 2.

DISPOSALS
CESSIONS
Ensemble des immobilisations corporelles retirées du service au cours d'un exercice. *Comparer avec* **acquisitions**.

DISSOLUTION
DISSOLUTION
(dr.) Extinction d'une société de personnes soit de plein droit à l'arrivée du terme fixé par contrat, soit du fait de certains événements (décès ou retrait d'un associé, admission d'un nouvel associé). *N.B.* D'une manière générale, le terme **dissolution** signifie mettre fin légalement à une affaire. *V.a.* **liquidation** 3., **realization account** et **wind-up**.

DISTRIBUTABLE INCOME
BÉNÉFICE DISTRIBUABLE
Partie du bénéfice net que l'entreprise peut distribuer sous forme de dividendes à ses actionnaires tout en préservant son patrimoine représenté par son capital ou sa capacité de fonctionnement. *V.a.* **capital maintenance concept**.

DISTRIBUTABLE SURPLUS *(vieilli)*
EXCÉDENT DISTRIBUABLE, SURPLUS DISTRIBUABLE
(Can.) Expression utilisée anciennement dans certaines lois sur les sociétés pour désigner la partie du produit d'une émission d'actions sans valeur nominale que la société ne portait pas au crédit du capital-actions et qu'elle pouvait subséquemment distribuer à ses actionnaires. *V.a.* **surplus** 1.

DISTRIBUTED DATA PROCESSING
TRAITEMENT DÉCENTRALISÉ, TRAITEMENT RÉPARTI
(inf.) Dans un système complexe informatisé, traitement dans lequel seules les données requises à un endroit sont traitées à cet endroit alors que l'information requise ailleurs est transmise à l'**unité centrale** pour y être traitée. *V.a.* **data processing** 2.

DISTRIBUTION 1.
DISTRIBUTION, RÉPARTITION

(aff.) Partage, le plus souvent définitif, des biens d'une succession ou d'une entreprise en voie de liquidation. *N.B.* Dans une société en nom collectif, les associés se partagent les bénéfices selon le mode convenu dans le contrat de société.

DISTRIBUTION 2.
PLACEMENT

(fin.) Action d'offrir au public les titres d'une société conformément aux exigences des lois sur les valeurs mobilières. *N.B.* Il convient de distinguer l'**émission** de l'**offre en vente**. L'**émission** est le placement dans le public de titres en cours de création. L'**offre en vente** est la proposition publique de vente de titres antérieurement créés. En Belgique, on parle souvent d'**émission au robinet** pour désigner les émissions continues d'obligations ou de bons de caisse.

DISTRIBUTION 3.
VENTILATION, RÉPARTITION

Voir **allocation** 1.

DISTRIBUTION COSTS
FRAIS DE COMMERCIALISATION, FRAIS DE MISE EN MARCHÉ

Frais engagés par l'entreprise pour mettre ses produits à la portée des consommateurs. *N.B.* Le **coût de distribution** comprend exclusivement les charges directes et indirectes afférentes à la fonction **distribution**. *V.a.* **marketing costs**.

DISTRICT MANAGER
DIRECTEUR RÉGIONAL

(gest.) Personne ayant la responsabilité de la gestion de l'entreprise dans une région donnée.

DIVERSIFICATION
DIVERSIFICATION

(écon.) Opération de la stratégie de développement de l'entreprise par laquelle celle-ci prend position dans de nouvelles productions ou prestations de services ou de nouveaux marchés et se crée ainsi de nouveaux secteurs d'activité. *N.B.* La **diversification** peut être **horizontale**, **verticale** ou **latérale**. Elle est horizontale lorsque le nouveau produit est conforme à la pratique, l'expérience et la technique actuelles de l'entreprise; elle est verticale lorsque l'entreprise étend son activité actuelle vers l'**amont** ou vers l'**aval**; elle est latérale lorsqu'elle est caractérisée par l'entrée de l'entreprise dans un nouveau domaine d'activité, par exemple le lancement d'un produit sur un marché non encore exploité.

DIVERSIFIED COMPANY
SOCIÉTÉ À EXPLOITATION DIVERSIFIÉE

(org. des entr.) Société par actions dont l'exploitation s'étend à différents secteurs d'activité, directement ou par l'intermédiaire de filiales. *V.a.* **conglomerate company**.

DIVIDEND 1.
DIVIDENDE

(fin.) Fraction du bénéfice qu'une société distribue à ses actionnaires en proportion des actions qu'ils détiennent, compte tenu des droits attachés à chaque type d'actions. *N.B.* Lorsque le terme **dividende** est utilisé sans complément, il s'agit généralement d'un **dividende en espèces**. En France et en Belgique, on distingue le **premier dividende** que la coutume désigne par l'expression **intérêt statutaire** et le **second dividende** appelé **superdividende**, c'est-à-dire l'excédent du dividende versé sur l'intérêt statutaire. *V.a.* **arrears of dividend**, **cash dividend**, **cum dividend**, **cumulative dividend**, **dividend in kind**, **dividend in scrip**, **ex dividend**, **extra dividend**, **passed dividend**, **statutory dividend**, **stock dividend** et **unpaid dividend**.

DIVIDEND 2.
DIVIDENDE DE LIQUIDATION, BONI DE LIQUIDATION

(fin.) Somme versée à ses actionnaires par une société en voie de liquidation après le règlement de ses dettes. *Syn.* **liquidating dividend**.

DIVIDEND 3.
DIVIDENDE (DE LIQUIDATION)
Quote-part des sommes provenant de la réalisation des biens d'un failli, attribuée à chacun des créanciers.

DIVIDEND 4.
RISTOURNE
Somme remise, en fin d'exercice, aux membres d'une coopérative proportionnellement au chiffre d'affaires de chaque coopérateur. *N.B.* Les sommes qu'une coopérative distribue en fonction du chiffre d'affaires global qu'elle a réalisé s'appellent **prime**. *Syn.* **patronage dividend**, **patronage refund** et **patronage return**. *V.a.* **co-operative**.

DIVIDEND 5.
BONIFICATION, PARTICIPATION, QUOTE-PART DES BÉNÉFICES
(ass.) Somme déduite d'une prime d'assurance sur la vie, ou augmentation de la couverture, lorsque le produit des primes reçues par une compagnie d'assurances dépasse les sommes qu'elle verse aux assurés, compte tenu de ses frais d'administration et d'une marge bénéficiaire normale. *V.a.* **insurance premium**.

DIVIDEND COVERAGE RATIO
COUVERTURE DES DIVIDENDES
(anal. fin.) Quotient du bénéfice net d'un exercice par les dividendes que la société a servis ou qu'elle aurait dû servir durant cet exercice aux titulaires d'actions privilégiées à dividende cumulatif. *V.a.* **ratio analysis**.

DIVIDEND IN ARREARS
ARRIÉRÉ DE DIVIDENDE, DIVIDENDE ARRIÉRÉ
Voir **arrears of dividend**.

DIVIDEND IN KIND
DIVIDENDE EN NATURE
(fin.) Distribution de bénéfices par une société à ses actionnaires sous la forme de biens, par exemple des titres d'autres sociétés qu'elle possède ou des articles qu'elle fabrique, en proportion des actions détenues par chaque actionnaire. *Syn.* **property dividend**. *V.a.* **dividend** 1.

DIVIDEND IN SCRIP
CERTIFICAT DE DIVIDENDE PROVISOIRE
(fin.) (Can.) Promesse écrite par laquelle une société s'engage à verser un dividende à ses actionnaires à une date ultérieure. *Syn.* **scrip dividend**. *V.a.* **dividend** 1.

DIVIDEND PAYABLE
DIVIDENDE À PAYER
Poste du bilan où figurent les dividendes qu'une société s'est engagée à verser mais qu'elle n'a pas encore servis à ses actionnaires à la **date de l'arrêté des comptes**. *V.a.* **unpaid dividend**.

DIVIDEND PAYOUT RATIO
RATIO DES DIVIDENDES AU BÉNÉFICE, RATIO DE DISTRIBUTION
(anal. fin.) Quotient des dividendes distribués par une société au cours d'un exercice par le bénéfice net de cet exercice. *N.B.* En contexte, on désigne parfois ce ratio par l'expression **ratio de versement**. *Syn.* **payout ratio**. *V.a.* **ratio analysis**.

DIVIDEND POLICY
LIGNE DE CONDUITE EN MATIÈRE DE DIVIDENDES, POLITIQUE DE DIVIDENDE
(fin.) Règles adoptées par une société par actions et portant sur les facteurs dont la direction doit tenir compte au moment de déclarer un dividende. *V.a.* **policy** 2.

DIVIDEND TAX CREDIT
DÉGRÈVEMENT POUR DIVIDENDES (Can.), CRÉDIT D'IMPÔT (POUR DIVIDENDES) (Can. et Belg.),
AVOIR FISCAL (Fr.)

(fisc.) Dégrèvement accordé aux particuliers qui ont reçu au cours de l'année d'imposition, des dividendes de sociétés imposables. *N.B.* Le revenu imposable du contribuable comprend alors le dividende reçu augmenté d'un pourcentage qui varie selon les pays, et le crédit d'impôt alloué aux bénéficiaires des dividendes distribués est égal à un certain pourcentage, en France et en Belgique, des sommes effectivement reçues des sociétés et, au Canada, des dividendes majorés. Considéré comme un impôt déjà versé, ce crédit vient en diminution du montant effectif de l'impôt personnel que doit acquitter le contribuable et il peut, du moins en France, faire l'objet d'un recouvrement. Ce dégrèvement a pour but d'atténuer la charge fiscale résultant, pour les bénéfices distribués, de l'**application en cascade de l'impôt** sur les bénéfices des sociétés et de l'impôt sur le revenu des personnes physiques. Le revenu disponible de l'actionnaire au titre des dividendes est donc égal aux sommes qu'il a reçues de sociétés par actions, augmentées d'un pourcentage qui varie selon la législation en cause. *V.a.* **abatement** 3. et **gross-up**.

DIVIDEND YIELD
(TAUX DE) RENDEMENT DES ACTIONS, RENDEMENT BOURSIER

(anal. fin.) Taux égal au quotient des dividendes déclarés durant un exercice par le cours des actions de la société en cause à une date donnée de cet exercice ou de l'exercice suivant.

DOCUMENTARY EVIDENCE
PREUVES DOCUMENTAIRES

(E.C.) En vérification (ou révision), ensemble des documents et pièces pouvant avoir une valeur d'information probante. *N.B.* En comptabilité, la concordance qui doit nécessairement exister entre certains documents comptables ou certains comptes pour que la comptabilité soit probante porte le nom de **concordance des comptes**. *V.a.* **accounting records**, **audit evidence** et **evidence**.

DOLLAR UNIT SAMPLING *(Can.)*
ÉCHANTILLONNAGE EN UNITÉS MONÉTAIRES, SONDAGE DES UNITÉS MONÉTAIRES
Voir **monetary unit sampling**.

DOLLAR VALUE LIFO METHOD
MÉTHODE DE L'ÉPUISEMENT À REBOURS AVEC INDEXATION

(Can.) Méthode de l'épuisement à rebours qui consiste à évaluer l'ensemble des articles stockés au moyen d'indices de prix afin d'éliminer du coût des stocks les gains ou les pertes attribuables à la baisse ou à la hausse du prix des articles en cause. *Syn.* **lifo dollar value method**. *V.a.* **cost flow methods**.

DONATED SHARE
ACTION REMISE À TITRE GRATUIT

(fin.) Action qu'un actionnaire rétrocède gratuitement à la société qui l'a émise. *V.a.* **share** 2.

DONATED SURPLUS
SURPLUS D'APPORT OBTENU À TITRE GRATUIT

(Can.) Partie du surplus d'apport d'une société où figure la valeur des biens que des actionnaires, d'autres personnes ou des organismes lui ont cédés à titre gratuit. *V.a.* **contributed surplus** 2. et **surplus** 1.

DONATION
DON, DONATION

(dr.) Acte entre vifs, par lequel une personne (le **donateur**) se dépouille irrévocablement d'un bien en faveur d'une autre personne (le **donataire**).

DORMANT COMPANY
SOCIÉTÉ INACTIVE, SOCIÉTÉ (MISE) EN SOMMEIL

(aff.) Société non exploitée mais qui néanmoins doit se conformer aux exigences légales relatives aux entreprises en exploitation. *Syn.* **non-operating company**. *Comparer avec* **operating company**.

DOUBLE BASIC SALARY RATE
(TAUX DE) SALAIRE MAJORÉ DE 100%

Taux payé pour les heures supplémentaires de travail en conformité avec les prescriptions de la loi ou les clauses d'un contrat de travail.

DOUBLE-DECLINING-BALANCE METHOD (OF DEPRECIATION)
(MÉTHODE DE L')AMORTISSEMENT DÉCROISSANT À TAUX DOUBLE

(U.S.) Méthode qui consiste à calculer l'amortissement périodique d'un bien en multipliant sa valeur comptable par un taux égal au double de celui de l'amortissement linéaire. *V.a.* **depreciation methods**.

DOUBLE ENTRY BOOKKEEPING
COMPTABILITÉ EN PARTIE DOUBLE, TENUE DES LIVRES À PARTIE DOUBLE

Comptabilité d'usage généralisé dans laquelle chaque opération est portée à la fois au débit d'un ou plusieurs comptes et au crédit d'un ou plusieurs autres comptes de telle sorte que le total des montants inscrits au débit soit égal au total des montants inscrits au crédit. *Comparer avec* **single entry bookkeeping**. *V.a.* **bookkeeping**.

DOUBLE TAXATION
DOUBLE IMPOSITION

Voir **tax duplication**.

DOUBTFUL ACCOUNT
CRÉANCE DOUTEUSE, COMPTE CLIENT DOUTEUX

Créance dont le recouvrement ultime est incertain et qu'il convient de provisionner pour effectuer un meilleur rapprochement des produits et des charges. *Syn.* **doubtful debt**. *Comparer avec* **bad debt**. *V.a.* **allowance for doubtful accounts**.

DOUBTFUL DEBT
CRÉANCE DOUTEUSE, COMPTE CLIENT DOUTEUX

Voir **doubtful account**.

DOWNPAYMENT
VERSEMENT INITIAL, ACOMPTE

(comm.) Partie du prix d'achat d'un bien versée au moment de la signature du contrat, plus particulièrement dans le cas d'une vente à tempérament. *Syn.* **deposit** 4. *V.a.* **advance** 2., **deposit** 3. et **instalment sale**.

DOWN TIME
TEMPS MORT, TEMPS IMPRODUCTIF, ARRÊT-MACHINE, TEMPS DE PANNE

(prod. et *inf.)* Temps au cours duquel un matériel est inutilisé par suite d'un ralentissement des affaires, d'une pénurie de stock, d'une panne, d'une mise au point du matériel, etc. *Syn.* **idle time**.

DOWNWARD TREND
TENDANCE À LA BAISSE

(anal. fin.) Évolution d'une entreprise caractérisée par un résultat moins bon ou un chiffre d'affaires qui fléchit d'un exercice à un autre. *Comparer avec* **upward trend**. *V.a.* **trend**.

Dr.
DÉBIT (Dt)

Abrév. de **debit** n. 2.

DRAFT
LETTRE DE CHANCE, TRAITE

Voir **bill of exchange**.

DRAFT FINANCIAL STATEMENTS
ÉBAUCHE DES ÉTATS FINANCIERS, PROJET D'ÉTATS FINANCIERS, ÉBAUCHE DES COMPTES
   ANNUELS, ÉTATS FINANCIERS PROVISOIRES
États financiers (ou comptes annuels) établis à titre de projet.

DRAW-DOWN
PRÉLÈVEMENT (SUR LES IMPÔTS REPORTÉS)
(Can.) Somme portée au débit du compte Impôts reportés créditeurs, et attribuable à un excédent des impôts exigibles sur les impôts de l'exercice calculés selon la méthode du report d'impôts.

DRAWEE
TIRÉ
(dr.) Personne à qui le tireur donne l'ordre de payer à l'échéance un effet de commerce. *Comparer avec* **payee** 1.

DRAWER
TIREUR
(dr.) Personne qui émet une lettre de change et donne l'ordre au tiré de payer une certaine somme à un tiers. *Comparer avec* **maker**.

DRAWING
PRÉLÈVEMENT, RETRAIT
(fin.) Action, pour le propriétaire ou les associés, de retirer des biens (habituellement de l'argent ou des marchandises) d'une entreprise individuelle ou d'une société en nom collectif. *Syn.* **withdrawal**.

DRAWING ACCOUNT
COMPTE DE RETRAITS, COMPTE DE PRÉLÈVEMENTS
Compte temporaire que l'on retrouve dans les livres des entreprises individuelles et ceux des sociétés de personnes et dans lequel figurent les sommes prélevées par le propriétaire ou les associés durant l'exercice. *N.B.* En France et en Belgique, c'est dans un **compte d'associé** que l'on inscrit les prélèvements effectués par ceux-ci et la part des bénéfices qui leur revient.

DRILLING FUND
FONDS DE FORAGE
(ind. extr.) Mode d'investissement prenant généralement la forme d'une société en commandite et qui consiste à fournir des capitaux en vue de l'exploration de gisements pétrolifères ou gaziers. *N.B.* Ce genre d'investissement procure habituellement des avantages fiscaux aux investisseurs.

DUE CARE
SOIN, DILIGENCE
(E.C.) Attention, application et sérieux avec lesquels un expert-comptable compétent est tenu d'exécuter sa mission pour satisfaire aux lois et règles de déontologie pertinentes. *N.B.* En France et en Belgique, l'ensemble des règles que doit observer l'expert-comptable dans ses missions d'établissement et de révision de comptes est connu sous le nom de **diligences normales**. Ces diligences sont de deux sortes : les **diligences comptables** et les **diligences extra-comptables**.

DUE DATE
(DATE D')ÉCHÉANCE, DATE D'EXIGIBILITÉ
Voir **maturity date**.

DUE ON DEMAND
PAYABLE SUR DEMANDE (Can.), PAYABLE À VUE, PAYABLE SUR PRÉSENTATION
(dr.) Caractéristique d'un effet de commerce qui est payable au moment où le bénéficiaire l'exigera. *N.B.* Au Canada, le terme **payable à vue** se dit des effets de commerce pour lesquels le débiteur jouit d'un délai de grâce de trois jours, ce qui n'est pas le cas pour les effets payables sur demande. *Syn.* **payable on demand**. *V.a.* **demand loan** et **on demand**.

DUES

COTISATION, DROIT D'ADHÉSION

(lang. cour.) Somme généralement forfaitaire, fixée à l'avance et versée, le plus souvent annuellement, à un organisme ou à un club pour avoir le droit d'en faire partie. *Syn.* **fee(s)** 3. et **membership fee(s)**. *V.a.* **assess** 2.

DUMMY

PRÊTE-NOM, HOMME DE PAILLE (fam.)

(dr.) Personne qui permet que l'on use de son nom dans un acte où le véritable contractant ne peut pas ou ne veut pas que le sien y figure. *V.a.* **nominal owner**.

DUMMY CORPORATION

SOCIÉTÉ-ÉCRAN, SOCIÉTÉ PRÊTE-NOM

(dr.) Société dont l'objet unique est de servir d'**écran juridique** pour un certain nombre de sociétés exerçant leur exploitation dans différents secteurs d'activité. *N.B.* Le plus souvent, l'objet d'une société-écran est de détenir le titre de propriété de certains biens des sociétés en exploitation.

DUMP *v.*

PRENDRE UNE IMAGE-MÉMOIRE, FAIRE UNE ANALYSE-MÉMOIRE, VIDER

(inf.) Enregistrer ou imprimer sur un support amovible tout ou partie du contenu d'une mémoire en vue de libérer celle-ci, d'exercer un contrôle, d'effectuer une purge ou d'assurer une reprise.

DUMP *n.*

COPIE, VIDAGE

(inf.) Impression du contenu d'une mémoire ou d'un fichier. *V.a.* **file dump**.

DUPLICATA 1.

COPIE, EXEMPLAIRE, DOUBLE

(lang. cour.) Reproduction d'un texte écrit. *V.a.* **copy** et **original**.

DUPLICATA 2.

DUPLICATA, DOUBLE

(lang. cour.) Second exemplaire d'un document. *V.a.* **in duplicate**.

DUTY FREE

EXEMPT DE DROITS, ADMIS EN FRANCHISE, HORS TAXE, EN FRANCHISE DE DROITS

(comm. et fisc.) Se dit d'une marchandise qu'il est possible de se procurer à l'étranger sans payer de droits de douane. *V.a.* **free of tax**.

DUTY FREE SHOP

BOUTIQUE HORS TAXE, BOUTIQUE FRANCHE

(comm. et fisc.) Boutique où l'on vend des marchandises exemptes de droits de douane. *N.B.* Le terme **franc** signifie libéré de certaines servitudes, exempt de charges, taxes ou imposition.

EARLY RETIREMENT
RETRAITE ANTICIPÉE
(rentes) Retraite prise avant la date normale prévue. *Comparer avec* **late retirement**. *V.a.* **automatic retirement age** et **retirement** 3.

EARMARK
AFFECTER (UNE SOMME) À UNE FIN PARTICULIÈRE
(fin.) Mettre de côté une somme que l'on destine à une fin déterminée d'avance. *V.a.* **fund** *v.* 1.

EARNED
RÉALISÉ, MATÉRIALISÉ, GAGNÉ, ACQUIS
Voir **realized** 2.

EARNED INCOME 1.
REVENU GAGNÉ
(fisc. can.) Terme employé pour désigner le bénéfice qu'un particulier tire d'une entreprise industrielle ou commerciale et le revenu que lui procurent la location de biens et la prestation de services.

EARNED INCOME 2.
REVENU DU TRAVAIL, REVENU GAGNÉ
(lang. cour.) Revenu qu'un particulier tire de son travail par opposition à toute autre forme de revenus.

EARNED INTEREST
INTÉRÊTS CRÉDITEURS
Voir **interest income**.

EARNED SURPLUS *(vieilli)*
SURPLUS GAGNÉ (vieilli)
(Can.) Terme employé autrefois pour désigner les bénéfices non répartis. *V.a.* **retained earnings** et **surplus** 1.

EARNEST MONEY
ARRHES
(dr.) Somme versée par une personne, le plus souvent à titre d'acompte, au moment de la conclusion d'un marché ou d'un contrat. *N.B.* Dans un contrat d'achat ou de vente classique, si l'acheteur rompt le contrat, il doit abandonner les arrhes au vendeur; dans le cas où c'est le vendeur qui rompt le contrat, la loi l'oblige à verser à l'acheteur le double des arrhes qui lui avaient été remises au moment de la conclusion du contrat. Les arrhes constituent donc un moyen de **dédit** et, dans ce sens, elles représentent une somme que remet l'une des parties à l'autre en vue de se ménager la faculté de se dédire. *V.a.* **advance** 2., **deposit** 3. et **forfeit payment**.

EARNING POWER
CAPACITÉ DE GAIN, RENTABILITÉ

(fin.) Aptitude d'une entreprise à rémunérer le capital investi, ou d'un titre à générer des revenus. *N.B.* Cette aptitude est généralement évaluée au moyen d'une estimation de la valeur actualisée des bénéfices que procurera un investissement, un capital. *V.a.* **profitability**.

EARNINGS 1.
BÉNÉFICE (NET), BÉNÉFICE (NET) DE L'EXERCICE, PROFIT (NET), RÉSULTAT NET

Voir **income** 1.

EARNINGS 2.
REVENU

Voir **income** 2.

EARNINGS 3.
PROFIT, GAIN

Voir **gain**.

EARNINGS, STATEMENT OF
(ÉTAT DES) RÉSULTATS (Can.), COMPTE DE RÉSULTAT (Fr. et Belg.), COMPTE DE PROFITS ET PERTES (C.E.E.)

Voir **statement, income**.

EARNINGS BEFORE INCOME TAXES (EBIT)
BÉNÉFICE AVANT IMPÔTS

(Can.) Bénéfice figurant dans l'état des résultats, déduction faite de toutes les charges, à l'exception des impôts sur le revenu de l'exercice.

EARNINGS CEILING
PLAFOND DU SALAIRE, SALAIRE PLAFONNÉ

(rentes et *ass.)* Limite du salaire sur laquelle se fonde le calcul de certaines cotisations à divers régimes d'assurance sociale. *Syn.* **salary base**.

EARNINGS FORECASTS
RÉSULTATS PRÉVISIONNELS, PRÉVISIONS DE RÉSULTATS

(gest.) Détermination, par anticipation, des résultats d'exploitation les plus probables et plus particulièrement des bénéfices futurs de l'entreprise. *V.a.* **financial forecasts** 1. et **forecasts**.

EARNINGS PER SHARE (EPS) 1.
BÉNÉFICE PAR ACTION (B.P.A.), RÉSULTAT PAR ACTION

(anal. fin. et *compt.)* Bénéfice de l'exercice réduit à une action du capital émis et en circulation d'une société. *N.B.* Le calcul du bénéfice par action n'est pertinent que pour les actions auxquelles est attaché le droit de participer sans restriction aux bénéfices de la société. *V.a.* **basic earnings per share, fully diluted earnings per share, primary earnings per share** *(U.S.),* **pro-forma earnings per share** et **supplementary earnings per share** *(U.S.).*

EARNINGS PER SHARE (EPS) 2.
BÉNÉFICE PAR ACTION EN CIRCULATION, BÉNÉFICE NON DILUÉ PAR ACTION

Voir **basic earnings per share**.

EARN-OUT PROVISION
CLAUSE AFFÉRENTE AUX BÉNÉFICES FUTURS

(dr.) Clause d'un contrat d'acquisition d'une entreprise en vertu de laquelle la contrepartie susceptible d'être versée par l'acquéreur au vendeur peut être modifiée en fonction des bénéfices futurs que l'entreprise (ou l'ensemble des sociétés regroupées) réalisera au cours d'une période donnée. *V.a.* **contingent consideration**.

EASEMENT
SERVITUDE
(dr.) Charge établie sur un bien-fonds pour l'usage et l'utilité d'un autre bien-fonds appartenant à un propriétaire distinct. *Syn.* **encumbrance** 3. *V.a.* **land servitude**.

EBIT
BÉNÉFICE AVANT IMPÔTS
Abrév. de **earnings before income taxes.**

ECONOMIC ENTITY
ENTITÉ ÉCONOMIQUE, UNITÉ ÉCONOMIQUE, GROUPE
Voir **economic unit** 2.

ECONOMIC LIFE
DURÉE ÉCONOMIQUE
(écon.) Période au cours de laquelle une entreprise peut utiliser efficacement une immobilisation donnée. *Syn.* **useful life** 2. *Comparer avec* **physical life.**

ECONOMIC ORDER QUANTITY
QUANTITÉ ÉCONOMIQUE DE RÉAPPROVISIONNEMENT, LOT ÉCONOMIQUE
(gest.) Quantité optimale qu'il convient de commander lorsque le stock est réduit à un niveau appelé **point de réapprovisionnement**. *N.B.* Cette quantité est déterminée au moyen de calculs qui tiennent compte, dans une recherche d'optimum, du coût marginal de la passation d'une commande, du coût marginal d'entreposage par unité stockée et de la demande totale pour l'article en cause. *Comparer avec* **optimum order size**. *V.a.* **reorder point**.

ECONOMIC UNIT 1.
UNITÉ ÉCONOMIQUE, AGENT ÉCONOMIQUE
(écon.) Individu, groupe d'individus ou organisme qui, du point de vue économique, constitue un centre de décision et d'action élémentaire.

ECONOMIC UNIT 2.
ENTITÉ ÉCONOMIQUE, UNITÉ ÉCONOMIQUE, GROUPE
(org. des entr.) Ensemble d'entreprises ayant une même direction et donnant généralement lieu à l'établissement d'états financiers (ou comptes annuels) consolidés ou cumulés. *Syn.* **economic entity** et **entity** 2. *Comparer avec* **accounting entity** 1. et **legal entity**. *V.a.* **group**.

ECU
UNITÉ DE COMPTE EUROPÉENNE (U.C.E. ou ÉCU)
Abrév. de **European currency unit**.

EDIT 1.
ÉPURER, CORRIGER
(inf.) Découvrir et corriger les erreurs que renferment les données traitées par ordinateur et les documents de sortie.

EDIT 2.
APPRÊTER
(inf.) Mettre en forme des données en vue d'une sortie, impression ou affichage. *N.B.* On utilise parfois le terme *éditer* qui, pris dans ce sens, est un anglicisme.

EDP
INFORMATIQUE, TRAITEMENT ÉLECTRONIQUE DE L'INFORMATION
Abrév. de **electronic data processing**.

EDP AUDIT
VÉRIFICATION DANS UN CADRE INFORMATIQUE, RÉVISION DANS UN ENVIRONNEMENT INFORMATIQUE

Abrév. de **electronic data processing audit**.

EFFECTIVE AUDIT
VÉRIFICATION EFFICACE, RÉVISION EFFICACE

(E.C.) Mission de vérification (ou révision) au cours de laquelle l'expert-comptable a pu atteindre les objectifs qu'il poursuivait. *Comparer avec* **efficient audit**. *V.a.* **audit effectiveness**.

EFFECTIVE DATE
(DATE D')ENTRÉE EN VIGUEUR, DATE D'EFFET

(dr. et banque) Date à partir de laquelle un règlement peut être appliqué, une mesure prise, etc. *N.B.* La **date de valeur** désigne la date à laquelle une banque porte une somme (par exemple un prêt qu'elle a consenti ou un chèque remis à l'encaissement) au débit ou au crédit du compte d'un de ses clients et à compter de laquelle les intérêts débiteurs ou créditeurs sont calculés. *V.a.* **value date**.

EFFECTIVE INTEREST METHOD
MÉTHODE (DE DÉTERMINATION) DE L'INTÉRÊT RÉEL

Méthode systématique d'amortissement de la différence entre le prix d'émission (ou le coût d'acquisition) d'obligations et leur valeur nominale, qui consiste à imputer à chaque période, à titre d'amortissement, la différence entre les intérêts versés (ou reçus) et les intérêts débiteurs (ou créditeurs) déterminés en multipliant la valeur comptable des obligations au début de la période par le taux d'intérêt effectif en vigueur lors de l'émission (ou de l'acquisition) des obligations. *Syn.* **compound interest method of discount (or premium) amortization** et **interest method of bond discount (or premium) amortization**. *Comparer avec* **straight-line method of discount (or premium) amortization**. *V.a.* **bond discount (or premium) amortization methods**, **discount amortization methods** et **premium amortization methods**.

EFFECTIVE INTEREST RATE
TAUX (D'INTÉRÊT) EFFECTIF, TAUX DE RENDEMENT

Voir **effective rate** 2.

EFFECTIVELY CONTROLLED COMPANY
SOCIÉTÉ SOUS CONTRÔLE EFFECTIF, SOCIÉTÉ SOUS CONTRÔLE MINORITAIRE

(org. des entr.) Société placée de fait sous le contrôle d'un actionnaire (société ou particulier) qui pourtant ne possède pas la majorité des actions donnant droit de vote de la société. *N.B.* Une entreprise qui en contrôle une autre possède un **bloc de contrôle**, c'est-à-dire un nombre d'actions suffisamment élevé pour permettre à la société qui les détient d'obtenir le contrôle de la société dépendante et de prendre valablement des décisions aux assemblées générales des actionnaires. *V.a.* **company subject to significant influence**, **controlled company** 1. et **significant influence**.

EFFECTIVENESS
EFFICACITÉ

(gest.) Rapport entre les résultats obtenus et les objectifs; degré de réalisation des objectifs d'un programme. *Comparer avec* **efficiency**.

EFFECTIVE RATE 1.
TAUX EFFECTIF, TAUX DE RENDEMENT

(anal. fin.) Dividendes ou intérêts (augmentés ou diminués, selon le cas, de l'amortissement de la différence entre le coût d'un placement en obligations et la valeur nominale de celles-ci) exprimés en pourcentage du capital investi. *Syn.* **yield** 2. *Comparer avec* **nominal rate**.

EFFECTIVE RATE 2.
TAUX (D'INTÉRÊT) EFFECTIF, TAUX DE RENDEMENT

Pour la société qui a émis des obligations, intérêts (compte tenu de l'amortissement de la différence entre le produit de l'émission des obligations et leur valeur nominale) exprimés en pourcentage de la valeur comptable des obligations. *Syn.* **effective interest rate**. *Comparer avec* **coupon rate** et **nominal rate**. *V.a.* **current yield** et **yield to maturity**.

EFFECTIVE TAX RATE
TAUX D'IMPOSITION MOYEN, TAUX D'IMPOSITION EFFECTIF
Voir **average tax rate**.

EFFICIENCY
EFFICIENCE
(gest.) Rapport entre les réalisations et les coûts engagés ou, d'une manière générale, entre les résultats obtenus et les moyens mis en oeuvre. *Comparer avec* **effectiveness**.

EFFICIENCY VARIANCE
ÉCART DE RENDEMENT
Écart sur quantité ou sur utilisation se rapportant soit aux matières, soit à la main-d'oeuvre directe, soit aux frais généraux de fabrication variables. *N.B.* Dans le cas des frais généraux, l'**écart de rendement**, dans un système de prix de revient standard, est égal à la différence entre les frais généraux prévus ajustés à l'activité réelle et ces mêmes frais déterminés en fonction du nombre d'heures standard que requiert la production réelle effectuée. *V.a.* **budget variance** 2., **overhead variances** et **standard cost variances**.

EFFICCIENT AUDIT
VÉRIFICATION EFFICIENTE, RÉVISION EFFICIENTE
(E.C.) Mission de vérification (ou révision) caractérisée par l'obtention d'un ratio optimal entre les résultats obtenus (les **extrants**) et les moyens mis en oeuvre (les **intrants**) pour obtenir ces résultats. *Comparer avec* **effective audit**. *V.a.* **audit efficiency**.

EFFICIENT MARKET HYPOTHESIS (EMH)
HYPOTHÈSE DE L'EFFICIENCE DU MARCHÉ DES CAPITAUX (H.E.M.C.), HYPOTHÈSE DU MARCHÉ
  EFFICIENT
(fin.) Hypothèse selon laquelle le marché des valeurs mobilières (et donc le cours des titres) tient compte de toutes les informations disponibles et réagit presque instantanément et d'une façon objective à toute nouvelle information, qu'elle soit donnée dans le corps même des états financiers (ou comptes annuels), par voie de notes ou d'annexes, ou ailleurs que dans les documents comptables.

EFTS
SYSTÈME DE TÉLÉVIREMENT
Abrév. de **electronic funds transfer system**.

ELECTRIC ACCOUNTING SYSTEM
MÉCANOGRAPHIE, COMPTABILITÉ MÉCANISÉE
Système caractérisé par l'utilisation de machines comptables non électroniques pour créer des documents de toute nature, notamment commerciaux et administratifs, et pour les étudier afin d'en tirer les informations nécessaires à l'exercice de certaines fonctions. *N.B.* L'ensemble des machines ainsi utilisées a préparé l'avènement de l'informatique et forme ce qui s'appelle la **mécanographie**. *Comparer avec* **electronic accounting system** et **one-write system**. *V.a.* **accounting machine**.

ELECTRONIC ACCOUNTING SYSTEM
COMPTABILITÉ INFORMATISÉE
(inf. et *compt.)* Système qui fournit tous les documents, les écritures comptables et parfois les états financiers (ou comptes annuels) eux-mêmes au moyen d'un ordinateur. *Syn.* **computer base accounting system**. *Comparer avec* **electric accounting system** et **one-write system**.

ELECTRONIC DATA PROCESSING (EDP)
INFORMATIQUE, TRAITEMENT ÉLECTRONIQUE DE L'INFORMATION
Déroulement systématique d'une suite d'opérations portant sur des données traitées par ordinateur. *Syn.* **data processing** 3. *(fam.)*. *V.a.* **data processing** 2. et **integrated data processing**.

ELECTRONIC DATA PROCESSING AUDIT
VÉRIFICATION DANS UN CADRE INFORMATIQUE, RÉVISION DANS UN ENVIRONNEMENT INFORMATIQUE
Voir **computer audit**.

ELECTRONIC DATA PROCESSING CENTRE
CENTRE (D')INFORMATIQUE, CENTRE DE TRAITEMENT DE L'INFORMATION
Voir **data centre**.

ELECTRONIC DATA PROCESSING DEPARTMENT
SERVICE DE L'INFORMATIQUE
(inf.) Service qui, à l'intérieur d'une entreprise, est chargé du traitement électronique des données. *V.a.* **data centre** et **service bureau**.

ELECTRONIC DATA PROCESSING ENGINEER
INFORMATICIEN
(inf.) Personne, par exemple un analyste et un programmeur, spécialisée en informatique théorique ou appliquée. *V.a.* **systems engineer**.

ELECTRONIC FUNDS TRANSFER SYSTEM (EFTS)
SYSTÈME DE TÉLÉVIREMENT
(inf.) Système électronique permettant d'effectuer des virements de fonds d'un compte à un autre sans support monnaie ou papier. *V.a.* **automatic credit distribution**.

ELIGIBILITY
ADMISSIBILITÉ
(dr. et *fisc.)* Le fait de remplir certaines conditions permettant, par exemple, à une personne de postuler un emploi, de toucher des prestations, ou à une dépense d'être déduite fiscalement.

ELIGIBILITY REQUIREMENTS 1.
CONDITIONS D'ADMISSION
(rentes et *ass.)* Conditions à remplir pour participer à une assurance-groupe ou à un régime de retraite.

ELIGIBILITY REQUIREMENTS 2.
CONDITIONS D'ATTRIBUTION, CONDITIONS D'OCTROI DES PRESTATIONS
(rentes et *ass.)* Conditions à remplir pour bénéficier de prestations versées par un organisme de sécurité sociale, un régime de retraite ou une compagnie d'assurances.

ELIGIBLE
ADMISSIBLE
(fisc. can.) Terme qui modifie le sens attribué à un autre terme fiscal ou comptable pour indiquer, le plus souvent, que les éléments ou les opérations en cause font l'objet d'un traitement fiscal particulier. *N.B.* C'est ainsi, par exemple, que la loi parle du **montant de la dépense en immobilisations admissible** *(eligible capital expenditure)*, du **montant admissible des immobilisations cumulatives** *(cumulative elegible capital)* et des **dépenses admissibles** *(eligible expenditures)*.

ELIMINATING ENTRY
ÉCRITURE D'ÉLIMINATION, ÉCRITURE D'ANNULATION
Écriture passée sur un chiffrier avant d'établir des comptes consolidés ou des états cumulés afin que n'y figure pas le résultat des opérations intersociétés. *Syn.* **elimination** et **intercompany elimination**.

ELIMINATION
ÉCRITURE D'ÉLIMINATION, ÉCRITURE D'ANNULATION
Voir **eliminating entry**.

EMBEZZLEMENT
DÉTOURNEMENT (DE FONDS), MALVERSATION

(lang. cour.) Action, pour une personne, de distraire à son profit des biens confiés à sa garde. *Syn.* **defalcation**. *V.a.* **forge** et **fraud**.

EMH
HYPOTHÈSE DE L'EFFICIENCE DU MARCHÉ DES CAPITAUX (H.E.M.C.), HYPOTHÈSE DU MARCHÉ EFFICIENT

Abrév. de **efficient market hypothesis (EMH)**.

EMPLOYEE
SALARIÉ, EMPLOYÉ

(rel. de tr.) Personne qui, moyennant une rémunération, remplit une fonction ou un travail pour le compte d'un employeur. *N.B.* Le terme **employé** s'entend habituellement de personnes dont l'activité est d'ordre intellectuel et exclut de ce fait les ouvriers alors que le terme **salarié** s'emploie pour désigner à la fois les employés et les ouvriers. *V.a.* **salaried employee** et **self-employed person**.

EMPLOYEES' CONTRIBUTIONS
COTISATIONS SALARIALES

(rentes et *ass.)* Quote-part versée par les participants à un régime de retraite ou autre et généralement calculée en fonction de leur salaire. *V.a.* **contribution** 2.

EMPLOYEE STOCK OWNERSHIP PLAN (ESOP)
ACTIONNARIAT DES SALARIÉS

(rel. de tr.) Régime d'intéressement en vertu duquel les salariés de sociétés de capitaux peuvent, sous certaines conditions, devenir actionnaires de leur entreprise et, en certains cas, participer à leur gestion. *V.a.* **fringe benefits** 2. et **stock option plan**.

EMPLOYER'S CONTRIBUTIONS
COTISATIONS PATRONALES

(rentes et *ass.)* Quote-part versée par l'employeur aux divers régimes de prévoyance publics (sécurité sociale) ou privés (régime de retraite ou d'assurance). *V.a.* **contribution** 2. et **fringe benefits** 2.

EMPLOYMENT SERVICE
SERVICE DE PLACEMENT

(rel. de tr.) Service de nature publique ou privée, qui se charge de répartir les offres et les demandes d'emploi.

EMPLOYMENT TAX CREDIT
CRÉDIT D'IMPÔT À L'EMPLOI

(fisc. can.) Dégrèvement d'impôt consenti aux employeurs, moyennant certaines conditions, en vue de susciter la création d'emplois dans le secteur privé au Canada. *V.a.* **abatement** 3.

ENABLING COSTS
FRAIS DE STRUCTURE ÉLIMINABLES

Frais de structure que l'entreprise n'engagera plus si elle interrompt complètement l'exploitation d'un secteur donné mais qu'elle sera tenue d'engager, quel que soit le degré d'activité exercé dans ce secteur. *N.B.* Un exemple de ce genre de frais est le salaire du préposé au contrôle de la qualité des produits sortant d'une chaîne de montage. *Comparer avec* **stand-by costs**. *V.a.* **capacity cost** et **committed costs**.

ENCUMBRANCE 1.
ENGAGEMENT

(compt. publ.) Acte par lequel une autorité administrative crée ou constate une obligation; dépense engagée et portée au débit d'un budget d'affectations et qui ne constituera toutefois une dette que lorsque les travaux auront été exécutés, les marchandises reçues ou les services rendus.

ENCUMBRANCE 2.
CHARGE (HYPOTHÉCAIRE)
(dr.) Droit grevant un bien meuble ou immeuble. *Syn.* **charge** *n.* 2.

ENCUMBRANCE 3.
SERVITUDE
Voir **easement**.

ENCUMBRANCE ACCOUNTING
COMPTABILITÉ D'ENGAGEMENTS (BUDGÉTAIRES)
(compt. publ.) Méthode qui consiste à comptabiliser les recettes dès qu'elles sont acquises et les dépenses dès qu'elles font l'objet d'engagements budgétaires même si, dans ce dernier cas, ces engagements n'ont donné lieu à aucune dette.

ENDED ON
CLOS LE, TERMINÉ LE
Expression qui accompagne la date de la fin d'un exercice.

ENDING
PRENANT FIN LE, SE TERMINANT LE
Expression qui accompagne la date à laquelle l'exercice en cours ou un exercice à venir se terminera.

ENDING INVENTORY
STOCK DE CLÔTURE, STOCK DE FERMETURE, STOCK FINAL, STOCK À LA FIN (DE L'EXERCICE)
Quantité d'articles que l'entreprise a en stock à la fin d'une période et, par extension, valeur attribuée à ces articles. *Syn.* **closing inventory**. *Comparer avec* **beginning inventory**. *V.a.* **inventory** *n.* 2.

END OF (FISCAL) YEAR
CLÔTURE DE L'EXERCICE, FIN DE L'EXERCICE
Date à laquelle survient la fin de l'exercice financier de l'entreprise. *Syn.* **year-end**. *V.a.* **balance sheet date**.

ENDORSEE
ENDOSSATAIRE
(dr.) Personne au profit de laquelle un effet de commerce est endossé.

ENDORSEMENT 1.
ENDOS
(dr.) Mention portée au dos d'un titre à ordre ou d'un effet de commerce, par laquelle le porteur enjoint celui qui doit le payer d'effectuer le paiement à une tierce personne ou à l'ordre de celle-ci.

ENDORSEMENT 2.
ENDOSSEMENT
(dr.) Transmission des titres à ordre, des effets de commerce au moyen de l'endos. *V.a.* **accommodation endorsement**, **blank endorsement** et **restrictive endorsement**.

ENDORSEMENT 3.
AVAL
(dr.) Convention par laquelle une personne (nommée **donneur d'aval**) se porte garante de tout ou partie d'une dette, d'une lettre de change, d'un billet à ordre ou d'un chèque. *N.B.* Le donneur d'aval peut se contenter de porter sa signature précédée de la date et de la mention *bon pour aval* sur la reconnaissance de dette elle-même ou sur l'effet de commerce en cause, ou bien il peut intervenir au moyen d'un écrit distinct du document attestant de l'existence de la dette. Le donneur d'aval garantit le paiement du montant de la dette à son échéance s'il y a défaillance du débiteur en faveur de qui l'aval est donné. *Syn.* **guarantee** 2. *V.a.* **guarantor** 1.

ENDORSEMENT 4.
AVENANT
Voir **rider**.

ENDORSER
ENDOSSEUR
(dr.) Personne qui endosse un effet de commerce.

ENDOWMENT FUND
FONDS DE DOTATION
(O.S.B.L.) Fonds constitué de sommes d'argent ou de valeurs mobilières obtenues par voie de legs ou de donation et dont le capital est généralement maintenu intact ou est affecté, tout comme les produits financiers qui en découlent, aux fins déterminées par le testateur ou le donateur. *V.a.* **expendable fund**, **fund accounting** et **non-expendable fund**.

ENGAGEMENT
MISSION
(E.C.) Travail, le plus souvent la vérification (ou révision) des états financiers (ou comptes annuels), effectué par un expert-comptable pour le compte d'un client à la demande de celui-ci. *V.a.* **engagement letter** et **professional engagement of a public accountant**.

ENGAGEMENT LETTER
LETTRE DE MISSION, LETTRE-CONTRAT
(E.C.) Communication écrite entre un expert-comptable et son client dans laquelle sont précisées les modalités de la mission confiée à l'expert-comptable et les responsabilités réciproques de chacune des deux parties. *V.a.* **engagement**.

ENQUIRY
DEMANDE DE RENSEIGNEMENTS, ENQUÊTE
(E.C.) Démarche de l'expert-comptable qui consiste à s'enquérir auprès de personnes bien renseignées, tant à l'extérieur qu'à l'intérieur de l'entreprise, en vue d'obtenir des informations pertinentes.

ENTER
ENREGISTRER, INSCRIRE, COMPTABILISER, PASSER (UNE ÉCRITURE)
Porter une somme dans un registre ou dans un compte. *Syn.* **record** *v.*, **register** *v.* 1. et **write up** 2. *(fam.). V.a.* **account for** 1.

ENTERING CLERK
AIDE-COMPTABLE, COMMIS COMPTABLE, COMMIS AUX ÉCRITURES, TENEUR DE LIVRES
Voir **bookkeeper**.

ENTERPRISE
ENTREPRISE, UNITÉ TECHNIQUE D'EXPLOITATION
(org. des entr.) Unité dotée de l'autonomie comptable et financière qui a pour objet l'exploitation de ressources en produisant des biens et des services et parfois en les distribuant. *N.B.* L'**unité technique d'exploitation** ne doit pas nécessairement être un commerçant car il peut s'agir d'un organisme sans but lucratif dont l'objet est civil, par exemple un hôpital. *V.a.* **business firm et establishment**.

ENTERTAINMENT EXPENSES
FRAIS DE REPRÉSENTATION, FRAIS DE RÉCEPTION
Frais engagés, par exemple, par le service des relations publiques de l'entreprise, en vue de consolider les liens avec la clientèle ou d'en créer de nouveaux.

ENTITY 1.
DIVISION, SUCCURSALE, SERVICE, ÉTABLISSEMENT
(org. des entr.) Unité, le plus souvent sans individualité juridique distincte, établie à une fin particulière par une entreprise importante.

ENTITY 2.
ENTITÉ ÉCONOMIQUE, UNITÉ ÉCONOMIQUE, GROUPE
Voir **economic unit** 2.

ENTITY CONCEPT
CONVENTION DE LA PERSONNALITÉ DE L'ENTREPRISE
Convention portant sur la relation entre une unité comptable et ses propriétaires, en vertu de laquelle on attribue à l'entreprise une existence distincte de celle de ses propriétaires. *Comparer avec* **proprietorship concept**. *V.a.* **accounting concepts**.

ENTITY THEORY
THÉORIE DITE DE L'ENTITÉ
Théorie qui consiste, en comptabilité, à considérer non seulement que l'entreprise a une existence distincte de celle de ses propriétaires mais aussi à n'établir aucune distinction nette entre les capitaux empruntés et les capitaux propres. *N.B.* Selon cette théorie, toutes les ressources de l'entreprise lui proviennent de tiers dont la situation juridique diffère. Cette théorie a comme conséquence que l'équation comptable est exprimée sous la forme suivante : **Actif = Droits à l'actif** (c'est-à-dire, le passif à la fois externe et interne). *Comparer avec* **proprietary theory**.

ENTITY VALUE (OF AN ASSET)
VALEUR POUR L'ENTREPRISE
Valeur qu'a un bien pour l'entreprise par opposition à celle que ce même bien peut avoir pour un tiers. *V.a.* **going concern value**, **value** *n.* et **value in use**.

ENTRY
ÉCRITURE (COMPTABLE), INSCRIPTION COMPTABLE
Inscription d'une opération sur un journal ou dans des comptes. *Syn.* **accounting entry** et **book entry**. *V.a.* **item** 3., **journal entry** et **posting**.

ENTRY PRICE
PRIX D'ENTRÉE COURANT
Voir **current entry price**.

E & OE
SAUF ERREURS OU OMISSIONS (S.E.O.)
Abrév. de **errors and omissions excepted**.

EOQ
QUANTITÉ ÉCONOMIQUE DE RÉAPPROVISIONNEMENT, LOT ÉCONOMIQUE
Abrév. de **economic order quantity**.

EPS
BÉNÉFICE PAR ACTION (B.P.A.), RÉSULTAT PAR ACTION
Abrév. de **earnings per share** 1. et 2.

EQUIPMENT 1.
MATÉRIEL, ÉQUIPEMENT
(lang. cour.) Ensemble de machines utilisées pour l'extraction, la transformation, le façonnage de matières et fournitures, et la prestation de services. *V.a.* **machinery and equipment**.

EQUIPMENT 2.
OUTILLAGE
(lang. cour.) Ensemble d'outils nécessaires à l'exercice d'un métier ou d'une activité manuelle ainsi qu'à la marche de l'entreprise. *Syn.* **tool equipment**. *V.a.* **small tools** et **tools**.

EQUIPMENT CREDIT
CRÉDIT D'ÉQUIPEMENT, CRÉDIT PROFESSIONNEL
(fin.) Crédit accordé par un établissement financier pour l'achat de biens d'équipement à usage professionnel.

EQUIPMENT TRUST CERTIFICATE
TITRE GARANTI PAR NANTISSEMENT DU MATÉRIEL
(fin.) Titre émis par une société (par exemple une société de chemin de fer) et garanti par le nantissement de son matériel.

EQUITIES
RESSOURCES, DROITS À L'ACTIF, PASSIF (INTERNE ET EXTERNE)
(fin.) Capitaux mis à la disposition de l'entreprise par ses créanciers (capitaux empruntés ou passif externe) et ses propriétaires (capitaux propres ou passif interne).

EQUITY 1.
INTÉRÊT DES CRÉANCIERS ET DES PROPRIÉTAIRES
Droit des créanciers et des propriétaires à l'actif de l'entreprise et, en même temps, provenance des actifs eux-mêmes.

EQUITY 2.
CAPITAUX PROPRES, FONDS PROPRES, SITUATION NETTE, AVOIR DES PROPRIÉTAIRES (Can.)
Voir **owners' equity**.

EQUITY CAPITAL 1.
CAPITAUX PROPRES, FONDS PROPRES, SITUATION NETTE, AVOIR DES PROPRIÉTAIRES (Can.)
Voir **owners' equity**.

EQUITY CAPITAL 2.
CAPITAL DE RISQUE
(fin.) Capital investi dans les actions d'une société, généralement non cotée, par des personnes qui participent ou ne participent pas à la gestion de l'entreprise. *V.a.* **venture capital**.

EQUITY FINANCING
FINANCEMENT PAR ACTIONS, FINANCEMENT PAR CAPITAUX PROPRES
(fin.) Le fait, pour l'entreprise, de se procurer des capitaux en émettant des actions. *Comparer avec* **debt financing**.

EQUITY METHOD
(MÉTHODE DE LA) COMPTABILISATION (DES PARTICIPATIONS) À LA VALEUR DE
    CONSOLIDATION (Can.), MÉTHODE DE LA MISE EN ÉQUIVALENCE (Fr. et Belg.)
Méthode de comptabilisation d'une participation qui consiste, pour la société participante, à inscrire au prix coûtant sa participation dans la société dépendante et à augmenter ou diminuer ce montant pour tenir compte, dans la détermination de son bénéfice net, de sa quote-part des bénéfices réalisés (ou des pertes subies) et des dividendes servis par la société dépendante après la prise de participation, compte tenu de toutes les régularisations qu'il y aurait lieu d'apporter à ces bénéfices et à ces pertes si les états financiers (ou comptes annuels) étaient consolidés. *Comparer avec* **cost method (for intercorporate investments)**. *V.a.* **consolidation** 1.

EQUITY SECURITY
(TITRE DE) PARTICIPATION
Voir **investment** 4.

EQUITY SHARE
TITRE DE PARTICIPATION, ACTION PARTICIPANTE
(fin.) Titre de propriété (au Canada, action ordinaire ou action privilégiée participante) donnant à son détenteur le droit de participer aux bénéfices. *N.B.* En fiscalité canadienne, le terme *equity share* est rendu par l'expression **action à revenu variable**.

EQUITY TO CAPITAL RATIO
RATIO D'ENDETTEMENT, RATIO D'AUTONOMIE FINANCIÈRE, RATIO DE SOLVABILITÉ À LONG TERME
Voir **debt ratio(s)**.

EQUITY TO DEBT RATIO
RATIO D'ENDETTEMENT, RATIO D'AUTONOMIE FINANCIÈRE, RATIO DE SOLVABILITÉ À LONG TERME
Voir **debt ratio(s)**.

EQUITY VALUE 1.
VALEUR (MATHÉMATIQUE) COMPTABLE D'UNE ENTREPRISE
Voir **book value of a business**.

EQUITY VALUE 2.
VALEUR NETTE RÉELLE
(fin.) Valeur représentée par la part détenue par une personne dans une entreprise, une maison, etc.

EQUIVALENT UNITS
UNITÉS ÉQUIVALENTES
(prod.) Nombre d'unités terminées qu'une entreprise industrielle aurait produites si tout le travail fait au cours d'un exercice avait porté entièrement sur des unités commencées et terminées durant cet exercice.

ERROR
ERREUR
Faute involontaire attribuable : 1) à une erreur de calcul ou d'écriture ayant pour effet de fausser les états financiers (ou comptes annuels), 2) à une application erronée des principes comptables, ou 3) à un oubli ou à une interprétation erronée des faits.

ERRORS AND OMISSIONS EXCEPTED (E & OE)
SAUF ERREURS OU OMISSIONS (S.E.O.)
(comm.) Expression figurant parfois sur une facture ou un relevé de compte et qui signifie que le vendeur se réserve le droit d'apporter plus tard des corrections si l'on découvre des erreurs ou des omissions.

ESCALATION CLAUSE
(CLAUSE D')ÉCHELLE MOBILE
Voir **escalator clause**.

ESCALATOR CLAUSE
(CLAUSE D')ÉCHELLE MOBILE
(aff.) Clause d'un contrat d'**achat à exécution différée** (bail, rente viagère, construction, prêt) aux termes de laquelle les prestations servies ou les sommes versées par l'une des parties suivront les fluctuations de prix d'un bien ou d'un service. *N.B.* Comme le chiffre alors obtenu découle d'une indexation, cette clause s'appelle aussi **clause d'indexation**, expression qui convient particulièrement dans le cas des contrats de location, par opposition à l'expression **clause d'échelle mobile** qui est surtout employée dans le cadre des contrats de travail. *Syn.* **escalation clause**.

ESCAPABLE COST
COÛT ÉVITABLE
Voir **avoidable cost**.

ESCROW AGENT
DÉPOSITAIRE LÉGAL

(dr.) Personne à laquelle sont confiés des titres, de l'argent, des documents jusqu'à ce qu'un événement donné survienne.

ESCROW (AGREEMENT)
(CONTRAT DE) MISE EN MAIN TIERCE, ENTIERCEMENT (Can.)

(dr.) Contrat de droit anglais en vertu duquel un titre, de l'argent ou d'autres biens sont confiés à un dépositaire qui ne les livrera au destinataire que lors de la réalisation de certaines conditions. *N.B.* Le dépôt d'une chose litigieuse entre les mains d'un tiers en attendant le règlement de la contestation est connu sous le nom de **séquestre**. *V.a.* **deposit in escrow**.

ESCROWED SHARE
ACTION MISE EN MAIN TIERCE, ACTION ENTIERCÉE (Can.)

(dr.) Action dont la négociabilité est restreinte pendant un certain temps et qui est confiée à une tierce personne jusqu'à ce qu'un événement donné survienne. *Syn.* **share under escrow**. *V.a.* **share** 2. et **share with transfer limitations**.

ESCROW FUNDS
FONDS MIS EN MAIN TIERCE, FONDS ENTIERCÉS (Can.)

(dr.) Fonds confiés à une tierce personne jusqu'à la réalisation de certaines conditions. *Syn.* **cash in escrow**. *V.a.* **deposit** 6.

ESOP
ACTIONNARIAT DES SALARIÉS

Abrév. de **employee stock ownership plan**.

ESTABLISHMENT
ÉTABLISSEMENT

(org. des entr.) Ensemble des installations établies pour l'exploitation, le fonctionnement de l'entreprise et, par extension, l'entreprise elle-même. *V.a.* **business firm** et **enterprise**.

ESTATE
SUCCESSION

(dr.) Patrimoine d'une personne décédée qui est transmis directement à ses héritiers ou indirectement par l'intermédiaire d'une fiducie. *V.a.* **corpus**, **inheritance** et **legacy**.

ESTATE CAPITAL
MASSE SUCCESSORALE, MASSE (DES BIENS)

Voir **corpus**.

ESTATE EXECUTOR
EXÉCUTEUR TESTAMENTAIRE

Voir **executor**.

ESTATE PLANNING
PLANIFICATION SUCCESSORALE

(fisc.) Dispositions prises par un particulier en vue de faciliter la transmission de ses biens à ses héritiers et de réduire au minimum les impôts de toutes sortes afférents à sa succession. *V.a.* **tax planning**.

ESTATE REVENUE
REVENU D'UNE SUCCESSION

(dr. et fisc.) Produits tirés du capital d'une succession et qu'il convient de distinguer de ce dernier puisque ces produits sont parfois dévolus aux usufruitiers et parce que les dispositions des lois fiscales ne sont pas les mêmes pour les revenus d'une succession que pour le principal. *Comparer avec* **corpus**.

ESTIMATE 1.
ESTIMATION

Action de déterminer approximativement la valeur d'un bien ou d'une dette, les montants qui doivent être attribués à certains postes des états financiers (ou comptes annuels), etc. Résultat de cette action.

ESTIMATE 2.
DEVIS

(aff.) État détaillé des travaux à faire exécuter par un entrepreneur avec l'estimation des prix. *V.a.* **specifications** 1.

ESTIMATED COST
COÛT APPROCHÉ, COÛT ESTIMATIF

Coût déterminé, le plus souvent par référence à la période précédente, et dont l'emploi est destiné à faciliter le travail comptable au cours de la période. *N.B.* Les corrections utiles sont effectuées en fin de période en vue d'établir globalement les mouvements des coûts entre sections lorsqu'il s'agit de **prestations réciproques**. Le caractère principal du **coût approché** est de ne présenter avec les coûts réels que des différences relativement faibles. *Comparer avec* **standard cost**.

ESTIMATED COST SYSTEM
(MÉTHODE DU) PRIX DE REVIENT ESTIMATIF, MÉTHODE DU COÛT APPROCHÉ

Méthode qui consiste à déterminer le coût d'un produit en se fondant sur des estimations qui sont par la suite révisées pour tenir compte des écarts entre les coûts estimatifs et les coûts réels. *V.a.* **cost accounting methods**.

ESTIMATED EXPENSE 1.
CHARGE ESTIMATIVE, FRAIS ESTIMATIFS, DOTATION AUX PROVISIONS

Dotation à une provision ou charge qui procède de l'estimation d'une dépréciation jugée non irréversible d'un élément d'actif (par exemple la dépréciation financière des titres de participation) ou d'une charge potentielle (par exemple les frais de garantie). *Syn.* **provision** 1.

ESTIMATED EXPENSE 2.
DÉPENSE ESTIMATIVE

(compt. publ.) Somme figurant au budget et se rapportant à l'exercice en cours, que la somme en question ait fait l'objet d'une sortie de fonds ou non.

ESTIMATED LIABILITY
DETTE ESTIMATIVE

Dette, par exemple la provision pour garanties, évaluée à la date de l'arrêté des comptes, que des événements survenus ou en cours rendent probable. *N.B.* Cette dette qui est nettement précisée quant à sa nature est incertaine quant à son montant et à la date où elle se matérialisera. *Comparer avec* **contingent liability**.

ESTIMATED REVENUE
RECETTE ESTIMATIVE

(compt. publ.) Somme figurant au budget et se rapportant à l'exercice en cours, que la somme en question ait fait l'objet d'une rentrée de fonds ou non.

ESTIMATED USEFUL LIFE
DURÉE D'UTILISATION PRÉVUE, DURÉE D'UTILISATION PROBABLE, VIE UTILE ESTIMATIVE

Période durant laquelle on prévoit utiliser une immobilisation. *V.a.* **useful life** 1.

ESTIMATION SAMPLING
ÉCHANTILLONNAGE POUR ESTIMATION, SONDAGE POUR ESTIMATION, SONDAGE D'ÉVALUATION

(stat.) Type de sondage visant à déterminer, à partir d'un échantillon, si une population renferme une caractéristique qualitative ou quantitative donnée. *V.a.* **attribute(s) sampling**, **sampling** 2. et **variables sampling**.

ETHICAL RESPONSIBILITY
RESPONSABILITÉ PROFESSIONNELLE, RESPONSABILITÉ DÉONTOLOGIQUE
Voir **professional responsibility**.

ETHICS
DÉONTOLOGIE
(prof.) Ensemble des devoirs du membre d'une profession libérale. *V.a.* **code of ethics** et **professional responsibility**.

EUROPEAN CURRENCY UNIT (ECU)
UNITÉ DE COMPTE EUROPÉENNE (U.C.E. ou ÉCU)
(fin.) Unité monétaire fictive créée pour faciliter les échanges entre les pays appartenant à la Communauté économique européenne.

EVALUATION DAY
JOUR DE L'ÉVALUATION
Voir **valuation day (V day)**.

EVASION
FRAUDE
(dr.) Action de se soustraire frauduleusement à des contraintes légales ou fiscales. *V.a.* **capital evasion** et **tax evasion**.

EVIDENCE
PREUVE, INFORMATION PROBANTE
(lang. cour.) Tout élément qui sert à établir la véracité d'un fait ou d'une assertion. *V.a.* **audit evidence** et **documentary evidence**.

EXAMINATION
(TRAVAIL DE) VÉRIFICATION, EXAMEN (vieilli)
(E.C.) (Can.) Travail effectué par le vérificateur en vue de se faire une opinion sur les états financiers de l'entreprise. *N.B.* Ce travail ne comprend pas toutefois la phase de communication de l'opinion. Le terme **examen** est maintenant réservé aux missions ne comportant pas l'expression d'une opinion. *Syn.* **audit examination**. *V.a.* **review engagement**.

EXAMINATION STANDARDS
NORMES CONCERNANT LE TRAVAIL DE VÉRIFICATION
(E.C.) (Can.) Normes de vérification généralement reconnues portant sur la planification, l'exécution et la supervision d'une mission de vérification ainsi que sur l'étude de l'efficacité du système de contrôle interne et le travail à faire en vue d'obtenir l'information probante nécessaire. *Syn.* **field work standards** *(U.S.)*. *V.a.* **auditing standards**.

EXCEPT FOR
À L'EXCEPTION DE
(E.C.) Expression utilisée par l'expert-comptable dans son rapport de vérification (ou révision) pour introduire une réserve. *N.B.* Au Canada, cette expression est la seule qu'il soit permis d'utiliser à cette fin. *V.a.* **subject to** *(vieilli)*.

EXCEPTION *(vieilli)*
RESTRICTION
Voir **reservation (of opinion)**.

EXCESS CAPACITY
CAPACITÉ EXCÉDENTAIRE, SURCAPACITÉ
(prod.) Potentiel de production que l'entreprise n'utilise pas en raison d'une baisse de popularité de son produit ou de conditions économiques défavorables. *V.a.* **capacity** 1.

EXCESS INVENTORY
SURSTOCK, SURSTOCKAGE, STOCK EXCÉDENTAIRE
Voir **inventory overage** 2.

EXCESS PRESENT VALUE
VALEUR ACTUALISÉE NETTE (V.A.N.)
(gest.) Excédent de la valeur actualisée des rentrées futures de fonds sur la valeur actualisée des sorties de fonds auxquelles un projet donnera lieu. *V.a.* **net present value method** et **present value**.

EXCESS PRESENT VALUE INDEX
INDICE DE RENTABILITÉ
Voir **profitability index**.

EXCHANGE 1.
FRAIS DE RECOUVREMENT, FRAIS D'ENCAISSEMENT
(banque) Somme demandée par une banque pour recouvrer une lettre de change tirée sur une autre banque ou sur une succursale de la même banque. *V.a.* **bank charges**.

EXCHANGE 2.
BOURSE
(Bourse) Marché public établi pour faciliter le commerce des valeurs mobilières ou de certaines marchandises. *V.a.* **commodity market**, **open market**, **over-the-counter market** et **stock exchange**.

EXCHANGE 3.
MONNAIE ÉTRANGÈRE, DEVISE (ÉTRANGÈRE)
Voir **foreign currency**.

EXCHANGE 4.
(OPÉRATION DE) CHANGE
Voir **foreign exchange** 1.

EXCHANGE ADJUSTMENT
DIFFÉRENCE DE CHANGE
(fin.) Gain ou perte auquel donnent lieu des opérations effectuées en monnaie étrangère, des contrats de change à terme ou la conversion de comptes exprimés en monnaie étrangère. *N.B.* Dans ce dernier cas, la différence de change s'appelle aussi **écart de conversion**. *V.a.* **discount** *n.* 2., **foreign exchange gain**, **foreign exchange loss** et **premium** 3.

EXCHANGE GAIN
GAIN DE CHANGE, PROFIT SUR CHANGE
Voir **foreign exchange gain**.

EXCHANGE LOSS
PERTE DE CHANGE, PERTE SUR CHANGE
Voir **foreign exchange loss**.

EXCHANGE POSITION EXPOSURE
POSITION DE CHANGE
(fin.) Différence positive ou négative entre les créances et les dettes de l'entreprise sur chaque monnaie étrangère. *N.B.* Une position de change, même si elle est de courte durée, fait courir à l'entreprise un **risque de change**. *V.a.* **cover** 2., **exposed net asset position**, **exposed net liability position**, **foreign exchange position**, **foreign exchange risk**, **long position** 2. et **short position** 2.

EXCHANGE RATE
(TAUX DE) CHANGE, COURS DU CHANGE
Voir **rate of exchange**.

EXCHANGE RISK
RISQUE DE CHANGE
Voir **foreign exchange risk**.

EXCHANGE VALUE
VALEUR D'ÉCHANGE
(écon.) Estimation de la valeur économique d'un bien ou d'un service en fonction de ses possibilités d'être échangé contre un autre bien ou service.

EXCISE TAXES
DROITS INDIRECTS, (DROITS D')ACCISE, DROITS DE RÉGIE
(fisc.) Impôts indirects prélevés par l'État le plus souvent au moment de la fabrication de certains produits (tabac, alcool, etc.) ou, dans certains pays, sur des objets de consommation. *V.a.* **indirect taxes**.

EX DIV
EX-DIVIDENDE, DIVIDENDE DÉTACHÉ, COUPON DÉTACHÉ (Fr. et Belg.)
Abrév. de **ex dividend**.

EX DIVIDEND
EX-DIVIDENDE, DIVIDENDE DÉTACHÉ
(fin.) Qualificatif attribué à des actions dont le cours ne comprend pas le montant d'un dividende déclaré lorsqu'elles sont vendues ou achetées entre la date de clôture des registres et la date de paiement du dividende. *N.B.* En France et en Belgique, les dividendes font l'objet de coupons que l'actionnaire détache à la date prévue pour obtenir ses dividendes, ce qui explique que l'expression anglaise *ex dividend* se rend plutôt par **coupon détaché** ou **ex-coupon**. *Comparer avec* **cum dividend**. *V.a.* **dividend** 1.

EXECUTIVE 1.
DIRECTION
Voir **management** 2.

EXECUTIVE 2.
MEMBRE DE LA DIRECTION, DIRIGEANT, CADRE SUPÉRIEUR
(gest.) Membre du conseil de direction. *V.a.* **officer**.

EXECUTIVE 3.
CADRE
Voir **manager** 2.

EXECUTIVE COMMITTEE 1.
CONSEIL DE DIRECTION, COMITÉ DE DIRECTION
(org. de l'entr.) Comité des membres de la direction responsable de la gestion de l'entreprise devant le conseil d'administration. *V.a.* **board of directors** et **executive vice-president**.

EXECUTIVE COMMITTEE 2.
BUREAU
(O.S.B.L.) Organe directeur d'une association, d'un organisme professionnel ou syndical, constitué du président, du vice-président, du secrétaire et du trésorier. *V.a.* **board of trustees**.

EXECUTIVE DEVELOPMENT 1.
FORMATION DES CADRES
(gest.) Programme visant à développer, chez ceux qui en ont les aptitudes, l'art de diriger une entreprise.

EXECUTIVE DEVELOPMENT 2.
PERFECTIONNEMENT DES CADRES

(gest.) Programme visant à mettre en valeur les ressources des dirigeants de l'entreprise et à faire connaître à ceux-ci les nouvelles techniques de gestion.

EXECUTIVE VICE-PRESIDENT
VICE-PRÉSIDENT DIRECTEUR, DIRECTEUR GÉNÉRAL ADJOINT

(gest.) Cadre supérieur dont la responsabilité est la planification, la coordination et le contrôle des activités relatives à ses attributions en vue de réaliser les objectifs stratégiques à long terme définis dans le plan global de l'entreprise par le conseil de direction, sous réserve de l'approbation du conseil d'administration. *N.B.* Le vice-président directeur est le vice-président en titre par opposition à ceux qui sont responsables des différents secteurs de l'entreprise, par exemple le vice-président finance et le vice-président production. *Syn.* **senior vice-president**. *V.a.* **executive committee** 1.

EXECUTOR
EXÉCUTEUR TESTAMENTAIRE

(dr.) Personne désignée par testament et chargée, au moment du décès du testateur, de veiller à ce que soient respectées les volontés de ce dernier. *Syn.* **estate executor**. *Comparer avec* **administrator** 2. *V.a.* **fiduciary**.

EXECUTORY CONTRACT
CONTRAT CERTAIN

(dr.) Contrat comportant une promesse d'exécution ultérieure. *V.a.* **contract**.

EXECUTORY COSTS
FRAIS ACCESSOIRES

Frais reliés à l'utilisation d'un bien loué (assurances, entretien, impôts fonciers, etc.). *Comparer avec* **initial direct costs**. *V.a.* **incidental expenses**.

EXEMPTION 1.
EXEMPTION

(fisc.) Terme employé pour désigner différents montants (notamment les exemptions personnelles) que la loi permet au particulier de déduire dans le calcul de son revenu imposable. *V.a.* **abatement** 3.

EXEMPTION 2.
EXONÉRATION

(fisc.) Action de décharger un contribuable, d'affranchir certains biens ou revenus, d'un impôt ou de droits. *N.B.* La fraction de l'assiette imposable qui n'est pas assujettie à l'impôt porte le nom de **décote**. *V.a.* **free of tax**.

EXEMPTION FROM AUDIT
DISPENSE DE VÉRIFICATION

(E.C.) (Can.) Exemption de l'obligation de faire vérifier leurs livres, accordée à certaines entreprises par l'autorité compétente.

EXERCISE PRICE
PRIX DE LEVÉE D'OPTION

(fin.) Somme versée par le détenteur d'un droit de souscription, d'une option, etc. pour acquérir le bien (par exemple une action) auquel lui donne droit l'option qu'il détient. *V.a.* **option** et **purchase option**.

EXHIBIT 1.
ÉTAT, COMPTE

Chacun des états d'un jeu d'états financiers d'une entreprise.

EXHIBIT 2.
TABLEAU (COMPLÉMENTAIRE), ANNEXE

État complémentaire donnant les détails d'un des postes du bilan ou de l'état des résultats (ou compte de résultat). *Syn.* **schedule** *n.* 2.

EXIT PRICE
PRIX DE SORTIE COURANT
Voir **current exit price**.

EXPANSION
CROISSANCE, EXPANSION
(écon.) Phénomène se manifestant par un accroissement de la taille de l'entreprise mesuré à l'aide d'indicateurs physiques (quantités produites, personnel, bâtiments, etc.) ou monétaires (chiffre d'affaires, marge brute d'autofinancement, etc.). *N.B.* La **croissance** est **interne** si elle résulte de l'acquisition de nouveaux biens de production et elle est **externe** si elle provient de prises de participation et de regroupements d'entreprises. *V.a.* **growth**.

EXPENDABLE FUND
FONDS UTILISABLE SANS RESTRICTIONS
(O.S.B.L.) Fonds dont l'utilisation (autant le capital que les produits financiers qui en découlent) est laissée à la discrétion de la direction. *Comparer avec* **non-expendable fund**. *V.a.* **endowment fund**.

EXPENDITURE 1.
DÉPENSE
Utilisation de fonds par l'entreprise ou engagement qu'elle contracte de verser plus tard une somme d'argent en contrepartie de l'acquisition d'un bien ou de la prestation d'un service. *N.B.* Les dépenses que l'entreprise engage peuvent être de nature différente. Causées par l'acquisition de biens durables, elles représentent des **dépenses en immobilisations**; engagées pour les besoins de l'exploitation, elles constituent des **charges** de l'exercice ou des **dépenses d'exploitation**, par exemple les salaires et les achats consommés. *Syn.* **cost** 3. et **outlay**. *Comparer avec* **cost** 1., **disbursement** et **expenses**. *V.a.* **capital expenditure** et **revenue expenditure** 1.

EXPENDITURE 2.
DÉPENSES
(O.S.B.L.) Sommes engagées par un organisme au cours d'un exercice pour assurer son fonctionnement et, par extension, coûts ventilés imputés à l'exercice, par exemple l'amortissement. *V.a.* **statement of revenue and expenditure**.

EXPENSE *v.*
RADIER, PASSER EN CHARGES, IMPUTER À L'EXERCICE, PASSER PAR PERTES ET PROFITS (Fr.)
Voir **write off** *v.*

EXPENSES
CHARGES (D'EXPLOITATION), FRAIS
Sommes défalquées du chiffre d'affaires dans l'état des résultats (ou compte de résultat) d'un exercice en vue de dégager le bénéfice net ou la perte nette. *N.B.* Les **charges** comprennent les achats consommés, les **frais d'ordre externe** (énergie, fournitures, etc.) et d'**ordre interne** (les salaires, par exemple) qui se rapportent à l'exploitation et à l'exercice en cours, ainsi que les dotations aux amortissements et aux provisions, à l'exception de celles qui ne concernent pas l'exploitation courante. Les charges peuvent être classées selon leur nature (frais de publicité, frais financiers, etc.), selon leur destination fonctionnelle (charges de production, de vente, d'administration), selon leur degré de variabilité (charges variables et fixes) et selon leur incidence sur la trésorerie (certaines charges donnent lieu à un décaissement tandis que d'autres, par exemple les dotations aux amortissements, ne sont accompagnées d'aucune sortie de fonds). Le remboursement de sommes empruntées et la distribution de bénéfices ne constituent pas des charges d'exploitation. De plus, les charges se distinguent des dépenses car leur constatation en comptabilité n'est pas liée aux décaissements. Les **frais**, qui font partie des charges, sont des sommes versées ou à verser à des tiers, soit en contrepartie de fournitures, travaux, services ou avantages, soit exceptionnellement sans contrepartie. Les **charges** sont **réelles** lorsqu'elles donnent lieu à un décaissement ou à une dette envers un tiers, elles sont **calculées** (par exemple les dépréciations, amortissements et pertes potentielles) et elles sont **supplétives** (par exemple la rémunération des capitaux propres ou du travail de l'exploitant). *Syn.* **cost** 4. *Comparer avec* **cost** 1., **disbursement**, **expenditure** 1. et **loss** 1.

EXPENSE ACCOUNT
COMPTE DE FRAIS, NOTE DE FRAIS
(rel. de tr.) Relevé des dépenses de caractère personnel que peut engager un employé pour des motifs de service et dont il sera remboursé par l'entreprise. *V.a.* **allowance** 4.

EXPENSE ACCOUNTS
COMPTES DE CHARGES, COMPTES DE FRAIS
Comptes du grand livre général dans lesquels sont inscrits tous les biens et services consommés par l'entreprise dans le cours de son exploitation durant un exercice ainsi que les pertes subies et les charges financières engagées pendant cet exercice. *Comparer avec* **revenue accounts**.

EXPENSE ADVANCE
AVANCE (SUR NOTE DE FRAIS)
Voir **advance** 1.

EXPERIENCE DEFICIENCY
DÉFICIT ACTUARIEL, INSUFFISANCE ACTUARIELLE
Voir **experience loss**.

EXPERIENCE GAIN
EXCÉDENT ACTUARIEL
(rentes) Écart positif entre les résultats obtenus et les prévisions pour la période comprise entre deux évaluations actuarielles d'un régime de retraite, déterminé selon les mêmes hypothèses et méthodes actuarielles. *Syn.* **actuarial gain** 2. *(U.S.). V.a.* **actuarial gain** 1. *(vieilli)*.

EXPERIENCE LOSS
DÉFICIT ACTUARIEL, INSUFFISANCE ACTUARIELLE
(rentes) Écart négatif entre les résultats obtenus et les prévisions pour la période comprise entre deux évaluations actuarielles d'un régime de retraite, déterminé selon les mêmes hypothèses et méthodes actuarielles. *Syn.* **actuarial deficiency**, **actuarial loss** 2. *(U.S.)* et **experience deficiency**. *V.a.* **actuarial loss** 1. *(vieilli)*.

EXPERTISE
COMPÉTENCE, CONNAISSANCES SPÉCIALISÉES
(lang. cour.) Connaissances que possède une personne, généralement appelée un expert, dans un domaine particulier, le plus souvent technique.

EXPIRED COST
COÛT ABSORBÉ, COÛT PASSÉ EN CHARGES, COÛT CONSOMMÉ, FRAIS ABSORBÉS
Coût ou fraction d'un coût qui a cessé de procurer des avantages; coût qu'il convient de passer en charges, c'est-à-dire d'imputer à l'exercice au cours duquel il est engagé. *Syn.* **consumed cost**. *Comparer avec* **unexpired cost**.

EXPLANATION (OF AN ENTRY)
LIBELLÉ (EXPLICATIF)
Explication servant à justifier une écriture comptable. *N.B.* Le libellé indique normalement la référence précise du ou des documents de base (pièces justificatives) ainsi que la nature de l'opération portée dans un registre.

EXPORT CREDIT
CRÉDIT À L'EXPORTATION
(fin.) Crédit destiné à financer une opération d'exportation.

EXPOSED NET ASSET POSITION
POSITION NETTE DÉBITRICE
Risque de change auquel donne lieu la situation d'une filiale étrangère dont le total des éléments d'actif convertibles au taux de change à la date de clôture l'emporte sur le total des éléments de passif convertibles au même taux. *N.B.* Cette situation suscite une perte de change lorsque la devise du pays de la filiale étrangère faiblit par rapport à la monnaie du pays de la société mère. En revanche, une position nette débitrice est la cause d'un gain de change lorsque la devise du pays de la filiale étrangère devient plus forte par rapport à la monnaie du pays de la société mère. *Syn.* **net asset position**. *Comparer avec* **exposed net liability position**. *V.a.* **exchange position exposure** et **foreign exchange risk**.

EXPOSED NET LIABILITY POSITION
POSITION NETTE CRÉDITRICE

Risque de change auquel donne lieu la situation d'une filiale étrangère dont le total des éléments de passif convertibles au taux de change à la date de clôture l'emporte sur le total des éléments d'actif convertibles au même taux. *N.B.* Cette situation suscite un gain de change lorsque la devise du pays de la filiale étrangère faiblit par rapport à la monnaie du pays de la société mère. En revanche, une position nette créditrice est la cause d'une perte de change lorsque la devise du pays de la filiale étrangère devient plus forte par rapport à la monnaie du pays de la société mère. *Syn.* **net liability position.** *Comparer avec* **exposed net asset position.** *V.a.* **exchange position exposure** et **foreign exchange risk**.

EXPOSURE DRAFT
EXPOSÉ-SONDAGE

Version préliminaire de textes normatifs portant sur la comptabilité et la vérification (ou révision) et publiés en vue d'obtenir des commentaires.

EX RIGHTS
EX-DROIT(S), DROIT(S) DÉTACHÉ(S), COUPON DÉTACHÉ (Fr. et Belg.)

(fin.) Qualificatif attribué à des actions dont le cours ne comprend pas le prix attribué au droit d'acheter de nouvelles actions lorsqu'elles sont vendues ou achetées entre la date de clôture des registres et la date d'expiration des droits. *N.B.* En France et en Belgique, les droits de souscription font l'objet de coupons attachés à un titre. On dit que le titre est coté **coupon attaché** ou **droit attaché** avant que l'opération ne soit faite et qu'il est coté **coupon détaché** après qu'elle a eu lieu. *Comparer avec* **cum rights.** *V.a.* **share right**.

EXTEND A LOAN, TO
ACCORDER UN PRÊT, CONSENTIR UN PRÊT

(fin.) Pour un établissement financier, attribuer un prêt à l'entreprise après un examen approfondi de sa cote de solvabilité.

EXTENDIBLE BOND
OBLIGATION À ÉCHÉANCE REPORTABLE

(fin.) Obligation émise avec une date d'échéance précise, mais qui donne au détenteur le droit de la garder pendant un certain nombre d'années supplémentaires s'il le désire. *Comparer avec* **retractable bond.** *V.a.* **bond** 1.

EXTENSION
MULTIPLICATION

(lang. cour.) Multiplication, généralement sur une facture ou le relevé des marchandises en magasin, du nombre d'articles par leur prix ou leur coût unitaire respectif.

EXTENT OF AUDIT TESTING
ÉTENDUE ET INTENSITÉ DES SONDAGES DE VÉRIFICATION, ÉTENDUE ET INTENSITÉ DES SONDAGES DE RÉVISION

(E.C.) Importance du travail (étendue) fait par l'expert-comptable et mesure dans laquelle (intensité) les contrôles qu'il a effectués, et plus particulièrement les sondages, ont été poussés. *V.a.* **audit scope** 1.

EXTERNAL AUDIT
VÉRIFICATION EXTERNE, RÉVISION EXTERNE, CONTRÔLE EXTERNE (Fr. et Belg.)

(E.C.) Vérification (ou révision) effectuée par un expert-comptable, c'est-à-dire une personne qui n'est pas un employé de l'entreprise ou de l'organisme dont les comptes font l'objet d'un examen. *N.B.* En France, la **révision externe** est aussi connue sous le nom de *audit* externe. *Comparer avec* **internal audit.** *V.a.* **audit** *n*. 3.

EXTERNAL AUDITOR
VÉRIFICATEUR EXTERNE, RÉVISEUR EXTERNE

(E.C.) Expert-comptable chargé de la vérification (ou révision) des livres d'une société pour le compte de ses actionnaires. *N.B.* En France, on donne parfois à un expert-comptable le nom d'*auditeur* externe. En Belgique, la révision peut aussi être faite à la demande du Conseil d'entreprise composé paritairement des dirigeants de l'entreprise et de représentants élus du personnel. *Comparer avec* **internal auditor.** *V.a.* **auditor**.

EXTERNAL FINANCING
FINANCEMENT EXTERNE

(fin.) Financement par des moyens de provenance extérieure à l'entreprise, c'est-à-dire des emprunts ou de nouveaux apports en capital. *Comparer avec* **self-financing**.

EXTERNALITIES
COÛTS EXTERNÉS

Coûts afférents au transfert total ou partiel à la collectivité (clients, fournisseurs, environnement) de la responsabilité du financement de certaines activités. *N.B.* Les **coûts externés** correspondent à la différence entre les coûts engagés directement par l'entreprise et ceux qu'elle devrait engager si elle était pleinement responsable de toutes ses actions. *V.a.* **social cost**.

EXTERNAL REPORTING
(COMMUNICATION DE L')INFORMATION FINANCIÈRE, (PUBLICATION DE L')INFORMATION
   FINANCIÈRE

Voir **financial reporting**.

EXTRA DIVIDEND
DIVIDENDE SUPPLÉMENTAIRE

(fin.) Dividende distribué en sus du dividende ordinaire prévu. *V.a.* **dividend** 1.

EXTRAORDINARY ITEM
POSTE EXTRAORDINAIRE, ÉLÉMENT EXCEPTIONNEL HORS EXPLOITATION

(Can.) Gain, perte ou provision pour perte qui découle de circonstances qui, de par leur nature, ne sont pas caractéristiques de l'exploitation normale de l'entreprise, qui ne sont pas censées se répéter fréquemment sur un certain nombre d'exercices et dont l'entreprise ne doit pas normalement tenir compte pour évaluer les résultats courants. *N.B.* En France, certaines pertes extraordinaires qui ont leur source dans la dépréciation des éléments de l'actif autres que les stocks sont comptabilisées à titre de **dotation aux provisions hors exploitation** ou exceptionnelles. Le Plan comptable général définit les pertes et profits exceptionnels comme des résultats acquis au cours de l'exercice et provenant de faits ou d'événements exceptionnels. La quatrième directive de la C.E.E. exige que les entreprises présentent, à titre de **produits exceptionnels** ou de **charges exceptionnelles**, les produits ou les charges ne provenant pas des activités ordinaires d'une société. En Belgique, sous les **résultats exceptionnels**, doivent figurer les produits et les charges imputables à des exercices antérieurs ainsi que les produits et les charges d'une nature exceptionnelle, sauf si ces produits et ces charges ne représentent qu'un montant négligeable. *Comparer avec* **prior period adjustment** et **unusual item**. *V.a.* **non-recurring**.

EXTRA PAY
SURSALAIRE, SALAIRE SUPPLÉMENTAIRE

(rel. de tr.) Supplément au salaire normal d'un employé.

EXTRA PREMIUM
SURPRIME

(ass.) Prime d'assurance exigée de l'assuré en plus de la prime normale pour couvrir un risque non prévu à l'origine.

FACE AMOUNT 1.
VALEUR NOMINALE, (MONTANT) NOMINAL
Voir **par value**.

FACE AMOUNT 2.
CAPITAL ASSURÉ
Voir **insurance carried** 2.

FACE VALUE
VALEUR NOMINALE, (MONTANT) NOMINAL
Voir **par value**.

FACILITIES
INSTALLATIONS (DE PRODUCTION), OUTIL DE PRODUCTION
Voir **plant** 1.

FACILITIES OF PAYMENT
MOYENS DE PAIEMENT
(fin.) Ensemble des moyens dont un débiteur dispose pour se libérer d'une dette, c'est-à-dire le **numéraire** (billets de banque) et la **monnaie scripturale** (chèques, mandats, etc.).

FACTOR
SOCIÉTÉ D'AFFACTURAGE
(fin.) Établissement financier qui achète les créances d'une entreprise afin de lui fournir (moyennant le paiement d'une commission et d'intérêts) les fonds dont elle a besoin et de lui épargner les risques inhérents au recouvrement des comptes clients. *N.B.* On emploie aussi parfois en français les termes *factor* et société de *factoring*.

FACTORING
AFFACTURAGE
(fin.) Activité commerciale et financière consistant à transférer des créances à un établissement financier spécialisé qui se charge de leur recouvrement et en garantit la bonne fin en éliminant les risques de non-paiement ou d'insolvabilité des clients. *N.B.* L'établissement financier peut aussi régler tout ou partie des créances transférées avant leur échéance contre paiement d'une **commission de financement** et il peut assurer certaines prestations connexes comme la tenue des comptes clients et l'étude de la **cote de solvabilité** des clients éventuels. On emploie aussi parfois en français le terme *factoring* pour désigner ce genre d'activité commerciale. *Comparer avec* **assignment of receivables** 2.

FACTORY (BUILDING)
USINE
(prod.) Bâtiment destiné à la production industrielle. *V.a.* **plant** 2.

FACTORY BURDEN
FRAIS GÉNÉRAUX DE FABRICATION, FRAIS GÉNÉRAUX DE PRODUCTION
Voir **factory overhead**.

FACTORY COST
COÛT DE PRODUCTION, COÛT DE FABRICATION, COÛT DE REVIENT, PRIX DE REVIENT
Voir **production cost**.

FACTORY EXPENSES
FRAIS GÉNÉRAUX DE FABRICATION, FRAIS GÉNÉRAUX DE PRODUCTION
Voir **factory overhead**.

FACTORY LEDGER
GRAND LIVRE DES PRIX DE REVIENT, GRAND LIVRE DE LA FABRICATION, GRAND LIVRE DE
L'USINE, GRAND LIVRE DE LA PRODUCTION, COMPTES ANALYTIQUES
Voir **cost ledger**.

FACTORY OVERHEAD
FRAIS GÉNÉRAUX DE FABRICATION, FRAIS GÉNÉRAUX DE PRODUCTION
Ensemble des frais de fabrication à l'exception du coût des matières premières et de celui de la main-d'oeuvre directe. *N.B.* Ces frais comprennent tous les coûts qu'il est nécessaire d'engager pour faire fonctionner l'usine, notamment les salaires des contremaîtres, les frais d'entretien de l'usine et des machines, l'amortissement du matériel, l'électricité, le chauffage, les réparations, les assurances et les impôts fonciers. *Syn.* **factory burden**, **factory expenses**, **factory service**, **manufacturing expenses** 2. et **manufacturing overhead**. *V.a.* **overhead**.

FACTORY SERVICE
FRAIS GÉNÉRAUX DE FABRICATION, FRAIS GÉNÉRAUX DE PRODUCTION
Voir **factory overhead**.

FACTORY SUPPLIES
MATIÈRES INDIRECTES, MATIÈRES CONSOMMABLES, FOURNITURES DE FABRICATION,
FOURNITURES CONSOMMABLES
Voir **indirect materials**.

FAILURE TO PAY
DÉFAUT (DE PAIEMENT)
(dr.) Le fait, pour un débiteur, de ne pas acquitter ses dettes lorsqu'elles deviennent exigibles. *V.a.* **default**.

FAIR MARKET VALUE
JUSTE VALEUR MARCHANDE
(comm.) Prix convenu entre deux parties compétentes n'ayant aucun lien de dépendance, agissant en toute liberté et en pleine connaissance de cause dans un marché où la concurrence peut librement s'exercer. *V.a.* **fair value**, **market value** 1. et **value** *n*.

FAIR PRESENTATION
PRÉSENTATION FIDÈLE, IMAGE FIDÈLE
Expression s'appliquant aux états financiers (ou comptes annuels) présentés conformément aux principes comptables généralement reconnus ou à d'autres règles comptables appropriées communiquées au lecteur.

FAIR RENTAL
JUSTE PRIX DE LOCATION
(comm.) Loyer qui a généralement cours pour la location d'un bien équivalent à celui que l'entreprise utilise.

FAIR VALUE
JUSTE VALEUR, JUSTE PRIX
(comm.) Valeur qu'il convient d'attribuer à un bien ou à une dette, compte tenu de toutes les caractéristiques de ce bien ou de cette dette. *V.a.* **fair market value**, **sound value** et **value** *n.*

FAIR VALUE ACCOUNTING *(vieilli)*
COMPTABILITÉ À LA VALEUR ACTUELLE, COMPTABILITÉ EN VALEURS ACTUELLES
Voir **current value accounting**.

FAIR VALUE POOLING METHOD
MÉTHODE DE LA FUSION (D'INTÉRÊTS COMMUNS) À LA JUSTE VALEUR
Voir **new entity method**.

FALL DUE, TO
ÉCHOIR, VENIR À ÉCHÉANCE, ARRIVER À ÉCHÉANCE
(dr.) Se dit d'une dette qui devient exigible. *V.a.* **mature**.

FARMING OUT
IMPARTITION
Voir **contracting out**.

FAS
FRANCO (À) QUAI (F.A.Q.), FRANCO LE LONG DU NAVIRE
Abrév. de **free alongside**.

FAVORABLE VARIANCE
ÉCART FAVORABLE
Excédent des produits réels d'exploitation sur les prévisions budgétaires; excédent des charges prévues sur les charges réelles; excédent des coûts de revient standards (ou normalisés) sur les coûts réels. *Comparer avec* **unfavorable variance**.

FEASIBILITY STUDY
ÉTUDE DE FAISABILITÉ, ÉTUDE DE PRATICABILITÉ
(gest.) Étude ayant pour objet de déterminer les conditions dans lesquelles une idée, un produit, une technique ou un projet peuvent être réalisés concrètement et de déceler les difficultés que l'on devra surmonter pour parvenir à cette fin. *N.B.* La direction peut, par exemple, étudier les avantages et les inconvénients d'utiliser un ordinateur ou un matériel électronique au lieu de tenir une comptabilité manuelle. *V.a.* **profitability study**.

FEE(S) 1.
HONORAIRES, ÉMOLUMENTS
(lang. cour.) Rémunérations versées à des personnes exerçant une profession libérale (expert-comptable, architecte, avocat, conseil juridique, etc.), à des agents d'affaires, d'information ou de publicité, et à des administrateurs de sociétés pour les rémunérer de fonctions spéciales non salariées. *N.B.* Les honoraires peuvent être calculés à l'heure, à la journée ou par séance de travail, ce qui, dans ce dernier cas, s'appelle **vacation**. *V.a.* **directors' fees**.

FEE(S) 2.
HONORAIRES VERSÉS
(lang. cour.) Paiement effectué au titre de services divers. *N.B.* Si les services en cause portent sur la gestion d'un compte, d'un portefeuille, on parlera alors de **frais de gestion**.

FEE(S) 3.
COTISATION, DROIT D'ADHÉSION
Voir **dues**.

FEEDBACK
(BOUCLE DE) RÉTROACTION

(gest.) Information donnée après l'accomplissement d'une action et se rapportant à cette action, par exemple le fait de dire aux membres du personnel de quelle façon leur rendement se compare avec ce qui était attendu d'eux dans l'espoir que cette information les incitera à améliorer leur comportement et à réduire les coûts de la main-d'oeuvre non productrice. *N.B.* On emploie parfois en français le terme *feedback*.

FEEDBACK VALUE
VALEUR DE RÉTROACTION, VALEUR DE CONFIRMATION

Caractéristique de l'information financière qui permet à ceux à qui elle est destinée d'obtenir *a posteriori* la confirmation de leurs évaluations antérieures ou de les amener à modifier ces dernières.

FIDELITY BOND
ASSURANCE DÉTOURNEMENT ET VOL

(ass.) Contrat en vertu duquel une compagnie d'assurances garantit le remboursement, à l'entreprise lésée, des sommes que le personnel (encaisseurs, caissiers, etc.) pourrait détourner. *Syn.* **fidelity insurance**. *V.a.* **bond** 2. et **insurance**.

FIDELITY INSURANCE
ASSURANCE DÉTOURNEMENT ET VOL

Voir **fidelity bond**.

FIDUCIARY
FIDUCIAIRE

(dr.) Personne responsable de la garde et de la gestion d'un bien appartenant à autrui. *N.B.* On donne, selon le cas, à cette personne le nom d'**exécuteur testamentaire**, de **syndic de faillite** ou tout simplement de **fiduciaire**. *V.a.* **administrator** 2., **executor**, **trustee** 1. et **trustee in bankruptcy**.

FIDUCIARY ACCOUNTING
COMPTABILITÉ FIDUCIAIRE

(Can.) Comptabilité dont l'objet est de rendre compte des responsabilités d'un fiduciaire à l'égard des biens dont il est chargé. *V.a.* **trust** 1.

FIELD 1.
ZONE, CHAMP

(inf.) Sur un support, ensemble de positions réservées à l'enregistrement de données d'une nature définie. Ainsi, sur une carte, une zone est représentée par un groupe de colonnes réservées pour l'emplacement d'une information donnée.

FIELD 2.
ZONE

(inf.) Partie de la mémoire d'un ordinateur qui enregistre un certain nombre de données affectées à un emploi préférentiel.

FIELD WORK 1.
VÉRIFICATION SUR PLACE, RÉVISION SUR PLACE

(E.C.) Travail effectué par l'expert-comptable en dehors de son bureau, le plus souvent chez son client.

FIELD WORK 2.
TRAVAIL DE L'EXPERT-COMPTABLE, TRAVAIL DE RÉVISION, TRAVAIL DE VÉRIFICATION

(E.C.) Tout travail effectué par un expert-comptable et portant sur la planification, l'exécution et la supervision d'une mission de vérification (ou révision) ainsi que sur l'efficacité du système de contrôle interne et la cueillette de l'information probante nécessaire.

FIELD WORK STANDARDS *(U.S.)*
NORMES CONCERNANT LE TRAVAIL DE VÉRIFICATION
Voir **examination standards**.

FIFO METHOD
(MÉTHODE DE L')ÉPUISEMENT SUCCESSIF; (MÉTHODE DU) PREMIER ENTRÉ, PREMIER
  SORTI (PEPS)
Abrév. de **first in, first out method**.

FIGURE *v.* 1.
CALCULER, COMPTER, CHIFFRER
(lang. cour.) Déterminer une quantité en effectuant des calculs.

FIGURE *v.* 2.
PARAÎTRE, FIGURER
Être inscrit sur un relevé, un état, un compte, un tableau ou un rapport.

FIGURE *n.* 1.
CHIFFRE
(lang. cour.) Chacun des caractères qui composent un nombre. *Syn.* **digit** 1.

FIGURE *n.* 2.
NOMBRE, CHIFFRE
(lang. cour.) Valeur arithmétique exprimée par un ou plusieurs chiffres.

FILE *n.*
FICHIER
(inf.) Ensemble d'informations homogènes présentées dans un certain ordre de classement sur des **supports** tels que fiches, bandes magnétiques, disques magnétiques, etc. *N.B.* Ainsi on parle en comptabilité du **fichier (des) clients**, du **fichier (des) stocks**, etc. *V.a.* **master file**.

FILE *v.* 1.
DÉPOSER
(Bourse et *dr.)* Remettre un document aux autorités compétentes dans le cas, par exemple, des documents que doivent remettre les sociétés ouvertes à l'Administration et aux autorités boursières. *N.B.* En droit, on parle aussi de **verser une pièce au dossier**.

FILE *v.* 2.
CLASSER
(aff.) Ranger des documents commerciaux, les mettre à leur place dans un classeur.

FILE A PETITION IN BANKRUPTCY, TO
DÉPOSER SON BILAN
(dr.) Pour une entreprise qui se déclare en cessation de paiements, faire connaître au tribunal sa situation active et passive. *N.B.* Les créanciers non payés peuvent également saisir le tribunal. L'entreprise en état de cessation de paiements perd le contrôle de son patrimoine qui est affecté au règlement des créanciers. En France, on distingue la **cessation de paiements**, en cas de liquidités insuffisantes, de l'**insolvabilité**, situation de l'entreprise dont la réalisation de la totalité de l'actif ne permettrait pas de rembourser intégralement les créanciers. Le **règlement judiciaire** est une procédure constatant l'état de cessation de paiements d'une entreprise et visant à trouver un règlement satisfaisant de la situation. Cette procédure débouche sur le **concordat** ou sur la **liquidation des biens** de l'entreprise défaillante. Dans certains cas, une entreprise qui n'est pas en état de cessation de paiements peut obtenir, sous certaines conditions, une **suspension provisoire des poursuites** qui lui permettra d'apurer son passif sur une durée de trois ans. *V.a.* **act of bankruptcy**, **bankrupt** *adj.* et *n.*, **bankruptcy**, **go bankrupt**, **petition in bankruptcy** et **suspension of payments**.

FILE DUMP
BANDE DE VIDAGE

(inf.) Liste du contenu partiel ou total d'un fichier électronique, imprimée en clair en vue de détecter les erreurs et de les corriger. *V.a.* **dump** *n.*

FILL AN ORDER, TO
EXÉCUTER UNE COMMANDE

(comm.) Donner suite à une commande reçue d'un client en lui livrant les articles qu'il a commandés.

FILL A POSITION, TO
POURVOIR À UN POSTE

(rel. de tr.) Désigner quelqu'un pour occuper un poste qui était vacant.

FINAL AVERAGE EARNINGS PENSION PLAN
RÉGIME DE RETRAITE FIN DE CARRIÈRE, RÉGIME DE RETRAITE DERNIERS SALAIRES

(rentes) Régime dont la rente est calculée en fonction du salaire moyen d'une période en fin de carrière et du nombre d'années de service des participants. *Syn.* **final-pay formula**. *Comparer avec* **career earnings pension plan**. *V.a.* **pension plan**.

FINAL DISCHARGE
DÉCHARGE

Voir **discharge** *n.* 2.

FINAL-PAY FORMULA
RÉGIME DE RETRAITE FIN DE CARRIÈRE, RÉGIME DE RETRAITE DERNIERS SALAIRES

Voir **final average earnings pension plan**.

FINAL PROSPECTUS
PROSPECTUS DÉFINITIF, NOTE D'INFORMATION DÉFINITIVE

(Bourse et *fin.)* Prospectus émis à l'intention des souscripteurs par une société qui fait appel public à l'épargne, après que le prospectus (ou note d'information) préliminaire a été approuvé et après que toutes les modifications requises y ont été apportées. *N.B.* Au Canada, ce document est remis à la Commission des valeurs mobilières, en France, à la Commission des opérations de Bourse et, en Belgique, à la Commission bancaire. *V.a.* **prospectus**.

FINANCE *v.*
FINANCER

(fin.) Fournir à une entreprise les moyens financiers nécessaires à son fonctionnement et à son développement. *N.B.* Les moyens de financement les plus fréquemment utilisés par les grandes sociétés sont : l'affectation des ressources dégagées par les résultats antérieurs ou actuels (l'**autofinancement**), l'**émission d'actions**, l'**emprunt** et le **crédit-bail**.

FINANCE CHARGES
FRAIS FINANCIERS, FRAIS DE CRÉDIT

(fin.) Sommes (intérêts et frais d'administration) ajoutées au prix d'un article vendu à tempérament et représentant des produits financiers pour le vendeur. *Syn.* **carrying charges** 2., **loading** 1. et **loading charges** 1.

FINANCE COMPANY
SOCIÉTÉ DE CRÉDIT, SOCIÉTÉ DE PRÊTS, SOCIÉTÉ DE FINANCEMENT

(fin.) Société qui consent des prêts ou qui accorde des crédits en vue de faciliter l'achat de biens de consommation ou autres. *N.B.* Une **société de financement** a surtout pour but de prêter des sommes à des entreprises moyennant certaines conditions. *V.a.* **financial institution** 1. et **lending institution**.

FINANCE CONTRACT
CONTRAT DE CRÉDIT, CONTRAT DE PRÊT, CONTRAT DE FINANCEMENT

(fin.) Contrat signé entre une société de crédit et son client.

FINANCIAL
FINANCIER adj.

(fin.) Qui se rapporte au financement, à la gestion des fonds d'une entreprise ou d'un organisme public et, par extension, à l'établissement des comptes d'une entreprise. *N.B.* On peut aussi, dans ce dernier cas, utiliser l'adjectif **comptable**.

FINANCIAL ACCOUNTING
COMPTABILITÉ GÉNÉRALE

Comptabilité dont l'objet est de classer, d'inscrire, d'analyser et d'interpréter les données comptables en vue de déterminer la situation financière d'une entreprise et ses résultats d'exploitation. *N.B.* Les objectifs poursuivis par la comptabilité générale lui confèrent une utilité particulière en analyse financière. Aussi l'appelle-t-on parfois **comptabilité financière**. Toutefois cette désignation tend à restreindre le champ de ses applications tant à l'intérieur (la mise en oeuvre d'un système de contrôle par exemple) qu'à l'extérieur (les relations de l'entreprise avec son environnement et l'utilisation des données comptables à des fins juridiques et fiscales comme instrument de vérification et de preuve). *Syn.* **general accounting** *(vieilli)*. *Comparer avec* **management accounting**. *V.a.* **accounting** 1.

FINANCIAL ACCOUNTING STANDARDS
NORMES COMPTABLES

(U.S.) Expression désignant les normes publiées par le *Financial Accounting Standards Board* et portant sur la façon de comptabiliser certaines opérations et de les présenter dans les états financiers (ou comptes annuels). *N.B.* Au Canada, les normes comptables sont publiées dans le *Manuel de l'Institut Canadien des Comptables Agréés*, en France et en Belgique, dans les avis émis respectivement par le *Conseil national de la comptabilité* et par la *Commission des normes comptables* et, à l'échelle internationale, dans des bulletins diffusés par le *Comité international de normalisation de la comptabilité (IASC)*. *V.a.* **accounting standards** 1.

FINANCIAL ANALYSIS
ANALYSE FINANCIÈRE, DIAGNOSTIC FINANCIER

(anal. fin.) Ensemble des méthodes qui permettent d'examiner la situation financière d'une entreprise et ses résultats d'exploitation, de déterminer la mesure dans laquelle elle a maintenu son équilibre financier et de porter un jugement sur ses perspectives d'avenir. *N.B.* L'**analyse financière** est menée à partir des documents comptables de synthèse publiés sur plusieurs années par l'entreprise et de tous les autres renseignements à caractère industriel, commercial, économique, juridique, comptable et financier qu'il est possible de réunir tant sur l'entreprise étudiée que sur le secteur d'activité auquel elle appartient, ses concurrents, ses clients et ses fournisseurs. En France, en matière d'analyse financière, il existe une **Centrale de bilans** dont le rôle, à partir de la comptabilité d'entreprises, est d'appliquer des méthodes d'analyse et de rassembler une collection statistique d'éléments comptables homogènes, donc comparables entre eux tant pour la nature que pour le contenu des diverses rubriques. La **Centrale de bilans** est une banque de données traitant une information comptable standardisée pour répondre à un besoin d'information micro-économique ou semi-globale qui porte à la fois sur les flux et les patrimoines. En Belgique, les comptes annuels de toutes les sociétés sont publiés sur micro-films par une **Centrale de bilans** placée sous la responsabilité de la Banque nationale. Une globalisation annuelle est réalisée par secteurs et offre des comparaisons utiles pour l'analyse financière. En Amérique du Nord, le même travail d'analyse des informations financières se fait par des organismes privés notamment *Dun & Bradstreet*, *Moody's* et le *Financial Post Service*. *V.a.* **analysis** 1., **analysis of financial statements** et **credit agency**.

FINANCIAL ANALYST
ANALYSTE FINANCIER

(anal. fin.) Spécialiste chargé d'apprécier la situation financière des entreprises par une étude approfondie des documents pertinents en vue d'évaluer leurs perspectives d'avenir et de conseiller les investisseurs en matière de placement en valeurs mobilières.

FINANCIAL AUDITING
VÉRIFICATION DES COMPTES, RÉVISION DES COMPTES, VÉRIFICATION COMPTABLE, RÉVISION COMPTABLE

(E.C.) Vérification (ou révision) traditionnelle, par opposition à la vérification d'optimisation des ressources. *N.B.* En France, cette révision est parfois désignée par l'expression *audit financier*. *Comparer avec* **management audit**. *V.a.* **audit** *n.* 2. et 3., **comprehensive audit(ing)** et **value for money audit(ing)**.

FINANCIAL BUDGET
BUDGET FINANCIER
(fin.) Budget portant sur les besoins et moyens financiers d'une entreprise. *V.a.* **budget** *n.* 1.

FINANCIAL CAPITAL MAINTENANCE (CONCEPT)
(NOTION DE LA) PRÉSERVATION DU CAPITAL
(écon. et *compt.)* Notion de la préservation du patrimoine en vertu de laquelle l'entreprise considère qu'elle ne peut distribuer un dividende à ses actionnaires si elle n'a pas réussi à conserver intact le montant de son actif net (coût historique ou coût actuel) mesuré en numéraire (préservation du numéraire) ou en unités de pouvoir d'achat (préservation du pouvoir d'achat). *Comparer avec* **physical capital maintenance concept**. *V.a.* **capital maintenance concept**.

FINANCIAL CONTRIBUTION
APPORT FINANCIER
(fin.) Quote-part de chacun des participants à l'exécution d'un projet donné ou, dans le cas d'un organisme sans but lucratif, à son financement. *V.a.* **contribution** 1.

FINANCIAL EXPENSES
CHARGES FINANCIÈRES, FRAIS FINANCIERS
Charges d'une entreprise se rapportant au financement de son exploitation plutôt qu'à la fabrication, la vente, la gestion, etc. *Comparer avec* **financial revenue**.

FINANCIAL FORECASTS 1.
PRÉVISIONS FINANCIÈRES GLOBALES
(gest.) Estimation des résultats d'exploitation les plus probables, de la situation financière la plus probable et de l'évolution la plus probable de la situation financière de l'entreprise dans un ou plusieurs exercices futurs. *N.B.* L'ensemble de ces prévisions constitue l'**information prévisionnelle** et les états financiers qui en découlent sont des **états financiers prévisionnels**. *V.a.* **earnings forecasts** et **forecasts**.

FINANCIAL FORECASTS 2.
PRÉVISIONS (FINANCIÈRES)
Voir **forecasts**.

FINANCIAL FUTURES MARKET
MARCHÉ À TERME SUR (LES) TAUX D'INTÉRÊT, MARCHÉ À TERME DES TITRES FINANCIERS
Voir **interest rate futures market**.

FINANCIAL INSTITUTION 1.
ÉTABLISSEMENT FINANCIER
(fin.) Entreprise dont l'activité principale consiste à accorder des prêts à la consommation, à financer l'exploitation d'autres entreprises, à rendre des services bancaires, à effectuer des investissements, à gérer les biens de tiers, etc. *N.B.* Les **établissements financiers** comprennent notamment les banques, les sociétés de crédit immobilier, de crédit-bail, de prêts, de financement, de crédit pour achats à tempérament, etc. En France, les établissements financiers ne comprennent généralement pas les banques. *V.a.* **finance company**, **financial intermediary** et **lending institution**.

FINANCIAL INSTITUTION 2.
INSTITUTION FINANCIÈRE
(fin.) Institution de forte taille (compagnie d'assurances, caisse de retraite, etc.) intervenant d'une manière importante sur le marché financier. *V.a.* **institutional investor**.

FINANCIAL INTERMEDIARY
INTERMÉDIAIRE FINANCIER
(fin.) Organisme (banque, établissement financier, compagnie d'assurances, etc.) qui draîne des capitaux pour les transformer en opérations financières à moyen et à long terme. *V.a.* **financial institution** 1. et **lending institution**.

FINANCIAL LEVERAGE
EFFET DE LEVIER (DE LA DETTE), LEVIER FINANCIER, LEVIER MULTIPLICATEUR
Voir **leverage** 1.

FINANCIAL MANAGEMENT
GESTION FINANCIÈRE
(fin.) Ensemble des activités se rapportant aux problèmes de financement de l'entreprise (analyse financière, évaluation des besoins financiers, recherche des sources de financement et plan de financement).

FINANCIAL MARKET
MARCHÉ FINANCIER, MARCHÉ DES CAPITAUX
(fin.) Marché des capitaux investis à long terme et représentés notamment par les actions et les obligations. *N.B.* Le marché financier le plus important est la Bourse des valeurs. *Syn.* **capital market**.

FINANCIAL MATHEMATICS
MATHÉMATIQUES FINANCIÈRES
(math. fin.) Collection d'outils mathématiques fondés surtout sur la notion d'actualisation et destinés à mesurer et à évaluer des flux monétaires échelonnés dans le temps. *N.B.* Les mathématiques s'appliquant plus précisément dans les domaines de l'assurance-vie et des régimes de retraite portent le nom de **mathématiques actuarielles**. *V.a.* **discounting**.

FINANCIAL OFFICER
DIRECTEUR FINANCIER, CHEF DES SERVICES FINANCIERS
Cadre responsable de la planification et de la gestion financières d'une entreprise.

FINANCIAL OPERATIONS
OPÉRATIONS FINANCIÈRES
(fin.) Événements de la vie financière d'une entreprise, notamment l'appel à l'épargne, l'augmentation de capital, l'émission d'actions ou d'obligations, le crédit-bail, l'introduction en Bourse, le regroupement avec d'autres entreprises et l'offre publique d'achat (O.P.A).

FINANCIAL PERIOD 1.
PÉRIODE COMPTABLE
Période (mois, trimestre, etc.) au terme de laquelle l'entreprise dresse ses états financiers (ou établit ses comptes) sans fermer ses livres. *Syn.* **accounting period** 1. et **fiscal period** 1. *V.a.* **fiscal year**.

FINANCIAL PERIOD 2.
EXERCICE (FINANCIER), EXERCICE (COMPTABLE)
Voir **fiscal year**.

FINANCIAL PLANNING
PLANIFICATION FINANCIÈRE
(fin.) Ensemble des décisions prises en vue d'organiser, de diriger et de coordonner toutes les opérations financières futures afin d'atteindre les objectifs généraux de l'entreprise.

FINANCIAL POSITION
SITUATION FINANCIÈRE
État de la situation d'une entreprise déterminée par l'étude de son actif, de son passif et de ses capitaux propres à une date donnée. *V.a.* **balance sheet**.

FINANCIAL POSITION FORM (OF BALANCE SHEET)
PRÉSENTATION (DU BILAN) AXÉE SUR LE FONDS DE ROULEMENT
(Can.) Présentation du bilan qui consiste : 1) à déterminer le fonds de roulement en déduisant le passif à court terme de l'actif à court terme, 2) à ajouter l'actif à long terme au fonds de roulement, et 3) à retrancher du total obtenu le passif à long terme afin de trouver l'actif net qui doit lui-même correspondre aux capitaux propres. *N.B.*

Parfois, dans ce mode de présentation, le total du fonds de roulement et de l'actif à long terme est comparé avec le total du passif à long terme et des capitaux propres. *V.a.* **balance sheet, form of**.

FINANCIAL POSITION, STATEMENT OF
BILAN

Voir **balance sheet**.

FINANCIAL RATIO
RATIO FINANCIER

(anal. fin.) Terme générique utilisé pour désigner le chiffre que l'on obtient en divisant un poste des états financiers (ou comptes annuels) par un autre afin de faciliter l'analyse de la situation financière d'une entreprise et de sa rentabilité. *V.a.* **ratio analysis**.

FINANCIAL REPORTING
(COMMUNICATION DE L')INFORMATION FINANCIÈRE, (PUBLICATION DE L')INFORMATION FINANCIÈRE

Action, pour une entreprise, de communiquer au public des informations financières principalement au moyen de ses états financiers (ou comptes) qu'elle publie annuellement, trimestriellement, mensuellement, etc. *Syn.* **external reporting**. *Comparer avec* **internal reporting**.

FINANCIAL REVENUE
PRODUITS FINANCIERS

Ressources d'une entreprise provenant des prêts qu'elle consent, des placements qu'elle fait et parfois des frais financiers facturés à sa clientèle. *Comparer avec* **financial expenses**.

FINANCIAL RISK
RISQUE FINANCIER

(fin.) Incertitude du rendement futur d'une entreprise qui finance une partie de son exploitation en émettant des obligations ou des actions privilégiées à dividende d'un montant fixe. *V.a.* **leverage** 1.

FINANCIAL STATEMENTS
ÉTATS FINANCIERS, COMPTES ANNUELS (Fr., Belg. et C.E.E.), DOCUMENTS DE SYNTHÈSE (Fr.)

Documents comptables communiqués aux actionnaires d'une société ou mis à la disposition du public, en principe chaque année, et qui font habituellement l'objet d'une vérification (ou révision). *N.B.* Au Canada, les états financiers comprennent le bilan, l'état des résultats, l'état des bénéfices non répartis, l'état de l'évolution de la situation financière et les notes et documents explicatifs considérés comme faisant partie intégrante des états financiers. En France et en Belgique, les comptes annuels sont constitués du bilan, du compte de résultat, de l'annexe et, dans de nombreux cas, du tableau de financement. Les états financiers publiés par une société sont aussi appelés **comptes sociaux**, expression employée pour désigner particulièrement les comptes d'une société mère par rapport aux comptes consolidés. *Syn.* **accounts** 1. *V.a.* **set of financial statements** et **statement** 2.

FINANCIAL STATEMENTS ANALYSIS
ANALYSE DES ÉTATS FINANCIERS, ANALYSE DES COMPTES ANNUELS

Voir **analysis of financial statements**.

FINANCIAL STRUCTURE
STRUCTURE DU CAPITAL, STRUCTURE DES CAPITAUX PERMANENTS

Voir **capital structure**.

FINANCIAL SUPPORT
AIDE FINANCIÈRE, SOUTIEN FINANCIER

(O.S.B.L.) Aide se présentant généralement sous la forme de dons en argent consentis par une personne à un organisme, le plus souvent sans but lucratif.

FINANCIER
FINANCIER n.

(fin.) Personne qui effectue des opérations financières importantes, qui capitalise, investit et spécule sur l'argent.

FINANCING ADJUSTMENT
REDRESSEMENT AU TITRE DE LA STRUCTURE FINANCIÈRE, REDRESSEMENT FINANCIER,
  AJUSTEMENT MULTIPLICATEUR (Fr.)

Dans une comptabilité au coût actuel, redressement apporté au bénéfice et visant à refléter la mesure dans laquelle les capitaux propres sont protégés contre les effets de la fluctuation des prix en raison de la présence de capitaux empruntés. *Syn.* **gearing adjustment**.

FINANCING LEASE *(vieilli)*
BAIL FINANCIER

(dr. et *fin.)* Tout contrat de location portant essentiellement sur un bien qu'une personne (le **locataire** ou le **preneur**) loue en vue de l'utiliser comme si elle en était le propriétaire. *Comparer avec* **direct financing lease**. *V.a.* **lease**.

FINANCING PLAN
PLAN DE FINANCEMENT, PLAN FINANCIER

(fin.) Tableau prévisionnel des emplois et des ressources établi par l'entreprise, exercice par exercice, pour une période de quelques années. *N.B.* Ce tableau vise à assurer le maintien de l'équilibre financier par une traduction chiffrée des opérations que l'entreprise a l'intention d'effectuer au cours de la période couverte par le plan. En Belgique, la loi impose aux sociétés qui se constituent sur une base de responsabilité limitée d'établir un **plan financier** qui servirait, en cas de faillite dans les trois ans, à prouver que le capital initial n'était pas manifestement insuffisant pour mener l'entreprise à bien pendant une année civile.

FINDER'S FEES
HONORAIRES DE DÉMARCHEUR, COMMISSION DE DÉMARCHEUR

(fin.) Rémunération attribuée à un établissement financier, une société immobilière ou une personne qui place des valeurs ou effectue des prêts hypothécaires. *N.B.* En Belgique, la loi interdit le **démarchage** de valeurs mobilières alors qu'en France, il est sévèrement réglementé.

FINISHED GOODS
PRODUITS FINIS, PRODUITS OUVRÉS

Biens qui ont atteint un stade d'achèvement définitif dans le cycle de production et qui sont destinés à être vendus.

FINISHED GOODS INVENTORY
STOCK DE PRODUITS FINIS, STOCK DE PRODUITS OUVRÉS

Ensemble des produits finis que l'entreprise n'a pas encore vendus à une date donnée.

FIRM 1.
ENTREPRISE, FIRME, ÉTABLISSEMENT, MAISON
Voir **business firm**.

FIRM 2.
CABINET

(prof.) Ensemble d'une organisation professionnelle comptable ou autre, notamment les associés (ou un professionnel libéral exerçant à son compte), le personnel, la clientèle et les dossiers. *V.a.* **accounting firm** et **office**.

FIRM DEAL
MARCHÉ FERME

(dr.) Contrat qui ne comporte aucune possibilité de renégociation. *N.B.* L'annulation d'un contrat pour cause de vice radical ou en raison des préjudices qui en résultent pour une des parties porte le nom de **rescision**.

FIRM NAME
DÉNOMINATION SOCIALE, RAISON SOCIALE, NOM COMMERCIAL, ENSEIGNE

(dr.) Désignation sous laquelle l'entreprise exerce son activité. *N.B.* La **dénomination sociale** est le nom adopté par une société de capitaux et figurant dans ses statuts. La **raison sociale** est le nom qu'adopte une société de personnes. Souvent, la raison sociale comprend le nom d'un certain nombre d'associés suivi des mots **et Cie** ou

et associés. On entend par **nom commercial** la dénomination choisie par une personne pour son commerce. L'**enseigne** est soit une désignation emblématique (de fantaisie ou nominale) d'une entreprise, soit un signe distinctif apposé sur la façade d'un établissement de commerce pour rappeler une dénomination sociale, une raison sociale, un nom commercial ou une marque. En pratique, il est fréquent que le nom sous lequel une entreprise est connue soit un raccourci de sa dénomination sociale ou de sa raison sociale. *V.a.* **corporate name** et **trade name**.

FIRST IN, FIRST OUT METHOD (FIFO)
(MÉTHODE DE L')ÉPUISEMENT SUCCESSIF; (MÉTHODE DU) PREMIER ENTRÉ, PREMIER SORTI (PEPS)
Méthode d'évaluation des stocks (et parfois des valeurs mobilières) qui consiste à attribuer aux articles encore en stock (ou aux titres non vendus) les coûts les plus récents. *N.B.* Selon cette méthode qui repose sur l'hypothèse que l'entreprise vend les articles stockés (ou les titres qu'elle détient) dans l'ordre où elle les a achetés, les articles (ou les titres) vendus sont évalués aux coûts les plus anciens. Cette méthode est parfois désignée en français par le terme *fifo. V.a.* **cost flow methods**.

FIRST MORTGAGE
HYPOTHÈQUE DE PREMIER RANG, PREMIÈRE HYPOTHÈQUE
(dr.) Hypothèque donnant au créancier un droit prioritaire par rapport aux autres créanciers hypothécaires. *V.a.* **mortgage** *n.* 1.

FIRST MORTGAGE BOND
OBLIGATION DE PREMIÈRE HYPOTHÈQUE
(Can.) Obligation garantie par une hypothèque de premier rang. *V.a.* **bond** 1.

FISCAL PERIOD 1.
PÉRIODE COMPTABLE
Voir **financial period** 1.

FISCAL PERIOD 2.
EXERCICE (FINANCIER), EXERCICE (COMPTABLE)
Voir **fiscal year**.

FISCAL PERIOD 3.
EXERCICE (FINANCIER), EXERCICE (COMPTABLE)
Exercice dont la durée est inférieure ou supérieure à un an parce que l'entreprise vient d'être constituée ou liquidée, ou parce qu'elle a décidé de changer la date de la fin de son exercice. *V.a.* **broken period** *(fam.)* et **fiscal year**.

FISCAL YEAR
EXERCICE (FINANCIER), EXERCICE (COMPTABLE)
Période d'une durée d'un an au terme de laquelle l'entreprise procède à la clôture de ses livres et à l'établissement de ses états financiers (ou comptes annuels). *N.B.* Le **découpage** du temps en exercices implique, en matière de calcul des résultats, un certain nombre de régularisations avant de procéder à la clôture des comptes. Il arrive en effet que certains produits et charges enregistrés au cours de l'exercice concernent effectivement les exercices suivants et, réciproquement, que des produits et des charges relatifs à l'exercice en cours n'aient pas encore été enregistrés. *Syn.* **accounting period** 2., **financial period** 2. et **fiscal period** 2. *Comparer avec* **calendar year** et **natural business year**. *V.a.* **financial period** 1. et **fiscal period** 3.

FITTINGS
AGENCEMENTS
Voir **fixtures**.

FIXED ASSET
IMMOBILISATION (CORPORELLE), BIEN IMMOBILISÉ (CORPOREL), VALEUR IMMOBILISÉE (CORPORELLE)
Bien corporel, par exemple un terrain, un bâtiment ou une machine, d'une durée relativement longue ou

permanente, acquis par l'entreprise en vue de l'utiliser aux fins de son exploitation plutôt que pour la revente. *V.a.* **capital asset**.

FIXED ASSETS
ACTIF IMMOBILISÉ (CORPOREL), IMMOBILISATIONS (CORPORELLES), VALEURS IMMOBILISÉES (CORPORELLES), ACTIF FIXE

Ensemble des biens corporels d'une durée relativement longue ou permanente que l'entreprise utilise aux fins de son exploitation. *N.B.* Dans un sens large, le terme *fixed assets* comprend les biens corporels et incorporels de toute nature, mobiliers et immobiliers, créés ou acquis pour être utilisés d'une manière durable comme instruments de travail ou comme moyens de production et non pour être revendus. Il peut être utile de distinguer les **immobilisations professionnelles** (c'est-à-dire celles que l'entreprise utilise pour la production de biens et de services) et les **immobilisations non professionnelles**. *Comparer avec* **circulating assets** et **current assets**. *V.a.* **assets**, **capital assets** 2., **long-term asset(s)** et **property, plant and equipment**.

FIXED ASSETS FUND
FONDS DES IMMOBILISATIONS

(compt. par fonds) Fonds où l'on retrouve, d'une part, les immobilisations que possède un organisme sans but lucratif et, d'autre part, les diverses sources de financement de ces immobilisations : emprunts, dons, subventions et fonds courants. *V.a.* **fund accounting**.

FIXED ASSETS TURNOVER
ROTATION DE L'ACTIF IMMOBILISÉ

(anal. fin.) Quotient du chiffre d'affaires par la valeur comptable moyenne des immobilisations, c'est-à-dire le total de la valeur comptable des immobilisations au début et à la fin de l'exercice divisé par deux. *V.a.* **ratio analysis**.

FIXED BENEFIT, FIXED CONTRIBUTION PENSION PLAN
RÉGIME À COTISATIONS ET PRESTATIONS DÉTERMINÉES

(rentes) Régime dont la caractéristique consiste à déterminer d'avance la façon de calculer les cotisations et les rentes de retraite. *V.a.* **pension plan**.

FIXED BUDGET
BUDGET FIXE, BUDGET STATIQUE

Budget correspondant à un degré unique d'activité. *Syn.* **static budget**. *Comparer avec* **flexible budget**. *V.a.* **budget** *n.* 1.

FIXED CAPITAL
CAPITAL FIXE, CAPITAUX FIXES

Capital composé de biens durables susceptibles d'être utilisés durant plusieurs cycles d'exploitation. *Comparer avec* **working capital**. *V.a.* **capital** 3. et **permanent capital**.

FIXED CHARGE
CHARGE FIXE

Charge qu'il est impossible à l'entreprise de ne pas engager en raison d'une obligation qu'elle a contractée (par exemple des intérêts et un loyer) ou de la nécessité pour elle de posséder certains biens aux fins de son exploitation (par exemple l'amortissement). *V.a.* **committed costs** et **fixed costs**.

FIXED COSTS
COÛTS FIXES, CHARGES FIXES, FRAIS FIXES, FRAIS CONSTANTS, FRAIS NON PROPORTIONNELS

Charges dont le montant, pour une période et une capacité données, est indépendant du niveau d'activité prévu ou réel. *N.B.* Les **charges fixes** (loyer, assurances, amortissement, etc.) sont souvent appelées **charges de structure** car leur montant correspond à une structure donnée. Un changement de structure peut toutefois entraîner une variation des frais fixes qui n'est pas nécessairement proportionnelle à ce changement. *Syn.* **fixed expenses**. *Comparer avec* **semi-variable costs** et **variable costs**. *V.a.* **committed costs**, **fixed charge** et **indirect costs** 1.

FIXED EXPENSES
COÛTS FIXES, CHARGES FIXES, FRAIS FIXES, FRAIS CONSTANTS, FRAIS NON PROPORTIONNELS
Voir **fixed costs**.

FIXED INTERVAL SAMPLING
ÉCHANTILLONNAGE SYSTÉMATIQUE
Voir **systematic sampling**.

FIXED OVERHEAD
FRAIS GÉNÉRAUX FIXES
Frais généraux dont le montant est constant entre deux niveaux d'activité donnés. *Comparer avec* **variable overhead**. *V.a.* **overhead**.

FIXED PERCENTAGE OF DECLINING BALANCE METHOD (OF DEPRECIATION)
(MÉTHODE DE L')AMORTISSEMENT DÉGRESSIF (À TAUX CONSTANT),
   (MÉTHODE DE L')AMORTISSEMENT DÉCROISSANT (À TAUX CONSTANT)
Voir **diminishing balance method (of depreciation)**.

FIXED PRICE CONTRACT
CONTRAT À FORFAIT, CONTRAT À PRIX FIXE, TRAVAIL À FORFAIT, MARCHÉ À FORFAIT, CONTRAT
   (À PRIX) FORFAITAIRE
(dr.) Contrat pour lequel l'entrepreneur reçoit un prix fixe stipulé dans le contrat lui-même. *Comparer avec* **cost-plus contract**.

FIXED TERM DEPOSIT
DÉPÔT À TERME (FIXE), DÉPÔT À ÉCHÉANCE FIXE
Voir **term deposit**.

FIXED WORKING HOURS
HORAIRE FIXE
(rel. de tr.) Horaire généralement en vigueur dans les entreprises et, déterminant de façon uniforme, pour tout le personnel, les heures d'arrivée et de départ. *V.a.* **flexible working hours**, **staggered working hours** et **variable working hours**.

FIXTURES
AGENCEMENTS
Éléments de l'actif immobilisé, le plus souvent des appareils ou des équipements reliés à un bâtiment ou en faisant normalement partie. *N.B.* En France, selon le Plan comptable général, le poste **Agencements, aménagements et installations** comprend tous les travaux destinés à mettre en état d'utilisation les divers immeubles de l'entreprise. *Syn.* **fittings**. *V.a.* **furniture and fixtures**.

FLAT BENEFIT PENSION PLAN
RÉGIME À PRESTATIONS FORFAITAIRES, RÉGIME À RENTES FORFAITAIRES
(rentes) Régime à prestations déterminées prévoyant, quel que soit le salaire, une rente de retraite annuelle constituée de fractions de rente fixes acquises pour chaque mois ou année de service, ou une rente de retraite annuelle fixe, établie sans égard aux années de service. *Syn.* **uniform benefit pension plan**. *V.a.* **pension plan**.

FLAT PRICE
PRIX FORFAITAIRE
(comm.) Prix résultant d'une convention ou d'un marché dans lequel une des parties s'engage à fournir quelque chose pour un prix global fixé à l'avance et immuable, qu'il y ait perte ou gain. *N.B.* L'expression **prix forfaitaire** s'emploie également dans le cas d'une vente par lots de plusieurs marchandises pour un **prix global**, en général inférieur au total des prix unitaires des différentes marchandises.

FLAT QUOTATION
COURS SANS INTÉRÊTS
(fin.) Cours de titres qui ne comprend pas les intérêts s'y rapportant.

FLAT RATE
TAUX UNIFORME
(lang. cour.) Taux qui ne varie pas dans des circonstances données.

FLAT-RATE BENEFIT
PRESTATION UNIFORME
(rentes) Prestation dont le montant est le même pour tous les participants, indépendamment de leur traitement.

FLEET
PARC
(écon.) Ensemble des équipements de même nature qui existent à un moment donné, dans un secteur déterminé, dans une entreprise, une région ou un pays donné. *N.B.* Ainsi on parle du parc de machines-outils d'une entreprise, du parc automobile d'un pays, etc. Le terme **flotte** qui, par définition, signifie un grand nombre de bateaux naviguant ensemble s'emploie aussi pour désigner, par exemple, l'ensemble des avions d'une société d'aviation.

FLEXIBLE BUDGET
BUDGET VARIABLE, BUDGET FLEXIBLE
(gest.) Budget qui correspond à différents degrés d'activité et qui comprend, d'une part, les frais fixes dont le montant reste le même pour une **fourchette d'activité** donnée et, d'autre part, les frais variables qui sont proportionnels à l'évolution d'une variable précisée à l'avance. *N.B.* Le **budget variable** comporte des calculs de coûts distincts selon le niveau d'activité tandis que le **budget flexible** intègre l'incidence des variations possibles d'origine externe, comme les variations de prix. Il n'est pas rare toutefois que les deux expressions soient utilisées indifféremment l'une à la place de l'autre. *Syn.* **variable budget**. *Comparer avec* **fixed budget**. *V.a.* **budget** *n.* 1.

FLEXIBLE HOURS
PLAGE MOBILE
(rel. de tr.) Dans un horaire variable, période de la journée pendant laquelle le personnel peut choisir son temps de présence. *Comparer avec* **core hours**.

FLEXIBLE WORKING HOURS
HORAIRE VARIABLE
(rel. de tr.) Système fixant les éléments d'un temps de travail journalier minimal. *N.B.* En dehors de ces limites, l'employé est libre et responsable de gérer son temps de travail fixé à un nombre d'heures déterminé par semaine ou par mois, selon les modalités choisies. *V.a.* **fixed working hours**, **staggered working hours** et **variable working hours**.

FLOAT *n.* 1.
COUVERTURE
(banque) Fonds requis dans un compte en banque pour que puissent être payés les chèques tirés sur ce compte, y compris les chèques en circulation.

FLOAT *n.* 2.
DOCUMENTS EN CIRCULATION, ÉLÉMENTS EN CIRCULATION
(banque) Terme utilisé par les banques pour désigner les chèques et autres documents en transit ou en circulation.

FLOAT *n.* 3.
FONDS DE CAISSE
(fin.) Somme d'argent que l'entreprise peut utiliser immédiatement, par exemple la petite caisse et la monnaie d'appoint.

FLOAT *v.*
LANCER, ÉMETTRE

(fin.) Procéder à une émission ou au placement d'un ensemble de titres (actions ou obligations).

FLOATATION COSTS
FRAIS D'ÉMISSION

Frais (comptabilité, droit, souscription, impression, etc.) engagés par une société lors d'une émission de titres (actions, obligations, etc.). *Syn.* **issuance expenses**. *V.a.* **bond issue expenses**.

FLOATING CHARGE
CHARGE FLOTTANTE

(dr.) Droit à l'actif d'une société consenti en garantie d'une dette sans préciser le ou les biens particuliers affectés à cette garantie.

FLOATING DEBT
DETTE FLOTTANTE

(compt. publ.) Partie non consolidée de la dette publique, représentée par des titres d'État dont les porteurs peuvent demander le remboursement à vue. *V.a.* **funded debt** 2.

FLOATING POLICY
POLICE FLOTTANTE

(ass.) Contrat qui couvre automatiquement, pour une période donnée et habituellement pour un montant déterminé, toutes les expéditions faites pour le compte de l'assuré, quels que soient les marchandises expédiées, le mode de transport et le lieu de destination.

FLOOR PRICE
PRIX PLANCHER

(comm.) Prix minimal imposé par règlement ou demandé par un vendeur pour une marchandise, un service. *Comparer avec* **ceiling price**. *V.a.* **guaranteed price** et **price range**.

FLOW
FLUX

(écon.) Déplacement d'une quantité de biens, de services, de monnaie durant un certain temps. *N.B.* Le **flux** est **externe** lorsque le déplacement se fait de l'entreprise vers un autre agent économique, ou inversement. En revanche, on parlera de **flux interne** lorsque le déplacement se fait entre deux sous-pôles fonctionnels d'un même agent, c'est-à-dire à l'intérieur de l'entreprise elle-même. On peut aussi distinguer le **flux réel**, c'est-à-dire le déplacement physique d'un bien ou d'un service, et le **flux monétaire** ou **financier**, c'est-à-dire le déplacement de valeurs monétaires. Dans un flux, l'**amont** est l'origine du processus (entrée des marchandises à vendre ou des matières à transformer) et l'**aval** est l'aboutissement du processus (sortie des marchandises ou des produits).

FLOW ASSUMPTION
HYPOTHÈSE PORTANT SUR LE FLUX DES COÛTS

Hypothèse selon laquelle le coût d'articles identiques prélevés sur un stock (ou le coût de titres vendus) est fondé sur le mouvement des coûts qui peut suivre ou non l'écoulement des articles (ou des titres) eux-mêmes. *N.B.* L'hypothèse en question permet de déterminer le coût à attribuer aux articles (ou aux titres) vendus et donne lieu aux trois méthodes suivantes : la méthode de l'épuisement successif, la méthode de l'épuisement à rebours et la méthode du coût moyen pondéré. *V.a.* **cost flow methods**.

FLOW AUDIT
(VÉRIFICATION DU CHEMINEMENT PAR) SONDAGE LIMITÉ, (RÉVISION DU CHEMINEMENT PAR) SONDAGE LIMITÉ

(E.C.) En vérification (ou révision) analytique, examen approfondi d'un nombre très limité d'opérations ou de documents, effectué par l'expert-comptable en vue d'établir si les **graphiques d'acheminement** tracés correspondent bien à la réalité. *Syn.* **walk through test**. *V.a.* **audit** *n.* 3. et **flow chart** 1.

FLOW CHART 1.
GRAPHIQUE D'ACHEMINEMENT, DIAGRAMME DE CIRCULATION
(E.C.) En vérification (ou révision) analytique, représentation graphique, d'une part, du mouvement des opérations aboutissant à un résultat visé et, d'autre part, du mouvement physique des pièces et des documents. *V.a.* **analytical audit(ing)**, **chart** et **flow audit**.

FLOW CHART 2.
ORGANIGRAMME
(inf.) Représentation graphique des données traitées par ordinateur. *V.a.* **chart**.

FLOW OF COSTS
FLUX DES COÛTS
Mouvements des coûts passant par différents stades. *N.B.* Ainsi, dans une entreprise industrielle, le matériel qui est d'abord inscrit dans un compte d'actif immobilisé fait par la suite l'objet d'un amortissement qui est incorporé, dans l'ordre, au stock de produits en cours, au stock de produits finis et au coût des produits vendus qui sera lui-même viré dans le compte Sommaire des résultats (en France, Résultat à répartir) à la fin de l'exercice.

FLOW-THROUGH METHOD (INCOME TAXES)
MÉTHODE DE L'IMPÔT EXIGIBLE
Voir **taxes payable basis**.

FLOW-THROUGH METHOD (INVESTMENT TAX CREDIT)
MÉTHODE D'IMPUTATION À L'EXERCICE (DES DÉGRÈVEMENTS D'IMPÔT POUR INVESTISSEMENTS)
Méthode de comptabilisation des dégrèvements d'impôt pour investissements qui consiste à incorporer en entier ces dégrèvements au bénéfice de l'exercice où ils sont attribués par le fisc plutôt que de les répartir sur la durée du bien y donnant lieu. *N.B.* En France et en Belgique, comme il y a unité de principe entre le **bilan commercial** et le **bilan fiscal**, il s'ensuit que tout dégrèvement doit être imputé à l'exercice au cours duquel il a été attribué. *Comparer avec* **deferral method (investment tax credit)**. *V.a.* **investment tax credit**.

FOB
FRANCO À BORD (F.A.B.) ou *(F.O.B.)*
Abrév. de **free on board**.

FOLIO 1.
FOLIO, PAGE
(lang. cour.) Numéro d'une page ou de deux pages placées en regard l'une de l'autre et, par extension, le numéro de chaque page.

FOLIO 2.
RÉFÉRENCE, FOLIO
Numéro d'une page ou d'un compte inscrit pour identifier la source d'une écriture et le compte dans lequel un montant est reporté d'un livre-journal à un grand livre. *N.B.* Par extension, le terme anglais *folio* s'emploie pour désigner le numéro d'un compte en banque.

FOLLOW UP *v.*
DONNER SUITE, ASSURER LE SUIVI
(lang. cour.) Action de poursuivre une étape d'un programme que l'on n'a pu mener à terme précédemment, ou de régler un point demeuré en suspens.

FOLLOW-UP *n.*
RAPPEL, SUIVI
(lang. cour.) Examen successivement repris d'une même question; procédure qui consiste à donner suite à une action entreprise, à une prospection commerciale, etc.

FOLLOW-UP LETTER
AVIS DE RELANCE, LETTRE DE RAPPEL

(E.C.) Rappel adressé par l'expert-comptable à un tiers (fournisseur, client, banque, etc.) à qui il a soumis une demande d'information demeurée sans réponse. *Syn.* **second request**.

FOOT
ADDITIONNER, FAIRE LA SOMME, TOTALISER

(lang. cour.) Additionner les chiffres d'une colonne. *V.a.* **crossfooting**.

FOOTED
TOTAL VÉRIFIÉ

(E.C.) Mention portée par l'expert-comptable sur un document pour attester qu'il a vérifié le total d'un certain nombre de chiffres.

FOOTNOTE
NOTE (EXPLICATIVE)

(lang. cour.) Renseignement complémentaire figurant au bas d'un document ou d'une page d'un livre. *V.a.* **notes to financial statements**.

FOR A VALUABLE CONSIDERATION
À TITRE ONÉREUX

(comm.) Se dit d'une prestation comportant une contrepartie en espèces ou en nature. *Comparer avec* **for free**.

FOR CASH
AU COMPTANT

(comm.) Expression qui se dit d'une opération conclue en numéraire ou contre espèces, généralement au moyen d'un chèque. *V.a.* **pay cash**.

FORECAST
PRÉVISION

(écon.) Appréciation de l'évolution des tendances actuelles et de leurs conséquences dans le futur. *Comparer avec* **budget** *n.* 1. et **projection**. *V.a.* **multiple value forecasts**, **range forecasts** et **single value forecasts**.

FORECASTS
PRÉVISIONS (FINANCIÈRES)

(fin.) Prévisions les plus probables établies par la direction pour un temps futur déterminé. *N.B.* Les entreprises sont maintenant invitées à publier une **information prévisionnelle** concernant leurs activités, les objectifs de production, les programmes d'investissement et l'incidence de leurs prévisions notamment sur le résultat futur. *Syn.* **financial forecasts** 2. et **projections** 1. *Comparer avec* **budget** *n.* 1. et **projections** 2. *V.a.* **budgeted statements**, **budget information**, **cash (flow) forecasts**, **earnings forecasts** et **financial forecasts** 1.

FORECLOSURE 1.
FORCLUSION

(dr.) Déchéance qui frappe un droit non exercé dans les délais prescrits.

FORECLOSURE 2.
SAISIE D'UN BIEN HYPOTHÉQUÉ, SAISIE IMMOBILIÈRE

(dr.) Acte par lequel le créancier hypothécaire prend possession d'un immeuble grevé d'une hypothèque en remboursement d'une dette que ne peut acquitter son propriétaire.

FOREIGN BUSINESS CORPORATION
CORPORATION OPÉRANT À L'ÉTRANGER

(fisc. can.) Terme utilisé dans la Loi de l'impôt sur le revenu pour désigner une société par actions constituée au Canada mais qui poursuit son exploitation à l'étranger au moyen de biens situés également à l'étranger.

FOREIGN CURRENCY
MONNAIE ÉTRANGÈRE, DEVISE (ÉTRANGÈRE)

(écon. et *compt.)* Monnaie d'un pays étranger qui sert à mesurer les opérations conclues à l'étranger et représente l'unité de mesure utilisée dans les comptes d'établissements étrangers. *N.B.* Utilisé au pluriel, le terme **devises** désigne l'ensemble des moyens de paiement (billets de banque, chèques de voyage, traites, etc.) libellés dans une monnaie étrangère. *Syn.* **currency** 2., **exchange** 3. et **foreign exchange** 2. *V.a.* **blocked currency**, **convertible** 2., **currency** 1. et **rate of exchange**.

FOREIGN CURRENCY APPROACH
MÉTHODE DE LA MONNAIE D'ORIGINE

Méthode qui consiste, lors de la conversion de comptes établis en monnaie étrangère, à conserver comme **étalon de mesure** la monnaie dans laquelle chaque poste des comptes d'une filiale étrangère est quantifié ou libellé. *N.B.* Dans ce cas, le taux de change utilisé est le taux courant et les ratios financiers après conversion demeurent les mêmes que dans les comptes dressés en monnaie étrangère. *Comparer avec* **parent currency approach**.

FOREIGN CURRENCY FINANCIAL STATEMENTS
ÉTATS FINANCIERS DRESSÉS EN MONNAIE ÉTRANGÈRE, COMPTES ÉTABLIS EN MONNAIE ÉTRANGÈRE

États (ou comptes) d'une entreprise, le plus souvent un établissement situé à l'étranger, dont les éléments sont libellés en monnaie étrangère.

FOREIGN CURRENCY TRANSACTIONS
OPÉRATIONS CONCLUES EN MONNAIE ÉTRANGÈRE

Opérations (achat ou vente de marchandises, prestation de services, emprunt ou prêt de capitaux, passation de contrats de change à terme, acquisition de biens à l'étranger, etc.) dont le montant ou le prix est libellé en monnaie étrangère. *V.a.* **foreign operation** et **translation of foreign currency**.

FOREIGN EXCHANGE 1.
(OPÉRATION DE) CHANGE

Opération qui consiste à remettre un certain montant de monnaie d'un pays donné pour recevoir la contrepartie en monnaie d'un autre pays. *N.B.* Par extension, le terme **change** désigne la valeur de l'indice monétaire étranger exprimée en monnaie nationale sur une place déterminée (taux de change ou cours du change). *Syn.* **exchange** 4. *V.a.* **conversion of foreign currency**, **foreign exchange contract** et **rate of exchange**.

FOREIGN EXCHANGE 2.
MONNAIE ÉTRANGÈRE, DEVISE (ÉTRANGÈRE)

Voir **foreign currency**.

FOREIGN EXCHANGE CONTRACT
CONTRAT DE CHANGE

(fin.) Contrat stipulant l'achat ou la vente, à un cours convenu, d'une certaine quantité d'une monnaie contre une autre monnaie, avec règlement à une date précise ou au cours d'une période donnée. *V.a.* **cover** 2., **foreign exchange** 1. et **forward exchange contract**.

FOREIGN EXCHANGE DEALER
CAMBISTE

Voir **broker** 3.

FOREIGN EXCHANGE GAIN
GAIN DE CHANGE, PROFIT SUR CHANGE

Gain découlant de la conversion de comptes exprimés en monnaie étrangère ou d'opérations conclues en monnaie étrangère. *Syn.* **exchange gain**. *V.a.* **exchange adjustment**, **realized exchange gains or losses** et **unrealized exchange gains or losses**.

FOREIGN EXCHANGE LOSS
PERTE DE CHANGE, PERTE SUR CHANGE

Perte découlant de la conversion de comptes exprimés en monnaie étrangère ou d'opérations conclues en monnaie étrangère. *Syn.* **exchange loss**. *V.a.* **exchange adjustment, realized exchange gains or losses** et **unrealized exchange gains or losses**.

FOREIGN EXCHANGE MARKET
MARCHÉ DES CHANGES

(fin.) Marché, au comptant ou à terme, de devises qui sont généralement cotées par rapport à la monnaie nationale.

FOREIGN EXCHANGE POSITION
POSITION DE CHANGE

(fin.) Solde net compensé de toutes les opérations au comptant et à terme sur monnaie étrangère. *N.B.* La position peut être **à couvert, à découvert** ou **équilibrée**. *V.a.* **cover** 2., **exchange position exposure, long position** 2. et **short position** 2.

FOREIGN EXCHANGE RISK
RISQUE DE CHANGE

(fin.) Risque couru par l'entreprise en raison d'une incertitude sur le produit exact de ses rentrées de trésorerie à terme ou le coût exact de ses sorties de trésorerie à terme en monnaie étrangère. *N.B.* Cette incertitude est généralement attribuable à la variation des cours du change dans le temps. *Syn.* **exchange risk**. *V.a.* **exchange position exposure, exposed net asset position** et **exposed net liability position**.

FOREIGN OPERATION
ÉTABLISSEMENT ÉTRANGER

(org. des entr.) Entité (division, succursale, filiale, etc.) implantée à l'étranger et dont les activités sont exercées et enregistrées dans ses livres en monnaie étrangère, c'est-à-dire une monnaie différente de celle de l'entreprise qui publie les états financiers (ou comptes annuels). *V.a.* **foreign currency transactions, integrated foreign operation** et **self-sustaining operation**.

FOREIGN TAX CREDIT
DÉGRÈVEMENT POUR IMPÔT ÉTRANGER

(fisc. can.) Dégrèvement consenti aux contribuables qui ont payé des impôts à un pays étranger.

FOREMAN
CONTREMAÎTRE

(gest.) Personne qui est responsable d'une équipe d'ouvriers. *V.a.* **lower management**.

FORFEITED SHARE
ACTION PERDUE PAR DÉFAUT, ACTION CONFISQUÉE

(dr.) (Can.) Action dont le titre de propriété est retiré, après mise en demeure, au souscripteur ou à l'actionnaire défaillant qui refuse de verser les sommes réclamées par le conseil d'administration. *V.a.* **share** 2.

FORFEIT PAYMENT
PÉNALITÉ, INDEMNITÉ DE NON-EXÉCUTION

(dr.) Somme que l'une des parties est tenue de verser à l'autre à défaut d'exécution de la part d'un des **cocontractants**. *N.B.* La clause du contrat dans laquelle cette exigence est formulée porte le nom de **clause pénale**. Lorsque le contrat porte sur l'achat ou la vente de marchandises, la somme ainsi versée porte le nom de **dédit** et on parlera alors, selon le cas, de **dédit sur achat** ou de **dédit sur vente**. *V.a.* **earnest money**.

FORFEITURE 1.
DÉCHÉANCE

(dr.) Perte d'un droit soit à titre de sanction, soit en raison du non-respect de ses conditions d'exercice.

FORFEITURE 2.
CONFISCATION
(dr.) Acte par lequel le propriétaire est dépossédé d'un bien par suite de la violation des conditions d'un contrat.

FOR FREE
À TITRE GRATUIT
(lang. cour.) Se dit d'une prestation ne comportant aucune contrepartie. *Comparer avec* **for a valuable consideration**.

FORGE
CONTREFAIRE (UNE SIGNATURE), FALSIFIER (UN DOCUMENT)
(dr.) Action d'imiter frauduleusement une signature, un document ou d'y apporter des modifications irrégulières. *V.a.* **embezzlement** et **fraud**.

FORGERY
FALSIFICATION
(dr.) Action d'altérer, de modifier, d'imiter, de dénaturer quelque chose dans l'intention de tromper. *N.B.* On peut, par exemple, falsifier une signature, une monnaie, un document, un produit, etc., et la chose ainsi contrefaite porte le nom de **faux**. *V.a.* **counterfeiter** et **patent infrigement**.

FORGIVABLE LOAN
PRÊT-SUBVENTION, SUBVENTION REMBOURSABLE SOUS CONDITION
(fin.) Prêt consenti par l'État ou une collectivité et assorti d'une clause dispensant l'emprunteur d'effectuer les remboursements prévus tant qu'il se conforme à certaines conditions. *V.a.* **grant**.

FORGIVENESS OF A DEBT
REMISE DE DETTE, RENONCIATION À UNE CRÉANCE
Voir **remission of a debt**.

FORM
FORMULAIRE, FORMULE, IMPRIMÉ
(lang. cour.) Document qui comporte un certain nombre de questions auxquelles une personne est invitée à répondre pour l'accomplissement de certaines fonctions administratives. *V.a.* **business form**.

FORWARD AVERAGING
ÉTALEMENT SUR LES ANNÉES SUIVANTES
(fisc. can.) Dispositions ayant pour objet de permettre au contribuable d'étaler certains revenus sur un certain nombre d'années d'imposition futures. *V.a.* **averaging of income** et **income averaging annuity contract**.

FORWARD DELIVERY
LIVRAISON À TERME
(fin.) Transfert de propriété (argent, titres, etc.) à une date postérieure à la date de conclusion du contrat.

FORWARD EXCHANGE CONTRACT
OPÉRATION DE CHANGE À TERME, CONTRAT DE CHANGE À TERME
(fin.) Contrat conclu entre une entreprise et un établissement financier portant sur l'échange de deux devises à une date ultérieure donnée et à un prix stipulé d'avance. *V.a.* **arbitrage**, **cover** 2., **foreign exchange contract** et **hedge** *n*.

FORWARD PRICE
PRIX À TERME
(comm.) Prix d'une marchandise qui sera vendue et livrée à une date ultérieure déterminée d'avance. *Comparer avec* **spot price**.

FORWARD RATE
COURS À TERME, TAUX DE CHANGE À TERME

(fin.) Taux de change auquel on convient d'échanger deux devises, à une date ultérieure déterminée d'avance. *Comparer avec* **spot rate**. *V.a.* **buying rate**, **current rate**, **historical rate**, **rate of exchange** et **selling rate**.

FRACTIONAL SHARE
FRACTION D'ACTION, ROMPU

(fin.) Partie d'une action à laquelle a droit un actionnaire à la suite de la déclaration d'un dividende en actions, d'un fractionnement d'actions ou d'un regroupement d'actions. *N.B.* On parle de **rompu de regroupement** lorsqu'en cas de regroupement d'actions (diminution du capital par exemple), le nombre d'actions anciennes possédées n'est pas un multiple du nombre de celles à échanger contre une action regroupée. De même, il peut y avoir des **rompus de souscription** lorsqu'un détenteur de titres doit acheter ou vendre des droits parce que le nombre d'actions qu'il possède (et donc de droits qui y sont attachés) ne correspond pas à un nombre entier d'actions nouvelles qu'il peut acquérir. *V.a.* **share** 2.

FRANCHISE
(CONTRAT DE) CONCESSION

(comm.) Contrat passé entre une personne (le **concédant**) et une autre personne (le **concessionnaire**) donnant à cette dernière le droit, le plus souvent exclusif, de vendre un produit, d'utiliser une marque de commerce ou de rendre un service dans une région ou d'une manière particulière. *N.B.* Le terme **concession** désigne aussi le privilège d'exploitation accordé à titre onéreux ou gratuit, souvent à titre précaire, pour une durée déterminée ou non, par exemple une concession forestière, minière ou pétrolière. *V.a.* **dealer** 2.

FRANCHISING
FRANCHISAGE

(comm.) Contrat par lequel une entreprise concède à des entreprises indépendantes, en contrepartie d'une **redevance**, le droit de se présenter sous sa raison sociale et sa marque pour vendre des produits ou rendre des services. *N.B.* L'**entreprise concédante** (dite **franchiseur**) apporte une assistance technique, commerciale et administrative au **bénéficiaire** (dit **franchisé**) de la licence commerciale accordée à ce dernier. Le **franchisage**, qui est une variante du contrat de concession, est caractérisé par l'engagement que prend le franchisé de suivre très strictement les instructions du franchiseur et d'en accepter les contrôles extrêmement minutieux.

FRAUD
FRAUDE, ESCROQUERIE

(dr. et *compt.)* Acte commis avec l'intention de tromper, comportant soit des détournements, soit la présentation intentionnellement erronée de renseignements financiers dans le but de dissimuler des détournements, ou pour d'autres fins, par des moyens comme la manipulation ou la falsification de registres ou de documents, la comptabilisation d'opérations fictives et l'application fautive de principes comptables. *V.a.* **embezzlement**, **forge** et **irregularity**.

FRAUDULENT BANKRUPTCY
FAILLITE FRAUDULEUSE, BANQUEROUTE

(dr.) Faillite accompagnée d'actes délictueux (par exemple une comptabilité faussée délibérément et la dissipation de tout ou partie de l'actif) commis par les dirigeants d'une entreprise dans le but d'abuser des créanciers. *N.B.* En France et en Belgique, on parle dans ce cas, de **banqueroute frauduleuse** par opposition à la **banqueroute simple**, c'est-à-dire la situation dans laquelle se trouve tout commerçant qui non seulement est en état de cessation de paiements mais qui, de plus, a commis certaines fautes, par exemple avoir retardé la faillite par des moyens ruineux, avoir payé ou favorisé un créancier au profit de la masse, avoir effectué des dépenses personnelles excessives et n'avoir tenu aucune comptabilité. *V.a.* **bankruptcy**.

FREE ALONGSIDE (FAS)
FRANCO (À) QUAI (F.A.Q.), FRANCO LE LONG DU NAVIRE

(comm.) Condition de vente stipulant que le prix de vente comprend tous les frais qu'il est nécessaire d'engager jusqu'au moment où les marchandises sont placées sur un quai d'embarquement près d'un bateau et, par extension, d'un wagon de chemin de fer ou de tout autre véhicule servant à les expédier. *Comparer avec* **cost and freight**, **cost, insurance and freight** et **free on board**. *V.a.* **delivery conditions**.

FREEDOM FORM BIAS
IMPARTIALITÉ, NEUTRALITÉ
Voir **neutrality**.

FREE OF TAX
EXEMPT D'IMPÔT, EXEMPT DE TAXE, EXONÉRÉ D'IMPÔT, LIBRE D'IMPÔT, EN FRANCHISE D'IMPÔT
(fisc.) Se dit d'une opération ou d'un revenu qui échappe à l'impôt sur le revenu, ou de la vente d'une marchandise n'entraînant le paiement d'aucune taxe sur les ventes au détail. *Syn.* **tax exempt** et **tax free**. *V.a.* **duty free**, **exemption** 2. et **net of tax(es)**.

FREE ON BOARD (FOB)
FRANCO À BORD (F.A.B.) ou (F.O.B.)
(comm.) Condition de vente stipulant que le prix de vente comprend tous les frais qu'il est nécessaire d'engager jusqu'au moment où les marchandises à livrer sont placées à bord d'un bateau, d'un wagon de chemin de fer ou de tout autre véhicule servant à les expédier. *N.B.* Le terme **franco** s'emploie pour désigner ce qui est sans frais additionnels pour le destinataire. Ainsi un **prix franco de port et d'emballage** signifie que le prix convenu comprend les frais de port et d'emballage. Au Canada, on joint généralement au terme F.A.B. le point de départ ou le point d'arrivée. Dans le premier cas, les frais de transport sont assumés par l'acheteur et les marchandises lui appartiennent dès que l'expéditeur les confie à un transporteur. Dans le deuxième cas, le vendeur prend à sa charge les frais de transport et les marchandises continuent de lui appartenir tant que l'acheteur n'en a pas pris possession. Cette façon de procéder permet de déterminer à qui des marchandises en transit appartiennent. *Comparer avec* **cost and freight**, **cost, insurance and freight** et **free alongside**. *V.a.* **delivery conditions** et **goods in transit**.

FREIGHT 1.
FRET, FRAIS DE TRANSPORT
(comm.) Somme exigée pour le transport de marchandises par quelque moyen que ce soit. *N.B.* le terme **fret** ne désigne toutefois que le prix du transport de marchandises par mer et, par extension, par air ou par route. *V.a.* **cost and freight**, **cost, insurance and freight**, **freight-in**, **freight-out** et **transportation expenses**.

FREIGHT 2.
CHARGEMENT, CARGAISON, FRET
Voir **cargo**.

FREIGHTER
CARGO
(comm.) Moyen utilisé pour le transport de marchandises. *N.B.* Le terme **cargo** désigne, par définition, un bateau destiné au transport des marchandises, mais on a actuellement tendance à l'utiliser aussi pour le transport par avion et on parlera alors d'**avion cargo** ou d'**avion de fret**. Dans le cas de marchandises expédiées par train, on emploie l'expression **train de marchandises** *(freight train)* ou, selon le cas, **wagon de marchandises** *(freight car)*. *V.a.* **cargo**.

FREIGHT-IN
FRAIS DE TRANSPORT À L'ACHAT, TRANSPORTS SUR ACHATS
Frais de transport que l'acquéreur de marchandises prend à sa charge. *V.a.* **freight** 1. et **transportation expenses**.

FREIGHT-OUT
FRAIS DE TRANSPORT À LA VENTE, TRANSPORTS SUR VENTES
Frais de transport que le vendeur de marchandises prend à sa charge. *V.a.* **freight** 1. et **transportation expenses**.

FREQUENCY DISTRIBUTION
DISTRIBUTION DE FRÉQUENCES
(stat.) Répartition des données d'une série statistique en des classes rangées par ordre de grandeur. *N.B.* Le

nombre de cas observés dans chaque classe porte le nom de **fréquence** et on entend par **indice de classe** la moyenne arithmétique des limites vraies d'une classe. *V.a.* **histogram**.

FRINGE BENEFITS 1.
AVANTAGES SOCIAUX, AVANTAGES HORS SALAIRES, AVANTAGES COMPLÉMENTAIRES

(rel. de tr.) Mesures de prévoyance sociale dont bénéficie le personnel d'une entreprise : congés, assurances, caisse de retraite, club récréatif, cafétéria, etc. *V.a.* **benefit** 4.

FRINGE BENEFITS 2.
CHARGES SOCIALES, COTISATIONS SOCIALES

Poste des états financiers (ou comptes annuels) où figurent les sommes affectées à l'attribution d'avantages sociaux que l'entreprise accorde obligatoirement ou volontairement à son personnel. *N.B.* En France, la participation par l'employeur sous forme de versements complémentaires au plan d'épargne de l'entreprise s'appelle **abondement**. *V.a.* **employee stock ownership plan (ESOP)**, **employer's contributions**, **payroll taxes**, **profit-sharing** et **social cost**.

FRONT-END LOADING 1.
(MÉTHODE DE) PRÉLÈVEMENT DES FRAIS D'ACQUISITION SUR LES PREMIERS VERSEMENTS

(fin.) Pratique de certaines sociétés d'investissement à capital variable (les fonds mutuels) qui consiste à prélever sur les premiers versements reçus tous les frais d'acquisition d'actions achetées en vertu d'un plan à long terme. *V.a.* **loading** 2.

FRONT-END LOADING 2.
FACTURATION AVEC MAJORATION DÉGRESSIVE

(comm.) Dans les contrats de construction à long terme, pratique qui consiste à facturer, au cours des premières étapes du contrat, des sommes incluant une majoration plus élevée qu'au cours des dernières étapes afin de faciliter, pour l'entrepreneur, le financement des travaux exécutés et améliorer sa trésorerie.

FROZEN FUNDS
FONDS BLOQUÉS, FONDS GELÉS

(banque) Fonds dans un compte en banque qui ne peuvent être utilisés parce que, par exemple, le titulaire du compte étant décédé, l'État interdit que des chèques soient tirés sur ce compte avant que la succession de ce dernier ne soit réglée.

FULL CONSOLIDATION
CONSOLIDATION (INTÉGRALE), CONSOLIDATION (GLOBALE), INTÉGRATION GLOBALE

Présentation des états financiers (ou comptes annuels) d'une unité économique dans lesquels on additionne, ligne par ligne, les comptes de la société mère avec ceux de chacune de ses filiales tout en éliminant les opérations intersociétés et les soldes réciproques et en tenant compte de la part des actionnaires minoritaires dans les filiales. L'objet de la consolidation est de présenter les comptes de l'ensemble des sociétés faisant partie d'un **groupe** comme s'il s'agissait d'une seule entreprise. *N.B.* La **consolidation** est effectivement une opération qui consiste à substituer à la valeur comptable des titres de participation figurant au bilan de la société mère, les éléments d'actif et de passif constitutifs du bilan des filiales, compte tenu de la juste valeur de ceux-ci à la date de prise de participation. *V.a.* **consolidation** 1.

FULL COST ACCOUNTING 1.
(MÉTHODE DU) PRIX DE REVIENT COMPLET, (MÉTHODE DU) COÛT (DE REVIENT) COMPLET

Voir **absorption costing**.

FULL COST ACCOUNTING 2.
(MÉTHODE DE LA) CAPITALISATION DU COÛT ENTIER

Voir **full costing** 1.

FULL COSTING 1.
(MÉTHODE DE LA) CAPITALISATION DU COÛT ENTIER

Méthode qui consiste à capitaliser tous les coûts de prospection et de mise en valeur de gisements miniers ou pétrolifères, ou de puits de gaz situés dans une région donnée, sans dépasser toutefois la valeur actuelle estimative de ces gisements ou de ces puits. *Syn.* **full cost accounting** 2. *Comparer avec* **discovery value accounting**, **reserve recognition accounting** et **successful efforts accounting**.

FULL COSTING 2.
(MÉTHODE DU) PRIX DE REVIENT COMPLET, (MÉTHODE DU) COÛT (DE REVIENT) COMPLET
Voir **absorption costing**.

FULL DISCLOSURE
EXPOSÉ COMPLET, CLAIR ET VÉRIDIQUE
Qualité des états financiers (ou comptes annuels) ou de tout autre document renfermant toute l'information dont le lecteur a besoin. *V.a.* **disclosure principle** et **disclosure standards**.

FULL TIME STAFF
PERSONNEL PERMANENT
Voir **regular staff**.

FULLY DILUTED EARNINGS PER SHARE
BÉNÉFICE DILUÉ PAR ACTION
(anal. fin. et *compt.) (Can.)* Bénéfice par action calculé en tenant compte de la **dilution maximale** (diminution du bénéfice par action ou accroissement de la perte par action) attribuable à la conversion éventuelle d'actions privilégiées et de dettes, à l'exercice éventuel de droits de souscription ainsi qu'à toute autre émission éventuelle d'actions ordinaires comme si ces opérations avaient été effectuées durant l'exercice en cours. *Comparer avec* **basic earnings per share**. *V.a.* **anti-dilutive effect**, **contingent issuance**, **dilution** 1., **dilutive effect** et **earnings per share (EPS)** 1.

FULLY FUNDED PENSION PLAN
RÉGIME DE RETRAITE PAR CAPITALISATION INTÉGRALE, RÉGIME DE RETRAITE ENTIÈREMENT
  PROVISIONNÉ
(rentes) Régime dont les engagements sont entièrement couverts par les actifs de la caisse de retraite. *Comparer avec* **funded pension plan**, **pay-as-you-go** *(fam.)* **pension plan** et **unfunded pension plan** 2. *V.a.* **pension plan**.

FULLY PAID SHARE
ACTION (ENTIÈREMENT) LIBÉRÉE
(fin.) Action dont le prix d'émission a été entièrement payé par le souscripteur. *V.a.* **share** 2.

FULLY SECURED CREDITOR
CRÉANCIER PLEINEMENT GARANTI
(dr.) Créancier dont la créance est entièrement garantie. *N.B.* Si le bien donné en garantie fait l'objet d'un nantissement, on dira alors du titulaire de la créance qu'il est un **créancier pleinement nanti**. *V.a.* **creditor**.

FULLY VESTED BENEFITS
DROITS PLEINEMENT ACQUIS, PRESTATIONS PLEINEMENT ACQUISES, DROITS PLEINEMENT
  ATTRIBUÉS
(rentes) Avantages correspondant aux contributions versées dans une caisse de retraite par l'employeur, et conférés inconditionnellement au salarié ou à ses ayants droit. *V.a.* **vesting** 1. et 2.

FUNCTION
FONCTION
(org. de l'entr.) Activités d'une entreprise qui sont orientées vers les mêmes objectifs. *N.B.* On retrouve notamment dans une entreprise les fonctions production, vente, commercialisation, financement, gestion et la fonction technique. Les différentes fonctions d'une entreprise sont des subdivisions de ses activités profession-nelles ou non professionnelles selon le rôle qui leur est propre.

FUNCTIONAL ACCOUNTING
COMPTABILITÉ SECTORIELLE, COMPTABILITÉ PAR BRANCHES D'ACTIVITÉ, COMPTABILITÉ PAR SECTEURS D'ACTIVITÉ

Comptabilité qui consiste à classer les charges, les produits et parfois les éléments d'actif par branches ou secteurs d'activité. *V.a.* **segmented information**.

FUNCTIONAL CLASSIFICATION 1.
CLASSEMENT PAR FONCTIONS, CLASSEMENT PAR DESTINATIONS

Présentation des charges de l'entreprise par fonctions (production, vente, mise en marché, administration, financement, etc.) plutôt que selon la nature des charges. *Comparer avec* **natural classification**.

FUNCTIONAL CLASSIFICATION 2.
CLASSEMENT PAR PROGRAMMES, CLASSEMENT PAR ACTIVITÉS

(O.S.B.L.) Classement des dépenses (et parfois des recettes) par programmes, services ou activités plutôt qu'en fonction de la nature des dépenses engagées (et des sommes encaissées). *Comparer avec* **natural classification**.

FUNCTIONAL COST
COÛT FONCTIONNEL

Coût regroupant toutes les charges concernant : 1) l'ensemble d'une fonction de l'entreprise (approvisionnement, production, vente, etc.), et 2) certaines parties de l'entreprise concourant à l'exercice d'une fonction (magasin, atelier, etc.). *N.B.* Souvent, le classement des coûts fonctionnels correspond au découpage de l'entreprise en centres de responsabilité.

FUNCTIONAL CURRENCY
MONNAIE D'EXPLOITATION

(U.S.) Monnaie en usage dans l'espace économique où s'exercent les activités de l'entreprise concernée, ce qui est, le plus souvent, la monnaie dans laquelle s'expriment les rentrées et les sorties de fonds de cette entreprise.

FUNCTIONAL LAYOUT
AMÉNAGEMENT FONCTIONNEL, IMPLANTATION FONCTIONNELLE

(prod.) Implantation d'un atelier multigamme où les moyens de travail sont groupés selon la nature des activités. *Comparer avec* **group layout** et **line layout**.

FUND *n.* 1.
FONDS

(compt. par fonds) Ensemble de comptes distincts ouverts dans le but de tenir compte d'une manière autonome des ressources qu'un organisme reçoit à des fins particulières, des produits financiers en découlant, des dépenses effectuées aux fins désignées, ainsi que des éléments d'actif et de passif correspondants. *V.a.* **fund accounting**.

FUND *n.* 2.
FONDS (DE RÉSERVE), FONDS (DE PRÉVOYANCE)

(fin.) Ensemble des biens (argent, placements, etc.) mis de côté dans un but particulier, par exemple le remboursement d'une dette à long terme. *Syn.* **reserve fund**.

FUND *n.* 3.
FONDS, RÉSERVE

(ass.) Terme utilisé particulièrement en assurance-vie pour désigner l'avoir des assurés détenant un contrat d'assurance avec participation.

FUND *v.* 1.
POURVOIR EN CAPITAL, DOTER EN CAPITAL, FINANCER

(fin.) Affecter des fonds à une entreprise ou à une fin spéciale. *Syn.* **capitalize** 5. *V.a.* **earmark**.

FUND *v.* 2.
PROVISIONNER (UNE DETTE), ALIMENTER (UN COMPTE)
(fin.) Verser les sommes nécessaires au règlement d'une dette, par exemple le coût des avantages acquis aux participants à un régime de retraite en raison de leurs services passés. *N.B.* Le terme **provision** employé dans le domaine bancaire désigne la somme versée dans un compte avant de tirer des chèques. *V.a.* **funding, not sufficient funds (NSF) cheque** et **retainer fee**.

FUND *v.* 3.
CONSOLIDER
(fin.) Convertir des titres remboursables à court terme en titres à long terme, par exemple consolider un emprunt et, dans le cas d'un État, la dette publique. *V.a.* **funded debt** 2.

FUND ACCOUNTING
COMPTABILITÉ PAR FONDS
Comptabilité en usage dans les organismes d'État et les organismes sans but lucratif, caractérisée par des ensembles autonomes (appelés **fonds**) comptant chacun un groupe de comptes en partie double, établis pour administrer et contrôler des ressources acquises et des dettes contractées en vue d'exercer des activités ou de réaliser des objectifs, compte tenu de certains règlements, restrictions ou limitations. *V.a.* **capital fund, endowment fund, fixed assets fund, fund** *n.* 1, **general fund, sinking fund** et **trust fund**.

FUND BALANCE
SOLDE D'UN FONDS
(compt. par fonds) Excédent de l'actif d'un fonds sur le passif et les réserves de ce fonds. *N.B.* Dans le cas d'un organisme sans but lucratif, le solde en question représente l'avoir de l'organisme ou, dans un sens large, ses capitaux propres.

FUNDED DEBT 1.
DETTE À LONG TERME
(fin.) Ensemble des billets à long terme et des obligations en circulation d'une entreprise. *V.a.* **bonded debt** et **long-term liability**.

FUNDED DEBT 2.
DETTE CONSOLIDÉE
(compt. publ.) Dette à long terme ou dette résultant du remplacement de titres remboursables immédiatement par d'autres titres à long terme. *V.a.* **floating debt, fund** *v.* 3. et **public debt**.

FUNDED PENSION PLAN
RÉGIME DE RETRAITE PAR CAPITALISATION, RÉGIME DE RETRAITE PROVISIONNÉ
(rentes) Régime dans lequel les cotisations sont mises en réserve dans une caisse de retraite et capitalisées afin de verser aux intéressés des rentes au moment de leur retraite. *Comparer avec* **fully funded pension plan, pay-as-you-go** *(fam.)* **pension plan** et **unfunded pension plan** 2. *V.a.* **pension plan**.

FUNDING
CAPITALISATION, PROVISIONNEMENT
(ass. et rentes) Mise en réserve, dans un fonds, de primes d'assurance ou de cotisations à un régime de retraite en vue de satisfaire aux exigences d'un contrat d'assurance (règlement des indemnités) ou d'un régime de retraite (versement des prestations). *V.a.* **fund** *v.* 2.

FUNDING AGENCY
(TIERS) GESTIONNAIRE (FINANCIER)
(rentes) Personne physique ou morale chargée, par l'administrateur d'un régime de retraite, de la gestion financière des sommes destinées au paiement des prestations.

FUNDING EXCESS
CAISSE DE RETRAITE EXCÉDENTAIRE, EXCÉDENT DE PROVISIONNEMENT, PROVISIONNEMENT
  EXCÉDENTAIRE

(rentes) Caisse de retraite dont la valeur actuarielle des biens qui la constituent excède la dette actuarielle du régime de retraite le jour où est effectuée une évaluation actuarielle.

FUNDING INSTRUMENT
CONVENTION DE GESTION FINANCIÈRE
(dr.) Document établissant les obligations des tiers gestionnaires financiers.

FUNDING METHODS
MÉTHODES ACTUARIELLES D'ATTRIBUTION DES COÛTS
Voir **actuarial cost methods**.

FUND RAISING CAMPAIGN
CAMPAGNE DE SOUSCRIPTION, CAMPAGNE DE FINANCEMENT
(O.S.B.L.) Activité ayant pour objet, au cours d'une période déterminée, de solliciter des dons qui contribueront à financer le fonctionnement de l'organisme en cause ou l'acquisition d'immobilisations dont il a besoin. *V.a.* **canvassing**.

FUNDS 1.
FONDS, RESSOURCES FINANCIÈRES, CAPITAUX
(fin.) Sommes utilisées par l'entreprise pour financer l'acquisition de ses éléments d'actif.

FUNDS 2.
FONDS, ENCAISSE
Argent comptant et, en général, avoir en argent.

FUNDS 3.
LIQUIDITÉS, BIENS LIQUIDES, ACTIF(S) LIQUIDE(S)
Voir **liquid assets**.

FUNDS 4.
LIQUIDITÉS NETTES, ACTIF LIQUIDE NET, BIENS LIQUIDES NETS
Voir **net liquid assets**.

FUNDS 5.
FONDS DE ROULEMENT
Terme désignant habituellement le fonds de roulement lors de l'établissement de l'état de l'évolution de la situation financière (ou tableau de financement).

FUNDS FLOW STATEMENT 1.
(ÉTAT DE LA) PROVENANCE ET (DE L')UTILISATION DES FONDS (Can.), TABLEAU DE FINANCEMENT (Fr. et Belg.), TABLEAU DES RESSOURCES ET EMPLOIS (Fr.)
Voir **statement of source and application of funds**.

FUNDS FLOW STATEMENT 2.
(ÉTAT DE L')ÉVOLUTION DE LA SITUATION FINANCIÈRE (Can.), TABLEAU DE FINANCEMENT (Fr. et Belg.), TABLEAU DES RESSOURCES ET EMPLOIS (Fr.)
Voir **statement of changes in financial position**.

FUNDS FROM OPERATIONS
MARGE BRUTE D'AUTOFINANCEMENT (M.B.A.), FONDS AUTOGÉNÉRÉS
Voir **cash flow** 2. *(fam.)*

FUNDS STATEMENT 1.
*(ÉTAT DE LA) PROVENANCE ET (DE L')UTILISATION DES FONDS (Can.), TABLEAU DE FINANCEMENT
(Fr. et Belg.), TABLEAU DES RESSOURCES ET EMPLOIS (Fr.)*
Voir **statement of source and application of funds**.

FUNDS STATEMENT 2.
*(ÉTAT DE L')ÉVOLUTION DE LA SITUATION FINANCIÈRE (Can.), TABLEAU DE FINANCEMENT (Fr. et
Belg.), TABLEAU DES RESSOURCES ET EMPLOIS (Fr.)*
Voir **statement of changes in financial position**.

FUNGIBLE GOODS
BIENS FONGIBLES, MARCHANDISES FONGIBLES
Voir **interchangeable goods**.

FURNITURE
MOBILIER
(lang. cour.) Meubles et objets tels que tables, chaises, classeurs, bureaux, etc. qui appartiennent à l'entreprise et
dont elle se sert pour son exploitation.

FURNITURE AND FIXTURES
MOBILIER ET AGENCEMENTS
Poste de l'actif immobilisé où sont regroupés le mobilier, les appareils et l'équipement reliés à un bâtiment. *V.a.*
fixtures.

FUTURE AMOUNT
VALEUR CAPITALISÉE
Voir **future value**.

FUTURES 1.
LIVRAISONS À TERME
(comm.) Marchandises achetées ou vendues qui ne seront livrées ou reçues qu'à une date ultérieure.

FUTURES 2.
CONTRATS À TERME, OPÉRATIONS À TERME
(comm.) Opérations portant sur l'achat et la vente de marchandises dans un marché établi, dont l'acheteur ne
prendra possession que plus tard.

FUTURES MARKET
MARCHÉ À TERME
(Bourse) Marché pratiqué dans les Bourses de commerce et portant sur des marchandises de qualité déterminée
qui ne seront livrées qu'à une date future choisie par les contractants. *V.a.* **arbitrage**, **commodity futures
market**, **hedge** *v.*, **hedge** *n.*, **interest rate futures market** et **margin buying**.

FUTURE VALUE
VALEUR CAPITALISÉE
(math. fin.) Valeur trouvée par l'addition à un capital investi à une date unique ou périodiquement, des intérêts
composés qu'il rapporte jusqu'au terme d'une période donnée. *Syn.* **future amount**. *Comparer avec* **present
value**. *V.a.* **annuity** 2.

G

GAAP
PRINCIPES COMPTABLES GÉNÉRALEMENT RECONNUS (P.C.G.R.), PRINCIPES COMPTABLES GÉNÉRALEMENT ADMIS
Abrév. de **generally accepted accounting principles**.

GAAS
NORMES DE VÉRIFICATION GÉNÉRALEMENT RECONNUES (N.V.G.R.), NORMES DE RÉVISION GÉNÉRALEMENT ADMISES
Abrév. de **generally accepted auditing standards**.

GAIN
PROFIT, GAIN
Excédent des produits sur les coûts se rapportant à une opération donnée. *N.B.* En comptabilité, le terme **gain** est surtout utilisé dans le cas d'opérations qu'une entreprise effectue sporadiquement, par exemple les cessions d'immobilisations ou de titres négociables. *Syn.* **earnings** 3. et **profit** 2. *Comparer avec* **loss** 3. *V.a.* **benefit** 5., **capital gain** 1., **realized** 2. et **unrealized** 2.

GAP FINANCING
CRÉDIT DE RELAIS
Voir **bridging advance**.

GARAGE SALE
VENTE-DÉBARRAS
(comm.) Action, pour un particulier, de vendre à prix réduits, sur sa propriété, des objets dont il veut se défaire.

GEARING *(U.K.)*
EFFET DE LEVIER (DE LA DETTE), LEVIER FINANCIER, EFFET DE LEVIER (DE L'EXPLOITATION), LEVIER D'EXPLOITATION, LEVIER OPÉRATIONNEL
Voir **leverage** 1. et 2.

GEARING ADJUSTMENT *(U.K.)*
REDRESSEMENT AU TITRE DE LA STRUCTURE FINANCIÈRE, REDRESSEMENT FINANCIER, AJUSTEMENT MULTIPLICATEUR (Fr.)
Voir **financing adjustment**.

GENERAL ACCOUNTING *(vieilli)*
COMPTABILITÉ GÉNÉRALE
Voir **financial accounting**.

GENERAL AUDITING STANDARD
NORME GÉNÉRALE DE VÉRIFICATION, NORME GÉNÉRALE DE RÉVISION

(E.C.) Norme stipulant que le travail de vérification (ou révision) et la rédaction du rapport s'y rapportant doivent être faits par une personne faisant preuve d'une totale indépendance d'esprit et possédant une bonne formation technique et une compétence professionnelle satisfaisante. *V.a.* **auditing standards**.

GENERAL AVERAGING
ÉTALEMENT GÉNÉRAL

(fisc. can.) Disposition permettant au contribuable dont le revenu imposable excède un certain seuil de calculer d'une façon particulière les impôts à payer sur l'excédent. *V.a.* **averaging of income**.

GENERAL CONTRACTOR
MAÎTRE D'OEUVRE, ENTREPRENEUR GÉNÉRAL

(aff.) Entrepreneur qui soumissionne pour la totalité des prestations faisant l'objet d'un contrat ou d'un marché, quitte à confier la réalisation d'une partie d'entre elles à des **sous-traitants**. *N.B.* Dans le cas des contrats de construction, le **maître d'oeuvre** ne réalise habituellement que le gros oeuvre, mais il a aussi parfois les moyens d'effectuer lui-même les travaux de toutes les spécialités et il est rémunéré non seulement pour les travaux qu'il exécute, mais aussi pour les tâches de coordination et de direction qu'il assure. *Syn.* **main contractor**. *V.a.* **contractor** 1.

GENERAL CREDITOR
CRÉANCIER ORDINAIRE, CRÉANCIER CHIROGRAPHAIRE, CRÉANCIER NON GARANTI
Voir **ordinary creditor**.

GENERAL DEBT
DETTE GÉNÉRALE

(compt. publ.) Dette d'un organisme d'État ne faisant l'objet d'aucune garantie particulière et remboursable à même les recettes du fonds d'administration. *V.a.* **public debt**.

GENERAL EXPENSES
FRAIS GÉNÉRAUX

Charges ou frais ne se rattachant à aucune fonction particulière et qu'il est impossible ou peu pratique de classer dans une catégorie donnée. *N.B.* En France et en Belgique, le terme **frais généraux** s'emploie aussi en fiscalité pour désigner les frais qui n'entraînent pas l'existence d'un nouvel élément d'actif dans l'entreprise. Sont déductibles des bénéfices imposables les frais généraux qui sont justifiés et qui ont trait à la gestion de l'entreprise. Les frais ainsi déductibles sont énumérés dans le *Code général des impôts*. *V.a.* **indirect costs** 1. et **overhead**.

GENERAL FUND
FONDS D'ADMINISTRATION GÉNÉRALE, FONDS DE FONCTIONNEMENT

(compt. par fonds) Fonds où l'on retrouve les éléments de l'actif et du passif à court terme d'une Administration ou d'un organisme sans but lucratif, la réserve pour engagements ainsi que l'excédent ou le déficit de nature courante. *N.B.* En France, on parle, pour les collectivités locales, de **sections de fonctionnement** lesquelles retracent toutes les opérations concernant le fonctionnement de ces dernières et plus particulièrement les recettes et les dépenses relevant de la gestion courante des services. *Syn.* **current fund** et **operating fund**. *Comparer avec* **capital fund**. *V.a.* **fund accounting**.

GENERAL INSURANCE
ASSURANCES I.A.R.D.

(ass.) Assurances terrestres de dommages (incendies, accidents, risques divers). *V.a.* **insurance**.

GENERALIZED PURPOSE AUDIT PROGRAM
PROGRAMME DE VÉRIFICATION GÉNÉRALISÉ, PROGRAMME DE RÉVISION GÉNÉRALISÉ

(inf. et E.C.) Programme écrit d'avance ou groupe de modules ayant un lien logique entre eux dont l'objet est de faciliter l'exécution d'une variété de travaux de vérification (ou révision).

GENERAL JOURNAL
JOURNAL GÉNÉRAL (J.G.), JOURNAL DES OPÉRATIONS DIVERSES, JOURNAL DES O.D.

Livre comptable où l'on inscrit chronologiquement les opérations diverses (O.D.) ou les écritures pour lesquelles il n'existe pas de journaux auxiliaires. *N.B.* Les écritures (appelées aussi **articles**) passées dans le journal général mentionnent la date de l'opération, le numéro ou l'intitulé des comptes à débiter ou à créditer, les sommes concernant chaque compte ainsi qu'un libellé explicatif ou la référence au document justificatif (facture, note de débit, lettre de change, etc.). L'utilisation de **journaux auxiliaires** conduit parfois à un résumé des opérations mensuelles sur le journal général et à son report subséquent aux grands livres. *Syn.* **journal** 2. *(fam.). V.a.* **book of original entry**.

GENERAL LEDGER (GL)
GRAND LIVRE (GÉNÉRAL) (G.L.G.)

Registre dans lequel on retrouve tous les comptes d'actif, de passif, de capitaux propres, de produits et de charges de l'entreprise. *N.B.* Pour permettre leur utilisation rationnelle, les comptes du grand livre, qui sont parfois des **comptes collectifs**, sont classés méthodiquement en fonction de la nature de l'entreprise et des renseignements désirés, compte tenu du plan comptable propre à cette dernière. *V.a.* **chart of accounts**, **ledger** et **subsidiary ledger**.

GENERAL LEGACY
LEGS UNIVERSEL, LEGS À TITRE UNIVERSEL

(dr.) Legs qui porte sur l'ensemble des biens laissés par le testateur à son décès. *N.B.* Un **legs** est **universel** lorsqu'il donne à son bénéficiaire un droit sur la totalité des biens du testataire. Il est dit **à titre universel** lorsqu'il porte sur une portion (moitié, quart) des biens de la succession ou sur ce qui reste des biens d'une succession après distribution des legs particuliers. *Comparer avec* **residuary legacy**. *V.a.* **legacy**.

GENERALLY ACCEPTED ACCOUNTING PRINCIPLES (GAAP)
PRINCIPES COMPTABLES GÉNÉRALEMENT RECONNUS (P.C.G.R.), PRINCIPES COMPTABLES
   GÉNÉRALEMENT ADMIS

Principes ou normes comptables en vigueur dans un espace juridique donné, dont l'existence a été reconnue formellement par un organisme responsable de l'établissement des normes comptables ou par des textes faisant autorité, ou dont l'acceptation est attribuable à un précédent ou à un consensus. *N.B.* Au Canada, les normes comptables sont établies par le Comité de recherche comptable de l'*Institut Canadien des Comptables Agréés*. En France, les principes comptables sont partiellement codifiés et sont repris et développés dans le Plan comptable général ainsi que dans les recommandations publiées par le *Conseil national de la comptabilité* et par les organismes professionnels. En Belgique, ce travail de normalisation est la responsabilité de la *Commission des normes comptables*. Aux États-Unis, c'est le *Financial Accounting Standards Board* qui a la responsabilité de formuler les normes comptables. *V.a.* **accounting principles** 3. et **standard setting body**.

GENERALLY ACCEPTED AUDITING STANDARDS (GAAS)
NORMES DE VÉRIFICATION GÉNÉRALEMENT RECONNUES (N.V.G.R.), NORMES DE RÉVISION
   GÉNÉRALEMENT ADMISES

(E.C.) Normes de vérification (ou révision) en vigueur dans un espace juridique donné, dont l'existence a été reconnue formellement par un organisme responsable de l'établissement des normes de vérification (ou révision) ou par des textes faisant autorité, ou dont l'acceptation est attribuable à un précédent ou à un consensus. *N.B.* Au Canada, les normes de vérification sont établies par le Comité des normes de vérification de l'*Institut Canadien des Comptables Agréés*. En France, elles sont publiées par l'*Ordre des experts comptables et des comptables agréés* et la *Compagnie nationale des commissaires aux comptes* et, en Belgique, par l'*Institut des reviseurs d'entreprises*. Aux États-Unis, c'est l'*American Institute of Certified Public Accountants* qui a la responsabilité de formuler les normes de vérification appelées *Statements on Auditing Standards*. *V.a.* **auditing standards** et **standard setting body**.

GENERAL MORTGAGE
HYPOTHÈQUE GÉNÉRALE

(dr.) Hypothèque portant sur l'ensemble des biens immobiliers du débiteur. *V.a.* **mortgage** *n.* 1.

GENERAL PARTNER
(ASSOCIÉ) GÉRANT, (ASSOCIÉ) COMMANDITÉ

(org. des ent.) Dans une **société en commandite**, associé chargé de la gestion de la société et ayant une

responsabilité illimitée à l'égard des dettes de la société. *Comparer avec* **limited partner**. *V.a.* **limited partnership** et **partner**.

GENERAL PRICE INDEX
INDICE GÉNÉRAL DES PRIX, INDICE DES PRIX DU PRODUIT NATIONAL BRUT (Belg.)

(stat.) Indice qui mesure l'ensemble des prix des biens et des services, dans une économie donnée, à une certaine date, par rapport aux prix de ces mêmes biens et services en vigueur au cours d'une **période** dite **de référence**. *N.B.* Les principaux indices généraux des prix sont l'**indice des prix à la consommation**, l'**indice implicite des prix de la dépense nationale brute (D.N.B.)** (en France et en Belgique, l'**indice du produit intérieur brut - P.I.B.**) et l'**indice des prix de gros**. *Comparer avec* **specific price index**. *V.a.* **price index**.

GENERAL PRICE-LEVEL (GPL) ACCOUNTING
COMPTABILITÉ INDEXÉE (SUR LE NIVEAU GÉNÉRAL DES PRIX), COMPTABILITÉ EN COÛTS
  HISTORIQUES INDEXÉS

Comptabilité qui vise à éliminer les effets de l'inflation sur les états financiers (ou comptes annuels) et plus particulièrement sur le bénéfice net en redressant les valeurs d'origine au moyen d'un indice général des prix de manière à les exprimer en fonction d'une unité de mesure uniforme, le plus souvent l'unité monétaire reflétant le pouvoir d'achat à la date de l'établissement des comptes annuels. *Syn.* **price-level accounting**. *Comparer avec* **constant dollar accounting**, **current cost accounting**, **current value accounting** et **historical cost accounting**. *V.a.* **accounting for inflation** et **general purchasing power financial statements**.

GENERAL PRICE-LEVEL FINANCIAL STATEMENTS
ÉTATS FINANCIERS INDEXÉS (SUR LE NIVEAU GÉNÉRAL DES PRIX), COMPTES ANNUELS INDEXÉS
  (SUR LE NIVEAU GÉNÉRAL DES PRIX), ÉTATS FINANCIERS EN POUVOIR D'ACHAT GÉNÉRAL,
  COMPTES ANNUELS EN POUVOIR D'ACHAT GÉNÉRAL

Voir **general purchasing power financial statements**.

GENERAL PRICE-LEVEL GAIN
GAIN DÛ À L'ÉVOLUTION (DU NIVEAU GÉNÉRAL) DES PRIX, GAIN DE POUVOIR D'ACHAT

Gain attribuable au fait de devoir des sommes d'un montant fixe (des dettes monétaires) en période d'inflation. *N.B.* Ce gain peut aussi découler de la possession de biens monétaires au cours d'une période où les prix fluctuent à la baisse. *Syn.* **monetary gain**, **price-level gain** et **purchasing power gain**. *V.a.* **monetary item** et **non-monetary item**.

GENERAL PRICE-LEVEL LOSS
PERTE DUE À L'ÉVOLUTION (DU NIVEAU GÉNÉRAL) DES PRIX, PERTE DE POUVOIR D'ACHAT

Perte attribuable au fait de posséder des biens monétaires (encaisse, comptes clients, etc.) en période d'inflation. *N.B.* Cette perte peut aussi découler du fait de devoir des dettes monétaires au cours d'une période où les prix fluctuent à la baisse. *Syn.* **monetary loss**, **price-level loss** et **purchasing power loss**. *V.a.* **monetary item** et **non-monetary item**.

GENERAL PURCHASING POWER
POUVOIR D'ACHAT (DE L'ARGENT)

Voir **purchasing power (of money)**.

GENERAL PURCHASING POWER FINANCIAL STATEMENTS
ÉTATS FINANCIERS INDEXÉS (SUR LE NIVEAU GÉNÉRAL DES PRIX), COMPTES ANNUELS INDEXÉS
  (SUR LE NIVEAU GÉNÉRAL DES PRIX), ÉTATS FINANCIERS EN POUVOIR D'ACHAT GÉNÉRAL,
  COMPTES ANNUELS EN POUVOIR D'ACHAT GÉNÉRAL

États financiers (ou comptes annuels) dont les postes sont évalués au moyen d'une unité monétaire qui reflète le pouvoir d'achat à une date donnée, le plus souvent la date de l'arrêté des comptes. *Syn.* **common dollar financial statements** *(Can.)* **et general price-level (GPL) financial statements**. *V.a.* **general price-level (GPL) accounting**.

GENERAL PURPOSE FINANCIAL STATEMENTS
ÉTATS FINANCIERS À VOCATION GÉNÉRALE, COMPTES ANNUELS À VOCATION GÉNÉRALE, ÉTATS FINANCIERS À USAGE GÉNÉRAL, COMPTES ANNUELS À USAGE GÉNÉRAL

États financiers (ou comptes annuels) destinés à combler, autant que faire se peut, les besoins de tous les utilisateurs. *Syn.* **all-purpose financial statements**. *Comparer avec* **special purpose financial statements**.

GENERAL TREND
TENDANCE GÉNÉRALE

(stat.) Représentation de l'influence à long terme de facteurs économiques permanents traduisant l'évolution profonde de ces facteurs après avoir éliminé les effets des variations saisonnières et aléatoires. *V.a.* **trend**.

GEOGRAPHIC SEGMENT
SECTEUR GÉOGRAPHIQUE

(écon. et compt.) Établissement (ou ensemble d'établissements) situé dans une région donnée, qui réalise un chiffre d'affaires, engage des frais et possède des biens qu'il utilise pour réaliser ce chiffre d'affaires ou atteindre des fins connexes. *Comparer avec* **industry segment**. *V.a.* **segment** 1. et **segmented information**.

GILT-EDGED SECURITY
VALEUR DE (BON) PÈRE DE FAMILLE, VALEUR DE PREMIER ORDRE, VALEUR SÛRE

Voir **blue chip (stock)**.

GNE IMPLICIT PRICE INDEX
INDICE (IMPLICITE) DES PRIX DE LA DÉPENSE NATIONALE BRUTE (D.N.B.) (Can.), INDICE DU PRODUIT INTÉRIEUR BRUT (P.I.B.) (Fr. et Belg.)

Abrév. de **gross national expenditure implicit (GNE) price index**.

GOAL CONGRUENCE
CONVERGENCE DES EFFORTS

(gest.) Coordination des efforts du personnel d'une entreprise en vue d'atteindre les objectifs que cette dernière s'est fixés.

GO BANKRUPT, TO
FAIRE FAILLITE

(dr.) Se dit d'une entreprise qui est en **cessation de paiements**. *N.B.* Au Canada, l'expression **faire faillite** s'emploie pour désigner une société ou un particulier qui a juridiquement fait cession de ses biens ou contre lequel une **ordonnance de séquestre** est prononcée. En France et en Belgique, on dit communément qu'un commerçant fait faillite lorsqu'un jugement constate qu'il a cessé ses paiements et ne peut plus obtenir du crédit. *V.a.* **act of bankruptcy**, **bankrupt** *adj.* et *n.*, **bankruptcy** et **file a petition in bankruptcy**.

GOING CONCERN
ENTREPRISE EN EXPLOITATION, ENTREPRISE EN (PLEINE) ACTIVITÉ

(aff.) Entreprise dont l'activité est censée se poursuivre indéfiniment.

GOING CONCERN ASSUMPTION
CONVENTION DE LA PERMANENCE DE L'ENTREPRISE (Can.), CONVENTION DE LA CONTINUITÉ DE L'EXPLOITATION.

Voir **going concern concept**.

GOING CONCERN CONCEPT
CONVENTION DE LA PERMANENCE DE L'ENTREPRISE (Can.), CONVENTION DE LA CONTINUITÉ DE L'EXPLOITATION

Convention qui consiste à poser l'hypothèse que l'entreprise sera en exploitation pour une durée indéfinie ou au cours d'une période suffisamment longue pour lui permettre de mettre à exécution les plans qu'elle a établis. *N.B.* Cette convention justifie en partie l'évaluation des éléments de l'actif à un montant qui est fonction de leur utilisation par l'entreprise plutôt que de leur vente ou de leur liquidation. *Syn.* **continuity concept** et **going concern assumption**. *V.a.* **accounting concepts** et **going concern value**.

GOING CONCERN VALUE
VALEUR D'EXPLOITATION, VALEUR D'UTILITÉ

Valeur comptable d'un bien ou de l'actif net d'une entreprise au **jour de l'inventaire**, fondée sur l'hypothèse que l'entreprise continuera son exploitation indéfiniment. *N.B.* La **valeur d'exploitation** s'applique à un ensemble en état de marche et elle est fonction de la durée probable de l'instrument de production et de celle des produits fabriqués. On peut aussi attribuer à l'entreprise une valeur représentée par sa **capitalisation boursière**, c'est-à-dire le produit du cours de l'action par le nombre d'actions en circulation. La capitalisation boursière peut être calculée à partir du dernier cours coté, du cours coté en fin d'exercice ou du cours moyen s'appliquant à une période donnée. *Syn.* **going value**. *Comparer avec* **liquidation value** et **market value** 1. *V.a.* **book value of a business**, **entity value (of an asset)**, **going concern concept**, **value** *n.* et **value in use**.

GOING VALUE
VALEUR D'EXPLOITATION, VALEUR D'UTILITÉ

Voir **going concern value**.

GOODS
MARCHANDISES, PRODUITS, MATIÈRES, BIENS

(comm.) Objets acquis par l'entreprise et destinés à être traités ou revendus en l'état. *N.B.* Dans un sens large, le terme anglais *goods* désigne aussi les matières, les fournitures, les produits en voie de fabrication et les produits finis. *V.a.* **commodity**, **materials** et **merchandise**.

GOODS AVAILABLE FOR SALE
(COÛT DES) MARCHANDISES DESTINÉES À LA VENTE, (COÛT DES) PRODUITS DESTINÉS À LA VENTE

Chiffre représenté par le coût des marchandises (ou des produits finis) en stock au début d'un exercice augmenté de celui des marchandises achetées (ou du coût des produits fabriqués) au cours de cet exercice. *Syn.* **cost of goods available for sale**.

GOODS IN PROCESS
PRODUITS EN COURS (DE FABRICATION), EN-COURS, PRODUITS EN VOIE DE FABRICATION, FABRICATION EN COURS, PRODUCTIONS EN COURS

Ensemble des produits non encore terminés en fin d'exercice, qui ont atteint un certain stade d'achèvement et qui sont destinés à entrer dans une nouvelle phase du cycle de production. *N.B.* Ces produits constituent un élément des stocks d'une entreprise industrielle. *Syn.* **work in process** 1. et **work in progress** 1. *V.a.* **semi-finished goods**.

GOODS IN TRANSIT
MARCHANDISES EN TRANSIT

(comm.) Marchandises expédiées mais non encore parvenues à destination. *V.a.* **free on board (FOB)**.

GOODS ON CONSIGNMENT
MARCHANDISES EN CONSIGNATION

(comm.) Marchandises expédiées à une entreprise par un fournisseur qui en conserve la propriété. *N.B.* En règle générale, l'entreprise qui reçoit les marchandises (le **consignataire**) en vue de les revendre a la responsabilité de la gestion des articles en dépôt chez elle et règle le fournisseur (le **consignateur**) au fur et à mesure qu'elle les vend moyennant une commission. *V.a.* **account sales** et **consignment (sale)**.

GOODS ON DEMURRAGE
MARCHANDISES EN SOUFFRANCE

(comm.) Marchandises qui n'ont pas été retirées à l'arrivée et qui restent en attente d'enlèvement en consigne ou en douane. *V.a.* **demurrage** 2.

GOODWILL
ACHALANDAGE (Can.), SURVALEUR, FONDS COMMERCIAL (Fr.), FONDS DE COMMERCE (Belg.)

Excédent de la valeur globale d'une entreprise à une date donnée, sur la juste valeur attribuée aux éléments identifiables de son actif net à cette date. *N.B.* Cet excédent est un élément d'actif incorporel qui tire sa source des bonnes relations de l'entreprise avec ses clients, de ses ressources humaines, d'un emplacement favorable, de sa réputation et de nombreux autres facteurs qui permettent à l'entreprise de réaliser des bénéfices supérieurs à la normale. Cet élément n'est généralement pas comptabilisé sauf à titre d'actif d'une entreprise dont on a fait l'acquisition. En France, le Plan comptable général définit le terme **fonds commercial** comme l'ensemble des éléments incorporels, y compris le droit au bail, qui ne sont pas susceptibles de faire l'objet d'une évaluation et d'une comptabilisation séparées au bilan et qui concourent au maintien ou au développement du potentiel d'activité de l'entreprise, même si ce terme a rigoureusement un sens plus étendu. En revanche, au Canada, on utilise le terme **achalandage** pour rendre le terme anglais *goodwill* même si, par définition, l'achalandage ne désigne que l'ensemble de la clientèle d'une entreprise. En France et en Belgique, on emploie fréquemment le terme *goodwill* pour désigner cet élément d'actif tandis que le terme **survaleur**, qui pourtant conviendrait pour rendre ce terme anglais, n'est employé que dans un contexte de consolidation. *V.a.* **business** 2., **consolidated goodwill**, **goodwill on acquisition** et **negative goodwill**.

GOODWILL ON ACQUISITION
ACHALANDAGE D'ACQUISITION (Can.), SURVALEUR
Excédent du coût d'acquisition d'une entreprise sur la juste valeur attribuée aux éléments identifiables de l'actif net de cette entreprise à la date d'acquisition. *N.B.* En France et en Belgique, on emploie aussi dans ce cas le terme *goodwill*. *V.a.* **goodwill**.

GO PUBLIC, TO
FAIRE (UN PREMIER) APPEL PUBLIC À L'ÉPARGNE, S'INTRODUIRE EN BOURSE, ÉMETTRE DES ACTIONS DANS LE PUBLIC
(Bourse) Pour une société, émettre pour la première fois des actions dans le public, ce qui entraîne le plus souvent leur inscription à la cote officielle. *V.a.* **list** *v.* 1.

GOVERNMENT ACCOUNTING
COMPTABILITÉ PUBLIQUE
Comptabilité dont l'objet est l'inscription, le classement, l'analyse des opérations et l'établissement des états financiers (ou comptes) de l'État, des collectivités et des organismes chargés de la gestion des finances publiques en conformité avec les principes comptables propres à ces organismes. *Syn.* **governmental accounting**.

GOVERNMENT ASSISTANCE
AIDE DE L'ÉTAT
(écon.) Ensemble des actions entreprises par les pouvoirs publics pour fournir une aide particulière à l'entreprise dans le but d'influer sur les décisions que la direction doit prendre dans des domaines tels que les investissements, l'embauche, le choix d'un futur emplacement, etc. *V.a.* **grant**.

GOVERNMENT BOND
OBLIGATION D'ÉTAT, EMPRUNT D'ÉTAT
(fin.) Titre d'emprunt émis par les pouvoirs publics. *V.a.* **bond** 1.

GOVERNMENT CONTROLLED CORPORATION
SOCIÉTÉ CONTRÔLÉE PAR L'ÉTAT
(org. des ent.) Société sur laquelle l'État exerce un contrôle. *N.B.* On entend par **société d'économie mixte** une personne morale de droit privé associant des capitaux particuliers et des fonds publics à des réalisations diverses et, par **société à capital public**, une société dont le capital appartient entièrement à l'État. *V.a.* **Crown corporation**.

GOVERNMENTAL ACCOUNTING
COMPTABILITÉ PUBLIQUE
Voir **government accounting**.

GOVERNMENT FINANCE
FINANCES PUBLIQUES
(Adm.) Finances ayant trait aux problèmes posés par la gestion des fonds publics et des budgets de l'État ou d'une collectivité. *Comparer avec* **private finance**.

GPL ACCOUNTING
*COMPTABILITÉ INDEXÉE (SUR LE NIVEAU GÉNÉRAL DES PRIX), COMPTABILITÉ EN COÛTS
    HISTORIQUES INDEXÉS*
Abrév. de **general price level (GPL) accounting**.

GRANDFATHER CLAUSE
DISPOSITION RELATIVE AUX DROITS ACQUIS, CLAUSE DE DROITS ACQUIS
(dr.) Disposition permettant à une catégorie donnée de personnes de ne pas être assujetties à une loi ou à un règlement en raison des privilèges dont jouissaient ces personnes avant que cette loi ou ce règlement n'entre en vigueur.

GRAND TOTAL
TOTAL (GÉNÉRAL), TOTAL GLOBAL, SOMME TOTALE, SOMME GLOBALE
Total que donne l'addition de différentes sommes partielles. *Comparer avec* **subtotal**.

GRANT
SUBVENTION
(écon.) Soutien financier accordé par l'État, par des collectivités publiques (**subvention publique**) ou d'autres organismes (**subvention privée**) à une entreprise, à un particulier ou à une collectivité. *N.B.* On distingue, selon leur destination, trois types de subventions : la **subvention d'équilibre**, la **subvention d'exploitation** et la **subvention d'équipement**. Le terme **subside** désigne une somme versée à un particulier ou à un groupement soit à titre d'aide, soit à titre de subvention, soit en rémunération de services. *Syn.* **subsidy**. *V.a.* **forgivable loan** et **government assistance**.

GRANTING OF A LOAN
ATTRIBUTION D'UN PRÊT, OCTROI D'UN PRÊT
(fin.) Action, pour un établissement financier, de consentir un prêt à une entreprise ou à un particulier.

GRANTOR
DONATEUR
(O.S.B.L.) Particulier ou organisme qui fournit, à titre gratuit, tout ou partie des ressources dont un organisme sans but lucratif a besoin pour fonctionner normalement et atteindre les objectifs pour lesquels il a été constitué.

GROSS *adj.*
BRUT
Se dit d'un poste (par exemple le chiffre d'affaires brut et le bénéfice brut) dont on n'a pas retranché certains éléments. *Comparer avec* **net** *adj.*

GROSS MARGIN 1.
BÉNÉFICE BRUT, MARGE (BÉNÉFICIAIRE) BRUTE, PROFIT BRUT
Excédent du chiffre d'affaires sur le coût des marchandises vendues. *Syn.* **gross profit** 1.

GROSS MARGIN 2.
*MARGE (BÉNÉFICIAIRE) BRUTE, PROFIT BRUT, MARGE SUR COÛT DE REVIENT, MARGE SUR COÛT
    D'ACHAT, MARGE COMMERCIALE*
Différence entre le prix de vente d'un article et son coût de revient ou son coût d'achat. *Syn.* **gross profit** 2. *V.a.*
contribution margin 1., **margin** 1., **mark-on** et **profit margin**.

GROSS MARGIN PERCENTAGE
RATIO DE LA MARGE (BÉNÉFICIAIRE) BRUTE, POURCENTAGE DE MARGE (BÉNÉFICIAIRE) BRUTE
Voir **gross profit ratio**.

GROSS NATIONAL EXPENDITURE (GNE) IMPLICIT PRICE DEFLATOR
*INDICE (IMPLICITE) DES PRIX DE LA DÉPENSE NATIONALE BRUTE (D.N.B.) (Can.), INDICE DU
    PRODUIT INTÉRIEUR BRUT (P.I.B.) (Fr. et Belg.)*
Voir **gross national expenditure (GNE) implicit price index**.

GROSS NATIONAL EXPENDITURE (GNE) IMPLICIT PRICE INDEX
INDICE (IMPLICITE) DES PRIX DE LA DÉPENSE NATIONALE BRUTE (D.N.B.) (Can.), INDICE DU PRODUIT INTÉRIEUR BRUT (P.I.B.) (Fr. et Belg.)
(stat. et écon.) Indice qui mesure le changement survenu dans le prix de tous les biens et services produits dans un pays donné. *Syn.* **gross national expenditure (GNE) implicit price deflator.** *V.a.* **price index.**

GROSS PROFIT 1.
BÉNÉFICE BRUT, MARGE (BÉNÉFICIAIRE) BRUTE, PROFIT BRUT
Voir **gross margin** 1.

GROSS PROFIT 2.
MARGE (BÉNÉFICIAIRE) BRUTE, PROFIT BRUT, MARGE SUR COÛT DE REVIENT, MARGE SUR COÛT D'ACHAT, MARGE COMMERCIALE
Voir **gross margin** 2.

GROSS PROFIT METHOD
MÉTHODE DE LA MARGE (BÉNÉFICIAIRE) BRUTE
Méthode d'estimation du chiffre du stock final fondée sur la **constance des marges (bénéficiaires) brutes.** *N.B.* Pour trouver le chiffre cherché, on retranche du coût total des marchandises destinées à la vente (le stock initial augmenté des achats de l'exercice) le coût des marchandises vendues (le chiffre d'affaires multiplié par le complément du pourcentage de marge brute). *V.a.* **gross profit test** et **inventory valuation methods.**

GROSS PROFIT RATIO
RATIO DE LA MARGE (BÉNÉFICIAIRE) BRUTE, POURCENTAGE DE MARGE (BÉNÉFICIAIRE) BRUTE
(anal. fin.) Rapport entre la marge (bénéficiaire) brute et le chiffre d'affaires. *Syn.* **gross margin percentage.** *V.a.* **ratio analysis.**

GROSS PROFIT TEST
SONDAGE FONDÉ SUR LA CONSTANCE DE LA MARGE (BÉNÉFICIAIRE) BRUTE
Sondage effectué pour vérifier la validité du chiffre des stocks en se fondant sur la constance de la marge bénéficiaire brute. *V.a.* **gross profit method.**

GROSS SALES
CHIFFRE D'AFFAIRES BRUT, VENTES BRUTES
Total des produits d'exploitation tirés de la vente de marchandises et déterminé avant déduction des rendus, rabais, escomptes sur ventes et, s'il y a lieu, de la taxe sur le chiffre d'affaires. *V.a.* **sales figure.**

GROSS-UP
MAJORATION
(fisc. can.) Accroissement procentuel du dividende servi par une société à un particulier en vue de déterminer le montant qu'il devra inclure dans son revenu imposable. *N.B.* Le chiffre obtenu à la suite de cet accroissement porte le nom de **dividende majoré.** *V.a.* **dividend tax credit.**

GROSS WEIGHT
POIDS BRUT
(comm.) Poids d'une marchandise, y compris son emballage. *N.B.* La **tare**, c'est-à-dire le poids de l'emballage, est représentée par la différence entre le poids brut et le poids net d'un colis.

GROUP
GROUPE
(écon.) Ensemble d'entreprises ayant un lien commun et constituant une entité économique distincte. *N.B.* Un **groupe** est formé d'une société dominante et d'une ou plusieurs sociétés dépendantes dont la politique économique et financière est fixée et contrôlée par la société dominante en fonction des intérêts de l'ensemble du groupe. *V.a.* **economic unit** 2.

GROUP ACCOUNTS
ÉTATS FINANCIERS COLLECTIFS, COMPTES DE GROUPE
(U.K.) États financiers d'une société de portefeuille et de ses filiales, constitués d'un ou de plusieurs jeux d'états consolidés ou des états financiers (ou comptes annuels) de chacune des sociétés affiliées. *Comparer avec* **combined financial statements** et **consolidated financial statements**.

GROUP DEPRECIATION
AMORTISSEMENT PAR CLASSES HOMOGÈNES (DE VALEURS ACTIVES)
Méthode qui consiste à calculer la dotation aux amortissements pour un ensemble de biens de même nature plutôt que pour chacun de ces biens pris individuellement. *N.B.* Une conséquence de cette méthode est qu'il n'apparaît aucun gain ou perte lors de la cession d'un bien jusqu'à ce que le dernier bien appartenant au groupe soit vendu ou mis hors service. *Comparer avec* **composite life depreciation** et **item depreciation**. *V.a.* **depreciation unit**.

GROUP INSURANCE
ASSURANCE (DE) GROUPE, ASSURANCE COLLECTIVE
(ass.) Type d'assurance qui consiste à protéger d'un risque donné un certain nombre de personnes en vertu d'un même contrat. *V.a.* **insurance**.

GROUP LAYOUT
AMÉNAGEMENT CELLULAIRE, IMPLANTATION EN GROUPE
(prod.) Type d'implantation où les produits sont divisés en familles selon la similitude des gammes de production. *Comparer avec* **functional layout** et **line layout**.

GROWTH
CROISSANCE
(écon.) Phénomène multidimensionnel se manifestant par un accroissement, sur moyenne ou longue période, de la taille de l'entreprise mesuré à l'aide d'indicateurs physiques (quantités produites, effectifs, etc.) ou monétaires (chiffre d'affaires, bénéfice net, marge brute d'autofinancement, etc.). *V.a.* **expansion**.

GROWTH COMPANY
SOCIÉTÉ EN (PLEINE) CROISSANCE, SOCIÉTÉ À FORT POTENTIEL DE CROISSANCE
(écon.) Société en pleine expansion dont les bénéfices sont généralement élevés et les liquidités relativement faibles parce que les fonds disponibles sont affectés à l'acquisition de nouvelles immobilisations.

GROWTH STOCK
VALEUR D'AVENIR, VALEUR DE CROISSANCE
(Bourse) Action d'une société dont le cours offre des perspectives de hausse parce que les investisseurs estiment que l'entreprise continuera de croître et qu'elle maintiendra ou accroîtra sa rentabilité.

GUARANTEE 1.
GARANTIE, CAUTIONNEMENT, SÛRETÉ PERSONNELLE
(dr.) Engagement pris par un tiers d'exécuter l'obligation d'un débiteur dans le cas où celui-ci serait défaillant. *N.B.* Lorsque le tiers garantit la dette du débiteur principal en constituant un **droit réel** sur un bien lui appartenant, on l'appelle **caution réelle**. *Syn.* **security** 2. *V.a.* **bond** 2., **collateral** 1. *(fam.)*, **collateral** 2., **lien**, **pledge** *n.* 2. et **secured liability**.

GUARANTEE 2.
AVAL
Voir **endorsement** 3.

GUARANTEE 3.
GARANTIE
Voir **warranty**.

GUARANTEE BOND
(ASSURANCE) CAUTION, (ASSURANCE DE) CAUTIONNEMENT
Voir **bond** 2.

GUARANTEED BOND
OBLIGATION GARANTIE
(fin.) Obligation faisant l'objet de l'affectation d'un bien en faveur du créancier hypothécaire qui pourra se rembourser à même le produit de la réalisation de ce bien en cas de défaillance de la société émettrice. *Syn.* **secured bond**. *V.a.* **bond** 1.

GUARANTEE DEPOSIT
CAUTIONNEMENT, DÉPÔT (DE GARANTIE)
Voir **deposit** 6.

GUARANTEED INVESTMENT CERTIFICATE
CERTIFICAT DE PLACEMENT GARANTI
(Can.) Titre attestant qu'une somme a été placée dans un établissement financier à un taux d'intérêt stipulé d'avance pour une période allant de trente jours à cinq ans. *N.B.* En règle générale, l'investisseur ne peut exiger que l'établissement financier lui rembourse son titre avant la date d'échéance. *Comparer avec* **deposit certificate**.

GUARANTEED LIABILITY
DETTE (ASSORTIE D'UNE) GARANTIE
Voir **secured liability**.

GUARANTEED PRICE
PRIX DE SOUTIEN, PRIX GARANTI
(écon.) Prix déterminé dans un système d'organisation des marchés, notamment pour les produits agricoles, et destiné à assurer la rémunération du producteur. *N.B.* Le **prix de soutien** peut être un prix fixe, un prix minimum ou un prix moyen établi pour la totalité d'une production ou une partie (**quota** ou **quantum**) de celle-ci seulement. *V.a.* **floor price**.

GUARANTOR 1.
AVALISTE, AVALISEUR, DONNEUR D'AVAL
(dr.) Personne qui s'oblige à acquitter un effet de commerce en cas de défaillance du souscripteur, s'il s'agit d'un billet, ou bien du tiré ou du tireur, dans le cas d'une traite. *V.a.* **endorsement** 3.

GUARANTOR 2.
CAUTION, GARANT, RÉPONDANT
(dr.) Personne qui s'engage envers un tiers à satisfaire les obligations d'un débiteur en cas de défaillance de celui-ci.

GUIDELINES 1.
DIRECTIVES, LIGNES DE CONDUITE, PRINCIPES DIRECTEURS
(gestion) Lignes d'action plus ou moins permanentes fixées par la direction générale d'une entreprise en fonction de ses particularités. *N.B.* On entend aussi, en Europe, par **directive** un acte du *Conseil des communautés européennes* qui lie les états membres quant aux résultats à atteindre, tout en laissant aux instances nationales la compétence quant à la forme et aux moyens. La *Quatrième Directive* porte sur les comptes annuels et a pour objet d'uniformiser la présentation des comptes des entreprises exerçant leur exploitation dans les pays appartenant à la *Communauté économique européenne (C.E.E.)*.

GUIDELINES 2.

NOTES D'ORIENTATION (EN COMPTABILITÉ ET EN VÉRIFICATION)

(Can.) Notes que les Comités de direction du Comité de recherche comptable et du Comité des normes de vérification de l'*Institut Canadien des Comptables Agréés* publient pour présenter des interprétations des recommandations déjà formulées par ces comités, ou pour exposer leur point de vue sur d'autres problèmes qui se posent à la profession comptable en matière de comptabilité et de vérification. *N.B.* La publication des **notes d'orientation** a pour but de suggérer une solution préliminaire à certains problèmes en attendant le résultat de recherches plus poussées qui éventuellement conduiront à la formulation d'une norme.

HANDBOOK
MANUEL, GUIDE

(lang. cour.) Ouvrage présentant sous un format maniable les notions essentielles d'une technique ou les recommandations relatives à l'exercice d'une profession.

HANDLING
MANUTENTION

(aff.) Déplacement manuel ou mécanique de produits, de matériaux ou de marchandises, en général sur une faible distance, associé aux opérations d'approvisionnement, de fabrication, de montage, d'emmagasinage, d'expédition ou de vente.

HARD CASH
PETITE MONNAIE, MONNAIE MÉTALLIQUE

(écon.) **Monnaie divisionnaire** représentée par les pièces de monnaie. *V.a.* **money** 1.

HARD COPY
SORTIE SUR (SUPPORT EN) PAPIER, ÉPREUVE

(inf.) **Imprimé d'ordinateur** sur du papier ordinaire ou des formulaires commerciaux. *N.B.* Cet imprimé qui constitue une **copie en clair** est un document concret par opposition à l'**affichage sur écran cathodique**. *Comparer avec* **soft copy**.

HARD COSTS
COÛTS ESSENTIELS, COÛTS DE BASE

Coûts des éléments corporels (terrain, excavation, matériaux de construction, main-d'oeuvre, dans le cas d'un immeuble) entrant dans la composition d'un bien immobilier. *N.B.* Comme ces coûts sont normalement capitalisés, on peut aussi leur donner le nom de **coûts capitalisés**. *Comparer avec* **soft costs**.

HARD CURRENCY
MONNAIE FORTE, DEVISE FORTE

(écon.) Caractéristique de la monnaie d'un pays dont la valeur, à un moment donné, est plus élevée que celle de la majorité des autres pays. *Comparer avec* **soft currency**.

HARD LOAN
PRÊT À CONDITIONS RIGOUREUSES

(fin.) Prêt qui n'est consenti que si l'emprunteur respecte certaines conditions très rigoureuses qui lui sont imposées par le prêteur. *Comparer avec* **soft loan**.

HARDWARE
MATÉRIEL (INFORMATIQUE)

(inf.) Éléments physiques constitutifs d'un ordinateur, de ses satellites ou de ses auxiliaires. *Comparer avec* **software**.

HARDWARE CONTROLS
CONTRÔLES MÉCANIQUES

(inf.) Contrôles incorporés à l'ordinateur lui-même et au matériel périphérique qui l'accompagne. *Comparer avec* **input/output controls** et **software controls**.

HASH TOTAL
TOTAL DE CONTRÔLE, TOTAL-BIDON (fam.)

(inf.) Résultat d'un calcul sur des quantités traitées, éventuellement disparates, effectué à des fins de contrôle. *N.B.* Le total en question (par exemple le total des numéros de code identifiant une série de comptes donnés) est fait, non en fonction de la valeur qu'il représente, mais afin de vérifier la vraisemblance des nombres qui ont servi à l'établir et le bon fonctionnement d'un dispositif ou d'un système. *V.a.* **control total**.

HEADING
EN-TÊTE, INTITULÉ

Texte figurant au début d'un rapport financier et indiquant la dénomination de l'entreprise, le titre du rapport en question et la date à laquelle il est établi ou la période couverte. *N.B.* L'**intitulé** de chacune des sections d'un rapport financier est généralement désigné par le terme **rubrique**.

HEAD OFFICE
SIÈGE SOCIAL

(org. des ent.) Lieu où une société commerciale a fait élection de son domicile légal et où se trouvent générale-ment rassemblés les organes de direction et les services centralisés de l'entreprise. *N.B.* Le lieu du siège social d'une entreprise est aussi connu sous le nom de **domicile**. *V.a.* **home office**.

HEALTH INSURANCE
ASSURANCE-MALADIE

(ass.) Assurance dont l'objet est de défrayer l'assuré d'une partie ou de la totalité des dépenses qu'il doit engager pour se soigner. *V.a.* **insurance**.

HEDGE *v.*
SE COUVRIR

(Bourse) Acheter ou vendre à terme des marchandises, des devises ou des titres dans le but d'éliminer ou de réduire les risques inhérents à la fluctuation des prix, des cours ou des taux d'intérêt. *N.B.* Pour se protéger, l'**arbitragiste en couverture** prend sur le marché boursier une position (acheteur ou vendeur) contraire à celle qu'il a sur le marché réel. *V.a.* **futures market**.

HEDGE *n.*
(OPÉRATION DE) COUVERTURE, «HEDGING»

(Bourse et aff.) Achat ou vente dont l'objet est de réduire les risques inhérents à la fluctuation des prix et, plus particulièrement, achat ou vente qui correspond respectivement à une vente ou un achat qui a déjà été effectué ou que l'on s'est engagé par contrat à effectuer, en vue d'éliminer les effets de la fluctuation des prix. *N.B.* Les **opérations de couverture** portent généralement sur l'achat ou la vente à terme de marchandises, de devises ou de titres et, dans tous les cas, l'objectif est de se couvrir contre les risques auxquels donne lieu la fluctuation des prix, des cours, ou des taux d'intérêt. Si une entreprise conclut un achat à terme à un prix fixe, elle transfère au vendeur le risque résultant de la fluctuation des prix entre la date de la signature du contrat et celle où il sera exécuté. De même, un client qui fait exécuter un contrat en régie intéressée assume les risques afférents à une fluctuation des prix dont l'entrepreneur se trouve dégagé. Si les produits faisant l'objet de l'opération sont différents, il s'agit d'une **opération de couverture croisée** donnant lieu à des achats ou des ventes de contrats relatifs à des produits dont les prix évoluent de la même façon. Le terme *hedging* s'emploie souvent en français, dans le domaine de la finance internationale, pour désigner la technique ayant pour objet de réduire ou de supprimer le risque de change sur les avoirs ou engagements nets, en une monnaie étrangère, d'une société multinationale. *Syn.* **hedging**. *Comparer avec* **arbitrage**. *V.a.* **forward exchange contract**, **futures market** et **interest rate futures market**.

HEDGER
ARBITRAGISTE EN COUVERTURE

(Bourse) Personne qui fait le commerce de titres, de devises ou de marchandises en achetant ou en vendant des contrats à terme en vue non pas de faire de l'argent mais plutôt de ne pas en perdre. *Comparer avec* **speculator**.

HEDGING
(OPERATION DE) COUVERTURE, «HEDGING»
Voir **hedge** *n.*

HIDDEN RESERVE
RÉSERVE OCCULTE
Voir **secret reserve**.

HIGHLIGHTS
POINTS SAILLANTS
(anal. fin.) Données financières sommaires figurant dans le rapport annuel d'une société pour aider le lecteur à faire une évaluation globale de la situation financière de cette société et de ses résultats d'exploitation.

HIRE PURCHASE
LOCATION-VENTE
(comm.) Modalité de vente de biens durables qui consiste à en recouvrer progressivement le prix sous forme d'un loyer périodique. *N.B.* La **location-vente** comporte, dès le départ, une promesse faite par le bailleur de vendre le bien loué au preneur au terme de la période de location. La formule du *hire purchase* laisse, en principe, le preneur libre d'acheter ou de ne pas acheter le bien loué alors que celle de la **location-vente** est interprétée par le preneur comme une forme d'achat. Dans les deux cas, le bien demeure juridiquement la propriété du vendeur jusqu'à l'expiration du contrat. *V.a.* **lease**.

HISTOGRAM
HISTOGRAMME
(stat.) Pour une variable continue dont les observations sont présentées sous forme de **fréquences par classes**, figure obtenue en limitant extérieurement par un trait, des rectangles jointifs dont les aires sont proportionnelles aux fréquences des classes correspondantes. *V.a.* **bar chart** et **frequency distribution**.

HISTORICAL COST
COÛT D'ORIGINE, COÛT HISTORIQUE, VALEUR D'ORIGINE
Somme totale qu'une entreprise a affectée à un bien pour en faire l'acquisition. *N.B.* Le **coût historique** donne lieu à une méthode d'évaluation ou de valorisation comptable dont la caractéristique est d'utiliser les coûts réels ou *a posteriori* obtenus à partir des opérations constatées et enregistrées en comptabilité. *Syn.* **original cost**. *Comparer avec* **acquisition cost** et **current cost**. *V.a.* **current value**.

HISTORICAL COST ACCCOUNTING
COMPTABILITÉ AU COÛT D'ORIGINE, COMPTABILITÉ AU COÛT HISTORIQUE, COMPTABILITÉ À LA VALEUR D'ORIGINE, COMPTABILITÉ EN COÛTS HISTORIQUES
Modèle comptable traditionnel dans lequel la valeur attribuée aux éléments de l'actif et du passif d'une entreprise est fondée sur le nombre d'unités de numéraire convenues entre les parties au moment où l'entreprise a effectué les opérations qui ont donné lieu à ces éléments. *Comparer avec* **constant dollar accounting**, **current cost accounting**, **current value accounting** et **general price-level (GPL) accounting**.

HISTORICAL RATE
COURS D'ORIGINE, COURS HISTORIQUE
(fin.) Taux de change en vigueur à la date des opérations ayant donné lieu aux postes à convertir d'une monnaie étrangère en monnaie nationale. *Comparer avec* **current rate**. *V.a.* **buying rate**, **forward rate**, **rate of exchange**, **selling rate** et **spot rate**.

HOARD
THÉSAURISER
(fin.) Accumuler des biens pour les garder sans les investir dans les circuits productifs de l'économie.

HOLDBACK
RETENUE DE GARANTIE
(aff.) Montant que le client retient provisoirement sur le total des sommes dues à un entrepreneur en vue de

garantir la bonne exécution des prestations. *N.B.* Lorsque le contrat comporte un **délai de garantie**, le client verse généralement la retenue de garantie après l'expiration de ce délai.

HOLDER
PORTEUR, DÉTENTEUR, POSSESSEUR, TITULAIRE
Voir **bearer**.

HOLDER IN DUE COURSE
PORTEUR DE BONNE FOI, DÉTENTEUR RÉGULIER (Can.)
(dr.) Détenteur d'un effet de commerce négociable qui, ayant reçu régulièrement cet effet avant l'échéance, est à l'abri des fautes que les détenteurs précédents ont pu commettre.

HOLDER OF RECORD
DÉTENTEUR (INSCRIT) À LA DATE DE CLÔTURE DES REGISTRES
(aff.) Personne physique ou morale détenant une action à la date dite de la clôture des registres, c'est-à-dire la date où est arrêtée la liste des actionnaires qui toucheront un dividende ou exerceront le droit d'acheter des actions d'une nouvelle émission. *Syn.* **owner of record**. *V.a.* **record date**.

HOLDING (COMPANY)
SOCIÉTÉ DE PORTEFEUILLE, «HOLDING»
(org. des ent.) Société dont l'actif est composé essentiellement d'actions d'autres sociétés, et qui effectue des opérations financières intéressant ces dernières, tout en dirigeant leurs activités industrielles et commerciales. *N.B.* Il y a **société *holding* pure** lorsque la société mère n'a pas d'exploitation et **société *holding* mixte** lorsque la société mère conserve une exploitation propre. Le terme **société de portefeuille** désigne aussi les fonds communs de placement, les sociétés d'investissement et les sociétés d'investissement à capital variable (SICAV). En Belgique, on utilise le terme **société à portefeuille** pour désigner une société qui possède une participation dans une filiale lui conférant, en droit ou en fait, le pouvoir de diriger l'activité de cette dernière. *Syn.* **investment company** 1.

HOLDING GAIN
GAIN DE DÉTENTION, PROFIT DE DÉTENTION, PLUS-VALUE
Gain résultant de l'augmentation de la valeur d'un bien (ou de la diminution de la valeur d'une dette) survenue au cours d'une période donnée et attribuable à la fluctuation des prix plutôt qu'aux mesures prises par le propriétaire de ce bien (ou le titulaire de la créance). *V.a.* **increase in value**.

HOLDING LOSS
PERTE DE DÉTENTION, MOINS-VALUE
Perte résultant de la diminution de la valeur d'un bien (ou de l'augmentation de la valeur d'une dette) survenue au cours d'une période donnée et attribuable à la fluctuation des prix plutôt qu'aux mesures prises par le propriétaire de ce bien (ou le titulaire de la créance). *V.a.* **loss in value**.

HOLIDAY
CONGÉ, JOUR FÉRIÉ, JOUR CHÔMÉ
(lang. cour.) Jour où il y a cessation de travail pour la célébration d'une fête religieuse ou civile sans que la loi interdise nécessairement le travail ce jour-là. *Comparer avec* **working day**. *V.a.* **legal holiday**.

HOME OFFICE
ÉTABLISSEMENT PRINCIPAL
Centre des activités d'une entreprise à succursales multiples. *N.B.* Le plus souvent, l'établissement principal d'une entreprise est situé au même endroit que son siège social. *Comparer avec* **branch**. *V.a.* **head office**.

HONOUR *v.* 1.
ACCEPTER
(dr.) Pour le tiré, respecter l'ordre qu'il a reçu du tireur d'une lettre de change d'en payer le montant à son bénéficiaire. *Comparer avec* **dishonour** *n.* 1.

HONOUR *v.* 2.
HONORER (UN EFFET), PAYER (UN EFFET)
(dr.) Acquitter un effet ou une dette, ou faire honneur à un engagement. *N.B.* Ainsi on honore une traite, un chèque, sa signature, des engagements financiers. *Comparer avec* **dishonour** *n.* 2.

HORIZONTAL ANALYSIS
ANALYSE HORIZONTALE
(anal. fin.) Étude de la tendance des postes des états financiers (ou comptes annuels) d'une entreprise donnée pour deux exercices ou plus en prenant généralement comme point de référence l'exercice le plus éloigné. *Comparer avec* **vertical analysis**. *V.a.* **base year**, **ratio analysis** et **time-series analysis**.

HORIZONTAL BUSINESS COMBINATION
CONCENTRATION HORIZONTALE, REGROUPEMENT HORIZONTAL
(org. des entr.) Regroupement d'entreprises ou d'unités de production qui se situent à un stade comparable de l'activité de production. *Comparer avec* **vertical business combination**. *V.a.* **business combination** et **horizontal integration**.

HORIZONTAL INTEGRATION
INTÉGRATION HORIZONTALE
(org. des entr.) Expansion que prend une entreprise dans les domaines relevant de son exploitation courante ou dans des domaines connexes. *Comparer avec* **vertical integration**. *V.a.* **horizontal business combination** et **integration**.

HOT MONEY
CAPITAUX FÉBRILES, CAPITAUX FLOTTANTS
(fin.) Capitaux spéculatifs prêts à être placés à court terme en passant d'une place financière à une autre afin de trouver la meilleure rémunération, compte tenu de la variation des taux d'intérêt et des risques de change. *V.a.* **venture capital**.

HOURLY RATE
TAUX HORAIRE
(aff.) Montant du salaire accordé à un salarié pour une heure de travail; honoraires demandés par un spécialiste, par exemple un expert-comptable, pour une heure de travail exécutée pour le compte d'un client.

HOUSE ACCOUNT 1.
COMPTE HORS COMMISSION
(comm.) Compte d'un client qui ne fait pas l'objet des commissions normalement versées aux représentants.

HOUSE ACCOUNT 2.
COMPTE DE MEMBRE
Pour le membre d'un club social, sportif, etc., compte où sont portées les dépenses (repas, consommations, etc.) qu'il y effectue.

HUMAN RESOURCE ACCOUNTING
COMPTABILITÉ DES RESSOURCES HUMAINES
Comptabilité qui consiste, d'une part, à recenser les investissements effectués par l'entreprise pour engager son personnel, le former et l'inciter à demeurer à son service et, d'autre part, à mesurer ces investissements et à en rendre compte. *V.a.* **social accounting**.

HURDLE RATE

TAUX ÉTALON, TAUX DE RENDEMENT MINIMAL

Taux d'actualisation le plus bas choisi par l'entreprise, par exemple le coût du capital, qu'elle utilise pour arrêter son choix entre divers projets d'investissement.

HYPOTHECATE

HYPOTHÉQUER, NANTIR

(dr.) **Affecter en garantie** ou **donner en nantissement** des biens meubles ou immeubles dont la propriété demeure acquise au débiteur. *N.B.* Le terme **hypothéquer** ne s'emploie que pour des immeubles et signifie à la fois **garantir par une hypothèque** le remboursement d'une dette et **grever d'une hypothèque** les immeubles ainsi donnés en garantie. *V.a.* **collateral** 1. *(fam.)*, **mortgage** *v.*, **pledge** *v.* et **secured liability**.

IDEAL CAPACITY
CAPACITÉ (DE PRODUCTION) MAXIMALE, CAPACITÉ (DE PRODUCTION) THÉORIQUE
(prod.) Utilisation la plus grande qu'une entreprise ou une usine peut faire de ses installations, compte non tenu des arrêts attribuables à des causes normales. *Syn.* **theoretical capacity**. *V.a.* **capacity** 1.

IDENTIFIABLE ASSETS 1.
ÉLÉMENTS D'ACTIF SECTORIELS, ACTIF(S) SECTORIEL(S)
Éléments d'actif corporels et incorporels se rattachant directement ou indirectement à un secteur particulier d'activité. *Comparer avec* **corporate assets**.

IDENTIFIABLE ASSETS 2.
ÉLÉMENTS D'ACTIF IDENTIFIABLES, ACTIF(S) IDENTIFIABLE(S)
Lors d'un regroupement d'entreprises, éléments d'actif de l'entreprise acquise qui sont susceptibles de faire l'objet d'une évaluation et d'une présentation séparées au bilan de l'acquéreur ou dans le bilan consolidé.

IDLE CAPACITY
CAPACITÉ (DE PRODUCTION) NON UTILISÉE, CAPACITÉ (DE PRODUCTION) INEXPLOITÉE
(prod.) Partie du potentiel de production que l'entreprise ou une usine n'utilise pas en raison d'une demande insuffisante, d'une mauvaise planification, d'une panne de machines, etc. *V.a.* **capacity** 1. et **subnormal capacity usage**.

IDLE CAPACITY COST
COÛT DE LA SOUS-ACTIVITÉ
Frais inhérents à la réduction d'activité de tout ou partie de l'entreprise. *V.a.* **capacity cost**.

IDLE TIME
TEMPS MORT, TEMPS IMPRODUCTIF, ARRÊT-MACHINE, TEMPS DE PANNE
Voir **down time**.

ILLUSORY PROFIT *(fam.)*
GAIN FICTIF, PROFIT FICTIF
Gain résultant de l'application du modèle comptable fondé sur la valeur d'origine lorsqu'en période d'inflation, les conditions économiques ont pour effet d'accroître artificiellement les coûts de remplacement. *V.a.* **inventory profit** et **paper profit** *(fam.)*.

IMMATERIAL *adj.*
NÉGLIGEABLE, SANS IMPORTANCE, NON SIGNIFICATIF
(lang. cour.) Se dit d'un élément qui importe peu, qui a peu de conséquence. *Comparer avec* **material** *adj.*

IMPAIRMENT OF CAPITAL
INSUFFISANCE DE CAPITAL, CARENCE EN CAPITAL, INSUFFISANCE DES CAPITAUX PROPRES
Voir **capital impairment**.

IMPLICATIONS OF AN AUDIT
PORTÉE DE LA VÉRIFICATION, PORTÉE DE LA RÉVISION
(E.C.) Conséquences ou répercussions d'ordre économique et juridique que le travail de l'expert-comptable peut avoir pour les utilisateurs des états financiers (ou comptes annuels) qu'il a vérifiés (ou révisés). *N.B.* Il convient de ne pas confondre l'expression **portée de la vérification** (ou **révision**) avec l'expression **étendue de la vérification** (ou **révision**) qui se rapporte à l'ampleur des travaux exécutés plutôt qu'à leurs conséquences. *V.a.* **audit scope** 1.

IMPLICIT INTEREST
INTÉRÊTS THÉORIQUES, INTÉRÊTS IMPLICITES
Voir **imputed interest** 1., 2. et 3.

IMPREST FUND 1.
FONDS DE CAISSE À MONTANT FIXE
(gest.) Fonds en espèces d'un montant fixe prédéterminé (par exemple la **petite caisse**) dont la gestion est confiée à une personne afin de faciliter le règlement de certaines dépenses. *V.a.* **imprest system**, **petty cash** et **revolving fund**.

IMPREST FUND 2.
COMPTE EN BANQUE À MONTANT PRÉDÉTERMINÉ, COMPTE BANCAIRE DE CONTRÔLE
(banque) Compte en banque distinct, constitué à des fins de contrôle en vue du règlement de la paye, du versement de dividendes, d'intérêts, etc.

IMPREST SYSTEM
MÉTHODE DU FONDS DE CAISSE À MONTANT FIXE
(gest.) Méthode qui consiste à confier à quelqu'un la gestion d'une somme d'argent ou d'un compte en banque afin de faciliter le règlement de menues dépenses. *N.B.* Après un certain temps, le fonds est reconstitué par le versement d'une somme égale au montant des décaissements constatés par des pièces justificatives. Une caractéristique de ce système consiste en ce que le total de l'argent en caisse (ou du solde du compte en banque) et des montants figurant sur les pièces justificatives non remboursées doit toujours être égal au montant du fonds. *V.a.* **imprest fund** 1. et **petty cash**.

IMPROVEMENT
AMÉLIORATION
Dépense engagée pour remplacer une partie ou une pièce usagée d'un élément d'actif ou pour restaurer cet élément afin de l'améliorer. *N.B.* Le plus souvent, cette dépense a pour effet d'accroître la valeur du bien en augmentant sa productivité et parfois en prolongeant sa durée de vie et, pour cette raison, on l'ajoute généralement au coût d'acquisition du bien en question. *Syn.* **betterment** *(vieilli)*. *V.a.* **leashold improvements**, **maintenance** 1. et **repair**.

IMPUTED COST 1.
COÛT VENTILÉ, COÛT RÉPARTI
Partie du coût total de biens (ou de services) acquis en bloc ou produits conjointement, attribuée à un bien (ou à un service) au moyen d'un processus de ventilation ou de répartition.

IMPUTED COST 2.
CHARGE SUPPLÉTIVE, CHARGE THÉORIQUE, COÛT THÉORIQUE, FRAIS THÉORIQUES
Charge (par exemple les intérêts afférents aux capitaux propres et la rémunération du travail de l'exploitant) non enregistrée en comptabilité générale mais dont il convient parfois de tenir compte en comptabilité analytique. *N.B.* Les **charges supplétives** sont aussi désignées sous le nom d'**éléments supplétifs** ou de **charges financières calculées**. On peut donner comme autres exemples de charges supplétives les intérêts qu'une entreprise paierait si elle empruntait une somme d'argent pour acquérir une immobilisation au lieu d'utiliser les fonds dont

elle dispose, et le loyer qu'il faudrait payer si l'entreprise devait louer un immeuble semblable à celui qu'elle possède et utilise pour son exploitation. *V.a.* **imputed interest** 1. et **opportunity cost**.

IMPUTED EARNINGS
GAINS THÉORIQUES, PROFITS THÉORIQUES

Gains ou profits susceptibles de découler d'une opération hypothétique. *N.B.* Ainsi, dans le calcul du bénéfice dilué par action, on ajoute au bénéfice net les produits financiers que l'entreprise tirerait des fonds que la levée des options et l'exercice des droits de souscription ou des droits d'achat lui procureraient.

IMPUTED INTEREST 1.
INTÉRÊTS THÉORIQUES, INTÉRÊTS IMPLICITES

Intérêts sur le capital investi que l'on n'enregistre pas en comptabilité générale, mais dont il convient de tenir compte en comptabilité analytique pour prendre certaines décisions. *Syn.* **implicit interest**. *V.a.* **imputed cost** 2. et **interest** 1.

IMPUTED INTEREST 2.
INTÉRÊTS THÉORIQUES, INTÉRÊTS IMPLICITES

Intérêts afférents à des fonds que l'entreprise a à sa disposition, et comptabilisés à titre de frais financiers ou incorporés au coût d'un immeuble. *N.B.* Comme ces intérêts ne donnent lieu à aucune dette pour l'entreprise, ils sont portés, en contrepartie, dans un compte de produit financier. *Syn.* **implicit interest**. *V.a.* **interest** 1.

IMPUTED INTEREST 3.
INTÉRÊTS THÉORIQUES, INTÉRÊTS IMPLICITES

Intérêts attribués aux créances, dettes et billets à long ou moyen terme ne portant aucune mention quant à l'intérêt ou portant intérêt à un taux inférieur au taux normal d'intérêt. *Syn.* **implicit interest**. *V.a.* **interest** 1.

INACTIVE INVENTORY
STOCK DORMANT

(aff.) Stock dont les mouvements sont nuls ou très faibles.

IN ARREARS, TO BE
AVOIR DE L'ARRIÉRÉ, ÊTRE EN RETARD (DANS SES PAIEMENTS)

(dr.) Se dit d'un débiteur qui ne règle pas ses dettes au moment où elles deviennent exigibles ou d'une société qui n'a pas servi un dividende à ses actionnaires possédant des actions à dividende cumulatif. *V.a.* **arrears**, **arrears of dividend** et **arrears of interest**.

IN BOND
EN DOUANE, SOUS DOUANE

(comm.) Se dit de marchandises pour lesquelles leur propriétaire n'a pas encore acquitté les droits de douane s'y rapportant. *V.a.* **bonded goods**.

INCENTIVE
STIMULANT, MESURE INCITATIVE, (PRIME D')ENCOURAGEMENT, INCITATION

(écon.) Moyen utilisé pour encourager une personne à agir dans un sens déterminé, par exemple les subventions publiques, les divers encouragements fiscaux et les gratifications ou primes de rendement versées au personnel en vue d'augmenter son dynamisme et sa productivité. *V.a.* **tax incentive**.

INCENTIVE PAY
SALAIRE AU RENDEMENT, STIMULANT SALARIAL

(écon.) Mode de rémunération du personnel qui vise à stimuler le rendement. *N.B.* On entend par **prime de rendement** un mode de rémunération qui consiste, pour l'employeur, à ne payer une prime que sur la partie de la production dépassant une norme prédéterminée.

INCENTIVE PLAN
RÉGIME D'INTÉRESSEMENT

(gest.) Régime ayant pour objet d'intéresser le travailleur à fournir un meilleur rendement par divers moyens

utilisés séparément ou simultanément (distribution d'actions, versement d'un salaire proportionnel à l'augmentation du chiffre d'affaires, etc.). *N.B.* On entend par **clause d'intéressement** une stipulation insérée dans un contrat de travail aux termes de laquelle le salarié a droit, en sus d'un salaire fixe, à une somme correspondant à un pourcentage des bénéfices de l'entreprise. *V.a.* **deferred profit-sharing plan**, **perquisites (perks)** et **profit-sharing plan**.

INCIDENTAL EXPENSES
FRAIS ACCESSOIRES, FRAIS COMPLÉMENTAIRES, FAUX FRAIS

Frais qu'il convient d'ajouter à des dépenses principales en vue de déterminer le coût de revient d'un bien ou d'une marchandise. *N.B.* Le terme **frais accessoires** convient surtout pour désigner les frais (douane, entreposage, etc.) qui, lors d'opérations d'exportation ou d'importation, viennent s'ajouter au prix de la marchandise et au coût de son transport. On entend particulièrement par **faux frais** des dépenses non prévisibles qui viennent s'ajouter à des dépenses principales. La loi belge utilise l'expression **frais accessoires** pour désigner les taxes, frais de transport, etc. afférents à l'acquisition d'immobilisations. *Syn.* **accessory expenses**. *V.a.* **acquisition cost**, **executory costs** et **soft costs**.

INCOME 1.
BÉNÉFICE (NET), BÉNÉFICE (NET) DE L'EXERCICE, PROFIT (NET), RÉSULTAT NET

Excédent du total des produits et des gains d'un exercice sur le total des charges et des pertes de cet exercice. *N.B.* En France, les comptes de charges et de produits sont soldés par l'intermédiaire du compte **Résultat à répartir** qui est lui-même soldé après la décision d'affectation du résultat par l'assemblée générale ordinaire des actionnaires. On entend par **résultat en instance d'affectation** le résultat réalisé par les sociétés françaises mais dont la répartition n'a pas encore été décidée par l'Assemblée générale ordinaire. L'opération comptable qui consiste à laisser en instance d'affectation une partie des bénéfices jusqu'à la prochaine Assemblée générale ordinaire est connue sous le nom de **report à nouveau**, élément qui, dans le bilan, doit faire partie de la section où figurent les capitaux propres et les réserves. Le Plan comptable général français distingue le **report à nouveau bénéficiaire** (bénéfice dont l'affectation est renvoyée par l'Assemblée générale ordinaire, statuant sur les comptes de l'exercice, à la décision de l'Assemblée générale ordinaire appelée à statuer sur les résultats de l'exercice suivant), et le **report à nouveau déficitaire** (pertes constatées à la clôture d'exercices antérieurs qui n'ont pas été imputées sur des réserves ni résorbées par une réduction du capital social et qui devront être déduites du bénéfice de l'exercice suivant ou ajoutées au déficit dudit exercice). *Syn.* **earnings** 1., **net income**, **net profit** et **profit** 1. *Comparer avec* **loss** 2. *V.a.* **bottom line (figure)** *(fam.)*.

INCOME 2.
REVENU

Ce que rapporte un capital (intérêts ou dividendes); ce qu'un particulier reçoit à des titres divers (rémunération, pension, rente, etc.). *Syn.* **earnings** 2. et **revenue** 2.

INCOME 3. *(U.S.)*
PRODUITS (D'EXPLOITATION)

Voir **revenue** 1.

INCOME 4.
PRODUIT FINANCIER, REVENU

Ce qu'une entreprise retire de ses titres de participation et de ses placements de portefeuille. *Syn.* **revenue** 3.

INCOME ACCOUNT
SOMMAIRE DES RÉSULTATS (Can.), RÉSULTAT À RÉPARTIR (Fr.)

Voir **income summary account**.

INCOME ACCOUNTS
COMPTES DE PRODUITS

Voir **revenue accounts**.

INCOME AVERAGING
ÉTALEMENT DU REVENU (IMPOSABLE)

Voir **averaging of income**.

INCOME AVERAGING ANNUITY CONTRACT
CONTRAT DE RENTE À VERSEMENTS INVARIABLES

(fisc. can.) Contrat passé entre un particulier et un établissement financier en vertu duquel, en contrepartie d'un paiement unique par le contribuable qui a réalisé certaines sortes de revenus, l'établissement financier convient de lui verser une **rente d'étalement** au cours d'une période déterminée. *N.B.* Cette forme d'étalement du revenu est interdite depuis novembre 1981. *V.a.* **forward averaging**.

INCOME BENEFICIARY
USUFRUITIER

Voir **life tenant**.

INCOME BOND
OBLIGATION À INTÉRÊT CONDITIONNEL, OBLIGATION À REVENU VARIABLE

(fin.) Obligation dont les intérêts versés aux obligataires dépendent des bénéfices réalisés par la société émettrice. *N.B.* En France et en Belgique, il existe des **obligations participantes** qui accordent à leur détenteur une fraction du bénéfice de l'entreprise en plus des intérêts convenus. *V.a.* **bond** 1.

INCOME FROM CONTINUING OPERATIONS
BÉNÉFICE TIRÉ DES SECTEURS (D'ACTIVITÉ) EN EXPLOITATION

Excédent des produits et gains d'un exercice sur les charges et pertes de cet exercice, à l'exception des éléments suivants : a) le résultat des secteurs d'activité dont on a abandonné l'exploitation durant l'exercice, b) le gain ou la perte net d'impôts et résultant de la cession de ces secteurs, et c) les gains ou pertes extraordinaires nets d'impôts réalisés ou subies durant l'exercice. *V.a.* **continuing operations**.

INCOME FROM DISCONTINUED OPERATIONS
BÉNÉFICE TIRÉ DES SECTEURS (D'ACTIVITÉ) ABANDONNÉS

Bénéfice résultant de secteurs d'activité que l'entreprise a décidé de ne plus exploiter ou qu'elle a l'intention de ne plus exploiter à brève échéance. *V.a.* **discontinued operations**.

INCOME PRODUCING PROPERTY
BIEN PRODUCTIF DE REVENU(S)

Voir **revenue producing property**.

INCOME RECOGNITION METHODS
(MÉTHODES DE) CONSTATATION DU PROFIT, (MÉTHODES DE) COMPTABILISATION DU PROFIT

Méthodes déterminant le moment où le comptable enregistre le profit réalisé par une entreprise, ce qui exige de comptabiliser les produits et les charges d'exploitation se rapportant à l'opération ou aux opérations en cause. *Syn.* **revenue recognition methods**. *V.a.* **completed contract method, completed sales basis, instalment method, percentage-of-completion method** et **production method of revenue recognition**.

INCOME SMOOTHING
NIVELLEMENT DES BÉNÉFICES, LISSAGE DES BÉNÉFICES

Action d'atténuer les écarts entre les bénéfices d'un certain nombre d'exercices successifs en recourant à des moyens artificiels susceptibles de nuire à la fidélité des comptes.

INCOME STATEMENT
(ÉTAT DES) RÉSULTATS (Can.), COMPTE DE RÉSULTAT (Fr. et Belg.), COMPTE DE PROFITS ET PERTES (C.E.E.)

Voir **statement, income**.

INCOME SUMMARY ACCOUNT
SOMMAIRE DES RÉSULTATS (Can.), RÉSULTAT À RÉPARTIR (Fr.)

Compte du grand livre où sont virés les soldes des comptes de produits, de gains, de charges et de pertes à la fin d'un exercice en vue de déterminer le bénéfice net (ou résultat à répartir) ou la perte nette de l'exercice. *Syn.* **income account** et **profit and loss account** 2.

INCOME TAX
IMPÔT SUR LE REVENU, IMPÔT SUR LES BÉNÉFICES

(fisc.) Impôt direct qui frappe le revenu des particuliers et les bénéfices des sociétés. *N.B.* Au Canada, l'impôt auquel sont assujettis, d'une part, les particuliers selon leur catégorie de revenus et, d'autre part, les sociétés par actions est connu, dans les deux cas, sous le nom d'**impôt sur le revenu**. En France et en Belgique, pour les sociétés de capitaux, on parle d'**impôt sur les sociétés**. *V.a.* **corporate (income) tax**, **direct taxes** et **tax** *n.* 1.

INCOME TAX ALLOCATION
RÉPARTITION DES IMPÔTS, VENTILATION DES IMPÔTS

Voir **tax allocation**.

INCOME TAX EXPENSE
IMPÔT(S) DE L'EXERCICE, CHARGE FISCALE

Impôts imputés à l'exercice et calculés sur le bénéfice comptable de l'exercice. *N.B.* L'expression **charge fiscale** englobe généralement tous les impôts, quelle que soit leur nature.

INCOME TAX REASSESSMENT
REDRESSEMENT FISCAL, RAPPEL D'IMPÔTS

Voir **additional tax assessment**.

INCOME TAX RETURN
DÉCLARATION D'IMPÔT(S), DÉCLARATION FISCALE

Voir **tax return**.

INCONSISTENCY
SOLUTION DE CONTINUITÉ, MANQUE DE CONTINUITÉ

Interruption dans la continuité de l'application de principes, par exemple les principes comptables généralement reconnus. *Comparer avec* **consistency principle** et **uniformity**.

INCORPORATION
CONSTITUTION EN SOCIÉTÉ DE CAPITAUX, CONSTITUTION EN SOCIÉTÉ (PAR ACTIONS)

(dr.) Action de former légalement une société de capitaux qui, après enregistrement auprès des autorités compétentes, constitue une personne morale juridiquement distincte de ses associés ou actionnaires.

INCORPORATION EXPENSES
FRAIS DE CONSTITUTION

Voir **organization expenses**.

INCREASE IN PRICE
SURENCHÈRE

(Bourse) Proposition faite de payer un prix plus élevé pour les actions d'une société (la **société visée**) pour lesquelles une autre société (la **société initiatrice**) a formulé une **offre publique d'achat (O.P.A.)**. *Syn.* **counter-offer**. *V.a.* **takeover bid**.

INCREASE IN VALUE
PLUS-VALUE, ACCROISSEMENT DE VALEUR

Dans une comptabilité au coût d'origine, gain résultant de l'accroissement de la valeur réelle d'un élément d'actif par rapport à sa valeur comptable, c'est-à-dire le coût d'origine du bien en question diminué, le cas échéant, des amortissements constatés. *N.B.* Il y a lieu de distinguer les **plus-values latentes**, **potentielles** ou **non matériali-sées** qui ne sont généralement pas constatées en comptabilité et les **plus-values matérialisées** ou **réalisées** comptabilisées lors de la sortie d'un élément d'actif du patrimoine par voie de cession, d'échange ou de fusion. *Comparer avec* **loss in value**. *V.a.* **appraisal increase credit**, **appreciation**, **capital gain** 1. et **holding gain**.

INCREMENTAL *adj.*
MARGINAL, DIFFÉRENTIEL

Se dit du changement survenu dans les coûts, les charges, les produits, les bénéfices, la trésorerie, le capital investi, etc., si l'entreprise produit ou vend une ou plusieurs unités de plus, si elle exploite un nouveau secteur d'activité, si elle accepte une commande spéciale, etc. *V.a.* **marginal** *adj.*

INCREMENTAL ANALYSIS
ANALYSE MARGINALE, ANALYSE DIFFÉRENTIELLE

Analyse qui consiste à déterminer l'augmentation ou la diminution des produits et des charges d'exploitation, des coûts, des rentrées ou des sorties de fonds susceptibles de découler de la réalisation d'un projet. *Syn.* **differential analysis**. *V.a.* **analysis** 1. et **contribution approach**.

INCREMENTAL COST
COÛT MARGINAL, COÛT DIFFÉRENTIEL, FRAIS MARGINAUX

Accroissement du coût total de production, de commercialisation, etc. résultant d'un choix particulier. *N.B.* La détermination du coût marginal permet au gestionnaire d'apprécier les effets d'un accroissement ou d'une baisse d'activité en comparant la variation des produits d'exploitation attendus et des charges prévisibles. Il faut éviter de confondre la notion de **coût marginal** avec celle de **coût variable**. Ces deux coûts ne sont semblables que dans les cas où les charges de structure ne sont pas modifiées par la variation du niveau d'activité. *Syn.* **differential cost** et **marginal cost** 2. *V.a.* **marginal cost** 1. et **relevant cost**.

INCUMBENT
TITULAIRE

(gest.) Personne qui occupe une fonction, une charge qui lui a été spécifiquement confiée.

INCUR 1.
ENGAGER (UNE DÉPENSE)

(lang. cour.) Utiliser de l'argent à une fin particulière.

INCUR 2.
CONTRACTER (UNE DETTE)

(lang. cour.) Effectuer une opération qui donne naissance à une dette.

INCUR 3.
SUBIR (UNE PERTE), ÉPROUVER UNE PERTE

(aff.) Obtenir des résultats déficitaires, c'est-à-dire pour une entreprise, avoir des charges qui excèdent ses produits pour un exercice donné.

INDEBTEDNESS
ENDETTEMENT, DETTE(S)

(fin.) Le fait, pour une personne ou une entreprise, d'avoir des dettes; ensemble des dettes de cette personne ou de cette entreprise.

INDEMNITY
INDEMNITÉ, DÉDOMMAGEMENT, DOMMAGES-INTÉRÊTS

(dr.) Somme versée par une personne à une autre en réparation d'un dommage ou d'un préjudice que cette dernière a subi. *N.B.* Le terme **indemnité** désigne aussi la somme attribuée à une personne en compensation de certains frais. *V.a.* **benefit** 2.

INDENTURE
CONTRAT SYNALLAGMATIQUE

(dr.) Contrat conclu entre deux ou plusieurs personnes. *N.B.* Historiquement, le terme anglais *indenture* tire sa source de l'utilisation d'un parchemin divisé en deux parties sur chacune desquelles figurait le texte du contrat. Le parchemin que l'on séparait ensuite selon une ligne en zigzag fournissait la preuve de l'authenticité du contrat lors de la reconstitution de la feuille. *V.a.* **bond indenture**, **contract** et **trust indenture**.

INDEPENDENCE
INDÉPENDANCE, IMPARTIALITÉ

(E.C.) État d'esprit et circonstances qui font qu'il est raisonnable d'espérer d'une personne qu'elle évaluera une

situation d'une façon impartiale et qu'elle prendra une décision ou formulera une opinion en ne s'appuyant que sur des critères objectifs. *N.B.* Dans le cas d'un expert-comptable, cet état d'esprit n'est réputé exister que s'il n'est pas un employé de l'entreprise dont il vérifie les livres et s'il ne possède, ainsi que les membres de son cabinet, aucun intérêt financier dans cette dernière. En Belgique, on distingue l'indépendance vis-à-vis du client et l'**indépendance statutaire**, c'est-à-dire l'état qui découle du statut professionnel assorti de certaines incompatibilités (ne pas être sous contrat d'emploi, ne pas exercer un commerce, etc.). En France, on parle plutôt d'**incompatibilité**, laquelle peut être générale (l'expert-comptable qui serait un salarié de l'entreprise dont il doit réviser les comptes) ou spéciale (par exemple l'expert-comptable qui serait membre du conseil d'administration de l'entreprise).

INDEPENDENT VARIABLE
VARIABLE INDÉPENDANTE, VARIABLE EXPLICATIVE

(stat.) Dans une analyse de régression, variable (généralement désignée par la lettre *x*) sur laquelle le décideur peut exercer un contrôle, par exemple la quantité d'articles inclus dans un certain nombre de lots en vue de déterminer la productivité de la main-d'oeuvre. *Comparer avec* **dependent variable**. *V.a.* **regression analysis** et **variable**.

INDEX
INDICE

(stat.) Instrument de comparaison servant à situer la valeur d'un élément mesuré à une date quelconque, par rapport au même élément mesuré à une certaine époque constituant le point de référence de l'indice. *V.a.* **price index**.

INDEX OF VOLUME
INDICE DU VOLUME, INDICE DU NIVEAU D'ACTIVITÉ

Voir **volume index**.

INDEXATION
INDEXATION

(stat.) Procédé qui consiste à faire varier une valeur (par exemple les salaires ou un emprunt obligataire) en fonction de l'évolution d'une ou de plusieurs autres valeurs prises comme références (par exemple l'indice du coût de la vie, le cours d'un certain nombre de valeurs industrielles et la valeur de l'or). *Syn.* **price-level restatement**.

INDEXED BOND
OBLIGATION INDEXÉE

(fin.) Obligation dont le remboursement du capital ou le paiement des intérêts (ou les deux à la fois) varient en fonction d'un **indice de référence** ou selon l'évolution d'une autre variable qui peut être en rapport avec l'objet de l'emprunt ou l'activité de l'entreprise. *V.a.* **bond** 1.

INDIRECT COSTS 1.
COÛTS INDIRECTS, CHARGES INDIRECTES, FRAIS INDIRECTS

Charges qui ne peuvent être directement rattachées à un produit, à une opération ou à un centre de coûts par une procédure simple d'affectation sur la base notamment du nombre d'unités physiques de consommation (temps de travail, poids, etc.). *N.B.* Les **charges indirectes** ou éléments indirects concernent plusieurs coûts ou prix de revient et doivent faire l'objet d'une **répartition** entre sections puis d'une **imputation** aux comptes de coûts ou de prix de revient. *Comparer avec* **direct costs** et **semi-direct costs**. *V.a.* **fixed costs** et **general expenses**.

INDIRECT COSTS 2.
FRAIS GÉNÉRAUX

Voir **overhead**.

INDIRECT LABOUR
MAIN-D'OEUVRE INDIRECTE

Travail fourni par des ouvriers qui ne participent pas directement à la fabrication d'un produit ou à un procédé de fabrication. *Comparer avec* **direct labour**. *V.a.* **labour** et **labour cost**.

INDIRECT MATERIALS
MATIÈRES INDIRECTES, MATIÈRES CONSOMMABLES, FOURNITURES DE FABRICATION, FOURNITURES CONSOMMABLES

Matières ou fournitures qui, par leur consommation, concourent au traitement, à la fabrication ou à l'exploitation sans entrer dans la composition des produits traités ou fabriqués. *N.B.* Parfois, les matières utilisées font partie du produit, mais on les considère quand même comme des matières indirectes parce qu'il est peu pratique de déterminer leur coût par unité traitée ou fabriquée. *Syn.* **factory supplies** et **manufacturing supplies**. *V.a.* **materials** et **supplies**.

INDIRECT TAXES
IMPÔTS INDIRECTS, DROITS INDIRECTS

(fisc.) Impôts perçus à l'occasion d'un fait, d'un acte, d'une opération. *N.B.* Ces impôts, par exemple la taxe sur les ventes, les droits sur les vins et la taxe sur les prestations de services, frappent les objets de consommation le plus souvent lors de leur déplacement et font partie de leur prix de revient. *Comparer avec* **direct taxes**. *V.a.* **excise taxes, sales tax, tax** *n.* 1. et **value-added tax**.

IN DUPLICATE
EN DOUBLE

(lang. cour.) Se dit d'un document qui existe en deux exemplaires : l'original et un duplicata ou un double. *V.a.* **duplicata** 2.

INDUSTRY 1.
INDUSTRIE

(écon.) Activités économiques ayant pour objet la transformation de matières en produits finis ou l'exploitation des richesses minérales du sol et des sources d'énergie. *N.B.* Les principales sortes d'industries sont l'**industrie lourde** (extraction et première transformation des matières minérales), l'**industrie légère** (transformation des productions de l'industrie lourde en produits semi-finis et finis), l'**industrie de transformation** (fabrication de produits finis à partir des productions de l'industrie légère) et l'**industrie agro-alimentaire**.

INDUSTRY 2.
SECTEUR D'ACTIVITÉ, BRANCHE D'ACTIVITÉ, BRANCHE D'INDUSTRIE, PROFESSION

(écon.) Ensemble des entreprises qui produisent une catégorie donnée de biens ou de services, par exemple la sidérurgie, le textile, l'industrie pétrolière et l'assurance. *V.a.* **profession**.

INDUSTRY SEGMENT
SECTEUR D'ACTIVITÉ, BRANCHE D'ACTIVITÉ

(écon. et *compt.)* Chacun des secteurs (à l'exclusion des secteurs géographiques) dans lequel une entreprise exerce son activité. *Syn.* **line of business**. *Comparer avec* **geographic segment**. *V.a.* **segment** 1. et **segmented information**.

IN EFFECT
EN VIGUEUR

(lang. cour.) Se dit d'une loi, d'un règlement en application actuellement, d'un taux, d'un prix pratiqué couramment et, par extension, d'une pratique qui est en usage. *Syn.* **in force**.

INFLATION ACCOUNTING
COMPTABILITÉ DES EFFETS DE L'INFLATION, COMPTABILITÉ D'INFLATION

Voir **accounting for inflation**.

IN FORCE
EN VIGUEUR

Voir **in effect**.

INFORMATION CIRCULAR
CIRCULAIRE DE SOLLICITATION DE PROCURATIONS, CIRCULAIRE D'INFORMATION

(dr.) Document qui, en vertu des lois sur les sociétés et sur les valeurs mobilières, doit être remis aux actionnaires

par les administrateurs ou leurs représentants afin d'obtenir leur procuration. *N.B.* Ce document qui renferme des informations sur les personnes sollicitant des procurations, sur l'élection des administrateurs, sur la nomination des vérificateurs, etc. doit être envoyé aux actionnaires avec l'avis de convocation à l'assemblée annuelle où l'on discutera de ces questions. *Syn.* **proxy statement** *(U.S.)*.

INFORMATION RETRIEVAL
RECHERCHE D'INFORMATIONS, RÉCUPÉRATION D'INFORMATIONS, RECHERCHE DOCUMENTAIRE,
EXTRACTION D'INFORMATIONS

(inf.) Action qui consiste à localiser et à isoler des informations que l'ordinateur a déjà traitées. *Syn.* **retrieval**.

INFORMATION SYSTEM
SYSTÈME D'INFORMATION DE GESTION, INFORMATIQUE DE GESTION
Voir **management information system**.

INHERITANCE
HÉRITAGE

(dr.) Patrimoine laissé par une personne décédée et transmis par succession; action d'hériter. *V.a.* **estate** et **legacy**.

IN-HOUSE DATA PROCESSING
TRAITEMENT DE L'INFORMATION SUR PLACE

(inf.) Traitement de l'information chez l'utilisateur par opposition au traitement fait chez un façonnier. *V.a.* **data processing** 2.

IN-HOUSE SOFTWARE
LOGICIEL-MAISON

(inf.) Logiciel réalisé par l'utilisateur lui-même en fonction de ses besoins. *V.a.* **software**.

IN-HOUSE TRAINING
FORMATION INTERNE

(rel. de tr.) Formation dispensée à l'intérieur de l'entreprise, tant aux cadres supérieurs qu'aux cadres intermédiaires et aux agents de maîtrise.

INITIAL *v.*
PARAPHER, PARAFER

(dr.) Apposer ses initiales ou sa signature abrégée sur un document, et plus particulièrement, près des changements qui y ont été apportés, en vue d'en attester l'authenticité. *V.a.* **sign**.

INITIAL DIRECT COSTS
FRAIS INITIAUX DIRECTS

Frais engagés par le bailleur et directement reliés à la négociation et à l'exécution d'un bail donné. *N.B.* Ces frais comprennent les commissions, les frais juridiques et les coûts relatifs à la préparation et à la rédaction des documents ayant trait au contrat de location. *Comparer avec* **executory costs**.

IN-LINE PROCESSING
TRAITEMENT IMMÉDIAT, TRAITEMENT DIRECT

(inf.) Traitement de données dans l'ordre où elles se présentent, sans sélection, regroupement ou tri préalable. *V.a.* **data processing** 2.

INNER RESERVE
RÉSERVE LATENTE

Provision établie par un établissement financier et qui ne figure pas comme telle dans le bilan parce qu'elle a été retranchée de la valeur attribuée à un élément d'actif ou parce qu'elle fait partie du passif sans qu'il en soit fait expressément mention. *N.B.* Les virements ayant pour objet de créer ou d'éliminer ces provisions ne figurent pas non plus dans l'état des résultats (ou compte de résultat). *Comparer avec* **secret reserve**.

INPUT *v.*
INTRODUIRE DANS, FAIRE SAISIR PAR, TRANSMETTRE À
(inf.) Entrer des données dans un système de traitement informatisé.

INPUT *n.* 1.
FACTEUR DE PRODUCTION, INTRANT
(écon.) Bien utilisé ou activité économique mise en oeuvre en vue de produire d'autres biens ou d'exercer d'autres activités. *N.B.* Le terme *input* est parfois employé dans ce sens en français. *Comparer avec* **output** 1.

INPUT *n.* 2.
SAISIE, (OPÉRATION D')ENTRÉE, INTRODUCTION
(inf.) Opération qui consiste à entrer, dans la mémoire d'un ordinateur, des données qui sont saisies par un terminal situé à la source de l'information. *Comparer avec* **output** 2.

INPUT *n.* 3.
(DONNÉE D')ENTRÉE
(inf.) Terme qui désigne la donnée introduite dans un ordinateur par l'**opération d'entrée**. *Comparer avec* **output** 3.

INPUT DEVICE
ORGANE D'ENTRÉE, PÉRIPHÉRIQUE D'ENTRÉE
(inf.) Élément d'un ordinateur capable de lire sur des supports externes, ou de recevoir de l'extérieur, des données en vue de leur traitement.

INPUT/OUTPUT ANALYSIS
ANALYSE D'ENTRÉES-SORTIES, ANALYSE INTRANTS-EXTRANTS
(écon.) Présentation, généralement matricielle, des opérations effectuées entre différentes entités économiques, dont l'objet est de faire ressortir les ressources utilisées et les produits tirés de chacune de ces entités. *N.B.* En **comptabilité nationale**, on entend par **tableau d'entrées-sorties** un tableau où figurent les éléments propres à chaque branche d'activité. *V.a.* **analysis** 1.

INPUT/OUTPUT CONTROLS
CONTRÔLES DES ENTRÉES-SORTIES
(inf.) Dans un système de traitement informatisé, contrôles exercés principalement par les préposés à la saisie des données et par les utilisateurs. *Comparer avec* **hardware controls**.

INPUT/OUTPUT RATIO
RENDEMENT TECHNIQUE, RATIO INTRANTS-EXTRANTS
(écon.) Rapport entre les quantités produites et les matières utilisées ainsi que les moyens techniques mis en oeuvre.

INSIDER
INITIÉ
(Bourse) Personne (administrateur, cadre supérieur, actionnaire important, etc.) qui peut avoir accès à des renseignements qu'une société ne publie généralement pas. *N.B.* Les catégories d'initiés sont définies dans les lois sur les sociétés et sur les valeurs mobilières.

INSIDER REPORT
DÉCLARATION D'INITIÉ
(Bourse) (Can.) Déclaration remise par un initié à une commission des valeurs mobilières pour qu'elle fasse connaître au public les changements apportés par cet initié dans la participation qu'il détient dans une société.

INSIDER TRADING
OPÉRATION D'INITIÉ, OPÉRATION ENTRE INITIÉS
(Bourse) Vente ou achat d'actions d'une société, effectué par un initié.

INSOLVENCY
INSOLVABILITÉ

(dr.) État d'une personne qui n'est pas en mesure de payer ses dettes au moment où elles deviennent exigibles. *N.B.* On doit distinguer la **cessation de paiements** (situation dans laquelle les valeurs réalisables et disponibles sont insuffisantes pour régler les dettes échues) de l'**insolvabilité** (situation de l'entreprise dont la réalisation de la totalité de l'actif ne permet pas de rembourser intégralement les créanciers). *Comparer avec* **bankruptcy** et **solvency**.

INSPECTION
INSPECTION

(E.C.) Technique de vérification (ou révision) qui consiste à faire un examen attentif et, le cas échéant, à comparer entre eux des biens physiques, des documents, des registres et des pièces justificatives. *Comparer avec* **observation**. *V.a.* **professional inspection.**

INSPECTOR 1.
INSPECTEUR

(dr. can.) Personne nommée en vertu d'une loi sur les sociétés pour examiner les affaires d'une société et la façon dont elle est gérée.

INSPECTOR 2.
INSPECTEUR

(dr. can.) Personne nommée par les créanciers d'un failli afin de conseiller le syndic, de superviser l'administration des biens du failli, d'examiner les comptes du syndic et de les approuver.

INSPECTOR 3.
INSPECTEUR PROFESSIONNEL

Voir **professional inspector**.

INSTALMENT
VERSEMENT

(fin.) Partie à recouvrer ou à payer d'une créance ou d'une dette découlant d'un contrat de vente ou d'achat dont le règlement doit s'échelonner sur une période plus ou moins longue. *N.B.* Le paiement partiel à valoir sur une somme à payer (par exemple les impôts sur les bénéfices des sociétés) dont le montant n'est pas encore définitivement arrêté s'appelle **acompte provisionnel**. *V.a.* **tax paid by instalments**.

INSTALMENT CREDIT
CRÉDIT À TEMPÉRAMENT, PRÊT (PERSONNEL) À TEMPÉRAMENT

(fin.) Sommes avancées à un particulier par un établissement financier qui lui permet de régler sa dette par versements échelonnés sur une période donnée.

INSTALMENT LOAN
PRÊT REMBOURSABLE PAR VERSEMENTS

(fin.) Prêt que l'emprunteur peut rembourser par versements échelonnés sur une période donnée.

INSTALMENT METHOD
(MÉTHODE DE LA) CONSTATATION DU PROFIT AU PRORATA DES ENCAISSEMENTS, (MÉTHODE DE LA) COMPTABILISATION DU PROFIT AU PRORATA DES ENCAISSEMENTS

Méthode qui consiste à comptabiliser les produits d'exploitation en proportion des sommes que l'entreprise a recouvrées durant l'exercice, auprès des clients à qui elle a vendu des marchandises à tempérament. *V.a.* **income recognition methods**.

INSTALMENT PAYMENTS
VERSEMENTS ÉCHELONNÉS, PAIEMENTS ÉCHELONNÉS

(fin.) Sommes versées à intervalles réguliers (mensualités ou annuités) en vue d'éteindre une dette.

INSTALMENT SALE
VENTE À TEMPÉRAMENT

(comm.) Vente assortie généralement d'une **clause de réserve de propriété** et dont le prix doit être réglé au moyen d'une série de versements échelonnés sur un certain laps de temps. *N.B.* Lors d'une vente à tempérament, le crédit est consenti directement par le vendeur à un client pour l'achat de marchandises. De nos jours, le **crédit à la consommation**, où le crédit n'est pas consenti par le vendeur mais par un établissement financier, a supplanté le **système de vente à tempérament**. *V.a.* **cash sale**, **conditional sales agreement**, **credit sale** et **downpayment**.

INSTITUTIONAL INVESTOR
INVESTISSEUR INSTITUTIONNEL, INVESTISSEUR PROFESSIONNEL, GRAND INVESTISSEUR

(fin.) Établissement financier (compagnie d'assurances, caisse de retraite ou société de fonds mutuels) qui investit de fortes sommes en valeurs mobilières. *V.a.* **financial institution** 2.

INSTRUCTION
INSTRUCTION

(inf.) Consigne exprimée dans un langage de programmation.

INSTRUCTION CONTROL UNIT
ORGANE CENTRAL DE COMMANDE

(inf.) Partie de l'unité centrale d'un ordinateur chargée de faire exécuter successivement les instructions d'un programme par les différents éléments de l'ordinateur et d'en contrôler le fonctionnement. *V.a.* **central processing unit (CPU)**.

INSTRUMENT 1.
EFFET

(dr.) Terme générique employé pour désigner une lettre de change, un billet, un chèque, une traite.

INSTRUMENT 2.
ACTE

(dr.) Terme générique employé pour désigner un document officiel établissant un droit ou un contrat.

INSTRUMENT OF INCORPORATION
STATUTS (CONSTITUTIFS), ACTE CONSTITUTIF (Can.), ACTE DE CONSTITUTION (Can.)

(dr.) Document qui donne naissance à une société et qui porte le nom de statuts, acte de constitution, lettres patentes ou charte selon la loi en vertu de laquelle la société est constituée. *Syn.* **articles of incorporation** et **memorandum of association**. *V.a.* **charter** et **letters patent**.

INSURABLE INTEREST
INTÉRÊT ASSURABLE, INTÉRÊT D'ASSURANCE

(ass.) Intérêt d'une personne dans un bien ou la vie d'une autre personne, dont la nature est telle que la personne ayant cet intérêt est exposée à un risque (perte pécuniaire ou dette) attribuable à la réalisation probable d'un sinistre (destruction totale ou partielle du bien ou décès). *N.B.* Le risque sur un bien ou le risque de responsabilité susceptible de faire l'objet d'une assurance constitue un **risque assurable**.

INSURANCE
ASSURANCE

(ass.) Contrat par lequel une partie (l'**assuré**) se fait promettre moyennant une rémunération (la **prime**), pour lui ou pour un tiers, en cas de réalisation d'un risque, une prestation par une autre partie (l'**assureur**) qui, prenant en charge un ensemble de risques, les compense conformément aux lois de la statistique en cas de réalisation d'un événement appelé **sinistre** (décès, incendie, accident, etc.). *V.a.* **blanket coverage**, **business interruption insurance**, **buy-out insurance**, **casualty insurance**, **co-insurance** 1. et 2., **comprehensive insurance**, **credit insurance**, **fidelity bond**, **general insurance**, **group insurance**, **health insurance**, **life insurance**, **professional liability insurance**, **public liability insurance**, **reinsurance**, **self-insurance**, **term life insurance**, **underwriter** 1. et **whole life insurance**.

INSURANCE ADJUSTER
EXPERT (EN SINISTRES)

(ass.) Personne qui, pour le compte d'une compagnie d'assurances, effectue des études et des analyses devant mener au règlement d'une déclaration de sinistre ou d'une demande d'indemnité reçue d'un assuré.

INSURANCE BENEFIT
INDEMNITÉ D'ASSURANCE, PRESTATION D'ASSURANCE, INDEMNITÉ DE SINISTRE

(ass.) Prestation qu'une personne ou une entreprise peut obtenir d'un assureur en réparation d'un préjudice dont elle a été victime à la suite de la matérialisation d'un sinistre (vol, incendie, inondation, décès, etc.). *N.B.* La période qui sépare une déclaration de sinistre du paiement de l'indemnité s'appelle **délai de carence** et a pour objet de permettre à l'assureur de constater que le sinistre s'est effectivement produit.

INSURANCE CARRIED 1.
MONTANT D'ASSURANCE, VALEUR D'ASSURANCE

(ass.) En assurances I.A.R.D. (incendies, accidents, risques divers), montant de l'indemnité maximale stipulé dans le contrat d'assurance. *N.B.* La valeur prise pour base d'un contrat d'assurance correspond à la valeur à neuf généralement réduite au moyen d'un coefficient pour tenir compte de l'usure. La valeur peut toutefois, moyennant une stipulation spéciale du contrat, être la valeur à neuf sans abattement.

INSURANCE CARRIED 2.
CAPITAL ASSURÉ

(ass.) En assurance-vie, somme stipulée dans le contrat d'assurance et payable habituellement aux ayants droit de la personne décédée sur la tête de laquelle repose l'assurance. *Syn.* **face amount** 2.

INSURANCE CLAIM
DEMANDE DE RÈGLEMENT, DEMANDE D'INDEMNITÉ, DÉCLARATION DE SINISTRE
Voir **claim** 4.

INSURANCE CONTRACT
CONTRAT D'ASSURANCE
Voir **insurance policy** 1.

INSURANCE COVERAGE
RISQUE ASSURÉ, PROTECTION

(ass.) Nature et montant du risque faisant l'objet d'un contrat d'assurance. *N.B.* La garantie constituée ou offerte par l'assureur s'appelle **couverture**. *V.a.* **coverage** 2.

INSURANCE FUND
FONDS D'ASSURANCE

(ass.) Fonds constitué d'espèces ou de placements, établi par une entreprise qui s'assure elle-même. *V.a.* **self-insurance**.

INSURANCE POLICY 1.
CONTRAT D'ASSURANCE

(ass.) Convention fixant l'objet et les conditions d'une assurance entre une personne physique ou morale et une compagnie d'assurances. *Syn.* **insurance contract** et **policy** 1.

INSURANCE POLICY 2.
POLICE D'ASSURANCE

(ass.) Document écrit, signé à la fois par l'assureur et l'assuré, qui constate un contrat d'assurance et qui précise, en particulier, la nature et la limite des risques couverts, le capital assuré ainsi que le montant et la périodicité de la prime. *Syn.* **policy** 1.

INSURANCE PREMIUM
PRIME D'ASSURANCE

(ass.) Somme que l'assuré doit payer à l'assureur soit périodiquement, soit en début de contrat. *N.B.* Le rabais sur

une prime, consenti par l'assureur à un assuré qui lui fait courir moins de risques s'appelle **bonus** et, réciproquement, on désigne par le terme **malus** la majoration de prime imposée par l'assureur à un assuré en fonction de l'aggravation des risques qu'il lui fait subir. *V.a.* **dividend** 5. et **premium** 2.

INSURE
(S')ASSURER, (SE) COUVRIR PAR UNE ASSURANCE
(ass.) Se protéger ou protéger une autre personne contre un risque ou un sinistre au moyen d'un contrat d'assurance.

INSURED *n.*
ASSURÉ
(ass.) En assurances I.A.R.D. (incendies, accidents, risques divers), la personne sur les intérêts de laquelle repose une assurance; en assurance-vie, la personne sur la tête de laquelle repose une assurance.

INSURED PENSION PLAN 1.
RÉGIME (DE RETRAITE) GARANTI
(rentes) Régime dans lequel les prestations de retraite sont pourvues et garanties par une compagnie d'assurances en fonction des cotisations qui lui sont versées.

INSURED PENSION PLAN 2. *(U.S.) (fam.)*
RÉGIME (DE RETRAITE) GÉRÉ PAR UNE COMPAGNIE D'ASSURANCES
(rentes) Régime dont la caisse de retraite est gérée par une compagnie d'assurances.

INSURER
ASSUREUR
(ass.) Société qui, moyennant le versement d'une prime, s'engage à verser à l'assuré, à ses ayants droit ou à un tiers, une somme d'argent en cas de survenance d'un sinistre.

INTANGIBLE ASSET
IMMOBILISATION INCORPORELLE, BIEN INCORPOREL, (ÉLÉMENT D')ACTIF INCORPOREL
Valeur immobilisée qui n'a pas d'existence physique, par exemple les brevets d'invention, les droits d'auteur, les marques de commerce, les droits miniers, les procédés secrets de fabrication, les frais de premier établissement, les frais de développement capitalisés et la différence de première consolidation. *N.B.* En droit, il existe des **biens immatériels**, par exemple les créances et les titres, qui ne constituent pas en comptabilité des éléments d'actif incorporel. En Belgique, les frais de premier établissement ne constituent pas des immobilisations incorporelles et ils doivent faire l'objet d'une rubrique distincte dans le bilan. *Comparer avec* **tangible asset**.

INTANGIBLE ASSETS
ACTIF INCORPOREL, IMMOBILISATIONS INCORPORELLES
Poste du bilan où l'on regroupe les immobilisations incorporelles que possède une entreprise. *Comparer avec* **tangible assets**. *V.a.* **capital assets** 1.

INTEGRATED DATA PROCESSING
TRAITEMENT INTÉGRÉ DE L'INFORMATION
(inf.) Groupement ou organisation, le plus souvent au moyen d'un ordinateur, d'opérations relatives au traitement de l'information de manière à éliminer ou à réduire le nombre des étapes du traitement ainsi que la possibilité que certaines données soient saisies plus d'une fois. *V.a.* **data processing** 2. et **electronic data processing**.

INTEGRATED FOREIGN OPERATION
ÉTABLISSEMENT ÉTRANGER INTÉGRÉ
Établissement étranger dont les opérations ont, dans l'ensemble, une incidence directe sur les activités économiques et les flux monétaires de l'entreprise qui publie l'information financière. *V.a.* **foreign operation**.

INTEGRATED TEST FACILITY
SYSTÈME D'ESSAI INTÉGRÉ
(inf. et E.C.) Technique qui consiste à enregistrer dans les fichiers des opérations fictives qui sont confondues avec les opérations réelles pour être ensuite traitées en même temps que ces dernières.

INTEGRATION
INTÉGRATION, CONCENTRATION

(org. des ent.) Regroupement, dans une entreprise (ou dans un groupe d'entreprises ayant des intérêts communs), des activités économiques auparavant réparties entre des entreprises spécialisées ou indépendantes exerçant des fonctions différentes. *V.a.* **horizontal integration** et **vertical integration**.

INTERACTIVE MODE
MODE INTERACTIF

(inf.) Expression utilisée pour décrire la caractéristique d'un système de traitement direct de l'information consistant à fournir des réponses à des demandes faites par un utilisateur au moyen d'un terminal. *N.B.* Il y a **interaction** avec l'utilisateur en ce sens que ce dernier fournit d'abord à l'ordinateur des données d'entrée, qui à son tour lui communique une certaine information ou l'invite à fournir de nouvelles données d'entrée. Le terme **interactif** se dit des matériels, programmes ou conditions d'exploitation d'un ordinateur qui permettent des actions réciproques en **mode dialogué** avec des utilisateurs ou en **temps réel** avec des appareils.

INTERCHANGEABLE GOODS
BIENS FONGIBLES, MARCHANDISES FONGIBLES

(comm.) Biens qui se consomment par l'usage et qui peuvent être remplacés par d'autres biens semblables. *N.B.* Sont fongibles les choses considérées comme interchangeables, identiques les unes aux autres, non individualisées. Les méthodes d'évaluation des stocks fondées sur le flux des coûts n'ont leur application que dans le cas de biens interchangeables ou identiques. *Syn.* **fungible goods**. *V.a.* **cost flow methods**.

INTERCOMPANY ACCOUNT PAYABLE
COMPTE CRÉDITEUR INTERSOCIÉTÉS

Somme que doit l'entreprise à une société affiliée ou apparentée. *V.a.* **account payable** 1.

INTERCOMPANY ACCOUNT RECEIVABLE
COMPTE DÉBITEUR INTERSOCIÉTÉS

Somme que l'entreprise doit recouvrer d'une société affiliée ou apparentée. *V.a.* **account receivable** 1.

INTERCOMPANY ACCOUNTS
COMPTES INTERSOCIÉTÉS, COMPTES RÉCIPROQUES

Comptes où sont consignées les opérations entre deux sociétés affiliées ou apparentées, notamment une société mère et une de ses filiales. *V.a.* **reciprocal accounts** 2.

INTERCOMPANY ELIMINATION
ÉCRITURE D'ÉLIMINATION, ÉCRITURE D'ANNULATION

Voir **eliminating entry**.

INTERCOMPANY HOLDING
PARTICIPATION CROISÉE, PARTICIPATION RÉCIPROQUE

Voir **reciprocal shareholding**.

INTERCOMPANY PROFIT
PROFIT INTERSOCIÉTÉS, GAIN INTERSOCIÉTÉS

Excédent du prix demandé par une société à une autre qui lui est affiliée ou apparentée pour les services qu'elle lui a rendus ou les marchandises qu'elle lui a vendues, sur le coût de ces services ou de ces marchandises pour le groupe économique que ces deux sociétés constituent. *V.a.* **transfer price**.

INTERCOMPANY TRANSACTION
OPÉRATION INTERSOCIÉTÉS, OPÉRATION RÉCIPROQUE

Opération conclue entre deux sociétés affiliées ou apparentées.

INTEREST 1.
INTÉRÊT

(fin.) Rémunération servie en contrepartie de l'utilisation d'un capital appartenant à autrui. *N.B.* L'intérêt est le

loyer de l'argent et est directement proportionnel au montant du capital emprunté, à la durée de l'emprunt et au taux d'intérêt convenu entre le prêteur et l'emprunteur. *V.a.* **accrued interest**, **arrears of interest**, **compound interest**, **imputed interest** 1., 2. et 3., **interest expense**, **interest income**, **interest on arrears** et **simple interest**.

INTEREST 2.
PARTICIPATION, PART

(fin.) Possession, par une société ou un particulier, d'une partie du capital d'une autre société. *N.B.* On dit d'une personne qui a une part ou qui investit de l'argent dans une affaire qu'elle a des intérêts dans cette affaire. *Syn.* **ownership interest**. *V.a.* **long term intercorporate investment**, **majority interest** et **minority interest** 1.

INTEREST BEARING NOTE
BILLET PORTANT INTÉRÊT

(dr.) Billet dont le taux d'intérêt que doit payer le souscripteur est expressément mentionné dans le libellé du billet. *Comparer avec* **non-interest bearing note**.

INTEREST COUPON
COUPON D'INTÉRÊT

(fin.) Partie détachable d'un certificat d'obligation et sur la présentation de laquelle la société émettrice paie les intérêts échus. *V.a.* **clip a coupon**, **coupon** 1. et **coupon bond**.

INTEREST COVERAGE RATIO
(RATIO DE) COUVERTURE DE L'INTÉRÊT

(anal. fin.) Quotient du bénéfice (compte non tenu des intérêts sur la dette à long terme et des impôts sur les bénéfices de l'exercice) par les intérêts sur la dette à long terme. *V.a.* **ratio analysis**.

INTEREST DUE
INTÉRÊTS ÉCHUS, INTÉRÊTS EXIGIBLES

(fin.) Intérêts payables par coupons mais non encore versés parce que, par exemple, le détenteur de ces coupons ne les a pas présentés à l'encaissement. *N.B.* Les intérêts sont dits aussi échus lorsqu'ils sont payables par chèques et qu'à la date de paiement, les chèques n'ont pas encore été émis.

INTEREST EARNED
INTÉRÊTS CRÉDITEURS

Voir **interest income**.

INTEREST EXPENSE
INTÉRÊTS DÉBITEURS

Intérêts figurant à titre de charge financière dans l'état des résultats (ou compte de résultat) de l'emprunteur. *Syn.* **debit interest**. *V.a.* **interest** 1.

INTEREST IN ARREARS
ARRIÉRÉ D'INTÉRÊTS, INTÉRÊTS EN SOUFFRANCE, INTÉRÊTS ARRIÉRÉS

Voir **arrears of interest**.

INTEREST INCOME
INTÉRÊTS CRÉDITEURS

Intérêts figurant à titre de produit financier dans l'état des résultats (ou compte de résultat) du prêteur ou de l'investisseur. *Syn.* **earned interest** et **interest earned**. *V.a.* **interest** 1.

INTEREST METHOD OF BOND DISCOUNT (OR PREMIUM) AMORTIZATION
MÉTHODE (DE DÉTERMINATION) DE L'INTÉRÊT RÉEL

Voir **effective interest method**.

INTEREST ON ARREARS
INTÉRÊTS MORATOIRES, INTÉRÊTS DE RETARD, INTÉRÊTS DE PÉNALISATION

(fin.) Intérêts exigés, à titre de pénalité de retard, pour compenser le règlement tardif d'une créance ou l'inobservation d'une obligation. *Syn.* **default interest** 2. et **penalty interest**. *Comparer avec* **arrears of interest**. *V.a.* **interest** 1.

INTEREST RATE
TAUX D'INTÉRÊT

(fin.) Pourcentage appliqué à une somme placée ou empruntée et donnant les intérêts que rapporte cette somme pour une unité de temps (généralement une période de douze mois). *Syn.* **rate of interest**.

INTEREST RATE FUTURES MARKET
MARCHÉ À TERME SUR (LES) TAUX D'INTÉRÊT, MARCHÉ À TERME DES TITRES FINANCIERS

(Bourse) Marché dans lequel un **arbitragiste** achète ou vend à un prix fixé d'avance des titres financiers portant intérêt qui seront livrés et payés à une date future et déterminée. *N.B.* Les titres en question sont essentiellement des obligations d'État et des bons du Trésor dont le prix fluctue en fonction des taux d'intérêt. De plus, dans ce genre de contrats, il n'y a généralement pas transfert du droit de propriété des titres parce que les contrats sont le plus souvent liquidés avant la date de livraison prévue. *Syn.* **financial futures market**. *V.a.* **arbitrage**, **futures market** et **hedge** *n.*

INTERFACE
INTERFACE, JONCTION, LIAISON

(inf.) Frontière entre deux systèmes, matériels ou logiciels leur permettant d'échanger des informations par l'adoption de règles communes physiques ou logiques et, par extension, appareil ou dispositif ajouté à l'un des systèmes, organes ou machines pour permettre sa mise en communication avec un autre système, organe ou machine.

INTERFUND ACCOUNTS
COMPTES INTERFONDS

(compt. par fonds) Comptes qui font ressortir les opérations effectuées entre différents fonds, par exemple entre le fonds d'administration générale et le fonds d'amortissement.

INTERIM AUDIT 1.
VÉRIFICATION DES SYSTÈMES, VÉRIFICATION PRÉLIMINAIRE, CONTRÔLE(S)
   INTÉRIMAIRE(S) (Fr. et Belg.)

(E.C.) Travail effectué par l'expert-comptable en cours d'exercice et portant, d'une part, sur l'évaluation du système de contrôle interne de l'entreprise et des autres systèmes en vigueur et, d'autre part, sur un certain nombre d'opérations. *N.B.* L'objet de ce travail, que l'on appelle parfois au Canada **vérification intérimaire**, est de faciliter la vérification (ou révision des comptes) faite en fin d'exercice en vue de s'assurer si l'information financière que renferment les états financiers (ou comptes annuels) est fidèle. *Comparer avec* **year-end audit** 1. *V.a.* **audit** *n.* 3. et **pre-year-end audit**.

INTERIM AUDIT 2.
VÉRIFICATION PÉRIODIQUE, RÉVISION PÉRIODIQUE

(E.C.) Travail effectué par l'expert-comptable en cours d'exercice aux termes d'une mission spéciale lui confiant le soin de vérifier (ou réviser) les états financiers trimestriels ou semestriels d'une société cotée. *N.B.* En France et en Belgique, on parle aussi parfois, dans ce cas, de ***audit* intérimaire**. *Comparer avec* **year-end audit** 2. *V.a.* **audit** *n.* 3.

INTERIM AUDIT 3.
VÉRIFICATION ANTICIPÉE, RÉVISION INTÉRIMAIRE (Fr.)
Voir **pre-year-end audit**.

INTERIM CERTIFICATE
CERTIFICAT PROVISOIRE, TITRE PROVISOIRE

(fin.) Certificat d'action(s), d'obligation, etc. émis en attendant que le certificat définitif soit prêt ou que les

investisseurs aient payé en entier le titre dont le prix est réglé par versements. *V.a.* **bond certificate** et **share certificate**.

INTERIM FINANCIAL STATEMENT
ÉTAT FINANCIER PÉRIODIQUE, RAPPORT FINANCIER PÉRIODIQUE, SITUATION PROVISOIRE (Fr.)

État dressé à une date quelconque durant l'exercice ou pour une période se terminant à une date différente de celle de la fin de l'exercice. *N.B.* Au Canada, les Bourses exigent que les sociétés cotées publient des états financiers trimestriels alors qu'en France et en Belgique, ces sociétés sont tenues de publier une **situation** au moins une fois par semestre. *V.a.* **interim report** et **quarterly financial statements**.

INTERIM FINANCING
FINANCEMENT PROVISOIRE, PRÉFINANCEMENT

(fin.) Emprunt à court terme que l'entreprise remboursera au moyen du produit d'une émission d'obligations ou de fonds provenant d'une opération future de financement. *V.a.* **bridging advance**.

INTERIM JOB
EMPLOI TEMPORAIRE

(aff.) Emploi dont la durée est limitée.

INTERIM REPORT
RAPPORT PÉRIODIQUE

Rapport renfermant les états financiers (ou comptes) périodiques d'une entreprise, accompagnés généralement de commentaires de la direction. *V.a.* **interim financial statement**.

INTERIM RESULTS
RÉSULTATS PÉRIODIQUES

Résultats d'une entreprise déterminés pour une période se terminant à une date différente de celle de la fin de l'exercice.

INTERLOCKING DIRECTOR
ADMINISTRATEUR DE LIAISON

(gest.) Administrateur qui siège au conseil d'administration de plusieurs filiales d'une même entreprise.

INTERMEDIARY
INTERMÉDIAIRE

(comm.) Personne non salariée (commissionnaire, courtier, agent commercial) ou entreprise qui met en rapport, moyennant rémunération, un vendeur et un acheteur sans devenir acquéreur du bien qui fait l'objet de l'opération. *V.a.* **broker** 1.

INTERMEDIATE
STAGIAIRE

Voir **junior (auditor)**.

INTERNAL AUDIT
VÉRIFICATION INTERNE

(gest.) Vérification ou contrôle de l'exploitation confié par la direction à un salarié de l'entreprise elle-même ou d'une société qui lui est affiliée. *N.B.* En France et en Belgique, cette vérification est souvent désignée par l'expression *audit* **interne**. *Comparer avec* **external audit**. *V.a.* **audit** *n.* 3.

INTERNAL AUDITOR
VÉRIFICATEUR INTERNE

(gest.) Personne salariée chargée de la vérification ou du contrôle des opérations comptables, financières et administratives de l'entreprise qui l'emploie ou d'une société qui lui est affiliée. *N.B.* En France et en Belgique, on donne souvent à la personne chargée de ce contrôle le nom de *auditeur* **interne**. *Comparer avec* **external auditor**. *V.a.* **auditor** et **management auditor**.

INTERNAL CHECK
AUTOCONTRÔLE, CONTRÔLE CORRÉLATIF

(gest.) Procédé de contrôle interne qui consiste à partager les responsabilités et le travail d'inscription des données de sorte que le travail d'un employé ou d'un groupe d'employés concorde avec celui d'autres employés, ce qui assure une vérification continuelle et systématique des travaux effectués. *N.B.* Une caractéristique essentielle de ce système est qu'aucun employé ou groupe d'employés n'a la responsabilité entière d'une opération ou d'une série d'opérations. *Comparer avec* **internal control** 1.

INTERNAL CONTROL 1.
CONTRÔLE INTERNE

(gest.) Organisation structurelle de l'entreprise définie par ses cadres supérieurs et agencement des systèmes établis en vue d'assurer, dans toute la mesure du possible, une gestion saine et efficace des affaires, la préservation du patrimoine, la fiabilité des registres comptables et la publication en temps opportun de l'information financière. *Comparer avec* **internal check**. *V.a.* **accounting control** et **control** 3.

INTERNAL CONTROL 2.
(PROCÉDÉ DE) CONTRÔLE INTERNE

Chacun des éléments constitutifs d'un système de contrôle interne.

INTERNAL CONTROL LETTER
LETTRE SUR LE CONTRÔLE INTERNE

(E.C.) Lettre adressée par l'expert-comptable à la direction de l'entreprise pour lui faire part des lacunes constatées dans le contrôle interne lors de l'exécution de sa mission de vérification (ou révision). *V.a.* **management letter**.

INTERNAL CONTROL QUESTIONNAIRE
QUESTIONNAIRE SUR LE CONTRÔLE INTERNE, QUESTIONNAIRE D'ÉVALUATION DU CONTRÔLE INTERNE

(E.C.) Questionnaire dont le but est de mettre en évidence les lacunes du système de contrôle interne de l'entreprise et d'établir l'existence des points de contrôle pertinents sur lesquels l'expert-comptable pourra s'appuyer pour déterminer la nature et l'ampleur de son travail ainsi que le calendrier de sa mission de vérification (ou révision).

INTERNAL FINANCING
AUTOFINANCEMENT, FINANCEMENT INTERNE

(fin.) Financement d'une entreprise au moyen de fonds tirés de son exploitation. *V.a.* **self-financing**.

INTERNAL MEMO
NOTE (DE SERVICE)

Voir **memorandum** 2.

INTERNAL RATE OF RETURN
TAUX DE RENDEMENT INTERNE, TAUX DE RENDEMENT EFFECTIF

(fin.) Taux de rendement pour lequel la valeur actualisée des rentrées nettes de fonds résultant d'un projet est égale au coût prévu de ce projet à la même date. *Syn.* **time adjusted rate of return**. *V.a.* **internal rate of return method**.

INTERNAL RATE OF RETURN METHOD
MÉTHODE DU (TAUX DE) RENDEMENT EFFECTIF

(fin.) Méthode qui consiste à comparer le taux de rendement interne de différents projets d'investissement en vue de choisir celui qui sera le plus rentable. *Syn.* **time adjusted rate of return method** et **yield method**. *Comparer avec* **net present value method**. *V.a.* **discounted cash flow method** et **internal rate of return**.

INTERNAL REPORTING
(COMMUNICATION DE L')INFORMATION DE GESTION

(gest.) Communication aux dirigeants, de l'information financière établie par le comptable de l'entreprise, en vue

de faciliter la prise de décisions financières et administratives et, par le fait même, la planification et le contrôle de l'exploitation. *Comparer avec* **financial reporting**. *V.a.* **management accounting** et **operating report**.

INTERNAL TRANSACTION
OPÉRATION COMPTABLE

Virement d'un élément comptable d'un compte à un autre au moyen d'une écriture, par exemple l'écriture afférente à l'amortissement et celle par laquelle le coût de produits finis est viré du compte Produits en cours au compte Produits finis. *V.a.* **transaction** 1.

INTERPERIOD TAX ALLOCATION METHODS
MÉTHODES DU REPORT D'IMPÔT

(Can.) Méthodes ayant pour objet de répartir les impôts sur un certain nombre d'exercices en vue de mieux rapprocher les produits et les charges de chaque exercice. *Syn.* **comprehensive tax allocation methods** et **tax allocation basis**. *Comparer avec* **intraperiod tax allocation** et **taxes payable basis**. *V.a.* **accrual method of tax allocation, deferral method of tax allocation, deferred income taxes, net-of-tax method, tax allocation** et **timing differences**.

INTERPRETER
INTERPRÈTE, (PROGRAMME D')INTERPRÉTATION

(inf.) Programme qui traduit en langage machine un programme énoncé dans un autre langage de programmation, en exécutant immédiatement chaque instruction avant de passer à la traduction de la suivante.

INTER-SEGMENT SALE
CESSION INTERNE, VENTE INTERSECTORIELLE

Vente effectuée par un centre de profit de l'entreprise à une autre section de la même entreprise. *V.a.* **transfer price**.

INTER-VIVOS TRUST
FIDUCIE ENTRE VIFS, FIDUCIE NON TESTAMENTAIRE

(dr.) Fiducie produisant ses effets du vivant de la personne qui l'a établie (le **disposant**). *Comparer avec* **testamentary trust**. *V.a.* **settlor** et **trust** 1.

INTESTATE
(AB) INTESTAT

(dr.) Se dit de la personne qui meurt sans avoir fait de testament et de la succession de cette personne. *N.B.* Les biens d'une personne décédée *ab intestat* sont dévolus à ses héritiers suivant l'ordre établi par la loi.

IN THE BLACK *(fam.)*
RENTABLE

(aff.) Se dit d'une entreprise dont l'exploitation est rentable et qui, par conséquent, réalise annuellement des bénéfices. *Comparer avec* **in the red** *(fam.)*.

IN THE RED *(fam.)*
DÉFICITAIRE, DANS LE ROUGE (fam.), EN ROUGE (fam.)

(aff.) Se dit d'une entreprise dont le compte en banque présente un découvert ou dont l'exploitation est déficitaire. *N.B.* L'expression **dans le rouge** provient de l'utilisation faite, dans le passé, de l'encre rouge pour indiquer un découvert, une perte. *Comparer avec* **in the black** *(fam.)*.

INTRAPERIOD TAX ALLOCATION
VENTILATION DES IMPÔTS (DE L'EXERCICE)

(Can.) Méthode qui consiste à répartir les impôts d'un exercice entre ceux se rapportant respectivement au bénéfice d'exploitation, aux postes extraordinaires et aux redressements affectés aux exercices antérieurs. *Comparer avec* **interperiod tax allocation methods**. *V.a.* **tax allocation**.

IN TRUST
EN FIDÉICOMMIS, EN FIDUCIE
(fid.) Se dit d'un bien confié à une personne physique ou morale qui doit en assurer la garde et la gestion jusqu'au moment où elle devra le restituer en conformité avec les instructions données par le disposant. *V.a.* **trust account**.

INVENTORIABLE COSTS
COÛTS INCORPORABLES, CHARGES INCORPORABLES, FRAIS INCORPORABLES
Voir **product costs**.

INVENTORY *v.*
INVENTORIER, PROCÉDER À L'INVENTAIRE, DRESSER L'INVENTAIRE
Dénombrer les articles en stock à une date donnée et déterminer leur valeur.

INVENTORY *n.* 1.
STOCK, APPROVISIONNEMENTS, EXISTANTS
Articles qu'une maison d'affaires a en magasin à un moment donné et qu'elle a l'intention de vendre ou d'utiliser pour fabriquer un produit ou rendre un service. *N.B.* On entend par **existant** la quantité constituant le stock d'un article telle qu'elle ressort soit de l'inventaire physique (**existant réel** ou **existant physique**), soit de la prise en considération des écritures (**existant comptable** ou **existant en écriture**). Étendu à l'ensemble des articles d'un stock, le terme **existant** s'emploie communément au pluriel. Le terme **approvisionnements** désigne les objets que l'entreprise achète pour la formation de biens et services à vendre ou à immobiliser. *Syn.* **stock** 4. et **stock-in-trade**. *V.a.* **book inventory** 1.

INVENTORY *n.* 2.
INVENTAIRE
Relevé détaillé des marchandises qu'une entreprise a en magasin à une date donnée. *V.a.* **beginning inventory**, **book inventory** 2., **ending inventory**, **periodic inventory (method)**, **perpetual inventory (method)** et **physical inventory**.

INVENTORY *n.* 3.
INVENTAIRE, DÉNOMBREMENT, RÉCOLEMENT
Voir **stocktaking**.

INVENTORY *n.* 4
INVENTAIRE
État descriptif et estimatif du patrimoine d'une personne physique à une date donnée et, plus particulièrement, de sa succession à son décès. Pour une entreprise, le terme **inventaire**, pris dans un sens large, consiste dans un recensement exhaustif des éléments de son actif et de son passif et dans une évaluation détaillée, par catégories, de ces éléments. *N.B.* En France et en Belgique, l'**inventaire** est un document donnant l'état descriptif et estimatif du patrimoine que la législation sur les sociétés prescrit à toute société commerciale dotée de la personnalité morale d'établir à la clôture de chacun de ses exercices; après certification du commissaire aux comptes, l'inventaire doit être communiqué aux associés dans des conditions qui varient selon le type de sociétés; enfin, l'inventaire fait partie des documents qui sont soumis à l'approbation de l'Assemblée générale ordinaire, sauf dans le cas des sociétés anonymes. Dans ce contexte, une **unité d'inventaire** constitue la plus petite partie inventoriée sous chaque article de la nomenclature de l'entreprise et l'**élément comptable** est le groupement des unités d'inventaire qui, pour la valorisation au bilan, sont considérés comme indissociables; c'est au niveau de cet élément que s'opère la comparaison entre la **valeur portée en écriture** et la **valeur d'inventaire**. *V.a.* **periodic procedures**.

INVENTORY CARD
FICHE DE STOCK, FICHE D'INVENTAIRE
Document tenu par le magasinier, destiné à suivre un stock physique individualisé, et sur lequel sont portés, à raison d'une fiche par article : 1) des indications permanentes (désignation, code, unité de compte, emplacement, niveau de réapprovisionnement, etc.), et 2) les mouvements du stock physique (entrées et sorties). *Syn.* **inventory record card** et **stock card**. *V.a.* **bin card**.

INVENTORY CERTIFICATE
DÉCLARATION D'INVENTAIRE, ATTESTATION D'INVENTAIRE

(E.C.) (Can.) Lettre que la direction de l'entreprise remet à l'expert-comptable et dans laquelle elle décrit notamment les méthodes utilisées pour dresser l'inventaire physique des stocks, leur base d'évaluation et les marchandises cédées en garantie. *N.B.* En France et en Belgique, le réviseur obtient habituellement de l'entreprise une **note des procédures d'inventaire** dans laquelle est décrite la façon dont l'inventaire, c'est-à-dire l'état descriptif du patrimoine, sera établi.

INVENTORY CONTROL
CONTRÔLE DES STOCKS

(gest. et *compt.)* Mesures (par exemple le dénombrement des articles stockés et la méthode de l'inventaire permanent) utilisées pour contrôler *a posteriori* l'efficacité des méthodes de gestion des stocks. *V.a.* **inventory management**.

INVENTORY COST ALLOCATION METHODS
MÉTHODES (D'ÉVALUATION DES STOCKS) FONDÉES SUR LE FLUX DES COÛTS

Voir **cost flow methods**.

INVENTORY DIFFERENCE
ÉCART D'INVENTAIRE, DIFFÉRENCE D'INVENTAIRE

Quantité en plus ou en moins constatée lors du dénombrement des articles en stock. *V.a.* **inventory overage** 1. et **inventory shortage** 1.

INVENTORY HOLDING GAIN
GAIN DE DÉTENTION SUR STOCKS, PROFIT DE DÉTENTION SUR STOCKS

En comptabilité au coût actuel, profit non réalisé résultant de l'évaluation des stocks à leur coût actuel et égal à la différence entre ce coût actuel à la date de clôture des comptes et le coût d'achat des stocks. *N.B.* Ce gain qui ne se matérialisera que lors de la vente des articles stockés sera alors égal à l'excédent du coût actuel des articles vendus à la date où la vente aura lieu sur leur coût d'achat.

INVENTORY MANAGEMENT
GESTION DES STOCKS

(gest.) Mesures prises *a priori* pour assurer un approvisionnement efficace des marchandises, matières et produits ainsi que leur entreposage de façon à satisfaire aux besoins à plus ou moins long terme de la production ou de la vente. *V.a.* **inventory control**.

INVENTORY OVERAGE 1.
EXCÉDENT, ÉCART D'INVENTAIRE POSITIF

Quantité en plus constatée lors du dénombrement des articles stockés; différence positive résultant de la comparaison entre l'inventaire physique et les comptes d'inventaire permanent. *Comparer avec* **inventory shortage** 1. *V.a.* **book inventory** 2., **inventory difference** et **perpetual inventory (method)**.

INVENTORY OVERAGE 2.
SURSTOCK, SURSTOCKAGE, STOCK EXCÉDENTAIRE

(gest.) Stock trop important par rapport au chiffre d'affaires de l'entreprise. *N.B.* Ce stock superflu dépasse le niveau nécessaire à l'exploitation et est généralement source de dépenses inutiles (frais d'entreposage, assurances, intérêts sur le capital investi en stock, obsolescence, etc.). *Syn.* **excess inventory quantity**. *Comparer avec* **inventory shortage** 2. *V.a.* **overstock** *v.*

INVENTORY PROFIT
PROFIT FICTIF SUR STOCKS

En période d'inflation, plus-value non matérialisée incluse dans le bénéfice de l'exercice. *N.B.* Cette plus-value qui est attribuable à l'accroissement du coût de remplacement des articles stockés donne lieu à un profit fictif lorsque la méthode de l'épuisement successif ou celle du coût moyen est en usage parce que, le coût du réapprovisionnement ayant augmenté, il faut réinvestir ce profit dans les stocks au lieu de le distribuer ou de l'affecter à d'autres fins, ce qui serait possible si les prix ne fluctuaient pas à la hausse. *V.a.* **illusory profit** *(fam.)*.

INVENTORY RECORD CARD
FICHE DE STOCK, FICHE D'INVENTAIRE
Voir **inventory card.**

INVENTORY SHORTAGE 1.
(ARTICLES) MANQUANTS, ÉCART D'INVENTAIRE NÉGATIF
(aff.) Quantité en moins constatée lors du dénombrement des articles stockés; différence négative résultant de la comparaison entre l'inventaire physique et les comptes d'inventaire permanent. *N.B.* On appelle aussi **manquant** ce qui fait défaut lorsque l'on compare les quantités reçues et les quantités annoncées sur les **pièces d'accompagnement** d'une livraison et on peut désigner par l'expression **démarque inconnue** les articles manquants dans les grands magasins du fait du vol à l'étalage ou de casse non déclarée. *Comparer avec* **inventory overage** 1. *V.a.* **book inventory** 2., **inventory difference, perpetual inventory (method)** et **shortage** 2.

INVENTORY SHORTAGE 2.
RUPTURE DE STOCK, PÉNURIE DE STOCK
(gest.) Situation dans laquelle le stock physique est provisoirement épuisé et qui empêche l'entreprise de fonctionner normalement. *N.B.* Cette situation entraîne un coût appelé **coût de rupture** ou **coût de défaillance** lequel reflète les conséquences dommageables pour l'entreprise d'une rupture de stock. Ces conséquences sont notamment le chiffre d'affaires perdu, le mécontentement du client, le coût du réapprovisionnement fait à la hâte et la mauvaise image qui en résulte pour l'entreprise. Le nombre d'unités de l'article faisant défaut pour satisfaire pleinement une commande porte le nom de **manquant.** *Syn.* **out of stock.** *Comparer avec* **inventory overage** 2.

INVENTORY SHRINKAGE
FREINTE (DE STOCK)
(aff.) Perte de marchandises survenue au cours d'opérations de transport (**freinte de route**) ou de stockage. *N.B.* Cette perte est considérée comme normale et elle n'est pas comptée comme avarie ni manquant pourvu qu'elle ne dépasse pas un certain pourcentage fixé par les usages ou spécifié dans le contrat. *V.a.* **shrinkage** 1.

INVENTORY TAX ALLOWANCE
DÉGRÈVEMENT FISCAL AFFÉRENT AUX STOCKS
(fisc. can.) Somme égale à un pourcentage donné du coût des stocks d'ouverture que l'entreprise peut déduire dans le calcul de son revenu imposable.

INVENTORY TURNOVER
(TAUX DE) ROTATION DES STOCKS, (COEFFICIENT DE) ROTATION DES STOCKS
(anal. fin.) Nombre de fois que le stock se renouvelle au cours d'un exercice, c'est-à-dire le quotient des sorties, consommations ou ventes d'un article, d'une famille d'articles ou de l'ensemble des articles, par le stock physique moyen correspondant. *N.B.* Les deux termes de ce ratio doivent être exprimés sur la même base soit en quantité, soit en valeur d'achat, cette dernière base étant généralement la plus employée. Il est fréquent que, faute de mieux, on substitue au stock physique moyen le stock à un moment donné (fin de mois, fin d'exercice, etc.); dans ce cas, il est préférable de parler de **ratio ponctuel de rotation des stocks.** *Syn.* **rate of inventory turnover.** *V.a.* **ratio analysis** et **turnover** 1.

INVENTORY VALUATION METHODS
MÉTHODES D'ÉVALUATION DES STOCKS, MÉTHODES DE VALORISATION DES STOCKS
Méthodes qui peuvent être utilisées pour déterminer la valeur à laquelle les stocks figureront dans le bilan d'une entreprise commerciale ou industrielle. *V.a.* **cost method (for inventories), cost flow methods, gross profit method, lower of cost and market method, net selling price method, replacement cost method** et **retail inventory method.**

INVESTED CAPITAL
CAPITAL INVESTI, CAPITAL PERMANENT
(fin.) Ressources investies dans l'entreprise par les propriétaires et les créanciers et représentées respectivement par les capitaux propres et les capitaux empruntés. *N.B.* Le terme **capital investi** peut aussi, selon le cas, désigner le total de l'actif ou les capitaux propres seulement. *V.a.* **permanent capital.**

INVESTEE
SOCIÉTÉ DÉPENDANTE, SOCIÉTÉ ÉMETTRICE (Can.)

(écon.) Société dont une partie des titres (généralement des actions) sont détenus par la société participante ou dominante. *N.B.* Le terme **société dépendante** s'entend aussi d'une société sur laquelle un groupe exerce une influence prépondérante sans obligatoirement détenir une part de son capital. *V.a.* **company subject to significant influence**. *Comparer avec* **investor** 2.

INVESTIGATE
FAIRE DES RECHERCHES, SCRUTER, ENQUÊTER

(E.C.) Pour l'expert-comptable, examiner quelque chose avec attention en vue de découvrir un fait caché ou de trouver une solution à un problème complexe. *N.B.* L'examen en question nécessite une recherche méthodique reposant notamment sur des témoignages et des réponses à des questionnaires.

INVESTIGATION
MISSION PARTICULIÈRE, EXPERTISE, ÉTUDE SPÉCIALE

(E.C.) Enquête effectuée par un expert-comptable dans un but particulier et pouvant être plus ou moins poussée que la vérification (ou révision) annuelle des comptes. *N.B.* À titre d'exemples de ce genre d'études, mentionnons : a) l'étude des résultats d'un certain nombre d'exercices avant l'émission de titres ou l'acquisition d'une entreprise, b) l'étude des livres, des pièces justificatives et autres documents pertinents après la découverte d'une fraude, c) l'étude effectuée à la demande d'une banque, d'une société de crédit ou d'un investisseur, et d) une expertise judiciaire.

INVESTMENT 1.
INVESTISSEMENT

(fin.) Acquisition par une collectivité ou une entreprise de nouveaux éléments destinés à entrer dans son patrimoine. *N.B.* On distingue les **investissements productifs** liés à la croissance de l'entreprise ou à sa modernisation, les **investissements intellectuels** (recherche, innovation, formation du personnel, etc.), les **investissements financiers**, les **investissements de remplacement**, et les **investissements stratégiques** destinés, par exemple, à réduire le risque et à améliorer les conditions de travail dans l'entreprise. *Comparer avec* **disinvestment**.

INVESTMENT 2.
MISE DE FONDS, INVESTISSEMENT

(fin.) Apport de capital dans une entreprise. *V.a.* **contribution** 1.

INVESTMENT 3.
PLACEMENT

(fin.) Affectation d'une somme d'argent, par un particulier ou une entreprise, à l'achat de valeurs mobilières ou immobilières.

INVESTMENT 4.
(TITRES DE) PARTICIPATION

(fin.) Valeurs mobilières (généralement des actions ou des parts sociales) qui assurent à leur possesseur une influence plus ou moins grande sur une société et qui lui confèrent le droit de participer aux bénéfices de cette société et à sa gestion. *N.B.* Ces valeurs constituent un élément de l'actif à long terme si elles ne sont pas destinées à être vendues. À la clôture de chaque exercice, l'évolution de la valeur mathématique des titres de participation (quote-part de la situation nette qu'ils représentent) et des plus-values ou des moins-values latentes pouvant affecter cette valeur doit faire l'objet d'un examen. Les diminutions constatées par rapport à la valeur d'origine des titres en question doivent, en principe, faire l'objet d'une **provision pour dépréciation** si ces diminutions ont un caractère de permanence. *Syn.* **equity security**.

INVESTMENT 5.
(TITRE DE) PLACEMENT

(fin.) Valeur mobilière (action ou obligation) qu'une entreprise acquiert, le plus souvent à des fins de gestion de trésorerie, en vue d'en retirer un revenu direct ou une plus-value à court ou à moyen terme. *V.a.* **security** 1.

INVESTMENT BANKER *(U.S.)*
PRENEUR FERME
Voir **underwriter** 2.

INVESTMENT CENTRE
CENTRE D'INVESTISSEMENT, SECTION D'INVESTISSEMENT, CENTRE DE RENTABILITÉ
(gest.) Centre de responsabilité pour lequel un aménagement approprié des comptes permet de connaître le rapport entre le profit réalisé par ce centre et les ressources qui y sont investies en vue d'évaluer le rendement de celui qui en a la direction. *V.a.* **accounting unit** 2., **cost centre**, **profit centre** et **responsibility centre**.

INVESTMENT CERTIFICATE
CERTIFICAT DE DÉPÔT, CERTIFICAT DE PLACEMENT
Voir **deposit certificate**.

INVESTMENT CLUB
CLUB D'INVESTISSEMENT, CLUB DE PLACEMENT
(fin.) Groupe de personnes physiques formé pour pratiquer des achats et des ventes de valeurs mobilières en commun et ainsi permettre à ces personnes de s'initier à la Bourse et de constituer progressivement un portefeuille de titres que chacun, individuellement, ne pourrait détenir.

INVESTMENT COMPANY 1.
SOCIÉTÉ DE PORTEFEUILLE, «HOLDING»
Voir **holding (company)**.

INVESTMENT COMPANY 2.
SOCIÉTÉ DE PLACEMENT, SOCIÉTÉ D'INVESTISSEMENT
(fin.) Société qui effectue des placements en valeurs mobilières pour son propre compte. *N.B.* L'organisme de gestion collective de valeurs mobilières ou de biens immobiliers porte le nom de **société de placement collectif**. *Syn.* **investment trust**. *V.a.* **closed-end investment company**, **mutual fund** 1. et **real estate investment trust (REIT)**.

INVESTMENT DEALER
COURTIER EN VALEURS MOBILIÈRES
(fin.) (Can.) Personne qui fait profession de s'entremettre, pour le compte de tiers, dans des opérations portant sur l'achat ou la vente de valeurs mobilières et qui parfois effectue des opérations de cette nature pour son propre compte. *V.a.* **stockbroker**.

INVESTMENT INCOME
REVENU DE PLACEMENT, PRODUIT FINANCIER, REVENU MOBILIER
Intérêts et dividendes qu'une entreprise ou un particulier tire des sommes investies en valeurs mobilières. *N.B.* Les produits financiers comprennent également les gains provenant de la vente de placements de portefeuille.

INVESTMENT POOL
FONDS COMMUN DE PLACEMENT (F.C.P.)
(fin.) Dans un organisme sans but lucratif, regroupement des ressources de plusieurs fonds de dotation en vue d'effectuer des placements en valeurs mobilières. *N.B.* L'expression **fonds commun de placement** s'emploie, dans un autre sens, pour désigner une copropriété de valeurs mobilières ou de sommes placées à court terme ou à vue. Les droits des copropriétaires aux actifs compris dans le fonds sont exprimés en parts, chaque part correspondant à une fraction de ces actifs. Les porteurs de parts, leurs héritiers, ayants droit ou créanciers ne peuvent provoquer le partage d'un fonds par distribution entre eux des sommes ou valeurs comprises dans ce fonds. *V.a.* **mutual fund** 2. et **pooled fund**.

INVESTMENT PROJECT
PROJET D'INVESTISSEMENT
(fin.) Projet d'une entreprise portant sur l'acquisition d'immobilisations, leur remplacement, la décision d'acheter ou de fabriquer un article ou une pièce, la décision de refinancer des obligations, etc. *Syn.* **capital project**.

INVESTMENT TAX CREDIT
DÉGRÈVEMENT D'IMPÔT POUR INVESTISSEMENTS, CRÉDIT D'IMPÔT À L'INVESTISSEMENT, AIDE FISCALE À L'INVESTISSEMENT
(fisc.) Dégrèvement d'impôt accordé aux entreprises qui effectuent certaines formes d'investissements en immobilisations au cours d'une période déterminée. *V.a.* **abatement** 3., **deferral method (investment tax credit)** et **flow-through method (investment tax credit)**.

INVESTMENT TRUST
SOCIÉTÉ DE PLACEMENT, SOCIÉTÉ D'INVESTISSEMENT
Voir **investment company** 2.

INVESTOR 1.
INVESTISSEUR, ÉPARGNANT
(fin.) Personne qui place de l'argent dans des valeurs mobilières. *N.B.* La personne qui investit une partie de son revenu qu'elle n'affecte pas à des dépenses de consommation est à la fois un **investisseur** et un **épargnant**.

INVESTOR 2.
SOCIÉTÉ DOMINANTE, SOCIÉTÉ PARTICIPANTE (Can.)
(écon.) Société qui détient une participation dans une autre société. *Comparer avec* **investee** et **parent company**. *V.a.* **controlling company**.

INVOICE *n.*
FACTURE
(comm.) Pièce comptable établie par le vendeur et sur laquelle figurent la quantité, la nature et la valeur des marchandises vendues ou des services rendus ainsi que les conditions de règlement. *V.a.* **bill** *n.* 1.

INVOICE *v.* 1.
FACTURER (QUELQUE CHOSE À QUELQU'UN)
(comm.) Porter une marchandise sur une facture.

INVOICE *v.* 2.
ÉTABLIR UNE FACTURE
(comm.) Dresser une facture au nom d'une personne ou d'une entreprise.

INVOICING
FACTURATION
Voir **billing**.

IOU *(fam.)*
RECONNAISSANCE DE DETTE
(aff.) Abrév. de *I owe you*. Écrit rédigé sans formalités dans lequel un débiteur reconnaît devoir à quelqu'un une somme précise et promet de la rembourser dans un certain délai avec ou sans intérêts.

IRREGULARITY
IRRÉGULARITÉ
(dr.) Action, omission ou erreur contrevenant à une norme, une loi ou une règle. *V.a.* **fraud**.

IRREVOCABLE LEASE
BAIL IRRÉVOCABLE
(dr.) Contrat de location que le locataire ne peut révoquer, annuler ou résilier. *V.a.* **binding contract**.

ISSUANCE
ÉMISSION
(fin. et dr.) Action d'émettre des titres (actions ou obligations), des effets de commerce (billets ou traites) ou des documents comptables (chèques, factures, etc.).

ISSUANCE EXPENSES
FRAIS D'ÉMISSION
Voir **floatation costs**.

ISSUE *v.*
ÉMETTRE

(fin. et *dr.)* Mettre en circulation, offrir au public des titres (actions ou obligations); rédiger un document comptable (chèque ou facture); signer un effet de commerce (billet ou traite).

ISSUE *n.*
ÉMISSION

(fin.) Ensemble de titres d'une catégorie donnée émis par une société ou une Administration publique.

ISSUE PRICE
PRIX D'ÉMISSION, COURS D'ÉMISSION

(fin.) Prix ou cours auquel une société émet des actions ou des obligations.

ISSUED CAPITAL
CAPITAL ÉMIS

(fin.) (Can.) Expression désignant les actions d'une société pour lesquelles celle-ci a délivré des certificats de propriété, en contrepartie d'investissements permanents. *V.a.* **capital stock**.

ISSUED SHARES
ACTIONS ÉMISES

(fin.) Actions du capital social d'une entreprise remises aux actionnaires moyennant une contrepartie en espèces ou en nature.

ISSUER
ÉMETTEUR, SOCIÉTÉ ÉMETTRICE

(dr. et *fin.)* Personne ou organisme qui émet des effets de commerce (billets, chèques, etc.) et, dans le cas de titres (actions ou obligations), société qui offre ces titres à des investisseurs.

ITEM 1.
ARTICLE

(comm.) Tout objet de commerce destiné à la vente, ou ensemble d'objets répondant à une même identification, c'est-à-dire ayant les caractéristiques que l'on a décidé de retenir pour les différencier des autres. *N.B.* Le plus souvent, les articles sont des variantes d'un modèle ou d'un type de produits.

ITEM 2.
POSTE, ÉLÉMENT

Intitulé d'un compte, état financier, section d'un rapport financier ou budget.

ITEM 3.
ARTICLE, POINT

(dr. et *aff.)* Partie qui forme une division d'un contrat, de l'ordre du jour d'une réunion, etc. *N.B.* Le terme **article** s'utilise aussi en comptabilité pour désigner l'inscription portée dans un journal ou dans un compte. *V.a.* **entry**.

ITEM 4.
ARTICLE, ÉLÉMENT D'INFORMATION

(inf.) Ensemble organisé de données se rapportant à un même objet ou à un même sujet. *V.a.* **list** *n.*

ITEM DEPRECIATION
AMORTISSEMENT À L'UNITÉ

Amortissement calculé séparément pour chaque bien par opposition à l'amortissement calculé pour un groupe de biens. *Syn.* **unit depreciation**. *Comparer avec* **group depreciation**. *V.a.* **depreciation unit**.

ITEMIZED ACCOUNT
COMPTE DÉTAILLÉ

Compte renfermant tous les détails des opérations touchant ce compte par opposition à un compte dans lequel on ne retrouve que le sommaire de ces opérations. *V.a.* **open item account**.

JOB ASSIGNMENT
ATTRIBUTION DES TÂCHES, AFFECTATION DE(S) TÂCHES
(aff.) Répartition des tâches au sein d'une entreprise ou d'une unité de travail. *Syn.* **work assignment**. *V.a.* **staffing** 2.

JOBBER 1.
OUVRIER À LA TÂCHE, SOUS-TRAITANT
(aff.) Personne qui, moyennant rémunération, exécute un travail pour le compte d'autrui.

JOBBER 2.
INTERMÉDIAIRE
(comm. et *fin.)* Personne qui met en communication deux autres personnes, par exemple un grossiste et, dans le domaine des valeurs mobilières, la personne qui exécute des ordres donnés par un courtier (ou agent de change).

JOBBING WORKMAN
FAÇONNIER
(aff.) Personne travaillant à façon pour le compte d'une entreprise qui lui délègue une partie de son travail consistant à fabriquer un produit ou à rendre un service.

JOB COST SHEET
FICHE DE PRIX DE REVIENT, FICHE DE FABRICATION, ATTACHEMENT (Fr.)
Fiche sur laquelle on note chacun des éléments (matières, main-d'oeuvre et frais généraux) du coût de fabrication d'un produit, dans un système de prix de revient par commande. *Syn.* **cost sheet**.

JOB COST SYSTEM
(MÉTHODE DU) PRIX DE REVIENT PAR COMMANDE, (MÉTHODE DU) COÛT DE REVIENT PAR COMMANDE
Méthode qui consiste à déterminer le coût de chaque produit, lot ou commande en accumulant les frais qui s'y rapportent tout au long du processus de fabrication. *Syn.* **job order costing**. *Comparer avec* **process cost system**. *V.a.* **cost accounting methods** et **job lot production**.

JOB DESCRIPTION
DESCRIPTION DE(S) FONCTION(S), DÉFINITION D'EMPLOI, DÉFINITION DE POSTE(S)
(aff.) Relevé des fonctions et des tâches, des responsabilités et des relations d'autorité propres à un emploi ainsi que des responsabilités que le titulaire de cet emploi doit assumer. *V.a.* **position description**.

JOB EVALUATION
ÉVALUATION DES TÂCHES
(gest.) Analyse et évaluation des postes de travail à l'intérieur de l'entreprise dont le but est de déterminer leur

importance relative, abstraction faite de la personnalité des individus qui occupent ces postes. *N.B.* L'employeur utilise fréquemment les résultats de cette analyse pour fixer les salaires des titulaires des postes de travail évalués.

JOB INSTRUCTION TRAINING
FORMATION EN PÉDAGOGIE INDUSTRIELLE

(rel. de tr.) Mode de formation que l'entreprise assure à ses moniteurs afin qu'ils aient la compétence nécessaire pour former efficacement le personnel.

JOB LOT PRODUCTION
PRODUCTION PAR LOT(S), PRODUCTION DE PETITE SÉRIE

(prod.) Fabrication, à la demande du client, d'un nombre relativement restreint de pièces, objets ou appareils qui subissent ensemble les mêmes opérations de production. *V.a.* **custom work** et **job cost system**.

JOB METHODS TRAINING
FORMATION EN MÉTHODOLOGIE INDUSTRIELLE

(rel. de tr.) Technique pédagogique qui vise à améliorer les méthodes de travail ou d'organisation.

JOB ORDER
ORDRE DE TRAVAIL, AUTORISATION DE TRAVAIL, ORDRE D'EXÉCUTION, COMMANDE
Voir **work order** 2.

JOB ORDER COSTING
(MÉTHODE DU) PRIX DE REVIENT PAR COMMANDE, (MÉTHODE DU) COÛT DE REVIENT PAR COMMANDE
Voir **job cost system**.

JOB RELATIONS TRAINING
FORMATION AUX RELATIONS HUMAINES

(rel. de tr.) Technique pédagogique destinée à améliorer les relations de travail et, par ricochet, l'aptitude au commandement de celui qui s'y soumet.

JOB SAFETY TRAINING
FORMATION À LA PRÉVENTION DES ACCIDENTS, FORMATION À LA SÉCURITÉ DU TRAVAIL

(rel. de tr.) Programme de formation axé sur la prévention des accidents et la pratique des règles de sécurité dans l'exercice d'un métier, d'une profession.

JOB TICKET
FICHE DE TRAVAIL, BON DE TRAVAIL, ATTACHEMENT (Fr.)

(prod.) Relevé des heures de travail consacrées par différents ouvriers à une commande ou une série. *Syn.* **work sheet** 3. et **work ticket**. *Comparer avec* **clock card** et **time sheet** 1.

JOB WAGE
SALAIRE À LA TÂCHE

(prod.) Rémunération payée pour l'exécution d'une tâche selon un forfait fixé d'avance par voie réglementaire ou à l'amiable. *V.a.* **piecework**.

JOINT ACCOUNT
RELEVÉ D'UNE SOCIÉTÉ EN PARTICIPATION, ÉTAT D'UNE SOCIÉTÉ EN PARTICIPATION
Relevé des opérations d'une société en participation, établi à l'intention des participants.

JOINT AUDIT
COVÉRIFICATION (Can.), CORÉVISION, COCOMMISSARIAT (Fr.), REVISION EN COLLÈGE (Belg.)
(E.C.) **Vérification** (ou **révision**) **conjointe** à laquelle participent deux experts-comptables (ou plus) indépen-

dants l'un de l'autre (ou les uns des autres) et ayant pour mission d'exprimer conjointement une opinion sur les états financiers (ou comptes annuels) d'un entreprise donnée. *V.a.* **audit** *n.* 3.

JOINT AUDITORS
COVÉRIFICATEURS (Can.), CORÉVISEURS, COCOMMISSAIRES (Fr.), COLLÈGE DE COMMISSAIRES (Belg.), COLLÈGE DE REVISEURS (Belg.)

(E.C.) Experts-comptables indépendants les uns des autres qui participent à une même mission de vérification (ou révision).

JOINT (BANK) ACCOUNT
COMPTE (BANCAIRE) EN COMMUN, COMPTE JOINT

(banque) Compte en banque ouvert au nom de deux personnes ou plus et sur lequel chacune peut tirer des chèques. *N.B.* Par opposition au **compte joint**, le **compte indivis** fonctionne sur la signature conjointe de toutes les personnes au nom desquelles il est ouvert. *V.a.* **bank account** et **undivided property**.

JOINT COMMITTEE
COMITÉ MIXTE

(aff.) Comité formé de représentants de chacune des parties en cause. *N.B.* On entend par **comité paritaire** un comité dont le nombre de membres représentant chacune des parties est égal.

JOINT COST
COÛT COMMUN

Coût engagé par une entreprise industrielle pour fabriquer des produits conjoints ou liés ou pour fabriquer un produit principal et ses sous-produits. *N.B.* En comptabilité, ce coût est généralement réparti afin de déterminer le coût de production de chacun des produits auxquels le processus de fabrication donne lieu. *V.a.* **common costs**.

JOINT HOLDER
CODÉTENTEUR, COPOSSESSEUR, COTITULAIRE

(fin.) Personne qui détient des titres conjointement avec une ou plusieurs autres personnes.

JOINT PRODUCTS
CO-PRODUITS, PRODUITS LIÉS

(prod.) Produits différents, dont l'importance est sensiblement égale, tirés de la même matière première et obtenus ensemble de la même opération de production. *N.B.* On entend aussi par **produits liés** des produits qui sont nécessairement vendus ensemble au consommateur. *Comparer avec* **by-product** et **co-product**. *V.a.* **split-off point**.

JOINT STOCK COMPANY
SOCIÉTÉ PAR ACTIONS À RESPONSABILITÉ ILLIMITÉE

(dr.) (U.S.) Société par actions établie à la suite d'une entente survenue entre les associés qui la constituent et qui, contrairement aux actionnaires d'une société ordinaire de capitaux, sont personnellement et solidairement responsables des dettes de l'entreprise. *N.B.* En Angleterre et dans certaines provinces canadiennes, la *joint stock company* est synonyme de la *limited company*. *V.a.* **partnership**.

JOINT VENTURE
ENTREPRISE EN PARTICIPATION, COENTREPRISE, SOCIÉTÉ EN PARTICIPATION, ENTREPRISE CONJOINTE

(écon.) Groupement par lequel deux ou plusieurs personnes physiques ou morales s'engagent à mener en coopération une activité industrielle ou commerciale, ou encore décident de mettre en commun leurs ressources et d'exercer un contrôle sur celles-ci en vue d'atteindre un objectif particulier, tout en prévoyant un partage des frais engagés et des bénéfices. *N.B.* En France, un **groupement d'intérêt économique (G.I.E.)** constitue un cadre juridique particulier offert aux entreprises désireuses de mettre en commun certaines de leurs fonctions tout en conservant leur individualité et leur autonomie. L'**entreprise en participation** est parfois désignée en France par le terme *joint venture* et il existe aussi dans ce pays des sociétés en participation dont les caractéristiques sont distinctes de celles des groupements d'intérêt économique. En Belgique, on parle de **société momentanée** pour définir des **associations d'intérêt économique** limitées quant à leur objet et à leur durée dans une structure dépourvue de la personnalité juridique. *V.a.* **corporate joint venture**.

JOURNAL 1.
LIVRE-JOURNAL, JOURNAL (ORIGINAIRE)
Voir **book of original entry**.

JOURNAL 2. *(fam.)*
JOURNAL GÉNÉRAL (J.G.), JOURNAL DES OPÉRATIONS DIVERSES, JOURNAL DES O.D.
Voir **general journal**.

JOURNAL ENTRY
ÉCRITURE DE JOURNAL, ARTICLE DE JOURNAL
Inscription d'une opération dans le journal général et, par extension, dans tout autre livre-journal. *N.B.* L'**écriture** ou **article de journal** indique la date, le numéro et l'intitulé des comptes à débiter et à créditer, le montant de l'opération et parfois un libellé explicatif donnant la référence précise au document servant de base à la comptabilisation de cette opération. *V.a.* **entry** et **posting**.

JOURNALIZE
JOURNALISER, PASSER UNE ÉCRITURE DE JOURNAL
Inscrire une opération dans un journal.

JOURNAL VOUCHER
PIÈCE JUSTIFICATIVE (DU JOURNAL)
Document de source interne ou externe justifiant une écriture de journal. *V.a.* **voucher** 1.

JUDGMENT(AL) SAMPLING
ÉCHANTILLONNAGE DISCRÉTIONNAIRE, ÉCHANTILLONNAGE RAISONNÉ
(stat.) Méthode qui consiste à choisir subjectivement les individus qui feront partie de l'échantillon, par opposition à des méthodes de sélection fondées sur la statistique. *Comparer avec* **random sampling**. *V.a.* **sampling** 1.

JUNIOR (AUDITOR)
STAGIAIRE
(prof. compt.) Comptable au service d'un cabinet d'experts-comptables durant sa période d'apprentissage. *N.B.* Le terme *junior* se rend aussi, selon le cas, par les termes **jeune** et **débutant**. *Syn.* **intermediate**, **student (in accounts)** et **trainee**. *Comparer avec* **senior (auditor)**.

JUNIOR EXECUTIVE
CADRE MOYEN, CADRE INTERMÉDIAIRE
(gest.) Membre du personnel d'une entreprise exerçant des fonctions de direction sous la responsabilité d'un cadre supérieur (administrateur, directeur d'un service, etc.).

JUNIOR MORTGAGE
HYPOTHÈQUE DE RANG INFÉRIEUR, HYPOTHÈQUE DE SECOND RANG
(dr.) Hypothèque conférant à son détenteur un droit sur les biens donnés en garantie par le débiteur, droit qu'il ne peut exercer qu'après le créancier hypothécaire de premier rang. *V.a.* **mortgage** 1.

JUNIOR PARTNER
(SIMPLE) ASSOCIÉ
(prof. compt.) Jeune associé d'un cabinet d'experts-comptables par opposition aux associés principaux qui sont en général les associés les plus anciens ou les associés fondateurs. *V.a.* **partner**.

JUNIOR SECURITY
TITRE DE RANG INFÉRIEUR, TITRE DE SECOND RANG
(dr.) Titre dont le titulaire ne peut exercer qu'après les titulaires d'autres titres, le droit qu'il a sur l'actif ou sur les bénéfices d'une entreprise. *Comparer avec* **senior security**.

K

K

MILLE, MILLIER

(math.) Symbole employé pour désigner le chiffre mille. *N.B.* En informatique, ce symbole sert à désigner la capacité d'un ordinateur et il représente le chiffre 1 024, c'est-à-dire 2 à la dixième puissance.

KEYBOARD CONSOLE

PUPITRE À CLAVIER

(inf.) **Pupitre de commande** d'un système électronique muni d'un **clavier** permettant l'entrée des données dans l'ordinateur. *V.a.* **console**.

KEY EMPLOYEE

PERSONNEL CLÉ, COLLABORATEUR ESSENTIEL

(aff.) Personne qui occupe une position importante au sein d'une entreprise.

KEY MAN INSURANCE

ASSURANCE SOCIÉTÉ

(ass.) Assurance souscrite par une société, à son profit, sur la tête d'un collaborateur difficilement remplaçable, par exemple le chef de l'entreprise, en vue de faire face aux dépenses de réorganisation qu'entraînera le décès de cette personne.

KEY PUNCH

PERFORATRICE À CLAVIER, PERFORATEUR

(inf.) Machine servant à perforer une bande de papier ou une carte.

KITING 1.

FRAUDE PAR TIRAGE EN L'AIR, FRAUDE PAR TIRAGE À DÉCOUVERT

(banque) Fraude rendue possible par le temps qui s'écoule avant qu'un chèque ne soit compensé. Pour commettre cette fraude, on tire sur un compte bancaire (banque A) un chèque sans provision que l'on dépose dans un autre (banque B). Ce dernier compte a alors artificiellement un solde créditeur sur lequel on tire un ou plusieurs chèques. Le jour où la banque A découvrirait normalement que le chèque tiré sur le compte de l'entreprise en cause est sans provision, on y dépose un autre chèque sans provision tiré sur la banque B, ce qui permet de dissimuler que le premier chèque était sans provision. *N.B.* Ce processus peut être répété indéfiniment et il n'est pas rare que le fraudeur ait recours à plus de deux comptes bancaires pour dissimuler plus longtemps sa fraude et utiliser ainsi de l'argent qui ne lui appartient pas. *Comparer avec* **lapping**.

KITING 2.

DÉTOURNEMENT PAR VIREMENTS BANCAIRES

(banque) Dissimulation d'un déficit de caisse rendue possible par le temps qui s'écoule avant qu'un chèque ne soit compensé. Dans ce cas, l'employé qui s'est rendu coupable d'un détournement de fonds tire un chèque sur un compte bancaire qu'il dépose dans un autre de la même entreprise. Le jour du virement, il porte la somme en

cause au débit du deuxième compte bancaire sans la porter au crédit du premier compte, ce qui a pour effet de camoufler un détournement, dans les livres de l'entreprise, en accroissant le solde d'un de ses comptes en banque sans diminuer le solde du compte en banque sur lequel le chèque en cause a été tiré. *N.B.* Cette technique est particulièrement en usage lorsque l'employé malhonnête sait que les comptes doivent faire l'objet d'une vérification détaillée.

KITING 3.
TIRAGE EN L'AIR, TIRAGE À DÉCOUVERT

(banque) D'une manière générale, dissimulation temporaire d'un découvert bancaire par l'auteur d'un chèque qui tire parti du temps s'écoulant entre le moment où il émet ce chèque et le moment où la chambre de compensation le traite.

KNOW-HOW
SAVOIR-FAIRE

(lang. cour.) Habileté d'une personne à réussir ce qu'elle entreprend, à résoudre des problèmes pratiques en raison de sa compétence et de son expérience. *N.B.* Dans le domaine commercial, le terme *know-how*, que l'on emploie fréquemment en France et en Belgique, désigne l'ensemble des connaissances et expériences que possède une personne physique ou morale et qu'elle peut mettre à la disposition d'autrui, à titre onéreux ou gratuit.

LABEL 1.
MARQUE COLLECTIVE, LABEL
(comm.) Signe distinctif considéré comme certificat de qualité d'un produit, et délivré par un organisme public ou privé qui n'intervient pas lui-même dans la fabrication ou la vente de ce produit.

LABEL 2.
ÉTIQUETTE, LABEL (DE BANDE)
(inf.) Ensemble d'informations placées au début ou à la fin d'un fichier sur support magnétique (bande, disque) dans le but d'en contrôler l'identification. *V.a.* **tag** 2.

LABEL 3.
RÉFÉRENCE
(inf.) Dans un programme, adresse symbolique identifiant l'instruction de début d'une séquence d'instructions. *V.a.* **reference** 2.

LABELLING
ÉTIQUETAGE
(comm.) Opération consistant à placer sur chaque article, au moment de sa mise en place en magasin, une **étiquette** sur laquelle figure son prix de détail pour éventuellement permettre l'utilisation de la méthode de l'inventaire au prix de détail. *V.a.* **mark** *v.* et **price tag**.

LABOUR
MAIN-D'OEUVRE
(prod.) Travail fait par des ouvriers participant à la fabrication d'un produit, à la construction d'un bâtiment, etc. *V.a.* **direct labour**, **indirect labour** et **wages** 1.

LABOUR AGREEMENT
CONVENTION COLLECTIVE (DE TRAVAIL)
Voir **collective agreement**.

LABOUR COST
COÛT DE LA MAIN-D'OEUVRE
Partie du coût de fabrication ou de construction d'un bien représentée par la rémunération versée aux ouvriers travaillant dans une usine, sur un chantier de construction, etc. *V.a.* **direct labour** et **indirect labour**.

LABOUR EFFICIENCY VARIANCE
ÉCART SUR UTILISATION DE LA MAIN-D'OEUVRE, ÉCART DE TEMPS SUR LA MAIN-D'OEUVRE
Voir **labour usage variance**.

LABOUR INTENSIVE INDUSTRY
INDUSTRIE (À PRÉDOMINANCE) DE MAIN-D'OEUVRE, INDUSTRIE TRAVAILLISTIQUE
(écon.) Secteur d'activité caractérisé par l'abondance de la main-d'oeuvre nécessaire à l'exploitation des entreprises qui en font partie. *Comparer avec* **capital intensive industry**.

LABOUR RATE VARIANCE
ÉCART SUR TAUX DE LA MAIN-D'OEUVRE, ÉCART DE TAUX SUR LA MAIN-D'OEUVRE
Différence entre le taux réel de rémunération de la main-d'oeuvre directe et le taux standard (ou normalisé), multipliée par le nombre réel d'heures de travail. *Syn.* **direct labour rate variance**. *V.a.* **standard cost variances**.

LABOUR TURNOVER
ROTATION DU PERSONNEL, ROTATION DE LA MAIN-D'OEUVRE
(rel. de tr.) Cadence à laquelle se renouvelle le personnel d'une entreprise. *N.B.* L'alternance de personnes qui se relayent ou se remplacent dans un travail ou une fonction porte le nom de **roulement**, par exemple le roulement de deux équipes. *Syn.* **turnover** 3.

LABOUR UNION
SYNDICAT (OUVRIER)
(rel. de tr.) Association qui a pour objet la défense des intérêts des travailleurs dans les domaines suivants : conditions de production ou d'exploitation, relations employeurs et salariés, conditions de travail, salaires, etc. *Syn.* **trade union**. *V.a.* **union**.

LABOUR USAGE VARIANCE
ÉCART SUR UTILISATION DE LA MAIN-D'OEUVRE, ÉCART DE TEMPS SUR LA MAIN-D'OEUVRE
Différence entre le nombre réel d'heures de travail et le nombre prévu lors de l'établissement des normes, multipliée par le taux standard (ou normalisé) de rémunération de la main-d'oeuvre directe. *Syn.* **direct labour usage variance** et **labour efficiency variance**. *V.a.* **standard cost variances**.

LABOUR VARIANCE
ÉCART SUR MAIN-D'OEUVRE (DIRECTE)
Écart sur taux et sur utilisation se rapportant à la main-d'oeuvre directe dans un système de prix de revient standard. *Syn.* **direct labour variance**. *V.a.* **standard cost variances**.

LAID-DOWN COST 1.
COÛT (D'UN BIEN) INSTALLÉ, COÛT (D'UN BIEN) EN PLACE
Coût, y compris les frais de transport, les frais d'installation et tous les frais qu'il est nécessaire d'engager pour mettre une immobilisation en état de servir. *V.a.* **turn-key contract**.

LAID-DOWN COST 2.
COÛT EN MAGASIN, COÛT D'ACHAT RENDU
(comm.) Prix de facture de marchandises, augmenté des droits de douane et d'accise, des frais de transport et de livraison et des autres frais de même nature. *Syn.* **landed cost**. *V.a.* **price ex-works**.

LAND
TERRAIN(S)
Poste du bilan où figurent les terrains appartenant à l'entreprise et dont elle se sert pour son exploitation. *N.B.* L'entreprise qui possède un terrain est à la fois propriétaire du **sol**, du **sous-sol** et du **sur-sol**. En comptabilité, il convient de distinguer les terrains sans constructions (**terrains non bâtis**), les terrains supportant une construction (**terrains bâtis**) propriété de l'entreprise, et les terrains supportant une construction appartenant à autrui. *V.a.* **parcel of land**.

LANDED COST
COÛT EN MAGASIN, COÛT D'ACHAT RENDU
Voir **laid-down cost** 2.

LAND IMPROVEMENT (EXPENSES) 1.
(FRAIS DE) VIABILISATION, (FRAIS D')AMÉNAGEMENT DES TERRAINS
Dépenses engagées pour munir un terrain des équipements nécessaires : canalisation d'eau et d'électricité, égout, voirie, etc.

LAND IMPROVEMENT (EXPENSES) 2.
(FRAIS D')AMÉLIORATION DES TERRAINS
Dépenses supplémentaires engagées pour aménager un terrain déjà viabilisé, par exemple les travaux paysagers.

LANDLORD
PROPRIÉTAIRE
(dr.) Personne qui possède en propriété un bien immeuble cédé en location à une autre personne. *Comparer avec* **tenant**. *V.a.* **lessor**.

LAND SERVITUDE
SERVITUDE FONCIÈRE
(dr.) Droit réel grevant un terrain en faveur d'un terrain voisin et ayant notamment pour effet de restreindre ou d'interdire certaines utilisations de ce terrain. *V.a.* **easement**.

LANGUAGE
LANGAGE
(inf.) Code établi à partir d'un alphabet de signes en nombre fini, et destiné à faciliter la description des séries d'instructions et des **algorithmes** complexes à l'usage de l'ordinateur. *V.a.* **computer language** et **programming language**.

LAPPING
FRAUDE PAR REPORTS DIFFÉRÉS
Fraude qui consiste pour un employé malhonnête à s'approprier une partie des encaissements de l'entreprise et à dissimuler ce détournement de fonds en déposant des sommes reçues subséquemment. *N.B.* Ce procédé peut se continuer indéfiniment, du moins jusqu'à ce que la fraude soit découverte ou que l'employé malhonnête restitue la somme volée ou dissimule son vol au moyen d'une écriture portée frauduleusement au débit d'un compte de charge. *Comparer avec* **kiting** 1.

LAPSE
EXPIRER
(dr.) Arriver à son terme, par exemple la durée d'un contrat d'assurance, la période d'escompte, la durée d'une émission d'obligations et le délai de règlement d'un compte; **se périmer**, **devenir caduc** ou **cesser d'être en vigueur**.

LAPSED *adj.* 1.
EXPIRÉ, ÉCOULÉ
(dr.) Se dit d'un contrat, d'un délai, etc. dont la durée est terminée.

LAPSED *adj.* 2.
PÉRIMÉ, DÉCHU
(dr.) Se dit particulièrement d'un privilège ou d'un droit devenu sans valeur. *N.B.* L'adjectif **périmé** s'emploie aussi dans le cas d'un objet dont la valeur devient nulle après un certain délai ou à compter d'une certaine date.

LAPSING APPROPRIATIONS
ANNULATION DE CRÉDITS
(Adm.) Action, pour une Administration publique, d'annuler des crédits inscrits dans un budget parce qu'on ne les a pas utilisés ou parce qu'on a laissé passer la période au cours de laquelle il aurait fallu les utiliser.

LAST IN, FIRST OUT METHOD (LIFO)
(MÉTHODE DE L')ÉPUISEMENT À REBOURS; (MÉTHODE DU) DERNIER ENTRÉ, PREMIER SORTI (DEPS)

Méthode d'évaluation des stocks (et parfois des valeurs mobilières) qui consiste à attribuer aux articles en stock (ou aux titres que l'entreprise possède à une date donnée) les coûts les plus anciens. *N.B.* Selon cette méthode, qui part du principe que le bénéfice est mieux déterminé lorsque l'on associe aux ventes de l'exercice leur coût de remplacement, les articles (ou titres) vendus au cours d'un exercice sont évalués aux coûts les plus récents. Cette méthode est parfois désignée en français par le terme *lifo*. *V.a.* **cost flow methods**.

LATE RETIREMENT
RETRAITE DIFFÉRÉE, RETRAITE AJOURNÉE

(rentes) Retraite prise après l'âge normal de la retraite. *Comparer avec* **early retirement**. *V.a.* **automatic age retirement** et **retirement** 3.

LAWYER'S LETTER
(LETTRE DE) CONFIRMATION DU CONTENTIEUX

(E.C.) Lettre rédigée par un avocat à l'intention de l'expert-comptable qui désire obtenir confirmation de l'exactitude des renseignements que son client lui a fournis concernant les litiges en cours et éventuels susceptibles d'influer sur les comptes qui ont fait l'objet d'une vérification (ou révision).

LAY OFF 1.
LICENCIEMENT

(rel. de tr.) **Renvoi**, le plus souvent définitif, d'un salarié sans qu'il y ait nécessairement eu faute de sa part ou matière à grief. *N.B.* La suspension d'un contrat de travail pour des raisons d'ordre disciplinaire seulement constitue une **mise à pied**. *V.a.* **discharge** *n.* 4.

LAY OFF 2.
MISE EN CHÔMAGE TECHNIQUE

(écon.) Suspension du contrat de travail, assez souvent de brève durée, décidée par l'employeur pour des raisons d'ordre économique (**licenciement collectif**) ou disciplinaire (**licenciement individuel**). *V.a.* **discharge** *n.* 4.

LAYOUT
AMÉNAGEMENT, AGENCEMENT, IMPLANTATION

(prod.) Disposition des bâtiments, des installations et plus particulièrement des machines d'une entreprise en vue d'en tirer le meilleur rendement possible.

LEAD TIME 1.
DÉLAI D'APPROVISIONNEMENT, DÉLAI DE RÉAPPROVISIONNEMENT

(gest.) Laps de temps qui s'écoule entre le moment où l'entreprise décide de se réapprovisionner et celui où elle reçoit la commande correspondant à ce besoin. *Syn.* **procurement lead time** et **replenishment time**. *V.a.* **delivery lead time**, **minimum stock**, **processing lead time** et **reorder point**.

LEAD TIME 2.
DÉLAI DE MISE EN PRODUCTION, DÉLAI DE MISE EN MARCHE, DÉLAI DE DÉMARRAGE

(prod.) Temps qui s'écoule entre le moment où l'on prend la décision de fabriquer un produit et celui où la production commence. *V.a.* **setup time** 1.

LEAD TIME 3.
DÉLAI D'EXÉCUTION

(gest.) Laps de temps qui s'écoule entre la conception d'un plan et son exécution. *Syn.* **setup time** 2. *(fam.)*.

LEAF
VOLANT, VOLET, COUPON

(lang. cour.) Partie détachable d'un carnet à souches. *Comparer avec* **stub**.

LEARNING CURVE
COURBE D'APPRENTISSAGE

(prod.) Courbe expérimentale établie lors de la mise en fabrication d'un nouveau produit et précisant le rythme d'accroissement de la productivité, c'est-à-dire la décroissance proportionnelle du temps unitaire de travail par rapport au nombre d'unités produites.

LEASE
BAIL, CONTRAT DE LOCATION, CONTRAT DE LOUAGE

(dr.) Contrat par lequel une personne physique ou morale (le **bailleur** ou **loueur**) met, pour une durée déterminée, un bien à la disposition d'une autre personne (le **preneur** ou **locataire**) contre une somme d'argent (le **loyer**), conformément aux conditions stipulées dans le contrat ou par la loi. *V.a.* **capital lease**, **direct financing lease**, **financing lease**, **hire purchase**, **leasehold**, **leasehold improvements**, **lease-option agreement**, **lease renewal**, **leasing**, **leveraged lease**, **maintenance lease**, **net lease**, **operating lease**, **rent** *n.* et *v.*, **sale and leaseback** et **sales-type lease**.

LEASEBACK
(CONTRAT DE) CESSION-BAIL

Voir **sale and leaseback**.

LEASEHOLD
PROPRIÉTÉ LOUÉE À BAIL

(dr.) Intérêt dans un bien immobilier cédé par une personne à une autre pour un temps déterminé moyennant le paiement d'un loyer. *V.a.* **lease**.

LEASEHOLD IMPROVEMENTS
AMÉLIORATIONS LOCATIVES

Réparations, améliorations ou changements apportés par le locataire à un bien loué et dont le coût doit être réparti sur la durée non écoulée du bail, compte tenu, s'il y a lieu, de la possibilité de renouvellement du bail. *V.a.* **improvement** et **lease**.

LEASE-OPTION AGREEMENT
(CONTRAT DE) LOCATION AVEC OPTION D'ACHAT, BAIL AVEC OPTION D'ACHAT

(dr.) Contrat de location qui permet au locataire d'acheter un bien loué à une date et à un prix déterminés dans le bail. *V.a.* **bargain purchase option** et **lease**.

LEASE RENEWAL
RENOUVELLEMENT DE BAIL

(dr.) Droit dont un locataire dispose de demander le prolongement ou la **reconduction du bail** primitif à l'expiration de celui-ci. *N.B.* Si le bailleur s'oppose sans motif grave et légitime au renouvellement, il versera généralement au locataire une **indemnité d'éviction** pour cette **reprise du bail**. La faculté que possède l'occupant d'un immeuble d'obtenir le renouvellement de son bail représente un élément d'actif désigné par le terme **droit au bail**. Par extension, ce terme désigne en France et en Belgique, le prix payé au précédent locataire ou au propriétaire en contrepartie de l'intérêt que présente un local à usage commercial et des avantages que procurent les conventions passées avec le propriétaire. Pris dans ce sens, le terme **droit au bail** est synonyme de **pas de porte**, élément qui figure au bilan, parmi les immobilisations, au prix qu'il a fallu payer pour l'acquérir. *V.a.* **bargain renewal option** et **lease**.

LEASE TERM
DURÉE DU BAIL

(dr.) Période dont la durée est prévue dans le contrat de location et au cours de laquelle le locataire peut utiliser le bien qu'il a loué.

LEASING
(OPÉRATION DE) CRÉDIT-BAIL, LOCATION-FINANCEMENT (Belg.)

(dr.) Forme de location appliquée généralement à des immeubles, des biens d'équipement industriel, du matériel, des véhicules, etc. pour l'utilisation desquels le preneur effectue des paiements échelonnés sur une période

déterminée dans le contrat de location. Au terme de cette période, le bailleur reste légalement propriétaire du bien loué, mais il est de pratique courante qu'il cède alors au locataire le bien pour une somme fixée d'avance et relativement modique eu égard à la valeur d'origine du bien en question. *N.B.* Le **crédit-bail** est une forme de crédit qui consiste pour le prêteur (le bailleur) à offrir à l'emprunteur (le locataire) la location d'un bien assortie d'une promesse unilatérale de vente qui se dénoue généralement par le transfert à l'emprunteur de la propriété du bien loué. En France et en Belgique, le terme *leasing* est fréquemment employé pour désigner cette opération. *V.a.* **lease**.

LEAST SQUARES METHOD
MÉTHODE DES MOINDRES CARRÉS

(stat.) Dans une analyse de régression, méthode qui, étant donné un ensemble de *n* couples, consiste à chercher la fonction qui minimise la quantité représentée par la somme des distances verticales mises au carré entre chacun des points correspondant à chaque couple et une ligne tirée mathématiquement pour représenter l'ensemble de ces points. *N.B.* La somme des distances mises au carré est alors plus faible que celle qui serait obtenue par rapport à toute autre ligne du même genre et la somme algébrique des distances entre chacun des points et la droite ou la courbe de régression est nulle.

LEAVE OF ABSENCE
PERMIS D'ABSENCE, AUTORISATION DE S'ABSENTER, CONGÉ

(rel. de tr.) Autorisation donnée à un employé de s'absenter de son travail pour des raisons précises et pour une période déterminée, avec ou sans rémunération.

LEAVE WITHOUT PAY
CONGÉ SANS SALAIRE, CONGÉ SANS TRAITEMENT, CONGÉ NON PAYÉ

(rel. de tr.) Congé pris par l'employé avec l'autorisation de son employeur, sans toutefois recevoir de rémunération au cours de la période que durera son absence.

LEDGER
GRAND LIVRE

Livre comptable dans lequel on reporte les articles de journal ou les écritures passées en premier lieu dans les livres-journaux. *N.B.* Le grand livre qui renferme tous les comptes (y compris les comptes collectifs) porte le nom de **grand livre général** et les livres qui ne renferment que les comptes d'une nature particulière s'appellent **grands livres auxiliaires**. *V.a.* **general ledger**, **record** *n.* 1., **self-balancing ledger** et **subsidiary ledger**.

LEDGER CARD
FICHE DE COMPTE

Fiche sur laquelle on retrouve les écritures passées au débit ou au crédit d'un compte donné. *N.B.* L'ensemble de ces fiches constitue, selon le cas, le grand livre général ou un grand livre auxiliaire.

LEGACY
LEGS

(dr.) Disposition de biens faite à titre gratuit par testament. *Syn.* **bequest**. *V.a.* **estate**, **general legacy**, **inheritance**, **residuary legacy** et **specific legacy**.

LEGAL ADVISER
CONSEILLER JURIDIQUE, CONSEIL-JURIDIQUE, AVOCAT-CONSEIL

(dr.) **Juriste** qui a la responsabilité de conseiller la direction d'une entreprise sur tout ce qui a rapport au droit. *N.B.* Lorsqu'un juriste exerce ses fonctions à titre de salarié au sein d'une entreprise, on lui donne le nom de **juriste d'entreprise**.

LEGAL CAPITAL
CAPITAL DÉCLARÉ (Can.), CAPITAL LÉGAL

(dr.) Capital investi par les actionnaires d'une société par actions et que la loi interdit de distribuer. *N.B.* Le **capital fixe** ou **apporté** est le chiffre nominalement déterminé dans les statuts en dessous duquel les associés se sont engagés à ne pas réduire l'**avoir social** par des distributions de dividendes. *V.a.* **permanent capital** et **stated capital**.

LEGAL CHARGES
FRAIS JURIDIQUES, FRAIS D'ACTES, HONORAIRES D'AVOCAT, FRAIS DE CONTENTIEUX, FRAIS JUDICIAIRES
Voir **legal fees** 1. et 2.

LEGAL DEPARTMENT 1.
SERVICE JURIDIQUE
(org. de l'entr.) Service chargé des questions de droit qui se posent dans l'entreprise.

LEGAL DEPARTMENT 2.
SERVICE DU CONTENTIEUX
(org. de l'entr.) Service d'une entreprise qui s'occupe des affaires litigieuses.

LEGAL DEPOSIT
DÉPÔT LÉGAL
(dr.) Formalité obligeant à remettre à l'Administration, des exemplaires d'une publication ou d'un ouvrage lors de sa parution. *N.B.* En Belgique, on emploie aussi l'expression **dépôt légal** pour désigner le dépôt au Greffe du tribunal, des actes, comptes annuels, etc. des sociétés afin de permettre aux tiers de prendre connaissance, sans frais, de ces documents. *V.a.* **registered trademark**.

LEGAL ENTITY
PERSONNE JURIDIQUE, PERSONNE MORALE
(dr.) Entreprise dont l'existence est reconnue par la loi. Ainsi, dans le cas d'une société par actions, l'entreprise elle-même constitue une **personne juridique**, même si elle est affiliée à d'autres sociétés. *Comparer avec* **economic unit** 2. *V.a.* **artificial person** et **body corporate**.

LEGAL FEES 1.
FRAIS JURIDIQUES, FRAIS D'ACTES, HONORAIRES D'AVOCAT
(dr. et *compt.)* Honoraires versés à un **homme de loi** pour obtenir l'interprétation de textes de loi (**frais juridiques**) ou pour rédiger et enregistrer des actes (**frais d'actes**). *Syn.* **legal charges**.

LEGAL FEES 2.
FRAIS JUDICIAIRES, FRAIS D'ACTES, FRAIS DE CONTENTIEUX
(dr. et *compt.)* Frais résultant de procédures judiciaires intentées par l'entreprise ou contre elle (**frais judiciaires**) et d'actes auxquels ces procédures donnent lieu (**frais d'actes**). *N.B.* En France, le Plan comptable général parle de **frais d'actes et de contentieux** pour désigner tous les frais d'ordre juridique et judiciaire. Par extension, le terme **contentieux** désigne le service qui, dans une entreprise, s'occupe des **affaires litigieuses** et on désigne les frais de ce service par l'expression **frais de contentieux**. *Syn.* **legal charges**.

LEGAL HOLIDAY
(JOUR DE) FÊTE LÉGALE, JOUR FÉRIÉ, JOUR CHÔMÉ
(dr.) Jour de fête civile ou religieuse fixé par la loi. *V.a.* **holiday**.

LEGAL INTEREST RATE
TAUX (D'INTÉRÊT) LÉGAL
(dr.) Taux prévu dans la loi, pour calculer les intérêts à défaut de stipulation contractuelle à cet égard.

LEGAL RESERVE
RÉSERVE LÉGALE
(dr.) Dans certains pays, réserve dont la loi impose la **constitution**, règlemente la **dotation** et, le cas échéant, l'**utilisation**. *N.B.* En France et en Belgique, il est fait sur les bénéfices des sociétés de capitaux (diminués, le cas échéant, des pertes antérieures) un prélèvement d'un vingtième au moins affecté à la formation d'une réserve dite **réserve légale**. Ce prélèvement cesse d'être obligatoire lorsque la réserve atteint le dixième du capital social. *V.a.* **reserve** 1. et **statutory reserve**.

LEGAL TENDER
MONNAIE LÉGALE

(dr.) Ensemble des instruments monétaires ayant pouvoir libératoire en vertu des dispositions de la loi d'un pays. *V.a.* **cash** *n.* 1., **currency** 1. et **money** 1.

LEGATEE
LÉGATAIRE, HÉRITIER

(dr.) Bénéficiaire d'un legs.

LEGATOR
TESTATEUR

(dr.) Auteur d'un testament. *Syn.* **testator**.

LENDER
PRÊTEUR, BAILLEUR DE FONDS

(fin.) Personne physique ou morale qui accorde un prêt à un particulier ou à une entreprise, ou lui fournit des fonds. *N.B.* Pris dans un sens large, le terme **bailleur de fonds** désigne à la fois la personne qui prête des fonds à l'entreprise et celle qui contribue à son capital d'apport. *Syn.* **money lender**.

LENDING INSTITUTION
ÉTABLISSEMENT DE CRÉDIT

(fin.) Établissement dont le rôle est de mettre des sommes d'argent à la disposition des entreprises ou des particuliers. *V.a.* **finance company**, **financial institution** 1. et **financial intermediary**.

LESSEE
PRENEUR (À BAIL), LOCATAIRE

(dr.) Personne à laquelle le propriétaire d'un immeuble ou d'un bien (qui ne peut être consommé par l'usage et doit être restitué à son propriétaire) en confère le **droit d'usage** pour un certain temps, moyennant le versement d'un loyer. *V.a.* **tenant**.

LESSOR
BAILLEUR, LOUEUR

(dr.) Propriétaire d'un immeuble ou d'un autre bien, qui en cède le **droit d'usage** à un tiers (le locataire) pour un certain temps moyennant le versement d'un loyer. *V.a.* **landlord**.

LETTER OF CONSENT
LETTRE DE CONSENTEMENT, LETTRE D'ASSENTIMENT

Voir **consent letter**.

LETTER OF CREDIT
LETTRE DE CRÉDIT

(fin.) Document permettant à un exportateur d'obtenir de sa banque le crédit qui lui a été ouvert sur l'ordre du banquier de l'importateur pour permettre à celui-ci de régler le prix des marchandises qu'il a reçues. *N.B.* Le crédit ainsi obtenu par l'exportateur porte le nom de **crédit documentaire**. Une **lettre de crédit** est aussi un document qu'un banquier remet à un client en vue de lui permettre de se procurer des fonds au cours d'un voyage de tourisme ou d'affaires. L'**ouverture d'un accréditif** consiste à demander à une succursale bancaire de bien vouloir procéder à certains décaissements pour le compte du banquier, donneur d'ordre. L'ouverture d'un accréditif ne comporte pas la remise d'un titre au client. *V.a.* **revolving credit**.

LETTER OF REPRESENTATION
LETTRE DE DÉCLARATION, LETTRE DÉCLARATIVE DE RESPONSABILITÉ (Fr.), DÉCLARATION DE LA DIRECTION AU RÉVISEUR (Belg.)

(E.C.) Lettre que la direction d'une entreprise adresse au vérificateur (ou réviseur) pour lui déclarer que les informations incluses dans les états financiers (ou comptes annuels) et les autres données qui lui ont été communiquées dans l'exécution de son travail sont exactes et complètes. *Syn.* **management representation letter** et **representation letter**. *Comparer avec* **management letter**.

LETTERS PATENT
LETTRES PATENTES
(dr. can.) Document en vertu duquel sont constituées certaines sociétés par actions. *V.a.* **charter** et **instrument of incorporation**.

LETTER STOCK
ACTIONS À NÉGOCIABILITÉ RESTREINTE, ACTIONS BLOQUÉES
(fin.) *(U.S.)* Actions émises en faveur d'un investisseur qui s'engage, le plus souvent par écrit, à les détenir pendant une période donnée à titre de placement. *V.a.* **share with transfer limitations**.

LEVERAGE 1.
EFFET DE LEVIER (DE LA DETTE), LEVIER FINANCIER
(anal. fin.) Effet, sur le bénéfice et le rendement des actions, d'un financement par emprunt plutôt que par émission d'actions ordinaires. *N.B.* L'**effet de levier** n'est favorable que lorsque la rentabilité de l'exploitation est supérieure au coût des capitaux extérieurs qui la financent. Les limites au libre jeu de l'effet de levier sont les risques de difficultés financières auxquelles donnent lieu une situation trop spéculative et la **volatilité des résultats** qui, étant inférieurs aux prévisions, peuvent entraîner une baisse plus que proportionnelle de la rentabilité des capitaux propres, ce qui ne manquera pas alors d'avoir des répercussions défavorables sur le cours en Bourse des actions de la société. On dit de l'**effet de levier** qu'il est très important lorsque le taux de rendement que les propriétaires retirent de leur investissement fluctue considérablement en raison de la proportion élevée des capitaux empruntés par rapport au capital total investi. Si, par exemple, une personne investit 100 000 dollars ou francs et qu'elle en retire est de 50 000 dollars ou francs, son taux de rendement est de 50%. Si, au contraire, cette personne emprunte la moitié de la somme requise moyennant le paiement d'intérêts annuels de 10 000 dollars ou francs, son taux de rendement sera de 80%, c'est-à-dire un profit de 40 000 dollars ou francs avant impôts par rapport à son investissement de 50 000 dollars ou francs. *Syn.* **capital leverage**, **financial leverage** et **gearing**. *V.a.* **financial risk** et **trading on the equity**.

LEVERAGE 2.
EFFET DE LEVIER (DE L'EXPLOITATION), LEVIER D'EXPLOITATION, LEVIER OPÉRATIONNEL
(anal. fin.) Effet, sur le bénéfice et le ratio de la marge bénéficiaire nette, du pourcentage de changement survenu dans le chiffre d'affaires. *N.B.* Le **levier opérationnel** mesure l'**élasticité du bénéfice** par rapport au chiffre d'affaires. Dans le cas d'une entreprise dont les charges fixes seraient nulles, le levier opérationnel serait égal à un ou 100% puisque si le chiffre d'affaires doublait, le bénéfice lui-même serait deux fois plus élevé. *Syn.* **gearing** et **operating leverage**.

LEVERAGED LEASE
FINANCEMENT SPÉCULATIF (D'UN BIEN LOUÉ)
(fin.) *(U.S.)* Accord financier en vertu duquel une personne (le **bailleur**) acquiert un bien qu'elle loue à un tiers (le **locataire**), et en acquitte le prix en partie avec ses propres deniers et en partie avec des fonds obtenus d'un prêteur auquel elle donne en garantie non seulement le bien loué mais aussi les loyers futurs qu'elle en retirera. *N.B.* En règle générale, le bailleur n'a pas d'autres obligations à l'égard du prêteur que celle de lui remettre tout ou partie des sommes que lui verse le locataire. Le financement est spéculatif en ce sens que le bailleur emprunte généralement une très forte proportion des fonds dont il a besoin pour acquérir un bien qu'il louera subséquemment. *V.a.* **lease**.

LEVERAGE FACTOR
FACTEUR D'AMPLIFICATION, FACTEUR D'ACCROISSEMENT
(fin.) Facteur qui contribue à accroître les bénéfices ou le rendement du capital investi par les actionnaires.

LEVERAGE RATIO
RATIO DE LEVIER
(anal. fin.) Ratio qui mesure la part des capitaux empruntés dans le financement de l'entreprise et exprime l'intensité de l'effet de levier. *V.a.* **debt ratio(s)**.

LEVY
(DÉTERMINATION DE L'ASSIETTE D')IMPOSITION, TAXATION, COTISATION
Voir **assessment** 1.

LIABILITIES
PASSIF, DETTES, CAPITAUX EMPRUNTÉS
Ensemble des sommes dues par une personne physique ou morale. *N.B.* En France et en Belgique, le passif comprend non seulement les capitaux empruntés (le **passif externe** ou le passif à l'égard des tiers) mais aussi les capitaux propres, c'est-à-dire les apports et les réserves (le **passif interne**). Dans les bilans français et belges, le passif est constitué plus précisément du capital propre et des réserves, du report à nouveau, des subventions d'équipement reçues, des provisions pour pertes et charges, des dettes à long, moyen et court terme, et du résultat. Au Canada, on a tendance à restreindre le sens du terme **passif** qui ne comprend généralement que les sommes dues par l'entreprise à des tiers. *V.a.* **balance sheet**.

LIABILITY 1.
DETTE
Voir **debt** 1.

LIABILITY 2.
(ÉLÉMENT DE) PASSIF
Dette à laquelle donnent lieu des opérations que l'entreprise a effectuées antérieurement et qui l'obligera, plus tard, à verser des sommes d'argent, à livrer des marchandises ou à rendre des services qui, dans les deux derniers cas, ont fait l'objet de sommes reçues d'avance.

LIABILITY 3.
RESPONSABILITÉ
(dr.) Obligation de remplir un devoir, un engagement ou de réparer une faute. *V.a.* **accountability**.

LIABILITY ACCOUNT
COMPTE DE PASSIF
Compte ayant un solde créditeur dans lequel sont enregistrées au crédit les dettes d'une entreprise et au débit les sommes versées pour les régler.

LIABILITY CERTIFICATE
DÉCLARATION DE PASSIF, ATTESTATION DE PASSIF
(E.C) *(Can.)* Déclaration remise au vérificateur par son client dans laquelle celui-ci déclare qu'il a tenu compte, dans ses états financiers et les notes qui y sont jointes, de toutes ses dettes réelles et éventuelles, des engagements contractés et des biens donnés en garantie à ses créanciers.

LIABILITY INSURANCE
ASSURANCE RESPONSABILITÉ CIVILE, ASSURANCE R.C.
Voir **public liability insurance**.

LICENSE 1.
LICENCE
(lang. cour.) Autorisation d'exploiter un brevet ou une invention. *V.a.* **patent**.

LICENSE 2.
LICENCE, PERMIS (Can.)
(prof.) Autorisation administrative d'exercer une profession réglementée.

LICENSE 3.
PERMIS
(dr.) Autorisation accordée par une Administration à un particulier ou à une entreprise d'exercer certaines activités accessibles à tous (permis de construction, permis de conduire).

LICENSING BODY
ORGANISME D'ATTRIBUTION DES LICENCES, RÉGIE D'ATTRIBUTION DES PERMIS (Can.)
(prof.) Organisme habilité à délivrer le permis ou la licence permettant à un particulier d'exercer une profession donnée.

LIEN
SÛRETÉ RÉELLE
(dr.) Droit que la loi ou un contrat accorde à un créancier d'être payé à même le produit de la réalisation d'un bien affecté par le débiteur à la garantie de la dette qu'il a contractée. *N.B.* Il peut s'agir d'un **droit de rétention**, par exemple le droit du vendeur impayé de retenir la chose vendue et non encore livrée, ou d'un **privilège**, c'est-à-dire d'un **droit de préférence** accordé à un créancier, en raison de la nature de sa créance. *V.a.* **collateral** 2. et **guarantee** 1.

LIFE ANNUITY
RENTE VIAGÈRE
(ass.) Rente versée durant la vie d'une personne et dont le paiement prend fin au décès. *V.a.* **annuity** 3. et **pension benefits** 1.

LIFE ASSURANCE
ASSURANCE-VIE, ASSURANCE SUR LA VIE, ASSURANCE-DÉCÈS
Voir **life insurance**.

LIFE INSURANCE
ASSURANCE-VIE, ASSURANCE SUR LA VIE, ASSURANCE-DÉCÈS
(ass.) Contrat d'assurance par lequel, moyennant le paiement d'une prime, l'assureur s'engage à verser, au souscripteur ou à un tiers par lui désigné, une somme déterminée, sous forme de capital ou de rente, en cas de décès de la personne assurée ou de survie à une époque déterminée. *N.B.* Le terme **assurance-décès** convient particulièrement dans le cas où la somme faisant l'objet du contrat d'assurance est versée au bénéficiaire lors du décès de la personne assurée. En revanche, l'**assurance sur la vie** a rigoureusement pour objet d'attribuer à l'assuré la somme stipulée s'il est encore vivant à une date préfixée. *Syn.* **life assurance**. *V.a.* **insurance**.

LIFE TENANT
USUFRUITIER
(dr.) Personne qui a droit à l'usage d'un bien appartenant à autrui, y compris celui d'en percevoir les bénéfices ou les intérêts. *N.B.* Le **droit de jouissance** que possède l'**usufruitier** s'éteint à la mort de ce dernier. *Syn.* **income beneficiary**. *Comparer avec* **bare owner** et **remainderman** 1. *V.a.* **usufruct**.

LIFO DOLLAR VALUE METHOD
MÉTHODE DE L'ÉPUISEMENT À REBOURS AVEC INDEXATION
Voir **dollar value lifo method**.

LIFO METHOD
*(MÉTHODE DE L')ÉPUISEMENT À REBOURS; (MÉTHODE DU) DERNIER ENTRÉ, PREMIER
    SORTI (DEPS)*
Abrév. de **last in, first out method**.

LIGHT, HEAT AND POWER
CHAUFFAGE ET ÉNERGIE
(Can.) Poste de l'état des résultats où figurent les frais engagés par l'entreprise pour faire fonctionner son matériel ainsi que pour éclairer et chauffer les bâtiments servant à son exploitation.

LIMITED (AUDIT) ASSURANCE
DÉCLARATION RESTREINTE DE FIABILITÉ
(E.C.) (Can.) Dans le cadre d'une **mission de vérification restreinte**, déclaration dans laquelle l'expert-comptable exprime le **degré limité de certitude** que son travail lui a permis d'acquérir. *V.a.* **audit assurance** 2. et **negative assurance**.

LIMITED AUDIT ENGAGEMENT
*MISSION DE VÉRIFICATION RESTREINTE (Can.), MISSION DE RÉVISION LIMITÉE (Fr.), CONTRÔLE
    LIMITÉ (Belg.)*
(E.C.) Mission dont l'objectif limité nécessite un travail moins étendu ou moins approfondi que la **vérification** (ou

révision) intégrale des états financiers (ou comptes annuels). *V.a.* **partial audit** et **professional engagement of a public accountant**.

LIMITED CHECK
CONTRÔLE PARTIEL

(gest.) Contrôle ne portant que sur une partie des opérations considérées et dont les résultats ne peuvent généralement pas être extrapolés à l'ensemble.

LIMITED LIABILITY
RESPONSABILITÉ LIMITÉE

(dr.) Expression employée pour désigner une société dont le capital social est divisé en parts ou en actions et dont les membres ne sont responsables des dettes de la société que jusqu'à concurrence de leur apport. *V.a.* **private company** et **public company**.

LIMITED (LIABILITY) COMPANY 1.
SOCIÉTÉ DE CAPITAUX, SOCIÉTÉ PAR ACTIONS, SOCIÉTÉ COMMERCIALE (Can.), SOCIÉTÉ À RESPONSABILITÉ LIMITÉE (S.A.R.L.) (Fr.), SOCIÉTÉ ANONYME (S.A.) (Fr. et Belg.), COMPAGNIE (À FONDS SOCIAL) (Québec), SOCIÉTÉ DE PERSONNES À RESPONSABILITÉ LIMITÉE (S.P.R.L.) (Belg.)

Voir **business corporation**.

LIMITED (LIABILITY) COMPANY 2.
SOCIÉTÉ (DE CAPITAUX), COMPAGNIE À FONDS SOCIAL (Québec)

(dr.) Toute entreprise (société industrielle, société commerciale, entreprise de service, banque, établissement financier) consituée par statuts avec un capital social qui appartient à des actionnaires ayant, à l'égard des dettes de la société, une responsabilité limitée à leurs apports. *V.a.* **business corporation** et **company** 1.

LIMITED PARTNER
(ASSOCIÉ) COMMANDITAIRE, ASSOCIÉ PASSIF

(org. des entr.) Dans une **société en commandite**, associé dont la responsabilité à l'égard des dettes de la société est limitée à son apport et qui n'intervient généralement pas dans la gestion de cette dernière. *N.B.* D'une manière plus générale, le terme **associé passif** se dit du participant au capital d'une entreprise qui, soit implicitement, soit par un contrat appelé **contrat de comportement**, accepte que la direction soit assurée par un autre participant. *Syn.* **silent partner** et **sleeping partner**. *Comparer avec* **general partner**. *V.a.* **limited partnership** et **partner**.

LIMITED PARTNERSHIP
SOCIÉTÉ EN COMMANDITE (SIMPLE)

(org. des entr.) Société de personnes constituée d'un ou plusieurs associés appelés **commandités** ou **gérants** chargés de la gestion de la société et responsables indéfiniment et solidairement des dettes de la société, et d'un ou plusieurs autres associés appelés **commanditaires** qui fournissent un apport en argent ou en nature et dont la responsabilité à l'égard des dettes de la société se limite à leurs apports dans cette dernière. *N.B.* En France et en Belgique, on retrouve aussi la **société en commandite par actions** qui offre les mêmes caractéristiques que la **société en commandite simple** sauf que les commanditaires ont la qualité d'actionnaires. *V.a.* **general partner**, **limited partner** et **partnership**.

LINE AND STAFF ORGANIZATION
STRUCTURE HIÉRARCHICO-FONCTIONNELLE, STRUCTURE MIXTE

(gest.) Structure d'une entreprise dans laquelle sont placés, auprès des responsables détenteurs de l'**autorité hiérarchique**, des **spécialistes fonctionnels** qui les aident à exercer leur commandement. *V.a.* **line of authority**, **line organization** et **staff organization**.

LINEAR PROGRAMMING
PROGRAMMATION LINÉAIRE

(math.) Méthode de détermination de la valeur que doivent prendre différentes variables pour trouver la solution optimale à un problème comportant des contraintes exprimées par des équations ou des inéquations, par exemple une quantité de production ou de stockage, compte tenu des approvisionnements, des capitaux à rémunérer, etc. *V.a.* **operational research** et **programming** 2.

LINE-BY-LINE CONSOLIDATION *(fam.)*
CONSOLIDATION PROPORTIONNELLE, INTÉGRATION PROPORTIONNELLE
Voir **proportionate consolidation**.

LINE LAYOUT
AMÉNAGEMENT LINÉAIRE, IMPLANTATION LINÉAIRE
(prod.) Implantation d'un atelier où les **postes de travail** sont placés à la suite les uns des autres, selon la séquence des opérations de production. *Comparer avec* **functional layout** et **group layout**.

LINE OF AUTHORITY
VOIE HIÉRARCHIQUE, CANAL HIÉRARCHIQUE
(gest.) Canal par lequel transitent les communications formelles dans une entreprise, de l'émetteur du message jusqu'à son destinataire, en passant, s'il y a lieu, par tous les échelons ou stades intermédiaires. *V.a.* **line and staff organization**.

LINE OF BUSINESS
SECTEUR D'ACTIVITÉ, BRANCHE D'ACTIVITÉ
Voir **industry segment**.

LINE OF BUSINESS REPORTING
PUBLICATION D'INFORMATIONS SECTORIELLES, PUBLICATION D'INFORMATIONS PAR SECTEURS
Voir **segment reporting**.

LINE OF CREDIT
LIGNE DE CRÉDIT, OUVERTURE DE CRÉDIT, AUTORISATION DE CRÉDIT, LIGNE DE DÉCOUVERT,
   CRÉDIT AUTORISÉ, MARGE DE CRÉDIT (Can.)
(fin.) Montant du crédit accordé par une banque à une entreprise ou par une entreprise à son client, sur lequel les paiements que l'entreprise ou le client fait sont imputés tant qu'ils ne dépassent pas le chiffre alloué. *Syn.* **authorized credit** et **credit line**. *V.a.* **bank overdraft**, **credit** *n.* 3., **opening of an account** et **revolving credit**.

LINE OFFICER
CADRE HIÉRARCHIQUE
(gest.) Cadre qui occupe un poste de commande au sein d'une entreprise. *Syn.* **on-line executive**. *Comparer avec* **staff officer**.

LINE OF ITEMS
GAMME D'ARTICLES
(comm.) Ensemble des modèles distincts (par leur taille, leur coloris, etc.) d'un même produit.

LINE OF PRODUCTS
GAMME DE PRODUITS, LIGNE DE PRODUITS, FAMILLE DE PRODUITS
(comm.) Groupe de produits qui sont très proches les uns des autres parce qu'ils satisfont une certaine classe de besoins, parce qu'ils sont vendus aux mêmes groupes de clients ou mis sur le marché par les mêmes types de magasins, ou parce qu'ils tombent dans un certain ordre de prix. *Syn.* **product line**.

LINE ORGANIZATION
STRUCTURE HIÉRARCHIQUE
(gest.) Structure fondée sur la responsabilité et où les notions d'autorité et d'action concrète prennent le pas sur les caractéristiques d'une structure fonctionnelle. *Comparer avec* **staff organization**. *V.a.* **line and staff organization**.

LINE PRODUCTION
PRODUCTION À LA CHAÎNE, PRODUCTION EN CHAÎNE
(prod.) Mode d'exécution du travail dans lequel les phases ou opérations de production sont liées entre elles par des dispositifs mécaniques de manutention.

LINE SERVICE
SERVICE D'EXPLOITATION
(gest.) Service qui s'insère dans la voie hiérarchique. *Comparer avec* **staff service**.

LIQUID *adj.*
LIQUIDE
(fin.) Qualité d'un bien susceptible d'être converti en espèces et, par extension, d'une dette qui doit être réglée en argent.

LIQUID ASSETS
LIQUIDITÉS, BIENS LIQUIDES, ACTIF(S) LIQUIDE(S)
Espèces ou valeurs assimilables à des espèces et, d'une manière générale, toutes valeurs qui, en raison de leur nature, sont immédiatement convertibles en espèces le plus souvent à leur valeur nominale. *N.B.* Prises dans ce sens, les **liquidités** représentent le montant des **moyens de paiement** dont une entreprise peut disposer immédiatement ou à court terme. On attache parfois au terme **liquidités** un sens plus ou moins étendu qui donne lieu, selon le cas, au calcul du **ratio de liquidité immédiate**, du **ratio de liquidité restreinte** et du **ratio de liquidité générale**. Dans les trois cas, le dénominateur est le total du passif à court terme. Quant au numérateur, il est constitué, pour le ratio de liquidité immédiate, des valeurs disponibles ou disponibilités, c'est-à-dire l'encaisse, les comptes bancaires et les créances pouvant être immédiatement mobilisées. Dans le cas du ratio de liquidité restreinte, le numérateur est représenté par le total des valeurs disponibles et des valeurs réalisables, c'est-à-dire les avances et acomptes versés aux fournisseurs, les créances sur la clientèle, les autres débiteurs, les titres de placement, les prêts à moins d'un an ainsi que les chèques et les coupons à encaisser. Enfin, dans le cas du ratio de liquidité générale, on retrouve au numérateur le total du **disponible**, du **réalisable** et des stocks. *Syn.* **current funds, funds** 3., **liquid funds** et **liquidities**. *Comparer avec* **current assets** et **quick assets**. *V.a.* **acid test ratio**, **current ratio** et **net liquid assets**.

LIQUIDATING DIVIDEND
DIVIDENDE DE LIQUIDATION, BONI DE LIQUIDATION
Voir **dividend** 2.

LIQUIDATION 1.
REMBOURSEMENT, PAIEMENT, RÈGLEMENT, AMORTISSEMENT (D'UNE DETTE)
(dr.) Action de régler une dette en tout ou en partie; versement de fonds effectué par le débiteur au terme d'une opération. *N.B.* L'opération fixant de façon exacte le montant jusqu'alors incertain d'une dette, d'une créance porte le nom de **liquidation**. *Syn.* **settlement** 1. *V.a.* **payment** 1., **pension calculation** et **settlement** 2.

LIQUIDATION 2.
RÉALISATION, LIQUIDATION
Conversion d'un bien en espèces. *V.a.* **realize**.

LIQUIDATION 3.
LIQUIDATION
(dr.) Procédure reliée à la dissolution d'une entreprise consistant dans l'ensemble des opérations qui sont nécessaires pour mettre un terme aux affaires dans lesquelles cette entreprise est engagée, pour réaliser les éléments de son actif, éteindre son passif et dégager la somme que le liquidateur pourra répartir entre les propriétaires ou actionnaires. *Syn.* **winding-up**. *V.a.* **dissolution**, **realization account** et **wind-up**.

LIQUIDATION BALANCE SHEET
BILAN DE RÉALISATION ÉVENTUELLE, BILAN D'OUVERTURE DE LIQUIDATION
Voir **statement of affairs**.

LIQUIDATION PRICE
PRIX DE LIQUIDATION
(comm.) Prix de vente au rabais en vue de l'écoulement rapide des marchandises. *N.B.* Ce prix est pratiqué à l'occasion de ventes volontaires ou forcées, motivées par la cessation d'une activité commerciale ou un changement apporté par l'entreprise dans la nature de son exploitation.

LIQUIDATION VALUE
VALEUR DE LIQUIDATION, PRIX DE LIQUIDATION
(aff.) Montant que rapporterait la **vente forcée** d'un ou plusieurs biens de l'entreprise, dans un délai limité, lors de la liquidation de ses affaires. *N.B.* L'entreprise, dans ce cas, ne pose plus l'hypothèse de la continuité de son exploitation et il en résulte que des biens ayant une valeur importante dans le cadre d'une utilisation normale subissent, lors de la liquidation, des abattements sensibles parce qu'ils ne présentent pas la même utilité pour l'acquéreur ou parce que leur vente entraîne des frais. *Syn.* **break-up value**. *Comparer avec* **going concern value** et **market value** 1. *V.a.* **value** *n.*

LIQUIDATOR
LIQUIDATEUR
(dr.) Personne chargée de procéder à la liquidation d'une entreprise qui doit mettre un terme à ses activités en raison, le plus souvent, de difficultés financières.

LIQUID FUNDS
LIQUIDITÉS, BIENS LIQUIDES, ACTIF(S) LIQUIDE(S)
Voir **liquid assets**.

LIQUID INVESTMENTS
(TITRES DE) PLACEMENT(S) LIQUIDES
(fin.) Titres de placements facilement négociables.

LIQUIDITIES
LIQUIDITÉS, BIENS LIQUIDES, ACTIF(S) LIQUIDE(S)
Voir **liquid assets**.

LIQUIDITY
LIQUIDITÉ
(fin.) Capacité ou aptitude d'un bien à se transformer plus ou moins rapidement en monnaie.

LIQUIDITY CREDIT
CRÉDIT DE TRÉSORERIE
(fin.) Crédit à court terme accordé à l'entreprise pour qu'elle puisse faire face à ses besoins temporaires de liquidités.

LIQUIDITY RATIO
INDICE DE LIQUIDITÉ, RATIO DE TRÉSORERIE, COEFFICIENT DE LIQUIDITÉ, RATIO DE LIQUIDITÉ
Voir **acid test ratio**.

LIST *n.*
LISTE
(lang. cour.) Ensemble ordonné d'articles. *V.a.* **item** 4.

LIST *v.* 1.
INSCRIRE À LA COTE
(Bourse) Faire accepter par les autorités de la Bourse des valeurs mobilières l'inscription d'un titre à la cote officielle. *V.a.* **go public**.

LIST *v.* 2.
LISTER
(inf.) Produire au moyen d'une **imprimante**, un document sur lequel figure article par article, tout ou partie des informations traitées. *V.a.* **listing** 2.

LISTED SECURITIES
TITRES INSCRITS À LA BOURSE, TITRES COTÉS, VALEURS INSCRITES EN BOURSE, VALEURS COTÉES

(Bourse) Titres inscrits à la Bourse des valeurs mobilières, auxquels le marché attribue quotidiennement un cours, compte tenu du nombre de titres qui changent de main, des conditions économiques, de la situation financière des entreprises en cause, etc. *Comparer avec* **unlisted securities**. *V.a.* **quoted share**.

LISTING 1.
LISTAGE

(inf.) Action de faire établir une liste par l'ordinateur, par exemple la liste des instructions que contient un programme.

LISTING 2.
LISTE IMPRIMÉE

(inf.) Document (parfois appelé *listing*) comportant une liste que l'ordinateur a établie. *V.a.* **list** *v.* 2. et **print-out**.

LISTING REQUIREMENTS
CONDITIONS D'ADMISSION À LA COTE, CONDITIONS D'INTRODUCTION EN BOURSE

(Bourse) Conditions que doit remplir une entreprise pour que ses actions puissent être inscrites à la Bourse des valeurs mobilières. *V.a.* **securities listing**.

LIST PRICE
PRIX COURANT

(comm.) Prix normal auquel une entreprise vend un article à sa clientèle, marge du revendeur comprise. *N.B.* Lorsque ce prix figure dans un catalogue, on lui donne le nom de **prix de catalogue** et il fait généralement l'objet de remises se présentant sous la forme d'**escomptes au comptant**, de **ristournes**, de **rabais** ou d'**abattements**. *V.a.* **price list** et **selling price**.

LIVING ALLOWANCE
INDEMNITÉ DE SÉJOUR

(aff.) Somme allouée par l'entreprise à ses employés en compensation de certains frais (logement, nourriture, etc.) qu'ils doivent engager ou qu'ils ont engagés dans l'exercice de leurs fonctions. *V.a.* **allowance** 4. et **per diem allowance**.

LOAD 1.
CHARGE DE TRAVAIL

Voir **work load**.

LOAD 2.
FRAIS D'ACQUISITION (D'ACTIONS OU D'UNITÉS DE FONDS MUTUELS)

(fin.) Frais ajoutés au coût d'acquisition d'actions ou d'unités de fonds mutuels.

LOADER 1.
CHARGEUR

(inf.) Dispositif d'alimentation des pièces pour machines automatiques.

LOADER 2.
PROGRAMME DE CHARGEMENT

(inf.) Programme permettant le chargement automatique d'autres programmes.

LOADING 1.
FRAIS FINANCIERS, FRAIS DE CRÉDIT

Voir **finance charges**.

LOADING 2.
CHARGEMENT
(ass.) Somme à ajouter à la prime pure d'une assurance et destinée à couvrir un certain nombre de frais, notamment les frais d'acquisition, les frais d'entrée, les frais d'encaissement, les frais de gestion et les frais de règlement. *Syn.* **loading charges** 2. *V.a.* **front-end loading** 1.

LOADING 3.
ATTRIBUTION DES OPÉRATIONS, AFFECTATION DES OPÉRATIONS
(gest.) Distribution de la charge de travail entre les ouvriers, les pièces d'équipement ou les postes de travail.

LOADING CHARGES 1.
FRAIS FINANCIERS, FRAIS DE CRÉDIT
Voir **finance charges**.

LOADING CHARGES 2.
CHARGEMENT
Voir **loading** 2.

LOAN 1.
PRÊT
(dr.) Contrat à titre onéreux par lequel une personne (le **prêteur**) remet à une autre personne (l'**emprunteur**), un bien (généralement de l'argent), à charge pour cette dernière de restituer dans un délai déterminé le bien (ou la somme reçue plus les intérêts calculés au taux convenu).

LOAN 2.
EMPRUNT
(fin.) Contrat à titre onéreux par lequel une personne obtient d'une autre une somme d'argent ou l'autorisation d'utiliser un bien mobilier que cette dernière lui a prêté ou remis à titre temporaire. *Syn.* **borrowing**. *V.a.* **cost of borrowing**.

LOAN APPLICATION
DEMANDE DE CRÉDIT, DEMANDE DE PRÊT, DEMANDE D'EMPRUNT
(fin.) Demande adressée à un établissement financier en vue d'obtenir un prêt.

LOAN OFFICER
RESPONSABLE DES PRÊTS, DIRECTEUR DU CRÉDIT, PRÉPOSÉ AU CRÉDIT
(fin.) Personne à laquelle on confie, particulièrement dans un établissement financier, la responsabilité d'accorder du crédit.

LOCATION 1.
LOCALISATION
(aff.) Choix de l'emplacement d'une entreprise ou de ses unités de production. *N.B.* Le terme anglais *location* désigne aussi le lieu choisi pour implanter une entreprise et on le rendra alors en français par le terme **emplacement**.

LOCATION 2.
ADRESSE
Voir **address**.

LOCK BOX
BOÎTE POSTALE SCELLÉE
(banque) Boîte postale dans laquelle les clients d'une société peuvent déposer des sommes d'argent qu'une banque recueille puis porte au crédit du compte en banque de la société.

LOG BOOK
JOURNAL DE MARCHE, JOURNAL DE BORD

Compte rendu, le plus souvent chronologique, des données relatives à une activité. *V.a.* **computer log**, **console print-out** et **transaction log**.

LOGISTICS
LOGISTIQUE

(gest.) Ensemble de méthodes et de techniques ayant pour objet de régler de manière optimale, dans le temps et dans l'espace, des flux de biens matériels, de personnel et de services. *N.B.* Cette activité donne parfois lieu à la mise sur pied, dans l'entreprise, d'un **service logistique** lorsque les problèmes de cette nature revêtent une importance suffisante.

LONG-FORM REPORT
RAPPORT LONG, RAPPORT DÉTAILLÉ

(E.C.) Rapport rédigé par l'expert-comptable après avoir rempli sa mission. Ce rapport renferme des statistiques, des commentaires explicatifs, des recommandations et une description beaucoup plus détaillée du travail effectué que le rapport ordinaire de vérification (ou révision). *Comparer avec* **short-form report**. *V.a.* **auditor's report** 1. et **management letter**.

LONG-LIVED ASSET(S)
ACTIF(S) À LONG TERME, ACTIF(S) IMMOBILISÉ(S), BIEN(S) À LONG TERME

Voir **long-term asset(s)**.

LONG POSITION 1.
POSITION EN COMPTE, POSITION ACHETEUR, POSITION À COUVERT

(Bourse) Situation dans laquelle se trouve une personne qui possède des titres ou des marchandises figurant dans son compte chez un agent de change ou un courtier. *N.B.* On dit de cette personne qu'elle est dans une **situation à couvert** en ce qui a trait aux titres ou marchandises portés à son compte dans les livres du courtier. Le rapport, à un moment donné, des engagements à la hausse aux engagements à la baisse s'appelle **position de place** et la **position acheteur** correspond à l'ensemble des achats à terme en cours soit pour une valeur donnée, soit pour le marché. Le **jour de la liquidation**, la position acheteur correspond au montant total des achats à terme reportés. *Comparer avec* **short position** 1.

LONG POSITION 2.
POSITION CRÉDITRICE, POSITION À COUVERT, POSITION LONGUE

(fin.) Position nette d'un établissement financier dont les achats de devises ont dépassé les ventes. *Comparer avec* **short position** 2. *V.a.* **exchange position exposure** et **foreign exchange position**.

LONG-TERM ASSET(S)
ACTIF(S) À LONG TERME, ACTIF(S) IMMOBILISÉ(S), BIEN(S) À LONG TERME

Ensemble des biens qui ne font pas partie du fonds de roulement. *Syn.* **long-lived asset(s)** et **non-current asset(s)**. *Comparer avec* **current assets**. *V.a.* **assets**, **capital assets** 1. et **fixed assets**.

LONG-TERM BORROWING
EMPRUNT À LONG TERME, EMPRUNT À PLUS D'UN AN

(fin.) Emprunt dont le **délai d'exigibilité** est supérieur à un an et se présentant généralement sous la forme d'obligations et de billets à long terme. *N.B.* Les emprunts à plus d'un an appartiennent aux **capitaux permanents** et sont généralement désignés par l'expression **capitaux empruntés**. *Comparer avec* **short-term borrowing**.

LONG-TERM CONTRACT
CONTRAT DE LONGUE DURÉE, CONTRAT À LONG TERME

(dr.) Contrat dont l'exécution s'échelonne sur un certain nombre d'exercices et dont le profit peut être comptabilisé au prorata des travaux exécutés ou à l'achèvement des travaux seulement. *V.a.* **completed contract method**, **contract** et **percentage-of-completion method**.

LONG-TERM DEBT
*PASSIF À LONG TERME, DETTE(S) À LONG TERME, DETTE(S) À PLUS D'UN AN, CAPITAUX
  EMPRUNTÉS*
Voir **long-term liabilities**.

LONG-TERM INTERCORPORATE INVESTMENT
PARTICIPATION PERMANENTE
(fin.) Placement permanent en actions d'une autre société. *N.B.* Ces actions constituent des **titres de participation** que l'entreprise acquiert en vue d'exercer une influence sur d'autres sociétés, d'en détenir le contrôle ou de créer des liens d'association avec celles-ci. *Syn.* **long-term investment** 2. *V.a.* **interest** 2.

LONG-TERM INVESTMENT 1.
*PLACEMENT À LONG TERME, IMMOBILISATION FINANCIÈRE, VALEUR MOBILIÈRE IMMOBILISÉE,
  TITRE IMMOBILISÉ*
(fin.) Placement en titres négociables ou non, effectué par l'entreprise pour une durée non déterminée mais qui excédera toutefois douze mois. *Comparer avec* **short-term investment**.

LONG-TERM INVESTMENT 2.
PARTICIPATION PERMANENTE
Voir **long-term intercorporate investment**.

LONG-TERM LIABILITIES
*PASSIF À LONG TERME, DETTE(S) À LONG TERME, DETTE(S) À PLUS D'UN AN, CAPITAUX
  EMPRUNTÉS*
Poste du bilan où l'on retrouve les dettes à long terme d'une entreprise. *Syn.* **long-term debt** et **non-current liabilities**.

LONG-TERM LIABILITY
DETTE À LONG TERME, DETTE À PLUS D'UN AN
Dette qui, dans le cours normal des affaires, ne doit pas être réglée au cours des douze prochains mois ou du prochain cycle d'exploitation si la durée de celui-ci excède un an. *Syn.* **debt** 2. *(fam.). Comparer avec* **current liability**. *V.a.* **bonded debt** et **funded debt** 1.

LONG-TERM RECEIVABLE
CRÉANCE À LONG TERME, CRÉANCE À PLUS D'UN AN
Créance qui, dans le cours normal des affaires, ne peut être recouvrée au cours des douze prochains mois ou du prochain cycle d'exploitation si la durée de celui-ci excède un an. *N.B.* Les **créances à plus d'un an** sont généralement le résultat d'opérations purement financières par opposition aux **créances d'exploitation** qui sont liées au cycle d'exploitation.

LOOP
BOUCLE
(inf.) Séquence d'instructions dont la dernière est une instruction de branchement pouvant renvoyer au début de la séquence qui peut être répétée jusqu'à ce qu'un certain critère soit vérifié.

LOOPHOLE *(fam.)*
ÉCHAPPATOIRE, LACUNE, FAILLE
(fisc. et dr.) Omission ou ambiguïté relevée dans une loi ou un contrat et permettant à une personne de se soustraire aux exigences de certaines dispositions de cette loi ou des clauses de ce contrat. *N.B.* Le terme **échappatoire** évoque plutôt l'aptitude d'un contribuable à tirer parti d'une carence de la loi tandis que les termes **lacune** et **faille** mettent davantage l'accent sur les faiblesses de structure d'une loi ou d'un règlement.

LOOSE-LEAF ACCOUNTING
COMPTABILITÉ SUR FEUILLES MOBILES
Système comptable dans lequel les comptes et les journaux sont tenus sur des feuilles mobiles, ce qui permet la **tenue des livres par décalque**. *V.a.* **one-write system**.

LOSS 1.
PERTE

Coût engagé ou absorbé par l'exploitation sans que l'entreprise en tire un avantage; quantité d'argent, partie d'un patrimoine, d'un bien matériel ou immatériel, d'un élément incorporel, etc. dont une personne physique ou morale est privée ou qu'elle cesse de posséder sans compensation (perte d'argent, perte de capital, perte de matières, perte d'un marché, etc.). *Comparer avec* **cost** 1. et **expenses**.

LOSS 2.
PERTE (NETTE), PERTE (NETTE) DE L'EXERCICE, RÉSULTAT DÉFICITAIRE, DÉFICIT

Excédent du total des charges et des pertes d'un exercice sur le total des produits et des gains de cet exercice. *Syn.* **deficit** 2. et **net loss**. *Comparer avec* **income** 1.

LOSS 3.
PERTE

Excédent des coûts sur les produits se rapportant à une opération donnée, par exemple la cession d'une immobilisation ou de titres négociables. *Comparer avec* **gain**.

LOSS 4.
SINISTRE

(ass.) Perte provenant d'un événement catastrophique, sans égard au fait que celui-ci donne ou ne donne pas droit, en vertu d'un contrat d'assurance, à une indemnisation pour les dommages subis.

LOSS CARRY BACK
REPORT DE PERTE RÉTROSPECTIF, REPORT DE PERTE EN AMONT

(fisc. can.) Report de perte sur le ou les exercices précédents en conformité avec les dispositions d'une loi fiscale. *V.a.* **carry back**.

LOSS CARRY FORWARD
REPORT DE PERTE PROSPECTIF, REPORT DE PERTE EN AVAL

(fisc. can.) Report de perte sur le ou les exercices suivants en conformité avec les dispositions d'une loi fiscale. *N.B.* On peut dire d'une perte ainsi reportée qu'elle est une **perte récupérable**, du moins en partie, parce qu'elle donnera lieu à une réduction des impôts que l'entreprise devrait normalement payer sur ses bénéfices futurs. *V.a.* **carry forward**.

LOSS CARRY-OVER
REPORT DE PERTE

Imputation d'une perte à un certain nombre d'exercices subséquents ou antérieurs. *V.a.* **carry-over**.

LOSS EXPERIENCE
DOSSIER DES SINISTRES, RÉSULTAT TECHNIQUE

(ass.) Relevé des pertes indemnisées par une compagnie d'assurances au cours d'une période donnée.

LOSS IN TRANSIT
FREINTE DE ROUTE, DÉCHET DE ROUTE

(transp.) Perte inévitable de volume ou de poids subie par certaines marchandises lors de leur transport.

LOSS IN VALUE
MOINS-VALUE, PERTE DE VALEUR, DÉPRÉCIATION

Perte résultant de la baisse de la valeur réelle d'un élément de l'actif d'une entreprise en dessous de sa valeur comptable, c'est-à-dire la valeur d'origine du bien en question diminuée, le cas échéant, des amortissements pratiqués. *N.B.* Il y a lieu de distinguer les **moins-values latentes** ou **potentielles** qui, en application de la règle de prudence, sont constatées en comptabilité, et les **moins-values réalisées** ou **matérialisées** qui sont enregistrées lors de la sortie d'un élément d'actif du patrimoine par voie de cession, échange, mise au rebut, sinistre, fusion, etc. *Syn.* **decrease in value** et **reduction in value**. *Comparer avec* **increase in value**. *V.a.* **allowance** 3., **holding loss** et **valuation allowance**.

LOSS LEADER
PRODUIT D'APPEL, ARTICLE DE RÉCLAME
(mark.) Article vendu à un prix exceptionnellement inférieur à son prix normal ou même à perte en vue d'attirer la clientèle et l'amener à acheter d'autres produits dont la vente permettra de réaliser des bénéfices.

LOSS RATIO
RATIO SINISTRES-PRIMES, RAPPORT SINISTRES-PRIMES
(ass.) Quotient des prestations versées par un assureur par les primes qu'il reçoit pour une catégorie de risques donnée.

LOWER MANAGEMENT
(CADRES DE) MAÎTRISE, AGENTS DE MAÎTRISE
(gest.) **Échelon de commandement** où s'exerce la surveillance immédiate des travaux. *N.B.* Les **agents de maîtrise**, notamment les chefs d'équipe, les contremaîtres et les chefs d'atelier, sont des employés chargés de diriger, de coordonner et de contrôler le travail d'un certain nombre de subordonnés. *Comparer avec* **middle management** et **top management**. *V.a.* **foreman**, **manager** 2. et **supervisor** 2.

LOWER OF COST AND MARKET METHOD
MÉTHODE DE LA VALEUR MINIMALE, (MÉTHODE D')ÉVALUATION À LA VALEUR MINIMALE
Méthode qui consiste à évaluer certains biens (par exemple les stocks et les titres de placements) à leur coût d'achat ou à leur valeur marchande, selon le moins élevé des deux. *N.B.* Dans le cas des stocks, la comparaison exige de déterminer d'abord leur coût d'achat selon l'une ou l'autre des méthodes définies sous l'expression *cost flow methods* puis d'établir la valeur du marché en faisant un choix entre le coût de remplacement, la valeur de réalisation nette et la valeur de réalisation nette hors marge normale. Cette méthode qui a pour effet de comptabiliser les moins-values au cours de l'exercice où les prix ont baissé s'appelle au Canada **méthode d'évaluation au coût ou à la valeur du marché, selon le moins élevé des deux**. *Syn.* **cost or market whichever is lower**. *V.a.* **cost flow methods**, **inventory valuation methods**, **market** 4., **net realizable value** et **net realizable value less normal margin**.

LUMP SUM
SOMME FORFAITAIRE, SOMME GLOBALE, FORFAIT
(aff.) Somme fixée par avance d'une manière invariable. *N.B.* Une somme versée pour régler en entier une dette qui pourrait l'être en plusieurs versements porte le nom de **paiement unique**.

LUMP-SUM DEATH BENEFIT
CAPITAL-DÉCÈS
(rentes) Somme versée en une seule fois aux ayants droit du participant à un régime de retraite lors de son décès. *V.a.* **death benefit**.

LUMP-SUM PURCHASE
ACHAT À UN PRIX GLOBAL, ACHAT À PRIX FORFAITAIRE
(comm.) Achat de plusieurs biens à un prix global ou à un prix forfaitaire. *Syn.* **basket purchase**. *V.a.* **block purchase**.

MACHINE-HOUR
HEURE-MACHINE
(prod.) Travail accompli en une heure par un matériel de fabrication, une machine, etc. *V.a.* **man-hour**.

MACHINE LANGUAGE
LANGAGE MACHINE
Voir **computer language**.

MACHINE SHOP
ATELIER D'USINAGE
Voir **machine tool department**.

MACHINERY AND EQUIPMENT
MATÉRIEL ET OUTILLAGE
Poste du bilan où figure l'ensemble des machines, appareils et équipements mécaniques dont l'entreprise se sert pour son exploitation. *N.B.* On entend par **machinerie** l'ensemble des machines réunies en un même lieu et concourant à un but commun. *V.a.* **equipment** 1.

MACHINE TIME RECORD
FEUILLE DE MACHINE
(prod.) Pièce sur laquelle on note l'utilisation réelle et parfois théorique d'une machine en vue de déterminer le coût de revient des produits fabriqués au moyen de cette machine.

MACHINE TOOL DEPARTMENT
ATELIER D'USINAGE
(prod.) Atelier d'une entreprise industrielle où l'on façonne des pièces avec des machines-outils. *Syn.* **machine shop**. *V.a.* **shop** 2.

MAGNETIC INK CHARACTER RECOGNITION (MICR)
LECTURE DE CARACTÈRES MAGNÉTIQUES
(inf.) Identification, par l'ordinateur, de caractères imprimés avec une encre magnétique. *Comparer avec* **optical character recognition (OCR)**.

MAGNETIC TAPE
BANDE MAGNÉTIQUE
(inf.) Ruban flexible imprégné ou recouvert d'une couche sensible qui permet d'y enregistrer des renseignements sous forme de **polarisations magnétiques**.

MAIL *v.*
POSTER, METTRE À LA POSTE
(lang. cour.) Expédier une lettre ou un colis par voie postale.

MAILING
PUBLIPOSTAGE
(mark.) Prospection publicitaire, démarchage ou vente effectués par voie postale. *N.B.* On emploie parfois en français le terme *mailing*. *V.a.* **circularize** 1. et **sales promotion**.

MAILING LIST
LISTE D'ADRESSES, FICHIER D'ADRESSES
Bien incorporel de l'entreprise, constitué par la liste de ses clients avec leur adresse respective.

MAIL ORDER HOUSE
MAISON DE VENTE PAR CORRESPONDANCE, ENTREPRISE DE VENTE PAR CORRESPONDANCE
(comm.) Entreprise qui se spécialise dans la vente de marchandises diverses par correspondance.

MAIL ORDER SELLING
VENTE PAR CORRESPONDANCE (V.P.C.)
(comm.) Méthode de vente dans laquelle toutes les opérations s'effectuent par la poste et qui consiste pour le client à acheter une marchandise au vu d'un catalogue à domicile. *N.B.* L'envoi par la poste de catalogues au client éventuel constitue de la **publicité directe**, mais on peut aussi, au moyen d'un **support publicitaire** classique, demander au client éventuel de prendre lui-même contact avec l'entreprise de vente par correspondance.

MAIN FRAME
UNITÉ CENTRALE DE TRAITEMENT
Voir **central processing unit (CPU)**.

MAIN CONTRACTOR
MAÎTRE D'OEUVRE, ENTREPRENEUR GÉNÉRAL
Voir **general contractor**.

MAIN STORAGE
MÉMOIRE PRINCIPALE, MÉMOIRE CENTRALE
(inf.) Mémoire adressable par programme dont les emplacements reçoivent des instructions ou d'autres données qui peuvent être transférées directement vers les organes de traitement de l'ordinateur ou d'autres mémoires internes, et vice versa. *V.a.* **memory**.

MAINTENANCE 1.
ENTRETIEN
(gest.) Action de maintenir en bon état de fonctionnement un matériel, des installations, des locaux, etc. *N.B.* On entend par **entretien courant** l'ensemble des réparations de faible importance effectuées, à la demande des utilisateurs, sur un matériel ou des installations afin que l'entreprise puisse les utiliser jusqu'à la fin de la période servant de base au calcul des annuités d'amortissement. L'**entretien préventif** consiste dans l'ensemble des méthodes et des techniques mises en oeuvre pour éviter une avarie ou une panne, et il est normalement procédé à cet entretien par des visites périodiques préalablement programmées. *V.a.* **deferred maintenance**, **improvement** et **repair**.

MAINTENANCE 2.
MAINTENANCE
(gest.) Ensemble des moyens permettant de maintenir un système ou une partie de système en état de fonctionnement normal. *N.B.* La **maintenance** peut aussi concerner un matériel ou un service entendu dans un sens très large. Ce mot a été emprunté à la langue anglaise pour désigner une notion différente de celle de l'**entretien**. La maintenance couvre non seulement l'entretien, mais aussi l'installation de nouveaux matériels et leur mise en oeuvre, et exige des qualifications spéciales de la part de ceux qui l'assurent.

MAINTENANCE CHARGES 1.
FRAIS D'ENTRETIEN
Dépenses qui n'ont d'autre objet que de maintenir un élément d'actif immobilisé dans de bonnes conditions d'utilisation. *N.B.* L'entretien ne confère pas un surplus de valeur à l'élément d'actif qu'il concerne et n'augmente pas sa durée de vie. Les frais de réparation et d'entretien doivent être rattachés aux exercices au cours desquels les travaux sont exécutés. Dans certains cas, ils peuvent faire l'objet de provisions pour pertes et charges.

MAINTENANCE CHARGES 2.
FRAIS DE MAINTENANCE
Dépenses qu'exige le maintien en bon état de fonctionnement d'un système ou d'une partie de système.

MAINTENANCE LEASE
BAIL TOUS FRAIS COMPRIS
(aff.) Bail dont la caractéristique consiste, pour le bailleur, à assumer tous les frais d'entretien du bien loué. *Comparer avec* **net lease**. *V.a.* **lease**.

MAJORITY GROUP
GROUPE MAJORITAIRE, MAJORITÉ
(org. des entr.) Groupe de personnes physiques ou morales qui détiennent plus de la moitié des voix lors de la tenue des assemblées d'une société de capitaux. *Comparer avec* **minority group**.

MAJORITY INTEREST
PARTICIPATION MAJORITAIRE, INTÉRÊTS MAJORITAIRES
(org. des entr.) Le fait de posséder plus de 50% des actions avec droit de vote d'une société. *N.B.* En matière de contrôle, on parlera de **majorité simple** (50% des actions plus une) tandis qu'on parlera de **majorités qualifiées** (66 2/3%, 75%, etc. des voix) dans le cas de décisions prises en conformité avec les dispositions de la loi ou des statuts de la société. *Syn.* **controlling interest** 2. *Comparer avec* **minority interest** 1. *V.a.* **controlling interest** 1. et **interest** 2.

MAJORITY RULE VOTING
ÉLECTION À LA MAJORITÉ SIMPLE
(org. des entr.) (Can.) Mode de scrutin généralement en vigueur dans les sociétés, pour l'élection des membres du conseil d'administration, en vertu duquel le détenteur d'une action jouit d'autant de votes qu'il y a d'administrateurs à élire, avec la restriction toutefois qu'il ne peut exprimer qu'un vote par action détenue lors de l'élection d'un administrateur. *Comparer avec* **cumulative voting**. *V.a.* **voting share**.

MAKE-OR-BUY DECISION
DÉCISION DE FABRIQUER OU D'ACHETER
(gest.) Décision administrative portant sur le choix à faire entre fabriquer une pièce, un produit, etc. au lieu de s'approvisionner chez un fournisseur.

MAKER
SOUSCRIPTEUR, TIREUR
(dr.) Signataire d'un effet de commerce, c'est-à-dire le **souscripteur** dans le cas d'un billet, et le **tireur** dans le cas d'une lettre de change. *Syn.* **payer**. *Comparer avec* **drawer**.

MALL
MAIL, GALERIE MARCHANDE, VOIE PIÉTONNIÈRE
(comm.) Axe de circulation piétonnier qui traverse un **centre commercial** et qui permet à la clientèle d'avoir aisément accès à tous les magasins s'ouvrant sur cet axe. *V.a.* **shopping centre**.

MANAGE v.
GÉRER, ADMINISTRER
(gest.) Conduire les affaires d'un particulier, d'une collectivité, d'une entreprise ou d'un secteur de l'activité d'une entreprise. *N.B.* Ainsi on gère des stocks, des budgets, un immeuble, etc.

MANAGED COSTS
COÛTS DISCRÉTIONNAIRES, FRAIS DISCRÉTIONNAIRES

Frais dont la nature et le montant sont le reflet de décisions prises par la direction générale de l'entreprise, par exemple les frais promotionnels et les frais de recherche et de développement. *Syn.* **discretionary costs** et **programmed costs**.

MANAGEMENT 1.
GESTION, ADMINISTRATION, MANAGEMENT

(gest.) Ensemble des activités d'organisation, de planification, de direction et de contrôle nécessaires pour que l'entreprise atteigne ses objectifs en faisant une utilisation optimale des ressources dont elle dispose. *N.B.* Le terme **management** (*prononcé à la française*) désigne plus particulièrement l'art de mettre en oeuvre l'ensemble des techniques de direction, d'organisation et de gestion de l'entreprise. Si les activités de planification, de direction et de contrôle portent sur la réalisation d'un projet, on parlera alors de **direction de projet**. *V.a.* **project management**.

MANAGEMENT 2.
DIRECTION

(gest.) Ensemble de ceux qui ont le pouvoir et la responsabilité de gérer une entreprise. *N.B.* Le terme anglais *management* pris dans ce sens désigne aussi les cadres, c'est-à-dire l'ensemble du personnel exerçant une autorité à divers paliers de la hiérarchie de l'entreprise. *Syn.* **executive** 1. *V.a.* **top management**.

MANAGEMENT 3.
ORGANISATION

(gest.) Philosophie de l'activité créatrice qui dégage de l'expérience les règles de l'utilisation la plus efficace possible du travail et des capitaux mis en oeuvre.

MANAGEMENT ACCOUNTING
COMPTABILITÉ DE GESTION, COMPTABILITÉ ADMINISTRATIVE (vieilli)

Comptabilité dont l'objet est de recueillir, d'inscrire et d'analyser des données comptables internes en vue de fournir à la direction de l'entreprise les informations dont elle a besoin pour prendre des décisions. *Syn.* **managerial accounting**. *Comparer avec* **financial accounting**. *V.a.* **accounting** 1. et **internal reporting**.

MANAGEMENT ADVISORY SERVICES (MAS)
CONSEILS DE GESTION

(gest.) Opinions données par un expert et portant sur les techniques d'organisation et de gestion des entreprises. *N.B.* Les **services en gestion** se répartissent en deux catégories : les **consultations** qui consistent en des avis ne résultant pas d'une étude approfondie et les **missions** qui donnent lieu à des analyses plus poussées de problèmes de gestion.

MANAGEMENT AUDIT
VÉRIFICATION DE GESTION (Can.), VÉRIFICATION OPÉRATIONNELLE (Can.), CONTRÔLE DE GESTION

(gest.) Examen de la structure d'organisation, des techniques de gestion d'une entreprise, de ses procédés et méthodes, de l'emploi de ses ressources humaines, financières et matérielles, ainsi que des décisions prises par les dirigeants afin d'en évaluer l'efficacité et l'efficience. *N.B.* En France et en Belgique, on emploie aussi l'expression *audit* opérationnel pour désigner cette sorte d'examen. *Syn.* **operational audit**. *Comparer avec* **financial auditing**. *V.a.* **audit** *n.* 3. et **value-for-money audit(ing)**.

MANAGEMENT AUDITOR
VÉRIFICATEUR DE GESTION (Can.), CONTRÔLEUR DE GESTION

(gest.) Expert chargé de vérifier ou de contrôler périodiquement la validité de la structure d'organisation d'une entreprise ainsi que ses méthodes de travail et ses normes de rendement. *Syn.* **operational auditor**. *V.a.* **auditor** et **internal auditor**.

MANAGEMENT BY EXCEPTION
DIRECTION PAR EXCEPTIONS (D.P.E.), GESTION PAR EXCEPTIONS

(gest.) Mode de gestion qui consiste à attirer l'attention de la direction sur les écarts entre les résultats réels et les

prévisions ainsi que sur les causes de ces écarts. *N.B.* Comme ce mode de gestion consiste, pour les dirigeants, à mettre en évidence certains indices d'un rendement inefficace, on le désigne parfois par l'expression **direction par clignotants**. *V.a.* **control by exception** et **operating report**.

MANAGEMENT BY OBJECTIVES (MBO)
DIRECTION PAR OBJECTIFS (D.P.O.), GESTION PAR OBJECTIFS

(gest.) Méthode de direction des entreprises qui consiste à fixer des objectifs, généralement quantifiables, aux responsables de différents secteurs, programmes ou activités. Ces responsables participent eux-mêmes à la définition des objectifs et se voient attribuer les pouvoirs et les moyens de les réaliser. *N.B.* L'implantation de la **direction par objectifs** exige la mise sur pied d'un système comptable permettant de contrôler les écarts entre ce qui est visé et ce qui est atteint. *V.a.* **participative management by objectives**.

MANAGEMENT BY RESPONSIBILITY CENTRE
GESTION PAR CENTRES DE RESPONSABILITÉ(S)

(gest.) Mode de gestion qui consiste, pour la direction, à fixer les objectifs que ses chefs de service doivent atteindre et à déterminer les moyens à employer pour y parvenir. *V.a.* **responsibility accounting** et **responsibility centre**.

MANAGEMENT CONSULTANT
CONSEIL(LER) EN GESTION, CONSEIL(LER) EN ADMINISTRATION

(gest.) Professionnel des techniques d'organisation et de gestion des entreprises, qui est appelé à résoudre certains problèmes pour le compte de tiers. *N.B.* Au Canada, les experts-comptables qui se spécialisent dans ce genre de travail le font parfois par l'intermédiaire de sociétés de capitaux. En France, il existe des **centres de gestion agréés** créés à l'initiative d'experts-comptables ou de chambres de commerce, de métier ou d'agriculture, et dont l'objet est de fournir à leurs adhérents (industriels, commerçants, artisans ou agriculteurs) des services en matière de gestion dans les domaines de l'assistance technique et de la formation. *V.a.* **consultant**.

MANAGEMENT CONSULTING
CONSEIL DE GESTION

(gest.) Étude de problèmes de gestion confiée à un consultant qui s'efforcera de trouver des solutions ou suggérera des améliorations propres à assurer le bon fonctionnement de l'entreprise et à organiser de la meilleure façon possible certaines activités.

MANAGEMENT CONTROL
CONTRÔLE DE GESTION

(gest.) Ensemble des techniques et des moyens permettant à la fois de s'assurer que les actions qui devaient être entreprises l'ont été, de suivre les réalisations d'une politique et de mesurer le rendement économique d'une entreprise. *N.B.* On entend aussi par **contrôle de gestion** l'ensemble des dispositions prises pour fournir aux dirigeants et aux divers responsables, des données chiffrées périodiques caractérisant la marche de l'entreprise. Leur comparaison avec des données passées ou prévues peut, le cas échéant, inciter les dirigeants à déclencher rapidement les mesures correctives appropriées. *V.a.* **control** 3.

MANAGEMENT DEVELOPMENT
PERFECTIONNEMENT DES CADRES

(gest.) Amélioration de la compétence des cadres au moyen de cours de perfectionnement, de stages, etc. *V.a.* **continuing education** et **professional development**.

MANAGEMENT FEES 1.
FRAIS DE GESTION

(gest.) Rémunération versée pour les services rendus en matière de gestion. *V.a.* **service charges**.

MANAGEMENT FEES 2.
FRAIS DE SIÈGE

(gest.) Frais auxquels donnent lieu les services rendus par une société mère à ses filiales.

MANAGEMENT INFORMATION SYSTEM (MIS)
SYSTÈME D'INFORMATION DE GESTION, INFORMATIQUE DE GESTION

(inf. et *gest.)* Système intégré dont le fonctionnement repose autant sur l'apport humain que mécanique et ayant pour but de fournir en temps voulu des informations fiables et nécessaires à l'exploitation ou à la gestion d'une entreprise et à la prise de décisions administratives. *Syn.* **information system**.

MANAGEMENT LETTER
LETTRE DE RECOMMANDATIONS

(E.C.) Lettre adressée à la direction d'une entreprise par un expert-comptable dans laquelle ce dernier formule, en premier lieu, des commentaires sur le système de contrôle interne de l'entreprise et d'autres sujets qui ont retenu son attention lors de l'exécution de sa mission et, en second lieu, des recommandations visant à améliorer la situation. *N.B.* En France, la loi sur les sociétés exige que les commissaires aux comptes portent à la connaissance du conseil d'administration, les contrôles effectués, les postes du bilan auxquels des modifications leur paraissent devoir être apportées, les irrégularités qu'ils auraient découvertes et les conclusions auxquelles conduisent les observations et rectifications ci-dessus ainsi que la comparaison des résultats de l'exercice avec ceux de l'exercice précédent. *Comparer avec* **letter of representation**. *V.a.* **internal control letter** et **long-form report**.

MANAGEMENT PLANNING
GESTION PRÉVISIONNELLE, PLANIFICATION DE GESTION

(gest.) Mode de gestion fondé sur la prévision et permettant à la direction de maintenir, entre les diverses sections de l'entreprise, un équilibre satisfaisant en vue d'une utilisation optimale de ses ressources. *N.B.* La **gestion prévisionnelle** s'efforce de prévenir les événements plutôt que de les guérir et permet de mettre en évidence les écarts et de les analyser. Le processus de gestion prévisionnelle comporte trois étapes : l'élaboration des stratégies, le choix, après examen, d'une stratégie et l'établissement des budgets.

MANAGEMENT REPRESENTATION LETTER
LETTRE DE DÉCLARATION, LETTRE DÉCLARATIVE DE RESPONSABILITÉ (Fr.), DÉCLARATION DE LA DIRECTION AU REVISEUR (Belg.)

Voir **letter of representation**.

MANAGEMENT TRAIL
PISTE DE CONTRÔLE DE GESTION

(gest.) Chemin permettant de retracer les données depuis leur entrée dans le système de contrôle de gestion jusqu'à leur sortie sous forme de documents synthétiques ou dans le sens inverse. *Comparer avec* **audit trail** 1.

MANAGEMENT TRAINING
FORMATION DES DIRIGEANTS, FORMATION DES CADRES

(gest.) Processus dont l'objet est de parfaire les connaissances des dirigeants ou des cadres et d'améliorer leur rendement.

MANAGER 1.
DIRIGEANT, GESTIONNAIRE, CHEF D'ENTREPRISE

(gest.) Terme générique utilisé pour désigner toute personne chargée d'une gestion ou ayant la responsabilité de gérer une entreprise ou l'un de ses secteurs.

MANAGER 2.
CADRE

(gest.) Toute personne qui occupe un poste de commande dans l'entreprise. *N.B.* L'ensemble du personnel participant à la direction d'une entreprise constitue les **cadres** et on distingue généralement trois catégories de cadres : les **cadres supérieurs**, les **cadres intermédiaires** et les **cadres de maîtrise**. *Syn.* **executive** 3. *V.a.* **director** 2., **lower management**, **middle management**, **senior executive officer** et **top management**.

MANAGER 3.
GÉRANT

(gest.) Dans la langue commerciale, personne physique ou morale qui dirige ou administre des biens pour le compte d'autrui, en tant que mandataire, par exemple un **gérant d'immeubles**. *N.B.* Un gérant est aussi la

personne chargée, avec pleins pouvoirs, en vertu d'un **contrat de gérance**, de l'exploitation d'un fonds de commerce dont elle n'est pas propriétaire. On distingue le **gérant libre** qui exploite l'entreprise sous son propre nom et pour son compte personnel, et le **gérant salarié** qui agit pour le compte du propriétaire et dont la rémunération consiste en un salaire fixe ou en un pourcentage du chiffre d'affaires ou les deux simultanément.

MANAGER 4.
DIRECTEUR, CHEF DE SERVICE
Voir **director** 2.

MANAGER 5.
CHEF DE GROUPE
(E.C.) Personne qui, au sein d'un cabinet d'experts-comptables, est responsable de plusieurs équipes de vérification (ou révision) et revoit le travail qu'elles ont effectué.

MANAGERIAL ACCOUNTING
COMPTABILITÉ DE GESTION, COMPTABILITÉ ADMINISTRATIVE (vieilli)
Voir **management accounting**.

MANAGING DIRECTOR
ADMINISTRATEUR DÉLÉGUÉ
(gest.) Personne chargée d'exercer une fonction administrative à la place de son titulaire. *N.B.* En Belgique, on appelle **délégué à la gestion journalière** la personne qui, dans une société anonyme, dispose des pouvoirs les plus étendus en ce qui a trait à la gestion courante de la société.

MANAGING PARTNER
ASSOCIÉ DIRECTEUR GÉNÉRAL
(prof. compt.) Associé d'un cabinet d'experts-comptables qui assume la direction générale du cabinet. *V.a.* **partner**.

MAN-HOUR
HEURE-HOMME, HEURE-PERSONNE
(prod.) Travail accompli en une heure par une personne. *N.B.* Au pluriel, on dira des heures-hommes et des heures-personnes. *V.a.* **machine-hour**.

MANIFEST
MANIFESTE
(transp.) Liste, à l'usage des douanes, des marchandises constituant la cargaison d'un navire (**manifeste de cargaison**) et, par extension, **document de bord** d'un avion donnant des informations quant à son itinéraire, ses passagers et les marchandises qu'il transporte. *V.a.* **bill of lading** et **cargo**.

MANIFOLD
LIASSE
(lang. cour.) Assemblage de feuilles et de carbones servant à établir des doubles de documents.

MANUFACTURING
FABRICATION
(prod.) Ensemble des opérations successives aboutissant à la réalisation matérielle d'un produit. *N.B.* La **fabrication** d'un produit est dite **sur commande** lorsqu'elle n'est mise en oeuvre que si l'entreprise reçoit une commande correspondante. En revanche, la **fabrication sur stock** consiste à produire des biens qui sont destinés à alimenter le stock plutôt qu'à être directement vendus ou livrés. *V.a.* **custom work**.

MANUFACTURING ACCOUNT
COMPTE DE FABRICATION
Compte du grand livre dans lequel figure un sommaire des coûts engagés par une entreprise industrielle pour fabriquer un produit donné ou l'ensemble de ses produits.

MANUFACTURING CONCERN
ENTREPRISE INDUSTRIELLE, ENTREPRISE DE FABRICATION
(écon.) Entreprise ayant pour objet la transformation de matières premières en produits et, éventuellement, la prestation de services subséquents. *V.a.* **business firm**, **commercial concern** et **service concern**.

MANUFACTURING COST
COÛT DE PRODUCTION, COÛT DE FABRICATION, COÛT DE REVIENT, PRIX DE REVIENT
Voir **production cost**.

MANUFACTURING COSTS
COÛTS DE FABRICATION, FRAIS DE FABRICATION, CHARGES DE PRODUCTION
Voir **production costs**.

MANUFACTURING EXPENSES 1.
COÛTS DE FABRICATION, FRAIS DE FABRICATION, CHARGES DE PRODUCTION
Voir **production costs**.

MANUFACTURING EXPENSES 2.
FRAIS GÉNÉRAUX DE FABRICATION, FRAIS GÉNÉRAUX DE PRODUCTION
Voir **factory overhead**.

MANUFACTURING OVERHEAD
FRAIS GÉNÉRAUX DE FABRICATION, FRAIS GÉNÉRAUX DE PRODUCTION
Voir **factory overhead**.

MANUFACTURING PROCESS 1.
(PROCESSUS DE) FABRICATION
(prod.) Ensemble des transformations que doit subir un produit; succession des phases d'un mode de fabrication. *V.a.* **process** *n*.

MANUFACTURING PROCESS 2.
PROCÉDÉ DE FABRICATION
(prod.) Méthode utilisée pour parvenir à un certain résultat et, plus particulièrement, pour fabriquer un produit donné.

MANUFACTURING STATEMENT
(ÉTAT DU) COÛT DE FABRICATION
Voir **statement, manufacturing**.

MANUFACTURING SUPPLIES
MATIÈRES INDIRECTES, MATIÈRES CONSOMMABLES, FOURNITURES DE FABRICATION, FOURNITURES CONSOMMABLES
Voir **indirect materials**.

MARGIN 1.
MARGE
(anal. fin.) Indicateur de la rentabilité d'un produit, d'une famille de produits, d'un centre de responsabilités, etc. représenté par la différence entre, d'une part, le prix de vente et, d'autre part, le coût d'achat, le coût de production ou le total des frais variables. *N.B.* Selon le coût auquel la marge correspond, on peut distinguer la **marge sur coût d'achat**, la **marge sur coût de production** et la **marge sur frais variables**. *V.a.* **contribution margin** 1., **gross margin** 2., **mark-on** et **profit margin**.

MARGIN 2.
COUVERTURE, ACOMPTE
(Bourse) Somme remise par un investisseur à un courtier (ou agent de change) en règlement partiel d'un achat à

terme de titres ou de marchandises. *N.B.* La **couverture** représente un dépôt d'espèces que l'investisseur ou le spéculateur doit faire préalablement à la passation d'un ordre. L'**acompte** représente à la fois un règlement partiel à valoir sur les achats à faire (le solde étant réglé au moment de la liquidation) et une garantie couvrant d'éventuelles pertes sur les opérations futures prévues. La couverture exigée est proportionnelle à l'importance des opérations à terme engagées, et le **taux de couverture** peut être modifié selon les circonstances. *Syn.* **cover** 1. *V.a.* **carrying charges** 3. et **margin requirement** 2.

MARGIN 3.
MARGE

(Bourse) (Can.) Somme remise par un investisseur à un courtier en règlement partiel d'un achat de titres. *N.B.* Le courtier avance, dans ce cas, à son client le solde du prix convenu. *V.a.* **margin buying**.

MARGIN 4.
GARANTIE EXCÉDENTAIRE

(dr.) Excédent égal à la différence entre la valeur marchande d'un bien que le débiteur a affecté à la garantie de sa dette et la somme qu'il a empruntée.

MARGINAL *adj.*
MARGINAL

(lang. cour.) Se dit d'un élément qui se situe sur la frontière du domaine de l'ensemble (relativement homogène) considéré. *N.B.* Ainsi on entend par **entreprise marginale** une entreprise qui se situe à la limite de la rentabilité de l'ensemble des entreprises concernées. *V.a.* **incremental** *adj.*

MARGINAL COST 1.
COÛT MARGINAL

(gest.) Accroissement des coûts auxquels donnent lieu la production, la commercialisation, le transport, etc. d'une unité de plus que la quantité sur laquelle le **coût de référence** a été calculé; cette unité est dite **marginale**. *Comparer avec* **marginal revenue**. *V.a.* **incremental cost**.

MARGINAL COST 2.
COÛT MARGINAL, COÛT DIFFÉRENTIEL, FRAIS MARGINAUX

Voir **incremental cost**.

MARGINAL COSTING 1.
MÉTHODE DES COÛTS DIFFÉRENTIELS, MÉTHODE DES COÛTS MARGINAUX

(gest.) Méthode qui consiste à ne tenir compte que des frais marginaux afférents à un service, à une activité ou à un produit dans la prise de décisions administratives.

MARGINAL COSTING 2.
MÉTHODE DES COÛTS PROPORTIONNELS, MÉTHODE DES COÛTS VARIABLES

Voir **direct costing**.

MARGINAL REVENUE
REVENU MARGINAL, PRODUIT (D'EXPLOITATION) MARGINAL

(gest.) Accroissement des produits d'exploitation provenant de la vente d'une unité de plus que la quantité sur laquelle le **chiffre d'affaires de référence** a été calculé; cette unité est dite **marginale**. *Comparer avec* **marginal cost** 1.

MARGINAL TAX RATE
TAUX D'IMPOSITION MARGINAL

(fisc.) Taux d'imposition s'appliquant, pour un particulier, à la dernière tranche de son revenu imposable. *Comparer avec* **average tax rate**.

MARGIN BUYING
ACHAT (DE TITRES) SUR MARGE

(Bourse) (Can.) Achat de titres moyennant la remise à un courtier d'une somme appelée **marge** représentant une partie seulement du prix des titres achetés. *V.a.* **futures market**, **margin** 3. et **margin requirement** 1.

MARGIN OF SAFETY
MARGE DE SÉCURITÉ

(anal. fin.) Excédent du chiffre d'affaires d'une entreprise sur le **chiffre d'affaires critique**, c'est-à-dire le niveau d'activité auquel correspond le point mort. *N.B.* Le chiffre d'affaires critique correspond au seuil de rentabilité et la marge de sécurité peut être exprimée en dollars, en quantité ou au moyen d'un ratio. On entend aussi par **marge de sécurité** les disponibilités dont une entreprise est assurée au-delà des dépenses prévues. *V.a.* **break-even point**.

MARGIN REQUIREMENT 1.
MARGE OBLIGATOIRE

(Bourse) (Can.) Somme que la loi ou les autorités boursières exigent qu'un investisseur remette à un courtier lors de l'achat de titres. *V.a.* **margin buying**.

MARGIN REQUIREMENT 2.
COUVERTURE (BOURSIÈRE) OBLIGATOIRE

(Bourse) Somme que la loi ou les autorités boursières exigent qu'un investisseur remette à un courtier (ou agent de change) lors d'un achat à terme de titres ou de marchandises. *V.a.* **carrying charges** 3. et **margin** 2.

MARK *v.*
MARQUER

(comm.) Action d'indiquer sur un article le prix auquel il sera vendu. *N.B.* On entend par **marquage** l'opération qui consiste à apposer sur un article, directement ou par le truchement d'une **étiquette**, des indications sur ses caractéristiques : prix, taille, poids, qualité, mode d'emploi, etc. *V.a.* **labelling**.

MARK-DOWN *n.* 1.
DÉMARQUE (DES PRIX), MINORATION

(comm.) Réduction du prix de vente initialement marqué en vue de favoriser l'écoulement rapide d'un produit. *Comparer avec* **mark-up** 1. *V.a.* **net mark-downs** et **retail inventory method**.

MARK-DOWN *n.* 2.
DÉMARQUAGE

(comm.) Action de pratiquer une **démarque** sur des marchandises en vue de les **vendre en solde**. *N.B.* Le **démarquage** a notamment pour cause un aspect défraîchi du produit, un changement de mode, l'écoulement d'une **fin de série** ou l'**assainissement d'un stock**. Le terme démarquage désigne aussi la suppression du nom de marque d'un produit afin de le vendre à un prix réduit et est, dans ce cas, synonyme de **dégriffage**. *V.a.* **sale** 2.

MARK DOWN *v.*
DÉMARQUER, MINORER

(comm.) Procéder à une minoration ou à une démarque des prix, ce qui donne généralement lieu à une vente en solde ou à une vente au rabais.

MARK-DOWN CANCELLATION
ANNULATION DE DÉMARQUE

(comm.) Augmentation d'un **prix démarqué** (c'est-à-dire le prix de détail d'une marchandise après démarquage), jusqu'à concurrence du prix de détail initial. *Comparer avec* **mark-up cancellation**. *V.a.* **net mark-downs**.

MARKET 1.
MARCHÉ

(aff.) Terme général comportant notamment les acceptions suivantes : a) emplacement ou local où l'on offre des produits en vente, b) ensemble des offres et demandes d'un bien, d'un service ou de capitaux dans un secteur donné, c) ensemble des transactions effectuées dans une aire géographique déterminée, et d) ensemble des consommateurs et des acheteurs présentant une importance fondamentale pour l'entreprise.

MARKET 2.
VALEUR MARCHANDE, VALEUR DU MARCHÉ, PRIX DU MARCHÉ, PRIX COURANT, VALEUR VÉNALE
Voir **market value** 1.

MARKET 3.
COURS (DU MARCHÉ), COURS COTÉ, COURS DE BOURSE, VALEUR À LA COTE
Voir **quoted market price**.

MARKET 4.
VALEUR DU MARCHÉ
Terme utilisé dans le cadre de la **méthode de la valeur minimale** et désignant, dans le cas des stocks, le coût de remplacement, la valeur de réalisation nette ou la valeur de réalisation nette hors marge normale. *Syn.* **market value** 3. *V.a.* **lower of cost and market method**.

MARKETABLE SECURITY
TITRE NÉGOCIABLE, VALEUR MOBILIÈRE COTÉE, TITRE DE PLACEMENT COTÉ
(Bourse) Titre (action ou obligation) qui peut être facilement vendu sur le **marché financier** (Bourse et marché hors cote). *V.a.* **negotiability**, **negotiable instrument**, **realizable value** et **security** 1.

MARKETING 1.
MARKETING
(mark.) Ensemble des techniques qui, à partir de la connaissance des besoins du consommateur et des structures du marché, ont pour objet la création de produits et de services, la définition de plans de mise en marché ainsi que la mise en oeuvre des programmes d'action et des moyens nécessaires à la réalisation de ces plans.

MARKETING 2.
COMMERCIALISATION
(mark.) Ensemble des activités commerciales d'une entreprise, c'est-à-dire les études et recherches commerciales, la communication commerciale, la vente, l'administration commerciale, la distribution physique, le service après vente et le contrôle commercial. *V.a.* **merchandising**.

MARKETING BOARD
OFFICE DE COMMERCIALISATION
(écon.) Organisme d'État dont le rôle est de promouvoir, contrôler et réglementer la mise en marché de produits de la ferme, par exemple les produits laitiers et les oeufs.

MARKETING COSTS
FRAIS DE MARKETING
(mark.) Frais que suscite l'ensemble des activités relatives au marketing. *N.B.* Si les frais engagés se rapportent surtout à la mise en marché de produits, on parlera plutôt de **frais de mise en marché** et de **frais de commercialisation**. *V.a.* **distribution costs**.

MARKETING MIX
DOSAGE DES FACTEURS DE COMMERCIALISATION
(mark.) Combinaison optimale des différents facteurs de commercialisation d'un produit ou d'un service, eu égard aux objectifs à atteindre et aux moyens dont on dispose pour y parvenir. *N.B.* On emploie aussi en français l'expression *marketing mix* pour désigner cette combinaison optimale. *V.a.* **mix**.

MARKETING OF A PRODUCT
MARKETING D'UN PRODUIT, LANCEMENT D'UN PRODUIT, COMMERCIALISATION D'UN PRODUIT
(mark.) Processus qui consiste à faire entrer un bien ou un service dans un **circuit commercial**. *N.B.* La **commercialisation** d'un produit peut s'entendre séparément à un niveau donné (producteurs, intermédiaires, commerçants) ou globalement pour tous les niveaux.

MARKETING POLICY
POLITIQUE DE MARKETING, POLITIQUE DE (MISE EN) MARCHÉ
(mark.) Ensemble des règles d'étude et d'action, des lignes de comportement, des disciplines de gestion qui portent sur les marchés à atteindre, la clientèle visée, la **part du marché** désirée ainsi que l'attitude à prendre vis-à-vis de la concurrence. *V.a.* **policy** 2.

MARKET ORDER
ORDRE AU MIEUX
(Bourse) Ordre d'acheter ou de vendre des titres au cours le plus favorable. *V.a.* **order** 2.

MARKET PRICE 1.
VALEUR MARCHANDE, VALEUR DU MARCHÉ, PRIX DU MARCHÉ, PRIX COURANT, VALEUR VÉNALE
Voir **market value** 1.

MARKET PRICE 2.
COURS (DU MARCHÉ), COURS COTÉ, COURS DE BOURSE, VALEUR À LA COTE
Voir **quoted market price**.

MARKET VALUE 1.
VALEUR MARCHANDE, VALEUR DU MARCHÉ, PRIX DU MARCHÉ, PRIX COURANT, VALEUR VÉNALE
(écon.) Valeur résultant, pour un bien ou un service donné, de la confrontation de l'offre et de la demande sur un marché donné, et dans des conditions normales de concurrence. *N.B.* La valeur marchande d'un bien correspond à sa **valeur commerciale**, c'est-à-dire sa **valeur d'échange** fondée sur son prix courant ou, le cas échéant, son cours. *Syn.* **market** 2. et **market price** 1. *Comparer avec* **going concern value** et **liquidation value**. *V.a.* **fair market value** et **value** *n.*

MARKET VALUE 2.
COURS (DU MARCHÉ), COURS COTÉ, COURS DE BOURSE, VALEUR À LA COTE
Voir **quoted market price**.

MARKET VALUE 3.
VALEUR DU MARCHÉ
Voir **market** 4.

MARK-ON
MARGE SUR COÛT D'ACHAT, MARGE SUR COÛT DE REVIENT, MARGE (BÉNÉFICIAIRE) BRUTE,
   MARGE COMMERCIALE
(comm.) Montant ajouté au coût de revient d'un article en vue de déterminer son prix de vente ou prix de détail initial. *N.B.* La **màrge** s'exprime généralement en valeur absolue. La marge exprimée en pourcentage du prix de vente, ou plus rarement en pourcentage du coût d'achat, porte le nom de **taux de marque** ou **taux de marge**. Dans le langage technique, le taux de marge exprimé en pourcentage du coût d'achat s'appelle plus précisément **frappe**, alors que le taux de marque exprimé en pourcentage du prix de vente s'appelle **ressort**. *Syn.* **mark-up** 2. *V.a.* **gross margin** 2. et **margin** 1.

MARK SENSE, TO
GRAPHITER
(inf.) Marquer une position sur une carte ou sur une feuille au moyen d'un **crayon à mine conductrice** en vue de la conversion ultérieure de cette marque en perforations, ou de sa lecture directe (**lecture graphique**) par l'ordinateur.

MARK-UP 1.
MAJORATION, SURMARQUAGE
(comm.) Augmentation apportée par l'entreprise au prix de détail auquel elle avait initialement prévu vendre un article. *Comparer avec* **mark-down** *n.* 1. *V.a.* **net mark-ups** et **retail inventory method**.

MARK-UP 2.
MARGE SUR COÛT D'ACHAT, MARGE SUR COÛT DE REVIENT, MARGE (BÉNÉFICIAIRE) BRUTE,
   MARGE COMMERCIALE
Voir **mark-on**.

MARK-UP CANCELLATION
ANNULATION DE MAJORATION
(comm.) Réduction du prix de détail majoré d'une marchandise, jusqu'à concurrence de son prix de détail initial. *Comparer avec* **mark-down cancellation**. *V.a.* **net mark-ups**.

MAS
CONSEILS DE GESTION
Abrév. de **management advisory services**.

MASS STORAGE
MÉMOIRE DE MASSE
(inf.) Mémoire externe de très grande capacité. *V.a.* **memory**.

MASTER BUDGET
BUDGET DIRECTEUR, BUDGET GLOBAL, BUDGET GÉNÉRAL
(gest.) Budget concrétisant un plan d'ensemble adopté par la direction pour une période donnée. *N.B.* Ce budget sous-tend les budgets particuliers portant sur les ventes, les achats, la production, la trésorerie, etc. et a son aboutissement dans l'établissement d'**états financiers** (ou **comptes**) **prévisionnels**. *Syn.* **comprehensive budget**. *V.a.* **budget** *n.* 1.

MASTER FILE
FICHIER PRINCIPAL, FICHIER MAÎTRE, FICHIER PERMANENT
(inf.) Fichier contenant des données de référence relativement permanentes (fichier des stocks, fichier des comptes clients, etc.) pour une application déterminée. *V.a.* **file** *n.*

MATCHING
APPARIEMENT, RAPPROCHEMENT
(aff.) Procédé qui consiste à réunir deux documents connexes (par exemple une facture et un bordereau de réception) en vue de vérifier la concordance de l'information qu'ils renferment.

MATCHING OF MATURITIES
ACCORD DES ÉCHÉANCES
(banque) Accord qui doit idéalement exister pour une banque entre les échéances des prêts qu'elle a consentis (ses actifs) et les sommes d'argent qui lui ont été confiées (ses dettes).

MATCHING PRINCIPLE 1.
PRINCIPE DU RAPPROCHEMENT (DES PRODUITS ET DES CHARGES), PRINCIPE DU RATTACHEMENT (DES PRODUITS ET DES CHARGES À L'EXERCICE)
Principe comptable qui exige de déterminer d'abord les produits d'un exercice puis de recenser les charges s'y rapportant en vue de les défalquer du total des produits et ainsi déterminer le bénéfice net (ou résultat net) de l'exercice. *V.a.* **accounting principles** 2. et **accrual principle**.

MATCHING PRINCIPLE 2.
RÈGLE DE L'ÉQUILIBRE FINANCIER
(fin.) Règle qui stipule que les capitaux utilisés pour financer l'acquisition d'une immobilisation, de marchandises ou de tout autre bien doivent pouvoir rester à la disposition de l'entreprise pendant un temps qui correspond au moins à celui de la durée de l'immobilisation, des marchandises ou du bien que ces capitaux ont permis d'acquérir. *N.B.* Selon ce principe, les biens à long terme doivent être financés au moyen de capitaux permanents alors que les éléments de l'actif à court terme doivent l'être au moyen de fonds obtenus à court terme.

MATERIAL *adj.*
IMPORTANT, MARQUÉ, SENSIBLE, SIGNIFICATIF
(lang. cour.) Se dit d'un élément qui importe ou qui est de conséquence. *Comparer avec* **immaterial** *adj. V.a.* **materiality** et **materiality principle**.

MATERIALITY
IMPORTANCE (RELATIVE), CARACTÈRE SIGNIFICATIF

(lang. cour.) Caractère d'un élément qui fait que l'on doit en tenir compte, par exemple un poste ou un montant des états financiers, un procédé utilisé par l'expert-comptable, une omission ou une inexactitude relevée par ce dernier au cours de l'examen des comptes. *N.B.* Dans la très grande majorité des cas, un élément n'est important que par rapport à une **base de référence**, par exemple le résultat net de l'exercice. *V.a.* **material** *adj.*

MATERIALITY LEVEL
(SEUIL DE) TOLÉRANCE, (MARGE DE) TOLÉRANCE, SEUIL DE SIGNIFICATION

(E.C.) Expression chiffrée de l'importance relative. En vérification (ou révision), limite au-delà de laquelle l'expert-comptable ne peut plus considérer que les états financiers (ou comptes) sont fidèles.

MATERIALITY PRINCIPLE
PRINCIPE DE L'IMPORTANCE RELATIVE

Principe qui exige que les états financiers (ou comptes) révèlent toutes les opérations dont l'importance peut influer sur les évaluations ou les décisions. *N.B.* Ainsi une omission, une inexactitude ou une erreur relevée dans les états financiers (ou comptes annuels) est importante lorsqu'il est probable que la personne qui utilise l'information agirait différemment si elle était mise au courant de cette omission, inexactitude ou erreur. Si un élément est négligeable dans son contexte, il n'est pas nécessaire d'en tenir compte, et la comptabilité n'a pas à suivre en détail les mouvements de valeurs ne revêtant pas de caractère significatif au niveau d'information recherché. *V.a.* **accounting principles** 2. et **material** *adj.*

MATERIAL PRICE VARIANCE
ÉCART SUR PRIX DES MATIÈRES, ÉCART DE PRIX SUR LES MATIÈRES

Différence entre le prix réel des matières et leur prix standard (ou normalisé), multipliée par la quantité réelle utilisée. *Syn.* **raw material price variance**. *V.a.* **raw materials** et **standard cost variances**.

MATERIAL REQUISITION
BON DE SORTIE (DE MATIÈRES), DEMANDE DE MATIÈRES, BON DE MAGASIN

(prod.) Document rempli par un atelier ou une section de fabrication en vue de se procurer les matières et les fournitures nécessaires à la fabrication d'un produit. *N.B.* Ce document indique les matières à obtenir, précise leur nature et leur quantité, autorise leur sortie du magasin et permet de les évaluer en unités monétaires. *V.a.* **requisition** et **stores requisition**.

MATERIALS
MATIÈRES

(prod.) Éléments entrant dans la fabrication d'un produit à la suite, le plus souvent, de leur transformation par une activité technique. *N.B.* Dans le domaine de la construction, le terme anglais *materials* se rend par **matériaux.** Par définition, un **matériau** est toute matière servant à construire. *V.a.* **commodity**, **direct materials**, **goods**, **indirect materials** et **raw materials**.

MATERIAL USAGE VARIANCE
ÉCART SUR QUANTITÉ DES MATIÈRES, ÉCART DE QUANTITÉ SUR LES MATIÈRES

Différence entre la quantité réelle des matières utilisées et la quantité standard, multipliée par le prix standard (ou normalisé) des matières utilisées. *Syn.* **raw material usage variance**. *V.a.* **raw materials** et **standard cost variances**.

MATERIAL VARIANCE
ÉCART SUR MATIÈRES

Écart entre le coût réel des matières utilisées pour fabriquer un produit et le coût standard (ou normalisé) des matières que l'entreprise aurait dû normalement utiliser. *Syn.* **raw material variance**. *V.a.* **raw materials** et **standard cost variances**.

MATRIX
MATRICE, TABLEAU MATRICIEL

(math.) Tableau de valeurs disposées horizontalement et verticalement. *N.B.* La notation usuelle consiste à

désigner la place de chaque valeur par un **indice de ligne** (position dans la ligne) et un **indice de colonne** (position dans la colonne).

MATURE
ÉCHOIR, VENIR À ÉCHÉANCE

(dr. et lang. cour.) Parvenir à la date où un délai expire, une obligation doit être exécutée, un paiement devient exigible. *V.a.* **fall due**.

MATURED BONDS
OBLIGATIONS ÉCHUES

(fin.) Obligations effectivement échues que leur détenteur n'a pas encore présentées à la société émettrice en vue de leur remboursement.

MATURITY
(DATE D')ÉCHÉANCE, DATE D'EXIGIBILITÉ
Voir **maturity date**.

MATURITY DATE
(DATE D')ÉCHÉANCE, DATE D'EXIGIBILITÉ

(dr.) Date à laquelle une personne est tenue d'exécuter une obligation ou d'effectuer un paiement. *N.B.* On entend aussi par **échéance** la date à laquelle expire un délai. *Syn.* **date of maturity**, **due date** et **maturity**.

MATURITY VALUE
VALEUR À L'ÉCHÉANCE

(fin.) Valeur d'une obligation à la date d'échéance, c'est-à-dire le plus souvent la valeur nominale de l'obligation échue. *N.B.* Dans le cas d'un effet de commerce, la valeur à l'échéance est égale à la valeur nominale de l'effet augmentée des intérêts s'y rapportant.

MAXIMIZATION
MAXIMISATION

(lang. cour.) Détermination de la plus grande valeur que peut atteindre un résultat (compte tenu des contraintes auxquelles il faut se plier), et recherche des solutions permettant d'y parvenir. *N.B.* Dans le cas d'un résultat à composantes multiples, la notion de **maximisation** est couverte par le concept plus élaboré d'**optimisation**. *V.a.* **optimization**.

MAXIMUM STOCK
STOCK MAXIMAL

(gest.) Niveau supérieur qu'atteint le stock physique d'un article dans le cours de ses renouvellements successifs. *Comparer avec* **minimum stock**.

MBO
DIRECTION PAR OBJECTIFS (D.P.O.), GESTION PAR OBJECTIFS
Abrév. de **management by objectives**.

MEAN
MOYENNE

(stat.) Mesure de la tendance centrale d'une série statistique que l'on obtient en divisant par leur nombre le total des valeurs attribuées aux données appartenant à cette série. *V.a.* **average**.

MEASURING UNIT
UNITÉ DE MESURE, (ÉLÉMENT) QUANTIFICATEUR, QUANTIFIANT

(lang. cour.) Unité servant à déterminer la valeur de certaines grandeurs par comparaison avec une grandeur constante de même espèce prise comme **terme de référence**. *N.B.* En comptabilité, l'unité de mesure utilisée est l'**unité monétaire** (dollar, franc, mark, etc.) à laquelle on attribue une valeur stable. En comptabilité indexée, toutefois, l'unité de mesure utilisée est l'**unité de pouvoir d'achat (U.P.A.)**. *V.a.* **attribute measured** et **purchasing power unit (PPU)**.

MEDIAN
MÉDIANE

Sonia Cavalieri D'Oro

(stat.) Dans une suite de données classées par ordre de grandeur, valeur numérique de cette suite (ou **valeur interpolée**) située à un point où le nombre de données qui la précèdent est égal au nombre de données qui la suivent. *N.B.* Comme la moyenne et le mode, la médiane est une **mesure de tendance centrale** d'une **série statistique**.

MEDIUM
SUPPORT

(inf.) Carte perforée, bande magnétique ou tout autre objet servant à recevoir, conserver et restituer des informations, dans un **calculateur électronique**.

MEET A DEADLINE, TO
RESPECTER UN DÉLAI

(lang. cour.) Donner suite à un engagement portant sur le règlement d'une dette, l'exécution d'un travail, etc. *V.a.* **deadline**.

MEMBERSHIP CORPORATION
(ASSOCIATION) MUTUELLE

(O.S.B.L.) (Can.) Association établie principalement pour exercer des activités qui procureront à ses membres des services ou des avantages qui ne sont ni économiques ni pécuniaires. *Comparer avec* **charitable corporation**. *V.a.* **non-profit organization**.

MEMBERSHIP FEE(S)
COTISATION, DROIT D'ADHÉSION
Voir **dues**.

MEMO
NOTE (DE SERVICE)
Voir **memorandum** 2.

MEMORANDUM 1.
NOTE, MÉMORANDUM

(lang. cour.) Brève indication recueillie par écrit en écoutant, en étudiant, en observant; notes qu'une personne prend de choses qu'elle ne veut pas oublier. *N.B.* Le terme **mémorandum** désigne aussi le carnet contenant ce genre de notes.

MEMORANDUM 2.
NOTE (DE SERVICE)

(gest.) Document interne utilisé à l'intérieur d'un service et renfermant les directives d'un chef à ses subordonnés en vue de l'application d'une décision administrative. *Syn.* **internal memo**, **memo** et **note** 2.

MEMORANDUM 3.
NOTE, MÉMO (fam.)

(lang. cour.) Brève communication écrite transmise par une personne à une autre personne ou à un service.

MEMORANDUM 4.
MÉMOIRE, DOCUMENT DE TRAVAIL

(lang. cour.) Exposé détaillé portant sur un sujet technique. *V.a.* **discussion memorandum**.

MEMORANDUM 5.
RÉSUMÉ, SYNTHÈSE

(lang. cour.) Relevé des points saillants portant sur un sujet technique notés au cours d'un travail en vue de faire une synthèse et de tirer des conclusions.

MEMORANDUM (ENTRY)
(ÉCRITURE) POUR MÉMOIRE
Information qui n'est pas portée en compte et qui n'est mentionnée dans les livres qu'à titre de renseignement complémentaire.

MEMORANDUM OF ASSOCIATION
STATUTS (CONSTITUTIFS), ACTE CONSTITUTIF (Can.), ACTE DE CONSTITUTION (Can.)
Voir **instrument of incorporation**.

MEMORY
MÉMOIRE
(inf.) Dispositif d'un ordinateur capable d'enregistrer des informations codées, de les conserver et de les restituer. *Syn.* **storage device**. *V.a.* **associative storage**, **auxiliary storage**, **buffer storage**, **main storage**, **mass storage** et **storage protection**.

MERCHANDISE
MARCHANDISES
(comm.) Articles achetés par un détaillant ou un grossiste en vue de leur revente en l'état. *V.a.* **goods**.

MERCHANDISING
TECHNIQUES MARCHANDES
(mark.) Ensemble tactique de la **stratégie commerciale** d'une entreprise portant sur les **méthodes de commercialisation** et permettant de présenter à un acheteur éventuel le produit à vendre ou le service à rendre dans les meilleures conditions matérielles et psychologiques. *V.a.* **marketing** 2.

MERCHANT
MARCHAND, COMMERÇANT, NÉGOCIANT
(comm.) Personne qui fait profession d'acheter ou de vendre des marchandises en gros, demi-gros ou au détail.

MERGER
FUSION, (CONCENTRATION PAR) ABSORPTION
(org. des entr.) Opération par laquelle deux ou plusieurs sociétés décident de réunir leur patrimoine et de mettre en commun leurs activités. *N.B.* Une **fusion** suppose la réunion de deux ou plusieurs sociétés déjà existantes. Si elles se confondent pour former une société unique, il s'agit d'une **fusion combinaison** ou d'une **fusion par constitution d'une nouvelle société**. Si l'une des sociétés regroupées absorbe les autres, il s'agit d'une **fusion absorption**. Dans ce dernier cas, les **sociétés absorbées** apportent la totalité de leur patrimoine à la **société absorbante**, le plus souvent contre des actions de cette dernière. Lors d'une fusion, l'excédent de la valeur de l'actif net de la société absorbée sur la valeur nominale des actions de la société absorbante émises est connue sous le nom de **prime de fusion**, élément qui, au Canada, doit figurer dans le surplus d'apport et, en France et en Belgique, au passif du bilan de la société absorbante entre le capital et les réserves. *V.a.* **amalgamation** et **business combination**.

MICR
LECTURE DE CARACTÈRES MAGNÉTIQUES
Abrév. de **magnetic ink character recognition**.

MIDDLE MANAGEMENT
CADRES MOYENS, CADRES INTERMÉDIAIRES
(gest.) Échelon de la direction regroupant les chefs de services ayant sous leurs ordres des chefs de secteurs ou de bureau ou encore des agents de maîtrise ou contremaîtres. *Comparer avec* **lower management** et **top management**. *V.a.* **manager** 2.

MINERAL RIGHTS
DROITS MINIERS
(dr. et *ind. extr.)* Droit d'extraire des minéraux, du pétrole ou du gaz naturel, de la terre ou des fonds marins.

MINIMUM LEASE PAYMENTS
PAIEMENTS MINIMAUX EXIGIBLES EN VERTU D'UN BAIL

(aff.) Paiements effectués par le locataire ou preneur et comprenant les loyers minimaux prévus, le montant de la garantie de la valeur résiduelle du bien loué au terme de la durée du bail et les pénalités exigibles par le bailleur.

MINIMUM STOCK
STOCK MINIMAL

(gest.) Niveau le plus bas qu'atteint le stock physique d'un article dans le cours de ses renouvellements successifs. *N.B.* Le chiffre de stock minimal majoré du nombre d'unités que l'entreprise utilisera ou vendra au cours du **délai de réapprovisionnement** permet de déterminer le moment où il convient de déclencher un **ordre de réapprovisionnement**. *Comparer avec* **maximum stock**. *V.a.* **buffer inventory** 1., **lead time** 1., **reorder point** et **safety stock**.

MINORITY GROUP
GROUPE MINORITAIRE, MINORITÉ

(org. des entr. et gest.) Groupe de personnes physiques ou morales qui détiennent moins de la moitié des voix au sein d'une société. *N.B.* En France et en Belgique, un groupe d'actionnaires minoritaires d'une société anonyme possédant le tiers des actions d'une autre société anonyme plus une peut s'opposer à des modifications statutaires proposées par le conseil d'administration ou un groupe d'actionnaires majoritaires. On dit d'un groupe d'actionnaires qui détient au moins cette fraction du capital social qu'il dispose d'une **minorité de blocage**. En France et en Belgique également, un ou plusieurs actionnaires représentant au moins le dizième du capital social peuvent demander en justice la désignation d'un expert (dit **expert de minorité**) chargé de présenter un rapport sur une ou plusieurs opérations de gestion. *Comparer avec* **majority group**.

MINORITY INTEREST 1.
PARTICIPATION MINORITAIRE, INTÉRÊTS MINORITAIRES

(org. des entr.) Intérêt représenté par la possession de moins de 50% des actions avec droit de vote d'une société de capitaux. *Comparer avec* **majority interest**. *V.a.* **interest** 2.

MINORITY INTEREST 2.
PART DES ACTIONNAIRES MINORITAIRES

Dans des états (ou comptes) consolidés, partie des capitaux propres d'une filiale se rapportant aux actions qui n'appartiennent pas à la société mère ou à une autre filiale comprise dans le **périmètre de consolidation**.

MINUTE BOOK
(REGISTRE DES) PROCÈS-VERBAUX, (LIVRE DES) PROCÈS-VERBAUX

(gest.) Livre dans lequel sont consignés les procès-verbaux des réunions du conseil d'administration d'une société de capitaux, de son comité de direction et des assemblées des actionnaires.

MINUTES
PROCÈS-VERBAL

(lang. cour.) Relation officielle écrite de ce qui s'est dit ou fait dans une réunion, une assemblée, et des résolutions que l'on y a adoptées. *N.B.* Par opposition au **procès-verbal**, le **compte rendu** consiste dans une relation écrite ou verbale, généralement brève, d'un fait, d'une situation, d'une réunion. En droit, le terme français **minute** désigne l'écrit original d'un acte notarié ou d'un jugement qui reste en dépôt entre les mains d'un officier public.

MIS
SYSTÈME D'INFORMATION DE GESTION, INFORMATIQUE DE GESTION

Abrév. de **management information system**.

MISCELLANEOUS EXPENSES
FRAIS DIVERS, CHARGES DIVERSES

Frais minimes qu'il n'est généralement pas nécessaire de présenter séparément dans l'état des résultats (ou compte de résultat). *Syn.* **sundry expenses**.

MISCELLANEOUS REVENUE
PRODUITS DIVERS, PRODUITS ACCESSOIRES

Produits minimes provenant de sources secondaires (par exemple la vente de déchets) qu'il n'est généralement pas nécessaire de présenter séparément dans l'état des résultats (ou compte de résultat). *Syn.* **sundry income**.

MISLEADING INFORMATION
INFORMATION TROMPEUSE

Information susceptible d'induire en erreur, que les états financiers (ou comptes annuels) peuvent renfermer.

MISREPRESENTATION 1.
INFORMATION FAUSSE ET TROMPEUSE

(Bourse) Information susceptible d'induire les investisseurs en erreur.

MISREPRESENTATION 2.
FAUSSE DÉCLARATION, DÉCLARATION INEXACTE, DÉCLARATION TROMPEUSE

(lang. cour.) Déclaration contraire à la vérité et tendant à induire en erreur.

MISSTATED FIGURE
CHIFFRE ERRONÉ

Chiffre des états financiers (ou comptes annuels) entaché d'une erreur commise volontairement ou non.

MISSTATEMENT
ÉNONCÉ FAUTIF, DÉCLARATION ERRONÉE

(lang. cour.) Assertion renfermant une erreur faite par une personne, le plus souvent dans le but de nuire à une autre personne ou d'en tirer un certain avantage.

MIX
COMPOSITION, COMBINAISON, DOSAGE

(lang. cour.) Proportion relative de divers éléments inclus dans un groupe. *V.a.* **marketing mix**, **product mix** et **sales mix**.

MIXED COSTS
FRAIS SEMI-VARIABLES, COÛTS SEMI-VARIABLES, CHARGES SEMI-VARIABLES

Voir **semi-variable costs**.

MIXED DOLLARS
DOLLARS D'ORIGINE, DOLLARS HISTORIQUES, DOLLARS NON INDEXÉS, DOLLARS NON MILLÉSIMÉS

Voir **nominal dollars**.

MNC
(SOCIÉTÉ) MULTINATIONALE

Abrév. de **multinational corporation**.

MODE
MODE, VALEUR MODALE, (VALEUR) DOMINANTE

(stat.) Valeur numérique la plus fréquente observée dans une série statistique; classe dont le nombre de données est le plus élevé dans une **distribution de fréquences**.

MODIFIED ACCRUAL METHOD
COMPTABILITÉ D'EXERCICE MODIFIÉE

(Can.) Comptabilité d'exercice qui diffère de la comptabilité de caisse uniquement parce que l'on tient compte, en fin d'exercice, de certains produits à recevoir et de certaines charges à payer. *V.a.* **accrual basis of accounting**.

MODIFIED CASH BASIS (OF ACCOUNTING)
COMPTABILITÉ DE CAISSE MODIFIÉE

(Can.) Comptabilité qui diffère de la comptabilité de caisse uniquement parce que les rentrées de fonds sont rapprochées des dépenses après que l'on a tenu compte des dettes réelles non encore inscrites à la date de l'arrêté des comptes. *V.a.* **cash basis of accounting**.

MONETARY 1.
MONÉTAIRE

(écon.) Relatif à la monnaie, par exemple la masse monétaire et la politique monétaire.

MONETARY 2.
PÉCUNIAIRE, SALARIAL, FINANCIER

(lang. cour.) Relatif aux questions d'argent, de rémunération, etc., par exemple une aide **pécuniaire**, les offres **salariales** d'une entreprise et les clauses **financières** d'un contrat de travail.

MONETARY 3.
VÉNAL, EN NUMÉRAIRE, MONÉTAIRE

(lang. cour.) Exprimé en argent, par exemple la valeur vénale d'un bien ou une erreur en numéraire.

MONETARY ASSET
(ÉLÉMENT D')ACTIF MONÉTAIRE, BIEN MONÉTAIRE, BIEN À VALEUR VÉNALE FIXE, (ÉLÉMENT D')ACTIF À VALEUR VÉNALE FIXE

Bien dont la valeur exprimée en unités monétaires est fixe, par exemple les comptes clients, l'encaisse et un placement en obligations. *Comparer avec* **non-monetary asset**. *V.a.* **monetary item**.

MONETARY ERROR 1.
ERREUR EN NUMÉRAIRE

(stat.) Erreur estimative exprimée en unités monétaires qu'une méthode d'échantillonnage permet de déceler dans une population.

MONETARY ERROR 2.
ERREUR EN NUMÉRAIRE

Toute erreur exprimée en unités monétaires.

MONETARY GAIN
GAIN DÛ À L'ÉVOLUTION (DU NIVEAU GÉNÉRAL) DES PRIX, GAIN DE POUVOIR D'ACHAT
Voir **general price-level gain**.

MONETARY ITEM
ÉLÉMENT MONÉTAIRE, POSTE MONÉTAIRE, POSTE À VALEUR VÉNALE FIXE, ÉLÉMENT À VALEUR VÉNALE FIXE

Élément ou poste représentant des espèces ou des quasi-espèces dont le montant en unités monétaires est fixé par contrat ou autrement et ne fluctue pas en fonction des changements survenus dans les prix. *Comparer avec* **non-monetary item**. *V.a.* **general price-level gain**, **general price-level loss**, **monetary asset** et **monetary liability**.

MONETARY LIABILITY
(ÉLÉMENT DE) PASSIF MONÉTAIRE, DETTE MONÉTAIRE, DETTE À VALEUR VÉNALE FIXE, (ÉLÉMENT DE) PASSIF À VALEUR VÉNALE FIXE

Dette dont le montant exprimé en unités monétaires est fixe, par exemple les comptes fournisseurs, un emprunt bancaire, un emprunt-obligations. *Comparer avec* **non-monetary liability**. *V.a.* **monetary item**.

MONETARY LOSS
PERTE DUE À L'ÉVOLUTION (DU NIVEAU GÉNÉRAL) DES PRIX, PERTE DE POUVOIR D'ACHAT
Voir **general price-level loss**.

MONETARY-NONMONETARY METHOD
MÉTHODE DES POSTES MONÉTAIRES ET NON MONÉTAIRES, MÉTHODE DES VALEURS VÉNALES
  FIXES ET VARIABLES

Méthode de conversion des comptes exprimés en monnaie étrangère qui consiste à convertir les postes monétaires (ou postes à valeur vénale fixe) au taux de change à la date de l'arrêté des comptes, et les postes non monétaires (ou postes à valeur vénale variable) aux taux d'origine appropriés. *V.a.* **translation of foreign currency methods**.

MONETARY UNIT
UNITÉ MONÉTAIRE

(écon.) Unité d'expression de la monnaie d'un pays.

MONETARY UNIT SAMPLING
ÉCHANTILLONNAGE EN UNITÉS MONÉTAIRES, SONDAGE DES UNITÉS MONÉTAIRES

(stat.) Technique d'échantillonnage, applicable à une population de montants exprimés en numéraire (par exemple le montant des factures), qui consiste à considérer chaque unité monétaire comme un nombre distinct ayant une probabilité égale de faire partie de l'échantillon. *Syn.* **dollar unit sampling**. *Comparer avec* **physical unit sampling**. *V.a.* **sampling** 2.

MONETARY VALUE
VALEUR VÉNALE, VALEUR PÉCUNIAIRE

(écon.) Prix probable que l'on pourrait obtenir, en cas de cession librement consentie, pour la vente d'un bien, dans son état actuel.

MONEY 1.
MONNAIE

(écon.) Instrument qui a pour fonction de faciliter les échanges de biens, de les comparer et d'être un réservoir de valeur par l'épargne ou par la thésaurisation. *N.B.* La monnaie est soit un bien (la **monnaie métallique** appelée aussi **monnaie divisionnaire**), soit un simple signe monétaire (la **monnaie fiduciaire**, c'est-à-dire les billets de banque, et la **monnaie scripturale**, notamment les chèques dont l'utilité et la valeur sont fondées sur le consensus social). *V.a.* **hard cash**, **legal tender** et **paper money**.

MONEY 2.
NUMÉRAIRE, MONNAIE LÉGALE, ARGENT

Voir **cash** *n.* 1.

MONEY LENDER
PRÊTEUR, BAILLEUR DE FONDS

Voir **lender**.

MONEY MARKET
MARCHÉ MONÉTAIRE

(fin.) Marché des capitaux à court terme en numéraire, en compte ou sur titres.

MONEY ORDER
MANDAT

(fin.) Instrument acheté auprès d'un bureau de poste (**mandat postal** ou **mandat poste**) ou d'une banque (**mandat de banque** ou **mandat bancaire**) en vue d'effectuer un transfert de fonds. *V.a.* **bank money order** et **postal money order**.

MONEY-PURCHASE PENSION PLAN
RÉGIME DE RETRAITE À COTISATIONS DÉTERMINÉES

Voir **cost based pension plan**.

MONEY SUPPLY
MASSE MONÉTAIRE

(écon.) Ensemble des disponibilités en unités monétaires dans toutes les formes de monnaie ou de quasi-monnaie d'un pays à un moment donné.

MONTHLY PAYMENT
MENSUALITÉ, VERSEMENT MENSUEL, PAIEMENT MENSUEL

(fin.) Somme qu'un débiteur verse mensuellement en vue d'éteindre une dette qu'il a convenu, avec l'autorisation du créancier, de régler par versements échelonnés sur un certain nombre de mois. *V.a.* **annual (re)payment** et **quarterly payment**.

MOONLIGHTING *(fam.)*
TRAVAIL NOIR

(rel. de tr.) Travail fait à temps partiel, généralement le soir, par une personne qui déjà occupe un poste à temps plein le jour.

MORTGAGE *v.*
HYPOTHÉQUER, GREVER D'UNE HYPOTHÈQUE

(dr.) Affecter un bien à une hypothèque; garantir une dette par une hypothèque. *V.a.* **collateral** 1. *(fam.)*, **hypothecate** et **pledge** *v.*

MORTGAGE *n.* 1.
HYPOTHÈQUE

(dr.) **Droit réel** accessoire grevant un immeuble et constitué au profit d'un créancier pour garantir le paiement d'une dette ou l'exécution d'une obligation, sans qu'il y ait dépossession ou dessaisissement de la part du débiteur ou du propriétaire. *N.B.* En droit anglais, le *mortgage* suppose un transfert de propriété au créancier sous condition résolutoire. *V.a.* **chattel mortgage**, **closed-end mortgage**, **first mortgage**, **general mortgage**, **junior mortgage**, **open-end mortgage**, **redemption of a mortgage** 2., **reverse mortgage** et **wraparound mortgage**.

MORTGAGE *n.* 2. *(fam.)*
PRÊT HYPOTHÉCAIRE, PRÊT SUR HYPOTHÈQUE, CRÉDIT HYPOTHÉCAIRE
Voir **mortgage loan**.

MORTGAGE BOND
OBLIGATION HYPOTHÉCAIRE

(fin.) Obligation garantie par une hypothèque sur des biens immeubles.
V.a. **bond** 1.

MORTGAGEE
CRÉANCIER HYPOTHÉCAIRE

(dr.) Créancier dont le prêt est garanti par une hypothèque.

MORTGAGE INSURANCE
ASSURANCE-HYPOTHÈQUE

(ass.) Assurance temporaire à capital dégressif correspondant à la garantie d'un emprunt hypothécaire amortissable.

MORTGAGE LOAN
PRÊT HYPOTHÉCAIRE, PRÊT SUR HYPOTHÈQUE, CRÉDIT HYPOTHÉCAIRE

(fin.) Prêt consenti par un établissement financier à un emprunteur qui offre en garantie une hypothèque sur un bien-fonds. *Syn.* **mortgage** *n.* 2. *(fam.)*.

MORTGAGE LOAN PAYABLE
EMPRUNT HYPOTHÉCAIRE
Poste du passif du bilan où figure un emprunt garanti par une hypothèque.

MORTGAGE LOAN RECEIVABLE
PRÊT HYPOTHÉCAIRE, CRÉANCE HYPOTHÉCAIRE
Poste de l'actif du bilan où figure une créance ou un prêt garanti par une hypothèque.

MORTGAGOR
DÉBITEUR HYPOTHÉCAIRE
(dr.) Débiteur dont la dette est garantie par une hypothèque.

MOVING AVERAGE
MOYENNE MOBILE
(stat.) Moyenne calculée sur une période (par exemple douze mois) dont on déplace une tranche (par exemple un mois) de façon à toujours couvrir une période de même longueur. *N.B.* Ces **décalages successifs**, par exemple de mois en mois, permettent de découvrir les tendances dans une **série chronologique**. *V.a.* **average**.

MOVING AVERAGE METHOD
MÉTHODE DE LA MOYENNE MOBILE
Méthode d'évaluation des stocks qui consiste à calculer une nouvelle moyenne après chaque achat de marchandises et à attribuer aux stocks en fin d'exercice une valeur égale au nombre d'articles stockés multiplié par la moyenne calculée après le dernier achat de l'exercice. *N.B.* Selon cette méthode, le coût attribué aux marchandises vendues est égal au nombre d'unités vendues à un moment donné multiplié par la moyenne calculée lors du dernier achat. *V.a.* **average cost method** et **cost flow methods**.

MOVING BUDGET
BUDGET PERPÉTUEL, BUDGET ROULANT, BUDGET CONTINU
Voir **continuous budget**.

MULTINATIONAL CORPORATION (MNC)
(SOCIÉTÉ) MULTINATIONALE, SOCIÉTÉ TRANSNATIONALE
(org. des entr.) Entreprise ayant investi des capitaux et exerçant son exploitation à l'échelle internationale. *N.B.* L'entreprise enregistrée auprès d'un organisme international seul habilité à la contrôler et à en recevoir des redevances est une **entreprise supranationale**, par exemple le *Fonds monétaire international (F.M.I.)*.

MULTIPLE-STEP INCOME STATEMENT
ÉTAT DES RÉSULTATS À GROUPEMENTS MULTIPLES, COMPTE DE RÉSULTAT PRÉSENTÉ EN
    ÉCHELLE (Fr.), SCHÉMA EN FORME DE LISTE (Belg.)
Mode de présentation de l'état des résultats (ou compte de résultat) qui consiste à classer par groupes les postes qui en font partie de manière à mettre en évidence certains **soldes intermédiaires de gestion**, par exemple la marge bénéficiaire brute, le bénéfice d'exploitation, le bénéfice avant impôts et le bénéfice net. *Comparer avec* **single-step income statement**.

MULTIPLE STORES
ENTREPRISE À SUCCURSALES, MAGASIN À SUCCURSALES MULTIPLES
(comm.) Entreprise commerciale groupant sous une même raison sociale plusieurs magasins de vente au détail gérés par des responsables salariés et dans lesquels sont vendus des articles qui sont généralement de même nature. *V.a.* **chain store**.

MULTIPLE UNIT RESIDENTIAL BUILDING (MURB)
IMMEUBLE (RÉSIDENTIEL) À LOGEMENTS MULTIPLES
(fisc. can.) Immeuble d'habitation renfermant plusieurs appartements et dont une des caractéristiques est parfois de procurer des avantages fiscaux à son propriétaire.

MULTIPLE VALUE FORECASTS
ÉVENTAIL DE PRÉVISIONS
Prévisions portant sur les résultats futurs et faisant l'objet de plusieurs chiffres, d'une fourchette de chiffres ou de plusieurs fourchettes auxquelles on peut affecter différents coefficients de probabilité. *Comparer avec* **range forecasts** et **single value forecasts**. *V.a.* **forecast**.

MULTIPLE VOTE SHARE
ACTION À VOTE PLURAL
(fin.) Action qui confère à son détenteur un nombre de voix supérieur à un.

MULTIPROCESSING
MULTITRAITEMENT
(inf.) Technique informatisée qui consiste à faire travailler simultanément un ou plusieurs organes d'exécution sur un programme ou plus en ayant accès à des mémoires ou à des organes communs. *V.a.* **data processing** 2.

MURB
IMMEUBLE RÉSIDENTIEL À LOGEMENTS MULTIPLES
Abrév. de **multiple unit residential building**.

MUTUAL FUND 1.
SOCIÉTÉ D'INVESTISSEMENT À CAPITAL VARIABLE (SICAV), (SOCIÉTÉ DE) FONDS MUTUEL (Can.)
(fin.) Société qui émet des **actions** non transférables et qui est tenue de les racheter à leur **valeur liquidative** lorsqu'un sociétaire le demande. *Syn.* **open-end fund** et **open-end investment company**. *Comparer avec* **closed-end investment company**. *V.a.* **investment company** 2. et **net asset value**.

MUTUAL FUND 2.
FONDS COMMUN DE PLACEMENT (F.C.P.)
(fin.) Fonds constitué de sommes mises en commun par des épargnants en vue d'un **placement collectif** et dont la gestion est assurée par un tiers qui doit sur demande racheter les **parts** à leur **valeur liquidative**. *N.B.* Le fonds commun de placement se distingue de la société d'investissement à capital variable (SICAV) en ce qu'il n'est pas doté de la personnalité morale et constitue simplement une forme d'**indivision** (**propriété indivise**). *V.a.* **investment pool** et **net asset value**.

MUTUALLY EXCLUSIVE PROJECTS
PROJETS MUTUELLEMENT EXCLUSIFS
(gest.) Projets d'investissement qui se font concurrence de telle sorte que l'acceptation de l'un d'entre eux élimine automatiquement les autres.

NAME OF AN ACCOUNT
INTITULÉ D'UN COMPTE, TITRE D'UN COMPTE
Inscription placée en tête d'un compte de grand livre et servant à préciser le genre d'opérations qui doivent y être enregistrées. *Syn.* **title of an account**.

NATIONAL INCOME
REVENU NATIONAL
(écon.) Ensemble des biens et des services économiques produits par un pays au cours d'une période donnée.

NATIONAL INCOME ACCOUNTING
COMPTABILITÉ NATIONALE, COMPTABILITÉ ÉCONOMIQUE
(écon.) Présentation comptable des informations quantitatives relatives à l'activité économique d'un pays, dont l'objet est de décrire les phénomènes fondamentaux de la production, de la distribution et de la répartition des richesses ainsi que d'établir le tableau de l'activité économique du pays et les prévisions économiques pour une période donnée.

NATIONAL PARTNER
ASSOCIÉ NATIONAL
(prof. compt.) (Can.) Associé qui, dans un grand cabinet d'experts-comptables, assume des responsabilités à l'échelle nationale. *V.a.* **partner**.

NATURAL BUSINESS YEAR
ANNÉE NORMALE D'EXPLOITATION
Période de douze mois se terminant généralement à la fin d'un **cycle d'exploitation**, c'est-à-dire à un moment qui convient particulièrement à l'établissement de l'inventaire et à la clôture de l'exercice parce que, par exemple, les stocks et les comptes clients étant alors à leur niveau le plus bas, les **opérations de recensement** et d'évaluation nécessaires à l'établissement de l'inventaire sont, par le fait même, simplifiées d'autant. *Comparer avec* **calendar year** et **fiscal year**.

NATURAL CLASSIFICATION
CLASSEMENT PAR NATURE, CLASSIFICATION PAR NATURE
Présentation de l'état des résultats (ou compte de résultat) dans lequel les charges sont classées en fonction de leur nature, par exemple les matières, les salaires, les assurances, les impôts fonciers, l'amortissement, etc. *Syn.* **object classification**. *Comparer avec* **functional classification** 1. et 2.

NATURAL GROWTH ASSET
BIEN À CROISSANCE NATURELLE
(écon.) Bien dont la valeur est susceptible d'augmenter par voie d'accroissement naturel, par exemple du bois sur pied ou un troupeau.

NATURAL PERSON
PERSONNE PHYSIQUE
(dr.) Personne humaine vue en tant que sujet de droit. *Comparer avec* **artificial person**. *V.a.* **person**.

NATURAL RESOURCES
RICHESSES NATURELLES, RESSOURCES NATURELLES
(écon. et *ind. extr.)* Forêts, gisements de pétrole, de gaz naturel ou de minerai, ressources hydro-électriques et autres biens de même nature qui ont une valeur économique certaine. *V.a.* **wasting asset**.

NBV
VALEUR COMPTABLE (NETTE)
Abrév. de **net book value**.

NEAR CASH
QUASI-ESPÈCES, QUASI-DISPONIBILITÉS
Voir **cash equivalents**.

NEGATIVE ASSURANCE
DÉCLARATION (RESTREINTE) DE FORME NÉGATIVE, DÉCLARATION DE FIABILITÉ PRÉSUMÉE
(E.C.) (Can.) Forme de déclaration restreinte de fiabilité exprimée par la négative. *N.B.* Ainsi l'expert-comptable peut affirmer qu'il n'a rien remarqué au cours de son travail qui le porterait à croire que les sujets à l'étude ne respectent pas les normes établies, ou qui l'amènerait à mettre en doute la fidélité de l'information présentée dans les états financiers. Cette forme de déclaration est interdite en Belgique dans tous les rapports de revision portant sur les comptes annuels. *V.a.* **audit assurance** 2., **comfort letter** et **limited (audit) assurance**.

NEGATIVE CONFIRMATION
CONFIRMATION TACITE
(E.C.) Demande de confirmation à laquelle un tiers (banque, client, créancier) n'est invité à répondre que s'il n'est pas d'accord avec les renseignements qui lui sont communiqués. *Comparer avec* **positive confirmation**. *V.a.* **confirmation**.

NEGATIVE GOODWILL *(fam.)*
DÉFICIT D'ACQUISITION, ACHALANDAGE NÉGATIF (Can.)
Excédent, à la date d'acquisition d'une société, des justes valeurs attribuées aux éléments identifiables de son actif net, sur le coût des actions de ladite société. *N.B.* En France, on emploie parfois le terme *badwill* pour désigner familièrement cet excédent. *V.a.* **consolidated goodwill** et **goodwill**.

NEGATIVE SHAREHOLDERS' EQUITY
EXCÉDENT DU DÉFICIT SUR LE CAPITAL D'APPORT, AVOIR DES ACTIONNAIRES NÉGATIF (Can.)
Voir **shareholders' deficiency**.

NEGATIVE WORKING CAPITAL
FONDS DE ROULEMENT DÉFICITAIRE, ENDETTEMENT À COURT TERME, FONDS DE ROULEMENT NÉGATIF
Voir **working capital deficiency**.

NEGOTIABILITY
NÉGOCIABILITÉ
(fin.) Qualité de certains titres représentant un droit ou une créance, qui les rend transmissibles selon les procédés du droit commercial (**endossement**, **transfert sur les registres** et **tradition**). *N.B.* La qualité de tout bien dont la propriété est susceptible d'être transportée à une autre personne porte le nom de **cessibilité**. *V.a.* **marketable security**.

NEGOTIABLE INSTRUMENT
TITRE NÉGOCIABLE, VALEUR NÉGOCIABLE, EFFET DE COMMERCE NÉGOCIABLE

(fin.) Tout effet de commerce ou titre pouvant être transmis à un tiers par voie d'endossement, transfert sur les registres et tradition. *V.a.* **marketable security**.

NEGOTIATED PRICE
PRIX NÉGOCIÉ

(comm. et gest.) Prix résultant d'un accord entre le vendeur et l'acheteur. *N.B.* Ce terme est particulièrement employé pour désigner le prix de cession interne obtenu par voie de négociations entre les parties intéressées au sein d'une même entité économique. *V.a.* **transfer price**.

NET *adj.*
NET

(comm. et compt.) Se dit d'un montant dont on a retranché certains éléments, par exemple le bénéfice net (le bénéfice obtenu après défalcation de toutes les charges), le prix net (le prix après déduction de toutes les remises) et le poids net (le poids d'une marchandise, tout emballage déduit). *Comparer avec* **gross** *adj.*

NET ASSET POSITION
POSITION NETTE DÉBITRICE

Voir **exposed net asset position**.

NET ASSETS
ACTIF NET

Excédent de la valeur comptable du total de l'actif d'une entreprise sur le total de son passif externe. *N.B.* Le chiffre ainsi obtenu représente également les capitaux propres ou la situation nette. *V.a.* **net tangible assets** et **net worth**.

NET ASSET VALUE
VALEUR LIQUIDATIVE

(fin.) Dans un fonds mutuel ou une société d'investissement à capital variable (SICAV), valeur de l'actif net déterminée quotidiennement sur la base de la valeur marchande du portefeuille de la société. *N.B.* L'expression **valeur liquidative** s'entend aussi d'une action de SICAV et d'une part de société d'investissement. *V.a.* **mutual fund** 1. et 2., **statement of changes in net assets** et **unit** 1.

NET BOOK VALUE (NBV)
VALEUR COMPTABLE (NETTE)

Partie du coût d'acquisition d'un bien figurant dans les livres ou le bilan de l'entreprise et non encore passée en charges à titre d'amortissement ou de perte. *V.a.* **book value**.

NET CASH
NET À PAYER

(comm.) Expression figurant sur une facture et désignant le montant que l'acheteur doit effectivement payer au vendeur.

NET CURRENT ASSETS
FONDS DE ROULEMENT, ACTIF NET À COURT TERME

Voir **working capital**.

NET INCOME
BÉNÉFICE (NET), BÉNÉFICE (NET) DE L'EXERCICE, PROFIT (NET), RÉSULTAT NET

Voir **income** 1.

NET LEASE
BAIL NET (Can.), BAIL HORS FRAIS D'ENTRETIEN

(aff.) Bail dont la caractéristique consiste, pour le preneur, à assumer les frais d'entretien du bien loué en plus de verser au bailleur le loyer convenu. *Comparer avec* **maintenance lease**. *V.a.* **lease**.

NET LIABILITY POSITION
POSITION NETTE CRÉDITRICE
Voir **exposed net liability position**.

NET LIQUID ASSETS
LIQUIDITÉS NETTES, ACTIF LIQUIDE NET, BIENS LIQUIDES NETS
Excédent des liquidités d'une entreprise sur le total de son passif à court terme. *Syn.* **funds** 4. et **net quick assets**. *V.a.* **liquid assets**.

NET LOSS
PERTE (NETTE), PERTE (NETTE) DE L'EXERCICE, RÉSULTAT DÉFICITAIRE, DÉFICIT
Voir **loss** 2.

NET MARK-DOWNS
DÉMARQUES NETTES
(comm.) Excédent du total des démarques sur les annulations de démarques, dont on tient compte, dans l'application de la méthode d'évaluation des stocks au prix de détail, pour calculer le ratio du prix coûtant au prix de détail. *V.a.* **mark-down** 1., **mark-down cancellation** et **retail inventory method**.

NET MARK-UPS
MAJORATIONS NETTES
(comm.) Excédent du total des majorations sur les annulations de majorations, dont on tient compte, dans l'application de la méthode d'évaluation des stocks au prix de détail, pour calculer le ratio du prix coûtant au prix de détail. *V.a.* **mark-up** 1., **mark-up cancellation** et **retail inventory method**.

NET OF TAX(ES)
APRÈS IMPÔT(S), DÉDUCTION FAITE DES IMPÔTS, NET D'IMPÔTS
Se dit d'un poste (perte extraordinaire, gain extraordinaire ou redressement affecté aux exercices antérieurs) dont le montant a été diminué des impôts s'y rapportant. *V.a.* **free of tax**.

NET-OF-TAX METHOD
FORMULE DU REPORT «NET D'IMPÔT(S)»
(Can.) Mode d'application de la méthode du report d'impôt qui consiste à comptabiliser les effets fiscaux des écarts temporaires en redressant, d'une part, les valeurs attribuées aux éléments d'actif ou de passif en cause et, d'autre part, les charges ou les produits correspondants. *V.a.* **interperiod tax allocation methods**.

NET PRESENT VALUE METHOD
MÉTHODE DE LA VALEUR ACTUALISÉE NETTE
(gest.) Méthode d'évaluation de la rentabilité d'un projet d'investissement par l'actualisation des rentrées nettes de fonds au moyen du taux de rendement minimal que l'entreprise désire en retirer. *N.B.* Le taux utilisé peut être le **coût du capital** ou encore le taux d'intérêt sur le marché d'où proviendront les capitaux requis pour financer le projet envisagé. Le choix entre plusieurs projets repose sur le montant de la valeur actualisée nette (V.A.N.), c'est-à-dire l'excédent de la valeur actualisée des flux monétaires sur le coût des investissements projetés. *Comparer avec* **internal rate of return method**. *V.a.* **discounted cash flow methods**, **excess present value**, **present value** et **profitability index**.

NET PRICE
PRIX NET
(comm.) Prix courant d'un bien ou d'un service après déduction des rabais, remises et escomptes de caisse accordés par le vendeur.

NET PROCEEDS
PRODUIT NET
Montant net encaissé à l'occasion d'une opération (par exemple la vente de titres ou la cession d'une immobilisation) après déduction de tous les frais qui s'y rapportent directement.

NET PROFIT
BÉNÉFICE (NET), BÉNÉFICE (NET) DE L'EXERCICE, PROFIT (NET), RÉSULTAT NET
Voir **income** 1.

NET PROFIT RATIO
RATIO DE LA MARGE BÉNÉFICIAIRE NETTE, POURCENTAGE DE MARGE BÉNÉFICIAIRE NETTE
(anal. fin.) Quotient du bénéfice net par le chiffre d'affaires. *V.a.* **ratio analysis**.

NET PURCHASES
ACHATS NETS
Chiffre des achats de l'exercice augmenté du fret à l'achat et diminué des rendus, rabais et escomptes de caisse s'y rapportant.

NET QUICK ASSETS
LIQUIDITÉS NETTES, ACTIF LIQUIDE NET, BIENS LIQUIDES NETS
Voir **net liquid assets**.

NET REALIZABLE VALUE
VALEUR DE RÉALISATION NETTE
(comm.) Prix qu'une entreprise pourrait obtenir lors de la vente d'un bien, généralement une marchandise, dans le cours normal des affaires, diminué d'une **décote**, le plus souvent forfaitaire, représentant les frais normaux de distribution et, le cas échéant, les frais d'achèvement. *V.a.* **lower of cost and market method** et **value** *n*.

NET REALIZABLE VALUE LESS NORMAL MARGIN
VALEUR DE RÉALISATION NETTE HORS MARGE NORMALE
Valeur de réalisation nette d'un bien, généralement une marchandise, diminuée de la marge bénéficiaire brute normale. *V.a.* **lower of cost and market method**.

NET SALARY
SALAIRE NET
(rel. de tr.) Somme d'argent reçue effectivement par un salarié après que son employeur a déduit, de son salaire brut, les retenues salariales. *Syn.* **take-home pay**.

NET SALES
CHIFFRE D'AFFAIRES NET, VENTES NETTES
Chiffre des ventes d'un exercice diminué des rendus, rabais et escomptes de caisse consentis par l'entreprise à ses clients. *N.B.* En France et en Belgique, le chiffre d'affaires net est déterminé hors taxe sur la valeur ajoutée. *V.a.* **sales figure**.

NET SELLING PRICE
PRIX DE VENTE NET
(comm.) Prix résultant de l'application de tous les rabais, remises, escomptes et autres avantages que l'entreprise est susceptible de consentir à un client sur le prix courant d'un article ou le prix de catalogue. *V.a.* **selling price**.

NET SELLING PRICE METHOD
MÉTHODE D'ÉVALUATION (DES STOCKS) AU PRIX DE VENTE NET
Méthode qui consiste à évaluer certains biens (par exemple de l'or ou des céréales) au prix de vente (généralement le cours déterminé sur un marché officiel) diminué des frais de vente et de mise en marché. *V.a.* **inventory valuation methods**.

NET TANGIBLE ASSETS
ACTIF CORPOREL NET
Excédent du total de l'actif, à l'exception des immobilisations incorporelles, sur le total des dettes à court terme et à long terme. *V.a.* **net assets**.

NET WEIGHT
POIDS NET

(comm.) Poids de la marchandise proprement dite, c'est-à-dire le poids déterminé tout emballage déduit. *N.B.* Le poids de l'emballage d'une marchandise s'appelle **tare** et on parle de **poids à vide** pour désigner le poids du contenant d'une marchandise.

NETWORK ANALYSIS
ANALYSE DE CHEMINEMENT, ANALYSE DE RÉSEAU, ANALYSE DE CIRCUIT

(gest.) Planification et établissement du calendrier d'exécution d'un projet au moyen d'un diagramme, afin de faire ressortir les étapes de la réalisation du projet et les relations existant entre chacune d'elles. *N.B.* La figuration des liens dans le temps entre plusieurs opérations à effectuer pour réaliser une tâche porte le nom de **graphe** ou **réseau**. Chaque tâche est représentée par un point, et les points sont reliés par des droites plus ou moins longues selon le temps nécessaire pour exécuter la tâche. Le temps le plus court pour parcourir l'ensemble est le **chemin critique**. *V.a.* **analysis** 1., **critical path method** et **program evaluation and review technique**.

NET WORKING CAPITAL
FONDS DE ROULEMENT, ACTIF NET À COURT TERME

Voir **working capital**.

NET WORTH
VALEUR NETTE, SITUATION NETTE

Valeur d'une entreprise égale à la différence entre le total des éléments de son actif et le total de ses dettes. *N.B.* Il peut exister une différence appréciable entre la **situation nette comptable** d'une entreprise calculée à partir de son bilan et sa **situation nette réelle** puisque, dans un bilan traditionnel, certains éléments sont sous-évalués alors que d'autres sont surévalués. Or, une **situation nette réelle** doit tenir compte de ces plus-values et de ces moins-values latentes. En France et en Belgique, on définit la situation nette comme étant égale à la somme des apports et des réserves (report à nouveau compris), mais provisions pour pertes et charges non comprises. *V.a.* **capital** 1., **net assets**, **owners' equity** et **tangible net worth**.

NEUTRALITY
IMPARTIALITÉ, NEUTRALITÉ

Qualité de l'information comptable de ne pas être orientée vers un but prédéterminé et de ne pas influencer un groupe d'utilisateurs à agir dans une direction particulière. *Syn.* **freedom from bias**. *V.a.* **bias**.

NEW ENTITY METHOD
MÉTHODE DE LA FUSION (D'INTÉRÊTS COMMUNS) À LA JUSTE VALEUR

Méthode de comptabilisation d'un regroupement d'entreprises qui consiste à considérer les sociétés fusionnées comme une nouvelle entité dans laquelle les éléments de l'actif et du passif des entreprises regroupées sont comptabilisés à leur juste valeur le jour où le regroupement a lieu. *Syn.* **fair value pooling method**. *V.a.* **business combination, methods of accounting for a**.

NEXT IN, FIRST OUT METHOD (NIFO)
MÉTHODE DU PROCHAIN ENTRÉ, PREMIER SORTI

Méthode d'évaluation des stocks qui consiste à utiliser le critère de la valeur de remplacement et à déterminer le coût des articles vendus au cours d'un exercice en fonction de cette valeur plutôt qu'en fonction des prix réels payés pour ces articles. *V.a.* **cost flow methods**.

NIFO METHOD
MÉTHODE DU PROCHAIN ENTRÉ, PREMIER SORTI

Abrév. de **next in, first out method**.

NIL
NÉANT, ZÉRO

Terme utilisé pour indiquer que la valeur d'un poste ou d'un élément donné est nulle ou que le solde d'un compte est de zéro.

NOMINAL ACCOUNTS
COMPTES DE RÉSULTATS, COMPTES DE GESTION (Fr. et Belg.), COMPTES TEMPORAIRES

Comptes où figurent respectivement les produits, les charges, les pertes et les gains d'un exercice, et dont l'objet est d'analyser les opérations comptables ayant une influence sur le bénéfice. *N.B.* On dit de ces comptes qu'ils sont des **comptes temporaires** puisqu'ils sont soldés à la fin de chaque exercice. Les comptes de retraits et de dividendes sont des comptes temporaires mais non des comptes de résultats. *Syn.* **profit and loss accounts** *(fam.)* et **temporary accounts**. *Comparer avec* **real accounts**.

NOMINAL DOLLARS
DOLLARS D'ORIGINE, DOLLARS HISTORIQUES, DOLLARS NON INDEXÉS, DOLLARS NON MILLÉSIMÉS

(écon.) (Can.) Dollars non indexés servant à mesurer la valeur attribuée aux opérations au moment où elles ont lieu. *N.B.* Le coût d'un bien exprimé en dollars ou en francs d'origine s'appelle **coût nominal**. *Syn.* **mixed dollars**. *Comparer avec* **common dollars** et **constant dollars** 1.

NOMINAL INTEREST RATE
TAUX D'INTÉRÊT NOMINAL, TAUX D'INTÉRÊT CONTRACTUEL

(fin.) Taux d'intérêt s'appliquant à la valeur nominale d'un titre (une obligation, par exemple) ou d'un effet de commerce. *N.B.* Le taux d'intérêt nominal est généralement stipulé pour une période d'une durée de douze mois, de telle sorte que si les intérêts sont composés plus d'une fois par année, le taux d'intérêt effectif est supérieur au taux nominal. Ainsi un taux d'intérêt de 1½% par mois donne, sur une base annuelle, un taux supérieur à 18%, plus précisément 19,56%. *V.a.* **coupon rate**.

NOMINAL OWNER
PROPRIÉTAIRE POUR COMPTE, PROPRIÉTAIRE À TITRE D'INTERMÉDIAIRE

(dr.) Personne qui détient le titre de propriété d'un bien (généralement une valeur mobilière) au nom du propriétaire véritable. *Syn.* **nominee**. *Comparer avec* **beneficial owner**. *V.a.* **bare owner**, **dummy** et **owner**.

NOMINAL PARTNERSHIP
SOCIÉTÉ DE MOYENS, SOCIÉTÉ DE FRAIS

(org. des entr.) Société de personnes ayant pour objet le partage de frais communs (loyer, secrétariat, etc.) engagés par des associés travaillant individuellement. *V.a.* **partnership**.

NOMINAL RATE
TAUX NOMINAL, TAUX CONTRACTUEL

(fin.) Taux d'intérêt contractuel ou taux du dividende s'appliquant à la valeur nominale d'un titre ou, dans le cas d'actions sans valeur nominale, à la valeur dite attribuée déterminée dans les statuts de la société émettrice lorsque les lois pertinentes le permettent. *Comparer avec* **effective rate** 1. et 2.

NOMINAL VALUE 1.
VALEUR NOMINALE, (MONTANT) NOMINAL

Voir **par value**.

NOMINAL VALUE 2.
VALEUR SYMBOLIQUE, VALEUR MINIMALE

(comm.) Se dit de la valeur attribuée, pour la forme, à un bien, par exemple la valeur de un dollar attribuée à un bâtiment en certaines circonstances ou la valeur de un dollar que certaines entreprises donnaient auparavant à l'ensemble de leurs immobilisations incorporelles.

NOMINEE
PROPRIÉTAIRE POUR COMPTE, PROPRIÉTAIRE À TITRE D'INTERMÉDIAIRE

Voir **nominal owner**.

NON ARM'S LENGTH
AVEC LIEN DE DÉPENDANCE, SANS CONCURRENCE, PRIVILÉGIÉ

(fisc. et compt.) Terme s'appliquant à des opérations conclues dans des conditions de non-concurrence entre

deux **parties non indépendantes**, par exemple des parents ou des sociétés apparentées. *N.B.* L'expression **sans concurrence** se dit des conditions dans lesquelles un marché est conclu tandis que le terme **privilégié** s'applique à l'une des deux parties qui participent à l'opération ou aux relations qu'elles entretiennent. *Comparer avec* **arm's length**. *V.a.* **related parties**.

NON-CANCELLABLE
NON RÉSILIABLE

(dr.) Se dit d'un contrat, par exemple un contrat de location, qui ne peut être résilié par aucune des deux parties en cause.

NON-CASH ITEM 1.
POSTE HORS CAISSE, POSTE HORS TRÉSORERIE

Chacun des postes de l'actif et du passif, à l'exception de la trésorerie. *V.a.* **non-fund item** 1.

NON-CASH ITEM 2.
POSTE HORS CAISSE, ÉLÉMENT HORS CAISSE

Élément de l'état des résultats (ou compte de résultat) ne donnant lieu à aucune augmentation ni diminution de la trésorerie et que l'on ajoute au bénéfice net (ou que l'on en retranche) pour déterminer la marge brute d'autofinancement. *V.a.* **non-fund item** 2.

NON-CONTRIBUTORY PENSION PLAN
RÉGIME DE RETRAITE NON CONTRIBUTIF

(rentes) Régime dont le coût est financé exclusivement par l'employeur ou par l'État. *Comparer avec* **contributory pension plan**. *V.a.* **pension plan**.

NON-CONTROLLABLE COST
COÛT NON CONTRÔLABLE

(gest.) Coût qui ne varie pas proportionnellement au volume d'activité; coût réparti ou ventilé sur une section ou un service mais dont le chef de cette section ou de ce service ne peut être tenu responsable. *Syn.* **uncontrollable cost**. *Comparer avec* **controllable cost**.

NON-CUMULATIVE SHARE
ACTION À DIVIDENDE NON CUMULATIF

(fin.) *(Can.)* Action du capital-actions à dividende non cumulatif. *V.a.* **share** 2.

NON-CUMULATIVE STOCK
(CAPITAL-)ACTIONS À DIVIDENDE NON CUMULATIF

(fin.) *(Can.)* Type d'actions donnant droit à un dividende non cumulatif en ce sens que ce droit devient périmé à la fin de chaque période (généralement un an) pour laquelle la société décide de ne pas distribuer le dividende en question. *V.a.* **capital stock**.

NON-CURRENT ASSET(S)
ACTIF(S) À LONG TERME, ACTIF(S) IMMOBILISÉ(S), BIEN(S) À LONG TERME

Voir **long-term asset(s)**.

NON-CURRENT LIABILITIES
PASSIF À LONG TERME, DETTE(S) À LONG TERME, DETTE(S) À PLUS D'UN AN, CAPITAUX EMPRUNTÉS

Voir **long-term liabilities**.

NON-EXECUTIVE DIRECTOR
ADMINISTRATEUR EXTERNE, ADMINISTRATEUR NON SALARIÉ

Voir **outside director**.

NON-EXPENDABLE FUND
FONDS À CAPITAL PERMANENT, FONDS NON DISTRIBUABLE

(compt. par fonds) Fonds dont le capital doit être intégralement conservé, par exemple un fonds de dotation dont on ne peut distribuer ou utiliser annuellement que les produits financiers. *Comparer avec* **expendable fund**. *V.a.* **endowment fund**.

NON-FINANCIAL INFORMATION
INFORMATION NON FINANCIÈRE

(gest.) Notes explicatives et informations de nature qualitative et quantitative communiquées en termes non monétaires, dont l'objet est d'aider les lecteurs des états financiers (ou comptes annuels) à prendre des décisions fondées sur une meilleure connaissance de la nature de l'entreprise, de ses objectifs, de l'envergure de ses activités, de la façon dont elle s'est acquittée de ses responsabilités sociales, etc.

NON-FULLY PAID SHARE
ACTION PARTIELLEMENT LIBÉRÉE, ACTION NON (ENTIÈREMENT) LIBÉRÉE

(fin.) Action dont le souscripteur n'a pas entièrement payé le prix d'émission mais qui en acquittera le solde en effectuant plus tard les versements convenus ou en répondant à un appel de fonds que lui adressera le conseil d'administration. *Syn.* **partly paid shares**. *V.a.* **call** et **share** 2.

NON-FUND ITEM 1.
POSTE HORS FONDS

Chacun des postes de l'actif et du passif, à l'exception de ceux qui font partie du fonds de roulement. *V.a.* **non-cash item** 1.

NON-FUND ITEM 2.
POSTE HORS FONDS, ÉLÉMENT HORS FONDS

Élément de l'état des résultats (ou compte de résultat) ne donnant lieu à aucune entrée ni sortie de fonds (le terme **fonds** désigne alors généralement le fonds de roulement) et que l'on ajoute au bénéfice net (ou que l'on en retranche) pour déterminer la marge brute d'autofinancement. *V.a.* **non-cash item** 2.

NON-INTEREST BEARING NOTE
BILLET NE PORTANT PAS INTÉRÊT

(dr.) Billet ne comportant aucune mention quant à l'intérêt. *N.B.* La juste valeur d'un effet de commerce de cette nature est égale à sa valeur actualisée déterminée en utilisant un taux d'actualisation égal au taux d'intérêt implicite que l'effet rapporte. *Comparer avec* **interest bearing note**.

NON-LEDGER ASSET
ACTIF NON COMPTABILISÉ

Bien qui, en raison de la loi ou de la pratique courante, ne figure pas dans le bilan d'une entreprise.

NON-MONETARY ASSET
*(ÉLÉMENT D')ACTIF NON MONÉTAIRE, BIEN NON MONÉTAIRE, BIEN À VALEUR VÉNALE VARIABLE,
    (ÉLÉMENT D')ACTIF À VALEUR VÉNALE VARIABLE*

Bien dont la valeur exprimée en unités monétaires est variable, par exemple les stocks, un placement en actions et les immobilisations corporelles ou incorporelles. *Comparer avec* **monetary asset**. *V.a.* **non-monetary item**.

NON-MONETARY CLAUSE
CLAUSE NORMATIVE (Can.), CLAUSE NON FINANCIÈRE

(rel. de tr.) Clause d'un contrat de travail portant sur les conditions d'emploi et n'ayant pas une incidence financière directe.

NON-MONETARY ITEM
*ÉLÉMENT NON MONÉTAIRE, POSTE NON MONÉTAIRE, POSTE À VALEUR VÉNALE
    VARIABLE, ÉLÉMENT À VALEUR VÉNALE VARIABLE*

Chacun des postes ou éléments des états financiers (ou comptes annuels) qui ne sont pas des postes ou des éléments à valeur vénale fixe. *Comparer avec* **monetary item**. *V.a.* **general price-level gain**, **general price-level loss**, **non-monetary asset** et **non-monetary liability**.

NON-MONETARY LIABILITY
(ÉLÉMENT DE) PASSIF NON MONÉTAIRE, DETTE NON MONÉTAIRE, DETTE À VALEUR
VÉNALE VARIABLE, (ÉLÉMENT DE) PASSIF À VALEUR VÉNALE VARIABLE

Dette dont le montant exprimé en unités monétaires est variable, par exemple la dette relative à des garanties consenties par l'entreprise à ses clients. *Comparer avec* **monetary liability**. *V.a.* **non-monetary item**.

NON-OPERATING COMPANY
SOCIÉTÉ INACTIVE, SOCIÉTÉ (MISE) EN SOMMEIL

Voir **dormant company**.

NON-PARTICIPATING SHARE
ACTION SANS PRIVILÈGE DE PARTICIPATION, ACTION NON PARTICIPANTE, ACTION À
DIVIDENDE FIXE

(fin.) (Can.) Action privilégiée ne donnant pas à son titulaire le droit de partager, avec les actionnaires ordinaires, l'excédent des dividendes déclarés sur le dividende prévu. *V.a.* **share** 2.

NON-PROFESSIONAL STAFF
PERSONNEL ADMINISTRATIF, PERSONNEL DE SOUTIEN

(prof.) Membres du personnel qui, par exemple dans un cabinet d'experts-comptables, ne participent pas à la fonction première du cabinet, mais contribuent à en assurer le succès sans exercer directement la profession. *Comparer avec* **professional staff**. *V.a.* **professional**.

NON-PROFIT ORGANIZATION
ORGANISME SANS BUT LUCRATIF

(O.S.B.L.) Organisme constitué à des fins sociales, éducatives ou philanthropiques n'émettant généralement pas de titres de propriété transférables et dont l'objet n'est pas de procurer un avantage économique à ses membres ni de leur distribuer les profits que certaines de ses activités pourraient lui procurer. *Syn.* **not-for-profit organization**. *V.a.* **charitable organization**, **company** 1. et **membership corporation**.

NON-RECURRING
NON RÉCURRENT, NON SUSCEPTIBLE DE SE RÉPÉTER

Se dit d'un événement ou d'une opération qui ne se produit que rarement au cours d'un certain nombre d'exercices. *Comparer avec* **recurring** *adj. V.a.* **extraordinary item**.

NON-RETURNABLE CONTAINER
EMBALLAGE PERDU, EMBALLAGE NON CONSIGNÉ, EMBALLAGE JETABLE

(comm.) Emballage qui accompagne la livraison d'un produit, et dont la valeur que l'on incorpore au prix du produit vendu ne fait l'objet ni de **consignation**, ni de **reprise**. *Syn.* **disposable container**. *Comparer avec* **returnable container**. *V.a.* **container** 1. et **deposit** 5.

NON-REVIEW ENGAGEMENT
MISSION SANS EXAMEN

(E.C.) (Can.) Mission dans laquelle l'expert-comptable est appelé à dresser des états financiers ou à recueillir et à publier toute autre information de nature financière sans avoir effectué un examen ou une vérification des comptes. *N.B.* À l'issue d'une **mission sans examen**, l'expert-comptable rédige un **avertissement** appelé **avis aux lecteurs**. *Comparer avec* **review engagement**. *V.a.* **notice to readers** et **professional engagement of a public accountant**.

NON-TAX REVENUE
RECETTES NON FISCALES, PRODUITS DIVERS

(compt. publ.) Recettes de l'État provenant de sources autres que les impôts directs ou indirects et les taxes. *Comparer avec* **tax revenue**. *V.a.* **revenue** 4.

NON-VOTING SHARE
ACTION SANS DROIT DE VOTE

(fin.) Action ne donnant pas à son titulaire le droit de voter aux assemblées des actionnaires. *V.a.* **share** 2.

NO PAR VALUE SHARE
ACTION SANS VALEUR NOMINALE

(fin.) Action du capital social n'ayant aucune valeur nominale en conformité avec les lois sur les sociétés ou les statuts de la société elle-même.

NORMAL ACTUARIAL COST
COÛT ACTUARIEL NORMAL

(rentes) Partie de la valeur actualisée des prestations et des charges de retraite, attribuée à un exercice selon une méthode ayant pour objet l'amortissement de la totalité de cette valeur au moment où les participants prendront leur retraite. *N.B.* Les versements effectués pour régler en tout ou en partie une dette actuarielle non provisionnée ne constituent pas un élément du coût actuariel normal. *V.a.* **current service pension cost** et **pension costs** 1.

NORMAL CAPACITY
CAPACITÉ NORMALE (DE PRODUCTION), CAPACITÉ NORMALE D'ACTIVITÉ

(prod.) Capacité de l'entreprise lui permettant de répondre à la demande moyenne au cours d'une période donnée, compte tenu des variations saisonnières et cycliques. *N.B.* Le niveau d'activité auquel correspond cette capacité normale s'appelle **niveau normal d'activité**. *V.a.* **capacity** 1.

NORMAL COST
COÛT RATIONNEL GLOBAL

Coût d'un produit comprenant des frais généraux imputés en fonction du volume normal d'activité pour l'exercice. *V.a.* **applied burden** et **overhead application**.

NORMAL CURVE
COURBE NORMALE (CENTRÉE RÉDUITE), COURBE DE LAPLACE-GAUSS

(stat.) Courbe utilisée pour représenter des données d'une série dont la grandeur ou le comportement ne dépend que du hasard. *N.B.* La **courbe normale** prend la forme d'une cloche, elle est parfaitement symétrique par rapport à la moyenne, la médiane et le mode, et on peut déterminer d'une façon précise la surface comprise entre deux valeurs. *V.a.* **bell-shaped curve** et **normal distribution**.

NORMAL DISTRIBUTION
DISTRIBUTION NORMALE, DISTRIBUTION DE LAPLACE-GAUSS

(stat.) **Distribution de fréquences** dont les valeurs se répartissent uniquement par hasard autour de la moyenne sans qu'il y ait déviation plus grande d'un côté de cette mesure que de l'autre. Dans un graphique, la distribution normale est représentée par une courbe en forme de cloche. *V.a.* **bell-shaped curve** et **normal curve**.

NORMAL SPOILAGE
PERTE NORMALE

(prod.) Perte normale (articles défectueux, rebuts, perte de poids ou de volume) à laquelle donne lieu un processus de fabrication. *Comparer avec* **abnormal spoilage**. *V.a.* **scrap** *n.*, **shrinkage** 1., **spoilage** et **waste** 1.

NORMAL VOLUME
ACTIVITÉ NORMALE, NIVEAU NORMAL D'ACTIVITÉ, VOLUME NORMAL

(prod.) Niveau d'activité d'une unité (entreprise, centre d'activité, atelier ou section) que l'on considère *a priori* comme normal, compte tenu de la capacité de production de cette unité et de l'utilisation que l'on a prévu en faire.

NOTE 1.
BILLET

Voir **promissory note**.

NOTE 2.
NOTE (DE SERVICE)
Voir **memorandum** 2.

NOTE DISCLOSURE
PRÉSENTATION D'INFORMATIONS PAR VOIE DE NOTES
Action de présenter des informations financières dans des notes annexées aux états financiers (ou comptes annuels) pour expliquer la nature des postes qui figurent dans ces états (ou comptes), pour fournir des détails supplémentaires et pour faire connaître les conventions comptables sur lesquelles l'entreprise s'est fondée pour déterminer le montant des postes des états financiers (ou comptes annuels). *Syn.* **disclosure** 4. *V.a.* **disclosure principle** et **notes to financial statements**.

NOTE PAYABLE
EFFET À PAYER
(dr.) Dette qui fait l'objet d'un billet à ordre ou d'une traite. *V.a.* **bill payable**.

NOTES PAYABLE
EFFETS À PAYER
Poste du passif du bilan où figurent les effets de commerce dont l'entreprise est débitrice.

NOTE RECEIVABLE
EFFET À RECEVOIR
(dr.) Créance qui fait l'objet d'un billet à ordre ou d'une traite. *V.a.* **bill receivable**.

NOTES RECEIVABLE
EFFETS À RECEVOIR
Poste de l'actif du bilan où figurent les effets de commerce dont l'entreprise est créditrice.

NOTE RECEIVABLE DISCOUNTED
EFFET ESCOMPTÉ NON ÉCHU
(fin.) Effet cédé par le bénéficiaire à une autre personne (généralement une banque) en échange d'une somme d'argent égale à la valeur à l'échéance de l'effet diminuée de l'escompte.

NOTES TO FINANCIAL STATEMENTS
NOTES AFFÉRENTES AUX ÉTATS FINANCIERS, NOTES COMPLÉMENTAIRES, ANNEXE AUX COMPTES ANNUELS (Fr.), ANNEXE DES COMPTES ANNUELS (Belg.)
Explications ou renseignements annexés aux états financiers (ou comptes annuels) et qui en font partie intégrante. *N.B.* En plus des états comptables de base, les entreprises fournissent généralement en annexe un certain nombre d'informations financières quantitatives et qualitatives destinées à compléter les données chiffrées tirées de la comptabilité. Les documents et les tableaux joints aux états financiers (ou comptes annuels) portent le nom de **documents annexes** et de **tableaux annexes**. Lorsque les notes figurent en annexe aux états (ou aux comptes), ceux-ci doivent renvoyer à ces notes. *V.a.* **footnote** et **note disclosure**.

NOT-FOR-PROFIT ORGANIZATION
ORGANISME SANS BUT LUCRATIF
Voir **non-profit organization**.

NOTHINGS *(fam.)*
NON-VALEURS
(fisc. can.) Terme qui désigne certaines dépenses que l'Administration fiscale interdit au contribuable de déduire en vue de déterminer les impôts qu'il aura à payer.

NOTICE 1.
PRÉAVIS
(rel. de tr.) Formalité à laquelle est tenu un employeur qui congédie un de ses employés (ainsi qu'un employé qui laisse son emploi) et qui l'oblige à prévenir l'autre partie de son intention dans un délai déterminé. *V.a.* **advance notice**.

NOTICE 2.
AVIS
(lang. cour.) Information portée à la connaissance de quelqu'un.

NOTICE OF ASSESSMENT
AVIS DE COTISATION (Can.), *AVIS D'IMPOSITION*, *AVERTISSEMENT (Fr. et Belg.)*
(fisc.) Document établi par l'Administration fiscale et envoyé au contribuable pour confirmer ou modifier le montant des impôts exigibles selon la déclaration fournie par ce dernier. *V.a.* **assessment notice**, **assessor**, **reassessment notice** et **tax notice**.

NOTICE TO READERS
AVIS AUX LECTEURS
(E.C.) (Can.) Écrit rédigé par l'expert-comptable à l'issue d'une **mission sans examen**. Dans cet écrit, l'expert-comptable précise les utilisations particulières qu'il y a lieu de faire de l'information financière publiée, et déclare de plus qu'il n'a effectué ni vérification ni examen. *N.B.* En France, l'écrit rédigé par l'expert-comptable au terme d'une **mission de comptabilité** s'appelle **compte rendu des travaux**. *Comparer avec* **accountant's comments** et **auditor's report**. *V.a.* **non-review engagement**.

NOT SUFFICIENT FUNDS (NSF) CHEQUE
CHÈQUE SANS PROVISION
(banque) Chèque tiré ou émis alors que le compte bancaire du signataire ne contenait pas les fonds suffisants pour en assurer le paiement par la banque. *Syn.* **cheque without funds**. *V.a.* **cheque** et **fund** *v.* 2.

NSF CHEQUE
CHÈQUE SANS PROVISION
Abrév. de **not sufficient funds cheque**.

NUMBER OF DAYS' PURCHASES IN AVERAGE PAYABLES
DÉLAI MOYEN DE RÈGLEMENT DES COMPTES FOURNISSEURS, DURÉE MOYENNE DE RÈGLEMENT
  DES COMPTES FOURNISSEURS
(anal. fin.) Nombre de jours que l'on obtient en multipliant le solde moyen des comptes fournisseurs par 365, puis en divisant le produit obtenu par le chiffre des achats de l'exercice.

NUMBER OF DAYS' SALES IN AVERAGE INVENTORY
DÉLAI MOYEN DE ROTATION DES STOCKS, DURÉE MOYENNE DU STOCKAGE
(anal. fin.) Nombre de jours que l'on obtient en multipliant le stock moyen par 365, puis en divisant le produit obtenu par le coût d'achat des marchandises vendues durant l'exercice.

NUMBER OF DAYS' SALES IN AVERAGE RECEIVABLES
PÉRIODE MOYENNE DE RECOUVREMENT (DES CRÉANCES), DÉLAI MOYEN DE RECOUVREMENT
  (DES CRÉANCES), DÉLAI MOYEN DE RÈGLEMENT DES COMPTES CLIENTS, DURÉE MOYENNE DE
  RÈGLEMENT DES COMPTES CLIENTS
Voir **collection period (of receivables)**.

OBJECT CLASSIFICATION
CLASSEMENT PAR NATURE, CLASSIFICATION PAR NATURE
Voir **natural classification**.

OBJECTIVITY PRINCIPLE
PRINCIPE D'OBJECTIVITÉ

Principe comptable qui stipule que, dans la mesure du possible, les états financiers (ou comptes annuels) doivent renfermer des informations qui sont à la fois vérifiables et déterminées objectivement. *V.a.* **accounting principles** 2.

OBLIGATION
OBLIGATION

(dr.) Lien de droit en vertu duquel une personne peut être contrainte de donner, de faire ou de ne pas faire quelque chose. *N.B.* Ainsi lorsqu'un débiteur contracte une obligation, la dette qui en résulte crée un lien juridique et il s'acquitte de son obligation en réglant sa dette de la façon convenue avec le créancier. *V.a.* **commitment**.

OBSERVATION
OBSERVATION

(E.C.) Technique de vérification (ou révision) qui consiste à regarder une autre personne appliquer un procédé, une procédure ou un traitement. *Comparer avec* **inspection**.

OBSOLESCENCE
OBSOLESCENCE, DÉSUÉTUDE

(écon.) Phénomène économique caractérisé par la **dépréciation qualitative** d'un bien de production, d'un matériel, d'une marchandise, dont la cause n'est pas l'usure physique mais l'innovation ou l'inadaptation aux besoins nouveaux. *N.B.* Dans les **secteurs de pointe à haute technicité**, les biens de production s'avèrent rapidement obsolescents du fait des progrès technologiques, de la naissance de produits nouveaux exigeant l'utilisation de matériels plus modernes et du fait des progrès relatifs aux méthodes de conception, d'implantation, d'organisation des installations, de production, de stockage, de distribution ou de vente. En comptabilité, l'obsolescence est constatée par des amortissements ou par des provisions pour dépréciation. *Comparer avec* **wear and tear**. *V.a.* **depreciation** 1.

OBSOLETE *adj.*
OBSOLESCENT, DÉSUET, PÉRIMÉ

(écon.) Caractéristique d'un bien dont l'entreprise ne peut tirer aucune utilité ou tire une utilité moindre en raison de son vieillissement attribuable à l'obsolescence. *N.B.* On dira d'un bien qu'il est **obsolète** lorsqu'il a cessé d'être en usage. *Syn.* **out-of-date** *adj.*

OCCUPANCY EXPENSES
FRAIS D'OCCUPATION, FRAIS D'UTILISATION, CHARGES LOCATIVES
Voir **building occupancy expenses** 1. et 2.

OCCUPATION 1.
PROFESSION, MÉTIER
(prof.) Occupation déterminée dont une personne tire ses moyens d'existence. *V.a.* **profession**.

OCCUPATION 2.
POSTE, FONCTION
(rel. de tr.) Emploi défini par l'ensemble des tâches, des obligations et des responsabilités qui globalement constituent le travail d'une personne.

OCCUPATIONAL CATEGORY
CATÉGORIE PROFESSIONNELLE
(rel. de tr.) Classe de la population active selon le niveau de qualification : manoeuvres, ouvriers, cadres, membres d'une profession libérale, etc.

OCR
LECTURE OPTIQUE
Abrév. de **optical character recognition**.

ODD LOT
LOT DE TAILLE ANORMALE, LOT IRRÉGULIER
(Bourse)(Can.) Lot comprenant un nombre d'actions moindre que le nombre normalement vendu ou acheté, lequel est habituellement de 100. *Comparer avec* **round lot**.

OFF-BALANCE SHEET COMMITMENT
ENGAGEMENT HORS BILAN
Engagement contracté ou reçu par l'entreprise et qui doit figurer sous une **rubrique** spéciale dite **hors bilan** située au bas du bilan ou dans une note qui y est jointe. *V.a.* **commitment**.

OFF-BALANCE SHEET FINANCING *(fam.)*
FINANCEMENT SANS EFFET SUR LE BILAN
(fin.) Mode de financement qui n'oblige pas l'emprunteur à inclure dans son bilan l'obligation en résultant comme c'était le cas auparavant pour les contrats de location.

OFFER
OFFRE
(comm.) Formulation concrète d'une proposition de vente d'un bien ou de louage d'un service, par une personne physique ou morale dans des conditions précises.

OFFEREE
SOCIÉTÉ VISÉE
(fin.) Société dont les actions font l'objet d'une **offre publique d'achat (O.P.A.)**. *Comparer avec* **offeror**. *V.a.* **takeover bid**.

OFFERING CIRCULAR
PROSPECTUS (D'ÉMISSION), NOTE D'INFORMATION
Voir **prospectus**.

OFFEROR
INITIATEUR, SOCIÉTÉ INITIATRICE
(fin.) Personne ou société qui formule une offre publique portant sur l'achat des actions d'une autre société. *Comparer avec* **offeree**. *V.a.* **takeover bid**.

OFFICE
BUREAU
(Adm. et prof.) Lieu de travail habituel des employés d'une Administration ou d'une entreprise; endroit déterminé où se traitent les affaires d'un cabinet d'experts-comptables, d'avocats, etc. *V.a.* **firm** 2.

OFFICE EQUIPMENT
MATÉRIEL DE BUREAU

(aff.) Machines et instruments tels que machines comptables, machines à écrire, calculatrices, ordinateurs, etc., utilisés dans les bureaux de l'entreprise ou certains de ses services.

OFFICE MACHINE
MACHINE DE BUREAU

Voir **business machine**.

OFFICER
MEMBRE DE LA DIRECTION, DIRIGEANT, CADRE

(gest.) Personne qui participe à la direction d'une entreprise. *N.B.* Le terme **officier** ne s'emploie que pour désigner une personne investie d'un office ministériel pour le compte d'une Administration publique, ou le titulaire d'un grade dans un ordre honorifique, dans l'armée, la marine ou l'aviation. *V.a.* **executive** 2.

OFFICE STAFF
PERSONNEL DE BUREAU

Voir **clerical staff**.

OFFICE SUPPLIES
FOURNITURES DE BUREAU

(aff.) Articles (crayons, papier, enveloppes, etc.), y compris les formulaires et imprimés de toute nature dont l'entreprise a besoin pour son exploitation. *V.a.* **supplies**.

OFFICE TECHNOLOGY
BUREAUTIQUE

(inf.) Ensemble des moyens d'automatisation du travail de bureau.

OFFICIAL *adj.*
OFFICIEL

(lang. cour.) Se dit d'une chose qui émane d'une autorité reconnue, par exemple un document officiel, une langue officielle, un titre admis à la cote officielle. *N.B.* Une information est dite **officieuse** si elle est communiquée à titre de complaisance par une source autorisée mais sans garantie officielle.

OFFICIAL RECEIVER
SÉQUESTRE OFFICIEL

(dr.)(Can.) Personne nommée par l'État, en vertu de la Loi sur la faillite, pour le représenter auprès du tribunal. *N.B.* Le **séquestre officiel** doit fournir un rapport sur toute faillite qui a pris naissance dans sa division et il a aussi pour mission de s'assurer que les syndics relevant de son autorité offrent toutes les garanties requises. *V.a.* **receiver** 2. et **trustee in bankruptcy**.

OFF-LINE *adj.*
AUTONOME, HORS LIGNE, NON CONNECTÉ

(inf.) Se dit d'un appareil qui n'est pas effectivement relié à l'unité centrale, ou d'une opération d'entrée-sortie qui s'effectue sans échange d'informations avec l'ordinateur ou sans l'intervention de ce dernier. *Comparer avec* **on-line** *adj.*

OFF-LINE EXECUTIVE
CADRE FONCTIONNEL

Voir **staff officer**.

OFF-LINE PROCESSING
TRAITEMENT (EN) DIFFÉRÉ

(inf.) Traitement dans lequel les données sont rassemblées d'abord sur un support (cartes perforées, bandes magnétiques, etc.) puis traitées en séquence. *V.a.* **data processing** 2.

OFFSET
COMPENSER, CONTREBALANCER, ANNULER

Réduire le solde d'un compte en lui opposant une somme qui s'y rapporte. Ainsi le solde d'un compte fournisseur pourrait être soustrait du solde d'un compte client lorsque ces deux comptes sont ouverts au nom d'une même personne, du moins pour déterminer le solde net à payer ou à recouvrer. *N.B.* On entend par **compensation** l'opération comptable de règlement entre créanciers et débiteurs réciproques, qui consiste à établir la balance des dettes ou des créances afin de limiter l'utilisation des moyens de paiement au seul règlement du solde net constaté. Selon la **règle** comptable de **non-compensation**, on ne peut, dans le bilan, effectuer de compensation entre deux éléments comptables ou entre deux opérations distinctes concernant le même élément si de telles compensations ont pour effet de fausser le bilan. *V.a.* **contra account** 2.

OFFSETTING ENTRY
ÉCRITURE DE COMPENSATION

Écriture ayant le plus souvent pour objet le virement du solde d'un compte dans un autre.

OFF-THE-BOARD *adj.*
HORS COTE

Voir **over-the-counter** *adj.*

OFF-THE-JOB TRAINING
FORMATION EXTERNE, FORMATION EXTÉRIEURE

(rel. de tr.) Programme de formation destiné au personnel et donné à l'extérieur de l'entreprise le plus souvent avec le concours de maisons d'enseignement ou d'établissements spécialisés. *Comparer avec* **on-the-job training**.

OLD AGE PENSION
PENSION (DE SÉCURITÉ) DE (LA) VIEILLESSE, RETRAITE-VIEILLESSE

(rentes) Prestation d'assurance-vieillesse; somme versée par l'État à titre de pension à tous les citoyens quand ils ont atteint un certain âge.

ON ACCOUNT 1.
ACOMPTE

(fin.) Se dit d'un paiement partiel **à valoir sur** le montant d'une somme due.

ON ACCOUNT 2.
À CRÉDIT

(comm.) Se dit d'une vente ou d'un achat dont le règlement ne surviendra qu'après la livraison des marchandises sans que le débiteur émette un effet de commerce en faveur du créancier. *Syn.* **on open account**.

ONCOSTS *(U.K.)*
FRAIS GÉNÉRAUX

Voir **overhead**.

ON DEMAND
SUR DEMANDE, SUR PRÉSENTATION

(dr. can.) Se dit d'un effet de commerce payable dès que le bénéficiaire prie le souscripteur ou le tiré de le faire. *N.B.* La loi n'accorde aucun **délai de grâce** au débiteur pour régler un effet de commerce payable sur demande. *V.a.* **demand loan**, **due on demand** et **on sight**.

ONE-WRITE SYSTEM
TENUE DES LIVRES PAR DÉCALQUE, COMPTABILITÉ PAR DÉCALQUE

Système qui fournit tous les documents et écritures comptables au moyen d'une seule opération par **superposition** de ces documents et des livres comptables. *N.B.* Pour les opérations qu'il faut inscrire à la fois sur un journal (appelé **journal de fond**) et dans le grand livre, l'**enregistrement par décalque** permet normalement d'éviter les reports et toutes les erreurs susceptibles d'en découler. L'écriture s'inscrit alors simultanément sur les comptes (**classement fonctionnel**) et sur le journal de fond (**classement chronologique**). Le **procédé par décalque** exige un travail de superposition très précis. Si la comptabilité est manuscrite, ce travail se fait à l'aide d'une **plaque de décalque** équipée de **dispositifs de serrage** ou de **tenons** (*peg board*). Si la comptabilité est dactylographiée, le travail de superposition se fait au moyen d'une machine équipée d'un **dispositif d'introduction frontale** (*front-feed*), c'est-à-dire une machine à écrire ou une machine comptable. *Comparer avec* **electric accounting system** et **electronic accounting system**. *V.a.* **loose-leaf accounting**.

ON-LINE *adj.*
EN LIGNE, EN LIAISON, CONNECTÉ

(inf.) Se dit d'un appareil qui est en mesure d'envoyer des informations à l'unité centrale ou d'en recevoir; se dit aussi de l'opération d'entrée ou de sortie exécutée sur une **unité périphérique** connectée à l'unité centrale. *Comparer avec* **off-line** *adj.*

ON-LINE EXECUTIVE
CADRE HIÉRARCHIQUE

Voir **line officer**.

ON-LINE PROCESSING
TRAITEMENT EN DIRECT

(inf.) Traitement des données transmises directement à l'unité centrale sans transcription intermédiaire sur un support. *N.B.* On entend aussi par **traitement en direct** le traitement des données à l'unité. L'ordinateur saisit alors les données et il les traite en consultant des fichiers placés dans des mémoires externes connectées en permanence. L'ordinateur transmet ensuite à l'utilisateur les résultats obtenus et met immédiatement les fichiers à jour. *V.a.* **data processing** 2.

ON OPEN ACCOUNT
À CRÉDIT

Voir **on account** 2.

ON SIGHT
À VUE

(dr.) Se dit d'un effet de commerce payable sur présentation. *N.B.* Au Canada, la loi accorde au débiteur un **délai** de trois jours **de grâce** pour régler un effet de commerce payable à vue. *V.a.* **on demand** et **sight draft**.

ON-THE-JOB TRAINING
FORMATION EN COURS D'EMPLOI, FORMATION SUR LE TAS

(rel. de tr.) Programme de formation qui s'adresse au personnel d'exécution et qui se donne sur le lieu même du travail. *Comparer avec* **off-the-job training**.

OPEN ACCOUNT 1.
COMPTE OUVERT, COMPTE NON SOLDÉ

Tout compte ayant un solde débiteur ou créditeur.

OPEN ACCOUNT 2.
COMPTE COURANT, COMPTE OUVERT

Compte client ou compte fournisseur où le comptable porte des ventes ou des achats à crédit. *V.a.* **opening of an account**.

OPEN-END FUND
SOCIÉTÉ D'INVESTISSEMENT À CAPITAL VARIABLE (SICAV), (SOCIÉTÉ DE) FONDS MUTUEL (Can.)

Voir **mutual fund** 1.

OPEN-END INVESTMENT COMPANY
SOCIÉTÉ D'INVESTISSEMENT À CAPITAL VARIABLE (SICAV), (SOCIÉTÉ DE) FONDS MUTUEL (Can.)

Voir **mutual fund** 1.

OPEN-END MORTGAGE
EMPRUNT HYPOTHÉCAIRE NON PLAFONNÉ

(fin.) Contrat hypothécaire permettant d'emprunter des sommes additionnelles garanties par le même bien sans avoir à conclure un nouveau contrat. *Comparer avec* **closed-end mortgage**. *V.a.* **mortgage** *n.* 1.

OPENING BALANCE
(SOLDE) À NOUVEAU, SOLDE D'OUVERTURE

Solde d'un compte au début d'un exercice. *Comparer avec* **closing balance**.

OPENING BALANCE SHEET
BILAN INITIAL, BILAN D'OUVERTURE

Bilan dressé par une entreprise nouvellement constituée avant qu'elle n'entreprenne son exploitation.

OPENING ENTRY
ÉCRITURE D'OUVERTURE

Première écriture ou série d'écritures passées pour inscrire l'actif, le passif et les capitaux propres d'une entreprise au moment où elle est constituée.

OPENING INVENTORY
STOCK D'OUVERTURE, STOCK INITIAL, STOCK AU DÉBUT DE L'EXERCICE

Voir **beginning inventory**.

OPENING OF AN ACCOUNT
OUVERTURE D'UN COMPTE

(comm.) Action pour l'entreprise d'ouvrir un compte dans ses livres au nom d'une personne physique ou morale, ce qui donne généralement lieu à une **ouverture de crédit** pour cette personne et lui permet d'effectuer des achats à crédit. *V.a.* **line of credit** et **open account** 2.

OPEN ITEM ACCOUNT
RELEVÉ DE COMPTE DÉTAILLÉ

(comm.) Relevé où figure le détail de tous les articles qu'un client a achetés et qu'il n'a pas encore réglés. *V.a.* **itemized account**.

OPEN ITEM FILE
DOSSIER DES FACTURES IMPAYÉES, DOSSIER COURANT

(aff.) Dossier dans lequel on classe des documents (généralement des factures) qui tiennent lieu de grand livre auxiliaire. Ainsi le classeur où l'on garde les factures de vente non réglées constitue le grand livre auxiliaire des clients et le total des montants figurant sur ces factures représente le solde du compte collectif Clients.

OPEN MARKET
MARCHÉ LIBRE

(écon.) Marché où la concurrence joue librement et dans lequel les acheteurs et les vendeurs peuvent intervenir pour acheter ou vendre des biens à des prix déterminés sans contrainte. *V.a.* **commodity market**, **exchange** 2., **over-the-counter market** et **stock exchange**.

OPEN ORDER
ORDRE PERMANENT, COMMANDE PERMANENTE

Voir **standing order**.

OPERATE
EXPLOITER

(écon.) Faire fonctionner une entreprise par une combinaison de ressources matérielles, de capital et de travail en vue d'en tirer parti à des fins économiques et sociales et plus particulièrement de réaliser un profit.

OPERATING ASSETS
ACTIF(S) D'EXPLOITATION, VALEURS D'EXPLOITATION
Ensemble des actifs que l'entreprise utilise pour exercer son exploitation par opposition aux autres biens qu'elle possède, par exemple des titres de placement.

OPERATING BUDGET 1.
BUDGET D'EXPLOITATION
(gest.) Budget prévoyant les produits d'un exercice et les charges qu'il est nécessaire d'engager pour réaliser un programme d'activité donné. *Comparer avec* **capital budget**. *V.a.* **budget** *n.* 1.

OPERATING BUDGET 2.
BUDGET DE FONCTIONNEMENT
(compt. publ.) Prévision des crédits dont disposera un organisme public pour assurer son fonctionnement au cours du prochain exercice budgétaire. *V.a.* **budget** *n.* 1.

OPERATING CAPABILITY MAINTENANCE CONCEPT
(NOTION DE LA) PRÉSERVATION DE LA CAPACITÉ DE FONCTIONNEMENT, (NOTION DE LA)
  PRÉSERVATION DE LA CAPACITÉ D'EXPLOITATION
(écon. et compt.) Notion de la préservation du capital selon laquelle le patrimoine de l'entreprise à préserver est représenté par la capacité de production de l'ensemble de ses biens monétaires et de son outil de production mesurés en unités monétaires ou en unités de pouvoir d'achat. *Syn.* **productive capacity maintenance concept**. *V.a.* **capital maintenance concept**.

OPERATING COMPANY
SOCIÉTÉ EN EXPLOITATION, SOCIÉTÉ ACTIVE, SOCIÉTÉ EXPLOITANTE
(écon.) Société qui fonctionne activement dans le domaine industriel, commercial, etc. en vue de réaliser un profit. *Comparer avec* **dormant company**. *V.a.* **operator** 2.

OPERATING CYCLE
CYCLE D'EXPLOITATION, CYCLE COMMERCIAL
Période qui s'écoule entre l'achat de matières premières ou de marchandises et le recouvrement du prix des marchandises ou des produits vendus. *N.B.* L'entreprise prélevant sa marge à chaque cycle d'exploitation, le nombre de **rotations des capitaux circulants** dépend de la **durée du cycle d'exploitation**, laquelle est étroitement reliée à la **durée de stockage**, la **durée de règlement des comptes clients** et la **durée de règlement des comptes fournisseurs**. *Comparer avec* **accounting cycle** et **production cycle**.

OPERATING EXPENDITURES
DÉPENSES DE FONCTIONNEMENT
(compt. publ.) Catégorie de dépenses représentant particulièrement les activités administratives d'un État.

OPERATING EXPENSES
CHARGES D'EXPLOITATION, FRAIS D'EXPLOITATION, DÉPENSES D'EXPLOITATION
Sommes engagées par l'entreprise pour assurer son fonctionnement normal, à l'exclusion des dépenses en immobilisations et des charges financières. *V.a.* **revenue expenditure** 1.

OPERATING FUND
FONDS D'ADMINISTRATION GÉNÉRALE, FONDS DE FONCTIONNEMENT
Voir **general fund**.

OPERATING INCOME
BÉNÉFICE D'EXPLOITATION, PROFIT D'EXPLOITATION
Bénéfice découlant de l'exploitation de l'entreprise et représentant l'excédent des produits d'exploitation sur les charges d'exploitation d'un exercice donné. *Syn.* **operating profit**. *V.a.* **statement, operating** 2.

OPERATING LEASE
(CONTRAT DE) LOCATION-EXPLOITATION
(dr. et *compt.)* Contrat de location qui permet à l'entreprise, dans le cadre de son exploitation, d'utiliser un bien sans assumer les risques se rattachant au droit de propriété et sans jouir des avantages inhérents à ce droit. *V.a.* **lease**.

OPERATING LEVERAGE
EFFET DE LEVIER (DE L'EXPLOITATION), LEVIER D'EXPLOITATION, LEVIER OPÉRATIONNEL
Voir **leverage** 2.

OPERATING PROFIT
BÉNÉFICE D'EXPLOITATION, PROFIT D'EXPLOITATION
Voir **operating income**.

OPERATING RATIO
RATIO D'EXPLOITATION, COEFFICIENT D'EXPLOITATION
(anal. fin.) Quotient des charges d'exploitation d'un exercice par les produits d'exploitation du même exercice. *V.a.* **ratio analysis**.

OPERATING RATIOS
RATIOS D'EXPLOITATION
(anal. fin.) Ratios que l'on trouve en divisant chacun des postes de l'état des résultats (ou compte de résultat) d'un exercice par le chiffre d'affaires du même exercice. *V.a.* **ratio analysis**.

OPERATING REPORT
RAPPORT D'EXPLOITATION, TABLEAU DE BORD
(gest.) Document analytique permettant de rendre compte de la marche de l'entreprise dans tous les domaines : financement, exploitation, production, distribution, gestion et personnel. *N.B.* L'objet de ce document est essentiellement de contrôler les résultats, de les comparer aux plans établis et d'effectuer, s'il y a lieu, les corrections nécessaires. Les informations que renferme ce document analytique sont parfois appelées **clignotants** et elles permettent généralement de prendre rapidement des mesures de correction au cas où elles refléteraient des anomalies. *V.a.* **internal reporting** et **management by exception**.

OPERATING RESULTS
RÉSULTATS D'EXPLOITATION
Ensemble des conséquences découlant de l'exploitation de l'entreprise, que font ressortir les comptes de produits et de charges.

OPERATING STATEMENT 1.
(ÉTAT DES) RÉSULTATS (Can.), COMPTE DE RÉSULTAT (Fr. et Belg.), COMPTE DE PROFITS ET PERTES (C.E.E.)
Voir **statement, income**.

OPERATING STATEMENT 2.
ÉTAT DES RÉSULTATS D'EXPLOITATION, COMPTE D'EXPLOITATION GÉNÉRALE (Fr.)
Voir **statement, operating** 2.

OPERATING SYSTEM
SYSTÈME D'EXPLOITATION
(inf.) Ensemble des programmes de base qui commandent la circulation du travail à l'intérieur de l'ordinateur et visent à optimiser son utilisation tout en réduisant les servitudes. *N.B.* Le **système d'exploitation** comprend notamment les **programmes d'organisation** (par exemple des sous-programmes d'entrée-sortie), les **compilateurs** pour la traduction du langage de programmation en langage machine et les **programmes de service**. Le système d'exploitation est indépendant des **programmes d'application** mais il est indispensable à leur mise en oeuvre. *V.a.* **software**.

OPERATIONAL AUDIT
VÉRIFICATION DE GESTION (Can.), VÉRIFICATION OPÉRATIONNELLE (Can.), CONTRÔLE DE GESTION
Voir **management audit**.

OPERATIONAL AUDITOR
VÉRIFICATEUR DE GESTION (Can.), CONTRÔLEUR DE GESTION
Voir **management auditor**.

OPERATIONAL RESEARCH
RECHERCHE OPÉRATIONNELLE
(gest. et *math.)* Ensemble des méthodes, le plus souvent mathématiques, conduisant à l'optimisation des décisions à partir d'une analyse systématique des données d'un problème posé par une activité humaine, et d'une réflexion logique sur les facteurs en cause et les options possibles. *Syn.* **operations research**. *V.a.* **linear programming**.

OPERATIONS 1.
EXPLOITATION
(aff.) Ensemble des opérations relevant de l'activité normale de l'entreprise et concernant la réalisation de l'objet dominant qu'elle s'est donné.

OPERATION(S) 2.
OPÉRATION, ACTIVITÉ
(lang. cour.) Acte ou série d'actes supposant la combinaison de moyens en vue d'obtenir un résultat déterminé et dont on recherche généralement le coût d'ensemble, par exemple les opérations de production. *V.a.* **business transaction** et **transaction** 1.

OPERATIONS RESEARCH
RECHERCHE OPÉRATIONNELLE
Voir **operational research**.

OPERATOR 1.
OPÉRATEUR
(prod. et *inf.)* Personne qui exécute des opérations techniques déterminées et plus particulièrement fait fonctionner un appareil, une machine. *N.B.* En informatique, les **opérateurs** sont principalement affectés à la mise en oeuvre du **matériel périphérique** et à la manipulation des **supports d'information**.

OPERATOR 2.
EXPLOITANT
(aff.) Personne qui se livre à une exploitation et plus particulièrement fait fonctionner une entreprise en vue de réaliser un profit. *V.a.* **operating company**.

OPINION PARAGRAPH
PARAGRAPHE D'ÉNONCÉ D'OPINION
(E.C.)(Can.) Paragraphe du rapport de vérification dans lequel l'expert-comptable formule l'opinion qu'il est en mesure d'exprimer après avoir vérifié les états financiers d'une entreprise. *N.B.* En France et en Belgique, on parle dans ce cas de **certification** ou d'**attestation**. *Comparer avec* **reservation paragraph** et **scope paragraph**. *V.a.* **auditor's opinion** et **auditor's report** 1.

OPPORTUNITY COST
VALEUR DE RENONCIATION, COÛT DE RENONCIATION, COÛT D'OPTION
(gest.) **Manque à gagner** causé par la renonciation à une possibilité considérée comme la meilleure après celle qui a été choisie; **privation de rémunération** qu'entraîne le fait de ne pas placer une somme déterminée ou de ne pas utiliser un facteur de production donné. *N.B.* Le terme *opportunity cost* est parfois rendu en français par l'expression *coût d'opportunité*. *V.a.* **avoidable cost** et **imputed cost** 2.

OPTICAL CHARACTER RECOGNITION (OCR)
LECTURE OPTIQUE

(inf.) Détection et identification de caractères optiques ou graphiques par un procédé photo-électrique. *Comparer avec* **magnetic ink character recognition (MICR)**.

OPTICAL READER
LECTEUR OPTIQUE

(inf.) **Matériel de saisie** capable de lire et d'entrer dans l'ordinateur des caractères optiques ou graphiques. *V.a.* **reader**.

OPTIMIZATION
OPTIMISATION

(math. et *gest.)* Détermination de la meilleure valeur (valeur optimale) que peut prendre un résultat dépendant de plusieurs variables ou de critères différents, généralement indépendants les uns des autres (par exemple les critères coût et sécurité). *V.a.* **maximization**.

OPTIMUM ORDER SIZE
QUANTITÉ OPTIMALE DE COMMANDE, QUANTITÉ OPTIMALE DE RÉAPPROVISIONNEMENT

(gest.) Quantité pour laquelle le coût unitaire des articles commandés est le plus bas. *Comparer avec* **economic order quantity**. *V.a.* **reorder point**.

OPTION
(DROIT D')OPTION

(fin.) Droit d'effectuer une opération (généralement l'achat ou la vente d'un bien) à un prix (appelé **prix de levée**) et à d'autres conditions stipulées d'avance, avant l'expiration d'une certaine période. *N.B.* Le terme **option** désigne aussi le droit, dans un marché à terme, de se délier de l'obligation de livrer ou de prendre livraison de titres ou de marchandises à une date convenue, moyennant le paiement d'un **dédit** dont le montant est déterminé d'avance. *V.a.* **bargain purchase option**, **bargain renewal option**, **call (option)**, **exercise price**, **purchase option**, **put (option)** et **stock option**.

ORDER 1.
COMMANDE, ORDRE (D'ACHAT)

(comm.) Accord verbal ou, le plus souvent, écrit engageant l'acheteur vis-à-vis du fournisseur et concernant l'achat de marchandises ou la demande de prestation de services. *N.B.* Cet accord spécifie notamment la quantité, les caractéristiques des biens ou services commandés, les conditions de prix, de règlement, de transport, etc. ainsi que les délais d'exécution. L'engagement correspondant du fournisseur résulte de l'**accusé de réception** du bon de commande. Le terme **commande** ou **bon de commande** désigne aussi le document sur lequel figurent les informations énumérées ci-dessus. Dans les grandes entreprises, le magasin établit l'**ordre d'achat** tandis que le service des achats émet le **bon de commande**. Les opérations externes à l'entreprise (par exemple les commandes passées à un fournisseur) s'expriment en **prix** tandis que les opérations internes (par exemple les commandes passées entre centres de travail) s'expriment en **coûts**. *V.a.* **purchase order** et **sales order**.

ORDER 2.
ORDRE (DE BOURSE)

(Bourse) Mandat donné à un courtier (ou agent de change) d'acheter ou de vendre en Bourse une valeur déterminée. *Syn.* **stock exchange order**. *V.a.* **market order**.

ORDINARY ANNUITY
ANNUITÉ DE FIN DE PÉRIODE

Voir **annuity in arrears**.

ORDINARY CREDITOR
CRÉANCIER ORDINAIRE, CRÉANCIER CHIROGRAPHAIRE, CRÉANCIER NON GARANTI

(dr.) Titulaire d'une créance nullement garantie qui n'est fondée que sur un acte sous seing privé. *N.B.* Le titulaire d'une **créance chirographaire** ne jouit pas, par rapport aux autres créanciers, d'un droit particulier sur les biens

de son débiteur. En cas de faillite, tous les créanciers ordinaires sont payés au prorata des sommes qui leur sont dues après le règlement des dettes de toutes les autres catégories de créanciers. En France, un créancier ordinaire n'est différent d'un créancier chirographaire que si contractuellement il est prévu, comme dans le cas des **prêts participatifs**, qu'un créancier passera après les créanciers chirographaires. En Belgique, le mécanisme du **prêt subordonné** ou de la **créance subordonnée** introduit deux catégories de créanciers chirographaires. Ceux dont la créance est subordonnée renoncent au remboursement tant que les autres créanciers ne sont pas payés. *Syn.* **general creditor** et **unsecured creditor**. *V.a.* **creditor**.

ORGANIZATION 1.
ORGANISATION
(gest.) Action ayant pour objet de créer et agencer les organes d'une structure, de déterminer leurs relations en vue d'un rendement optimal (compte tenu de la finalité de cette structure et du comportement des personnes qui en font partie) et de veiller à l'adaptation et à l'amélioration de la structure par un contrôle constant. *N.B.* Dans le cas d'une entreprise, le terme **organisation** désigne la mise en oeuvre rationnelle des moyens de production, de gestion et de coordination entre les différents organes et services de l'entreprise.

ORGANIZATION 2.
ORGANISME, ENTREPRISE, SOCIÉTÉ, ASSOCIATION
(lang. cour.) Groupe de personnes qui s'unissent et travaillent ensemble en vue d'atteindre un objectif particulier. *N.B.* Pris dans ce sens, le terme anglais *organization* peut aussi se rendre, selon le cas, par les termes **collectivité**, **entité**, **groupe**, **groupement**, **institution**, **mouvement**, **service**, **syndicat**, etc.

ORGANIZATION CHART
ORGANIGRAMME
(gest.) Représentation graphique de la structure hiérarchique et fonctionnelle d'une entreprise mettant en évidence ses divers services, les rapports qui les unissent, l'autorité dévolue à chacun et leurs responsabilités.

ORGANIZATION EXPENSES
FRAIS DE CONSTITUTION
Frais engagés lors de la constitution d'une société de capitaux, notamment les droits d'enregistrement, les honoraires de conseil juridique et d'expert-comptable et, en France et en Belgique, les **honoraires de commissaire aux apports**, les **frais de notaire**, les **frais de greffe** et les **frais d'insertion** (publication par la voie des journaux prescrite par la loi) et les **timbres fiscaux**. *Syn.* **incorporation expenses** et **preliminary expenses** 2. *(vieilli)*. *V.a.* **preliminary expenses** 1.

ORGANIZATION PLANNING 1.
PLANIFICATION DE L'ORGANISATION
(gest.) Étude rationnelle des structures d'une entreprise.

ORGANIZATION PLANNING 2.
ÉTUDE D'IMPLANTATION
(org. de l'entr.) Prévision de l'agencement des unités de travail dans une entreprise.

ORGANIZATION STRUCTURE
STRUCTURE D'ORGANISATION, STRUCTURE ORGANISATIONNELLE
(org. de l'entr.) Structure constituée des organes d'une entreprise et prévoyant l'agencement des unités de travail au sein de celle-ci. *N.B.* Il existe plusieurs types de structure d'organisation, notamment la **structure pyramidale** (tous les pouvoirs sont, en dernier ressort, concentrés entre les mains du chef d'entreprise), la **structure hiérarchique** (le chef à chaque échelon est responsable de la gestion de son secteur devant son supérieur) et la **structure hiérarchico-fonctionnelle** (des spécialistes apportent leurs conseils à des responsables hiérarchiques opérationnels).

ORGANIZATION UNIT
UNITÉ DE TRAVAIL, GROUPE ORGANISATIONNEL
(org. de l'entr.) Cellule de travail ou division administrative d'une entreprise.

ORIGINAL
ORIGINAL
(lang. cour.) Document rédigé initialement par opposition à une copie de ce document. *V.a.* **copy** et **duplicata** 1.

ORIGINAL COST
COÛT D'ORIGINE, COÛT HISTORIQUE, VALEUR D'ORIGINE
Voir **historical cost**.

ORIGINAL ENTRY
ÉCRITURE ORIGINAIRE
Première écriture passée dans un livre comptable (généralement un journal) pour y inscrire une opération. *V.a.*
book of original entry.

OTHER ASSETS
AUTRES VALEURS IMMOBILISÉES, AUTRES ÉLÉMENTS D'ACTIF, AUTRES ACTIFS, AUTRES
   VALEURS ACTIVES
Section de l'actif du bilan où l'on retrouve les éléments d'actif qui ne peuvent être classés dans une section
particulière.

OUTLAY
DÉPENSE
Voir **expenditure** 1.

OUTLET 1.
POINT DE VENTE
(comm.) Endroit où l'on écoule un produit; établissement ou partie d'un établissement consacré à la vente de
produits appartenant généralement à une catégorie ou à une spécialité déterminée. *Syn.* **business outlet** et
sales outlet. *V.a.* **sales office**.

OUTLET 2.
DÉBOUCHÉ
(mark.) Secteur, marché ou clientèle susceptible d'acheter une certaine catégorie de biens ou de recourir à des
services. *V.a.* **business opportunity**.

OUT-OF-DATE *adj.*
OBSOLESCENT, DÉSUET, PÉRIMÉ
Voir **obsolete** *adj.*

OUT OF ORDER
EN PANNE, EN MAUVAIS ÉTAT, HORS SERVICE, HORS D'USAGE, DÉTRAQUÉ, DÉRÉGLÉ, EN
   DÉRANGEMENT, BRISÉ
(prod. et *lang. cour.)* Se dit, par exemple, d'une machine **en panne**, d'un appareil **en mauvais état**, d'un matériel
hors service, **hors d'usage** ou **détraqué**, d'un mécanisme **déréglé**, d'un téléphone **en dérangement** et d'un
objet **brisé**.

OUT-OF-POCKET COST
COÛT MARGINAL DÉBOURSÉ
(gest.) Portion du coût total d'un projet qui, à l'encontre des frais imputés ou théoriques, fait ou fera l'objet d'une
sortie de fonds.

OUT-OF-POCKET COSTS
FRAIS REMBOURSABLES, FRAIS ET DÉBOURS DIVERS
Dépenses effectuées par une personne pour le compte d'un tiers à qui elle en demande généralement le
remboursement. *V.a.* **advance** 1.

OUT OF STOCK
RUPTURE DE STOCK, PÉNURIE DE STOCK
Voir **inventory shortage** 2.

OUTPUT 1.
PRODUCTION, EXTRANTS
(prod.) Ensemble des biens ou services produits par l'entreprise pendant une période donnée et résultant d'un processus de fabrication ou de production. *N.B.* Le terme *output* est parfois employé dans ce sens en français. *Comparer avec* **input** 1.

OUTPUT 2.
SORTIE
(inf.) Transfert d'informations traitées dans l'ordinateur vers un **terminal** susceptible de les mettre à la disposition des utilisateurs. *Comparer avec* **input** 2.

OUTPUT 3.
(DONNÉE DE) SORTIE
(inf.) Terme qui désigne à la fois l'information elle-même issue du traitement de données par l'ordinateur et l'**édition en clair** de cette information. *Comparer avec* **input** 3. *V.a.* **print-out**.

OUTSIDE DIRECTOR
ADMINISTRATEUR EXTERNE, ADMINISTRATEUR NON SALARIÉ
(gest.) Membre du conseil d'administration d'une société, qui n'occupe pas un poste de direction à l'intérieur de l'entreprise. *Syn.* **non-executive director**.

OUTSTANDING 1.
NON RÉGLÉ, IMPAYÉ
Se dit d'une somme (compte client, effet à recevoir, etc.) non encore recouvrée, ou d'une dette (compte fournisseur, effet à payer, etc.) non acquittée. *Syn.* **unsettled**. *V.a.* **arrears** et **overdue**.

OUTSTANDING 2.
EN CIRCULATION, NON COMPENSÉ, IMPAYÉ
(banque) Se dit d'un chèque que le bénéficiaire n'a pas encore touché et que l'on ne portera au débit du compte sur lequel il a été tiré qu'après son traitement par la chambre de compensation. *N.B.* Le terme **en circulation** se dit aussi des dépôts portés au débit du compte Banque de l'entreprise mais ne figurant pas sur le relevé bancaire.

OUTSTANDING 3.
NON DÉPOSÉ(ES)
(banque) Se dit des sommes que l'entreprise a reçues mais qu'elle n'a pas encore déposées dans son compte en banque.

OUTSTANDING 4.
EN CIRCULATION
(fin.) Se dit d'actions ou d'obligations émises par une société, que leurs titulaires (actionnaires ou obligataires) détiennent encore.

OUTSTANDING 5.
NON EXÉCUTÉ(E), À EXÉCUTER
(comm.) Se dit d'une commande à laquelle le fournisseur n'a pas encore donné suite. *V.a.* **back order** 2.

OVERABSORB
SURIMPUTER
(prod.) Imputer, aux produits fabriqués ou à un service, des frais généraux estimatifs s'élevant à un montant supérieur aux frais généraux réels. *Comparer avec* **underabsorb**.

OVERABSORBED BURDEN
FRAIS GÉNÉRAUX SURIMPUTÉS
Voir **overapplied burden**.

OVERAPPLIED BURDEN
FRAIS GÉNÉRAUX SURIMPUTÉS
Excédent des frais généraux imputés à des produits ou à un service sur les frais généraux réels, attribuable à différents facteurs, notamment la **suractivité**. *Syn.* **overabsorbed burden**. *V.a.* **burden rate** et **overhead**.

OVERCAPITALIZATION
SURCAPITALISATION
(fin.) Situation d'une entreprise dont le capital est trop élevé eu égard à ses activités présentes et prévues, ce qui donne lieu à un **excédent de capital**. *Comparer avec* **undercapitalization**. *V.a.* **capital structure**.

OVERDRAFT 1.
DÉCOUVERT (EN BANQUE), DÉCOUVERT (BANCAIRE)
Voir **bank overdraft**.

OVERDRAFT 2.
DÉCOUVERT
(compt. publ.) Excédent des engagements sur les sommes portées au débit d'un compte d'affectations ou sur les sommes figurant au budget.

OVERDRAWN ACCOUNT
COMPTE À DÉCOUVERT
(banque) Compte bancaire ayant un solde débiteur dans les livres de la banque. *V.a.* **uncovered**.

OVERDUE
ARRIÉRÉ, EN SOUFFRANCE, EN RETARD, ÉCHU
(aff.) Se dit notamment d'une somme (créance, dette, intérêts, dividende) qui n'a pas été réglée ou versée à la date prévue. *N.B.* Le terme **en souffrance** se dit aussi, ainsi que le terme **en suspens**, d'une affaire qui attend sa conclusion ou d'un travail que l'on a décidé de remettre à plus tard. *Syn.* **delinquent** et **past due**. *V.a.* **outstanding** 1.

OVEREXPENDITURE
DÉPASSEMENT DE CRÉDIT
(compt. publ.) Excédent des dépenses réelles sur les dépenses budégtaires ou les crédits accordés.

OVERFLOW
DÉPASSEMENT (DE CAPACITÉ), DÉBORDEMENT
(inf.) Apparition, dans une zone ou un registre d'un ordinateur, d'une quantité supérieure à la capacité de cette zone ou de ce registre.

OVERHEAD
FRAIS GÉNÉRAUX
Frais engagés pour fabriquer des biens ou rendre des services, qu'il n'est pas possible ou peu pratique d'imputer directement aux produits fabriqués, aux services rendus ou à des centres de frais. *N.B.* En comptabilité générale, le terme **frais généraux** désigne aussi l'ensemble des dépenses entraînées par la gestion d'une entreprise. *Syn.* **burden, indirect costs, oncosts** *(U.K.)* et **standing expenses**. *V.a.* **applied burden, burden rate, direct overhead, factory overhead, fixed overhead, general expenses, overapplied burden, overhead application, unabsorbed overhead, underapplied burden** et **variable overhead**.

OVERHEAD APPLICATION
IMPUTATION DES FRAIS GÉNÉRAUX
Action de porter des charges analysées dans les centres de responsabilité(s), dans les comptes de coûts des

produits en proportion des **unités d'oeuvre** des centres où ces produits sont fabriqués. *N.B.* L'**imputation** est dite **rationnelle** lorsque la part des charges fixes est calculée par rapport à un **niveau d'activité** préalablement défini comme **normal**. Pour chaque stade de production et de distribution, le montant des charges fixes effectivement incorporé au coût des produits est alors fondé sur le niveau normal d'activité. Le coût de revient total d'un produit découlant d'une imputation rationnelle des frais généraux de fabrication s'appelle **coût rationnel global**. *V.a.* **activity ratio**, **normal cost**, **overhead**, **subnormal capacity usage** et **volume index**.

OVERHEAD RATE
COEFFICIENT D'IMPUTATION DES FRAIS GÉNÉRAUX
Voir **burden rate**.

OVERHEAD VARIANCES
ÉCARTS SUR FRAIS GÉNÉRAUX

Ensemble des écarts dont la somme algébrique est égale à la différence entre les frais généraux réels et les frais généraux imputés. *V.a.* **budget variance** 2., **efficiency variance**, **spending variance**, **standard cost variances** et **volume variance**.

OVERSTATED
SURÉVALUÉ, SURESTIMÉ

Se dit d'un élément figurant dans les comptes ou les états financiers à un montant supérieur à son montant réel. *Comparer avec* **understated**.

OVERSTOCK *v.*
SURSTOCKER

Action d'une entreprise qui, pour des raisons particulières, s'approvisionne de façon à avoir un stock dépassant le stock normal nécessaire à la vente, ce qui est généralement la source de dépenses inutiles. *V.a.* **inventory overage** 2.

OVER-THE-COUNTER *adj.*
HORS COTE

(Bourse) Se dit de titres qui se négocient par l'intermédiaire d'un courtier (ou agent de change) sans être inscrits à la cote officielle. *Syn.* **off-the-board**. *V.a.* **unlisted securities**.

OVER-THE-COUNTER MARKET
MARCHÉ HORS COTE, COULISSE

Marché où se traitent des valeurs mobilières qui ne sont pas inscrites à la cote officielle d'une Bourse de valeurs. *N.B.* Le **marché hors cote** est souvent considéré comme une première étape pour une société qui demande que ses titres (particulièrement ses actions) soient admis à la cote officielle. *V.a.* **commodity market**, **exchange** 2., **open market**, **stock exchange** et **unofficial market**.

OVERTIME
HEURES SUPPLÉMENTAIRES

(rel. de tr.) Heures de travail exécutées en dehors de l'horaire normal et généralement rémunérées à un taux horaire majoré. *Comparer avec* **regular hours**. *V.a.* **work overtime**.

OVERTIME PREMIUM
MAJORATION POUR HEURES SUPPLÉMENTAIRES

(rel. de tr.) Augmentation du taux horaire pour les heures effectuées en sus de l'horaire normal de travail.

OWNER
PROPRIÉTAIRE

(dr.) Personne physique ou morale qui possède en propre un bien dont elle peut jouir et qu'elle peut utiliser ou céder d'une manière exclusive et absolue sans préjudice des restrictions établies par la loi. *V.a.* **bare owner**, **bearer**, **beneficial owner** et **nominal owner**.

OWNER MANAGER
PROPRIÉTAIRE EXPLOITANT

(gest.) Personne qui assure elle-même la direction de l'entreprise dont elle est propriétaire. *V.a.* **shareholder officer**.

OWNER OF RECORD
DÉTENTEUR (INSCRIT) À LA DATE DE CLÔTURE DES REGISTRES

Voir **holder of record**.

OWNERS' EQUITY
CAPITAUX PROPRES, FONDS PROPRES, SITUATION NETTE, AVOIR DES PROPRIÉTAIRES (Can.)

Sommes investies dans une entreprise augmentées des bénéfices réalisés et non distribués. *N.B.* En France et en Belgique, les **capitaux propres** d'une société comprennent les apports, les réserves provenant de profits non distribués, les écarts de réévaluation et le report à nouveau, c'est-à-dire les profits en instance d'affectation. Le total des capitaux propres constitue la **situation nette**, c'est-à-dire la différence entre le total de l'actif et le passif à l'égard des tiers (les dettes). En Belgique, le **report à nouveau** comprend les profits provisoirement non affectés; le bilan belge étant établi après affectation, il n'y a pas de profits en instance d'affectation. *Syn.* **equity** 2. et **equity capital** 1. *V.a.* **capital** 1., **net worth** et **shareholders' equity**.

OWNERSHIP INTEREST
PARTICIPATION, PART

Voir **interest** 2.

OWNERSHIP TITLE
TITRE DE PROPRIÉTÉ

(dr.) Titre conférant à une personne le droit d'user, de jouir et de disposer d'une chose d'une manière exclusive et absolue sous réserve des restrictions établies par la loi.

P

PACKAGE
PROGICIEL, PROGRAMME-PRODUIT
(inf.) Ensemble de **programmes standards informatisés** servant à traiter une catégorie particulière de données ou à résoudre certains problèmes. *N.B.* Ces programmes portant, par exemple, sur la paye, la facturation et les études de marché, sont préétablis et peuvent être achetés tout faits par de nombreuses entreprises différentes. *V.a.* **audit package**, **program** *n.* 2., **software** et **standard program**.

PACKAGING
EMBALLAGE, CONDITIONNEMENT
(mark.) Opération qui, au sens strict, consiste à emballer un produit de consommation de manière à assurer son transport dans les meilleures conditions. *N.B.* En publicité et en marketing, le **conditionnement** d'un produit ne désigne pas uniquement son emballage mais aussi son apparence et tout ce qui peut influencer favorablement ou défavorablement l'acheteur et contribuer à l'**image de marque** de ce produit et de l'entreprise qui l'a conçu. La préparation matérielle d'une expédition en colis s'appelle **colisage**. *V.a.* **container** 1.

PACKING EQUIPMENT
MATÉRIEL D'EMBALLAGE
(mark.) Matériel réservé au conditionnement des matières, produits et marchandises manutentionnés dans l'entreprise.

PACKING SLIP
BORDEREAU D'EXPÉDITION, BON DE LIVRAISON
(transp.) Relevé décrivant le contenu d'un colis à l'emballage; document indiquant le nombre, la nature et les marques distinctives des divers colis d'un lot faisant l'objet d'un même chargement. *N.B.* On entend par **liste de colisage** ou **note de colisage** un document administratif servant notamment à l'établissement des fiches de douane et indiquant le poids brut (avec l'emballage) et le poids net (sans l'emballage) des matières transportées, le nombre de palettes (supports plats servant à manutentionner des marchandises), etc. *V.a.* **slip**.

PACKING SUPPLIES
FOURNITURES D'EMBALLAGE
(mark. et compt.) Articles divers (papier, boîtes, corde, etc.) utilisés pour emballer un produit et qui constituent une charge d'exploitation dès le moment de leur utilisation. *V.a.* **supplies**.

PAID
POUR ACQUIT, PAYÉ
(aff.) Mention que le créancier (le porteur ou le bénéficiaire dans le cas des effets de commerce) porte au pied ou au dos d'une facture, d'un effet ou d'un acte, et qu'il fait suivre de sa signature et de la date en vue de constater que le débiteur s'est libéré de sa dette. *N.B.* Ainsi les factures acquittées sont estampillées par un cachet portant la mention *payé* ou *pour acquit*. *V.a.* **discharge** *n.* 1. et **discharge** *v.* 2.

PAID-IN CAPITAL *(U.S.)*
CAPITAL D'APPORT
Voir **contributed capital**.

PAID-IN SURPLUS
SURPLUS D'APPORT
Voir **contributed surplus** 1.

PAID-UP CAPITAL
CAPITAL LIBÉRÉ, CAPITAL VERSÉ
(fin.) Actions émises par une société, dont les actionnaires ont entièrement réglé le prix d'émission convenu. *N.B.* Les lois fiscales canadiennes donnent au terme anglais *paid-up capital* un sens particulier. *V.a.* **called-up capital** et **capital stock**.

PAPER
PAPIER
(dr.) Terme désignant un titre qui constitue le support d'une créance ou d'un droit de propriété et qui peut être négocié sur le marché des capitaux. *N.B.* On distingue notamment le **papier commercial**, le **papier financier** et le **papier-monnaie**. *V.a.* **paper money**.

PAPER MONEY
PAPIER-MONNAIE, MONNAIE DE PAPIER
(écon.) **Monnaie fiduciaire** constituée par des **billets de banque** dont la valeur fictive ou nominale repose de nos jours sur la garantie offerte par la banque qui les a émis. *V.a.* **bank note**, **money** 1. et **paper**.

PAPER PROFIT *(fam.)*
PROFIT NON MATÉRIALISÉ, PLUS-VALUE NON MATÉRIALISÉE
Profit non encore réalisé et qui, en vertu du principe de prudence, n'est généralement pas comptabilisé, par exemple la plus-value non matérialisée afférente à des titres négociables détenus par l'entreprise. *V.a.* **illusory profit**, **realized** 2. et **unrealized** 2.

PAPER TAPE
BANDE PERFORÉE, BANDE DE PAPIER
(inf.) **Support d'information** constitué par un ruban de papier sur lequel les données sont représentées par une combinaison de perforations. *V.a.* **punched tape**.

PAR 1.
PAIR
(écon.) Rapport qui définit, dans un pays donné, la valeur de la monnaie nationale en fonction d'une autre monnaie ou d'un bien réel, par exemple une certaine quantité d'or.

PAR 2.
PAIR
(fin.) Égalité susceptible d'exister entre la valeur nominale d'un titre et son prix de souscription ou d'émission, son prix de remboursement ou son cours. *N.B.* L'expression **au pair** (*at par*) s'emploie particulièrement dans le cas d'une émission ou d'un remboursement d'une action ou d'une obligation qui se réalise à la valeur nominale. En Belgique, lors d'une émission d'actions, il y a, à défaut de valeur nominale, un **pair comptable** égal au capital versé divisé par le nombre d'actions émises.

PARCEL OF LAND
TERRAIN, PARCELLE, LOT
(lang. cour.) Espace, étendue de terre de forme et de dimensions déterminées. *N.B.* On entend spécialement par **parcelle** une portion de terrain constituant une **unité cadastrale**. Un terrain de petites dimensions s'appelle communément un **lopin**. *Syn.* **tract**. *V.a.* **land**.

PARENT COMPANY
SOCIÉTÉ MÈRE, COMPAGNIE MÈRE (Québec)

(org. des entr.) Société qui contrôle une ou plusieurs autres sociétés grâce à la possession directe ou indirecte d'une participation majoritaire lui permettant de faire élire au moins la majorité des membres du conseil d'administration de ces sociétés. *Comparer avec* **investor** 2. et **subsidiary (company)**.

PARENT CURRENCY APPROACH
MÉTHODE DE LA MONNAIE D'ARRIVÉE

Méthode qui consiste à adopter la monnaie du pays de la société mère comme unité de mesure lors de la conversion des comptes d'une filiale dressés en monnaie d'un autre pays. *N.B.* Selon cette méthode, les postes résultant d'opérations effectuées antérieurement sont convertis au taux d'origine de façon à obtenir un chiffre égal à celui que la société mère aurait dans ses livres si elle-même, plutôt que la filiale étrangère, avait effectué les opérations en cause. *Syn.* **canadian dollar approach**. *Comparer avec* **foreign currency approach**.

PARETO OPTIMALITY
OPTIMUM DE PARETO

(écon.) État de l'économie où nul ne peut augmenter sa satisfaction sans diminuer celle d'un autre.

PARI PASSU
DE RANG ÉGAL, DE MÊME RANG, (CLAUSE DE) PARI PASSU

(dr.) Expression qui s'emploie pour désigner différents titres conférant un droit égal à leurs détenteurs. *N.B.* La **clause de *pari passu*** est, dans le cas des emprunts obligataires, une **clause de garantie** en vertu de laquelle l'emprunteur s'interdit d'accorder des garanties supplémentaires sur d'autres emprunts à d'autres créanciers sans en faire bénéficier également les premiers créanciers ou obligataires. *V.a.* **rank pari passu**.

PARITY
PARITÉ

(écon.) Au sens strict, rapport légal entre une monnaie et l'étalon métallique (généralement un certain poids d'or) que cette monnaie représente. *N.B.* Par extension, le terme **parité** désigne la correspondance entre une monnaie et une autre monnaie prise comme référence.

PARITY CHECK
CONTRÔLE DE PARITÉ

(inf.) Contrôle du total d'un groupe de **chiffres binaires** par rapprochement avec un **chiffre de parité** associé.

PARTIAL AUDIT
VÉRIFICATION PARTIELLE, RÉVISION PARTIELLE

(E.C.) Vérification (ou révision) ne portant que sur un nombre restreint de postes des états financiers (ou comptes annuels) et donnant lieu, de la part de l'expert-comptable, à l'expression d'une **opinion partielle**. *V.a.* **audit** *n.* 3., **limited audit engagement** et **piecemeal opinion**.

PARTIALLY FUNDED PENSION PLAN
RÉGIME DE RETRAITE PAR CAPITALISATION PARTIELLE

(rentes) Régime de retraite dont les engagements ne sont que partiellement couverts par les sommes versées, en règle générale par les employeurs et les salariés, dans la caisse de retraite. *Syn.* **unfunded pension plan** 1. *V.a.* **pension plan**.

PARTIALLY SECURED CREDITOR
CRÉANCIER PARTIELLEMENT GARANTI

(dr.) Créancier dont la créance n'est que partiellement garantie, en ce sens que la valeur du bien affecté par le débiteur à la garantie de sa dette est moindre que le montant de la dette qu'il a contractée. *N.B.* Si le bien ainsi donné en garantie fait l'objet d'un nantissement, on dira alors du titulaire de la créance qu'il est un **créancier partiellement nanti**. *V.a.* **creditor**.

PARTICIPANT
PARTICIPANT

(rentes) Personne physique qui bénéficie d'un régime de retraite comme membre actif ou retraité. *V.a.* **contributor**.

PARTICIPATING BOND
OBLIGATION PARTICIPANTE

(fin.) Obligation donnant à son souscripteur le droit à une participation liée aux résultats de la société émettrice en supplément des avantages que confère normalement une obligation ordinaire. *V.a.* **bond** 1.

PARTICIPATING SHARE
ACTION AVEC PRIVILÈGE DE PARTICIPATION, ACTION PARTICIPANTE

(fin.) (Can.) Action donnant à son détenteur le droit, en plus de toucher le dividende prévu, de participer, avec les actionnaires ordinaires, aux bénéfices de la société émettrice. *N.B.* Le privilège accordé aux détenteurs de ce type d'actions leur permet parfois de participer à l'actif en cas de liquidation. *V.a.* **share** 2.

PARTICIPATING STOCK
(CAPITAL-)ACTIONS AVEC PRIVILÈGE DE PARTICIPATION, ACTIONS PARTICIPANTES

(fin) *(Can.)* Ensemble des actions conférant à leurs détenteurs un privilège de participation aux bénéfices de la société émettrice et parfois à l'actif de celle-ci en cas de liquidation. *V.a.* **capital stock**.

PARTICIPATIVE MANAGEMENT
GESTION PARTICIPATIVE

(gest.) Méthode de gestion par consultation où tous les intéressés prennent une part plus ou moins large aux décisions. *N.B.* La gestion de l'entreprise assurée en commun par le chef de l'entreprise et les salariés s'appelle **cogestion**. En France, il existe un **comité d'entreprise** (appelé en Belgique, **conseil d'entreprise**) qui est composé de membres élus représentant le personnel et de membres désignés représentant la direction de l'entreprise.

PARTICIPATIVE MANAGEMENT BY OBJECTIVES
DIRECTION PARTICIPATIVE PAR OBJECTIFS, GESTION PARTICIPATIVE PAR OBJECTIFS

(gest.) Méthode de gestion permettant aux responsables concernés de participer à l'élaboration de la stratégie de l'entreprise. *N.B.* Les responsables peuvent donner leur avis sur les objectifs de cette dernière ou les suggérer. De plus, ils demandent, avec justification, les moyens pour mettre ces objectifs en oeuvre. *V.a.* **management by objectives**.

PARTLY PAID SHARE
ACTION PARTIELLEMENT LIBÉRÉE, ACTION NON (ENTIÈREMENT) LIBÉRÉE
Voir **non-fully paid share**.

PARTNER
ASSOCIÉ

(org. de l'entr.) Personne qui met en commun son activité, ses biens ou son industrie dans une société de personnes. *N.B.* Dans un cabinet d'experts-comptables, on attribue aux associés qui en font partie différents titres selon la fonction hiérarchique qu'ils occupent. Le terme **associé** s'emploie aussi pour désigner une personne membre d'une société civile ou commerciale, ce qui permet de dire qu'un actionnaire est un associé. *V.a.* **consulting partner**, **general partner**, **junior partner**, **limited partner**, **managing partner**, **national partner**, **partner in charge of a client**, **partner in charge of an office**, **resident partner** et **senior partner**.

PARTNER IN CHARGE (OF A CLIENT)
ASSOCIÉ RESPONSABLE DU DOSSIER, ASSOCIÉ CHARGÉ DU DOSSIER

(prof. compt.) Associé d'un cabinet d'experts-comptables à qui incombe la responsabilité de planifier et de superviser le travail de vérification (ou révision) des comptes d'un client, de revoir le dossier de celui-ci y compris les états financiers (ou comptes annuels) sur lesquels le cabinet doit exprimer une opinion, et d'approuver au nom de ses associés, le travail effectué. *V.a.* **partner**.

PARTNER IN CHARGE (OF AN OFFICE)
ASSOCIÉ DIRECTEUR

(prof. compt.) Associé qui, dans un cabinet d'experts-comptables ayant des bureaux dans différentes villes, a la charge d'un bureau du cabinet. *V.a.* **partner**.

PARTNER'S CURRENT ACCOUNT
COMPTE COURANT, COMPTE D'ASSOCIÉ

Voir **current account** 3.

PARTNERSHIP
SOCIÉTÉ DE PERSONNES

(org. des entr.) Entreprise dans laquelle deux ou plusieurs personnes (les associés) conviennent de mettre en commun des biens, leur crédit ou leur industrie en vue de partager les bénéfices qui pourront en résulter. *N.B.* Dans une **société de personnes**, sauf en ce qui concerne les commanditaires dans une société en commandite, les associés ont une **responsabilité illimitée** et ils s'engagent à supporter personnellement le **passif social** en cas d'insuffisance de l'actif. Cependant, le droit civil distingue la **société civile** poursuivant un but lucratif ou non dans laquelle la **responsabilité** des associés n'est que **conjointe** et la **société commerciale** (qui peut être une société en nom collectif ou une société en commandite) dans laquelle la **responsabilité** des associés est **solidaire**. La *partnership* correspond généralement à la **société en nom collectif** qui, par définition, est une société de personnes poursuivant un but commercial. *V.a.* **company** 1., **joint stock company**, **limited partnership** et **nominal partnership**.

PARTNERSHIP AGREEMENT
CONTRAT DE SOCIÉTÉ

(dr.) Contrat conclu entre les associés au moment de l'établissement d'une société de personnes et dans lequel ils précisent, entre autres, leur mise de fonds, leurs fonctions respectives, le mode de partage des bénéfices et les formalités à remplir en cas de dissolution ou de liquidation. *N.B.* Ce contrat peut être sous seing privé ou notarié. De plus, en vertu de la loi, toutes les sociétés commerciales en nom collectif doivent faire l'objet d'un **enregistrement** ou d'une **immatriculation**. En Belgique, la notion de contrat de société trouve son application pour toute forme de sociétés.

PAR VALUE
VALEUR NOMINALE, (MONTANT) NOMINAL

(fin.) Valeur de remboursement d'une monnaie, d'un effet de commerce ou d'une obligation et, dans le cas d'une action, valeur théorique généralement différente de son prix d'émission, de sa valeur comptable, et de sa valeur réelle. *N.B.* Le plus souvent, la valeur nominale figure au recto de la monnaie, des effets de commerce ou des titres. *Syn.* **face amount** 1., **face value** et **nominal value** 1.

PASS
LAISSEZ-PASSER

(lang. cour.) Pièce autorisant une personne à entrer, à sortir, à circuler librement, par exemple dans une salle d'ordinateur. *V.a.* **password**.

PASSBOOK
CARNET DE BANQUE, LIVRET DE BANQUE

(banque) Carnet dans lequel la banque inscrit les opérations bancaires effectuées par un client, notamment les sommes qu'il a déposées, ses retraits et les chèques qu'il a tirés sur son compte en banque. *N.B.* Les banques ayant un système informatisé utilisent un **terminal d'impression sur livret** pour mettre à jour le livret des déposants.

PASSED DIVIDEND
DIVIDENDE NON DÉCLARÉ (Can.), DIVIDENDE OMIS

(fin.) Dividende périodique qu'une société n'a pas versé, ce qui empêche les actionnaires privilégiés de recevoir les sommes auxquelles les actions qu'ils possèdent leur donneraient normalement droit. *V.a.* **dividend** 1.

PASSWORD
MOT DE PASSE

(inf.) Mot qui permet d'avoir accès à certaines données, certains fichiers. *V.a.* **pass**.

PAST DUE
ARRIÉRÉ, EN SOUFFRANCE, EN RETARD, ÉCHU
Voir **overdue**.

PAST SERVICE
SERVICES PASSÉS

(rentes) Périodes d'activité accomplies par un salarié chez un employeur soit avant la prise d'effet du régime de retraite, soit avant son adhésion au régime, soit avant la date des modifications qui y ont été apportées. *Syn.* **prior service**.

PAST SERVICE PENSION COST
CHARGE DE RETRAITE AU TITRE DES SERVICES PASSÉS, COÛT RELATIF AUX SERVICES PASSÉS

Imputation à l'exercice d'une partie du coût global des prestations acquises par les membres du personnel en raison des services qu'ils ont rendus avant la date d'adoption du régime ou avant la date des modifications qui y ont été apportées. *N.B.* Le coût relatif aux services passés donne lieu à ce qui est connu généralement sous le nom de **cotisation spéciale**. *Comparer avec* **current service pension cost** *(vieilli)*. *V.a.* **past service pension liability**, **pension costs** 1. et **special contribution**.

PAST SERVICE PENSION LIABILITY
DETTE (D'UN RÉGIME DE RETRAITE) AU TITRE DES SERVICES PASSÉS

(rentes) Dette actuarielle d'un régime de retraite. *V.a.* **actuarial liability** 1., **past service pension cost**, **pension liability** et **unfunded past service liability**.

PATENT
BREVET (D'INVENTION)

(dr.) Titre délivré par l'État et donnant à l'inventeur d'un produit ou d'un procédé susceptible d'applications industrielles, ou à son cessionnaire, le droit exclusif d'exploitation d'une invention durant un certain temps (17 ans au Canada et 20 ans en France et en Belgique) aux conditions fixées par la loi. *N.B.* Le titre de propriété conféré à l'inventeur n'offre aucune garantie quant au caractère de la qualité de l'invention. L'obtention d'un brevet donne seulement à son titulaire une présomption de sa validité, mais les tiers, en défense à une action, sont admis à établir que l'invention en cause n'était pas brevetable dans le but d'obtenir que le brevet soit déclaré sans valeur. *V.a.* **license**.

PATENTED
BREVETÉ

(dr.) Se dit d'une invention, d'un produit protégé par un brevet.

PATENTEE
BREVETÉ

(dr.) Titulaire d'un brevet d'invention.

PATENT INFRINGEMENT
CONTREFAÇON

(dr.) Usurpation du droit de propriété intellectuelle d'autrui, ce qui se fait généralement par la fabrication, la vente ou l'usage d'un objet ressemblant à un objet breveté. *N.B.* La **contrefaçon**, qui suppose la reproduction d'un élément découlant d'une invention, peut faire l'objet de sanctions pénales et d'une sanction civile en dommages-intérêts. L'**action en contrefaçon** peut aussi être intentée en matière de marques de commerce et de droits d'auteur. *V.a.* **counterfeited goods** et **forgery**.

PATENT PENDING
BREVET EN INSTANCE

(dr.) Mention que porte un nouveau produit mis sur le marché entre le moment où il a été inventé et celui où l'entreprise obtient le brevet qui lui en attribuera l'exclusivité.

PATRONAGE DIVIDEND
RISTOURNE
Voir **dividend** 4.

PATRONAGE REFUND
RISTOURNE
Voir **dividend** 4.

PATRONAGE RETURN
RISTOURNE
Voir **dividend** 4.

PAWN
GAGE
(dr.) Bien laissé par une personne chez un prêteur sur gage en garantie de l'argent qui lui a été prêté. *V.a.* **pledge** *n.* 2.

PAWNBROKER
PRÊTEUR SUR GAGE(S)
(dr.) Personne qui accorde des prêts moyennant la remise en gage de biens qu'elle gardera en sa possession jusqu'à ce que la somme d'argent qu'elle a prêtée lui soit remboursée.

PAY *v.* 1.
PAYER
(aff.) Verser de l'argent en contrepartie de quelque chose.

PAY *v.* 2.
ACQUITTER, RÉGLER, REMBOURSER
Voir **discharge** *v.* 1.

PAY *n.*
PAYE, PAIE, SALAIRE, TRAITEMENT, APPOINTEMENTS, ÉMOLUMENTS
(aff.) Argent remis aux salariés au titre de leur salaire net. *V.a.* **salary** 1.

PAYABLE
PAYABLE, EXIGIBLE, À PAYER
(lang. cour.) Ce qui doit être payé ou ce qui peut être réclamé immédiatement. *N.B.* Ainsi on dit d'une somme qu'elle est payable d'avance, d'une marchandise qu'elle est payable à la commande, comptant ou à la livraison, et d'un effet de commerce qu'il est payable à l'échéance, payable à vue, payable sur demande, payable au porteur ou payable à 30 jours. Utilisé comme substantif, le terme **exigible** désigne les comptes du bilan regroupant les dettes dont les créanciers peuvent réclamer le paiement immédiatement ou à courte échéance. *V.a.* **accrued liability** et **current liabilities**.

PAYABLE ON DEMAND
PAYABLE SUR DEMANDE (Can.), PAYABLE À VUE, PAYABLE SUR PRÉSENTATION
Voir **due on demand**.

PAY-AS-YOU-GO *(fam.)* **METHOD**
IMPUTATION FONDÉE SUR LES SORTIES DE FONDS
Méthode qui consiste à comptabiliser une charge d'un montant égal à la sortie de fonds correspondante au moment où celle-ci est effectuée. *N.B.* Bien que cette expression puisse s'appliquer à tous les cas où une comptabilité de caisse est en usage, on ne l'emploie généralement que lorsqu'il s'agit d'un régime de retraite (comptabilité de dépenses), des impôts (méthode dite des impôts exigibles) et des immobilisations (imputation à l'exercice de dépenses en immobilisations). Cette méthode qui, dans le cas des régimes de retraite, consiste à ne passer en charges que les sommes versées aux employés à leur départ ou pendant leur retraite ne convient pas

pour comptabiliser correctement les charges relatives à un régime de retraite suivant les principes comptables généralement reconnus.

PAY-AS-YOU-GO *(fam.)* PENSION PLAN
RÉGIME (DE RETRAITE) PAR RÉPARTITION (PURE)

(rentes) Régime dans lequel les sommes encaissées chaque année au titre de cotisations sont, sauf constitution de réserves raisonnables, utilisées en totalité pour servir des prestations aux participants ayant pris leur retraite ou à leurs ayants droit. *V.a.* **fully funded pension plan**, **funded pension plan**, **pension plan** et **unfunded pension plan** 2.

PAYBACK PERIOD
DÉLAI DE RÉCUPÉRATION, PÉRIODE DE RÉCUPÉRATION

(gest.) Laps de temps nécessaire pour que le cumul des rentrées nettes de fonds attendues d'un projet permette d'en récupérer le coût. *Syn.* **payout period**. *V.a.* **discounted payback period**.

PAY CASH, TO
PAYER EN ARGENT, PAYER COMPTANT, PAYER IMMÉDIATEMENT

(aff.) Régler une opération en espèces ou par chèque dès qu'elle est conclue. *V.a.* **for cash**.

PAYEE 1.
BÉNÉFICIAIRE, PRENEUR

(dr.) Nom de la personne physique ou morale en faveur de laquelle un effet de commerce ou un chèque est émis. *N.B.* Le bénéficiaire peut lui-même toucher le montant du titre ou le transmettre à un tiers par voie d'endossement. *Comparer avec* **drawee**.

PAYEE 2.
TITULAIRE DE RENTE, CRÉDIRENTIER, RENTIER, PENSIONNÉ, ALLOCATAIRE DE RENTE,
  PRESTATAIRE
Voir **annuitant**.

PAYER
SOUSCRIPTEUR, TIREUR
Voir **maker**.

PAYMASTER
PAYEUR, COMPTABLE (Fr.), COMPTABLE PUBLIC (Belg.)

(lang. cour.) Personne chargée d'effectuer des paiements pour le compte d'une Administration. *N.B.* Le terme anglais *paymaster* se dit aussi de la personne qui, dans une entreprise, est responsable de la distribution de la paye aux employés. En comptabilité publique, on donne en France le nom de **comptable** à quiconque manie des deniers publics ou des deniers réglementés.

PAYMENT 1.
PAIEMENT, RÈGLEMENT, ACQUITTEMENT, REMBOURSEMENT, VERSEMENT

(dr.) Action de payer ou de remettre de l'argent en échange d'un bien ou d'un service. *N.B.* Le terme **acquittement** désigne à la fois l'action d'acquitter une dette ou une obligation et celle de porter sur un document la mention *pour acquit* suivie d'une signature. L'ordre dans lequel un débiteur choisit d'acquitter plusieurs sommes dues à un même créancier s'appelle **imputation des paiements**; en principe, lorsqu'il s'agit d'une dette portant intérêt, le paiement s'impute d'abord sur les intérêts. L'expression **dation en paiement** désigne la remise faite par un débiteur en paiement à son créancier (après entente avec celui-ci), d'une chose autre que celle qu'il s'était engagé à lui remettre. Ainsi un débiteur qui doit de l'argent pourrait être libéré de sa dette en livrant des marchandises ou en transférant à son créancier la propriété d'un immeuble. *V.a.* **discharge** *n.* 1. et **liquidation** 1.

PAYMENT 2.
RÉMUNÉRATION, RÉTRIBUTION
Voir **remuneration**.

PAYMENT AUTHORIZATION
ORDRE DE PAIEMENT
(dr.) Instruction, le plus souvent matérialisée par un document, donnée à quelqu'un d'effectuer un paiement, ou à une banque de transférer une somme d'argent à un bénéficiaire désigné. *N.B.* En comptabilité publique, un ordre de paiement porte le nom d'**ordonnancement**.

PAYMENT DATE
DATE DE RÈGLEMENT, DATE DE PAIEMENT
(dr.) Date à laquelle un débiteur a convenu de payer sa dette; date à laquelle une somme est effectivement versée. *V.a.* **date of payment (of a dividend)**.

PAYMENT IN ADVANCE
PAIEMENT ANTICIPÉ, PAIEMENT PAR ANTICIPATION
Voir **advance payment**.

PAYMENT IN CASH
PAIEMENT (AU) COMPTANT, PAIEMENT EN ESPÈCES, PAIEMENT EN NUMÉRAIRE
Voir **cash payment**.

PAYMENT IN KIND
PAIEMENT EN NATURE
(comm.) Paiement en productions du sol ou en objets, par opposition à un paiement en espèces ou monnayé. *Comparer avec* **cash payment**.

PAYMENT ON ACCOUNT
ACOMPTE
(comm.) Paiement à valoir sur le montant d'une dette.

PAY OFF, TO 1.
ACQUITTER, RÉGLER, REMBOURSER
Voir **discharge** *v.* 1.

PAY OFF, TO 2. *(fam.)*
OFFRIR UN POT-DE-VIN
(lang. cour.) Présenter un cadeau ou une somme d'argent à quelqu'un lors de la conclusion d'un marché pour obtenir quelque chose, le plus souvent d'une façon illégale.

PAY OFF A MORTGAGE, TO
PURGER UNE HYPOTHÈQUE, ÉTEINDRE UNE HYPOTHÈQUE
(dr.) Action de régler une dette garantie par une hypothèque et de libérer ainsi le bien hypothéqué. *Syn.* **clear off a mortgage**. *V.a.* **redemption of a mortgage** 2.

PAYOUT PERIOD
DÉLAI DE RÉCUPÉRATION, PÉRIODE DE RÉCUPÉRATION
Voir **payback period**.

PAYOUT RATIO
RATIO DES DIVIDENDES AU BÉNÉFICE, RATIO DE DISTRIBUTION
Voir **dividend payout ratio**.

PAYROLL 1.
LIVRE DE PAYE
Livre extra-comptable dont la tenue est obligatoire pour l'employeur et où figurent le nom des employés, leur salaire brut pour une certaine période (compte tenu, s'il y a lieu, de leur taux de rémunération), les retenues salariales et leur salaire net.

PAYROLL 2.
LISTE DE PAYE, BORDEREAU DE PAYE
(aff.) Liste sur laquelle figure le nom des salariés d'une entreprise avec les sommes dues à chacun.

PAYROLL 3.
FRAIS DE PERSONNEL, CHARGES DE PERSONNEL
Rémunération globale attribuée au personnel (y compris les charges et cotisations sociales) pour une période donnée à titre de salaires et comptabilisée dans un ou plusieurs comptes de charges.

PAYROLL ACCOUNTING
COMPTABILITÉ DE LA PAYE
Comptabilité qui, partant du livre de paye, enregistre les rémunérations attribuées aux salariés, les charges fiscales et sociales ainsi que les retenues salariales.

PAYROLL DEDUCTIONS
RETENUES SALARIALES, PRÉCOMPTES
Ensemble des sommes que l'employeur retranche des rémunérations attribuées à ses salariés à titre obligatoire (cotisations sociales diverses, impôts sur le revenu, cotisations syndicales) ou facultatif (épargne, cotisations à un régime privé d'assurance collective). Les sommes ainsi déduites figurent dans des comptes de passif jusqu'au moment où l'employeur les remettra à leur destinataire. *Syn.* **withholdings from employees' salaries**. *V.a.* **deduction at source** et **statement of earnings and deductions**.

PAYROLL DEPARTMENT
SERVICE DE LA PAYE
(org. de l'entr.) Service chargé de l'établissement des documents relatifs à la paye, de la détermination de la rémunération brute (compte tenu de la convention collective en cours et des heures supplémentaires) et du calcul des retenues salariales.

PAYROLL TAXES
CHARGES SOCIALES, COTISATIONS SOCIALES
Charges obligatoires afférentes aux salaires dont l'entreprise doit assumer la responsabilité en raison des exigences imposées par la loi en matière de **sécurité sociale**. *Syn.* **social security taxes**. *V.a.* **fringe benefits** 2.

PAYROLL, TO BE ON THE
ÉMARGER AU BUDGET
(aff. et fin.) Être pris financièrement en compte par un organisme et en recevoir régulièrement une rémunération. *N.B.* Le verbe **émarger** se dit aussi de toute personne qui touche des sommes figurant dans un budget. Ainsi une personne émarge, d'une somme donnée, à un budget.

PD
PERFECTIONNEMENT PROFESSIONNEL
Abrév. de **professional development**.

PEAK PERIOD
PÉRIODE DE POINTE, POINTE (fam.)
(lang. cour.) Période de l'année au cours de laquelle l'activité d'une entreprise atteint son maximum. *V.a.* **rush hour**.

PEER REVIEW *(U.S.)*
INSPECTION PROFESSIONNELLE
Voir **professional inspection**.

PENALTY CLAUSE
CLAUSE PÉNALE
(dr.) Clause qui fixe forfaitairement le montant des dommages-intérêts à payer en cas d'inexécution d'un contrat.

PENALTY INTEREST
INTÉRÊTS MORATOIRES, INTÉRÊTS DE RETARD, INTÉRÊTS DE PÉNALISATION
Voir **interest on arrears**.

PENSION
(PRESTATIONS DE) RETRAITE, RENTES DE RETRAITE, PENSIONS, ARRÉRAGES
Voir **pension benefits** 1.

PENSION BENEFITS 1.
(PRESTATIONS DE) RETRAITE, RENTES DE RETRAITE, PENSIONS, ARRÉRAGES
(rentes) Sommes payées ou payables à des salariés qui ont pris leur retraite, ou à leurs ayants droit. *Syn.* **pension**, **pension payments** et **superannuation**. *V.a.* **annuity** 3., **life annuity** et **vested benefits** 1. et 2.

PENSION BENEFITS 2.
DROIT À DES PRESTATIONS
(rentes) Droit de recevoir plus tard des rentes de retraite, attribué à une personne en vertu d'un régime de retraite. *V.a.* **pension unit**.

PENSION CALCULATION
LIQUIDATION DE RETRAITE
(rentes) Évaluation du montant définitif d'une pension ou d'une rente. *N.B.* La **liquidation de la pension** est l'opération qui a pour but d'arrêter le compte du participant (ou retraité) et de lui servir ensuite les prestations auxquelles il a droit. *V.a.* **liquidation** 1., **settlement date** et **terminal funding**.

PENSION COSTS 1.
CHARGES DE RETRAITE
Charges résultant, pour l'entreprise, du régime de retraite adopté en faveur de son personnel. *V.a.* **current service pension cost**, **normal actuarial cost**, **past service pension cost** et **special contribution**.

PENSION COSTS 2.
COÛTS D'UN RÉGIME DE RETRAITE
(rentes) Ensemble des coûts pour l'employeur et son personnel auxquels donnent lieu l'adoption d'un régime de retraite et l'attribution de prestations de retraite aux participants.

PENSION FUND
CAISSE DE RETRAITE, FONDS DE PENSION, FONDS DE RETRAITE
(rentes) Capital affecté au paiement des prestations de retraite et provenant des cotisations versées périodiquement par l'employeur et généralement par les salariés eux-mêmes, ainsi que des produits financiers tirés de ces fonds. *N.B.* Le capital de la caisse de retraite, habituellement administré par un fiduciaire ou un tiers gestionnaire, est constitué d'**actifs** dits **de couverture** et ne constitue pas une valeur active pour l'entreprise qui a établi le régime. L'expression **caisse de retraite** désigne aussi l'organisme chargé d'administrer un régime de retraite. *Syn.* **superannuation fund**.

PENSION LIABILITY
DETTE AU TITRE D'UN RÉGIME DE RETRAITE
Dette découlant des prestations acquises par les salariés en raison de leurs services courants et passés sans que l'employeur ait versé les sommes nécessaires dans une caisse de retraite. *V.a.* **past service pension liability**, **unfunded actuarial liability** et **unfunded past service liability**.

PENSIONNABLE SERVICE
SERVICES VALIDABLES
(rentes) Années de service dont on tient compte pour l'attribution d'une rente de retraite.

PENSION OBLIGATIONS
ENGAGEMENTS (CONTRACTÉS) AU TITRE D'UN RÉGIME DE RETRAITE

(rentes) Ensemble des obligations résultant, pour l'entreprise, du régime de retraite adopté en faveur de son personnel.

PENSION PAYMENTS
(PRESTATIONS DE) RETRAITE, RENTES DE RETRAITE, PENSIONS, ARRÉRAGES
Voir **pension benefits** 1.

PENSION PLAN
RÉGIME DE RETRAITE

(rentes) Régime qui garantit à ceux qui y participent le droit de toucher une rente de retraite (ou pension) dans des conditions et à un âge déterminés par le régime. *N.B.* On parle aussi parfois de *plan* de retraite. *Syn.* **retirement plan**. *V.a.* **benefit based pension plan**, **career earnings pension plan**, **contributory pension plan**, **cost based pension plan**, **deferred profit-sharing pension plan**, **final average earnings pension plan**, **fixed benefit (fixed contribution) pension plan**, **flat benefit pension plan**, **fully funded pension plan**, **funded pension plan**, **insured pension plan** 1. et 2., **non-contributory pension plan**, **partially funded pension plan**, **pay-as-you-go** *(fam.)* **pension plan**, **public pension plan**, **unfunded pension plan** 2. et **unit benefit pension plan** 2.

PENSION TRUST AGREEMENT
CONVENTION DE FIDUCIE, CONVENTION DE TIERS GESTIONNAIRE

(rentes) (Can.) Convention en vertu de laquelle l'entreprise qui a établi un régime de retraite en faveur de son personnel confie à une société de fiducie ou à un tiers gestionnaire le soin de gérer la caisse de retraite et de mettre en application les dispositions du régime. *N.B.* En France, on emploie l'expression **convention de gestion** pour désigner ce genre de convention portant sur l'administration d'un régime de retraite.

PENSION UNIT
ÉLÉMENT DE RETRAITE

(rentes) Fraction de rente exprimée sous forme de somme ou de pourcentage attribué au participant d'un régime de retraite pour une période donnée. *N.B.* Dans un **régime par répartition pure**, on utilise l'expression **points de retraite** pour désigner l'importance des prestations de retraite futures. *Syn.* **unit of pension**. *V.a.* **contributory service**, **credited service** et **pension benefits** 2.

PERCENTAGE ANALYSIS
ANALYSE PROCENTUELLE, ANALYSE INDICIAIRE, CONTRÔLE INDICIAIRE

(anal. fin.) Analyse des états financiers (ou comptes annuels) au moyen de pourcentages en vue de déceler les tendances et les relations existant entre différents postes. *V.a.* **common-size statement**.

PERCENTAGE-OF-COMPLETION METHOD
(MÉTHODE DE LA) CONSTATATION DU PROFIT AU PRORATA DES TRAVAUX, (MÉTHODE DE LA)
   COMPTABILISATION DU PROFIT AU PRORATA DES TRAVAUX, COMPTABILISATION EN FONCTION
   DE L'AVANCEMENT DES TRAVAUX, MÉTHODE DE L'AVANCEMENT DES TRAVAUX

Méthode qui consiste à comptabiliser le profit et, par le fait même, les produits et les charges s'y rapportant en fonction des services que l'entreprise a rendus ou du degré d'achèvement des travaux. *V.a.* **income recognition methods** et **long-term contract**.

PER DIEM ALLOWANCE
INDEMNITÉ JOURNALIÈRE, INDEMNITÉ QUOTIDIENNE

(rel. de tr.) Somme forfaitaire allouée en compensation de certains frais de séjour (logement et nourriture) engagés pendant une période de 24 heures. *V.a.* **allowance** 4. et **living allowance**.

PER DIEM RATE
TAUX (MOYEN) PAR JOUR, TARIF QUOTIDIEN

(lang. cour.) Tarif de rémunération d'une journée de travail effectué pour le compte d'autrui par un membre d'une profession libérale.

PERFORMANCE
RENDEMENT, RÉSULTAT
(prod.) Produit effectif d'un travail résultant de l'énergie dépensée et des facteurs de production utilisés.

PERFORMANCE APPRAISAL
ÉVALUATION DU RENDEMENT, APPRÉCIATION DU RENDEMENT
(gest.) Évaluation qualitative et quantitative des résultats obtenus, faite au moyen de critères déterminés. *N.B.* En matière d'évaluation du rendement de la direction, on parle aussi parfois de *performance* d'un cadre, d'un dirigeant. *V.a.* **performance review**.

PERFORMANCE BOND
GARANTIE DE BONNE EXÉCUTION, GARANTIE DE BONNE FIN, CAUTION DE BONNE EXÉCUTION
(ass.) Engagement en vertu duquel le garant, le plus souvent une compagnie d'assurances, s'engage à verser au bénéficiaire une certaine somme au cas où le **commettant** (fournisseur ou entrepreneur) n'exécuterait pas dûment le contrat conclu avec le bénéficiaire. *N.B.* Dans le domaine de la construction, en plus de la garantie de bonne fin, on parle aussi de **garantie d'achèvement** et de **garantie de remboursement**. La **garantie d'achèvement** est soit une **ouverture de crédit** par laquelle celui qui l'a consentie s'oblige à avancer à un entrepreneur les sommes nécessaires à l'achèvement d'un immeuble, soit une **convention de cautionnement** aux termes de laquelle la caution s'oblige envers l'acquéreur à payer les sommes nécessaires à l'achèvement d'un immeuble. En revanche, on entend par **garantie de remboursement** une **convention de cautionnement** aux termes de laquelle la **caution** s'oblige envers l'acquéreur à rembourser les versements effectués par ce dernier en cas de résolution à l'amiable ou judiciaire de la vente d'un immeuble pour cause de défaut d'achèvement. *Syn.* **contract bond** et **performance guarantee**. *V.a.* **bond** 2.

PERFORMANCE GUARANTEE
GARANTIE DE BONNE EXÉCUTION, GARANTIE DE BONNE FIN, CAUTION DE BONNE EXÉCUTION
Voir **performance bond**.

PERFORMANCE REPORT
RAPPORT DE RENDEMENT, FICHE DE RENDEMENT, FICHE D'APPRÉCIATION
(gest.) Document portant sur l'évaluation du travail fourni par un service ou exécuté par une personne responsable d'une fonction déterminée.

PERFORMANCE REVIEW
ÉTUDE DU RENDEMENT, ÉVALUATION DE LA PERFORMANCE
(gest). Examen du rendement d'une personne, le plus souvent en présence de l'intéressé. *V.a.* **performance appraisal**.

PERFORMANCE STANDARD
NORME DE RENDEMENT, NORME DE PRODUCTIVITÉ
(gest.) Norme dont un supérieur se sert pour évaluer les résultats des travaux faits par ses subordonnés.

PERIOD COSTS
CHARGES NON INCORPORABLES, FRAIS NON INCORPORABLES, COÛTS NON INCORPORABLES,
   CHARGES DE L'EXERCICE
Frais qu'il convient de passer en charges au cours de l'exercice où ils sont engagés au lieu de les capitaliser ou de les incorporer au coût de revient des produits fabriqués. *N.B.* Pris dans un sens large, le terme *period costs* désigne tous les coûts passés immédiatement en charges durant l'exercice au cours duquel ils sont engagés. *Comparer avec* **product costs**.

PERIODIC DISCLOSURE
INFORMATION PÉRIODIQUE
(dr. et *Bourse)* Information que, selon la loi ou la Commission des valeurs mobilières, les sociétés doivent publier annuellement et parfois trimestriellement.

PERIODIC INVENTORY (METHOD)
(MÉTHODE DE L')INVENTAIRE PÉRIODIQUE, (MÉTHODE DE L')INVENTAIRE INTERMITTENT

Méthode de tenue de la comptabilité des stocks qui consiste à déterminer périodiquement (le plus souvent à la fin d'un exercice) la quantité et la valeur des articles stockés en procédant à un **dénombrement** matériel de ces derniers. *N.B.* Selon cette méthode, on obtient le coût d'achat des sorties (ou coût des marchandises vendues) en ajoutant au stock initial les achats de l'exercice et en retranchant de ce total le stock final. La **méthode de l'inventaire intermittent** ne permet pas de connaître à tout moment la quantité et la valeur des **existants** comme cela est possible avec la méthode de l'inventaire permanent. *Comparer avec* **perpetual inventory (method)**. *V.a.* **inventory** *n.* 2. et **physical inventory**.

PERIODIC PROCEDURES
PROCÉDURE D'INVENTAIRE, OPÉRATIONS D'INVENTAIRE

Procédure qui consiste à effectuer les **opérations de recensement et d'évaluation** nécessaires à l'établissement de l'inventaire, c'est-à-dire le relevé des divers éléments de l'actif et du passif d'une entreprise. *N.B.* Les opérations nécessaires pour atteindre cet objectif à la fin d'un exercice comprennent notamment l'établissement de la balance (de vérification), la régularisation et la clôture des comptes ainsi que l'établissement des états financiers (ou comptes annuels). *Syn.* **closing procedures** et **year-end procedures**. *V.a.* **inventory** *n.* 4.

PERIPHERAL EQUIPMENT
MATÉRIEL PÉRIPHÉRIQUE, PÉRIPHÉRIQUES

(inf.) Appareils faisant partie d'un ordinateur mais distincts de l'**unité centrale** (par exemple les dispositifs d'entrée, les éléments de stockage et les dispositifs de sortie) et susceptibles de lui être connectés et d'être commandés par elle.

PERKS *(fam.)*
AVANTAGES ACCESSOIRES

Voir **perquisites**.

PERMANENT ACCOUNTS
COMPTES DE BILAN, COMPTES DE VALEURS, COMPTES DE SITUATION, COMPTES PERMANENTS

Voir **real accounts**.

PERMANENT ASSET
VALEUR IMMOBILISÉE, BIEN IMMOBILISÉ, IMMOBILISATION

Voir **capital asset**.

PERMANENT CAPITAL
CAPITAL BLOQUÉ, CAPITAL GELÉ

(dr. et *fin.)* Partie des capitaux propres d'une société qui, en vertu de la loi ou d'une entente, ne peut, dans le cours normal des affaires, être retirée ou distribuée. *V.a.* **capital** 3., **fixed capital**, **invested capital**, **legal capital** et **stated capital**.

PERMANENT DIFFERENCES
ÉCARTS PERMANENTS

Ensemble des éléments constitués par la différence entre le bénéfice avant impôts et le bénéfice imposable provenant de ce que l'on tient compte dans le calcul du bénéfice avant impôts de certaines charges ou pertes et de certains produits ou gains qui ne feront jamais partie du bénéfice imposable, ou réciproquement. *Comparer avec* **timing differences**.

PERMANENT FILE
DOSSIER PERMANENT

(E.C.) Dossier dans lequel l'expert-comptable consigne les renseignements généraux qu'il consulte lors de l'exécution de plusieurs missions successives pour le compte d'un même client. *V.a.* **current file** et **working papers** 1.

PERPETUAL INVENTORY (METHOD)
(MÉTHODE DE L')INVENTAIRE PERMANENT

Méthode de tenue de la comptabilité des stocks qui consiste à enregistrer les mouvements d'entrée et de sortie au fur et à mesure qu'ils se présentent et à arrêter chaque fois le nouveau solde afin d'avoir un **inventaire comptable** constamment à jour. *N.B.* L'entreprise qui a un système d'inventaire permanent peut procéder à des **récolements successifs** en cours d'exercice suivant la **méthode** dite **de l'inventaire tournant** à la condition toutefois que la totalité des stocks fasse l'objet d'un dénombrement au cours de l'exercice. L'inventaire comptable découle des chiffres figurant dans les livres ou sur des fiches, après mise à jour des écritures constatant tous les mouvements antérieurs à l'instant de référence. Le rapprochement des chiffres résultant, d'une part, de l'**inventaire physique** et, d'autre part, de l'**inventaire comptable** peut faire apparaître des **écarts d'inventaire** et conduit à des écritures visant à rétablir la concordance qui s'impose. *Comparer avec* **periodic inventory (method)**. *V.a.* **book inventory** 1. et 2., **continuous inventory**, **inventory** *n.* 2., **inventory overage** 1., **inventory shortage** 1. et **physical inventory**.

PERPETUITY
RENTE PERPÉTUELLE

(rentes) Rente versée à perpétuité.

PERQUISITES
AVANTAGES ACCESSOIRES

(rel. de tr.) **Avantages en nature** ou autres se greffant à la rémunération de base d'un employé. *Syn.* **perks** *(fam.)*. *V.a.* **incentive plan**.

PERSON
PERSONNE

(dr.) Agent physique ou moral titulaire de droits et d'obligations et qui, de ce fait, joue un rôle dans l'activité juridique. *V.a.* **artificial person** et **natural person**.

PERSONAL ACCOUNT 1.
COMPTE DE TIERS

Compte d'un débiteur ou d'un créancier. *N.B.* En France, dans le Plan comptable général, on définit les **comptes de tiers** comme des comptes dans lesquels on enregistre les dettes et les créances, à l'exception de celles qui sont classées parmi les valeurs immobilisées (prêts et autres créances à plus d'un an) ou parmi les capitaux permanents (emprunts et autres dettes à plus d'un an) et de celles qui ont un caractère financier prédominant (prêts et emprunts à moins d'un an, effets à payer et à recevoir).

PERSONAL ACCOUNT 2.
COMPTE COURANT

Compte dans lequel on inscrit les retraits du propriétaire ou d'un associé d'une société en nom collectif. *N.B.* Dans le cas d'une entreprise individuelle, on parlera plus précisément de **compte de l'exploitant** et, dans le cas d'une société en nom collectif, de **compte de l'associé** pour un associé donné. *V.a.* **current account** 3.

PERSONAL EXEMPTIONS
EXEMPTIONS PERSONNELLES (Can.), EXONÉRATIONS PERSONNELLES (Fr. et Belg.)

(fisc.) Sommes dépendant de la situation familiale du contribuable, de son âge, etc. que la loi lui permet de déduire dans le calcul de son revenu imposable.

PERSONAL FINANCIAL STATEMENTS
ÉTATS FINANCIERS PERSONNELS

États financiers d'un particulier ou d'une famille se limitant le plus souvent à un relevé des éléments de l'actif et du passif.

PERSONAL LOAN
PRÊT PERSONNEL, CRÉDIT PERSONNEL

(fin.) Genre de prêt, ordinairement d'un montant modeste, obtenu par un particulier.

PERSONAL PROPERTY
BIENS MOBILIERS, BIENS MEUBLES

(dr.) Biens qui, par opposition aux biens-fonds, sont susceptibles d'être déplacés. *Comparer avec* **real estate**. *V.a.* **chattel**.

PERSONAL RECORD
DOSSIER PERSONNEL

(rel. de tr.) Ensemble des documents relatifs à un employé, par exemple demande d'emploi, certificats, diplômes, références, *curriculum vitae* et fiches périodiques d'évaluation ou de rendement.

PERSONNEL
PERSONNEL

(rel. de tr.) Ensemble des personnes au service d'une maison, d'une entreprise, travaillant dans un secteur donné et, par extension, affectées à une catégorie d'activités.

PERSONNEL DEPARTMENT
SERVICE DU PERSONNEL, DIRECTION DU PERSONNEL

(org. de l'entr.) Service chargé de la conception de la **politique** générale **du personnel** (sélection, recrutement, rétribution, perfectionnement, relations humaines, politique sociale, médecine du travail, sécurité, etc.) et de l'exécution des mesures propres à réaliser cette politique.

PERSONNEL MANAGEMENT
GESTION DU PERSONNEL

(gest.) Fonction qui a pour objet d'assurer à l'entreprise les ressources humaines dont elle a besoin et de susciter un climat favorable à un rendement efficace.

PERSONNEL OFFICER
DIRECTEUR DU PERSONNEL, CHEF DU PERSONNEL

(gest.) Personne qui a pour fonction de conseiller la direction d'une entreprise dans le règlement des griefs, de s'occuper de l'évaluation du personnel, d'organiser des cours de perfectionnement pour les cadres ou les agents de maîtrise, etc.

PERSONNEL RATING
NOTATION DU PERSONNEL

(gest.) Méthode d'évaluation de l'efficacité, des connaissances et de la conscience professionnelle d'un salarié au moyen de mesures quantitatives, en vue de permettre l'étude comparative du rendement du personnel.

PERT
MÉTHODE DE PROGRAMMATION OPTIMALE, (GRAPHIQUE) PERT
Abrév. de **program evaluation and review technique**.

PERT/COST (METHOD)
MÉTHODE PERT-COÛT

(gest.) Méthode de programmation optimale qui consiste à établir une relation précise entre la durée et la structure des coûts de certaines activités et à optimiser ces coûts pour en obtenir une rentabilité maximale. *V.a.* **critical path method** et **program evaluation and review technique**.

PETITION IN BANKRUPTCY
REQUÊTE DE MISE EN FAILLITE

(dr. can.) Requête adressée au tribunal par un créancier ou un groupe de créanciers lui demandant de déclarer que le débiteur a fait faillite. *V.a.* **file a petition in bankruptcy**.

PETTY CASH
(PETITE) CAISSE, FONDS DE CAISSE

Somme déposée dans une caisse ou parfois dans un compte en banque spécial en vue de faciliter le règlement de **menues dépenses**. *V.a.* **imprest fund** 1. et **imprest system**.

PETTY CASH BOOK
LIVRE DE (PETITE) CAISSE, BROUILLARD DE CAISSE
Livre où sont consignées les menues dépenses réglées au moyen de la petite caisse.

PHYSICAL CAPITAL MAINTENANCE CONCEPT
(NOTION DE LA) PRÉSERVATION DE LA CAPACITÉ DE PRODUCTION
(écon. et compt.) Notion de la préservation du capital selon laquelle le patrimoine de l'entreprise à préserver est représenté par la capacité de son outil de production mesurée en unités monétaires ou en unités de pouvoir d'achat. *Comparer avec* **financial capital maintenance concept**. *V.a.* **capital maintenance concept**.

PHYSICAL COUNT
DÉNOMBREMENT, RÉCOLEMENT
(aff.) Action de recenser les articles en magasin ou l'argent qui se trouve dans une caisse. *V.a.* **physical inventory**.

PHYSICAL INVENTORY
INVENTAIRE PHYSIQUE, INVENTAIRE EXTRA-COMPTABLE, INVENTAIRE MATÉRIEL
Opération consistant à déterminer à une date précise (le plus souvent à la fin d'un exercice) la situation détaillée, en quantités et en valeur, des articles stockés ou existants. *N.B.* L'**inventaire physique** s'obtient par divers procédés tels que **comptage**, **pesage** et **mesurage**. Le **récolement matériel** des existants est effectué au moins une fois par exercice, à la clôture de celui-ci. Il comporte deux opérations : 1) l'établissement de la liste complète (par groupes de marchandises, produits et matières) des divers éléments concernant les stocks, et 2) l'évaluation des **existants** réels constatés par l'opération précédente. *V.a.* **adjusting entry** 2., **book inventory** 2., **continuous inventory**, **inventory** *n.* 2., **periodic inventory (method)**, **perpetual inventory (method)**, **physical count** et **stocktaking**.

PHYSICAL INVENTORY ATTENDANCE
PRÉSENCE À L'INVENTAIRE (PHYSIQUE)
(E.C.) Surveillance exercée par le vérificateur (ou réviseur) durant le **dénombrement** des articles stockés de manière à pouvoir juger de la quantité et de la qualité des marchandises et subséquemment de leur attribuer une valeur.

PHYSICAL LIFE
DURÉE MATÉRIELLE, DURÉE PHYSIQUE
(lang. cour.) Période au cours de laquelle un bien est susceptible de rendre service même s'il est devenu désuet ou donne lieu à des frais d'entretien élevés. *Comparer avec* **economic life** et **useful life** 1.

PHYSICAL UNIT SAMPLING
ÉCHANTILLONNAGE EN UNITÉS PHYSIQUES, SONDAGE DES UNITÉS PHYSIQUES
(stat.) Technique d'échantillonnage portant sur une population constituée d'unités physiques (factures, articles en stock, etc.), dans laquelle on accorde à chaque unité une probabilité égale d'appartenir à l'échantillon. *Comparer avec* **monetary unit sampling**. *V.a.* **sampling** 2.

PIECEMEAL OPINION
OPINION PARTIELLE
(E.C.) (Can.) Déclaration de l'expert-comptable qui, tout en exprimant une opinion défavorable sur les comptes qu'il a vérifiés (ou révisés) ou en se récusant à leur égard, émet une opinion sans réserve sur des postes particuliers. *N.B.* L'usage de ce type de déclaration est généralement interdit maintenant au Canada. *V.a.* **auditor's opinion** et **partial audit**.

PIECEWORK
TRAVAIL AUX PIÈCES, TRAVAIL À LA PIÈCE
(rel. de tr.) Travail rémunéré selon le nombre de pièces exécutées par un ouvrier. *N.B.* Le salaire versé dans ce cas s'appelle **salaire aux pièces** ou **salaire à la pièce** et est proportionnel au nombre de pièces exécutées par l'ouvrier. *V.a.* **job wage**.

PILFERAGE
CHAPARDAGE, COULAGE (fam.)
(lang. cour.) Action de dérober de petites choses. *V.a.* **shoplifting** et **shortage** 2.

PLACE OF BUSINESS
ÉTABLISSEMENT
(aff.) Lieu où une entreprise est située.

PLAN 1.
PLAN, PROGRAMME
(gest.) Ensemble des dispositions arrêtées en vue de l'exécution d'un projet. *N.B.* Au point de vue économique, un **plan** est un programme qui comporte non seulement l'indication des objectifs mais aussi les moyens de les atteindre, la description de la structure des organismes à créer pour ce faire ainsi que les moyens de financement.

PLAN 2.
RÉGIME
(dr.) Ensemble de dispositions légales qui régissent une **institution** (par exemple un régime de retraite) ou un **système** (par exemple un régime d'option d'achat d'actions).

PLANNING
PLANIFICATION
(gest.) Ensemble des procédures à mettre en oeuvre pour l'élaboration d'un plan; méthode de prévision, d'exécution et de contrôle qui a pour objet la réalisation optimale des objectifs fixés. *V.a.* **schedule** *n.* 1.

PLANNING PROGRAMMING AND BUDGETING SYSTEM (PPBS)
RATIONALISATION DES CHOIX BUDGÉTAIRES (R.C.B.)
(gest.) Système de planification stratégique et procédé de contrôle opérationnel dont le but est de définir des choix ou des objectifs en matière de budget, de comparer les moyens utilisables pour les atteindre, d'améliorer l'utilisation et le contrôle des dépenses en vue de rentabiliser au maximum les investissements, et d'obtenir une meilleure productivité par l'organisation de la répartition des ressources entre des affectations concurrentes. *Syn.* **program budgeting** 2. *V.a.* **comprehensive audit(ing)**.

PLANT 1.
INSTALLATIONS (DE PRODUCTION), OUTIL DE PRODUCTION
(prod.) Ensemble de biens aménagés en vue d'un usage déterminé. *N.B.* Il existe des **installations** complexes **spécialisées** (construction, matériel ou pièces techniquement liées pour leur fonctionnement), des **installations spécifiques** dont l'importance justifie une gestion comptable distincte, et des **installations générales** telles que les installations téléphoniques et les installations de chauffage. *Syn.* **facilities**, **plant and equipment** 1., **plant assets** et **production facilities**. *V.a.* **property, plant and equipment**.

PLANT 2.
USINE, MANUFACTURE
(prod.) Établissement industriel où l'on fabrique des biens en transformant des matières premières en produits finis à l'aide de machines et de main-d'oeuvre qualifiée. *N.B.* Le terme **manufacture** désigne un établissement rassemblant un ou plusieurs ateliers où la fabrication se fait principalement à la main. *V.a.* **factory building**.

PLANT ACCOUNTANT
COMPTABLE DE PRIX DE REVIENT
Voir **cost accountant**.

PLANT AND EQUIPMENT 1.
INSTALLATIONS (DE PRODUCTION), OUTIL DE PRODUCTION
Voir **plant** 1.

PLANT AND EQUIPMENT 2.
TERRAIN(S), CONSTRUCTIONS ET MATÉRIEL; BIEN-FONDS, USINE ET MATÉRIEL; BIENS DE PRODUCTION
Voir **property, plant and equipment**.

PLANT ASSETS
INSTALLATIONS (DE PRODUCTION), OUTIL DE PRODUCTION
Voir **plant** 1.

PLANT LAYOUT
AMÉNAGEMENT DE L'USINE
(prod.) Disposition, agencement du matériel et des installations d'une entreprise industrielle.

PLANT REARRANGEMENT COSTS
FRAIS DE RÉAMÉNAGEMENT
Voir **rearrangement costs**.

PLEDGE *v.*
DONNER EN GAGE, TRANSPORTER EN NANTISSEMENT, TRANSPORTER EN GARANTIE, GAGER, GARANTIR PAR UN GAGE, NANTIR (UN BIEN)
(dr.) Remettre effectivement un bien (titres, créances ou marchandises) à une personne (le plus souvent un créancier) pour garantir le remboursement d'un emprunt ou l'exécution d'une obligation. *V.a.* **collateral** 1. *(fam.)*, **hypothecate**, **mortgage** *v.* et **secured liability**.

PLEDGE *n.* 1.
PROMESSE DE DON
(O.S.B.L.) Engagement pris par une personne d'apporter une contribution (généralement une somme d'argent) à une oeuvre de charité ou à un organisme sans but lucratif. *Syn.* **subscription** 3.

PLEDGE *n.* 2.
(BIEN TRANSPORTÉ EN) GARANTIE, GAGE, BIEN TRANSPORTÉ EN NANTISSEMENT
(dr.) Bien remis effectivement à une personne (le plus souvent un créancier) par une autre personne (le plus souvent un débiteur) pour sûreté de sa dette et parfois pour attester de sa bonne foi et garantir l'exécution d'une obligation. *V.a.* **collateral** 1. *(fam.)*, **guarantee** 1. et **pawn**.

PLEDGING OF RECEIVABLES
MOBILISATION DE CRÉANCES, MOBILISATION DE(S) COMPTES CLIENTS
Voir **assignment of receivables** 2.

PLOW BACK
RÉINVESTIR
(fin.) Pour une entreprise, conserver ses bénéfices pour financer son exploitation, au lieu de les distribuer.

PLUG FIGURE 1.
CHIFFRE TAMPON, CHIFFRE CHEVILLE
Chiffre que l'on ajoute à un autre ou que l'on en retranche afin de rétablir l'équilibre (par exemple l'égalité entre les totaux d'une balance de vérification) ou l'exactitude des comptes qui ont été faussés par une tenue des livres déficiente attribuable à l'incompétence des personnes en cause ou à des actes frauduleux.

PLUG FIGURE 2.
MONTANT TROUVÉ PAR DIFFÉRENCE, CHIFFRE TROUVÉ PAR DIFFÉRENCE
Montant que l'analyse d'un certain nombre de données connues permet de découvrir. *N.B.* Ainsi, comme un compte renferme quatre éléments (le solde d'ouverture, le total des augmentations, le total des diminutions et le solde de clôture), il est possible de déterminer, par différence, l'un ou l'autre de ces quatre éléments si l'on connaît

les trois autres, en raison de l'égalité qui, dans une comptabilité à partie double, doit exister entre le total des débits et le total des crédits. De même, dans une écriture de journal constituée de deux débits et d'un crédit, on peut trouver, par différence, un des trois chiffres si l'on connaît les deux autres.

POLICY 1.
CONTRAT D'ASSURANCE, POLICE D'ASSURANCE
Voir **insurance policy** 1. et 2.

POLICY 2.
POLITIQUE
(gest.) Expression des principes de la finalité d'une entreprise (ou de tout autre organisme) et des grands desseins qui en découlent fournissant la base d'une planification détaillée et d'une action effective. *V.a.* **business policies, depreciation policy, dividend policy, marketing policy, price policy** et **reorder policy**.

POLICY 3.
LIGNE DE CONDUITE, PRINCIPE DIRECTEUR, LIGNE D'ACTION
(gest.) **Directive** générale, règle d'étude et d'action et discipline de gestion ayant trait à la conduite de l'entreprise dans ses principales sphères d'activité et concourant à la réalisation des objectifs qu'elle s'est donnés.

POLICY LOAN
PRÊT SUR POLICE D'ASSURANCE
(ass.) Prêt que le titulaire d'un contrat d'assurance sur la vie peut obtenir en donnant en garantie la valeur de rachat de ce contrat. *V.a.* **cash surrender value**.

POLICY RESERVES
RÉSERVES MATHÉMATIQUES, PROVISIONS MATHÉMATIQUES
(act. et *ass.)* Réserves que la loi oblige les compagnies d'assurances à maintenir afin de garantir aux assurés les indemnités qui doivent leur être versées en conformité avec les clauses de leur contrat d'assurance.

POOL *v.*
METTRE EN COMMUN
(fin.) Pour un groupe d'entreprises ou de personnes, réunir des capitaux, des ressources en vue de la réalisation d'un projet donné.

POOL *n.*
GROUPEMENT, POOL
(org. des entr.) Réunion d'établissements (*pool* bancaire ou *pool* d'assurance) poursuivant un but commun; ensemble de personnes effectuant le même travail dans une entreprise (*pool* de dactylos).

POOLED FUND
CAISSE EN GESTION COMMUNE
(fin.) Caisse, par exemple dans un organisme sans but lucratif, regroupant les fonds et parfois les titres de plusieurs fonds ou activités de cet organisme. *V.a.* **investment pool**.

POOLING OF INTERESTS METHOD
MÉTHODE DE LA FUSION D'INTÉRÊTS COMMUNS
Méthode de comptabilisation d'un regroupement d'entreprises qui consiste, pour la **société absorbante** ou **englobante**, à inclure dans ses états financiers (ou comptes) les éléments de l'actif et du passif de la **société absorbée** ou **englobée** à leur valeur comptable. *N.B.* Le bénéfice de la société absorbante comprend alors les résultats de la société absorbée pour tout l'exercice au cours duquel le regroupement a lieu. *Comparer avec* **purchase method**. *V.a.* **business combination, methods of accounting for a**.

POPULATION
POPULATION
(stat.) Ensemble d'individus d'une même espèce sur lequel on fait des statistiques. *Syn.* **universe**. *Comparer avec* **sample** 1.

PORTABLE EQUIPMENT
ÉQUIPEMENT PORTATIF, ÉQUIPEMENT PORTABLE

(prod.) Équipement ou matériel qui est conçu pour être facilement transporté avec soi (**équipement portatif**); équipement que l'on peut porter, transporter, mais qui n'est pas conçu spécialement à cette fin (**équipement portable**).

PORTFOLIO
PORTEFEUILLE

(fin.) Ensemble des titres de placement que détient un investisseur en vue d'en tirer un revenu direct ou une plus-value. *N.B.* Le terme **portefeuille** désigne aussi l'ensemble des commandes (portefeuille de commandes), des contrats d'assurance (portefeuille de contrats d'assurance) et des effets de commerce (portefeuille des effets de commerce) détenus par un individu ou une entreprise.

PORTFOLIO INVESTMENT
PLACEMENT DE PORTEFEUILLE, VALEUR DE PORTEFEUILLE

(fin.) Placement en actions fait par une société dans une autre qui n'est ni une filiale, ni une société sous contrôle effectif, ni une société en participation par actions, ni une société satellite.

PORTFOLIO MANAGEMENT
GESTION DE PORTEFEUILLE

(gest. et *fin.)* Gestion particulière assurée, sous mandat du client, par une société de fiducie, un tiers gestionnaire, un courtier (ou agent de change) ou une banque; gestion collective, comme dans le cas des sociétés d'investissement, pour le compte de leurs associés, ou encore comme dans le cas des investisseurs institutionnels, notamment les caisses de dépôts et les caisses de retraite. *N.B.* La gestion d'un portefeuille poursuit des objectifs divers parfois complémentaires : maximisation de la valeur des titres, réalisation de gains à court terme, etc.

PORTFOLIO MANAGER
PORTEFEUILLISTE

(fin.) Personne au service d'un établissement financier qui s'occupe de la tenue du portefeuille des clients de cet établissement.

PORTFOLIO THEORY
THÉORIE DU PORTEFEUILLE

(fin.) Théorie qui porte sur les différentes sortes de titres susceptibles de faire partie d'un portefeuille, compte tenu de l'incertitude, du comportement des investisseurs et de la relation entre les conséquences des décisions prises par ceux-ci en matière de placements.

POSITION 1.
POSTE, FONCTION

(rel. de tr.) Ensemble défini de tâches, de devoirs, de responsabilités, qui constitue le travail régulier d'un cadre. *N.B.* Le terme **fonction** se rapporte particulièrement à un travail donné et on dira de quelqu'un qu'il entre en fonction, c'est-à-dire qu'il s'installe dans un poste donné.

POSITION 2.
POSITION

(banque) Montant du solde débiteur ou créditeur d'un compte en banque à un moment donné.

POSITION DESCRIPTION
DESCRIPTION DE POSTE, DÉFINITION DE FONCTION

(rel. de tr.) Énumération des caractéristiques d'une fonction, des responsabilités qui y sont inhérentes, des relations avec les autres fonctions, et détermination de la position hiérarchique du titulaire dans la structure de l'entreprise. *V.a.* **job description**.

POSITIVE CONFIRMATION
CONFIRMATION EXPRESSE

(E.C.) Demande de confirmation à laquelle l'expert-comptable invite un tiers à répondre expressément, qu'il soit

d'accord ou non avec les renseignements qui lui sont communiqués. *N.B.* Dans ce cas, la réponse à une demande de confirmation fait ressortir automatiquement soit l'accord du tiers, soit les points de divergence sur lesquels le vérificateur (ou réviseur) doit concentrer son attention. *Comparer avec* **negative confirmation**. *V.a.* **confirmation**.

POSITIVE OPINION
OPINION SANS RÉSERVE
Voir **unqualified opinion**.

POST *v.*
REPORTER
Porter dans un compte de grand livre un montant déjà inscrit dans un livre-journal ou figurant sur une pièce justificative.

POST-ACQUISITION
POST-ACQUISITION, APRÈS ACQUISITION
(org. des entr.) Expression utilisée pour désigner les opérations effectuées par l'entreprise ou les bénéfices qu'elle a réalisés après la date à laquelle une autre entreprise en a fait l'acquisition.

POSTAGE EXPENSES
FRAIS D'AFFRANCHISSEMENT, AFFRANCHISSEMENTS, FRAIS POSTAUX
(lang. cour.) Sommes versées pour acquitter au préalable des frais de port par apposition d'un ou plusieurs timbres.

POSTAGE FREE
EN FRANCHISE POSTALE
(lang. cour.) Gratuité, pour l'expéditeur, de l'acheminement de correspondance ou de colis par voie postale.

POSTAL MONEY ORDER
MANDAT POSTE, MANDAT POSTAL
(lang. cour.) Titre constatant la remise d'une somme à l'Administration des Postes par un expéditeur avec mandat de la verser à une personne désignée (le destinataire). *V.a.* **bank money order** et **money order**.

POST-BALANCE SHEET EVENT
ÉVÉNEMENT POSTÉRIEUR À LA (DATE DE) CLÔTURE (DE L'EXERCICE), ÉVÉNEMENT POSTÉRIEUR AU BILAN
Voir **subsequent event**.

POST-CLOSING TRIAL BALANCE
BALANCE (DE VÉRIFICATION) APRÈS CLÔTURE
Balance des comptes du grand livre général que l'on établit après la passation des écritures de clôture et de réouverture (ou de contrepassation). *V.a.* **trial balance**.

POSTDATED
POSTDATÉ
(lang. cour.) Se dit d'un document portant une date postérieure à celle où il a été établi. *N.B.* La loi interdit parfois cette pratique. *Comparer avec* **antedated**.

POSTING
REPORT
Action de porter dans un compte de grand livre un montant inscrit dans un livre-journal ou figurant uniquement sur une pièce justificative. *N.B.* Le **report** dans un compte doit aussi comprendre la date de l'opération, un libellé et un renvoi au journal ou à la pièce justificative d'où provient la somme débitée ou créditée. *V.a.* **entry** et **journal entry**.

POST-STATEMENT EVENT
ÉVÉNEMENT POSTÉRIEUR À LA (DATE DE) CLÔTURE (DE L'EXERCICE), ÉVÉNEMENT POSTÉRIEUR AU BILAN
Voir **subsequent event**.

POWER OF ATTORNEY
PROCURATION (ÉCRITE), MANDAT
(dr.) Document donnant à un tiers le pouvoir d'agir au nom d'une autre personne soit à des fins particulières, soit à des fins générales. *V.a.* **attorney** et **proxy** 2.

PPBS
RATIONALISATION DES CHOIX BUDGÉTAIRES (R.C.B.)
Abrév. de **planning, programming and budgeting system**.

PPU
UNITÉ DE POUVOIR D'ACHAT (U.P.A.)
Abrév. de **purchasing power unit**.

PR
RELATIONS PUBLIQUES
Abrév. de **public relations**.

PRACTICAL ATTAINABLE CAPACITY
CAPACITÉ PRATIQUE (DE PRODUCTION), CAPACITÉ PRATIQUE (D'ACTIVITÉ)
Voir **practical capacity**.

PRACTICAL CAPACITY
CAPACITÉ PRATIQUE (DE PRODUCTION), CAPACITÉ PRATIQUE (D'ACTIVITÉ)
(prod.) Utilisation normale qu'une usine ou un atelier fait de ses installations tout en obtenant un rendement efficace. *N.B.* La capacité pratique diffère de la capacité théorique en ce que, dans le premier cas, on tient compte des arrêts de production qu'il est impossible d'éviter. À la **capacité pratique de production** correspond ce que l'on appelle généralement le **niveau pratique d'activité**. *Syn.* **practical attainable capacity**. *V.a.* **capacity** 1.

PRACTICAL TRAINING
STAGE
(prof. compt.) Période de formation pratique imposée aux candidats à certaines professions libérales, par exemple l'expertise comptable. *Syn.* **articles of apprenticeship**, **practicum** et **training period**. *V.a.* **probation period** 1. et **training** 1.

PRACTICE 1.
CLIENTÈLE
(prof.) Ensemble des clients qui ont recours aux services d'une personne, généralement un membre d'une profession libérale. *Syn.* **clientele**. *V.a.* **accounting practice** 1.

PRACTICE 2.
CABINET
(prof.) Ensemble des affaires d'un membre d'une profession libérale (expert-comptable, avocat, médecin, etc.). *V.a.* **accounting firm**.

PRACTICE DEVELOPMENT
PROSPECTION (DE LA CLIENTÈLE), RECHERCHE DE CLIENTS
(mark.) Recherche de nouveaux clients pour tout bien ou service; ensemble des moyens utilisés en vue de conserver et d'accroître la clientèle. *N.B.* L'**activité de prospection** peut aussi comprendre la recherche de nouveaux services à fournir à la clientèle existante. *Syn.* **business development**.

PRACTICE INSPECTION
INSPECTION PROFESSIONNELLE
Voir **professional inspection**.

PRACTICE REVIEW
INSPECTION PROFESSIONNELLE
Voir **professional inspection**.

PRACTICUM
STAGE
Voir **practical training**.

PRE-ACQUISITION
PRÉ-ACQUISITION, AVANT ACQUISITION
(org. des entr.) Expression utilisée pour désigner les opérations effectuées par l'entreprise ou les bénéfices qu'elle a réalisés avant la date à laquelle une autre entreprise en a fait l'acquisition.

PRE-AUDIT
VÉRIFICATION PRÉALABLE, CONTRÔLE PRÉALABLE, PRÉCONTRÔLE
(prof.) Examen effectué avant de régler une dette, d'engager une dépense de caisse, etc., par exemple l'examen de contrats, de bons de commande, de factures avant de régler un compte. *V.a.* **audit** *n.* 3. et **preventive control**.

PRECISION
PRÉCISION
(stat.) Degré d'exactitude qu'a la valeur estimative d'une caractéristique de la population, c'est-à-dire la valeur comprise entre des limites établies en ajoutant un montant donné au chiffre estimatif que l'analyse de l'échantillon a permis de déterminer et en retranchant de ce chiffre le même montant. *N.B.* Ainsi la valeur en cause est précise à l'intérieur de limites exprimées en pourcentages ou en unités monétaires par rapport au chiffre estimatif. *V.a.* **confidence level**.

PRECLOSING TRIAL BALANCE
BALANCE DE VÉRIFICATION AVANT CLÔTURE, BALANCE AVANT INVENTAIRE (Fr. et Belg.)
Balance (de vérification) des comptes du grand livre général que l'on établit avant la clôture des comptes de produits ou de charges et généralement avant la régularisation des comptes. *V.a.* **trial balance**.

PREDETERMINED FACTORY OVERHEAD RATE
COEFFICIENT PRÉDÉTERMINÉ D'IMPUTATION DES FRAIS GÉNÉRAUX DE FABRICATION
Coefficient utilisé pour imputer les frais généraux aux produits fabriqués et déterminé dès le début d'un exercice en divisant le total des frais généraux prévus ou budgétés par le nombre prévu d'**unités d'oeuvre** qui caractérisent l'activité de l'usine ou de l'atelier où sont fabriqués les produits en question. *V.a.* **burden rate**.

PREDICTIVE VALUE
VALEUR DE PRÉVISION, VALEUR DE PRÉDICTION
Caractéristique de l'information comptable permettant à ceux à qui elle est destinée de faire des prévisions portant sur les résultats futurs d'une entreprise.

PREDICTOR
INDICATEUR PRÉVISIONNEL
(gest.) Élément d'information qui a une valeur de prédiction.

PRE-EMPTIVE RIGHT
DROIT DE PRÉEMPTION, DROIT PRÉFÉRENTIEL DE SOUSCRIPTION
(fin.) Droit que la loi ou les statuts de l'entreprise accordent généralement aux détenteurs d'une classe d'actions donnée, de souscrire à une nouvelle émission d'actions, le plus souvent de même catégorie, au prorata des actions qu'ils possèdent déjà. *N.B.* Le terme **préemption** désigne la faculté qu'a une personne d'acquérir quelque

chose avant toute autre personne. Aussi, plus généralement, le **droit de préemption** est la priorité d'achat dont jouit un acheteur en raison de la loi ou d'une convention entre les parties. *V.a.* **share right**.

PREFERENCE SHARE
ACTION PRIVILÉGIÉE, ACTION DE PRIORITÉ
Voir **preferred share**.

PREFERRED CREDITOR
CRÉANCIER PRIVILÉGIÉ
(dr.) Créancier (par exemple le personnel d'une entreprise et l'Administration fiscale) qui jouit du droit exclusif ou prioritaire accordé par la loi d'obtenir le remboursement de sa créance à même les biens du débiteur (entreprise ou particulier) avant que ce dernier n'ait réglé les dettes des créanciers ordinaires. *V.a.* **creditor**.

PREFERRED SHARE
ACTION PRIVILÉGIÉE, ACTION DE PRIORITÉ
(fin.) Action accordant à son détenteur des droits particuliers (dividende prioritaire, privilège de conversion, privilège de participation, privilège en cas de liquidation, etc.). *N.B.* Les actions dites privilégiées ou de priorité confèrent parfois à leur titulaire des avantages pécuniaires dans la distribution des bénéfices (dividende statutaire plus élevé) ou dans le boni de liquidation, ou un droit de vote double dans les assemblées; ces actions privilégiées ne doivent pas être confondues avec les **actions à dividende prioritaire** sans droit de vote. *Syn.* **preference share** et **senior share** 2. *V.a.* **share** 2.

PREFERRED STOCK
CAPITAL-ACTIONS PRIVILÉGIÉ (Can.), ACTIONS PRIVILÉGIÉES
(fin.) Type d'actions accordant des droits particuliers (dividende prioritaire et cumulatif à taux fixe, conversion en actions, rachat ou remboursement prioritaire en cas de liquidation, participation accrue aux bénéfices) mais pouvant comporter certaines restrictions, notamment quant au droit de vote. *V.a.* **capital stock**.

PRELIMINARY EXPENSES 1.
FRAIS D'ÉTABLISSEMENT, FRAIS DE PREMIER ÉTABLISSEMENT
Frais engagés par l'entreprise au moment de sa constitution ou de l'acquisition de ses moyens permanents d'exploitation, tels que les frais de constitution, d'augmentation de capital, d'émission d'obligations, d'acquisition d'immobilisations (**droits de mutation** et frais d'actes). *N.B.* Les frais de premier établissement comprennent aussi les frais engagés une fois pour toutes par l'entreprise, lors de sa constitution, pour la mise en place des machines et des installations, la formation du personnel, etc. *Syn.* **setup costs** 1. et **start-up costs** 2. *V.a.* **organization expenses** et **start-up costs** 1.

PRELIMINARY EXPENSES 2. *(vieilli)*
FRAIS DE CONSTITUTION
Voir **organization expenses**.

PRELIMINARY PROSPECTUS
PROSPECTUS PRÉLIMINAIRE, PROSPECTUS PROVISOIRE
(Bourse) (Can.) Document remis par une société par actions à une commission des valeurs mobilières pour approbation avant la publication du prospectus définitif et renfermant, par le fait même, une information incomplète ou susceptible d'être modifiée. *Syn.* **red-herring prospectus** *(fam.)*. *V.a.* **prospectus**.

PREMIUM 1.
PRIME (D'ÉMISSION)
(fin.) Excédent du prix d'émission d'un titre (action ou obligation) sur sa valeur nominale. *Comparer avec* **discount** *n.* 3. *V.a.* **bond premium** et **share premium**.

PREMIUM 2.
PRIME
(ass. et rentes) Somme qu'une personne doit verser pour s'assurer ou acheter un contrat de rentes. *V.a.* **insurance premium**.

PREMIUM 3.
REPORT, DIFFÉRENCE DE CHANGE
(fin. et *Bourse)* Excédent de la cotation à terme d'une monnaie sur sa cotation au comptant. *N.B.* En matière boursière, le terme **report** désigne aussi une opération par laquelle un spéculateur (le **reporté**) vend (ou achète) au comptant à un investisseur (le **reporteur**) des devises, des titres, des marchandises qu'il achète (ou vend) en même temps à terme pour liquidation à une date ultérieure. *Comparer avec* **discount** *n.* 2. *V.a.* **exchange adjustment**.

PREMIUM 4.
PRIME
(comm.) Objet remis à titre gratuit par l'entreprise à ses clients en vue de les inciter à acheter une certaine marchandise.

PREMIUM AMORTIZATION METHODS
MÉTHODES D'AMORTISSEMENT DE LA PRIME
Méthodes utilisées pour amortir, sur la durée des obligations, l'excédent du prix d'émission ou du coût d'acquisition d'obligations sur leur valeur nominale et, par le fait même, pour déterminer périodiquement les intérêts débiteurs de la société émettrice ou les intérêts créditeurs de l'obligataire. *Comparer avec* **discount amortization methods.** *V.a.* **effective interest method** et **straight-line method of discount (or premium) amortization**.

PREMIUM ON BONDS
PRIME D'ÉMISSION (D'OBLIGATIONS), PRIME À L'ÉMISSION D'OBLIGATIONS
Voir **bond premium**.

PREMIUM ON SHARES
PRIME D'ÉMISSION (D'ACTIONS), PRIME À L'ÉMISSION D'ACTIONS, PRIME D'APPORT
Voir **share premium**.

PRE-OPERATING EXPENSES
FRAIS DE DÉMARRAGE, FRAIS DE MISE EN MARCHE
Voir **start-up costs** 1.

PREPAID
PORT PAYÉ, FRANCO (DE PORT), FRANC DE PORT
(transp.) Se dit d'une expédition où les frais de transport entre le point de départ des marchandises et le point convenu de leur livraison sont à la charge de l'expéditeur. *N.B.* Le terme **franco** désigne ce qui est sans frais pour le destinataire. Ainsi un **prix franco de port et d'emballage** indique que le prix convenu comprend les frais de port et d'emballage. *Comparer avec* **collect** *adj.*

PREPAID EXPENSES
CHARGES PAYÉES D'AVANCE, FRAIS PAYÉS D'AVANCE
Sommes payées d'avance en vue d'en tirer un avantage à brève échéance. *N.B.* Les charges payées d'avance, qui ne comprennent pas les sommes versées pour acquérir des immobilisations ou des marchandises, représentent généralement des services à recevoir et constituent, en un sens, des **créances en nature**. Ces charges qui doivent figurer à l'actif sont subséquemment passées en charges, le plus souvent au moyen d'une écriture de régularisation. *Syn.* **prepayments** et **short-term prepayments**. *V.a.* **accruals** 1. et **deferred charge**.

PREPARER
AUTEUR, ÉMETTEUR
Personne qui établit ou publie des documents comptables (états financiers, budgets, etc.). *Comparer avec* **user**.

PREPAYMENT
REMBOURSEMENT ANTICIPÉ, PAIEMENT ANTICIPÉ
(comm.) Action de régler une dette avant son échéance. *V.a.* **advance payment**.

PREPAYMENTS
CHARGES PAYÉES D'AVANCE, FRAIS PAYÉS D'AVANCE
Voir **prepaid expenses**.

PREPRODUCTION EXPENSES
FRAIS DE DÉMARRAGE, FRAIS DE MISE EN MARCHE
Voir **start-up costs** 1.

PRESCRIBED TIME
DÉLAI RÉGLEMENTAIRE
(dr.) Temps qui, d'après la loi ou un règlement, doit s'écouler avant que l'on ne puisse exercer un droit, jouir d'un privilège, etc.

PRESCRIPTION
PRESCRIPTION
(dr.) Délai à l'expiration duquel s'éteint un droit ou une obligation. *N.B.* La **prescription** constitue parfois un mode d'acquisition d'un droit réel par écoulement d'un certain temps, compte tenu des dispositions de la loi à cet égard.

PRESENT FAIRLY
PRÉSENTER FIDÈLEMENT
(E.C.) (Can.) Expression utilisée par le vérificateur dans son rapport pour signifier que les états financiers reflètent la réalité, eu égard aux principes comptables généralement reconnus ou à d'autres règles comptables appropriées communiquées aux lecteurs. *N.B.* En France et en Belgique, on parle généralement d'**image fidèle**.

PRESENT VALUE
VALEUR ACTUALISÉE, VALEUR ACTUELLE, VALEUR ESCOMPTÉE
(math. fin.) Valeur que l'on trouve au moyen d'un taux d'actualisation approprié, en convertissant une ou plusieurs valeurs disponibles plus tard, en une valeur équivalente à l'instant où on se place. *N.B.* La valeur actualisée d'un capital s'entend de la somme qu'il faut placer pendant un certain temps, à un taux d'intérêt déterminé d'avance pour obtenir ce capital à l'expiration de la période prévue. En assurance, on préfère généralement parler de **valeur escomptée** plutôt que de **valeur actualisée** ou de **valeur actuelle**. Ce dernier terme s'emploie aussi pour traduire l'expression anglaise *current value* dont le sens est plus étendu que celui de *present value*. *Syn.* **discounted value**. *Comparer avec* **future value**. *V.a.* **annuity** 2., **current value**, **excess present value** et **net present value method**.

PRESENT VALUE FACTOR
FACTEUR D'ACTUALISATION, COEFFICIENT D'ACTUALISATION
Voir **discount factor**.

PRE-TAX ACCOUNTING INCOME
BÉNÉFICE COMPTABLE
Voir **accounting income**.

PREVENTIVE CONTROL
(MESURE DE) CONTRÔLE PRÉVENTIF
(gest.) Mesure de contrôle interne ayant pour but d'empêcher les erreurs et les irrégularités ou de réduire le plus possible le risque qu'il s'en produise. *Comparer avec* **detective control**. *V.a.* **pre-audit**.

PREVIOUSLY REPORTED
ÉTABLI ANTÉRIEUREMENT, PUBLIÉ ANTÉRIEUREMENT
Se dit d'un chiffre ou d'une information déjà publié, le plus souvent dans les états financiers (ou comptes annuels) d'un exercice antérieur de l'entreprise en cause.

PRE-YEAR-END AUDIT
VÉRIFICATION ANTICIPÉE, RÉVISION INTÉRIMAIRE (Fr. et Belg.)
(E.C.) Travaux (par exemple la confirmation des comptes clients et le dénombrement des stocks) que l'expert-

comptable effectue en cours d'exercice en vue de réduire le travail de vérification (ou révision) des comptes à la fin de cet exercice. *Syn.* **interim audit** 3. *Comparer avec* **year-end audit** 1. *V.a.* **audit** *n.* 3.

PRICE 1.
PRIX

(écon.) Somme d'argent réclamée, proposée ou obtenue en échange de la vente d'un bien ou de la prestation d'un service; **mesure monétaire** de la valeur d'un bien sans qu'il y ait échange.

PRICE 2.
COURS

(Bourse) Prix auquel sont négociées des marchandises ou des valeurs sur un marché officiel.

PRICE CUT
RÉDUCTION DE(S) PRIX

(comm.) Décision prise par l'entreprise de réduire le prix de vente de ses marchandises ou services.

PRICE DETERMINATION
ÉTABLISSEMENT DES PRIX, FIXATION DES PRIX, TARIFICATION

(écon.) **Détermination des prix** de vente à pratiquer, compte tenu de critères internes à l'entreprise (coût de production, coût de commercialisation, clientèle à atteindre) et de critères externes (état du marché, concurrence, motivation des consommateurs, pouvoir d'achat et, dans certains cas, réglementation des prix). *Syn.* **pricing** 3.

PRICE-EARNINGS MULTIPLE
RATIO COURS-BÉNÉFICE, TAUX DE CAPITALISATION DES BÉNÉFICES

Voir **price-earnings ratio**.

PRICE-EARNINGS RATIO
RATIO COURS-BÉNÉFICE, TAUX DE CAPITALISATION DES BÉNÉFICES

(anal. fin.) Quotient du cours d'une action (généralement à la fin d'un exercice) par le bénéfice net par action de cet exercice; quotient de la **capitalisation boursière** (le nombre d'actions émises multiplié par leur cours) par le bénéfice net comptable. *N.B.* Les analystes financiers utilisent largement ce ratio, mais ils lui préfèrent parfois son inverse, qui est une mesure exprimant le rendement réel de l'action. *Syn.* **price-earnings multiple**. *V.a.* **ratio analysis**.

PRICE EX-WORKS
PRIX DÉPART USINE

(comm. et *transp.)* Prix de vente d'une marchandise ne comprenant pas les frais de port qui sont à la charge de l'acheteur et qui lui sont facturés en sus pour le transport jusqu'à son magasin ou jusqu'à destination à partir de l'usine. *V.a.* **laid-down cost** 2.

PRICE INDEX
INDICE DE(S) PRIX

(stat.) Chiffre indiquant le rapport entre le prix moyen d'un certain nombre de biens à une période donnée et le prix moyen de ces mêmes biens à une **période de référence** où il est exprimé par le chiffre 100. *N.B.* La comparaison des **nombres-indices** à différentes dates permet de connaître la **tendance des prix**. *V.a.* **base year**, **consumer price index**, **general price index**, **gross national expenditure (GNE) implicit price index**, **index**, **specific price index** et **wholesale price index**.

PRICE-LEVEL ACCOUNTING
COMPTABILITÉ INDEXÉE (SUR LE NIVEAU GÉNÉRAL DES PRIX), COMPTABILITÉ EN COÛTS HISTORIQUES INDEXÉS

Voir **general price-level (GPL) accounting**.

PRICE-LEVEL CHANGES
FLUCTUATIONS DES PRIX, VARIATION(S) DES PRIX

(écon.) Changements qui surviennent dans les prix des biens et des services.

PRICE-LEVEL GAIN
GAIN DÛ À L'ÉVOLUTION (DU NIVEAU GÉNÉRAL) DES PRIX, GAIN DE POUVOIR D'ACHAT
Voir **general price-level gain**.

PRICE-LEVEL LOSS
PERTE DUE À L'ÉVOLUTION (DU NIVEAU GÉNÉRAL) DES PRIX, PERTE DE POUVOIR D'ACHAT
Voir **general price-level loss**.

PRICE-LEVEL RESTATEMENT
INDEXATION
Voir **indexation**.

PRICE LIST
TARIF, LISTE DE PRIX, BARÈME DE PRIX
(comm.) Document indiquant les prix de vente des produits ou services d'une entreprise, à la consommation, à l'utilisation ou à chaque échelon de la distribution. *N.B.* Le **tableau des cours** de différents matériels ou matières dans certaines professions à un moment donné et pour certains usages commerciaux s'appelle **cote** ou **argus**, par exemple la cote ou l'argus des voitures d'occasion. En revanche, le tableau officiel hebdomadaire où figurent les prix courants des denrées vendues sur un marché public porte le nom de **mercuriale**, terme qui désigne également le cours officiel de ces denrées. *V.a.* **list price**, **quoted market price** et **rate** 1.

PRICE MAINTENANCE
RÉGIME DE PRIX IMPOSÉ
(comm.) Mesures par lesquelles un fabricant, un grossiste ou un intermédiaire indique d'une manière impérative au détaillant le prix qu'il doit pratiquer lors de la revente au public. *N.B.* La vente faite dans les conditions qui viennent d'être décrites s'appelle **vente à prix imposé**.

PRICE POLICY
POLITIQUE DE PRIX
(gest.) Stratégies et lignes de conduite définies par la direction sur lesquelles se fondent le choix des prix et des conditions de vente ainsi que l'élaboration des tarifs. *N.B.* La **politique de prix** est l'une des composantes de la **politique commerciale**, à la réalisation de laquelle elle participe. La vente systématique d'articles à des prix anormalement bas (**prix gâchés** ou **bradés**) en vue d'attirer la clientèle et ce, dans des conditions de vente abusives tendant à nuire à la concurrence, porte le nom de **gâchage des prix**. *V.a.* **policy** 2.

PRICE RANGE
FOURCHETTE DE PRIX
(comm.) Écart compris entre un prix de vente minimal (**prix plancher**) et un prix de vente maximal (**prix plafond**). *V.a.* **ceiling price** et **floor price**.

PRICE TAG
ÉTIQUETTE DE PRIX
(comm.) Papier ou carton d'un format réduit sur lequel figure le prix auquel l'entreprise a décidé de vendre une marchandise ou un bien quelconque. *V.a.* **labelling** et **tag** 1.

PRICE VARIANCE
ÉCART SUR PRIX, ÉCART DE PRIX
Écart entre le coût standard (ou normalisé) des matières directes ou de la main-d'oeuvre directe et le coût réel de ces éléments, attribuable à un changement du prix des matières ou du taux des salaires. *V.a.* **standard cost variances**.

PRICING 1.
ÉVALUATION, VALORISATION, ATTRIBUTION D'UNE VALEUR
Processus qui consiste, en comptabilité, à attribuer à un article une valeur correspondant le plus souvent à son coût d'achat mais parfois à sa valeur actuelle, sa valeur actualisée, son coût de remplacement, etc. *V.a.* **costing** 1.

PRICING 2.
ATTRIBUTION DES COÛTS, VALORISATION, ÉVALUATION, CHIFFRAGE
Voir **costing** 1.

PRICING 3.
ÉTABLISSEMENT DES PRIX, FIXATION DES PRIX, TARIFICATION
Voir **price determination**.

PRIMARY AUDITOR
PREMIER VÉRIFICATEUR
(E.C.) (Can.) Vérificateur qui, dans le cadre d'une mission, est amené à s'appuyer sur le travail d'un autre vérificateur. *Comparer avec* **secondary auditor**.

PRIMARY DISTRIBUTION
PLACEMENT INITIAL (DE TITRES), PLACEMENT PRIMAIRE (DE TITRES)
(Bourse) Mise en circulation de titres pour la première fois dans le public au moment de leur émission par une société. *N.B.* Le plus souvent, ce sont alors des **investisseurs institutionnels** qui acquièrent ces titres. *Comparer avec* **secondary distribution**.

PRIMARY EARNINGS PER SHARE
BÉNÉFICE PREMIER PAR ACTION
(anal. fin. et *compt.) (U.S.)* Bénéfice de l'exercice attribuable à chaque action ordinaire en circulation durant l'exercice, compte tenu des actions équivalant à des actions ordinaires. *V.a.* **earnings per share (EPS)** 1.

PRIMARY MARKET
MARCHÉ PRIMAIRE
(fin.) Réseau de financement qui assure la collecte de l'épargne en vue de son utilisation par les entreprises, les collectivités publiques et l'État. *Comparer avec* **secondary market**.

PRIME COST
PRIX DE REVIENT DE BASE, COÛT DE REVIENT DE BASE
Coût de base d'un produit, c'est-à-dire le coût des matières premières plus celui de la main-d'oeuvre directe.

PRIME RATE
TAUX (D'INTÉRÊT) PRÉFÉRENTIEL
(banque) Taux d'intérêt demandé par une banque à ses clients de premier ordre. *N.B.* En France et en Belgique, on entend par **taux de base bancaire** le taux d'intérêt fixé par une banque et à partir duquel est calculé le coût des différents crédits qu'elle consent. *Syn.* **bank prime rate**.

PRINCIPAL 1.
CAPITAL, PRINCIPAL
(fin.) Somme prêtée ou empruntée, par opposition aux intérêts qui s'y rapportent.

PRINCIPAL 2.
MASSE SUCCESSORALE, MASSE (DES BIENS)
Voir **corpus**.

PRINCIPAL 3.
MANDANT, COMMETTANT
(dr.) Personne physique ou morale qui donne à une autre (le **mandataire**) le mandat de conclure en son nom des contrats avec des tiers. *Comparer avec* **agent**.

PRINCIPAL 4.
SOUSCRIPTEUR, TIRÉ
(dr.) Personne (le **souscripteur** dans le cas d'un billet ou le **tiré** s'il s'agit d'une lettre de change) ayant la responsabilité première du règlement d'un effet de commerce, par opposition à l'endosseur ou au garant.

PRINCIPAL 5.
DIRECTEUR (NON ASSOCIÉ)
(prof. compt.) Personne qui, dans un cabinet d'experts-comptables ou de conseillers en administration, occupe un poste équivalent à celui d'associé mais qui ne peut obtenir ce titre parce qu'elle ne satisfait pas aux exigences imposées par la réglementation professionnelle.

PRINTER
IMPRIMANTE
(inf.) Machine ayant pour fonction principale d'imprimer les résultats d'un traitement, les programmes de l'ordinateur, etc.

PRINT-OUT
SORTIE SUR IMPRIMANTE, IMPRIMÉ (D'ORDINATEUR), IMPRIMÉ-MACHINE
(inf.) **Édition** d'un résultat généralement **en clair**, faite au moyen d'un **terminal d'édition** (machine à écrire électrique, imprimante, etc.) reproduisant l'information sur un document, une carte ou un écran cathodique. *N.B.* Le **support de papier** utilisé sur les imprimantes et se présentant en liasse pliée en accordéon s'appelle **papier en continu**. *Syn.* **computer print-out**. *V.a.* **listing** 2. et **output** 3.

PRIOR PERIOD ADJUSTMENTS
REDRESSEMENTS AFFECTÉS AUX EXERCICES ANTÉRIEURS (Can.), PERTES ET PROFITS SUR
    EXERCICES ANTÉRIEURS (Fr. et Belg.)
(Can.) Gains ou pertes reliés directement à l'exploitation d'un ou de plusieurs exercices précédents mais que l'entreprise ne pouvait raisonnablement estimer avant la matérialisation des éléments qui y ont donné lieu. Ces gains ou ces pertes que l'on ne peut attribuer à des facteurs économiques survenus après la date de clôture de l'exercice en question résultent essentiellement de la volonté et des actes de tiers, c'est-à-dire de personnes qui ne sont ni propriétaires ou actionnaires, ni membres de la direction. *N.B.* En France et en Belgique, les résultats acquis au cours de l'exercice mais dont l'origine remonte à des exercices antérieurs portent le nom de **pertes et profits sur exercices antérieurs**. L'expression **reprises sur provisions antérieures** désigne les produits provenant des réductions apportées aux provisions constituées précédemment, lorsque ces dernières s'avèrent trop élevées par rapport aux dépréciations ou aux risques effectivement constatés. *Comparer avec* **extraordinary item**. *V.a.* **correction of errors**.

PRIOR SERVICE
SERVICES PASSÉS
Voir **past service**.

PRIVATE AGREEMENT, BY
DE GRÉ À GRÉ
(comm.) Se dit d'une opération, d'un marché ou d'un contrat conclu d'un commun accord, à l'amiable. *V.a.* **sale by private agreement**.

PRIVATE COMPANY
SOCIÉTÉ FERMÉE
(dr.) (Can.) Société dont les actions ne sont pas inscrites à la cote officielle et ne sont pas offertes en vente au public de quelque autre façon. *N.B.* Une **société fermée** devient une **société ouverte** lorsqu'elle décide de **faire appel public à l'épargne**. Toutes les sociétés à responsabilité limitée (S.A.R.L.) françaises ainsi que les sociétés de personnes à responsabilité limitée (S.P.R.L.) belges sont des sociétés fermées tandis que les sociétés anonymes (S.A.) peuvent être soit ouvertes, soit fermées. *Comparer avec* **public company**. *V.a.* **business corporation**, **closely held corporation** et **limited liability**.

PRIVATE DEED
ACTE SOUS SEING PRIVÉ
(dr.) Acte qui n'a pas été conclu devant un officier public ou un représentant de l'État.

PRIVATE FINANCE
FINANCES PRIVÉES
(fin.) Finances qui se rapportent à la gestion des patrimoines individuels et des entreprises. *Comparer avec* **government finance**.

PRIVATE ISSUE
ÉMISSION À DIFFUSION RESTREINTE

(fin.) Action, pour une société, d'offrir ses titres (le plus souvent des actions) aux seuls promoteurs, actionnaires actuels ou administrateurs d'une entreprise en ne faisant pas appel public à l'épargne. *Syn.* **private offering**. *Comparer avec* **public issue**.

PRIVATE LEDGER
GRAND LIVRE CONFIDENTIEL

(Can.) Grand livre auxiliaire constitué de comptes confidentiels auxquels correspond un compte collectif dans le grand livre général.

PRIVATE OFFERING
ÉMISSION À DIFFUSION RESTREINTE

Voir **private issue**.

PRIVATE SECTOR
SECTEUR PRIVÉ

(écon.) Ensemble des entreprises appartenant à des particuliers plutôt qu'à l'État ou à des collectivités. *Comparer avec* **public sector**.

PROBABILITY DISTRIBUTION
DISTRIBUTION DE PROBABILITÉS, FONCTION DE PROBABILITÉS

(stat.) Ensemble des valeurs d'une variable aléatoire et des fréquences d'apparition du phénomène étudié pour chacune de ces valeurs. *N.B.* On entend par **variable aléatoire** une variable qui prend un certain nombre de valeurs auxquelles correspond une probabilité pour chacune.

PROBATE
HOMOLOGUER

(dr.) Approuver un acte (par exemple un testament) par une mesure lui donnant force exécutoire.

PROBATION PERIOD 1.
PÉRIODE D'ESSAI, STAGE PROBATOIRE, PÉRIODE PROBATOIRE

(rel. de tr.) Période pendant laquelle un nouvel employé peut être congédié si son travail ou son comportement ne donne pas satisfaction. *V.a.* **practical training**.

PROBATION PERIOD 2.
PÉRIODE D'ATTENTE

(ass.) Période faisant suite à la date de souscription à une police d'assurance-maladie au cours de laquelle son titulaire ne peut recevoir de prestations. *V.a.* **waiting period**.

PROCEDURE 1.
MARCHE À SUIVRE, PROCÉDURE

(lang. cour.) Ensemble des étapes à franchir, des moyens à prendre et des méthodes à suivre pour atteindre un but.

PROCEDURE 2.
PROCÉDÉ, MÉTHODE, MODE OPÉRATOIRE

(lang. cour.) Façon précise de procéder pour produire un effet déterminé.

PROCEDURE 3.
PROCÉDURE

(dr.) Ensemble des règles, des formalités qui doivent être respectées ou accomplies pour parvenir à une solutior juridictionnelle.

PROCEDURE MANUAL
MANUEL DES PROCÉDÉS ET MÉTHODES, GUIDE DES PROCÉDÉS ET MÉTHODES, RECUEIL DES PROCÉDÉS ET MÉTHODES
(gest.) Ouvrage où sont consignés les méthodes administratives et les divers procédés qu'il est nécessaire de suivre ou de mettre en oeuvre pour exécuter une tâche donnée ou des travaux prescrits. *Comparer avec* **accounting manual** et **auditing manual**.

PROCEEDS 1.
PRODUIT
(comm. et fin.) Contrepartie reçue en espèces ou autrement lors de la cession d'un bien, l'obtention d'un prêt ou l'émission de titres (actions ou obligations).

PROCEEDS 2.
SOMMES DUES, SOMMES ASSURÉES
(ass.) Somme forfaitaire ou rentes versées ou à verser au titulaire d'un contrat d'assurance sur la vie ou à ses ayants droit.

PROCESS *n.*
PROCESSUS, CHEMINEMENT
(gest. et prod.) Déroulement rationnel d'une opération ou d'une suite d'opérations; agencement logique des éléments d'une fonction; ensemble des transformations que doit subir un produit dans une entreprise industrielle. *V.a.* **accounting process** et **manufacturing process** 1.

PROCESS *v.* 1.
TRAITER
(inf.) Faire subir une certaine transformation à des données, à des informations.

PROCESS *v.* 2.
TRANSFORMER, TRAITER
(prod.) Action de modifier des matières pour les adapter à certaines fins et notamment fabriquer un produit.

PROCESS COST SYSTEM
(MÉTHODE DU) PRIX DE REVIENT EN FABRICATION UNIFORME ET CONTINUE, (MÉTHODE DU) PRIX DE REVIENT EN CYCLES CONTINUS, (MÉTHODE DU) COÛT DE REVIENT PAR STADES
Méthode qui consiste à déterminer le coût d'unités qui ne peuvent être distinguées les unes des autres en accumulant, par procédé de fabrication ou par atelier, les frais de production engagés au cours d'une période, et en divisant le total obtenu par le nombre d'unités résultant de ce procédé ou produites dans cet atelier. *Syn.* **process costing.** *Comparer avec* **job cost system**. *V.a.* **cost accounting methods**.

PROCESS COSTING
(MÉTHODE DU) PRIX DE REVIENT EN FABRICATION UNIFORME ET CONTINUE, (MÉTHODE DU) PRIX DE REVIENT EN CYCLES CONTINUS, (MÉTHODE DU) COÛT DE REVIENT PAR STADES
Voir **process cost system**.

PROCESSING LEAD TIME
DÉLAI DE MISE EN OEUVRE, DÉLAI DE LANCEMENT
(comm. et prod.) Durée qui sépare la réception d'une commande du début de son exécution. *V.a.* **lead time** 1.

PROCUREMENT
APPROVISIONNEMENT, RÉAPPROVISIONNEMENT
(gest.) Fonction consistant à procurer en temps voulu à l'entreprise les matières et fournitures qui lui sont nécessaires pour son fonctionnement, sa production ou la vente directe dans les meilleures conditions de sécurité, de coût et de qualité. *Syn.* **reordering.** *V.a.* **purchasing** et **reorder point**.

PROCUREMENT CONTRACT
MARCHÉ PUBLIC
(Adm.) Contrat par lequel une personne physique ou morale s'engage envers une Administration à exécuter un ouvrage pour le compte de celle-ci ou à lui fournir des services, moyennant un prix déterminé dans le contrat. *Comparer avec* **sale by private agreement**. *V.a.* **call for tenders**.

PROCUREMENT LEAD TIME
DÉLAI D'APPROVISIONNEMENT, DÉLAI DE RÉAPPROVISIONNEMENT
Voir **lead time** 1.

PRODUCING DEPARTMENT
ATELIER DE FABRICATION, SECTION DE FABRICATION, CENTRE DE FABRICATION
(prod.) Endroit dans une usine où l'on travaille directement à la fabrication d'un produit. *Syn.* **production department** 2. *Comparer avec* **service department**. *V.a.* **section** 1.

PRODUCT
PRODUIT
(écon.) Bien créé par l'entreprise; résultat d'une activité créatrice s'exerçant sur les matières. *N.B.* Commerciale-ment, ce résultat ne devient un produit que s'il répond à un besoin, ce qui le rend susceptible d'être vendu sous un nom qui en individualise l'état et parfois même la qualité.

PRODUCT COSTS
COÛTS INCORPORABLES, CHARGES INCORPORABLES, FRAIS INCORPORABLES
Frais engagés pour fabriquer un produit et incorporés au coût des stocks au lieu d'être immédiatement passés en charges. *Syn.* **inventoriable costs**. *Comparer avec* **period costs**.

PRODUCTION
PRODUCTION, FABRICATION
(écon.) Activités de fabrication d'une entreprise; partie de l'activité humaine qui se traduit par la création de biens ou de services propres à satisfaire des besoins individuels ou collectifs.

PRODUCTION BONUS
PRIME DE RENDEMENT, PRIME DE PRODUCTIVITÉ
(rel. de tr.) Supplément de salaire versé à un employé en fonction des résultats qu'il a obtenus; prime liée plus ou moins directement à la production versée à l'ensemble des travailleurs ayant assuré cette production.

PRODUCTION BUDGET
BUDGET DE PRODUCTION
(gest.) Budget ayant pour objet d'assurer la production correspondant aux prévisions de ventes (compte tenu des stocks à maintenir) et dont l'élaboration comprend trois étapes : établissement du programme de production, détermination des coûts de fabrication variables et détermination des charges de structure. *V.a.* **budget** n. 1.

PRODUCTION CONTROL 1.
RÉGULATION DE LA PRODUCTION
(prod.) Agencement de la production par la détermination du travail à faire, l'attribution des tâches et l'établisse-ment d'un **calendrier de travail**. *V.a.* **schedule** n. 1.

PRODUCTION CONTROL 2.
CONTRÔLE DE LA PRODUCTION
(prod.) Technique permettant de s'assurer que la production est conforme aux normes établies. *V.a.* **quality control** 2.

PRODUCTION COST
COÛT DE PRODUCTION, COÛT DE FABRICATION, COÛT DE REVIENT, PRIX DE REVIENT
Coût des produits finis ou semi-ouvrés et des services créés par l'entreprise. *Syn.* **factory cost** et **manufacturing cost**.

PRODUCTION COSTS
COÛTS DE FABRICATION, FRAIS DE FABRICATION, CHARGES DE PRODUCTION

Ensemble des frais (coût d'achat des matières, coût de la main-d'oeuvre directe et frais généraux) engagés pour fabriquer un produit ou rendre un service, par opposition aux frais de vente, de gestion et de financement. *Syn.* **manufacturing costs** et **manufacturing expenses** 1.

PRODUCTION CYCLE
CYCLE DE PRODUCTION

(prod.) Séquence des activités de production, allant de la réception d'une commande à la livraison des produits aux clients. *Comparer avec* **accounting cycle** et **operating cycle**.

PRODUCTION DEPARTMENT 1.
SERVICE DE LA PRODUCTION

(org. de l'entr.) Service d'une entreprise industrielle dont la mission consiste à produire des objets, biens et services dans des conditions de quantité, qualité et délai qui favorisent la vente.

PRODUCTION DEPARTMENT 2.
ATELIER DE FABRICATION, SECTION DE FABRICATION, CENTRE DE FABRICATION
Voir **producing department**.

PRODUCTION FACILITIES
INSTALLATIONS (DE PRODUCTION), OUTIL DE PRODUCTION
Voir **plant** 1.

PRODUCTION MACHINERY
OUTILLAGE DE PRODUCTION, OUTILLAGE DE FABRICATION

(prod.) Ensemble des machines et des outils dont dispose une entreprise industrielle pour exercer ses activités de production ou de fabrication.

PRODUCTION METHOD (OF DEPRECIATION)
(MÉTHODE DE L')AMORTISSEMENT PROPORTIONNEL À L'UTILISATION,
(MÉTHODE DE L')AMORTISSEMENT PROPORTIONNEL AU RENDEMENT,
(MÉTHODE DE L')AMORTISSEMENT FONCTIONNEL

Méthode d'amortissement du coût d'une immobilisation qui consiste à exprimer la durée d'utilisation en fonction d'un nombre d'**unités d'oeuvre** (nombre de kilomètres pour une automobile, quantité d'articles fabriqués ou d'heures d'utilisation pour une machine). *N.B.* Selon cette méthode, l'amortissement périodique s'obtient en multipliant le coût à amortir par une fraction égale au nombre d'unités produites (ou utilisées) divisé par le nombre total d'unités que le bien en question permettra de produire (ou d'utiliser) au cours de sa durée de vie probable. *Syn.* **service-output method (of depreciation)** et **unit of production method (of depreciation)**. *V.a.* **depreciation methods**.

PRODUCTION METHOD OF REVENUE RECOGNITION
(MÉTHODE DE LA) CONSTATATION DU PROFIT EN FONCTION DE LA PRODUCTION, (MÉTHODE DE LA) COMPTABILISATION DU PROFIT EN FONCTION DE LA PRODUCTION

Méthode qui consiste à comptabiliser le profit et, par le fait même, les produits et les charges d'exploitation après l'exécution des travaux mais avant la vente ou la livraison des biens auxquels ces travaux donnent naissance. *V.a.* **income recognition methods**.

PRODUCTION SCHEDULE
CALENDRIER DE PRODUCTION

(prod.) Ensemble des dispositions qu'une entreprise industrielle doit prendre à court terme pour mener à bien, dans un certain délai, la fabrication de produits en utilisant au mieux et à un coût minimal les moyens dont elle dispose; document résumant, le plus souvent graphiquement, cet ensemble de dispositions.

PRODUCTIVE CAPACITY CAPITAL MAINTENANCE CONCEPT
*(NOTION DE LA) PRÉSERVATION DE LA CAPACITÉ DE FONCTIONNEMENT, (NOTION DE LA)
PRÉSERVATION DE LA CAPACITÉ D'EXPLOITATION*
Voir **operating capability capital maintenance concept**.

PRODUCTIVITY
PRODUCTIVITÉ
(écon.) Rapport entre une certaine quantité de produits et celle d'un ou de plusieurs facteurs de production (le travail humain, par exemple). *N.B.* La **productivité** constitue une mesure de l'utilisation efficace des **facteurs de production**, c'est-à-dire l'ensemble des moyens techniques, financiers et humains dont une entreprise dispose. Il convient de distinguer la **productivité globale** (rapport entre une production et l'ensemble des facteurs de production, compte tenu de leur importance relative) et la **productivité partielle** (rapport entre une production et un facteur de production, par exemple le personnel).

PRODUCT LINE
GAMME DE PRODUITS, LIGNE DE PRODUITS, FAMILLE DE PRODUITS
Voir **line of products**.

PRODUCT MIX
COMBINAISON (OPTIMALE) DE(S) PRODUITS
(prod.) Combinaison des produits à fabriquer ou des services à rendre, qui permet à l'entreprise de maximiser ses bénéfices et d'atteindre ses objectifs. *V.a.* **mix**.

PRODUCT PLANNING
PLAN DE DÉVELOPPEMENT DES PRODUITS
(gest.) Plan définissant les caractéristiques des produits à créer ou à adapter, le calendrier des différentes opérations jusqu'à la mise en marché et les modalités internes et externes de programmation et de coordination à respecter.

PROFESSION
PROFESSION
(prof.) Activité dont un individu tire sa subsistance et, par extension, ensemble des personnes qui exercent la même activité, souvent une profession libérale. *Voir* **industry** 2. et **occupation** 1.

PROFESSIONAL *n.*
MEMBRE D'UNE PROFESSION LIBÉRALE, PROFESSIONNEL (LIBÉRAL), SPÉCIALISTE, EXPERT
(prof.) Personne qui fait un travail de caractère intellectuel, reposant sur une formation poussée exigeant des connaissances particulièrement vastes qu'elle doit tenir à jour et appelant de ce fait une rémunération supérieure. *N.B.* L'adjectif **professionnel** s'applique à toute occupation, fonction ou métier dont on tire ses moyens d'existence. *V.a.* **non-professional staff** et **professional staff**.

PROFESSIONAL CORPORATION
CORPORATION PROFESSIONNELLE, ORDRE PROFESSIONNEL
Voir **corporation** 3.

PROFESSIONAL DEVELOPMENT (PD)
PERFECTIONNEMENT PROFESSIONNEL
(rel. de tr.) Mesures prises par les membres d'une profession ou le personnel d'une entreprise pour parfaire leurs connaissances et se mettre au courant de l'évolution qui s'est produite dans leur secteur d'activité. *V.a.* **continuing education**, **management development** et **training** 1.

PROFESSIONAL ENGAGEMENT OF A PUBLIC ACCOUNTANT
MISSION DE L'EXPERT-COMPTABLE
(E.C.) Mission confiée à un expert-comptable et qui consiste pour celui-ci à rendre des services à un client moyennant rémunération. *V.a.* **accounting engagement**, **audit engagement**, **engagement**, **limited audit engagement**, **non-review engagement** et **review engagement**.

PROFESSIONAL INSPECTION
INSPECTION PROFESSIONNELLE

(prof.) Évaluation systématique du travail d'un professionnel par une ou plusieurs personnes mandatées à cette fin en vue de s'assurer que le travail qu'il effectue est conforme aux normes établies et qu'il respecte les règles de déontologie s'appliquant à la profession à laquelle il appartient. *N.B.* En France, la Compagnie des commissaires aux comptes vérifie les dossiers de ses membres pour s'assurer de la qualité du travail qu'ils ont effectué. *Syn.* **peer review** *(U.S.)*, **practice inspection** et **practice review**. *V.a.* **inspection** et **quality control** 1.

PROFESSIONAL INSPECTOR
INSPECTEUR PROFESSIONNEL

(prof.) Personne appartenant à une corporation professionnelle et à laquelle on confie la responsabilité d'évaluer le travail effectué par les membres de cette profession. *Syn.* **inspector** 3.

PROFESSIONAL LIABILITY INSURANCE
ASSURANCE RESPONSABILITÉ PROFESSIONNELLE

(ass. et prof.) Assurance protégeant un membre d'une profession libérale susceptible de faire l'objet d'une poursuite s'il commet une faute ou manque à ses devoirs ou engagements. *V.a.* **insurance**.

PROFESSIONAL RESPONSIBILITY
RESPONSABILITÉ PROFESSIONNELLE, RESPONSABILITÉ DÉONTOLOGIQUE

(prof.) Responsabilité des membres d'une profession libérale, qui les oblige à respecter le **code de déontologie** propre à cette profession. *Syn.* **ethical responsibility**. *V.a.* **code of ethics** et **ethics**.

PROFESSIONAL STAFF
PERSONNEL TECHNIQUE, PERSONNEL DE FONCTION

(E.C.) Dans un cabinet d'experts-comptables, ensemble des personnes qui participent directement à la fonction première du cabinet et qui sont habituellement des professionnels libéraux. *Comparer avec* **non-professional staff**. *V.a.* **professional**.

PROFIT 1.
BÉNÉFICE (NET), BÉNÉFICE (NET) DE L'EXERCICE, PROFIT (NET), RÉSULTAT NET
Voir **income** 1.

PROFIT 2.
PROFIT, GAIN
Voir **gain**.

PROFITABILITY
RENTABILITÉ

(écon.) Capacité d'un investissement, d'un capital, d'une entreprise de produire un revenu, un bénéfice, un profit plus ou moins important mesuré en valeur absolue ou en valeur relative, c'est-à-dire, dans le dernier cas, en pourcentage du capital investi ou du chiffre d'affaires réalisé. *V.a.* **earning power**.

PROFITABILITY INDEX
INDICE DE RENTABILITÉ

(gest.) Indice permettant de juger de la rentabilité d'un projet d'investissement, que l'on obtient en divisant la valeur actualisée des rentrées nettes de fonds auxquelles donnera lieu l'investissement projeté par le capital qui doit être investi dans ce projet. *Syn.* **excess present value index**. *V.a.* **net present value method**.

PROFITABILITY STUDY
ÉTUDE DE RENTABILITÉ

(gest.) **Étude de faisabilité** effectuée en vue de déterminer si le projet envisagé rapportera un profit suffisant pour justifier sa mise en oeuvre. *V.a.* **feasability study**.

PROFIT AND LOSS ACCOUNT 1. *(U.K.)*
(ÉTAT DES) RÉSULTATS (Can.), COMPTE DE RÉSULTAT (Fr. et Belg.), COMPTE DE PROFITS ET PERTES (C.E.E.)
Voir **statement, income**.

PROFIT AND LOSS ACCOUNT 2.
SOMMAIRE DES RÉSULTATS (Can.), RÉSULTAT À RÉPARTIR (Fr.)
Voir **income summary account**.

PROFIT AND LOSS ACCOUNTS *(fam.)*
COMPTES DE RÉSULTATS, COMPTES DE GESTION (Fr.), COMPTES TEMPORAIRES
Voir **nominal accounts**.

PROFIT AND LOSS STATEMENT
(ÉTAT DES) RÉSULTATS (Can.), COMPTE DE RÉSULTAT (Fr. et Belg.), COMPTE DE PROFITS ET PERTES (C.E.E.)
Voir **statement, income**.

PROFIT CENTRE
CENTRE DE PROFIT, CENTRE D'EXPLOITATION ÉLÉMENTAIRE (Fr.)
(gest.) Centre dont le responsable est en mesure de contrôler les produits et les charges au moyen d'un aménagement approprié de ses comptes. *V.a.* **accounting unit** 2., **cost centre**, **investment centre** et **responsibility centre**.

PROFIT MARGIN
MARGE BÉNÉFICIAIRE, MARGE DE PROFIT
Excédent des produits d'exploitation sur les charges d'exploitation d'un exercice. *V.a.* **gross margin** 2. et **margin** 1.

PROFIT MAXIMIZATION
MAXIMISATION DU PROFIT
(compt. et *écon.)* En comptabilité, emploi de méthodes dont l'objet est d'obtenir le chiffre de bénéfice net le plus élevé possible. En économique, notion selon laquelle l'entreprise doit être dirigée de manière à maximiser ses bénéfices ou son profit.

PROFIT-ORIENTED ORGANIZATION
ORGANISME À BUT LUCRATIF, ENTREPRISE
(écon.) Organisme établi pour un temps indéfini dans le but de réaliser un profit et dont les titres de propriété sont généralement transférables et susceptibles de procurer à son ou ses propriétaires un gain ou parfois de leur occasionner une perte. *V.a.* **business firm**.

PROFIT SHARING
INTÉRESSEMENT, PARTICIPATION AUX BÉNÉFICES
(rel. de tr.) Forme de rémunération liée aux résultats de l'entreprise et ayant pour objet d'intéresser le personnel aux bénéfices de cette dernière. *N.B.* L'**intéressement** donne lieu à une augmentation du salaire de base des employés ou à l'attribution d'une **gratification**. *V.a.* **fringe benefits** 2.

PROFIT-SHARING PLAN
RÉGIME D'INTÉRESSEMENT, RÉGIME DE PARTICIPATION AUX BÉNÉFICES
(rel. de tr.) Régime en vertu duquel un employeur attribue aux membres de son personnel, en sus de leur traitement ordinaire, des sommes susceptibles de leur être versées, immédiatement ou plus tard, et calculées en fonction des bénéfices de l'entreprise. *V.a.* **deferred profit-sharing plan** et **incentive plan**.

PROFIT-VOLUME GRAPH
GRAPHIQUE DE RENTABILITÉ, GRAPHIQUE DU POINT MORT
Voir **break-even chart**.

PROFIT-VOLUME RATIO
RATIO DE MARGE BÉNÉFICIAIRE NETTE
(anal. fin.) Quotient du bénéfice net d'un exercice par le chiffre d'affaires de cet exercice. *V.a.* **ratio analysis**.

PRO-FORMA EARNINGS PER SHARE
BÉNÉFICE PRO FORMA PAR ACTION
(anal. fin. et *compt.) (Can.)* Bénéfice de l'exercice attribuable à chaque action ordinaire, compte tenu des opérations auxquelles donnera lieu toute émission d'actions ordinaires après la date de l'arrêté des comptes. *V.a.* **earnings per share (EPS)** 1.

PRO-FORMA INVOICE
FACTURE PRO FORMA
(comm.) Facture établie par le vendeur afin de faire connaître d'avance à l'acheteur le montant de la commande qu'il a passée. *V.a.* **advance billing**.

PRO-FORMA STATEMENTS
ÉTATS FINANCIERS PRO FORMA, COMPTES PRO FORMA
États financiers (ou comptes) fondés sur un certain nombre d'hypothèses ou tenant compte des effets d'opérations financières (par exemple une émission d'obligations ou l'acquisition d'une participation dans une autre société en vue d'une fusion) qui n'ont pas encore eu lieu. *V.a.* **budgeted statements**.

PROGRAM *n.* 1.
PROGRAMME, PLAN
(gest.) Plan à suivre pour mener à bien une activité déterminée; énoncé des actions que l'entreprise compte exécuter dans l'avenir en vue d'atteindre les objectifs qu'elle s'est fixés. *V.a.* **audit program**.

PROGRAM *n.* 2.
PROGRAMME
(inf.) Ensemble d'instructions fixées dans un matériel électronique et correspondant à la formulation d'un traitement. *N.B.* Le **programme** peut être **fait sur mesure**, mais il existe aussi des **programmes standards** conçus pour plusieurs utilisateurs. *V.a.* **package**, **program generator**, **program library**, **software**, **source program**, **standard program**, **tailor-made program**, **user's program** et **utility program**.

PROGRAM *v.*
PROGRAMMER
(inf.) Concevoir ou écrire un programme ou un élément de programme.

PROGRAM BUDGETING 1.
ÉTABLISSEMENT DE BUDGETS PAR PROGRAMMES, SYSTÈME DE BUDGETS-PROGRAMMES
(gest.) Méthode qui consiste, lors de l'établissement des budgets, à regrouper les ressources par programmes ou par activités, ou en fonction des besoins de l'organisme ou de l'entreprise en cause.

PROGRAM BUDGETING 2.
RATIONALISATION DES CHOIX BUDGÉTAIRES (R.C.B.)
Voir **planning programming and budgeting system (PPBS)**.

PROGRAM EVALUATION AND REVIEW TECHNIQUE (PERT)
MÉTHODE DE PROGRAMMATION OPTIMALE, (GRAPHIQUE) PERT
(gest.) Méthode qui consiste à définir au moyen d'un graphique les activités nécessaires à l'exécution d'un travail complexe et les durées d'exécution de chacune, ainsi que l'ordre dans lequel elles seront exécutées, de façon à déterminer les dates les plus hâtives et les plus tardives du lancement de chaque étape ainsi que le **chemin critique**. *V.a.* **critical path method**, **network analysis** et **PERT/cost (method)**.

PROGRAM GENERATOR
GÉNÉRATEUR DE PROGRAMMES

(inf.) Logiciel qui, à partir d'une analyse effectuée suivant une méthode définie et écrite dans un format imposé, fournit automatiquement l'architecture d'un programme et la suite des instructions s'y rapportant. *N.B.* Il existe aussi des générateurs de **programmes de tri** et **d'édition**. *V.a.* **program** *n.* 2.

PROGRAM LIBRARY
BIBLIOTHÈQUE DE PROGRAMMES

(inf.) Ensemble organisé des programmes enregistrés sur un support interne et correspondant aux besoins de l'exploitation. *V.a.* **directory** et **program** *n.* 2.

PROGRAMMED COSTS
COÛTS DISCRÉTIONNAIRES, FRAIS DISCRÉTIONNAIRES

Voir **managed costs**.

PROGRAMMED CONTROLS
CONTRÔLES PROGRAMMÉS

Voir **software controls**.

PROGRAMMER
PROGRAMMEUR

(inf.) Informaticien chargé des travaux de programmation.

PROGRAMMING 1.
PROGRAMMATION

(inf.) Formulation d'un traitement au moyen d'un programme; ensemble des travaux de conception, d'écriture, d'essai et de mise au point des programmes renfermant les instructions nécessaires à la résolution du problème à traiter.

PROGRAMMING 2.
PROGRAMMATION

(gest.) Organisation systématique des actions à entreprendre ou des étapes à franchir en vue d'atteindre des objectifs déterminés. *V.a.* **linear programming**.

PROGRAMMING LANGUAGE
LANGAGE DE PROGRAMMATION

(inf.) Façon d'exprimer les programmes en informatique. *N.B.* Il existe des **langages de programmation** orientés soit vers l'application, soit vers la machine. Dans le premier cas, les langages sont formés de mots ou d'expressions tirés du langage ordinaire et d'éléments symboliques. Ces langages sont plus faciles à comprendre que les **langages machine** qui, en tant que code interne, ne comportent que des signes binaires. *V.a.* **language**.

PROGRESS BILLING
FACTURATION PROPORTIONNELLE, FACTURATION AU PRORATA DES TRAVAUX

(aff.) Mode de facturation convenu entre l'entreprise et son client et fondé sur le degré d'achèvement des travaux. *V.a.* **billing**.

PROGRESSIVE TAX
IMPÔT PROGRESSIF

(fisc.) Impôt représentant un pourcentage de plus en plus élevé de l'**assiette d'imposition** au fur et à mesure que celle-ci s'accroît. *Comparer avec* **proportional tax** et **regressive tax**.

PROGRESS PAYMENT
PAIEMENT PROPORTIONNEL, PAIEMENT AU PRORATA DES TRAVAUX, ACOMPTE

(aff.) Somme remise par un client à l'entreprise en fonction du degré d'achèvement des travaux.

PROGRESS REPORT
RAPPORT PÉRIODIQUE, RAPPORT D'ACTIVITÉ, RAPPORT D'ÉTAPE
(gest.) Rapport sur l'activité en cours, comprenant, le plus souvent, une énumération des travaux qu'il reste à exécuter.

PROJECTED BENEFIT VALUATION METHOD
MÉTHODE PROSPECTIVE
(rentes) Méthode d'évaluation actuarielle permettant d'estimer, à la date de l'évaluation, les prestations de retraite attribuables aux employés du fait de leurs services à la fois passés et futurs. *Comparer avec* **accrued benefit valuation method**.

PROJECTION
PRONOSTIC
(gest.) Conjecture fondée sur la situation actuelle de l'entreprise et l'analyse des tendances récentes. *Comparer avec* **budget** *n.* 1. et **forecast**.

PROJECTIONS 1.
PRÉVISIONS (FINANCIÈRES)
Voir **forecasts**.

PROJECTIONS 2.
PRONOSTICS (FINANCIERS)
(fin.) Estimations de nature financière établies par la direction pour un temps futur déterminé en se fondant sur des hypothèses qui ne sont pas nécessairement les plus réalistes. *Comparer avec* **forecasts**.

PROJECT MANAGEMENT
DIRECTION DE PROJET
(gest.) Ensemble des activités nécessaires à la planification, à la coordination et au contrôle du déroulement de l'exécution d'un projet ou d'un programme. *V.a.* **management** 1.

PROMISSORY NOTE
BILLET
(dr.) Écrit par lequel une personne (le **souscripteur**) s'engage à payer, à vue ou à une date déterminée, une somme d'argent à une autre personne (le **bénéficiaire**), à son ordre (**billet à ordre**), ou au porteur (**billet au porteur**). *Syn.* **note** 1. *V.a.* **bill** *n.* 2.

PROMOTER
PROMOTEUR, ENTREPRENEUR
(aff.) Personne qui lance une affaire, une entreprise. *N.B.* La société ou la personne qui assure et finance la construction d'immeubles s'appelle **promoteur de construction** ou **promoteur immobilier**. *V.a.* **real estate developer**.

PROMOTIONAL EXPENSES
FRAIS PROMOTIONNELS, FRAIS DE PROMOTION
Frais engagés par l'entreprise pour stimuler ses ventes par des actions promotionnelles diverses auprès des consommateurs, des distributeurs et des utilisateurs. *V.a.* **development expenses** 3. et **sales promotion**.

PROOF OF CLAIM
PREUVE DE SINISTRE
(ass.) Pièce servant à démontrer qu'un sinistre a réellement eu lieu, par exemple une preuve de décès ou une preuve d'invalidité. *V.a.* **declaration** 1.

PROPERTY
BIEN
(lang. cour.) Chose ayant une existence physique susceptible d'appropriation.

PROPERTY DIVIDEND
DIVIDENDE EN NATURE
Voir **dividend in kind**.

PROPERTY, PLANT AND EQUIPMENT
TERRAIN(S), CONSTRUCTIONS ET MATÉRIEL; BIENS-FONDS, USINE ET MATÉRIEL; BIENS DE
*   PRODUCTION*
Section du bilan où figurent les immobilisations corporelles que l'entreprise utilise pour son exploitation. *Syn.*
plant and equipment 2. *V.a.* **fixed assets** et **plant** 1.

PROPERTY TAX
IMPÔT FONCIER, CONTRIBUTION IMMOBILIÈRE, IMPÔT IMMOBILIER
(fisc.) Impôt levé par les municipalités et, au Canada, les conseils scolaires sur la valeur imposable des
biens-fonds dont un contribuable est propriétaire. *N.B.* Strictement parlant, le terme **impôt foncier** s'applique aux
terrains seulement. *Syn.* **real estate tax**. *V.a.* **direct taxes**.

PROPORTIONAL TAX
IMPÔT PROPORTIONNEL
(fisc.) Impôt déterminé au même taux, quelle que soit l'**assiette d'imposition**. *Comparer avec* **progressive tax**
et **regressive tax**.

PROPORTIONATE CONSOLIDATION
CONSOLIDATION PROPORTIONNELLE, INTÉGRATION PROPORTIONNELLE
Méthode de consolidation qui consiste à ne porter au bilan du groupe les éléments d'actif et de passif de la société
consolidée qu'au prorata du capital détenu par la société mère dans cette société. De même, les produits et les
charges de la société consolidée par intégration proportionnelle ne figurent dans l'état consolidé des résultats
qu'en proportion des titres de participation de cette société détenus par la société mère. *Syn.* **line-by-line**
consolidation *(fam.)*. *V.a.* **consolidation** 1.

PROPOSAL
PROPOSITION (CONCORDATAIRE)
(dr.) Plan proposé par un débiteur à ses créanciers en vue de retarder le règlement de ses dettes, d'en réduire le
montant ou de remplacer ses titres de créance par d'autres titres. *V.a.* **arrangement** et **bankruptcy**.

PROPRIETARY THEORY
THÉORIE DITE DU PROPRIÉTAIRE
Théorie qui consiste, en comptabilité, à considérer que l'entreprise agit à titre de mandataire des propriétaires qui
possèdent en tant que groupe les éléments d'actif et sont responsables des dettes. *N.B.* Selon cette théorie,
l'équation comptable est exprimée sous la forme de **Actif - Passif** = **Capitaux propres**. *Comparer avec* **entity**
theory. *V.a.* **proprietorship concept**.

PROPRIETORSHIP
ENTREPRISE INDIVIDUELLE, ENTREPRISE PERSONNELLE
Voir **sole proprietorship**.

PROPRIETORSHIP CONCEPT
CONVENTION DE LA NON-PERSONNALITÉ DE L'ENTREPRISE
Convention portant sur la relation entre une entité comptable et ses propriétaires, selon laquelle on n'attribue pas
à l'entreprise une existence distincte de celle de ses propriétaires. *Comparer avec* **entity concept**. *V.a.*
proprietary theory.

PRO RATA
PRORATA
(lang. cour.) Part proportionnelle exprimée en valeur, quantité ou temps. *N.B.* L'expression **au prorata** signifie en
proportion de, proportionnellement à.

PROROGATION
PROROGATION
(dr.) Action consistant, avec l'accord des parties, à reporter à une date ultérieure la date d'échéance d'un effet de commerce ou d'une obligation quelconque.

PROSPECTS 1.
CLIENTS ÉVENTUELS
(mark.) Clients auxquels l'entreprise prévoit vendre des marchandises ou rendre des services si ses efforts de prospection aboutissent à des résultats concrets.

PROSPECTS 2.
ASSURABLES, ASSURÉS ÉVENTUELS
(ass.) Souscripteurs possibles d'un contrat d'assurance sur la vie.

PROSPECTUS
PROSPECTUS (D'ÉMISSION), NOTE D'INFORMATION
(fin.) Document que les lois sur les sociétés, les lois sur les valeurs mobilières (Canada), la Commission des opérations de Bourse (France) et la Commission bancaire (Belgique) demandent aux sociétés de publier préalablement à toute émission d'actions ou d'obligations par appel public à l'épargne et avant l'admission à la cote officielle d'une Bourse de valeurs. *N.B.* L'objet du prospectus (ou note d'information) est d'informer le public sur l'organisation, la situation financière et l'évolution de l'activité de la société et de fournir d'autres renseignements pertinents, par exemple le nom des membres du conseil d'administration et des principaux dirigeants. *Syn.* **offering circular**. *V.a.* **final prospectus** et **preliminary prospectus**.

PROTECTIVE COVENANT
CLAUSE RESTRICTIVE (D'UN CONTRAT DE PRÊT)
Voir **debt covenant**.

PROTEST
PROTÊT
(dr.) Acte authentique par lequel le porteur d'un effet de commerce fait constater que le tiré ne l'a pas accepté ou qu'il ne l'a pas payé à l'échéance.

PROVED RESERVES
RÉSERVES PROUVÉES
(ind. extr.) Réserves minières, pétrolières ou gazières qui peuvent être récupérées à partir de gisements connus, compte tenu de la conjoncture économique et des conditions d'exploitation actuelles.

PROVISION 1.
CHARGE ESTIMATIVE, FRAIS ESTIMATIFS, DOTATION AUX PROVISIONS
Voir **estimated expense** 1.

PROVISION 2.
PROVISION
Constatation comptable d'un amoindrissement de la valeur du patrimoine de l'entreprise.

PROVISION 3.
PROVISION (POUR DÉPRÉCIATION)
Somme défalquée, dans le bilan, de la valeur attribuée à un bien, et désignant la fraction de cette valeur qui a été passée en charges durant l'exercice en cours ou auparavant, par exemple la provision pour créances douteuses, la provision pour dépréciation des stocks et la provision pour dépréciation des immobilisations non amortissables. *V.a.* **allocation (to a provision)** et **allowance** 3.

PROVISION 4.
DETTE ESTIMATIVE, PROVISION (POUR DETTE), DETTE PROVISIONNÉE
Somme figurant au passif du bilan et représentant des sommes passées en charges à titre de frais estimatifs, par

exemple la dette relative à des garanties, les provisions pour pertes et charges et les provisions pour pertes de change. *N.B.* En Belgique, la loi interdit toute constitution de provisions à caractère de réserve, sauf en matière bancaire. Une **dette provisionnée** est une **dette potentielle** évaluée généralement à l'arrêté des comptes, nettement précisée quant à son objet, mais dont l'échéance ou le montant est incertain; elle a une vocation irréversible à se transformer ultérieurement en dette réelle.

PROXY 1.
AGENT, FONDÉ DE POUVOIR, DÉLÉGUÉ, MANDATAIRE
Voir **agent**.

PROXY 2.
PROCURATION
(dr.) Pouvoir donné par une personne à une autre de faire quelque chose (signer un contrat, voter à une assemblée) en son nom et, par extension, le document écrit qui prouve l'existence du mandat. *V.a.* **power of attorney** et **voting trust**.

PROXY STATEMENT *(U.S.)*
CIRCULAIRE DE SOLLICITATION DE PROCURATIONS, CIRCULAIRE D'INFORMATION
Voir **information circular**.

PUBLIC ACCOUNTS
COMPTES PUBLICS
(Adm.) (Can.) Rapport financier annuel de l'État établi en conformité avec la Loi sur l'Administration financière.

PUBLIC ACCOUNTANT
EXPERT-COMPTABLE
(prof. compt.) Personne dont la profession est d'exécuter, pour le compte d'autrui, moyennant des honoraires, des missions de vérification (ou révision) ou d'examen des comptes ainsi que des travaux de comptabilité et d'établissement d'états financiers (ou comptes annuels). *N.B.* L'expert-comptable rend principalement des services à ses clients en vue d'accroître la crédibilité de l'information financière sur laquelle il exprime une opinion et sur laquelle se fondent les parties intéressées pour prendre des décisions. Accessoirement, l'expert-comptable agit comme administrateur judiciaire et syndic de faillite, il participe à l'élaboration de documents aboutissant à la constitution de sociétés et il rend des services à titre notamment de conseiller en gestion, en fiscalité et en informatique. *Syn.* **accountant** 2. *(fam.)*. *V.a.* **auditor**, **public accounting** et **statutory auditor**.

PUBLIC ACCOUNTING
EXPERTISE COMPTABLE
(prof. compt.) Profession exercée par l'expert-comptable. *N.B.* Au Québec, la *Loi sur les comptables agréés* parle de **comptabilité** *publique* plutôt que d'**expertise comptable** même si, en fait, le terme **comptabilité** *publique* est l'équivalent de *government accounting* (voir ce terme). *V.a.* **public accounting**.

PUBLIC ADMINISTRATION
ADMINISTRATION (PUBLIQUE)
(Adm.) Agent économique qui remplit des tâches d'intérêt général et dépend des pouvoirs publics.

PUBLIC COMPANY
SOCIÉTÉ OUVERTE
Société de capitaux dont les actions sont inscrites à la cote officielle, se vendent dans un marché hors cote ou peuvent être offertes au public de quelque autre façon. *N.B.* Il convient de ne pas confondre une **société ouverte** (*public company*) avec une **société à capital public** ou **société publique** appelée au Canada **société d'État** ou **société de la Couronne**. *Comparer avec* **private company**. *V.a.* **business corporation**, **limited liability** et **widely held corporation**.

PUBLIC DEBT
DETTE PUBLIQUE
(Adm.) Ensemble des obligations résultant des engagements financiers contractés par l'État; ensemble des dettes qui doivent être soldées avec les deniers publics. *N.B.* La **dette** est dite **perpétuelle** lorsque l'emprunt a été

émis sans obligation de remboursement, elle est dite **à long terme** lorsque l'échéance est éloignée et elle est **flottante** lorsque les titres ont une échéance rapprochée comme c'est le cas pour les bons du Trésor. *V.a.* **funded debt** 2. et **general debt**.

PUBLIC ISSUE
(ÉMISSION FAISANT) APPEL PUBLIC À L'ÉPARGNE

(fin. et *Bourse)* Le fait pour une société d'offrir ses titres au grand public le plus souvent par l'intermédiaire de courtiers (ou agents de change) ou d'un syndicat de placement. *Syn.* **public offering**. *Comparer avec* **private issue**. *V.a.* **best efforts offering**.

PUBLICITY DEPARTMENT
SERVICE DE LA PUBLICITÉ

(org. de l'entr.) Service chargé d'établir des communications avec les acheteurs ou les utilisateurs de biens ou de services actuels et potentiels.

PUBLIC LIABILITY INSURANCE
ASSURANCE RESPONSABILITÉ CIVILE, ASSURANCE R.C.

(ass.) Assurance des dommages subis par autrui qui prennent leur source soit dans un fait personnel à son auteur, soit dans le fait d'une personne dont l'assuré répond, ou encore d'une chose qu'il a sous sa garde, que ces dommages aient été causés intentionnellement ou non. *Syn.* **liability insurance** et **third party insurance**. *V.a.* **insurance**.

PUBLIC OFFERING
(ÉMISSION FAISANT) APPEL PUBLIC À L'ÉPARGNE
Voir **public issue**.

PUBLIC PENSION PLAN
RÉGIME GÉNÉRAL DE RETRAITE

(rentes) Régime de retraite établi et géré par l'État, visant l'ensemble de la population. *V.a.* **pension plan**.

PUBLIC RELATIONS (PR)
RELATIONS PUBLIQUES

(gest.) Techniques d'information et de communication avec le public par lesquelles l'entreprise cherche à faire connaître ses produits, ses activités, à se créer une image de marque et à informer le personnel de la vie de la société.

PUBLIC SECTOR
SECTEUR PUBLIC

(écon.) Ensemble des Administrations relevant de l'État ou de collectivités. *Comparer avec* **private sector**.

PUBLIC UTILITIES (COMPANY)
(ENTREPRISE DE) SERVICES PUBLICS

(org. des entr.) **Entreprise à tarifs réglementés** dont l'objet est industriel et commercial, chargée de l'exploitation d'un secteur intéressant la collectivité (transport, téléphone, électricité, etc.). *N.B.* L'entreprise de services publics qui relève exclusivement de l'État s'appelle, en France et en Belgique, **entreprise publique**. *V.a.* **utilities**.

PUBLIC WAREHOUSE
MAGASINS GÉNÉRAUX, ENTREPÔT PUBLIC
Voir **bonded warehouse** 1.

PUNCHED CARD
CARTE PERFORÉE

(inf.) **Support d'information** constitué par une carte, de dimensions normalisées, où la représentation des données est réalisée par des combinaisons d'absence ou de présence de perforations dans des emplacements déterminés.

PUNCHED TAPE
BANDE PERFORÉE
(inf.) Bande de papier perforée au moyen de laquelle un ordinateur reçoit l'information, la stocke et la transmet. *V.a.* **paper tape**.

PURCHASE
ACHAT, ACQUISITION
(comm. et dr.) Opération par laquelle une personne physique ou morale (l'**acheteur**) acquiert d'une autre (le **vendeur**) la propriété d'un bien, moyennant paiement, dans des conditions définies, d'une somme fixée par accord entre les deux parties.

PURCHASES
ACHATS
Ensemble des biens (marchandises, matières et fournitures) acquis par l'entreprise durant une période et dont la revente, après transformation ou non, ou l'emploi comme matières consommables, est conforme à l'objet normal de son exploitation.

PURCHASE ALLOWANCES
RABAIS SUR ACHATS
Élément retranché du chiffre des achats d'un exercice en vue de trouver le coût net des marchandises achetées durant cet exercice. *Comparer avec* **sales allowances**. *V.a.* **discount** *n.* 1.

PURCHASE BOOK
JOURNAL DES ACHATS
Voir **purchase journal**.

PURCHASE BUDGET
BUDGET DES APPROVISIONNEMENTS, BUDGET DES ACHATS
(gest.) Budget précisant les achats qui seront effectués au cours d'un exercice et que l'on ne peut établir qu'après avoir élaboré les budgets de ventes, de production et d'investissements, et après consultation des **existants en stock**. *V.a.* **budget** *n.* 1.

PURCHASE DISCOUNT
ESCOMPTE SUR ACHATS, ESCOMPTE OBTENU
(comm.) Escompte de caisse ou de règlement que l'entreprise obtient de ses fournisseurs. *V.a.* **cash discount** et **discount** *n.* 1.

PURCHASE DISCREPANCY
EXCÉDENT D'ACQUISITION, ÉCART D'ACQUISITION
Écart entre le coût d'acquisition des actions d'une société et la valeur comptable de ces actions à la date d'acquisition. *Comparer avec* **consolidated goodwill**.

PURCHASE EQUATION
ÉQUATION DE REGROUPEMENT
Voir **acquisition equation**.

PURCHASE INVESTIGATION
ÉTUDE PRÉALABLE À L'ACQUISITION, ÉTUDE PRÉREGROUPEMENT
(anal. fin.) Étude de la situation financière d'une entreprise effectuée par un acquéreur éventuel en vue d'en déterminer la juste valeur et de découvrir les raisons pouvant justifier son acquisition. *Syn.* **acquisition review**.

PURCHASE JOURNAL
JOURNAL DES ACHATS
Livre auxiliaire dans lequel l'entreprise inscrit les achats qu'elle a effectués. *Syn.* **purchase book**.

PURCHASE METHOD
MÉTHODE DE L'ACHAT PUR ET SIMPLE

Méthode de comptabilisation d'un regroupement d'entreprises qui consiste, pour la société acheteuse, à porter, dans ses états financiers (ou comptes), la juste valeur des éléments d'actif de la société acquise et des dettes prises en charge, et à comptabiliser, à titre d'**écart d'acquisition** (achalandage au Canada et fonds commercial en France), la différence positive entre le coût d'acquisition des actions acquises et la juste valeur (ou fraction de celle-ci si le pourcentage des actions acquises est inférieure à 100%) des éléments identifiables de l'actif net de la société acquise. *N.B.* Selon cette méthode, le bénéfice de la société acheteuse comprend les résultats de la société acquise à compter de la date d'acquisition seulement. *Comparer avec* **pooling of interests method**. *V.a.* **business combination, methods of accounting for a**.

PURCHASE OPTION
OPTION D'ACHAT

(fin.) Droit qu'une personne a de décider, à une date donnée ou dans un délai donné, de se porter ou non acquéreur d'un bien; document constatant ce droit. *N.B.* Se porter acquéreur, c'est lever l'option. *V.a.* **exercise price** et **option**.

PURCHASE ORDER
BON DE COMMANDE, (BULLETIN DE) COMMANDE

(comm.) Document qui matérialise une commande, en définit les conditions (quantité achetée, prix convenu et délai de paiement) et engage l'acheteur vis-à-vis du fournisseur. *N.B.* L'engagement réciproque du fournisseur résulte de l'accusé de réception du bon de commande. *V.a.* **order** 1. et **sales order**.

PURCHASE PAYMENT TERMS
FACILITÉS DE PAIEMENT, CONDITIONS DE PAIEMENT

(comm.) Délai accordé à un client pour effectuer le paiement d'une facture avec ou sans escompte de caisse. *Comparer avec* **sales conditions**. *V.a.* **terms of payment**.

PURCHASE PRICE
PRIX D'ACHAT, PRIX COÛTANT, COÛT D'ACHAT

(comm.) Prix payé en contrepartie d'une fourniture (marchandise ou service).

PURCHASER
ACHETEUR, ACQUÉREUR

(dr.) Personne physique ou morale qui acquiert la propriété d'une chose (bien, droit, produit ou service) moyennant un prix convenu.

PURCHASE REQUISITION
DEMANDE D'ACHAT, DEMANDE D'APPROVISIONNEMENT

(gest.) Document interne adressé par une section d'une entreprise au service des achats pour obtenir des matières et des fournitures, ce qui donnera généralement lieu par la suite à la **passation d'une commande**. *V.a.* **requisition**.

PURCHASE RETURN
RENDU SUR ACHATS, RETOUR SUR ACHATS

(comm.) Marchandise retournée pour diverses raisons, par l'entreprise, au fournisseur qui accorde un remboursement ou une note de crédit. *Comparer avec* **sales return**. *V.a.* **credit note** et **return** 3.

PURCHASING
ACHAT

(gest.) Acquisition contre paiement de biens nécessaires à la production et au fonctionnement de l'entreprise. *V.a.* **procurement**.

PURCHASING AGENT
ACHETEUR

(gest.) Personne chargée, dans une entreprise ou une collectivité, de l'acquisition de biens et de services.

PURCHASING DEPARTMENT 1.
SERVICE DES ACHATS

(org. de l'entr.) Service qui a la responsabilité d'acheter à des tiers des matières, des fournitures, etc. *V.a.* **buying expenses**.

PURCHASING DEPARTMENT 2.
SERVICE DE L'APPROVISIONNEMENT

(org. de l'entr.) Service dont la fonction est de mettre à la disposition des différents ateliers ou sections de l'entreprise les matières et les produits qui sont nécessaires pour leur fonctionnement et leur production.

PURCHASING POWER GAIN
GAIN DÛ À L'ÉVOLUTION (DU NIVEAU GÉNÉRAL) DES PRIX, GAIN DE POUVOIR D'ACHAT

Voir **general price-level gain**.

PURCHASING POWER LOSS
PERTE DUE À L'ÉVOLUTION (DU NIVEAU GÉNÉRAL) DES PRIX, PERTE DE POUVOIR D'ACHAT

Voir **general price-level loss**.

PURCHASING POWER (OF MONEY)
POUVOIR D'ACHAT (DE L'ARGENT)

(écon.) Ensemble de biens et de services qu'une personne peut acquérir contre une certaine somme d'argent. *Syn.* **general purchasing power**. *V.a.* **constant dollars** 1.

PURCHASING POWER UNIT (PPU)
UNITÉ DE POUVOIR D'ACHAT (U.P.A.)

(écon. et compt.) Unité de mesure que l'on obtient en redressant l'unité de numéraire au moyen d'un indice général des prix pour tenir compte de la fluctuation des prix et dont l'entreprise se sert pour dresser des états financiers (ou comptes) en pouvoir d'achat général. *V.a.* **measuring unit**.

PUT AND CALL OPTION
STELLAGE

Voir **call and put option**.

PUT (OPTION)
OPTION DE VENTE

(Bourse) Option négociable donnant à son détenteur le droit de vendre un nombre déterminé d'actions à un prix stipulé d'avance (le plus souvent un prix quelque peu inférieur à la valeur courante des actions) à une date quelconque au cours d'une période donnée. *N.B.* Le spéculateur qui acquiert une telle option estime, au moment où il en fait l'acquisition, que le cours des actions deviendra plus faible que le prix auquel il a convenu de les vendre. Si cette prévision se réalise, il achètera les actions au prix du marché et les vendra au prix convenu, ce qui lui permettra de réaliser un profit, compte tenu du prix payé pour son option. Si, au contraire, le cours des actions monte, il renoncera à lever son option et subira une perte égale au prix payé pour cette dernière. *Comparer avec* **call (option)**. *V.a.* **call and put option** et **option**.

QUALIFICATION 1.
RÉSERVE
(E.C.) Restriction apportée par le vérificateur (ou réviseur) à l'opinion qu'il exprime sur les états financiers (ou comptes annuels) soumis à son attention pour indiquer au lecteur son désaccord sur un ou plusieurs aspects de ces états (ou comptes). *N.B.* En Belgique, les réserves peuvent être de nature diverse. Ainsi certaines peuvent porter sur l'application de la loi, d'autres sur les comptes, etc. *V.a.* **reservation (of opinion)**.

QUALIFICATION 2. *(fam.)*
OPINION AVEC RÉSERVE, OPINION NUANCÉE PAR UNE RÉSERVE
Voir **qualified opinion**.

QUALIFIED OPINION
OPINION AVEC RÉSERVE, OPINION NUANCÉE PAR UNE RÉSERVE
(E.C.) Opinion du vérificateur (ou réviseur) énonçant qu'à l'exception des effets certains ou probables d'un ou de plusieurs éléments, l'information financière est présentée fidèlement eu égard aux principes comptables générale-ment reconnus (ou à d'autres règles comptables appropriées communiquées au lecteur). *N.B.* En France et en Belgique, c'est la loi qui détermine les principes et règles sur lesquels reposent l'établissement des comptes annuels et l'information qui y figure tandis qu'au Canada c'est à l'*Institut Canadien des Comptables Agréés* qu'incombe cette responsabilité. *Syn.* **qualification** 2. *(fam.)*. *Comparer avec* **unqualified opinion**. *V.a.* **auditor's opinion** et **qualified report**.

QUALIFIED REPORT
RAPPORT ASSORTI D'UNE RÉSERVE, RAPPORT AVEC RÉSERVE
(E.C.) Rapport de vérification (ou révision) dans lequel l'expert-comptable exprime une **opinion avec réserve** sur les comptes soumis à son attention. *V.a.* **qualified opinion**.

QUALIFY 1.
EXPRIMER UNE RÉSERVE
(E.C.) Formuler une réserve dans un rapport de vérification (ou révision) en raison des lacunes des comptes faisant l'objet du rapport.

QUALIFY 2.
ÊTRE ADMIS (DANS UNE PROFESSION)
(prof.) Prouver sa compétence et ses aptitudes en réussissant à un examen et en satisfaisant aux autres conditions imposées pour devenir membre d'une profession libérale.

QUALIFY 3.
SE QUALIFIER, ACQUÉRIR LA COMPÉTENCE POUR
(lang. cour.) Acquérir les qualités nécessaires pour occuper un poste, une fonction.

QUALIFYING SHARE(S)
ACTIONS STATUTAIRES (Can.), ACTION(S) D'ÉLIGIBILITÉ (Can.), ACTION(S) DE GARANTIE (Fr.)

(fin.) Action(s) que doit détenir une personne pour avoir le droit de devenir membre du conseil d'administration d'une société. *N.B.* En France, ces actions, qui s'appellent **actions de garantie** parce qu'elles sont déposées dans la caisse de la société en garantie de l'accomplissement du mandat qu'a accepté leur propriétaire, sont inaliénables jusqu'à expiration de ce mandat et **quitus** donné par l'assemblée générale des actionnaires. En Belgique, la qualité d'administrateur n'est pas liée à la qualité d'actionnaire, sauf disposition contraire des statuts. *V.a.* **administrator** 1. et **share** 2.

QUALITY CONTROL 1.
CONTRÔLE DE (LA) QUALITÉ

(E.C.) En vérification (ou révision), procédures établies dans un cabinet d'experts-comptables pour assurer la qualité des services à la clientèle et le respect des normes professionnelles, notamment en matière de documentation. *V.a.* **professional inspection**.

QUALITY CONTROL 2.
CONTRÔLE DE (LA) QUALITÉ

(stat. et prod.) Vérification de la conformité de la qualité d'un produit à des normes de qualité déterminées. *N.B.* Cette vérification, qui porte sur une article ou sur un lot déterminé, peut s'effectuer suivant deux procédures (**contrôle à 100% ou contrôle par échantillonnage**) et trois méthodes principales (**contrôle par attributs, contrôle par mesures ou contrôle par nombre de défauts**). *V.a.* **production control** 2.

QUALITY CONTROL 3.
GESTION DE LA QUALITÉ

(prod.) Ensemble des activités de planification, de direction et de contrôle destinées à assurer ou à maintenir la qualité de la production, compte tenu des besoins des utilisateurs.

QUALITY STANDARD
NORME DE QUALITÉ

(prod.) Niveau de qualité qu'une production ou un service doit atteindre.

QUANTITY DISCOUNT
REMISE (SUR QUANTITÉ), REMISE QUANTITATIVE

(Comm.) Réduction calculée généralement par application d'un pourcentage sur le prix de vente courant et qu'un fournisseur accorde à un client en raison de la forte quantité de marchandises achetées par ce dernier à un moment donné. *Comparer avec* **volume discount**. *V.a.* **discount** *n.* 1. et **discount order quantity**.

QUANTITY VARIANCE
ÉCART SUR QUANTITÉ, ÉCART SUR UTILISATION, ÉCART DE QUANTITÉ

Écart entre le coût standard (ou normalisé) des matières directes ou de la main-d'oeuvre et le coût réel de ces éléments. *N.B.* Cet écart est attribuable à la différence, d'une part, entre les matières utilisées et la quantité standard et, d'autre part, entre le temps réel consacré à la fabrication et le temps standard. *Syn.* **usage variance**. *V.a.* **standard cost variances**.

QUARTERLY FINANCIAL STATEMENTS
ÉTATS FINANCIERS TRIMESTRIELS, COMPTES TRIMESTRIELS

États financiers (ou comptes), le plus souvent non vérifiés (ou révisés), publiés trimestriellement à l'intention des actionnaires et des investisseurs. *V.a.* **interim financial statements**.

QUARTERLY PAYMENT
VERSEMENT TRIMESTRIEL, PAIEMENT TRIMESTRIEL

(fin.) Somme versée trimestriellement par un débiteur en vue d'éteindre une dette qu'il a convenu de régler par versements échelonnés sur un certain nombre de trimestres. *V.a.* **annual (re)payment** et **monthly payment**.

QUARTILE
QUARTILE

(stat.) Chacune des trois valeurs qui séparent les éléments d'une série statistique en quatre groupes renfermant le même nombre d'éléments. *N.B.* Les valeurs qui séparent les éléments d'une série statistique en 10 groupes ou en 100 groupes portent respectivement le nom de **déciles** ou de **centiles**. Par extension, les termes **quartile**, **décile** ou **centile** désignent, selon le cas, chacune des quatre, dix ou cent parties, d'effectif égal, d'un **ensemble statistique** ordonné.

QUASI-REORGANIZATION
QUASI-RÉORGANISATION

(dr.) (Can.) Réorganisation volontaire et dépourvue de formalités des capitaux propres d'une société, dont l'objet est généralement l'élimination d'un déficit, que les actionnaires doivent approuver mais qu'il n'est pas nécessaire de soumettre à l'approbation du tribunal. *Comparer avec* **reorganization** 1. *V.a.* **dated retained earnings**, **recapitalization**, **reduction of capital** et **refinancing**.

QUEUING
FILE D'ATTENTE

(math.) Description mathématique du phénomène de l'attente d'une demande de service. *N.B.* L'application principale en est la recherche des moyens devant permettre, dans des circonstances définies et aléatoires, d'optimiser le service en réduisant au minimum les temps d'attente et les inconvénients qui en résultent : encombrement des guichets, goulot d'étranglement, attente des clients, durée des ruptures de stock, etc.

QUICK ASSETS
ACTIF DISPONIBLE, DISPONIBILITÉS, VALEURS DISPONIBLES ET RÉALISABLES

Encaisse, titres négociables détenus temporairement, comptes clients recouvrables dans les délais normaux et effets à recevoir à court terme. *N.B.* Les **valeurs disponibles** sont constituées des éléments les plus liquides de l'actif (fonds en caisse et dépôts bancaires) tandis que les **valeurs réalisables** comprennent généralement les créances sur la clientèle et les autres débiteurs, les prêts à moins d'un an, les effets à recevoir, les chèques et les coupons à encaisser, les titres de placement et les avances et acomptes versés aux fournisseurs. *Comparer avec* **current assets** et **liquid assets**.

QUICK RATIO
INDICE DE LIQUIDITÉ, RATIO DE TRÉSORERIE, COEFFICIENT DE LIQUIDITÉ, RATIO DE LIQUIDITÉ
Voir **acid test ratio**.

QUOTA 1.
CONTINGENT

(écon.) Plafond fixé à la production d'un bien en vue, d'une part, de maintenir l'équilibre de l'offre et de la demande dans un marché donné et, d'autre part, de stabiliser les prix au niveau souhaité. *N.B.* La fixation du plafond s'appelle **contingentement** et on parlera, par exemple, de contingentement des importations, de contingentement des étudiants, etc.

QUOTA 2.
QUOTA

(rel. de tr.) Objectif fixé par la direction de l'entreprise pour stimuler la production (par exemple un **quota de vente**) entraînant, s'il est atteint, le versement d'une prime ou l'attribution d'une récompense quelconque.

QUOTA 3.
NORME DE RENDEMENT

(rel. de tr.) Seuil moyen de production sur lequel on s'appuie pour évaluer le rendement d'une personne exerçant une fonction déterminée. *V.a.* **standards of performance**.

QUOTATION 1.
PROPOSITION (DE PRIX)

(comm.) Prix proposé par une entreprise industrielle ou commerciale à un client en réponse, le plus souvent, à une demande reçue de celui-ci. *N.B.* L'état descriptif de biens et de services établi par un fournisseur en réponse à une demande s'appelle **devis**. *V.a.* **request for quotation** et **tender**.

QUOTATION 2.
COTATION
(Bourse) Action de faire connaître le cours d'un titre ou d'une marchandise sur un marché organisé, compte tenu de l'offre et de la demande enregistrées à un moment donné pour ce titre ou cette marchandise. *V.a.* **quoted market price**.

QUOTATION 3.
COURS (DU MARCHÉ), COURS COTÉ, COURS DE BOURSE, VALEUR À LA COTE
Voir **quoted market price**.

QUOTE *v.* 1.
DONNER UN PRIX, PROPOSER UN PRIX, FAIRE UN PRIX
(comm.) Fixer un prix à l'intention d'un client.

QUOTE *v.* 2.
COTER (UN COURS)
(Bourse) Faire connaître le cours d'un titre ou d'une marchandise.

QUOTED MARKET PRICE
COURS (DU MARCHÉ), COURS COTÉ, COURS DE BOURSE, VALEUR À LA COTE
(Bourse) Prix pratiqué sur un marché international, national, régional, local pour un titre négociable dans une Bourse de valeurs, pour une monnaie, pour certains produits agricoles ou alimentaires, pour certaines matières premières, et dont la détermination est le résultat de la confrontation permanente de l'offre et de la demande, de la conjoncture économique, politique et sociale, de la politique internationale et d'autres facteurs particuliers, parfois psychologiques. *Syn.* **market** 3., **market price** 2., **market value** 2., **quotation** 3. et **quoted market value**. *V.a.* **price list** et **quotation** 2.

QUOTED MARKET VALUE
COURS (DU MARCHÉ), COURS COTÉ, COURS DE BOURSE, VALEUR À LA COTE
Voir **quoted market price**.

QUOTED SHARE
ACTION COTÉE, ACTION INSCRITE À LA COTE OFFICIELLE, ACTION INSCRITE EN BOURSE
(Bourse) Action inscrite à la cote d'une Bourse de valeurs. *N.B.* Tous les titres inscrits à la Bourse constituent ce que l'on appelle communément des **valeurs cotées** et la société qui a émis ces titres s'appelle **société cotée**. *V.a.* **listed securities** et **share** 2.

R

RAISING OF CAPITAL
OBTENTION DE CAPITAUX, MOBILISATION DE CAPITAUX
(fin.) Action, pour une société, de réunir des capitaux au moyen, le plus souvent, d'une émission d'actions ou d'obligations.

RAM
MÉMOIRE À ACCÈS SÉLECTIF, MÉMOIRE VIVE
Abrév. de **random access memory**.

RANDOM ACCESS
ACCÈS SÉLECTIF, ACCÈS DIRECT
(inf.) Mode d'exploitation d'une mémoire dans laquelle les informations sont rangées de telle sorte qu'il soit possible de les retrouver au moyen d'une adresse, sans égard à leur position sur le **support**. *Syn.* **direct access**. *Comparer avec* **sequential access**. *V.a.* **access**.

RANDOM ACCESS MEMORY (RAM)
MÉMOIRE À ACCÈS SÉLECTIF, MÉMOIRE VIVE
(inf.) Mémoire qui permet l'accès aux informations qu'elle contient et pour laquelle le temps nécessaire à l'obtention d'une information est statistiquement indépendant de l'emplacement de l'information traitée immédiatement avant. *N.B.* Une **mémoire vive** est dite aussi **mémoire effaçable** en ce sens que l'information enregistrée peut être effacée pour permettre une nouvelle écriture. *Comparer avec* **read only memory (ROM)**.

RANDOM NUMBER SAMPLING
ÉCHANTILLONNAGE FONDÉ SUR DES NOMBRES ALÉATOIRES, TIRAGE AU HASARD
(stat.) Méthode qui consiste à choisir les individus qui feront partie d'un échantillon au moyen d'une **table de nombres aléatoires** ou au moyen de nombres déterminés au hasard par l'ordinateur. *V.a.* **sampling** 1.

RANDOM SAMPLING
ÉCHANTILLONNAGE PROBABILISTE, ÉCHANTILLONNAGE ALÉATOIRE
(stat.) Méthode qui consiste à constituer un échantillon en choisissant au hasard un certain nombre d'individus faisant partie d'une population de façon à ce que tous les individus aient une chance égale de faire partie de l'échantillon. *Comparer avec* **judgment(al) sampling**. *V.a.* **sampling** 1.

RANGE
ÉTENDUE, FOURCHETTE, INTERVALLE
(stat.) Écart entre la valeur la plus faible et la valeur la plus élevée d'une série statistique.

RANGE FORECASTS
FOURCHETTE DE PRÉVISIONS, PRÉVISIONS PAR INTERVALLE
(gest.) Prévisions ou estimations situées entre deux bornes, l'une de celles-ci représentant le chiffre minimal

prévu et l'autre, le chiffre maximal. *Comparer avec* **multiple value forecasts** et **single value forecasts.** *V.a.* **forecast.**

RANGE OF MARKET PRICE
FOURCHETTE DES PRIX, FOURCHETTE DES COURS

(Bourse) Écart compris entre un prix de vente ou un cours minimal (**prix plancher**) et un autre prix de vente ou un cours maximal (**prix plafond**).

RANK JUNIOR, TO
AVOIR INFÉRIORITÉ DE RANG, ÊTRE SUBORDONNÉ À

(dr.) Pour un titre donné, avoir des droits qui doivent céder le pas à ceux dont jouissent d'autres titres.

RANK PARI PASSU, TO
AVOIR ÉGALITÉ DE RANG

(dr.) Pour un titre donné, avoir des droits de même ordre que ceux d'autres titres. *V.a.* **pari passu.**

RANK PRIOR, TO
AVOIR PRIORITÉ DE RANG, AVOIR PRIORITÉ SUR

(dr.) Pour un titre donné, avoir des droits qui ont préséance sur ceux dont jouissent d'autres titres.

RATE 1.
TAUX, TARIF

(aff.) Prix fixé par convention ou contrat ou par l'usage, par exemple un taux horaire, un tarif d'annonces, un tarif à la page, un tarif saisonnier, réduit ou préférentiel. *V.a.* **price list.**

RATE 2.
TAUX

(lang. cour.) Pourcentage ou proportion dans laquelle intervient un élément variable, par exemple un taux d'intérêt et un taux d'amortissement.

RATE OF DISCOUNT
TAUX D'ACTUALISATION, TAUX D'ESCOMPTE, TAUX DE L'ESCOMPTE

Voir **discount rate** 1. et 2.

RATE OF EXCHANGE
(TAUX DE) CHANGE, COURS DU CHANGE

Rapport du cours de la monnaie de deux pays. *N.B.* Le nombre d'unités de monnaie étrangère que l'on peut acheter avec une unité de monnaie nationale s'appelle le **certain**, tandis que l'**incertain** est la cote de change qui permet de calculer le nombre d'unités de monnaie nationale correspondant à une unité de monnaie étrangère, d'où les expressions **coter le certain** et **coter l'incertain**. *Syn.* **exchange rate.** *V.a.* **buying rate, current rate, foreign currency, foreign exchange** 1., **forward rate, historical rate, selling rate** et **spot rate.**

RATE OF INTEREST
TAUX D'INTÉRÊT

Voir **interest rate.**

RATE OF INVENTORY TURNOVER
(TAUX DE) ROTATION DES STOCKS, (COEFFICIENT DE) ROTATION DES STOCKS

Voir **inventory turnover.**

RATE OF RETURN
(TAUX DE) RENDEMENT

(fin.) Rapport entre les revenus ou produits tirés d'un capital et le capital lui-même. *V.a.* **return** 2., **return on assets** et **return on investment.**

RATE VARIANCE
ÉCART SUR TAUX
Écart entre le taux standard (ou normalisé) de rémunération de la main-d'oeuvre directe et le taux réel payé au cours d'une période donnée. *V.a.* **standard cost variances.**

RATING AGENCY
SERVICE D'INFORMATIONS FINANCIÈRES, AGENCE D'ÉVALUATION DU CRÉDIT, AGENCE DE RENSEIGNEMENTS
Voir **credit agency.**

RATIO
RATIO, RAPPORT, COEFFICIENT, INDICE
(anal. fin.) Rapport entre deux grandeurs significatives de la gestion ou de l'exploitation d'une entreprise ayant pour objet de faire ressortir leur évolution relative.

RATIO ANALYSIS
ANALYSE AU MOYEN DE RATIOS, CONTRÔLE INDICIAIRE, ANALYSE INDICIAIRE
(anal. fin.) Étude de la situation financière d'une entreprise et de son rendement au moyen de **ratios** ou d'**indices** que l'on obtient en comparant différents postes des états financiers (ou comptes annuels) ou autres éléments d'information financière. *V.a.* **accounts receivable turnover, acid test ratio**, **analysis** 1., **capital to fixed assets ratio(s), coverage** 1., **current ratio, debt ratio(s), dividend coverage ratio, dividend payout ratio, financial ratio, fixed assets turnover, gross profit ratio, horizontal analysis, interest coverage ratio, inventory turnover, net profit ratio, operating ratio, operating ratios, price-earnings ratio, profit-volume ratio** et **vertical analysis.**

RAW LAND
TERRAIN EN FRICHE, TERRAIN VAGUE
(lang. cour.) **Terrain non bâti**, non viabilisé et qui généralement n'a même pas encore fait l'objet d'un **lotissement**. *V.a.* **vacant land.**

RAW MATERIALS
MATIÈRES PREMIÈRES
(prod.) Matières à l'état brut que le travail ou la machine n'a pas encore transformées. *N.B.* Par extension, le terme **matières premières** désigne tous les objets ou matières susceptibles d'être incorporés aux produits traités ou fabriqués. *Comparer avec* **direct materials**. *V.a.* **materials, material price variance, material usage variance** et **material variance.**

RAW MATERIAL PRICE VARIANCE
ÉCART SUR PRIX DES MATIÈRES, ÉCART DE PRIX SUR LES MATIÈRES
Voir **material price variance.**

RAW MATERIAL USAGE VARIANCE
ÉCART SUR QUANTITÉ DES MATIÈRES, ÉCART DE QUANTITÉ SUR LES MATIÈRES
Voir **material usage variance.**

RAW MATERIAL VARIANCE
ÉCART SUR MATIÈRES
Voir **material variance.**

R & D EXPENSES
FRAIS DE RECHERCHE ET DE DÉVELOPPEMENT
Abrév. de **research and development expenses.**

REACQUIRED SHARE *(fam.)*
ACTION RACHETÉE
Voir **acquired share.**

READER
LECTEUR

(inf.) **Appareil périphérique** permettant d'introduire des informations dans un ordinateur, à partir d'un **support** extérieur. *N.B.* Les principaux lecteurs sont les lecteurs de bandes, les lecteurs de cartes perforées, les lecteurs de documents, les lecteurs magnétiques et les lecteurs optiques. *V.a.* **optical reader**.

READ ONLY MEMORY (ROM)
MÉMOIRE MORTE, MÉMOIRE FIXE

(inf.) Mémoire dans laquelle des informations ont été enregistrées et dont le contenu ne peut être modifié en usage normal. *Comparer avec* **random access memory (RAM)**.

REAL ACCOUNTS
COMPTES DE BILAN, COMPTES DE VALEURS, COMPTES DE SITUATION, COMPTES PERMANENTS

Comptes ayant pour objet de constater les mouvements des divers éléments du patrimoine de l'entreprise. *N.B.* Les **comptes de valeurs** comprennent les comptes d'actif, de passif et de capitaux propres. *Syn.* **balance sheet accounts** et **permanent accounts**. *Comparer avec* **nominal accounts**.

REAL COST
COÛT RÉELLEMENT ENGAGÉ, COÛT RÉEL

Voir **actual cost**.

REAL ESTATE
BIENS IMMOBILIERS, BIENS-FONDS

(lang. cour.) **Propriétés foncières et immobilières** telles que les terrains, les bâtiments, le bois sur pied et les vergers. *Syn.* **real property**. *Comparer avec* **chattel** et **personal property**.

REAL ESTATE BROKER
COURTIER EN IMMEUBLES, AGENT IMMOBILIER

(prof.) Personne qui reçoit mandat de négocier et éventuellement de conclure un contrat d'achat ou de vente d'un bien-fonds.

REAL ESTATE COMPANY
SOCIÉTÉ IMMOBILIÈRE

(écon.) Société dont les activités principales sont la construction, la location, la vente et l'acquisition d'immeubles.

REAL ESTATE CREDIT
CRÉDIT IMMOBILIER, CRÉDIT FONCIER

(fin.) Crédit destiné à financer une opération immobilière (construction, acquisition, entretien d'un bien immobilier).

REAL ESTATE DEVELOPER
PROMOTEUR (IMMOBILIER)

(prof.) Personne ou société qui assure la mise en valeur de biens immobiliers. *Syn.* **developer**. *V.a.* **promoter**.

REAL ESTATE INVESTMENT TRUST (REIT)
FIDUCIE DE PLACEMENT IMMOBILIER, FIDUCIE D'INVESTISSEMENT IMMOBILIER

(fin. et fid.) Entreprise non constituée en société qui sert d'**intermédiaire financier** dans des opérations portant sur des immeubles et des hypothèques. *V.a.* **investment company** 2.

REAL ESTATE TAX
IMPÔT FONCIER, CONTRIBUTION IMMOBILIÈRE, IMPÔT IMMOBILIER

Voir **property tax**.

REALIZABLE VALUE
VALEUR DE RÉALISATION
(comm.) Valeur marchande d'un bien, d'un article en stock, c'est-à-dire le prix que l'on pourrait tirer de ce bien ou de cet article s'il faisait l'objet d'une vente au jour considéré. *V.a.* **marketable security**.

REALIZATION ACCOUNT
COMPTE DE LIQUIDATION, COMPTE DE RÉALISATION, BILAN DE CLÔTURE DE LIQUIDATION
Compte dans lequel on inscrit, lors de la liquidation d'une succession ou d'une entreprise, le produit de la vente des éléments de l'actif et leur valeur comptable de manière à faire ressortir le gain ou la perte résultant de la liquidation. *V.a.* **dissolution** et **liquidation** 3.

REALIZATION AND LIQUIDATION, STATEMENT OF
ÉTAT (DE RÉALISATION ET) DE LIQUIDATION
Voir **statement of realization and liquidation**.

REALIZATION PRINCIPLE
PRINCIPE DE RÉALISATION
Principe comptable qui consiste à ne constater un produit (ou, par extension, une charge) et, par voie de conséquence, un profit qu'au moment où l'entreprise a effectué une opération avec un tiers, ce qui entraîne un échange de biens ou de services. *V.a.* **accounting principles** 2.

REALIZE
RÉALISER
(lang. cour.) Transformer un bien en argent ou en actif liquide en le vendant à un tiers. *V.a.* **liquidation** 2.

REALIZED 1.
RÉALISÉ
(lang. cour.) Se dit d'un bien qui a été converti en espèces.

REALIZED 2.
RÉALISÉ, MATÉRIALISÉ, GAGNÉ, ACQUIS
Se dit d'un produit d'exploitation, d'un profit ou d'un gain provenant d'une opération qui donne lieu à une augmentation des capitaux propres ou, dans un sens plus restreint, à une augmentation des liquidités. *Syn.* **earned**. *Comparer avec* **unrealized** 1. et 2. *V.a.* **gain** et **paper profit**.

REALIZED 3.
MATÉRIALISÉE, SUBIE
Se dit d'une perte provenant d'une opération qui donne lieu à une diminution des capitaux propres ou, dans un sens plus restreint, à une diminution des liquidités. *Comparer avec* **unrealized** 3.

REALIZED EXCHANGE GAINS OR LOSSES
DIFFÉRENCES DE CHANGE MATÉRIALISÉES, GAINS OU PERTES DE CHANGE MATÉRIALISÉS
Gains ou pertes résultant du règlement de sommes à recevoir ou à payer en monnaie étrangère, ou de l'échange de devises à un cours différent de celui auquel ces sommes avaient été comptabilisées ou ces devises acquises. *Comparer avec* **unrealized exchange gains or losses**. *V.a.* **foreign exchange gain** et **foreign exchange loss**.

REAL PROPERTY
BIENS IMMOBILIERS, BIENS-FONDS
Voir **real estate**.

REAL TIME
EN DIRECT, EN TEMPS RÉEL
(inf.) Mode de fonctionnement d'un système dans lequel la réception d'informations, en provenance d'un milieu extérieur, demande une réponse nécessaire à la poursuite du travail.

REAL TIME PROCESSING
TRAITEMENT EN TEMPS RÉEL, TRAITEMENT DIRECT

(inf.) Système dans lequel l'ordinateur traite immédiatement les données saisies sur le lieu de travail, de sorte que la sortie des résultats suit de très près l'entrée des données, ce qui permet une action utile sur l'évolution de la situation décrite par les données d'entrée. *N.B.* Ce genre de traitement exige une **saisie en direct** et le plus souvent une **sortie sur écran**. *V.a.* **data processing** 2.

REARRANGEMENT COSTS
FRAIS DE RÉAMÉNAGEMENT

Frais résultant de l'aménagement des installations, souvent en un autre lieu, en vue d'en améliorer le rendement, et que l'entreprise peut capitaliser en les ajoutant au coût des biens en cause au même titre que leur coût d'acquisition. *Syn.* **plant rearrangement costs**.

REASONABLE ASSURANCE
DEGRÉ RAISONNABLE DE CERTITUDE, DEGRÉ RAISONNABLE DE CONVICTION

(E.C.) Assurance qu'a le vérificateur (ou réviseur), au terme de son travail, que l'opinion qu'il porte sur les comptes soumis à son examen est justifiée. *V.a.* **audit assurance** 1.

REASONABLENESS (TEST OF)
TEST DE (LA) COHÉRENCE, CONTRÔLE DE (LA) VRAISEMBLANCE

(E.C.) Test effectué par l'expert-comptable, lors d'une mission de vérification (ou révision), en vue d'acquérir une certaine assurance qu'il existe un lien logique entre des données.

REASSESSMENT NOTICE
AVIS DE NOUVELLE COTISATION, AVIS DE COTISATION SUPPLÉMENTAIRE

(fisc. can.) Avis sur lequel figure le **complément d'impôt** exigé du contribuable par l'Administration fiscale. *N.B.* En France, cet avis porte le nom de **redressement**. *V.a.* **additional tax assessment** et **notice of assessment**.

REBATE
RABAIS, REMISE

(comm.) Toute diminution spontanée ou négociée sur un prix proposé ou facturé. *N.B.* La vente qui comporte une réduction de prix pour tenir compte d'une diminution de la valeur commerciale d'un produit (défaut de qualité, défaut de conformité des objets vendus, objets démodés, etc.) s'appelle **vente au rabais**. *V.a.* **discount** *n.* 1. et **sale** 2.

RECAPITALIZATION
REFONTE DE CAPITAL, REMANIEMENT DE CAPITAL, RESTRUCTURATION DU CAPITAL

(fin.) Changement apporté à la composition du capital d'une société et dont l'effet est de modifier la nature et le montant des diverses classes d'actions et d'autres éléments des capitaux propres sans toutefois changer la valeur comptable des éléments de l'actif. *Comparer avec* **refinancing**. *V.a.* **quasi-reorganization**, **reduction of capital** et **reorganization** 1.

RECAPTURE OF DEPRECIATION
RÉCUPÉRATION D'AMORTISSEMENT

(fisc. can.) Excédent imposable du prix de vente d'une immobilisation amortissable sur la fraction non amortie du *coût en capital* de cette immobilisation au moment de sa cession.

RECEIPT 1.
ENCAISSEMENT, RENTRÉE DE FONDS, RENTRÉE D'ARGENT, RECETTE

Rentrée d'argent dans l'entreprise provenant d'opérations d'exploitation (ventes notamment), d'opérations connexes (produits accessoires et produits financiers) et d'opérations hors exploitation (augmentation de capital et emprunts). *N.B.* Dans le langage courant, le total des sommes qu'une entreprise reçoit dans un laps de temps donné porte le nom de **recette**, par exemple la recette de la journée, la recette du mois. *Comparer avec* **disbursement**. *V.a.* **cash receipts journal**.

RECEIPT 2.

RÉCEPTION

(comm.) Action, pour une entreprise, de recevoir les marchandises qu'elle a commandées.

RECEIPT 3.

REÇU, QUITTANCE, RÉCÉPISSÉ

(dr.) Écrit par lequel une personne reconnaît avoir reçu quelque chose (une somme d'argent, des marchandises, des services ou tout autre bien). *N.B.* La **quittance** est un **acte sous seing privé** par laquelle le créancier déclare le débiteur quitte envers lui alors que le **récépissé** est un document par lequel on reconnaît avoir reçu en dépôt des objets, de l'argent ou des marchandises. Le **reçu** remis à la personne qui a déposé provisoirement des bagages dans une gare s'appelle **bulletin de consigne**. *V.a.* **acknowledgement of receipt**.

RECEIPTS AND DISBURSEMENTS, STATEMENT OF

ÉTAT DE CAISSE, (ÉTAT DES) ENCAISSEMENTS ET DÉCAISSEMENTS, (ÉTAT DES) RENTRÉES ET
    SORTIES DE FONDS

Voir **statement of receipts and disbursements**.

RECEIVABLES

DÉBITEURS, CRÉANCES, (COMPTES) CLIENTS

Voir **accounts receivable**.

RECEIVABLE FROM

CRÉANCE SUR

(lang. cour.) Somme à recouvrer par l'entreprise au titre de marchandises qu'elle a vendues, de services qu'elle a rendus, de prêts qu'elle a consentis, etc.

RECEIVABLES TURNOVER

(TAUX DE) ROTATION DES COMPTES CLIENTS, (COEFFICIENT DE) ROTATION DES COMPTES
    CLIENTS

Voir **accounts receivable turnover**.

RECEIVER 1.

RÉCEPTIONNAIRE

Voir **receiving clerk**.

RECEIVER 2.

SYNDIC, ADMINISTRATEUR JUDICIAIRE (Fr.), SÉQUESTRE (Can. et Belg.)

(dr.) Mandataire désigné par le tribunal ou par les créanciers et dont la responsabilité est de prendre soin de biens jusqu'à ce que le débiteur s'acquitte de ses dettes. *N.B.* En Belgique, on nomme parfois un **expert-gardien** dont la seule fonction est de garder les biens saisis ou faisant l'objet d'un litige. Contrairement à la faillite, la nomination d'un **séquestre** ne modifie pas la capacité civile du propriétaire. *V.a.* **official receiver** et **trustee in bankruptcy**.

RECEIVERSHIP, IN

EN FAILLITE

(dr. can.) Statut juridique d'un débiteur insolvable après l'émission d'une **ordonnance de séquestre** contre lui. *N.B.* On dit alors des biens de ce débiteur qu'ils sont **sous séquestre**.

RECEIVING CLERK

RÉCEPTIONNAIRE

(org. de l'entr.) Personne qui, dans une entreprise, assure la réception de marchandises et en vérifie la nature, la qualité et la quantité. *Syn.* **receiver** 1.

RECEIVING DEPARTMENT

SERVICE DE LA RÉCEPTION

(org. de l'entr.) Service dont la fonction est de recevoir les marchandises commandées par l'entreprise et d'en assurer le contrôle qualitatif et quantitatif.

RECEIVING ORDER
ORDONNANCE DE SÉQUESTRE

(dr. can.) Ordonnance du tribunal, prononcée en vertu de la Loi sur la faillite, à la suite du dépôt d'une pétition par un ou plusieurs créanciers, décrétant que le débiteur a fait faillite. *N.B.* L'ordonnance de même nature s'appelle en France **jugement déclaratif**.

RECEIVING REPORT
BORDEREAU DE RÉCEPTION, BULLETIN DE RÉCEPTION, BON DE RÉCEPTION

Voir **receiving slip**.

RECEIVING SLIP
BORDEREAU DE RÉCEPTION, BULLETIN DE RÉCEPTION, BON DE RÉCEPTION

(comm.) Document émanant du service de la réception sur lequel figure la description des marchandises reçues. *Syn.* **receiving report**. *V.a.* **slip**.

RECIPIENT
BÉNÉFICIAIRE, DESTINATAIRE, DONATAIRE, PRESTATAIRE

(lang. cour.) Personne qui reçoit quelque chose, par exemple le **bénéficiaire** d'un chèque, le **destinataire** d'une lettre, un **donataire** (celui qui reçoit un don) et un **prestataire** (celui qui bénéficie d'une prestation). *V.a.* **annuitant**.

RECIPROCAL ACCOUNTS 1.
COMPTES RÉCIPROQUES

Comptes figurant respectivement dans les livres de deux entreprises distinctes et dont les soldes sont égaux mais opposés, par exemple le compte Banque tenu par l'entreprise et le compte en banque de cette dernière dans les livres de la banque. *V.a.* **reconciliation of accounts**.

RECIPROCAL ACCOUNTS 2.
COMPTES DE LIAISON

Comptes ouverts par les entreprises qui ont des succursales ou établissements tenant des comptabilités distinctes, en vue de recevoir les écritures destinées à assurer les liaisons indispensables entre ces comptabilités et la comptabilité centrale. *V.a.* **intercompany accounts**.

RECIPROCAL SHAREHOLDING
PARTICIPATION CROISÉE, PARTICIPATION RÉCIPROQUE

(fin.) Prises de participation réciproques de deux sociétés l'une dans l'autre, l'une possédant une fraction des actions de l'autre et réciproquement. *N.B.* Cette pratique qui tend à constituer deux entreprises à partir d'un seul capital diminue la garantie offerte aux tiers et, pour cette raison, est dans certains cas interdite en France. Ainsi une société par actions (A) ne peut posséder les actions d'une autre société (B) si celle-ci détient une fraction des actions de A supérieure à 10%. Une société qui détient indirectement ses propres actions est en **situation d'autocontrôle**. *Syn.* **intercompany holding**.

RECOGNIZE
COMPTABILISER, CONSTATER

Enregistrer une opération dans les livres et, dans un sens plus restreint, inscrire un élément à titre de produit ou de charge de l'exercice en cours. *V.a.* **account for** 1.

RECONCILIATION OF ACCOUNTS
RAPPROCHEMENT DE COMPTES

Comparaison faite entre deux **comptes réciproques** visant à constater la concordance de leur solde ou, le cas échéant, à mettre en évidence les écritures empêchant ces deux comptes (par exemple le compte Banque dans les livres d'une entreprise et le compte en banque de cette dernière dans les livres de la banque) d'avoir un solde identique. *N.B.* L'état établi périodiquement en vue de vérifier la concordance de deux comptes réciproques dont le solde peut différer en raison d'erreurs, d'omissions ou de l'enregistrement des mêmes opérations à des dates différentes dans deux comptabilités distinctes est connu sous le nom de **état de rapprochement**. En pratique, l'expression **état de rapprochement** désigne plus particulièrement le document permettant de vérifier la concordance entre le compte Banque tenu par une entreprise et le relevé bancaire reçu périodiquement de la banque. Pour les autres comptes réciproques, la vérification de leur concordance est généralement établie par la procédure dite de **confirmation**, ce qui n'exclut pas, en cas de discordance, l'établissement d'un état de rapprochement. Au Canada, au lieu de parler de rapprochement, on utilise généralement le terme *conciliation* et en Belgique, le terme *réconciliation*. *V.a.* **bank reconciliation**, **cut-off bank reconciliation** et **reciprocal accounts** 1.

RECORD *v.*
ENREGISTRER, INSCRIRE, COMPTABILISER, PASSER (UNE ÉCRITURE)
Voir **enter**.

RECORD *n.* 1.
LIVRE, REGISTRE, JOURNAL
Livre dans lequel le comptable note les opérations effectuées par l'entreprise. *Syn.* **register** *n. V.a.* **book of original entry** et **ledger**.

RECORD *n.* 2.
DOCUMENT
(lang. cour.) Tout écrit ou enregistrement susceptible d'être utilisé pour consultation, étude ou preuve.

RECORD *n.* 3.
ENREGISTREMENT, ARTICLE
(inf.) Ensemble de données reliées logiquement entre elles et inscrites dans un **support de mémoire**. *N.B.* Cet ensemble peut comporter plusieurs zones qui comprennent chacune un certain nombre de caractères.

RECORDS
REGISTRES (ET PIÈCES) COMPTABLES, LIVRES COMPTABLES, DOCUMENTS COMPTABLES
Voir **accounting records**.

RECORD DATE
DATE DE CLÔTURE DES REGISTRES
(fin.) Date choisie par le conseil d'administration, à laquelle les détenteurs de titres (généralement des actions) doivent être inscrits dans les registres de la société émettrice pour avoir le droit de toucher des dividendes, de souscrire à une nouvelle émission d'actions, de voter, etc. *Syn.* **date of record**. *Comparer avec* **declaration date** et **date of payment (of a dividend)**. *V.a.* **holder of record** et **registered shareholder**.

RECORD OF SERVICE
ÉTATS DE SERVICE, EXPÉRIENCE (DE SERVICE)
(rel. de tr.) Liste énumérative des différents emplois qu'un employé a occupés à l'intérieur d'une même entreprise.

RECOVERY 1.
RECOUVREMENT
(dr.) Action, pour quelqu'un, de rentrer en possession d'un bien qui lui appartient, d'une somme qui lui est due, par exemple une créance.

RECOVERY 2.
REPRISE
(écon.) Le fait, pour l'économie ou pour les affaires, de prendre un nouvel essor après un moment d'arrêt ou de crise.

RECURRING *adj.*
RÉCURRENT, SUSCEPTIBLE DE SE RÉPÉTER, RÉPÉTITIF
Se dit d'un événement ou d'une opération qui se produit régulièrement au cours d'un certain nombre d'exercices. *Comparer avec* **non-recurring** *adj.*

REDEEM
REMBOURSER (DES OBLIGATIONS), RACHETER (DES ACTIONS), AMORTIR

(fin.) Le fait, pour la société émettrice, de retirer des titres en circulation à une date et à un prix stipulés, le plus souvent, dans le contrat d'émission.

REDEEMABLE BOND
OBLIGATION REMBOURSABLE PAR ANTICIPATION, OBLIGATION REMBOURSABLE À VUE
Voir **callable bond**.

REDEEMABLE SHARE
ACTION RACHETABLE, ACTION AMORTISSABLE

(fin.) Action que la société émettrice peut racheter ou amortir à son gré, conformément aux conditions stipulées dans ses statuts ou son acte de constitution. *N.B.* En France et en Belgique, l'**amortissement du capital social** consiste en un remboursement partiel ou total aux actionnaires avant la date de liquidation. Cet amortissement s'effectue en vertu d'une disposition statutaire ou d'une décision de l'assemblée générale extraordinaire et au moyen des bénéfices ou réserves, à l'exclusion de la réserve légale. Les **actions** intégralement **amorties** sont dites **actions de jouissance** par opposition aux **actions de capital** qui représentent une part réelle du capital social. *Comparer avec* **acquired share**. *V.a.* **share** 2.

REDEEMABLE STOCK
*CAPITAL-ACTIONS RACHETABLE (Can.), ACTIONS RACHETABLES, CAPITAL-ACTIONS
    AMORTISSABLE (Can.), ACTIONS AMORTISSABLES*

(fin.) Type d'actions pouvant être rachetées ou amorties au gré de la société émettrice conformément aux conditions stipulées dans ses statuts ou son acte de constitution. *V.a.* **capital stock**.

REDEEMED SHARE
ACTION RACHETÉE, ACTION AMORTIE

(fin.) Action qu'une société a rachetée ou amortie conformément aux conditions prévues au moment de l'émission. *N.B.* La loi exige généralement qu'une action rachetée soit annulée. *Comparer avec* **acquired share**. *V.a.* **share** 2.

REDEMPTION
REMBOURSEMENT, RACHAT

(fin.) Retrait, par la société émettrice, de titres en circulation à une date et à un prix stipulés dans le contrat d'émission de ces titres. *N.B.* L'extinction d'une dette selon un **plan d'amortissement** prévoyant une répartition des paiements sur un ou plusieurs exercices est connue sous le nom de **amortissement financier**. *V.a.* **amortization table** 1.

REDEMPTION FUND *(vieilli)*
FONDS D'AMORTISSEMENT, CAISSE D'AMORTISSEMENT, FONDS DE REMBOURSEMENT
Voir **sinking fund**.

REDEMPTION OF A MORTGAGE 1.
REMBOURSEMENT D'UN EMPRUNT HYPOTHÉCAIRE

(fin.) Règlement d'un emprunt hypothécaire par le débiteur qui rembourse intégralement au créancier la somme empruntée.

REDEMPTION OF A MORTGAGE 2.
PURGE D'HYPOTHÈQUE, EXTINCTION D'HYPOTHÈQUE

(dr.) Dégrèvement d'un immeuble de l'hypothèque qui constituait la garantie offerte par un débiteur à son créancier. *N.B.* D'une manière générale, l'autorisation de disposer à nouveau d'un bien ou d'un droit dont l'usage avait été suspendu est connue sous le nom de **mainlevée** et on parlera, dans le cas d'un immeuble, de **mainlevée d'hypothèque**. Le terme **mainlevée** désigne aussi l'autorisation donnée au déclarant par le vérificateur des douanes d'enlever les marchandises pour les affecter à la destination prévue dans la déclaration. *Syn.* **release of a mortgage**. *V.a.* **mortgage** *n.* 1. et **pay-off a mortgage**.

REDEMPTION PREMIUM
PRIME DE REMBOURSEMENT
(fin.) Somme ajoutée à la valeur nominale d'un titre (le plus souvent une obligation) au moment de son remboursement. *N.B.* Au Canada, une société ne verse généralement une prime à ses obligataires que si le remboursement se fait avant la date d'échéance. En France et en Belgique, la société émettrice peut, dès la date d'émission, s'engager, en période de **dépréciation monétaire**, à verser à l'échéance aux obligataires une somme supérieure à la valeur nominale des obligations, ce qui a pour effet d'augmenter le taux d'intérêt effectif des emprunts obligataires. *V.a.* **call premium**.

REDEMPTION PRICE
PRIX DE REMBOURSEMENT, VALEUR DE REMBOURSEMENT, PRIX DE RACHAT, VALEUR DE RACHAT
(fin.) Somme versée par une société lors du remboursement de ses obligations ou du rachat de ses actions. *Syn.* **call price** et **redemption value**.

REDEMPTION TABLE
TABLEAU D'AMORTISSEMENT, PLAN D'AMORTISSEMENT, TABLEAU DE REMBOURSEMENT
Voir **amortization table** 1.

REDEMPTION VALUE
PRIX DE REMBOURSEMENT, VALEUR DE REMBOURSEMENT, PRIX DE RACHAT, VALEUR DE RACHAT
Voir **redemption price**.

RED-HERRING PROSPECTUS *(fam.)*
PROSPECTUS PRÉLIMINAIRE, PROSPECTUS PROVISOIRE
Voir **preliminary prospectus**.

REDISCOUNT
RÉESCOMPTE
(fin. et écon.) Opération par laquelle une banque fait escompter auprès d'une autre banque, en général la Banque centrale, un effet qu'elle avait elle-même escompté. *N.B.* Le **réescompte** par la Banque centrale permet, selon qu'il est plus ou moins important, d'agir sur le **volume du crédit** et la **masse monétaire**.

REDUCING BALANCE METHOD (OF DEPRECIATION)
(MÉTHODE DE L')AMORTISSEMENT DÉGRESSIF (À TAUX CONSTANT),
   (MÉTHODE DE L')AMORTISSEMENT DÉCROISSANT (À TAUX CONSTANT)
Voir **diminishing balance method of (depreciation)**.

REDUCTION IN VALUE
MOINS-VALUE, PERTE DE VALEUR, DÉPRÉCIATION
Voir **loss in value**.

REDUCTION OF CAPITAL
RÉDUCTION DU CAPITAL
(dr. et fin.) Opération consistant à diminuer (en conformité avec les lois sur les sociétés) le montant du capital d'une société soit en remboursant une partie de ce capital aux actionnaires, soit en procédant à un **assainissement de la situation financière** de l'entreprise par l'élimination d'un **déficit** à même son capital. *N.B.* En France et en Belgique, le procédé qui consiste à réduire le capital de manière à diminuer (ou à résorber totalement) un déficit pour ensuite procéder à une augmentation de capital en numéraire est connu familièrement sous le nom de **coup d'accordéon**. *V.a.* **quasi-reorganization**, **recapitalization**, **refinancing** et **reorganization** 1.

REFERENCE 1.
RENVOI
Marque invitant le lecteur des états financiers (ou comptes annuels) à consulter une note explicative ou un tableau les accompagnant.

REFERENCE 2.
RÉFÉRENCE
(comm.) Numéro ou signe distinctif servant à identifier un document, placé en tête d'une lettre et que le correspondant est prié de rappeler sur toute correspondance ultérieure. *V.a.* **label** 3.

REFERENCE 3.
RÉFÉRENCES
(lang. cour.) Attestation de personnes auxquelles on peut s'en rapporter pour avoir des renseignements sur quelqu'un qui cherche un emploi, propose une affaire, etc.

REFINANCING
REFINANCEMENT (DE L'ENTREPRISE)
(fin.) Changement apporté à la composition des capitaux permanents d'une société et dont l'objet est de modifier la nature et le montant des diverses dettes ou titres d'emprunt, et parfois du capital social et d'autres éléments des capitaux propres, sans toutefois changer la valeur comptable des éléments de l'actif. *N.B.* En France et en Belgique, le terme **refinancement** est un terme bancaire qui recouvre les ressources (autres que les dépôts) permettant aux banques de couvrir les prêts qu'elles consentent. *Comparer avec* **recapitalization**. *V.a.* **quasi-reorganization**, **reduction of capital** et **reorganization** 1.

REFUND
REMBOURSEMENT
Voir **reimbursement**.

REFUNDING
REFINANCEMENT (D'UNE DETTE)
(fin.) Remplacement d'une dette par une autre qui échoit habituellement à une date ultérieure. *N.B.* Le plus souvent, le **refinancement** a lieu parce que les frais financiers afférents à l'ancienne dette sont plus élevés que ceux de la nouvelle dette en raison particulièrement des taux d'intérêt qui ont baissé depuis la date où la Société a contracté la dette qu'elle a décidé de refinancer. *V.a.* **bond refunding**.

REGISTER *n.*
LIVRE, REGISTRE, JOURNAL
Voir **record** *n.* 1.

REGISTER *v.* 1.
ENREGISTRER, INSCRIRE, COMPTABILISER, PASSER (UNE ÉCRITURE)
Voir **enter**.

REGISTER *v.* 2.
(FAIRE) ENREGISTRER
(dr.) Porter ou faire porter sur un registre public, le plus souvent moyennant la perception d'un **droit fiscal**, des actes ou des déclarations, en vue d'en constater l'existence et leur conférer une date certaine. *V.a.* **registration** 1.

REGISTERED BOND
OBLIGATION NOMINATIVE, OBLIGATION IMMATRICULÉE
(fin.) Obligation individualisée par la mention du nom de son propriétaire (lequel figure également sur un registre) et transmissible seulement moyennant l'accomplissement de certaines formalités. *V.a.* **bond** 1.

REGISTERED HOME OWNERSHIP SAVINGS PLAN (RHOSP)
RÉGIME ENREGISTRÉ D'ÉPARGNE-LOGEMENT (R.E.É.L.)
(fisc. can.) Régime permettant à un particulier de réduire son revenu imposable tout en lui facilitant l'achat d'une maison. *N.B.* En français, il serait plus juste de donner à ce régime le nom de **régime d'épargne-logement agréé**. Le terme **épargne-logement** s'emploie en France pour décrire un système d'épargne bancaire destiné à faciliter l'accession à la propriété immobilière.

REGISTERED MAIL
COURRIER RECOMMANDÉ

(lang. cour.) Lettre ou colis dont on veut assurer le bon acheminement en payant une somme supplémentaire au service postal.

REGISTERED PENSION PLAN (RPP)
RÉGIME DE RETRAITE AGRÉÉ

(rentes) Régime de retraite ayant reçu d'un organisme d'État l'autorisation d'existence et de fonctionnement. *N.B.* Au Canada, ce type de régime est connu officiellement sous le nom de **régime *enregistré* de retraite**.

REGISTERED RETIREMENT SAVINGS PLAN (RRSP)
RÉGIME ENREGISTRÉ D'ÉPARGNE-RETRAITE (R.E.É.R.)

(fisc. can.) Régime permettant à un particulier de réduire son revenu imposable tout en lui facilitant le placement de sommes en vue de retirer à sa retraite des prestations imposables. *N.B.* En français, il serait plus juste de donner à ce régime le nom de **régime d'épargne-retraite agréé**.

REGISTERED SECURITY
TITRE NOMINATIF, VALEUR NOMINATIVE

(fin.) Action ou obligation émise par une société ou une collectivité et dont le nom du titulaire figure à la fois sur le titre et sur les registres de la société. La cession d'un titre nominatif s'opère, après endossement par son titulaire, par le **transfert**, c'est-à-dire par l'inscription sur le registre de la société émettrice du nom du cessionnaire, avec radiation du nom du cédant. *N.B.* Le titre nominatif quant au capital, et au porteur quant aux intérêts, est parfois appelé un **titre mixte**. En Belgique et en France, certaines valeurs nominatives ne sont pas représentées par un titre mais uniquement par l'inscription des parts nominatives sur un registre comme dans le cas, par exemple, des sociétés de personnes à responsabilité limitée et des sociétés à responsabilité limitée. *Comparer avec* **bearer security**. *V.a.* **share certificate**.

REGISTERED SHAREHOLDER
ACTIONNAIRE INSCRIT, ACTIONNAIRE IMMATRICULÉ

(fin.) Actionnaire dont le nom figure dans le **registre des actionnaires** à une date précise. *Syn.* **shareholder of record**. *V.a.* **record date**.

REGISTERED TRADEMARK
MARQUE DÉPOSÉE

(dr.) Marque ayant fait l'objet d'un **dépôt légal** pour s'assurer de la protection juridique attachée à cette formalité. *V.a.* **legal deposit** et **trademark**.

REGISTRAR
AGENT COMPTABLE DES REGISTRES, PRÉPOSÉ AUX REGISTRES

(Bourse) Employé ou mandataire d'une société dont la tâche est de tenir le registre des actionnaires ou des obligataires. *N.B.* Le **préposé aux registres** reçoit, de l'agent des transferts, l'ancien et le nouveau certificat, il signe ce dernier et il vérifie le travail fait par l'**agent des transferts** afin d'éviter plus particulièrement que le nombre d'actions ou d'obligations en circulation soit plus élevé que le nombre de titres émis. *Comparer avec* **transfer agent**.

REGISTRAR OF MORTGAGES
CONSERVATEUR DES HYPOTHÈQUES

(dr.) Fonctionnaire chargé de l'enregistrement et de la publication des hypothèques.

REGISTRATION 1.
ENREGISTREMENT, IMMATRICULATION

(dr.) Inscription, sur un registre officiel, d'un acte, d'une chose ou du nom d'une personne. *V.a.* **register** *v.* 2.

REGISTRATION 2.
AGRÉMENT

(dr.) Le fait, pour l'autorité compétente, de se prononcer favorablement sur l'existence et le fonctionnement d'un régime (notamment un régime de retraite) qui correspond aux normes. *Comparer avec* **deregistration** 1.

REGISTRATION FEES
DROITS D'ENREGISTREMENT
(dr.) Dans certains pays, impôts prélevés lors de certaines opérations assujetties à la formalité de l'enregistrement (achat de biens fonciers, cession d'actions, etc.).

REGRESSION ANALYSIS
ANALYSE DE RÉGRESSION
(stat.) Méthode statistique servant à estimer ou à prédire la valeur d'une variable (la **variable dépendante**) en se fondant sur la valeur d'une ou de plusieurs autres variables (les **variables indépendantes**). *V.a.* **analysis** 1., **dependent variable** et **independent variable**.

REGRESSIVE TAX
IMPÔT DÉGRESSIF
(fisc.) Impôt calculé au moyen d'un pourcentage plus faible de l'**assiette d'imposition** au fur et à mesure qu'elle s'accroît. *Comparer avec* **progressive tax** et **proportional tax**.

REGULAR HOURS
HEURES NORMALES
(rel. de tr.) Heures pendant lesquelles le personnel doit travailler au **tarif normal** par opposition aux heures supplémentaires qui donnent droit à une **majoration du taux horaire de rémunération**. *Comparer avec* **overtime**.

REGULAR STAFF
PERSONNEL PERMANENT
(rel. de tr.) Personnel travaillant à temps plein pour l'entreprise, par opposition au **personnel temporaire** ou au **personnel occasionnel**. *Syn.* **full time staff**. *Comparer avec* **casual employee**.

REGULATED ENTERPRISE
ENTREPRISE À TARIFS RÉGLEMENTÉS
(org. des entr.) **Entreprise de services publics** dont la tarification doit être soumise à l'approbation de l'Administration publique.

REGULATORY AGENCY
ORGANISME DE RÉGULATION (Can.), ORGANISME DE RÉGLEMENTATION, ORGANISME
    D'INTERVENTION (Fr.)
(dr.) Organisme ayant le pouvoir de formuler des règles générales assorties ou non de sanctions auxquelles sont assujetties certaines catégories d'entreprises. *N.B.* Dans le domaine des valeurs mobilières, cet organisme s'appelle la *Commission des opérations de Bourse* en France, la *Commission bancaire* en Belgique et la *Commission des valeurs mobilières* au Québec.

REIMBURSEMENT
REMBOURSEMENT
(fin.) Action, pour l'emprunteur, de remettre à un prêteur l'argent que ce dernier lui a avancé. *Syn.* **refund** et **repayment**.

REINSURANCE
RÉASSURANCE
(ass.) Opération consistant, pour un assureur qui a conclu un contrat d'assurance avec un client, à se protéger lui-même d'une partie ou parfois de la totalité des risques assumés en se faisant assurer à son tour par un ou plusieurs autres assureurs dans des conditions fixées par contrat. *N.B.* La partie d'un risque que l'assureur garde à sa charge sans le céder au réassureur avec lequel il est lié par contrat porte le nom de **rétention**. *Comparer avec* **co-insurance** 2. *V.a.* **insurance**.

REINVESTED EARNINGS
BÉNÉFICES NON RÉPARTIS, BÉNÉFICES NON DISTRIBUÉS, BÉNÉFICES RÉINVESTIS
Voir **retained earnings**.

REIT
FIDUCIE DE PLACEMENT IMMOBILIER, FIDUCIE D'INVESTISSEMENT IMMOBILIER
Abrév. de **real estate investment trust**.

REJECT
PIÈCE REJETÉE, PIÈCE REFUSÉE, ARTICLE REJETÉ, ARTICLE REFUSÉ
(prod.) Pièce ou article qui n'a pas les qualités requises, qui présente des imperfections, des défauts et qui fait l'objet d'un rejet à la suite d'un contrôle de la qualité.

REJECTION NUMBER
CRITÈRE DE REJET
(stat.) Dans un **contrôle par échantillonnage**, limite minimale du nombre d'articles défectueux trouvés dans l'échantillon qui, si elle est atteinte, amène le rejet du lot.

RELATED COMPANY
*SOCIÉTÉ LIÉE, SOCIÉTÉ APPARENTÉE, SOCIÉTÉ AFFILIÉE (Can.), SOCIÉTÉ
    ASSOCIÉE (Can., Belg. et C.E.E.)*
Voir **affiliated company**.

RELATED NON-PROFIT ORGANIZATION
ORGANISME (SANS BUT LUCRATIF) AFFILIÉ, ASSOCIATION APPARENTÉE
(O.S.B.L.) Organisme sans but lucratif dont l'activité s'exerce totalement ou partiellement en collaboration avec d'autres en raison d'un contrôle commun. *N.B.* Dans certains cas, des organismes sont apparentés, même si leur contrôle n'est pas commun, lorsqu'ils collaborent étroitement en partageant leurs ressources, en ayant les mêmes objectifs, en ayant la même dénomination, etc.

RELATED PARTIES
PERSONNES APPARENTÉES, ENTREPRISES APPARENTÉES, APPARENTÉS
(écon.) Personnes physiques ou morales dont les rapports sont tels que l'une a la capacité d'exercer, directement ou indirectement, un contrôle ou une influence sensible sur les décisions relatives au financement ou à l'exploitation de l'autre. *N.B.* Deux personnes ou entreprises sont également apparentées lorsqu'elles sont soumises au contrôle ou à l'influence sensible d'une même autre personne. *V.a.* **non arm's length**.

RELATED PARTY TRANSACTIONS
OPÉRATIONS ENTRE PERSONNES APPARENTÉES, OPÉRATIONS ENTRE APPARENTÉS
(écon.) Opérations conclues entre des personnes physiques ou morales qui, en raison de la nature de leurs relations, ne sont pas indépendantes les unes des autres.

RELEASE OF A MORTGAGE
PURGE D'HYPOTHÈQUE, EXTINCTION D'HYPOTHÈQUE
Voir **redemption of a mortgage** 2.

RELEVANCE
PERTINENCE
Caractéristique de l'information comptable qui permet aux utilisateurs des états financiers (ou comptes annuels) de prendre les décisions appropriées et qui les aide à confirmer ou à corriger les prévisions faites antérieurement ainsi qu'à évaluer les résultats d'événements passés, présents ou futurs.

RELEVANT COST
COÛT PERTINENT
Coût dont il convient de tenir compte avant de prendre une décision. *V.a.* **incremental cost**.

RELEVANT RANGE
FOURCHETTE (D'ACTIVITÉ) PERTINENTE
Niveaux d'activités pour lesquels s'appliquent les relations établies entre deux variables, par exemple le volume de production et les frais fixes.

RELIABILITY
FIABILITÉ

Caractéristique d'une information comptable qu'il est possible d'utiliser avec confiance parce qu'elle n'est ni partiale ni erronée.

RELIANCE ON ANOTHER AUDITOR
UTILISATION DU TRAVAIL D'UN AUTRE VÉRIFICATEUR (OU RÉVISEUR)

(E.C.) Le fait, pour l'expert-comptable, de se fier à des états financiers (ou comptes annuels) qu'un autre expert-comptable a vérifiés (ou révisés) et qui doivent être intégrés aux comptes consolidés sur lesquels porte son rapport de vérification (ou révision).

REMAINDERMAN 1.
NU-PROPRIÉTAIRE, HÉRITIER DU CAPITAL

(dr.) Personne à qui revient le **principal d'une succession** après la mort de l'usufruitier ou l'expiration de la période au cours de laquelle le testateur a prévu accorder à une personne l'**usufruit** de la succession. *Comparer avec* **life tenant**.

REMAINDERMAN 2.
HÉRITIER SUBSTITUÉ, HÉRITIER APPELÉ

(dr.) Héritier qui recueille une succession déjà dévolue à quelqu'un d'autre soit parce que le **légataire** désigné en première ligne est décédé ou a cessé d'y avoir droit, soit parce qu'il n'en a pas pris possession.

REMAINING LIFE
DURÉE DE VIE RESTANTE, DURÉE NON ÉCOULÉE

(écon.) Terme s'appliquant à la période au cours de laquelle un bien continuera d'être utilisé ou une dette demeurera en vigueur.

REMISSION OF A DEBT
REMISE DE DETTE, RENONCIATION À UNE CRÉANCE

(dr.) Renonciation, de la part du créancier, au remboursement de sa créance, ce qui a pour effet de dispenser le débiteur du règlement de sa dette. *Syn.* **forgiveness of a debt** et **remittal of a debt**. *V.a.* **capital gain** 3. *(fam.)*.

REMITTAL OF A DEBT
REMISE DE DETTE, RENONCIATION À UNE CRÉANCE

Voir **remission of a debt**.

REMITTANCE SLIP
BORDEREAU DE PAIEMENT

Pièce comptable qui accompagne un paiement ou le versement d'une somme et qui en précise l'objet, la provenance et la destination. *Syn.* **remittance voucher**. *V.a.* **slip**.

REMITTANCE VOUCHER
BORDEREAU DE PAIEMENT

Voir **remittance slip**.

REMOTE ACCESS
ACCÈS À DISTANCE

(inf.) Utilisation d'un ordinateur et des appareils périphériques qui lui sont connectés, à partir d'un **terminal** placé dans un local distant de l'ordinateur et relié à celui-ci par une ligne téléphonique ou une ligne spécialement adaptée. V. a. **access**.

REMOTE BATCH PROCESSING
TÉLÉTRAITEMENT PAR LOTS

(inf.) Télétraitement qui comporte un groupement par lots, des programmes à exécuter ou des données à traiter. *V.a.* **data processing** 2.

REMOTE PROCESSING
TÉLÉTRAITEMENT
Voir **teleprocessing**.

REMUNERATION
RÉMUNÉRATION, RÉTRIBUTION
(lang. cour.) Argent reçu en règlement du prix d'un service, d'un travail. *Syn.* **payment** 2. *V.a.* **salary** 1.

RENDERING OF SERVICES
PRESTATION DE SERVICES
(écon. et *aff.)* Action de rendre des services en exécution d'une commande, ou en vertu d'une obligation légale ou contractuelle.

RENEWAL ACCOUNTING
(MÉTHODE D')IMPUTATION AXÉE SUR LE REMPLACEMENT
Voir **replacement accounting**.

RENT *n.*
LOYER, TERME
(dr.) Somme d'argent qu'un locataire doit verser périodiquement pour occuper un local d'habitation ou commercial, ou utiliser un bien (machine, ordinateur, etc.) conformément aux clauses du contrat de location. *N.B.* Le mot **terme** désigne la date fixée pour le règlement des baux et, par extension, la somme due à cette date. *V.a.* **lease**.

RENT *v.*
LOUER
(dr.) Conférer à un locataire, pour un certain temps, le droit d'usage d'un bien dont on est le propriétaire, moyennant une redevance périodique; s'assurer le droit d'utiliser, en tant que locataire, un bien qui ne peut être consommé par l'usage et qui devra un jour être restitué à son propriétaire. *V.a.* **lease**.

RENTAL
LOCATION, LOUAGE
(dr.) Action de donner une chose en location; prise en jouissance d'un bien moyennant le versement d'un loyer.

RENTAL EXPENSES
CHARGES LOCATIVES
Charges comprenant les frais afférents à la location d'un bien, les loyers proprement dits et les redevances de crédit-bail mobilier ou immobilier. *N.B.* Les dépenses incombant au locataire portent aussi le nom de **prestations locatives**.

RENTAL VALUE
VALEUR LOCATIVE
Valeur fondée sur le revenu que rapporte un immeuble donné en location. *V.a.* **value** *n.*

RENT ROLL
REGISTRE DES LOYERS, GRAND LIVRE DES LOYERS
(lang. cour.) Registre des loyers à recevoir tenu par le propriétaire d'un immeuble de rapport.

REORDER *v.*
RÉAPPROVISIONNER
(prod. et *comm.)* Reconstituer des **approvisionnements**, c'est-à-dire des biens stockés par l'entreprise en vue de leur utilisation ou de leur vente.

REORDERING
APPROVISIONNEMENT, RÉAPPROVISIONNEMENT
Voir **procurement**.

REORDERING LEVEL
NIVEAU DE RÉAPPROVISIONNEMENT

(gest.) Niveau du stock physique correspondant au point de réapprovisionnement ou seuil de commande.

REORDER POINT
SEUIL DE COMMANDE, POINT DE COMMANDE, SEUIL DE RÉAPPROVISIONNEMENT

(gest.) Niveau du stock physique d'un article qui, lorsqu'il est atteint, (compte tenu du délai d'obtention et de la quantité minimale requise pendant ce délai) entraîne la **passation d'une commande** normale de réapprovisionnement. *V.a.* **buffer inventory** 1., **economic order quantity**, **lead time** 1., **minimum stock**, **optimum order size** et **procurement**.

REORDER POLICY
POLITIQUE DE RÉAPPROVISIONNEMENT

(gest.) Ensemble des pratiques de gestion, des règles d'étude et d'action qui conduisent au choix d'une méthode de réapprovisionnement. *V.a.* **policy** 2.

REORDER QUANTITY
QUANTITÉ DE RÉAPPROVISIONNEMENT

(gest.) Quantité invariable commandée dans un système de réapprovisionnement à commande fixe.

REORGANIZATION 1.
RÉORGANISATION, RESTRUCTURATION DU CAPITAL

(dr. can.) Refonte de la composition du capital d'une société éprouvant des difficultés financières, approuvée par le tribunal et ayant généralement pour effet de restreindre les droits des créanciers et des diverses catégories d'actionnaires, d'éponger le déficit en portant le solde du compte Bénéfices non répartis à zéro et d'attribuer aux éléments de l'actif une valeur plus réaliste qui tient compte de la situation dans laquelle se trouve l'entreprise à ce moment là. *N.B.* Lorsqu'il s'agit d'une opération financière, on devrait parler plutôt de **restructuration** et l'on devrait employer le terme **réorganisation** pour désigner le réaménagement des pouvoirs au sein d'un organisme quelconque. *Comparer avec* **quasi-reorganization**. *V.a.* **dated retained earnings**, **recapitalization**, **reduction of capital** et **refinancing**.

REORGANIZATION 2.
RÉORGANISATION, RESTRUCTURATION DU CAPITAL

(fin.) Tout changement apporté volontairement à la structure des capitaux propres d'une société, notamment pour assurer un **assainissement de ses finances**.

REPAIR
RÉPARATION(S)

(lang. cour.) Opération qui consiste à remettre en bon état un objet, un équipement ou un matériel qui présente une difficulté de fonctionnement. *V.a.* **improvement** et **maintenance** 1.

REPAIR EXPENSES
(FRAIS DE) RÉPARATIONS

Coût des réparations exécutées par l'entreprise pour son propre compte.

REPAYMENT
REMBOURSEMENT

Voir **reimbursement**.

REPLACEMENT
REMPLACEMENT

(écon.) Action, pour une entreprise, de se procurer un bien, le plus souvent à l'état neuf, pour le substituer à un autre de même nature qui est usagé.

REPLACEMENT ACCOUNTING
(MÉTHODE D')IMPUTATION AXÉE SUR LE REMPLACEMENT

Méthode comptable qui consiste à ne passer en charges le coût d'un bien utilisé pendant un certain nombre d'exercices qu'au moment de son remplacement. *N.B.* Selon cette méthode, la somme passée en charges est le coût de remplacement plutôt que le coût originaire du bien remplacé. *Syn.* **renewal accounting**. *Comparer avec* **depreciation accounting** et **retirement accounting**.

REPLACEMENT COST 1.
COÛT DE REMPLACEMENT, VALEUR DE REMPLACEMENT

Dans le cas d'un bien dont l'entreprise se sert pour son exploitation, somme qu'il serait nécessaire de débourser pour acquérir un élément susceptible des mêmes usages, dans les mêmes conditions d'emploi, ayant la même **durée résiduelle d'utilisation** et le même rendement. *Syn.* **replacement value**.

REPLACEMENT COST 2.
COÛT DE REMPLACEMENT, VALEUR DE REMPLACEMENT

Dans le cas de marchandises destinées à la revente, somme correspondant au montant que l'entreprise devrait débourser pour se procurer des marchandises identiques, par opposition à leur valeur d'origine (coût de production ou coût d'achat). *Syn.* **replacement value**.

REPLACEMENT COST METHOD
MÉTHODE D'ÉVALUATION (DES STOCKS) AU COÛT DE REMPLACEMENT

Méthode qui consiste à évaluer les stocks à leur coût de remplacement, que ce coût soit supérieur ou inférieur au coût d'acquisition des articles en stock. *V.a.* **inventory valuation methods**.

REPLACEMENT COST NEW
VALEUR À NEUF, COÛT DE REMPLACEMENT À L'ÉTAT NEUF

(écon.) Somme d'argent nécessaire à l'acquisition ou à la reconstitution d'un bien à l'état neuf, sans que l'on tienne compte de la dépréciation attribuable à l'usure ou à l'obsolescence.

REPLACEMENT VALUE
COÛT DE REMPLACEMENT, VALEUR DE REMPLACEMENT

Voir **replacement cost** 1. et 2.

REPLENISHMENT TIME
DÉLAI D'APPROVISIONNEMENT, DÉLAI DE RÉAPPROVISIONNEMENT

Voir **lead time** 1.

REPORT
RAPPORT, COMPTE RENDU

(lang. cour.) Exposé détaillé et circonstancié concernant un fait ou un ensemble de faits, faisant le point sur une ou plusieurs questions en vue d'informer le destinataire, de préparer et d'éclairer ses décisions; relation écrite ou verbale des constatations faites dans l'accomplissement d'une mission ou d'une tâche ainsi que des conclusions qui s'en dégagent.

REPORT FORM (OF BALANCE SHEET)
DISPOSITION VERTICALE, PRÉSENTATION VERTICALE, PRÉSENTATION EN LISTE

Présentation du bilan dont le total de l'actif qui figure dans la partie supérieure est égal au total du passif et des capitaux propres inscrits immédiatement au-dessous de l'actif. *N.B.* Parfois aussi le passif est déduit de l'actif afin de faire ressortir la différence qui représente les capitaux propres. *V.a.* **balance sheet, form of**.

REPORTING STANDARDS 1.
NORMES DE PRÉSENTATION (DE L'INFORMATION), NORMES DE PUBLICITÉ

Voir **disclosure standards**.

REPORTING STANDARDS 2.
NORMES CONCERNANT LE RAPPORT DU VÉRIFICATEUR, NORMES CONCERNANT LE RAPPORT DU RÉVISEUR

(E.C.) Normes portant sur le contenu du rapport de vérification (ou révision) et exigeant que l'expert-comptable précise l'étendue de son travail et affirme, s'il y a lieu, que les états financiers (ou comptes annuels) en cause présentent fidèlement la situation financière de l'entreprise, les résultats de son exploitation et l'évolution de sa situation financière selon des règles comptables appropriées qui doivent généralement être les principes comptables généralement reconnus. Le vérificateur (ou réviseur) doit aussi justifier toute restriction que comporterait son opinion et il doit indiquer si les normes comptables en usage ont été appliquées de la même manière qu'au cours de l'exercice précédent. Si le vérificateur (ou réviseur) estime qu'il n'est pas en mesure d'exprimer une opinion, il doit en donner les raisons. *N.B.* En Belgique, les normes générales de revision précisent le contenu du rapport, les circonstances dans lesquelles il convient d'émettre des réserves ou de refuser l'attestation, etc. Ces normes s'appuient notamment sur la loi sur les sociétés dont un article définit avec précision le contenu du rapport du contrôleur légal des comptes (commissaire-reviseur). *V.a.* **auditing standards**.

REPORTING SYSTEM
SYSTÈME D'INFORMATION COMPTABLE

Système d'enregistrement des données comptables et financières dont l'objet premier est l'établissement des états financiers (ou comptes annuels).

REPOSSESSION
REPRISE DE POSSESSION

(dr.) Action, pour le vendeur, de reprendre possession d'un bien lorsque l'acheteur n'a pas effectué les versements convenus. *V.a.* **retention of title clause**.

REPRESENTATION LETTER
LETTRE DE DÉCLARATION, LETTRE DÉCLARATIVE DE RESPONSABILITÉS (Fr.), DÉCLARATION DE LA DIRECTION AU REVISEUR (Belg.)

Voir **letter of representation**.

REPRESENTATIVE
DÉLÉGUÉ, AGENT, MANDATAIRE, FONDÉ DE POUVOIR, REPRÉSENTANT

(lang. cour.) Personne investie d'une fonction, d'un pouvoir. *N.B.* Le terme **fondé de pouvoir** convient particulièrement pour désigner une personne chargée d'une fonction impliquant le droit d'engager une société.

REPRESENTATIVE ITEM SAMPLING
SONDAGE D'INDIVIDUS REPRÉSENTATIFS, SONDAGE D'ÉLÉMENTS REPRÉSENTATIFS

(stat.) Type de sondage dont l'objectif est d'examiner un nombre déterminé d'individus représentatifs de la population, choisis sans parti pris ou biais d'aucune sorte. *Comparer avec* **specific item sampling**. *V.a.* **sampling** 2.

REPRESENTATIVE SAMPLE
ÉCHANTILLON REPRÉSENTATIF

(stat.) Échantillon dont les caractéristiques sont typiques de la population qu'il illustre.

REPRODUCTION COST
COÛT DE RECONSTITUTION

Prix qu'il en coûterait à l'entreprise pour produire un bien sensiblement semblable à celui qu'elle possède.

REPRODUCTION EXPENSES
FRAIS DE REPROGRAPHIE, FRAIS DE REPRODUCTION

Frais engagés pour la reproduction de documents.

REPURCHASED SHARE *(fam.)*
ACTION RACHETÉE

Voir **acquired share**.

REQUEST FOR QUOTATION
DEMANDE DE PRIX

(comm.) Demande adressée à un fournisseur relativement au prix d'une marchandise ou d'un service, compte tenu d'une quantité donnée, des conditions de paiement, etc. *V.a.* **quotation** 1.

REQUISITION
DEMANDE

(lang. cour.) Tout document interne adressé par un service d'une entreprise à un autre pour obtenir quelque chose (matières, fournitures, argent, etc.). *V.a.* **material requisition** et **purchase requisition**.

RERUN
RÉEXÉCUTION, REPRISE

(inf.) Action de reprendre une opération, un passage-machine.

RERUN ROUTINE
PROGRAMME DE REPRISE

(inf.) Programme ayant pour objet d'assurer la continuation d'un travail dont un incident a pu causer l'interruption.

RESEARCH AND DEVELOPMENT EXPENSES
FRAIS DE RECHERCHE ET DE DÉVELOPPEMENT

Ensemble des frais engagés en vue de trouver et de perfectionner des produits ou des procédés de fabrication. *V.a.* **development expenses** 1. et **research expenses**.

RESEARCH EXPENSES
FRAIS DE RECHERCHE

Dépenses relatives à une investigation planifiée entreprise dans l'espoir d'acquérir de nouvelles connaissances techniques et scientifiques et d'en mieux comprendre la nature. Il peut s'agir de **recherche pure**, ou de **recherche appliquée** orientée vers une application pratique bien définie. *Comparer avec* **development expenses** 1. *V.a.* **research and development expenses**.

RESERVATION (OF OPINION)
RESTRICTION

(E.C) *(Can.)* Terme générique désignant les trois situations donnant lieu, pour le vérificateur, soit à une opinion défavorable, soit à une opinion comportant une réserve, soit à une récusation ou absence d'opinion. *Syn.* **exception** *(vieilli)*. *V.a.* **auditor's opinion**, **denial of opinion** et **qualification**.

RESERVATION PARAGRAPH
PARAGRAPHE D'ÉNONCÉ DE RESTRICTION(S)

(E.C.)(Can.) Paragraphe du rapport de vérification dans lequel l'expert-comptable précise la nature des restrictions qui l'ont amené soit à se récuser, soit à exprimer une opinion défavorable ou une opinion avec réserve sur les comptes qu'il a vérifiés. *Comparer avec* **opinion paragraph** et **scope paragraph**. *V.a.* **auditor's report** 1.

RESERVE 1.
RÉSERVE

(Can.) Montant affecté à une fin générale ou particulière, à même les bénéfices non répartis ou un autre poste du surplus, et qui, contrairement à la provision, n'a pas pour objet de constater une obligation réelle ou une dette éventuelle ni la dépréciation d'une valeur active à la date de l'arrêté des comptes. *N.B.* Les réserves sont de deux sortes : 1) les **réserves statutaires** ou **contractuelles**, par exemple la réserve à laquelle donne lieu le rachat d'actions privilégiées et la réserve pour fonds d'amortissement, et 2) les **réserves facultatives** instituées à la discrétion de la direction, par exemple la réserve pour dépréciation éventuelle des stocks, la réserve pour éventualités et la réserve pour expansion. *V.a.* **appropriated retained earnings**, **appropriation account** 1., **legal reserve** et **statutory reserve**.

RESERVE 2.
RÉSERVE

(Fr. et Bel.) Bénéfices affectés durablement à l'entreprise jusqu'à ce qu'une décision contraire soit prise à ce sujet; élément de la situation nette ayant pour origine le virement d'un autre élément de situation nette ou une opération financière modifiant le capital (une prime de fusion, par exemple). *N.B.* Parmi les réserves existant en France, on peut mentionner la **réserve légale**, les **réserves statutaires** et **indisponibles** (notamment les réserves de renouvellement des immobilisations ou des stocks, les réserves de réévaluation) et les **réserves facultatives** ou **disponibles** qui n'ont aucun caractère légal ou contractuel. À la suite d'une délibération de l'assemblée générale extraordinaire, une société anonyme peut augmenter son capital en y faisant entrer une partie de ses réserves. Cette opération, qui s'appelle **incorporation des réserves au capital**, n'entraîne aucune introduction de valeur active nouvelle dans le patrimoine de l'entreprise car il s'agit d'un simple jeu d'écritures consistant en un virement direct au compte Capital d'une somme prélevée sur un ou plusieurs comptes de réserve. En Belgique, les réserves sont divisées en : **réserve légale**, **réserves indisponibles**, **réserves immunisées** et **réserves indisponibles**.

RESERVE 3.
RÉSERVE, PROVISION

(fisc. can.) Terme auquel la législation fiscale attribue différentes significations particulières.

RESERVE FOR CONTINGENCIES 1.
RÉSERVE POUR ÉVENTUALITÉS, RÉSERVES POUR RISQUES GÉNÉRAUX, RÉSERVE POUR IMPRÉVUS

Réserve créée en vue de pourvoir à des pertes éventuelles. *Syn.* **contingency reserve**. *Comparer avec* **contingency fund**.

RESERVE FOR CONTINGENCIES 2.
RÉSERVE DE GARANTIE

(ass.) Réserve alimentée par un prélèvement sur les primes ou cotisations, et destinée à garantir les engagements de l'assureur vis-à-vis des assurés et des bénéficiaires de contrats, c'est-à-dire à présenter à tout moment un niveau de réserve suffisant pour parer aux éventualités. *Syn.* **contingency reserve**.

RESERVE FUND
FONDS (DE RÉSERVE), FONDS (DE PRÉVOYANCE)

Voir **fund** *n.* 2.

RESERVE RECOGNITION ACCOUNTING (RRA)
(MÉTHODE DE LA) CAPITALISATON (DE LA VALEUR) DES GISEMENTS

Méthode de comptabilisation des activités des sociétés pétrolières et gazières, qui consiste à tenir compte de la valeur des réserves prouvées de pétrole et de gaz, dans le bilan et l'état des résultats. *N.B.* Cette méthode offre les caractéristiques suivantes : 1) le bilan reflète la valeur des réserves prouvées de pétrole et de gaz, 2) la découverte de nouvelles réserves et les fluctuations de la valeur des réserves prouvées figurent, à titre de produits d'exploitation, dans l'état des résultats, et 3) tous les coûts engagés pour découvrir et mettre en valeur de nouvelles réserves ainsi que tous les coûts des ressources non productives sont immédiatement passés en charges. *Comparer avec* **discovery value accounting**, **full costing** 1. et **successful efforts accounting**.

RESIDENT PARTNER
ASSOCIÉ LOCAL, ASSOCIÉ RÉSIDANT

(prof. compt.) Associé faisant partie d'un bureau local d'un cabinet d'experts-comptables. *V.a.* **partner**.

RESIDUAL INCOME
BÉNÉFICE RÉSIDUEL

Bénéfice revenant aux actionnaires ordinaires, c'est-à-dire le bénéfice net de l'exercice diminué des dividendes servis ou à servir aux actionnaires privilégiés. *N.B.* En comptabilité de gestion, le bénéfice résiduel est égal à l'excédent du bénéfice d'une division ou d'un secteur sur le produit du capital investi dans cette division ou ce secteur par le coût du capital de l'entreprise.

RESIDUAL VALUE 1.
VALEUR RÉSIDUELLE
(écon.) Valeur probable d'un bien à l'expiration de sa durée d'utilisation ou de location; valeur d'un bien dont la durée est expirée. *Comparer avec* **salvage value** et **scrap value**. *V.a.* **value** *n*.

RESIDUAL VALUE 2.
FRACTION NON AMORTIE DE LA VALEUR, VALEUR NON AMORTIE, VALEUR (NETTE) APRÈS AMORTISSEMENT, VALEUR COMPTABLE RÉSIDUELLE
Voir **amortized value**.

RESIDUARY LEGACY
LEGS À TITRE UNIVERSEL
(dr.) Legs constitué du reste des biens d'une succession après distribution des legs particuliers. *Comparer avec* **general legacy**. *V.a.* **legacy**.

RESIGNATION
DÉMISSION
(rel. de tr.) Acte par lequel quelqu'un renonce à exercer une fonction, une charge; rupture, par un salarié, de son contrat de travail.

RESOLUTIVE CLAUSE
CLAUSE RÉSOLUTOIRE
(dr.) Clause qui entraîne l'anéantissement de plein droit d'un contrat pour inexécution des conditions que les deux parties ont convenu de respecter.

RESPONSIBILITY ACCOUNTING
COMPTABILITÉ PAR CENTRES DE RESPONSABILITÉ, COMPTABILITÉ PAR DESTINATION (Belg.)
Comptabilité qui a pour objet de ventiler les coûts (et parfois les produits d'exploitation) en fonction des responsabilités dévolues à chacun. *Syn.* **activity accounting** et **responsibility costing**. *V.a.* **management by responsibility centre** et **responsibility centre**.

RESPONSIBILITY CENTRE
CENTRE DE RESPONSABILITÉ, CENTRE D'ACTIVITÉ, CENTRE D'ANALYSE
Unité administrative constituée en vue d'exercer un meilleur contrôle et d'assurer une répartition appropriée des responsabilités grâce à un aménagement des comptes qui permet de connaître soit les charges propres seulement (**centre de frais**), soit les charges, le chiffre d'affaires et le profit (**centre de profit**), soit le rapport entre le profit et le capital utilisé (**centre de rentabilité**). *V.a.* **cost centre**, **investment centre**, **management by responsibility centre**, **profit centre** et **responsibility accounting**.

RESPONSIBILITY COSTING
COMPTABILITÉ PAR CENTRES DE RESPONSABILITÉ, COMPTABILITÉ PAR DESTINATION (Belg.)
Voir **responsibility accounting**.

REST ACCOUNT
COMPTE DE RÉSERVE
(banque) Compte de réserve générale d'une banque.

RESTART
REPRISE, REMISE EN ROUTE
(inf.) Continuation de l'exécution d'un programme ou d'une chaîne de programmes arrêtés en cours de déroulement. *N.B.* Pour un programme, une reprise n'est possible qu'à partir d'un **point de contrôle** ou d'un **point d'arrêt**.

RESTATED
RETRAITÉ, REDRESSÉ, CORRIGÉ

Se dit d'un poste des états financiers (ou comptes annuels) dont on a modifié le montant pour corriger une erreur ou pour tenir compte des effets d'un changement de pratique comptable ou d'une révision d'estimations faites antérieurement.

RESTATEMENT
RETRAITEMENT, REDRESSEMENT

Opération qui consiste à modifier des données comptables. *N.B.* Ainsi on peut modifier les comptes d'une filiale avant de les consolider pour assurer la concordance entre les pratiques comptables de la société mère et celles de la société consolidée. De même, on peut retraiter les données des états financiers d'un exercice antérieur à la suite d'un changement de pratique comptable.

RESTRICTED
AVEC RESTRICTIONS, ASSUJETTI À DES RESTRICTIONS

(O.S.B.L.) Se dit de fonds et, parfois, des produits financiers qui en découlent, dont l'utilisation est restreinte en raison d'exigences imposées par la loi ou par convention. *Comparer avec* **unrestricted**.

RESTRICTIVE ENDORSEMENT
ENDOSSEMENT RESTRICTIF

(dr.) Endossement ne permettant aucun endossement ultérieur. *V.a.* **endorsement** 2.

RETAILER
DETAILLANT

(comm.) Personne exerçant le commerce de détail.

RETAIL INVENTORY METHOD
MÉTHODE DE L'INVENTAIRE AU PRIX DE DÉTAIL

Pour les magasins de vente au détail, méthode d'estimation du coût des stocks qui exige de que l'on tienne des registres où figurent les achats tant au prix coûtant qu'au prix de détail. Le coût estimatif des stocks se trouve alors en multipliant l'inventaire comptable évalué au prix de détail (compte tenu, s'il y a lieu, des manquants) par le ratio du prix coûtant des marchandises à leur prix de détail. *V.a.* **cost ratio**, **inventory valuation methods**, **mark-down** *n.* 1., **mark-up** 1., **net mark-downs** et **net mark-ups**.

RETAIL PRICE
PRIX DE DÉTAIL, PRIX AU CONSOMMATEUR

(comm.) Prix auquel des marchandises sont vendues ou des services rendus au consommateur final.

RETAIL SALE
VENTE AU DÉTAIL

(comm.) Vente pratiquée par le **commerce de détail**, c'est-à-dire le commerce dont la fonction consiste à acheter des marchandises pour les revendre au consommateur ou à l'utilisateur final, en général par petites quantités et dans l'état.

RETAINED EARNINGS
BÉNÉFICES NON RÉPARTIS, BÉNÉFICES NON DISTRIBUÉS, BÉNÉFICES RÉINVESTIS

(Can.) Total des bénéfices réalisés par l'entreprise depuis sa constitution, diminué des pertes des exercices déficitaires, compte tenu des dividendes et des autres éléments qui ont pu en être retranchés ou y être ajoutés. *N.B.* En France et en Belgique, les bénéfices des exercices antérieurs qui n'ont pas été distribués ou affectés à un compte de réserve de même que les pertes qui n'ont pas été compensées par des prélèvements opérés sur les bénéfices, les réserves et le capital sont connus sous le nom de **report à nouveau**. *Syn.* **reinvested earnings** et **undistributed earnings**. *V.a.* **appropriated retained earnings**, **earned surplus** *(vieilli)*, **surplus** 1., **statement of retained earnings** et **unappropriated retained earnings**.

RETAINED EARNINGS STATEMENT
(ÉTAT DES) BÉNÉFICES NON RÉPARTIS

Voir **statement of retained earnings**.

RETAINER FEE
PROVISION, SOMME VERSÉE À TITRE D'ACOMPTE

(prof.) Honoraires versés à un membre d'une profession libérale pour s'assurer de sa disponibilité et de ses services pendant un nombre maximal d'heures au-delà duquel le client doit verser un supplément d'honoraires. *N.B.* Parfois, selon les circonstances, l'expression anglaise *retainer fee* pourra se rendre par le terme **acompte** ou l'expression **honoraires payés d'avance**. *V.a.* **fund** *v.* 2.

RETENTION OF TITLE CLAUSE
CLAUSE DE RÉSERVE DE PROPRIÉTÉ

(dr.) Clause d'un contrat de vente de biens meubles (par exemple une vente à tempérament) par laquelle le titre de propriété n'est transféré qu'après règlement complet du prix convenu. *N.B.* On parlera alors, dans ce cas, de **vente avec réserve de propriété**. *V.a.* **repossession**.

RETENTION PERIOD
DURÉE DE CONSERVATION

(dr.) Période prévue par la loi au cours de laquelle l'entreprise doit conserver obligatoirement ses livres, sa correspondance et ses documents.

RETIRE
METTRE HORS SERVICE, METTRE À LA RÉFORME, RÉFORMER

(gest.) Retirer un bien du service parce qu'il est devenu impropre à l'usage, trop vieux ou démodé. *N.B.* **Mettre** un bien **hors service**, c'est simplement le retirer du service parce qu'il ne convient plus tandis que le **mettre à la réforme**, c'est constater officiellement sa mise hors service. *V.a.* **scrap** *v. (fam.)*.

RETIREMENT 1.
REMBOURSEMENT, RACHAT

(fin.) Action de rembourser une dette, de racheter des actions.

RETIREMENT 2.
MISE HORS SERVICE, (MISE À LA) RÉFORME, ABANDON

(gest.) Action de réformer un bien, c'est-à-dire de le retirer du service parce qu'il est devenu impropre à l'usage, obsolescent, trop vieux ou démodé. *N.B.* L'action de changer l'affectation d'un bien ainsi que celle de ne plus l'utiliser s'appelle **désaffectation** et on dira alors de ce **bien** qu'il est **désaffecté**. *V.a.* **disposal** 1. et 2. et **scrap** *v. (fam.)*

RETIREMENT 3.
RETRAITE

(rentes) Action de se retirer de la vie active; état d'une personne qui s'est retirée d'une fonction, d'un emploi, et qui généralement a droit à une rente ou pension. *V.a.* **automatic retirement age**, **early retirement** et **late retirement**.

RETIREMENT ACCOUNTING
(MÉTHODE D')IMPUTATION AXÉE SUR LA CESSION

Méthode comptable qui consiste à ne passer en charges le coût d'un bien utilisé pendant un certain nombre d'exercices qu'au moment de son remplacement. *N.B.* Selon cette méthode, le montant passé en charges, lors de la cession d'un bien, est le coût d'origine du bien remplacé plutôt que son coût de remplacement. *Comparer avec* **depreciation accounting** et **replacement accounting**.

RETIREMENT PLAN
RÉGIME DE RETRAITE

Voir **pension plan**.

RETRACTABLE BOND
OBLIGATION ENCAISSABLE PAR ANTICIPATION

(fin.) Obligation émise avec une date d'échéance précise, mais qui donne le droit au détenteur d'en demander le remboursement à une date antérieure fixée d'avance. *Comparer avec* **callable bond** et **extendible bond**. *V.a.* **bond** 1.

RETRACTABLE SHARE
ACTION RACHETABLE AU GRÉ DU DÉTENTEUR

(fin.) Action qui donne à son détenteur le droit de demander à la société qui l'a émise de la racheter au moment où il en exprimera le désir. *V.a.* **share** *n.* 2.

RETRIEVAL
RECHERCHE D'INFORMATIONS, RÉCUPÉRATION D'INFORMATIONS, RECHERCHE DOCUMENTAIRE, EXTRACTION D'INFORMATIONS

Voir **information retrieval**.

RETRIEVAL TIME
TEMPS D'ACCÈS À L'INFORMATION

(inf.) Temps nécessaire à l'obtention d'une information.

RETURN 1.
DÉCLARATION

(dr.) Écrit servant à déclarer l'existence d'une situation de fait ou de droit, par exemple une déclaration d'impôt, une déclaration de faillite, etc. *V.a.* **tax return**.

RETURN 2.
RENDEMENT, REVENU

(fin.) Profit provenant d'un placement, d'un investissement ou d'une opération. *V.a.* **rate of return**.

RETURN 3.
RENDU, RETOUR

(comm.) Objet retourné par l'acheteur au vendeur pour un remboursement ou un échange, selon la bonne volonté du vendeur et généralement pour des achats récents. *N.B.* Le terme **retour** désigne particulièrement les marchandises renvoyées à un fournisseur parce qu'elles ne sont pas conformes à la commande, qu'elles présentent des défauts de fabrication ou qu'elles ont été endommagées pendant le transport, parce que, livrées à condition, elles n'ont pas été vendues, ou parce que le fournisseur a envoyé plusieurs produits à un client pour qu'il choisisse celui qui lui convient le mieux et retourne les autres. On entend par **reprise** l'action de reprendre ce qu'on avait laissé, vendu ou donné; ainsi, dans un accord de reprise des **invendus**, le fournisseur s'engage à reprendre, à l'expiration du délai fixé, les marchandises que l'acheteur n'aura pas pu vendre. *V.a.* **credit note**, **purchase return** et **sales return**.

RETURNABLE CONTAINER
EMBALLAGE CONSIGNÉ, EMBALLAGE RÉCUPÉRABLE, EMBALLAGE À RENDRE

(comm.) Emballage facturé par un fournisseur qui s'engage à le reprendre et à rembourser aux clients le **prix de consignation** représentant la valeur de l'emballage facturée en sus de la marchandise avec, parfois, un abattement sur ce prix pour retour tardif ou frais d'entretien. *N.B.* Si le fournisseur reprend l'emballage consigné pour un montant inférieur au prix de consignation, il réalise un produit connu sous le nom de **boni sur reprise d'emballages consignés** tandis qu'il en résulte pour le client une charge que l'on désigne par l'expression **mali sur emballages rendus**. *Comparer avec* **non-returnable container**. *V.a.* **container** 1. et **deposit** 5.

RETURN ENVELOPE
ENVELOPPE-RÉPONSE

Voir **business reply mail**.

RETURN ON ASSETS
(TAUX DE) RENDEMENT DE L'ACTIF

(anal. fin.) **Ratio de rentabilité** égal au quotient du bénéfice net augmenté des intérêts et des charges afférentes aux capitaux empruntés par le total de l'actif. *N.B.* L'appel à un emprunt permet parfois d'augmenter la rentabilité des capitaux propres (effet de levier positif), dans la mesure où le coût de l'emprunt est inférieur au taux de rendement de l'actif. *V.a.* **rate of return**.

RETURN ON EQUITY
(TAUX DE) RENDEMENT DES CAPITAUX PROPRES

(anal. fin.) **Ratio de rentabilité** égal au quotient du bénéfice net par les capitaux propres.

RETURN ON INVESTMENT (ROI)
(TAUX DE) RENDEMENT DU CAPITAL INVESTI, RENDEMENT DES INVESTISSEMENTS

(anal. fin.) Ratio financier égal au quotient du bénéfice net par le capital investi. *N.B.* Ce ratio est fréquemment utilisé pour déterminer la rentabilité des capitaux engagés représentés soit par les capitaux permanents, soit par le total de l'actif, soit par les capitaux propres. *V.a.* **rate of return**.

REVALUATION
RÉÉVALUATION

(écon. et *compt.)* Technique qui consiste à prendre en compte la **dépréciation monétaire** pour estimer, au moyen d'une expertise ou d'indices spécifiques (**méthode indiciaire**), la valeur actuelle des biens qui constituent l'actif d'une entreprise. *N.B.* Théoriquement, toutes les valeurs nominales des éléments d'actif devraient être tenues à jour lorsque la dépréciation monétaire fausse le calcul des résultats de l'entreprise, sinon il en résulte des impôts qui dépassent ceux qui seraient calculés en fonction de la capacité bénéficiaire réelle de l'entreprise. La dépréciation monétaire perturbe aussi la structure financière car tous les biens qui composent le patrimoine, n'ayant pas été acquis à la même date, ne sont pas évalués avec des unités monétaires identiques. Si les valeurs historiques ne sont pas redressées, il y a danger que la société distribue à ses actionnaires une partie de sa substance économique. La différence entre les valeurs comptables nettes après réévaluation et les valeurs comptables nettes avant réévaluation donne lieu, si on la comptabilise, à un **écart de réévaluation** qui, en France et en Belgique, figure au passif du bilan et, au Canada, comme dernier élément des capitaux propres.

REVALUATION OF A CURRENCY
RÉÉVALUATION D'UNE DEVISE

(écon.) Opération monétaire inverse de la dévaluation consistant à augmenter la valeur d'une monnaie nationale par rapport à l'étalon monétaire qui la définit ou par rapport à la valeur des autres monnaies. *N.B.* La réévaluation permet de protéger les prix intérieurs, de fortifier l'épargne et de favoriser le niveau de vie national, mais elle défavorise les exportateurs. *Comparer avec* **devaluation of a currency**.

REVALUATION RESERVE *(vieilli)*
PLUS-VALUE CONSTATÉE PAR EXPERTISE, PLUS-VALUE D'EXPERTISE, EXCÉDENT DE
RÉÉVALUATION, ÉCART DE RÉÉVALUATION, PLUS-VALUE DE RÉÉVALUATION
Voir **appraisal increase credit**.

REVALUATION SURPLUS *(vieilli)*
PLUS-VALUE CONSTATÉE PAR EXPERTISE, PLUS-VALUE D'EXPERTISE, EXCÉDENT DE
RÉÉVALUATION, ÉCART DE RÉÉVALUATION, PLUS-VALUE DE RÉÉVALUATION
Voir **appraisal increase credit**.

REVALUE
RÉÉVALUER

(écon.) Procéder à une nouvelle appréciation d'un bien en tenant compte généralement des fluctuations monétaires. *N.B.* Le processus qui consiste à procéder au relèvement du prix d'un produit, d'un bien ou d'un stock porte le nom de **revalorisation**.

REVENUE 1.
PRODUITS (D'EXPLOITATION)

Sommes reçues ou à recevoir au titre de l'exploitation soit en contrepartie de marchandises livrées, de travaux exécutés, de services rendus ou d'avantages fournis par l'entreprise, soit exceptionnellement sans contrepartie. *N.B.* Le terme anglais *revenue* comprend aussi les produits financiers (intérêts et dividendes créditeurs) et parfois les gains. L'expression **produits par nature** s'emploie en comptabilité générale par opposition aux **produits par destination** de la comptabilité analytique. *Syn.* **income** 3. *(U.S.).*

REVENUE 2.
REVENU
Voir **income** 2.

REVENUE 3.
PRODUIT FINANCIER, REVENU
Voir **income** 4.

REVENUE 4.
RECETTE
(compt. publ.) Produit brut de l'émission des permis et de la perception des impôts, taxes et droits. *V.a.* **non-tax revenue**, **statement of revenue and expenditure** et **tax revenue**.

REVENU 5.
RECETTE
(O.S.B.L.) Somme reçue ou à recevoir au titre d'une promesse de dons, d'une subvention, d'un produit financier, de la vente de biens ou de la prestation de services.

REVENUE ACCOUNTS
COMPTES DE PRODUITS
Comptes du grand livre général dans lesquels on inscrit tous les produits afférents à l'exploitation d'une entreprise durant un exercice ainsi que les gains et les produits financiers qu'elle a réalisés pendant cet exercice. *Syn.* **income accounts**. *Comparer avec* **capital account** et **expense accounts**.

REVENUE AND EXPENDITURE, STATEMENT OF
ÉTAT DES RECETTES ET DÉPENSES
Voir **statement of revenue and expenditure**.

REVENUE AND EXPENSE, STATEMENT OF
(ÉTAT DES) RÉSULTATS (Can.), COMPTE DE RÉSULTAT (Fr. et Belg.), COMPTE DE PROFITS ET
    PERTES (C.E.E.)
Voir **statement**, **income**.

REVENUE DEPARTMENT
FISC, ADMINISTRATION FISCALE
Voir **tax authorities**.

REVENUE EXPENDITURE 1.
CHARGE (D'EXPLOITATION), FRAIS (D'EXPLOITATION), DÉPENSE D'EXPLOITATION
Dépense qu'il convient de passer immédiatement en charges plutôt que de la capitaliser. *Comparer avec* **capital expenditure**. *V.a.* **expenditure** 1. et **operating expenses**.

REVENUE EXPENDITURE 2.
DÉPENSE
(compt. publ.) Dépense (par exemple le remboursement d'obligations et l'acquisition de certaines immobilisations) effectuée à même les recettes de l'exercice.

REVENUE PRODUCING ACTIVITY
ACTIVITÉ GÉNÉRATRICE DE RECETTES
(O.S.B.L.) Activité de nature commerciale ou autre qui procure des recettes accessoires à un organisme, par exemple l'exploitation d'une cafétéria ou d'un parc de stationnement et un service d'édition universitaire. *V.a.* **ancillary services**.

REVENUE PRODUCING PROPERTY
BIEN PRODUCTIF DE REVENU(S)

(fin.) Bien duquel son propriétaire tire un revenu, par exemple un **immeuble d'habitation** appelé parfois **maison de rapport** ou **immeuble de rapport**. *Syn.* **income producing property**.

REVENUE RECEIVED IN ADVANCE
PRODUIT COMPTABILISÉ D'AVANCE, PRODUIT REÇU D'AVANCE, PRODUIT REPORTÉ, CRÉDIT
   REPORTÉ

Voir **deferred revenue** 1.

REVENUE RECOGNITION
CONSTATATION DES PRODUITS

Inscription, dans l'état des résultats, de produits provenant de la vente de marchandises ou de la prestation de services lorsque certaines conditions relatives aux travaux à exécuter sont satisfaites.

REVENUE RECOGNITION METHODS
(MÉTHODES DE) CONSTATATION DU PROFIT, (MÉTHODES DE) COMPTABILISATION DU PROFIT

Voir **income recognition methods**.

REVERSAL
CONTREPASSATION, EXTOURNE

Annulation d'une écriture par passation d'une écriture identique en sens contraire. *N.B.* L'écriture passée en sens contraire en vue d'éliminer une erreur est appelée **écriture d'extourne**. Cette écriture est rendue nécessaire par la règle comptable qui stipule que, en cas d'erreur, on ne rature jamais une écriture. *V.a.* **correcting entry** et **reversing entries**.

REVERSE MORTGAGE
HYPOTHÈQUE INVERSÉE

(fin.) Contrat hypothécaire permettant au propriétaire d'un bien-fonds d'obtenir un prêt qui fait l'objet de sommes reçues périodiquement par ce dernier d'un établissement financier pendant une période déterminée. *N.B.* À la fin de cette période, ou au décès du propriétaire, le bien sera généralement vendu à un prix dont une partie servira à rembourser l'établissement financier, mais il est aussi possible que le contrat soit renouvelé si, entre temps, la valeur du bien-fonds s'est accrue. *V.a.* **mortgage** *n.* 1.

REVERSE (STOCK) SPLIT *(fam.)*
REGROUPEMENT D'ACTIONS

Voir **consolidation of shares**.

REVERSE TAKEOVER
PRISE DE CONTRÔLE INVERSÉE, PRISE DE CONTRÔLE À REBOURS

(org. des entr.) Regroupement d'entreprises dans lequel le nombre d'actions émises par la **société absorbante** en faveur des actionnaires de la **société absorbée** est suffisamment élevé pour permettre à ces derniers de prendre le contrôle de la société absorbante. *V.a.* **takeover bid**.

REVERSING ENTRIES
ÉCRITURES DE CONTREPASSATION, ÉCRITURES DE RÉOUVERTURE

Écritures passées au début d'un exercice pour qu'il soit possible d'inscrire de la façon habituelle les opérations ayant nécessité, à la fin de l'exercice précédent, la passation d'écritures de régularisation portant sur les charges à payer et les produits à recevoir. Ces écritures consistent généralement en des écritures identiques aux écritures de régularisation, mais elles sont passées en sens contraire, d'où leur nom d'**écritures de contrepassation**. *N.B.* Au lieu de passer ces écritures, on peut aussi procéder à l'élimination des charges à payer et des produits à recevoir lors du règlement effectif des opérations ayant donné lieu aux écritures de régularisation. Les écritures de contrepassation sont aussi utiles dans le cas des sommes payées ou reçues d'avance qui, lors du décaissement ou de l'encaissement, sont portées dans des comptes de charges ou de produits plutôt que dans des comptes d'actif ou de passif. *V.a.* **reversal**.

REVIEW ENGAGEMENT
MISSION AVEC EXAMEN, MISSION D'EXAMEN

(E.C.)(Can.) Mission dans laquelle l'expert-comptable est appelé à mettre en application certains procédés et à formuler des commentaires sur les états financiers ou sur toute autre forme d'information financière sans avoir fait une vérification en bonne et due forme. *N.B.* À la fin d'une **mission avec examen**, l'expert-comptable rédige un écrit appelé **commentaires de l'expert-comptable**. En France, l'Ordre des experts comptables et des comptables agréés a publié des recommandations relatives à la participation de l'expert-comptable à l'établissement de comptes annuels; ces recommandations portent sur des missions très proches en pratique de celles que l'on appelle au Canada missions avec examen. La participation de l'expert-comptable français à l'élaboration des comptes annuels se concrétise vis-à-vis des tiers par un **compte rendu de mission** très semblable aux commentaires de l'expert-comptable canadien. *Comparer avec* **non-review engagement**. *V.a.* **accountant's comments**, **examination** et **professional engagement of a public accountant**.

REVOCATION OF REGISTRATION
RETRAIT D'AGRÉMENT

Voir **deregistration** 1.

REVOLVING CREDIT
CRÉDIT RENOUVELABLE, PRÊT À TERME RENOUVELABLE, ACCRÉDITIF RENOUVELABLE

(fin.) Crédit d'un montant déterminé, valable pour des opérations successives d'utilisation et de remboursement (par exemple l'achat de marchandises d'un mois réglé au moyen de ce crédit, pourvu que leur coût n'excède pas le montant du crédit); accord sur un prêt conclu entre un emprunteur et un prêteur afin d'établir une **ligne de crédit** d'un montant donné reconductible à l'issue d'une période déterminée. *N.B.* En France et en Belgique, on parle couramment de crédit *revolving* pour désigner cette sorte de crédit. *Syn.* **revolving term loan**. *V.a.* **letter of credit** et **line of credit**.

REVOLVING FUND
FONDS RENOUVELABLE

(fin.) Fonds établi à une fin particulière et reconstitué à même l'exploitation courante ou au moyen de virements provenant d'autres fonds, par exemple un fonds de caisse à montant fixe ou un fonds créé pour financer l'exploitation d'une succursale ou d'un service. *V.a.* **imprest fund** 1.

REVOLVING TERM LOAN
CRÉDIT RENOUVELABLE, PRÊT À TERME RENOUVELABLE, ACCRÉDITIF RENOUVELABLE

Voir **revolving credit**.

REWORK
REMISE EN FABRICATION, RÉUSINAGE

(prod.) Action de reprendre le travail exécuté sur un article ou un produit en raison de sa non-conformité aux normes établies.

RHOSP
RÉGIME ENREGISTRÉ D'ÉPARGNE-LOGEMENT (R.E.É.L.)

Abrév. de **registered home ownership savings plan**.

RIDER
CLAUSE ADDITIONNELLE

(ass.) Clause détaillant les changements apportés (par exemple les garanties supplémentaires) à une police d'assurance par voie d'un **avenant**. *V.a.* **endorsement** 4.

RIGHT *(fam.)*
DROIT (PRÉFÉRENTIEL) DE SOUSCRIPTION, DROIT

Voir **share right**.

RIGHT CERTIFICATE
CERTIFICATION DE DROIT (DE SOUSCRIPTION)

(fin.) Document matérialisant un droit de souscription.

RIGHTS ISSUE
ÉMISSION DE DROITS
(fin.) Titres émis par une société et dont l'objet est d'offrir aux actionnaires la possibilité de souscrire à une nouvelle émission d'actions au prorata des actions qu'ils détiennent. *Syn.* **rights offering**.

RIGHTS OFFERING
ÉMISSION DE DROITS
Voir **rights issue**.

RISK 1.
RISQUE
(lang. cour. et *aff.)* Événement préjudiciable, plus ou moins prévisible, qui peut affecter la réalisation d'un programme, d'un plan, d'une politique. *N.B.* Les risques d'une entreprise sont essentiellement commerciaux, économiques et financiers.

RISK 2.
RISQUE
(ass.) Préjudice éventuel contre lequel une compagnie d'assurances s'engage à protéger l'assuré en contrepartie d'une prime.

RISK CAPITAL
CAPITAL DE RISQUE, CAPITAL-RISQUE
Voir **venture capital**.

RISK MANAGEMENT
GESTION DES RISQUES
(inf.) Méthode de gestion dont l'objet est de trouver une solution aux problèmes que l'avarie ou l'utilisation frauduleuse d'un système informatisé peut susciter pour l'entreprise qui le possède.

ROI
TAUX DE RENDEMENT DU CAPITAL INVESTI, RENDEMENT DES INVESTISSEMENTS
Abrév. de **return on investment**.

ROLL 1.
RÔLE (D'IMPOSITION), RÔLE D'IMPÔT
(fisc.) Liste sur laquelle figure le nom des contribuables avec le montant des impôts ou taxes qu'ils auront à payer. *N.B.* Cette liste donne lieu à l'envoi aux contribuables d'un **avertissement** les invitant à payer ces impôts et taxes alors que, dans le cas de l'impôt sur le revenu des particuliers et de l'impôt sur les bénéfices des sociétés, les contribuables concernés doivent faire eux-même les calculs nécessaires. *Syn.* **tax roll**.

ROLL 2.
TABLEAU, LISTE
(prof.) Liste, par ordre, des personnes appartenant à une profession libérale, un organisme ou un groupe quelconque.

ROLLING BUDGET
BUDGET PERPÉTUEL, BUDGET ROULANT, BUDGET CONTINU
Voir **continuous budget**.

ROLLING STOCK
MATÉRIEL ROULANT
Voir **automotive equipment**.

ROLL-OVER PROVISION
DISPOSITION DE ROULEMENT
(fisc.) Terme désignant le transfert, en franchise d'impôt, d'un bien qui, en d'autres circonstances, donnerait lieu à un revenu imposable.

ROM
MÉMOIRE MORTE, MÉMOIRE FIXE
Abrév. de **read only memory**.

ROUND LOT
LOT DE TAILLE NORMALE, LOT RÉGULIER
(Bourse) Lot faisant l'objet d'une opération boursière et comprenant un nombre déterminé d'actions, c'est-à-dire généralement 100 actions ou un multiple de 100. *Comparer avec* **odd lot**.

ROUTINE
SOUS-PROGRAMME, ROUTINE
(inf.) Jeu d'instructions codées disposées dans un ordre approprié et dont l'objet est d'amener l'ordinateur à effectuer une opération ou une série d'opérations, par exemple une **opération de tri**. *N.B.* On entend aussi par **sous-programme** une partie d'un programme appelée à des utilisations répétées soit dans plusieurs programmes distincts, soit dans le corps du même programme.

ROUTING
ACHEMINEMENT
(aff.) Action de diriger une marchandise ou un document vers un lieu déterminé.

ROYALTY
REDEVANCE, DROIT D'EXPLOITATION
(écon.) Somme payée par une société exploitant des ressources naturelles au propriétaire de ces ressources ou au pays sur le territoire duquel elles se trouvent. *N.B.* On emploie aussi parfois en français le terme *royalties*. La somme d'argent que l'on doit verser, à échéances périodiques, en contrepartie d'un avantage concédé contractuellement, par exemple l'autorisation d'exploiter un brevet, s'appelle **redevance**. Si l'autorisation accordée porte sur l'utilisation d'une création d'un auteur, les redevances versées à ce dernier s'appellent **droits d'auteur**. *V.a.* **copyright** 1.

RPP
RÉGIME DE RETRAITE AGRÉÉ
Abrév. de **registered pension plan**.

RRA
(MÉTHODE DE LA) CAPITALISATION (DE LA VALEUR) DES GISEMENTS
Abrév. de **reserve recognition accounting**.

RRSP
RÉGIME ENREGISTRÉ D'ÉPARGNE-RETRAITE (R.E.É.R.)
Abrév. de **registered retirement savings plan**.

RULE OF 72 *(fam.)*
RÈGLE DE 72 (fam.)
(fin.) Règle permettant de déterminer approximativement le nombre d'années requis pour qu'un capital investi à un taux d'intérêt donné puisse doubler. *N.B.* Ce nombre d'années se trouve en divisant le chiffre 72 par le taux d'intérêt annuel. Ainsi, si un capital est placé à 10%, il doublera après 7,2 années environ.

RULE OF 78 *(fam.)*
MÉTHODE DE VENTILATION PROPORTIONNELLE À L'ORDRE NUMÉRIQUE INVERSÉ DES MOIS,
    RÈGLE DE 78 (fam.)
Application particulière de la méthode de ventilation proportionnelle à l'ordre numérique inversé des périodes lorsque celles-ci sont les douze mois de l'année. *V.a.* **sum-of-the-digits method**.

RULING
DÉCISION ANTICIPÉE

(fisc. can.) Interprétation d'un règlement ou d'un article d'une loi fiscale, donnée par l'Administration fiscale à la demande d'un contribuable.

RULING OF AN ACCOUNT
ARRÊTÉ DE COMPTE

Opération qui consiste à calculer le total des débits et des crédits d'un compte afin de dégager son **solde** que l'on porte au crédit s'il est débiteur, et au débit s'il est créditeur. Le total des débits du compte après cette inscription est alors nécessairement égal à celui des crédits et on souligne généralement ces deux totaux identiques de deux traits pour indiquer l'**arrêt du compte**. *N.B.* Cette opération est immédiatement suivie de la **réouverture du compte** qui consiste à inscrire le solde au débit s'il est débiteur, et au crédit s'il est créditeur. Cette inscription doit être précédée du libellé *solde à nouveau* ou tout simplement *à nouveau*. *V.a.* **closed account**.

RUN 1.
SÉRIE, LOT DE FABRICATION

(prod.) Quantité fabriquée au cours d'une période déterminée par une machine ou un ensemble de machines.

RUN 2.
PASSAGE-MACHINE, PASSAGE (EN ORDINATEUR)

Voir **computer run**.

RUSH HOUR
HEURE DE POINTE

(lang. cour.) Heure de la journée pendant laquelle l'activité d'une entreprise atteint son maximum, la circulation routière est la plus grande, etc. *V.a.* **peak period**.

RUSH ORDER
APPROVISIONNEMENT (FAIT) À LA HÂTE, COMMANDE URGENTE

(gest.) Commande passée pour répondre à un besoin imprévu ou attribuable à une mauvaise politique d'approvisionnement et susceptible d'entraîner des coûts particuliers.

SAFEGUARDING OF ASSETS
PROTECTION DES BIENS, PRÉSERVATION DU PATRIMOINE
(gest.) Mesures adoptées par l'entreprise en vue d'assurer le maintien en bon état de ses biens, leur utilisation efficace et leur protection contre des risques divers, par exemple le vol et l'usure prématurée.

SAFE HARBOUR RULES
RÈGLES REFUGE, RÈGLES LIBÉRATOIRES, RÈGLES D'EXONÉRATION
(E.C.) Règles que l'on a suggéré d'adopter en vue d'atténuer la responsabilité civile ou professionnelle de l'expert-comptable dans la mesure où ce dernier s'est conformé à certaines exigences. Ainsi il a été proposé qu'une responsabilité légale ne soit attribuée à l'expert-comptable que si le requérant peut démontrer clairement qu'un examen normal des comptes aurait permis de découvrir qu'ils avaient été mal établis. *N.B.* En Belgique, le reviseur d'entreprises se voit interdire par la loi toute clause contractuelle diminuant sa responsabilité.

SAFETY STOCK
STOCK DE SÉCURITÉ, STOCK TAMPON
(gest.) Stock minimal que l'entreprise doit conserver pour répondre à la demande normale et se protéger contre les variations pouvant se produire dans les **délais de réapprovisionnement**. *N.B.* Ce stock est constitué d'**articles** dits **de sécurité** dont le manque est susceptible d'entraîner de sérieuses conséquences pour l'entreprise. *V.a.* **buffer inventory** 1. et **minimum stock**.

SALARIED EMPLOYEE
(TRAVAILLEUR) SALARIÉ
(rel. de tr.) Personne qui reçoit un salaire de l'entreprise pour laquelle elle travaille. *Comparer avec* **self-employed person**. *V.a.* **employee**.

SALARIES AND WAGES
FRAIS DE PERSONNEL, SALAIRES ET CHARGES SOCIALES
Poste de l'état des résultats (ou compte de résultat) où figurent les frais (y compris les charges sociales) au titre des rémunérations de toutes natures qu'une entreprise verse à son personnel. *Syn.* **wages** 2.

SALARY 1.
SALAIRE
(aff.) Rémunération payable régulièrement par un employeur à son personnel, en échange d'un travail, d'un service rendu. *V.a.* **pay** *n.*, **remuneration** et **wages** 1.

SALARY 2.
TRAITEMENT
(aff.) Rémunération d'un fonctionnaire et, par extension, salaire d'une personne ayant un emploi d'une certaine importance sociale.

SALARY 3.
APPOINTEMENTS

(aff.) Sommes allouées forfaitairement, pour une période donnée, au personnel d'une entreprise qui ne concourt pas directement à la production (les cadres, par exemple), par opposition aux salaires calculés en fonction du travail fourni et versés au personnel participant directement à la production (les ouvriers).

SALARY BASE
PLAFOND DU SALAIRE, SALAIRE PLAFONNÉ
Voir **earnings ceiling**.

SALARY RANGE
PLAGE DE SALAIRE

(rel. de tr.) Écart entre l'échelon maximal et l'échelon minimal de rémunération d'une même fonction.

SALARY RATE
TAUX DU SALAIRE, TAUX DES SALAIRES

(rel. de tr.) Taux de rémunération déterminant les salaires versés au personnel (taux horaire, hebdomadaire, mensuel).

SALARY SCALE
BARÈME DES SALAIRES, ÉCHELLE DES SALAIRES, GRILLE DE RÉMUNÉRATION

(rel. de tr.) Tarif indiquant les **classes** (ensemble des taux de rémunération s'appliquant à une catégorie de salariés) et les **échelons** (chacun des niveaux d'une classe ou d'un palier) de **rémunération** en vigueur dans un organisme ou une entreprise.

SALE 1.
(CONTRAT DE) VENTE

(dr. et comm.) Contrat par lequel une personne (le **vendeur**) transfère un droit à une autre personne (l'**acheteur** ou l'**acquéreur**) qui s'oblige à en payer le prix. Par extension, le terme anglais *sale* désigne aussi la prestation, à titre onéreux, d'un service. *N.B.* La vente de biens par un commerçant sans aucune transformation est aussi connue sous le nom de **revente**. La vente dans laquelle le vendeur peut reprendre la chose vendue sous réserve d'en rembourser le prix et, le cas échéant, de payer certains frais supplémentaires est connue sous le nom de **vente à réméré**.

SALE 2.
SOLDE

(comm.) **Vente** de marchandises **au rabais** ou à **prix réduits** effectuée le plus souvent en fin de saison pour écouler, par exemple, des articles hors série. *N.B.* Employé au pluriel, le terme **soldes** désigne les articles eux-mêmes vendus au rabais ou en solde. *V.a.* **discount** *n.* 1., **mark-down** *n.* 2. et **rebate**.

SALE AND LEASEBACK
(CONTRAT DE) CESSION-BAIL

(fin. et compt.) Opération de financement par laquelle le propriétaire d'un bien (généralement un immeuble) le cède à un tiers (le plus souvent une **société de crédit-bail**) pour le reprendre à bail en vertu d'un contrat de location à long terme qui peut être assorti d'une promesse unilatérale de vente. *Syn.* **leaseback**. *V.a.* **lease**.

SALE BY PRIVATE AGREEMENT
VENTE DE GRÉ À GRÉ

(dr. et comm.) Vente conclue d'un commun accord, à l'amiable. *Comparer avec* **procurement contract**. *V.a.* **private agreement, by**.

SALES
CHIFFRE D'AFFAIRES, (CHIFFRE DES) VENTES

Poste de l'état des résultats (ou compte de résultat) où figurent les produits d'exploitation (les ventes de marchandises et, par extension, les prestations de services), c'est-à-dire l'ensemble des affaires réalisées avec les tiers par l'entreprise dans l'exercice de ses activités professionnelles. *N.B.* Pris dans un sens restrictif, le terme **chiffre d'affaires** ne s'applique qu'à l'aspect professionnel de l'activité de l'entreprise, c'est-à-dire ses ventes. Par extension, toutefois, le chiffre d'affaires comprend à la fois les produits d'exploitation, les produits financiers et les produits accessoires. En France et en Belgique, il faut entendre par **chiffre d'affaires**, le montant des ventes de marchandises et des prestations de services à des tiers, relevant de l'activité habituelle de l'entreprise, déduction faite des rabais sur ventes, et à l'exclusion de la T.V.A. *Syn.* **turnover** 2. *(U.K.).* *V.a.* **sales figure** et **sales volume**.

SALES AGENCY
AGENCE COMMERCIALE, BUREAU DE REPRÉSENTATION RÉGIONALE, SUCCURSALE DE VENTE
Voir **sales office**.

SALES ALLOWANCES
RABAIS SUR VENTES
Élément retranché du chiffre des ventes d'un exercice en vue de trouver le chiffre d'affaires net de cet exercice. *Comparer avec* **purchase allowances**. *V.a.* **discount** *n.* 1.

SALES BASIS OF REVENUE RECOGNITION
(MÉTHODE DE LA) CONSTATATION DU PROFIT À LA LIVRAISON, (MÉTHODE DE LA) COMPTABILISATION DU PROFIT À LA LIVRAISON, MÉTHODE DE LA LIVRAISON
Voir **completed sales basis**.

SALES BUDGET
BUDGET DES VENTES
(gest.) Budget établi par le responsable de la **fonction commerciale** et dont l'objet est de déterminer le chiffre d'affaires de l'exercice à venir, chiffre sur lequel se fondent d'autres budgets, notamment le budget de production et le budget des frais de distribution. *V.a.* **budget** *n.* 1.

SALES COMMITMENT
PROMESSE DE VENTE
(dr. et comm.) Engagement contractuel pris par l'entreprise de vendre des marchandises ou un bien immobilier à une date donnée et à un prix fixé d'avance.

SALES CONDITIONS
CONDITIONS DE VENTE
(comm.) Ensemble des conditions fixées par l'entreprise à son client pour l'exécution d'une commande. *N.B.* Les **conditions** peuvent être **générales** (emballage, transport, remise, paiement, escompte de caisse, garanties, litiges, intérêts moratoires, etc.) ou **particulières** (nature, quantité, prix des articles vendus, etc.). *Syn.* **terms of sale**. *Comparer avec* **purchase payment terms**. *V.a.* **terms and conditions**.

SALES DEPARTMENT
SERVICE COMMERCIAL, SERVICE DES VENTES
(org. de l'entr.) Service dont l'objet est d'assurer la **fonction commerciale** de l'entreprise par la coordination des activités de vente, l'étude des canaux et des formes de distribution, le service après-vente et l'administration générale de ces activités (facturation, comptabilité, etc.).

SALES DIRECTOR
DIRECTEUR COMMERCIAL, DIRECTEUR DES VENTES
(gest.) Personne responsable des contacts avec la clientèle de l'entreprise par l'intermédiaire de ses représentants. *Syn.* **sales manager**.

SALES DISCOUNT
ESCOMPTE SUR VENTES, ESCOMPTE ACCORDÉ
(comm.) Escompte de caisse consenti par l'entreprise à ses clients pour les inciter à régler leurs comptes rapidement. *V.a.* **cash discount** et **discount** *n.* 1.

SALES FIGURE
CHIFFRE D'AFFAIRES, (CHIFFRE DES) VENTES
Total des ventes réalisées par l'entreprise au cours d'un exercice. *V.a.* **consolidated sales figure, gross sales, net sales, sales** et **sales volume**.

SALES FORCE
FORCE DE VENTE, PERSONNEL DE VENTE, PERSONNEL COMMERCIAL
(mark.) Ensemble des personnes de l'entreprise (ou en relation avec elle) dont la fonction est de promouvoir les ventes.

SALES JOURNAL
JOURNAL DES VENTES
Journal auxiliaire dans lequel on inscrit les ventes de l'entreprise.

SALESMAN 1.
REPRÉSENTANT (DE COMMERCE), AGENT COMMERCIAL
(comm.) Personne dont le rôle est de recueillir ou de provoquer des commandes de biens et de services au nom et pour le compte d'un ou plusieurs employeurs. *N.B.* En France, il existe juridiquement deux catégories d'intermédiaires commerciaux : 1) le **représentant statutaire**, dit aussi **VRP (voyageur, représentant, placier)** ayant un statut particulier en vertu des dispositions du *Code de commerce* et exerçant sa profession d'une façon exclusive et permanente pour le compte d'une entreprise ou de plusieurs entreprises (**multicarte**) moyennant une rémunération ou une commission et une indemnité de clientèle en cas de licenciement, et 2) l'**agent commercial** qui ne remplit pas toutes les conditions du statut professionnel du VRP (il n'exerce pas, par exemple, sa profession d'une façon exhaustive et permanente) et qui, de ce fait, est lié à l'employeur par un **contrat de louage de services**. Il convient aussi de distinguer le **représentant** du **démarcheur** dont le rôle est caractérisé par la recherche à domicile de clients éventuels par contact direct ou par téléphone. En Belgique, il y a une distinction importante entre le **représentant de commerce** qui a un statut d'employé et travaille sous l'autorité de l'employeur, et l'**agent commercial** qui est autonome et tire un revenu des commissions qui lui sont allouées.

SALESMAN 2.
VENDEUR
(comm.) Personne dont la profession est de vendre et qui souvent ne dispose pas de local fixe comme le commerçant (par exemple un **vendeur ambulant**) et, par extension, employé chargé d'assurer la vente dans un établissement commercial et, plus particulièrement, dans un grand magasin.

SALES MANAGER
DIRECTEUR COMMERCIAL, DIRECTEUR DES VENTES
Voir **sales director**.

SALES MIX
COMPOSITION DU CHIFFRE D'AFFAIRES, COMPOSITION DU CHIFFRE DES VENTES
Proportions dans lesquelles se retrouvent dans le chiffre d'affaires les différents produits ou gammes de produits vendus par une entreprise. *V.a.* **mix**.

SALES OFFICE
AGENCE COMMERCIALE, BUREAU DE REPRÉSENTATION RÉGIONALE, SUCCURSALE DE VENTE
(org. de l'entr.) Service spécialisé destiné à assurer le succès de la fonction commerciale dans une région donnée. *Syn.* **sales agency**. *V.a.* **outlet** 1.

SALES ORDER
BORDEREAU DE VENTE, BULLETIN DE VENTE
Formule remplie par le vendeur pour consigner la commande d'un client et dont les copies sont acheminées aux divers services concernés de l'entreprise (production, expédition et comptabilité). *V.a.* **order** 1. et **purchase order**.

SALES OUTLET
POINT DE VENTE

Voir **outlet** 1.

SALES PRICE
PRIX DE VENTE

Voir **selling price**.

SALES PROMOTION
PROMOTION DES VENTES, STIMULATION DES VENTES

(mark.) Recherche, étude, mise au point et application des idées et des initiatives concourant à la coordination et à l'augmentation du volume des ventes. *V.a.* **mailing** et **promotional expenses**.

SALES RETURN
RENDU SUR VENTES, RETOUR SUR VENTES

(comm.) Marchandise retournée, pour diverses raisons, à l'entreprise qui accorde alors au client une note de crédit ou un remboursement. *Comparer avec* **purchase return**. *V.a.* **credit note** et **return** 3.

SALES SLOWDOWN
MÉVENTE

(comm.) Chute des ventes susceptible de compromettre la prospérité de l'entreprise concernée. *Syn.* **slump in sales.**

SALES TAX
TAXE SUR LES VENTES, TAXE DE VENTE

(fisc. can.) Impôt frappant selon des taux différenciés la production de certains biens, la vente de marchandises et la prestation de services qui relèvent d'une activité industrielle ou commerciale. *N.B.* La taxe sur les ventes au niveau du fabricant est de compétence fédérale parce qu'il s'agit d'un impôt indirect alors que la **taxe sur les ventes au détail**, qui est un impôt direct, est de compétence provinciale. *V.a.* **indirect taxes**, **tax** *n.* 2. et **value-added tax (VAT)**.

SALES TAX LICENSE
PERMIS D'EXEMPTION DE TAXE SUR LES VENTES, LICENCE DE TAXE DE VENTE (FÉDÉRALE),
CERTIFICAT D'EXONÉRATION

(fisc. can.) Privilège accordé à un organisme ou à une entreprise (le plus souvent un fabricant ou un intermédiaire) de ne pas payer la taxe de vente sur les produits ou biens qui lui sont vendus parce que ces produits font généralement l'objet d'une imposition à un stade ultérieur du **circuit économique**.

SALES-TYPE LEASE
(CONTRAT DE) LOCATION-VENTE

(dr. et *compt.)* Bail qui, du point de vue du bailleur, transfère au preneur pratiquement tous les avantages et les risques inhérents à la propriété du bien loué. À la date d'entrée en vigueur du bail, ce bien a une juste valeur supérieure ou inférieure à sa valeur comptable, et il en résulte un profit ou une perte pour le bailleur qui, dans la plupart des cas, est un fabricant ou un distributeur. *Comparer avec* **capital lease**. *V.a.* **lease**.

SALES VOLUME
VOLUME DES VENTES

Quantité de marchandises ou de produits vendus par l'entreprise au cours d'une période. *V.a.* **sales** et **sales figure**.

SALVAGE VALUE
VALEUR DE RÉCUPÉRATION

(écon.) Partie de la valeur résiduelle d'un bien représentée par la valeur des éléments de ce bien qui peuvent encore servir après qu'on l'a mis hors service. *Comparer avec* **residual value** 1. et **scrap value**. *V.a.* **value** *n.*

SAMPLE 1.

ÉCHANTILLON

(stat.) Ensemble des individus choisis dans un univers préalablement défini (**population de référence**) en vue d'estimer, par **induction statistique**, certaines caractéristiques quantitatives ou qualitatives (ou les deux à la fois) de la population en question. *Comparer avec* **population**.

SAMPLE 2.

ÉCHANTILLON

(comm.) Petite quantité d'un produit distribuée systématiquement à un grand nombre d'acheteurs éventuels afin qu'ils puissent en apprécier la qualité.

SAMPLING 1.

ÉCHANTILLONNAGE

(stat.) Action de prélever un échantillon dans une population et méthodes utilisées pour y parvenir. *V.a.* **judgment(al) sampling**, **random number sampling**, **random sampling**, **stratified sampling**, **systematic sampling** et **variable interval sampling**.

SAMPLING 2.

SONDAGE, ÉCHANTILLONNAGE

(stat.) Étude d'un certain nombre d'individus (un **échantillon**) tirés d'un ensemble (une **population**) en vue de porter un jugement sur la qualité de cet ensemble ou d'estimer le nombre d'individus qui en font partie. *Syn.* **test** 2. et **testing**. *V.a.* **acceptance sampling**, **attribute(s) sampling**, **discovery sampling**, **estimation sampling**, **monetary unit sampling**, **physical unit sampling**, **representative item sampling**, **specific item sampling**, **statistical sampling** et **variables sampling**.

SAMPLING DEVIATION

ÉCART STATISTIQUE

(stat.) Différence entre les caractéristiques d'un échantillon et celles de la population qu'il représente.

SAVINGS BOND

OBLIGATION D'ÉPARGNE

(fin.) (Can.) Obligation émise par l'État dont le détenteur peut obtenir le remboursement sur demande. *V.a.* **bond** 1.

SBD

DÉDUCTION ACCORDÉE AUX PETITES ENTREPRISES

Abrév. de **small business deduction**.

SCAN

EXAMINER SOMMAIREMENT

(E.C.) Examiner un certain nombre de données en vue de déceler celles qu'il faudra étudier davantage lors d'une vérification (ou révision) des comptes d'une entreprise. *Comparer avec* **scrutinize**.

SCATTER DIAGRAM

DIAGRAMME DE DISPERSION

(stat.) Dans une analyse de régression simple, diagramme ou graphique qui illustre la corrélation existant entre un certain nombre de **couples** dont chacun des éléments représente, d'une part, la variable **indépendante** et, d'autre part, la **variable dépendante**. *V.a.* **chart** et **deviation**.

SCHEDULE *n.* 1.

CALENDRIER, HORAIRE, PROGRAMME

(gest.) Prévision des temps correspondant aux diverses phases d'exécution d'un travail (**horaire de travail** ou **calendrier de travail**) ou d'un programme d'activités (**calendrier de production**), d'une action, d'une campagne. *N.B.* On emploie parfois en français le terme *planning* pour désigner un plan de travail détaillé, un programme chiffré concernant les opérations que comporte un ouvrage déterminé ou celles qui se succéderont à un point donné. *V.a.* **planning** et **production control** 1.

SCHEDULE *n.* 2.
TABLEAU (COMPLÉMENTAIRE), ANNEXE
Voir **exhibit** 2.

SCHEDULE *n.* 3.
LISTE, NOMENCLATURE, BARÈME, TARIF
(aff.) Énumération d'articles, nomenclature de pièces, inventaire de machines, barème de prix, liste officielle de taux.

SCHEDULE *v.*
PROGRAMMER, ORDONNANCER
(gest.) Prévoir et coordonner, dans le temps et dans l'espace, les conditions d'exécution d'un programme.

SCHEDULING
ORDONNANCEMENT
(gest. et prod.) Mise en oeuvre et organisation des différents éléments (matières premières, main-d'oeuvre et matériel de fabrication) concourant à la production. *N.B.* Dans un atelier, pour un travail donné, l'**ordonnancement** permet de déclencher en temps voulu l'exécution de chacune des phases de ce travail et les mouvements de matières, compte tenu des délais de fabrication et des coûts qu'il faudra engager.

SCOPE 1.
ÉTENDUE DE LA VÉRIFICATION, ÉTENDUE DE LA RÉVISION
Voir **audit scope** 1.

SCOPE 2.
DÉLIMITATION DE LA VÉRIFICATION, DÉLIMITATION DE LA RÉVISION, OBJET DE LA VÉRIFICATION,
    OBJET DE LA RÉVISION
Voir **audit scope** 2.

SCOPE PARAGRAPH
PARAGRAPHE DE DÉLIMITATION
(E.C.) (Can.) Paragraphe du rapport du vérificateur dans lequel il décrit le travail qu'il a fait pour être en mesure d'exprimer une opinion sur les états financiers soumis à son attention. *Comparer avec* **opinion paragraph** et **reservation paragraph**. *V.a.* **auditor's report** 1.

SCRAP *n.*
REBUT, DÉCHET (DE FABRICATION), PRODUIT RÉSIDUEL
(prod.) **Résidu** de faible valeur résultant d'un processus de fabrication. *N.B.* Il arrive parfois qu'un **produit résiduel** n'ait aucune valeur de revente et que l'on doive même engager des coûts pour s'en débarrasser. Dans le cas d'un matériel, le terme anglais *scrap* se rend par l'expression **matériel hors service**. *Syn.* **waste** 2. *V.a.* **abnormal spoilage**, **defective units**, **normal spoilage**, **spoilage** et **waste** 1.

SCRAP *v. (fam.)*
METTRE AU REBUT, METTRE AU RANCART, METTRE À LA FERRAILLE
(lang. cour.) Se débarrasser d'une chose inutile ou usée. *V.a.* **retire** et **retirement** 2.

SCRAP VALUE
VALEUR DE REBUT, VALEUR À LA CASSE, PRIX À LA CASSE
(écon.) Somme qu'il est possible de retirer d'un bien au moment où on le met hors service parce qu'il est devenu inutilisable. *N.B.* L'expression **vendre à la casse** signifie vendre au poids brut, au prix de la matière première. *Comparer avec* **residual value** 1. et **salvage value**. *V.a.* **value** *n.*

SCRIP DIVIDEND
CERTIFICAT DE DIVIDENDE PROVISOIRE
Voir **dividend in scrip**.

SCRUTINIZE
EXAMINER SOIGNEUSEMENT

(E.C.) Pour l'expert-comptable, faire un examen de la majorité des données faisant partie d'un ensemble afin de déceler celles qu'il devra étudier davantage lors de la vérification (ou révision) des comptes d'une entreprise. *Comparer avec* **scan**.

SEARCH
RECHERCHE

(inf.) Action d'examiner un fichier en vue d'y trouver une donnée, un article; examen d'un ensemble d'articles en vue de déterminer ceux qui présentent une caractéristique donnée.

SEASONAL CREDIT
CRÉDIT DE CAMPAGNE, CRÉDIT SAISONNIER

(fin.) Crédit accordé à l'entreprise exerçant une activité saisonnière pour lui fournir les fonds dont elle a besoin durant les périodes de fabrication ou de stockage.

SECONDARY AUDITOR
DEUXIÈME VÉRIFICATEUR

(E.C.) (Can.) Expert-comptable à qui on demande de vérifier les états financiers d'une entreprise dont des éléments sont inclus, en tout ou en partie, dans les états financiers vérifiés par un autre expert-comptable (le premier vérificateur). *Comparer avec* **primary auditor**.

SECONDARY DISTRIBUTION
PLACEMENT D'UN BLOC DE TITRES

(Bourse) Redistribution au public d'une quantité considérable de titres qu'une société de capitaux a émis et que possède, par exemple, un investisseur institutionnel. *Comparer avec* **primary distribution**.

SECONDARY MARKET
MARCHÉ SECONDAIRE

(Bourse) Marché public, par exemple la Bourse des valeurs mobilières, qui joue un rôle essentiel pour assurer le fonctionnement du marché financier dans son ensemble et où sont échangés, par la confrontation de l'offre et de la demande, des titres déjà placés. *Comparer avec* **primary market**.

SECOND-HAND GOOD
(MARCHANDISE D')OCCASION

(comm.) Chose qui n'est pas neuve (une voiture d'occasion, par exemple) dont on n'est pas le premier acheteur. V.a **bargain**.

SECOND REQUEST
AVIS DE RELANCE, LETTRE DE RAPPEL
Voir **follow-up letter**.

SECRET RESERVE
RÉSERVE OCCULTE

Sous-évaluation (découlant le plus souvent d'une volonté de dissimulation) des capitaux propres d'une entreprise, accompagnée d'une surévaluation du passif ou d'une sous-évaluation de l'actif ou des deux à la fois. Cette expression ne désigne ni l'intitulé d'un poste du bilan ni une réserve au sens propre du terme mais décrit plutôt une situation de fait. *N.B.* Il convient de distinguer la **réserve occulte** de la **réserve latente** appelée aussi **réserve potentielle**, c'est-à-dire la somme des plus-values ne figurant pas au bilan et pouvant provenir d'une surestimation non volontaire des amortissements ou des provisions pour dépréciation, d'une sous-évaluation de certaines valeurs actives (du fait de l'inflation, par exemple), ou d'une surestimation non volontaire également de certains éléments du passif (par exemple les provisions pour pertes et charges). L'existence de ces plus-values fait que la valeur réelle d'une entreprise est généralement supérieure à la valeur comptable de sa situation nette. Les sociétés qui ont un important **patrimoine immobilier** ainsi que celles qui possèdent des titres dont la **valeur d'inventaire** est inférieure à leur **valeur boursière** ou à leur **valeur réelle** recèlent de fortes **plus-values latentes**. *Syn.* **hidden reserve**. *Comparer avec* **inner reserve**.

SECTION 1.
SECTION
(org. de l'entr.) Partie administrative d'une entreprise où l'on exécute un travail donné. *N.B.* Une **section** est dite **homogène** lorsque les coûts qui y sont engagés varient proportionnellement à l'**unité d'oeuvre** qui la carractérise (par exemple les heures de main-d'oeuvre). Selon le Plan comptable français, une section est une subdivision ouverte à l'intérieur d'un **centre de travail** lorsque la précision recherchée dans le calcul des coûts de produits conduit à effectuer l'imputation des coûts d'un centre de travail au moyen de plusieurs unités d'oeuvre (et non d'une seule). Une section ouverte en dehors des centres de travail avec pour seul objectif de faciliter des **opérations de répartition**, de **cession** entre centres d'analyse ou d'**imputation** est dite **fictive** ou **de calcul**. Les sections sont couramment appelées homogènes du fait de l'homogénéité des charges qui les constituent par rapport au mode d'imputation choisi. *V.a.* **accounting unit** 1., **cost centre**, **department** 1., **producing department** et **service department**.

SECTION 2.
ARTICLE
(dr.) Partie numérotée qui forme une division d'un texte légal.

SECURED BOND
OBLIGATION GARANTIE
Voir **guaranteed bond**.

SECURED CREDITOR
CRÉANCIER GARANTI, TITULAIRE D'UNE CRÉANCE GARANTIE
(dr.) Personne dont la créance est garantie par l'affectation d'un bien appartenant au débiteur et que le créancier a généralement le droit de faire vendre pour être remboursé de sa créance si le débiteur ne respecte pas ses engagements. *N.B.* Si le bien donné en garantie fait l'objet d'un nantissement, on dira alors du titulaire de la créance qu'il est un **créancier nanti**. *V.a.* **creditor** et **secured liability**.

SECURED LIABILITY
DETTE (ASSORTIE D'UNE) GARANTIE
(dr.) Dette faisant l'objet de l'affectation d'un bien par le débiteur en faveur du créancier qui jouit généralement du privilège de se rembourser à même le produit de la réalisation de ce bien si le débiteur ne respecte pas ses obligations. *Syn.* **guaranteed liability**. *V.a.* **collateral** 1. *(fam.)*, **guarantee** 1., **hypothecate**, **pledge** *v.* et **secured creditor**.

SECURED LOAN
EMPRUNT GARANTI, PRÊT GARANTI, CRÉDIT GARANTI
(dr.) Prêt faisant l'objet de l'affectation d'un bien par le débiteur en faveur du créancier qui lui a consenti ce prêt. *Comparer avec* **unsecured loan**.

SECURED NOTE
BILLET GARANTI, EFFET GARANTI
Voir **collateral note**.

SECURITIES LISTING
COTE (OFFICIELLE)
(Bourse) Relevé publié quotidiennement par une Bourse de valeurs à l'issue d'une séance et dans lequel figurent les cours pratiqués pour chacune de ces valeurs. *Syn.* **stock exchange official list**. *V.a.* **listing requirements**.

SECURITIES MARKET
MARCHÉ DES VALEURS MOBILIÈRES, MARCHÉ FINANCIER
(Bourse) Marché des capitaux investis à long terme dans des actions, obligations et autres titres. *V.a.* **stock exchange**.

SECURITY 1.
TITRE (DE PLACEMENT), VALEUR (MOBILIÈRE)
(fin.) Terme qui désigne les actions et les obligations émises par les sociétés et, dans le cas des obligations, par l'État. *V.a.* **investment** 5. et **marketable security**.

SECURITY 2.
GARANTIE, CAUTIONNEMENT, SÛRETÉ PERSONNELLE
Voir **guarantee** 1.

SEED MONEY
CAPITAUX D'AMORÇAGE, CAPITAUX DE LANCEMENT, CAPITAL DE DÉPART, MISE DE FONDS INITIALE
(fin.) Fonds qu'il est nécessaire d'investir pour lancer une entreprise.

SEGMENT 1.
SECTEUR
(org. de l'entr.) Partie de l'entreprise où s'exercent des activités ayant un objet commun ou entrant dans la même catégorie. *V.a.* **geographic segment** et **industry segment**.

SEGMENT 2.
SECTEUR
(inf.) Sur un tambour ou une piste magnétique, portion de piste repérable par une adresse.

SEGMENTATION
SEGMENTATION
(mark.) Division d'un marché selon des groupes d'individus ou leur comportement.

SEGMENTED INFORMATION
INFORMATION SECTORIELLE, INFORMATION PAR SECTEURS
Information présentée dans les états financiers (ou comptes annuels) par **secteurs d'activité** d'une **entreprise à exploitation diversifiée**, ou par **régions** dans lesquelles elle exerce son activité. *V.a.* **functional accounting**, **geographic segment** et **industry segment**.

SEGMENT EXPENSES
CHARGES SECTORIELLES
Charges directement attribuables à un secteur et quote-part des charges qui peuvent être ventilées, selon une formule logique, entre les divers secteurs à l'avantage desquels elles ont été engagées.

SEGMENT (OPERATING) MARGIN
MARGE SECTORIELLE, BÉNÉFICE SECTORIEL, PROFIT SECTORIEL
Marge bénéficiaire réalisée par un secteur de l'entreprise, c'est-à-dire la différence entre le total des produits et le total des charges du secteur en cause. *Syn.* **contribution margin** 2.

SEGMENT REPORTING
(PUBLICATION D')INFORMATIONS SECTORIELLES, PUBLICATION D'INFORMATIONS PAR SECTEURS
Communication d'informations portant sur le chiffre d'affaires, les charges, le bénéfice et le capital investi, pour chacun des secteurs de l'entreprise. *Syn.* **line of business reporting**.

SEGMENT REVENUE
PRODUITS SECTORIELS
Produits se rapportant directement à un secteur donné et provenant de ventes faites à des tiers et de **cessions intersectorielles** de produits, marchandises et services.

SEIZURE
SAISIE

(dr.) **Voie d'exécution** forcée par laquelle un créancier fait mettre sous la main de la justice les biens de son débiteur, en vue de les faire vendre aux enchères et de se payer sur le prix. *N.B.* La voie d'exécution par laquelle un créancier bloque entre les mains d'un tiers les sommes qui lui sont dues s'appelle **saisie-arrêt**.

SELF-BALANCING FUND
FONDS AUTONOME, COMPTABILITÉ AUTONOME

Partie d'un ensemble comptable qui fonctionne d'une façon indépendante du reste de la comptabilité à laquelle elle est parfois rattachée par des **comptes de liaison**. *N.B.* Chaque **comptabilité autonome** est caractérisée par un ensemble de comptes dont le total des soldes débiteurs est égal au total des soldes créditeurs.

SELF-BALANCING LEDGER
GRAND LIVRE AUTONOME

Grand livre, par exemple le grand livre général dans une comptabilité en partie double, dont le total des débits inscrits dans les comptes qui le constituent est égal au total des sommes portées au crédit de ces mêmes comptes. *V.a.* **ledger**.

SELF-CHECKING DIGIT
CHIFFRE D'AUTOCONTRÔLE

(inf.) Chiffre faisant partie d'un numéro de code, que l'on trouve mathématiquement à partir des autres chiffres du code, et grâce auquel, en répétant à un stade ultérieur du traitement le processus mathématique qui a conduit à la détermination du chiffre de contrôle, il est possible de vérifier l'exactitude du numéro de code et de déceler la majorité des erreurs de transcription.

SELF-EMPLOYED PERSON
PERSONNE À SON COMPTE, TRAVAILLEUR AUTONOME, TRAVAILLEUR INDÉPENDANT

(aff.) Personne qui fait un travail pour son propre compte par opposition à une autre qui est liée à son employeur par un contrat de travail. *Comparer avec* **salaried employee**. *V.a.* **employee**.

SELF-FINANCING
(CAPACITÉ D')AUTOFINANCEMENT

(fin.) Ensemble des moyens de financement qui permettent à une entreprise de poursuivre son activité et de réaliser des projets d'investissement au moyen des fonds tirés de l'exploitation. *N.B.* Il convient de distinguer l'**autofinancement brut** (le bénéfice net après réintégration des éléments n'intéressant pas le fonds de roulement et après déduction des dividendes) et l'**autofinancement net** (le bénéfice net diminué du bénéfice distribué). L'autofinancement net est parfois désigné par les expressions **épargne nette** et **autofinancement de croissance** par opposition à l'**autofinancement de maintien** qui est constitué par les seuls amortissements et provisions. En période d'inflation toutefois, cet autofinancement dit de maintien s'avère insuffisant pour le strict remplacement des biens de l'entreprise en raison de l'accroissement des valeurs de remplacement de ces biens par rapport à leur coût d'origine. *Comparer avec* **external financing**. *V.a.* **cash flow** 2. *(fam.)* et **internal financing**.

SELF-INSURANCE
AUTOASSURANCE, PROPRE ASSURANCE

(ass.) Prise en charge par l'entreprise elle-même, d'un risque découlant de la possession de biens ou de toute autre cause sans avoir recours à une compagnie d'assurances. *V.a.* **insurance** et **insurance fund**.

SELF-INSURANCE RESERVE
PROVISION DE PROPRE ASSUREUR

Provision constituée par l'entreprise qui prend elle-même en charge la couverture de certains risques. *N.B.* Au Canada, la constitution d'une telle provision n'est pas conforme aux principes comptables généralement reconnus; en France, elle est permise par le Plan comptable pour un risque rattachable aux exercices clos et cette provision, qui entre dans la catégorie des dettes provisionnées lorsqu'elle concerne une obligation à l'égard d'un tiers, n'est pas déductible du résultat fiscal.

SELF-SERVICE
LIBRE SERVICE

Service que le client assure lui-même dans certains établissements : stations-service, magasins, restaurants, etc.; établissement où le client se sert lui-même.

SELF-SUSTAINING FOREIGN OPERATION
ÉTABLISSEMENT ÉTRANGER AUTONOME

Établissement étranger dont les activités économiques sont en grande partie autonomes et dont les opérations n'ont pas, dans l'ensemble, une incidence directe sur les activités économiques et les flux monétaires de l'entreprise qui publie l'information financière. *V.a.* **foreign operation.**

SELL SHORT
VENDRE À DÉCOUVERT

(Bourse) Jouer à la baisse en vendant des valeurs que l'on ne possède pas au moment de la conclusion d'un marché. *V.a.* **short sale**.

SELLER
VENDEUR

(comm. et *dr.)* Personne qui cède à une autre, moyennant contrepartie, la propriété d'une chose lui appartenant. *N.B.* Le vendeur a l'obligation de transférer à l'acheteur la possession de la chose vendue, il doit lui en garantir une possession paisible et il est responsable des vices cachés du bien vendu.

SELLER'S MARKET
MARCHÉ VENDEUR, MARCHÉ À LA HAUSSE

(Bourse) Situation qui existe dans une industrie ou une région lorsque la demande est supérieure à l'offre. *N.B.* On parle alors de **marché favorable au vendeur** ou dominé par lui. *Comparer avec* **buyer's market**. *V.a.* **bull market**.

SELLING EXPENSES
FRAIS DE VENTE, FRAIS DE COMMERCIALISATION, FRAIS DE DISTRIBUTION

Ensemble des charges ou des frais engagés pour mettre des produits ou des marchandises sur le marché, par opposition aux frais se rapportant à la fabrication, à la gestion et au financement.

SELLING PRICE
PRIX DE VENTE

(comm.) Prix demandé, espéré ou obtenu par un vendeur. *N.B.* Le prix résultant de l'application de tous les rabais, remises, escomptes et autres avantages susceptibles d'être consentis à l'acheteur sur le prix de base ou le prix de catalogue s'appelle **prix de vente net**. *Syn.* **sales price**. *V.a.* **list price** et **net selling price**.

SELLING RATE
COURS VENDEUR, TAUX DE CHANGE VENDEUR

(fin.) Prix auquel un cambiste est disposé à vendre une devise à un moment donné, compte tenu du taux de change alors en vigueur. *Comparer avec* **buying rate**. *V.a.* **current rate**, **forward rate**, **historical rate**, **rate of exchange** et **spot rate**.

SEMI-DIRECT COSTS
CHARGES SEMI-DIRECTES, FRAIS SEMI-DIRECTS

Charges qui comportent une partie pouvant être affectée directement à un coût de revient et une partie indirecte imputable après répartition. *Comparer avec* **direct costs** et **indirect costs** 1.

SEMI-FINISHED GOODS
PRODUITS SEMI-OUVRÉS, PRODUITS SEMI-FINIS

Produits résultant d'une transformation partielle et non encore propres à la consommation. *N.B.* Les produits qui ont atteint un certain stade d'achèvement et qui sont destinés à entrer dans une nouvelle phase du cycle de production sont des **produits intermédiaires**. *V.a.* **goods in process**.

SEMI-FIXED COSTS
FRAIS SEMI-VARIABLES, COÛTS SEMI-VARIABLES, CHARGES SEMI-VARIABLES
Voir **semi-variable costs**.

SEMI-VARIABLE COSTS
FRAIS SEMI-VARIABLES, COÛTS SEMI-VARIABLES, CHARGES SEMI-VARIABLES
Frais qui comportent, pour une période donnée, une partie fixe liée à la structure de l'entreprise et une partie variable dépendant de son niveau d'activité. *N.B.* Comme ces frais varient avec la production d'une façon qui est, en partie seulement, proportionnelle au volume d'activité, on les appelle aussi **frais semi-proportionnels**, **coûts semi-proportionnels** et **charges semi-proportionnelles**. *Syn.* **mixed costs**, **semi-fixed costs** et **semi-variable expenses**. *Comparer avec* **fixed costs** et **variable costs**. *V.a.* **step (variable) costs**.

SEMI-VARIABLE EXPENSES
FRAIS SEMI-VARIABLES, COÛTS SEMI-VARIABLES, CHARGES SEMI-VARIABLES
Voir **semi-variable costs**.

SENIOR (AUDITOR)
PREMIER VÉRIFICATEUR (Can.), ASSISTANT CONFIRMÉ (Fr.)
(E.C.) Membre d'une équipe de vérification (ou révision), le plus souvent le responsable de cette équipe (**chef d'équipe**), ayant une grande expérience et plusieurs années de service. *N.B.* Le terme anglais *senior* a aussi le sens, selon le cas, de **ancien**, **aîné** et **principal**. *Comparer avec* **junior (auditor)**. *V.a.* **assistant senior** et **senior-in-charge**.

SENIOR DEBT
DETTE PRIORITAIRE, DETTE DE PREMIER RANG, DETTE AYANT PRIORITÉ DE RANG, (dr.)
Titre de créance conférant à son titulaire un droit prioritaire sur l'actif du débiteur et parfois sur les bénéfices de ce dernier. *Comparer avec* **subordinate(d) debt**.

SENIOR EXECUTIVE OFFICER
CADRE DIRIGEANT, DIRECTEUR GÉNÉRAL
(gest.) Dirigeant qui occupe une position importante au sein du conseil d'administration et du comité de direction d'une entreprise. *V.a.* **manager** 2.

SENIOR-IN-CHARGE
CHEF D'ÉQUIPE, CHEF DE MISSION, SUPERVISEUR (Can.)
(prof. compt.) Responsable d'une équipe de vérification (ou révision) dont le rôle est généralement d'étudier les états financiers (ou comptes annuels) d'une entreprise en vue de permettre au titulaire de la mission d'exprimer une opinion sur la fidélité de la présentation de l'information financière. *Syn.* **audit senior** et **supervisor** 1. *V.a.* **assistant senior** et **senior (auditor)**.

SENIORITY
ANCIENNETÉ
(rel. de tr.) Temps passé par un employé dans une fonction ou un grade, à compter de sa nomination ou de son embauche.

SENIOR MANAGEMENT
CADRES SUPÉRIEURS, DIRECTION GÉNÉRALE
Voir **top management**.

SENIOR PARTNER
ASSOCIÉ PRINCIPAL
(prof. compt.) Associé qui occupe le rang le plus élevé dans la hiérarchie d'un cabinet d'experts-comptables. *N.B.* Le plus souvent, un **associé principal** est un **associé fondateur** ou un associé ayant une grande expérience en raison de ses nombreuses années de service. *V.a.* **partner**.

SENIOR SECURITY
TITRE PRIORITAIRE, TITRE DE PREMIER RANG, TITRE AYANT PRIORITÉ DE RANG
(dr.) Titre (par exemple une obligation par rapport à une action privilégiée, ou une action privilégiée par rapport à une action ordinaire) conférant à son détenteur un droit prioritaire sur l'actif de la société émettrice et parfois sur ses bénéfices. *Comparer avec* **junior security**.

SENIOR SHARE 1.
ACTION PRIORITAIRE
(fin.)(Can.) Dans le calcul du bénéfice par action, toute action qui participe prioritairement aux bénéfices avec les actions ordinaires mais jusqu'à une certaine limite seulement. *V.a.* **share** 2.

SENIOR SHARE 2.
ACTION PRIVILÉGIÉE, ACTION DE PRIORITÉ
Voir **preferred share**.

SENIOR VICE PRESIDENT
VICE-PRÉSIDENT DIRECTEUR, DIRECTEUR GÉNÉRAL ADJOINT
Voir **executive vice president**.

SENSITIVITY ANALYSIS
ANALYSE DE SENSIBILITÉ
(stat.) Analyse qui consiste à étudier les effets d'un changement apporté à une variable sur les autres variables ainsi que sur les résultats définitifs. *V.a.* **analysis** 1.

SEQUENTIAL ACCESS
ACCÈS SÉQUENTIEL, ACCÈS EN SÉRIE, ACCÈS SÉRIEL
(inf.) Mode d'exploitation d'une mémoire dans laquelle les informations sont rangées à la suite, dans l'ordre où elles se présentent, et ne peuvent être lues ou extraites qu'en suivant cet ordre. *Syn.* **serial access**. *Comparer avec* **random access**. *V.a.* **access**.

SERIAL ACCESS
ACCÈS SÉQUENTIEL, ACCÈS EN SÉRIE, ACCÈS SÉRIEL
Voir **sequential access**.

SERIAL BONDS
OBLIGATIONS ÉCHÉANT EN SÉRIE, OBLIGATIONS ÉCHÉANT PAR TRANCHES
(fin.) Obligations remboursables par versements périodiques et, par le fait même, dont la date d'échéance, déterminée dès la date d'émission, s'échelonne sur une certaine période d'une façon uniforme. *Comparer avec* **term bonds**. *V.a.* **bond** 1.

SERVICE BUREAU
CENTRE DE TRAITEMENT À FAÇON, CENTRE EXTERNE D'INFORMATIQUE
(inf.) Entreprise spécialisée dans le traitement de l'information pour le compte de tiers et que l'on peut désigner par le terme **façonnier**. *N.B.* Il existe aussi des **sociétés de services et de conseils en informatique (S.S.C.I.)** qui sont des entreprises exerçant à la fois des activités de façonnier et des activités de conseil. *V.a.* **data centre** et **electronic data processing department**.

SERVICE CHARGES
FRAIS DE GESTION
Frais imputés par le siège social d'une entreprise à ses succursales pour les services qu'il leur rend; frais qu'un établissement financier ou autre exige de ses clients au titre de l'administration d'un compte. *N.B.* Dans le cas d'une banque, les frais en question portent généralement le nom de **frais bancaires (d'administration)**. *V.a.* **bank charges** et **management fees** 1.

SERVICE CONCERN
ENTREPRISE DE SERVICES

(écon.) Entreprise appartenant au **secteur tertiaire** et dont l'activité principale est la prestation de services plutôt que la fabrication ou le commerce. *V.a.* **business firm**, **commercial concern** et **manufacturing concern**.

SERVICE CONTRACT
CONTRAT D'ENTRETIEN, CONTRAT DE MAINTENANCE

(dr.) Contrat par lequel un fabricant ou un commerçant s'engage, moyennant rémunération, à maintenir en bon état de fonctionnement un produit, une machine, etc.

SERVICE DEPARTMENT
SECTION AUXILIAIRE

(org. de l'entr.) Service (par exemple le service de l'entretien) dont le rôle, dans une usine, est d'assurer le bon fonctionnement des ateliers de fabrication, et dont les frais doivent être répartis entre les sections utilisatrices de ses prestations. *N.B.* Par opposition aux **sections auxiliaires**, il existe des **sections principales**, c'est-à-dire des sections de production, des sections de distribution, etc. *Comparer avec* **producing department**. *V.a.* **section** 1.

SERVICE LIFE
DURÉE DE VIE

(écon.) Période au cours de laquelle on prévoit qu'un bien aura une utilité pour l'entreprise qui l'a acquis.

SERVICE-OUTPUT METHOD (OF DEPRECIATION)
(MÉTHODE DE L')AMORTISSEMENT PROPORTIONNEL À L'UTILISATION, (MÉTHODE DE L')AMORTISSEMENT PROPORTIONNEL AU RENDEMENT, (MÉTHODE DE L')AMORTISSEMENT FONCTIONNEL

Voir **production method (of depreciation)**.

SERVICE POTENTIAL
CAPACITÉ DE SERVICE

(prod.) Aptitude d'un bien à procurer des avantages futurs à l'entreprise qui le possède et qui amène cette dernière à l'inscrire à l'actif de son bilan.

SERVICE ROUTINE
PROGRAMME DE SERVICE

(inf.) Programme servant à effectuer des opérations de routine : conversion de support, tri, diagnostic, dépistage, etc.

SERVICES
(PRESTATIONS DE) SERVICES

(écon.) Formes d'activité économique, non concrétisées par l'apparition de biens matériels : expertise comptable, transports, banques, assurances, spectacles, agences de voyages, etc.

SERVICE TIME
DÉLAI DE SERVICE

(prod.) Délai nécessaire à l'accomplissement d'une opération, incluant le **temps d'attente** et le **temps d'exécution**.

SET-OFF
COMPENSATION

(dr.) Extinction réciproque d'obligations, en vertu de dispositions légales, d'une décision de la justice ou d'une convention des parties en cause.

SET OF FINANCIAL STATEMENTS
(JEU D')ÉTATS FINANCIERS, (JEU DE) COMPTES ANNUELS
Ensemble des rapports financiers qui constituent un tout et que l'on retrouve dans le rapport annuel d'une société. *V.a.* **financial statements**.

SETTLEMENT 1.
REMBOURSEMENT, PAIEMENT, RÈGLEMENT, AMORTISSEMENT (D'UNE DETTE)
Voir **liquidation** 1.

SETTLEMENT 2.
LIQUIDATION (BOURSIÈRE)
(Bourse) Règlement des opérations à terme par la livraison ou le paiement de valeurs mobilières que l'investisseur a vendues ou achetées à découvert. *N.B.* Par extension, le terme **liquidation** désigne aussi la date où intervient le règlement de ces opérations à terme. *V.a.* **liquidation** 1.

SETTLEMENT DATE
DATE DE RÈGLEMENT, DATE DE LIQUIDATION
(comm. et *Bourse)* Date à laquelle un client verse à son fournisseur le prix des marchandises qui lui ont été vendues ou des services qui lui ont été rendus. *N.B.* Le terme **date de liquidation** s'emploie surtout pour désigner la date à laquelle un courtier (ou agent de change) doit livrer les titres que son client a achetés et peut en exiger le paiement, ou la date à laquelle un investisseur doit livrer les titres qu'il a vendus et peut en exiger le paiement. *V.a.* **pension calculation**.

SETTLOR
AUTEUR D'UNE FIDUCIE, DISPOSANT, CONSTITUANT
(dr.) Personne qui crée une fiducie entre vifs ou une fiducie testamentaire. *N.B.* Le terme **disposant** désigne, d'une façon plus générale, la personne qui fait une disposition par donation entre vifs ou par testament. *V.a.* **inter-vivos trust** et **testamentary trust**.

SETUP COSTS 1.
FRAIS D'ÉTABLISSEMENT, FRAIS DE PREMIER ÉTABLISSEMENT
Voir **preliminary expenses** 1.

SETUP COSTS 2.
FRAIS DE MISE EN ROUTE, FRAIS DE MISE AU POINT
Frais engagés pour préparer le matériel en vue de la production. *V.a.* **start-up costs** 1.

SETUP TIME 1.
DÉLAI DE MISE EN ROUTE, DÉLAI DE MISE AU POINT
(prod.) Temps requis pour préparer le matériel en vue de la production d'une série, compte tenu, s'il y a lieu, des changements apportés aux procédés de fabrication et aux produits fabriqués. *V.a.* **lead time** 2.

SETUP TIME 2. *(fam.)*
DÉLAI D'EXÉCUTION
Voir **lead time** 3.

SEVERANCE PAY
INDEMNITÉ DE DÉPART, PRIME DE DÉPART
(rel. de tr.) Somme versée à un salarié par son employeur au moment où il quitte l'entreprise. *N.B.* Cette somme qui peut comprendre une compensation au titre de certains avantages sociaux acquis au cours des années de service du salarié porte aussi le nom, selon le cas, d'**indemnité (prime) de licenciement**, d'**indemnité (prime) de mise à la retraite** ou d'**indemnité (prime) de départ à la retraite**.

SHARE 1.
QUOTE-PART

(fin. et lang. cour.) Part d'un avantage ou d'un engagement financier affectée à chacune des parties en cause. Ainsi on parlera de quote-part des bénéfices d'une société revenant à une autre, de quote-part des bénéfices d'une société de personnes revenant à chaque associé et de quote-part des dépenses pour chacun des membres d'un groupement d'achats.

SHARE 2.
ACTION

(fin.) Titre cessible et négociable, nominatif ou au porteur, représentant une participation au capital social d'une société par actions, auquel sont attachés différents droits définis dans la loi ou les statuts de la société. *V.a.* **acquired share, alloted share, bonus share, cancelled share, common share, convertible share, cumulative share, deferred share, donated share, escrowed share, forfeited share, fractional share, fully paid share, non-cumulative share, non-fully paid share, non-participating share, non-voting share, participating share, preferred share, qualifying shares, quoted share, redeemable share, redeemed share, retractable share, senior share** 1., **share with transfer limitations, term-preferred share, treasury share** 1. et **voting share.**

SHARE 3.
PART (SOCIALE)

(Can.) Intérêt qu'un associé possède dans une coopérative ou une caisse d'épargne et de crédit, par exemple une caisse populaire. *N.B.* Le terme **part sociale** s'emploie également en France pour désigner les unités du capital social des sociétés à responsabilité limitée et, en Belgique, celles des sociétés de personnes à responsabilité limitée. *V.a.* **cooperative** et **credit union.**

SHARE CAPITAL
CAPITAL SOCIAL, CAPITAL-ACTIONS (Can.)
Voir **capital stock.**

SHARE CERTIFICATE
CERTIFICAT D'ACTION(S)

Document transmissible et négociable, émis par une société de capitaux et sur lequel figure le nombre d'actions détenues par l'actionnaire. *Syn.* **stock** 3. et **stock certificate.** *Comparer avec* **bond certificate.** *V.a.* **certificate, interim certificate** et **registered security.**

SHARE DISCOUNT
ESCOMPTE D'ÉMISSION D'ACTIONS, ESCOMPTE À L'ÉMISSION D'ACTIONS

(fin.)(Can.) Excédent de la valeur nominale des actions sur leur prix d'émission. *N.B.* En règle générale, la loi interdit l'émission d'actions à escompte. *Syn.* **discount on shares.** *V.a.* **discount** *n.* 3.

SHAREHOLDER
ACTIONNAIRE

(fin.) Personne physique ou morale propriétaire d'une part du capital d'une société sous forme d'une ou plusieurs actions. *Syn.* **stockholder** *(U.S.).*

SHAREHOLDER OF RECORD
ACTIONNAIRE INSCRIT, ACTIONNAIRE IMMATRICULÉ
Voir **registered shareholder.**

SHAREHOLDERS' DEFICIENCY
EXCÉDENT DU DÉFICIT SUR LE CAPITAL D'APPORT, AVOIR DES ACTIONNAIRES NÉGATIF (Can.)

Dans une société déficitaire, c'est-à-dire une société dont la valeur comptable du passif est supérieure à la valeur comptable de l'actif, excédent du déficit sur le capital d'apport. *Syn.* **negative shareholders' equity.** *V.a.* **capital impairment** et **deficiency in assets.**

SHAREHOLDERS' EQUITY
AVOIR DES ACTIONNAIRES (Can.), CAPITAUX PROPRES

Intérêt que les actionnaires possèdent dans l'actif net d'une société. *N.B.* En France et en Belgique, les capitaux propres comprennent le capital social et les primes d'émission d'actions (les apports des actionnaires), les réserves et provisions de nature légale, fiscale, statutaire ou discrétionnaire, les écarts de réévaluation et le report à nouveau, c'est-à-dire les profits en instance d'affectation. *V.a.* **owners' equity**.

SHAREHOLDERS' LEDGER
REGISTRE DES ACTIONNAIRES, GRAND LIVRE DES ACTIONNAIRES

Voir **share ledger**.

SHAREHOLDER OFFICER
ACTIONNAIRE DIRIGEANT

(gest.) Personne qui participe à la direction d'une société dont il est un actionnaire important. *V.a.* **owner manager**.

SHARE ISSUE
ÉMISSION D'ACTIONS

(fin) Offre ou mise en circulation d'actions; ensemble des actions mises en circulation à une même date.

SHARE ISSUE EXPENSES
FRAIS D'ÉMISSION D'ACTIONS, FRAIS D'AUGMENTATION DE CAPITAL

Frais auxquels donne lieu une émission d'actions, notamment les frais juridiques, les frais d'impression des certificats d'actions, la commission du preneur et les honoraires de l'expert-comptable.

SHARE ISSUED FOR CASH
ACTION DE NUMÉRAIRE, ACTION ÉMISE CONTRE ESPÈCES

(fin.) Action émise par une société en contrepartie d'un apport en argent.

SHARE ISSUED FOR PROPERTY
ACTION D'APPORT

(fin.) Action émise par une société en contrepartie d'un apport en nature (terrain, immeuble, brevet, etc.).

SHARE LEDGER
REGISTRE DES ACTIONNAIRES, GRAND LIVRE DES ACTIONNAIRES

(fin.) Registre dans lequel une société inscrit le nom de ses actionnaires et le nombre d'actions que détient chacun d'eux. *N.B.* En Belgique, le registre des actionnaires ne contient que la liste des actions nominatives. Les actions au porteur n'y figurent pas. Un registre similaire est tenu pour les parts de sociétés de personnes à responsabilité limitée. *Syn.* **shareholders' ledger**, **share register** et **stockholders' ledger**.

SHARE OPTION
OPTION DE SOUSCRIPTION À DES ACTIONS, OPTION D'ACHAT D'ACTIONS

Voir **stock option**.

SHARE PREMIUM
PRIME D'ÉMISSION (D'ACTIONS), PRIME À L'ÉMISSION D'ACTIONS, PRIME D'APPORT

(fin.) Excédent du prix d'émission d'actions sur leur valeur nominale. *N.B.* En France, l'expression **prime d'émission** s'applique aux apports effectués en numéraire tandis que l'on parle de **prime d'apport** dans le cas d'apports effectués en nature. *Syn.* **premium on shares**. *V.a.* **premium** 1.

SHARE PURCHASE WARRANT
BON DE SOUSCRIPTION À DES ACTIONS

Voir **stock purchase warrant**.

SHARE REGISTER
REGISTRE DES ACTIONNAIRES, GRAND LIVRE DES ACTIONNAIRES
Voir **share ledger**.

SHARE RIGHT
DROIT (PRÉFÉRENTIEL) DE SOUSCRIPTION, DROIT
(fin.) Attestation du droit préférentiel accordé par une société à ses actionnaires de souscrire à des actions nouvellement émises, le plus souvent de la même catégorie, au prorata des actions qu'ils détiennent, à un prix stipulé d'avance, au cours d'une période déterminée, afin de respecter le principe d'égalité entre actionnaires. *Syn.* **right** *(fam.)*, **stock right** et **subscription right**. *Comparer avec* **stock purchase warrant**. *V.a.* **cum rights**, **ex rights** et **pre-emptive right**.

SHARE SPLIT
DIVISION D'ACTIONS, FRACTIONNEMENT D'ACTIONS (Can.)
Voir **stock split**.

SHARE UNDER ESCROW
ACTION MISE EN MAIN TIERCE, ACTION ENTIERCÉE (Can.)
Voir **escrowed share**.

SHARE WITH TRANSFER LIMITATIONS
ACTION INCESSIBLE
(fin.) Action dont la cession est soumise à certaines conditions légales, contractuelles et notamment statutaires. *V.a.* **escrowed share**, **letter stock** et **share** 2.

SHIFT
ÉQUIPE, POSTE
(rel. de tr.) Groupe de travailleurs dont la durée de travail quotidien est fixe. Dans une même entreprise, il peut y avoir plusieurs postes ou équipes, par exemple le **poste de jour** et le **poste de nuit**. N.B. Le terme *shift* désigne aussi la période au cours de laquelle un groupe de personnes exécutent leur tâche quotidienne et on parlera alors de **poste**, de **période de travail**, de **journée de travail** ou de **quart**, ce dernier terme étant plutôt utilisé pour désigner le temps pendant lequel une partie de l'équipage d'un navire est de service.

SHIFT PREMIUM
PRIME D'ÉQUIPE, PRIME DE POSTE
(rel. de tr.) Majoration de salaire versée, dans certains cas, aux ouvriers pour le travail exécuté par postes ou par équipes.

SHIFT WORK
TRAVAIL PAR ROULEMENT, TRAVAIL PAR POSTES, TRAVAIL PAR ÉQUIPES
(rel. de tr.) Alternance de personnes qui se relayent ou se remplacent dans un travail, une fonction.

SHIPPER
EXPÉDITIONNAIRE
(comm.) Personne chargée des expéditions dans une maison de commerce. *N.B.* D'une manière plus générale, la personne qui expédie quelque chose se nomme **expéditeur** ou **expéditrice**.

SHIPPING
EXPÉDITION
(lang. cour.) Action d'envoyer un colis, un paquet et, plus généralement, un bien quelconque à un destinataire.

SHIPPING DEPARTMENT
SERVICE DE L'EXPÉDITION
(org. de l'entr.) Service dont la fonction est d'assurer aux clients la livraison des marchandises qu'ils ont commandées.

SHIPPING ORDER
AVIS D'EXPÉDITION, BORDEREAU D'EXPÉDITION
Voir **shipping slip**.

SHIPPING SLIP
AVIS D'EXPÉDITION, BORDEREAU D'EXPÉDITION
(comm.) Formulaire établi par l'entreprise et accompagnant les marchandises expédiées aux clients. *Syn.* **shipping order**. *V.a.* **bill of lading**, **slip** et **waybill**.

SHOP 1.
BOUTIQUE
(comm.) Magasin de vente au détail de dimension modeste.

SHOP 2.
ATELIER
(prod.) Module de travail constitué par un poste de travail unique, par un ensemble de postes de travail ou par une chaîne de montage. *Syn.* **workshop**. *V.a.* **machine tool department**.

SHOPLIFTING
VOL À L'ÉTALAGE
(comm.) Vol dont sont particulièrement victimes les grands magasins et qui, en comptabilité, donne lieu à ce qui s'appelle une **démarque inconnue**. *V.a.* **pilferage** et **shortage** 2.

SHOPPING CENTRE
CENTRE COMMERCIAL
(comm.) Grande surface de vente située dans une zone urbaine ou à proximité, rassemblant, selon un plan d'ensemble, un groupe de magasins de détail et comportant généralement des services communs, notamment un parc de stationnement. *V.a.* **mall**.

SHORTAGE 1.
RARETÉ, PÉNURIE, MANQUE, QUANTITÉ MANQUANTE
(écon.) Insuffisance de la quantité existante par rapport à la quantité demandée; situation dans laquelle l'approvisionnement du marché est caractérisé par la rareté des produits.

SHORTAGE 2.
DÉFICIT (DE CAISSE), (ARTICLES) MANQUANTS
(gest.) Quantité en moins constatée lors d'un **dénombrement** ou **récolement**; perte qui en découle. *V.a.* **cash shortage**, **inventory shortage** 1., **pilferage** et **shoplifting**.

SHORT-FORM REPORT
RAPPORT COURT, RAPPORT SUCCINCT
(E.C.) Rapport de vérification (ou révision) dans lequel l'expert-comptable se contente de définir l'étendue de son travail et d'exprimer une opinion sur les états financiers (ou comptes annuels). *Comparer avec* **long-form report**. *V.a.* **auditor's report** 1.

SHORT POSITION 1.
POSITION VENDEUR, POSITION À DÉCOUVERT
(Bourse) Situation dans laquelle se trouve une personne qui est tenue de livrer des titres ou des marchandises à un courtier. *N.B.* On dit de cette personne qu'elle est dans une **situation à découvert** en ce qui a trait aux titres ou aux marchandises portés à son compte dans les livres du courtier. La **position vendeur** correspond à l'ensemble des ventes à terme soit pour une valeur donnée, soit pour le marché. Le jour de la liquidation, la position vendeur correspond au montant total des ventes à terme reportées. *Comparer avec* **long position** 1. *V.a.* **short sale**.

SHORT POSITION 2.
POSITION À DÉCOUVERT, POSITION DÉBITRICE, POSITION COURTE
(fin.) Position nette d'un établissement financier dont les ventes de devises ont dépassé les achats. *Comparer avec* **long position** 2. *V.a.* **exchange position exposure** et **foreign exchange position**.

SHORT SALE
VENTE À DÉCOUVERT
(Bourse et *comm.)* Vente généralement à terme, à un prix déterminé, d'un titre ou d'une marchandise que l'on ne possède pas. *N.B.* Cette opération s'explique par l'espoir qu'a le **vendeur à découvert** de pouvoir acheter des titres ou des marchandises à un prix inférieur avant d'avoir à les livrer au prix fixé. *V.a.* **sell short** et **short position**.

SHORT-TERM BORROWING
EMPRUNT À MOINS D'UN AN
(fin.) Emprunt dont le délai d'exigibilité est inférieur à un an et qui se présente généralement sous la forme de billets à court terme. *N.B.* Le titre émis par l'entreprise qui s'engage à rembourser, à une échéance déterminée, un prêt contracté pour les besoins de la trésorerie ou pour obtenir des capitaux à court terme s'appelle **bon de caisse**. *Comparer avec* **long-term borrowing**.

SHORT-TERM CREDIT
CRÉDIT À COURT TERME
(fin.) Sommes avancées à l'entreprise pour une courte période. *N.B.* Ces avances donnent lieu à des **crédits de trésorerie** assortis généralement de garanties personnelles ou réelles, et elles ne sont accordées qu'après un examen approfondi de la **cote de solvabilité** de l'entreprise.

SHORT-TERM INVESTMENT
PLACEMENT À COURT TERME, PLACEMENT TEMPORAIRE
Valeur mobilière facilement réalisable acquise au moyen d'un excédent temporaire de fonds et qu'il convient de présenter à l'actif à court terme du bilan. *Syn.* **temporary investment**. *Comparer avec* **long-term investment** 1.

SHORT-TERM LIABILITIES
PASSIF À COURT TERME, DETTES À COURT TERME
Voir **current liabilities**.

SHORT-TERM LIABILITY
DETTE (EXIGIBLE) À MOINS D'UN AN, ÉLÉMENT DE PASSIF À COURT TERME, DETTE À COURT TERME
Voir **current liability**.

SHORT-TERM PREPAYMENTS
CHARGES PAYÉES D'AVANCE, FRAIS PAYÉS D'AVANCE
Voir **prepaid expenses**.

SHRINKAGE 1.
FREINTE, CONTRACTION, DIMINUTION (DE VOLUME), PERTE (EN POIDS), RÉTRÉCISSEMENT (D'UNE ÉTOFFE), ÉVAPORATION (D'UN LIQUIDE)
(prod.) Perte de volume, de poids, etc. attribuable à un procédé de fabrication ou à une cause matérielle. *V.a.* **inventory shrinkage**, **normal spoilage** et **waste** 1.

SHRINKAGE 2.
FLÉCHISSEMENT (D'UN TITRE)
(Bourse) Terme désignant le cours d'un titre qui est à la baisse.

SHRINKAGE 3.
RESSERREMENT (DU CRÉDIT)
(fin.) Terme désignant une situation caractérisée par la rareté du crédit ou de capitaux.

SHUTDOWN COSTS
FRAIS DE FERMETURE

Frais que l'entreprise doit engager par suite de la décision de fermer une usine ou de cesser une activité. *N.B.* L'expression *shutdown costs* désigne aussi certains **frais de structure** qui subsistent après la fermeture d'une usine ou la cessation d'une activité.

SHYLOCK
USURIER

(fin.) Personne qui prête de l'argent à un taux d'intérêt excessif. *V.a.* **usury**.

SIGHT DEPOSIT
DÉPÔT À VUE

(banque) Dépôt dont une partie ou la totalité peut être retirée à la discrétion du déposant.

SIGHT DRAFT
TRAITE À VUE

(dr.) Effet de commerce payable sur présentation, par le tiré, compte tenu, s'il y a lieu, du **délai de grâce** accordé par la loi. *N.B.* En Belgique, la loi n'accorde aucun délai de grâce pour le paiement d'une traite; il est même expressément interdit. *V.a.* **on sight**.

SIGN
SIGNER, PARAPHER, ÉMARGER

(lang. cour.) Revêtir un document de sa signature. *N.B.* Le verbe **émarger** signifie apposer sa signature en marge d'un document. Ainsi on atteste avoir pris connaissance d'un document, on constate le paiement d'une somme, la réception d'un colis, ou on atteste sa présence à une réunion en signant une **fiche d'émargement** ou une **feuille d'émargement**. De même, on émarge un carnet, un registre, une pièce comptable, un rôle de perception, etc. *V.a.* **initial** *v.*

SIGNATURE
SIGNATURE

(dr.) Inscription qu'une personne fait de son nom pour valider une pièce comptable ou un acte, ou pour affirmer l'exactitude, la sincérité d'un écrit, ou en assumer la responsabilité. *N.B.* **Avoir la signature**, c'est disposer du pouvoir d'engager une société vis-à-vis des tiers. Souvent, pour que le contrôle soit meilleur, deux personnes appelées **fondés de pouvoir** doivent signer chacune les documents émanant de l'entreprise, particulièrement les chèques. *V.a.* **signing officer** et **specimen signature**.

SIGNIFICANT INFLUENCE
INFLUENCE NOTABLE, INFLUENCE MARQUÉE, INFLUENCE SENSIBLE

(écon.) Le fait, pour une société, de participer à la gestion d'une autre société sans en avoir le contrôle. *N.B.* Cette influence peut se traduire par la représentation au conseil d'administration, la conclusion d'opérations intersociétés importantes, l'échange de personnel, etc. *V.a.* **company subject to significant influence**, **controlled company** et **effectively controlled company**.

SIGNING OFFICER
SIGNATAIRE AUTORISÉ, FONDÉ DE POUVOIR

(gest.) Cadre autorisé à signer certains documents au nom de l'entreprise : contrats, chèques, effets de commerce, etc. *V.a.* **signature** et **specimen signature**.

SILENT PARTNER
(ASSOCIÉ) COMMANDITAIRE, ASSOCIÉ PASSIF

Voir **limited partner**.

SIMPLE INTEREST
INTÉRÊTS SIMPLES

(fin.) Intérêts que l'emprunteur verse à la fin de chacune des périodes d'un prêt par opposition aux intérêts composés qui sont ajoutés au capital. *Comparer avec* **compound interest**. *V.a.* **interest** 1.

SINGLE ENTRY BOOKKEEPING
COMPTABILITÉ EN PARTIE SIMPLE, TENUE DES LIVRES À PARTIE SIMPLE

Comptabilité qui n'est pas complète par elle-même et dans laquelle l'égalité entre le total des débits et celui des crédits n'existe pas. Selon cette comptabilité, on ne tient généralement qu'un livre de caisse ou des comptes personnels sous une forme élémentaire et le résultat est déterminé par l'étude des variations survenues, au cours de l'exercice, dans les actifs de l'entreprise et ses dettes, ou tout simplement dans ses capitaux propres. *Comparer avec* **double entry bookkeeping**. *V.a.* **bookkeeping**.

SINGLE PROPRIETORSHIP
ENTREPRISE INDIVIDUELLE, ENTREPRISE PERSONNELLE

Voir **sole proprietorship**.

SINGLE-STEP ACQUISITION
ACQUISITION EN UNE SEULE ÉTAPE

(écon. et *fin.)* Acquisition en une seule fois d'un nombre relativement important d'actions d'une autre société. *Comparer avec* **step-by-step acquisition**. *V.a.* **business combination**.

SINGLE-STEP INCOME STATEMENT
ÉTAT DES RÉSULTATS À GROUPEMENTS SIMPLES, PRÉSENTATION EN TABLEAU DU COMPTE DE RÉSULTAT (Fr. et Belg.)

Mode de présentation de l'état des résultats (ou compte de résultat) qui consiste à grouper, d'une part, tous les produits et gains et, d'autre part, toutes les charges et pertes pour dégager le bénéfice net de l'exercice, compte tenu, s'il y a lieu, des postes extraordinaires. *Comparer avec* **multiple-step income statement**.

SINGLE VALUE FORECASTS
PRÉVISIONS PONCTUELLES, ESTIMATIONS PONCTUELLES

(gest.) Prévisions s'exprimant sous la forme d'un seul chiffre pour chacun des éléments faisant l'objet d'une estimation. *Comparer avec* **multiple value forecasts** et **range forecasts**. *V.a.* **forecast**.

SINKING FUND
FONDS D'AMORTISSEMENT, CAISSE D'AMORTISSEMENT, FONDS DE REMBOURSEMENT

(fin.) Fonds constitué d'argent et de titres investis de façon systématique en vue de procurer à l'entreprise les ressources dont elle a besoin pour rembourser une dette, le plus souvent des obligations. *N.B.* Pour les organismes sans but lucratif, le fonds d'amortissement constitue un fonds distinct des autres fonds, par exemple le fonds d'administration générale, mais l'objectif poursuivi est le même. En France, on emploie parfois l'expression *sinking fund* pour désigner cette sorte de fonds. *Syn.* **bond sinking fund** et **redemption fund** *(vieilli)*. *V.a.* **fund accounting**.

SINKING FUND BONDS
OBLIGATIONS À FONDS D'AMORTISSEMENT

(fin.) Obligations émises en vertu d'un contrat qui exige que la société émettrice mette régulièrement de côté des fonds afin de rembourser lesdites obligations, en tout ou en partie, à l'échéance seulement ou progressivement dès que des fonds sont disponibles pour effectuer ce remboursement. *V.a.* **bond** 1.

SINKING FUND METHOD (OF DEPRECIATION)
MÉTHODE DE L'AMORTISSEMENT À INTÉRÊTS COMPOSÉS (DOTATION CROISSANTE)

Méthode qui consiste à calculer l'amortissement périodique en y incluant les deux éléments suivants : 1) une provision périodique d'un montant uniforme s'accumulant au cours de toute la durée d'utilisation du bien en question à un taux d'intérêt constant de façon à recouvrer le coût à amortir, et 2) des intérêts calculés sur les provisions accumulées antérieurement. *N.B.* Une des caractéristiques de cette méthode consiste en ce que les **annuités d'amortissement** vont en s'accroissant d'un exercice à l'autre. *Comparer avec* **annuity method (of depreciation)**. *V.a.* **compound interest methods (of depreciation)** et **depreciation methods**.

SINKING FUND RESERVE
RÉSERVE POUR FONDS D'AMORTISSEMENT

(Can.) Partie des bénéfices non répartis qu'une société affecte à un compte de réserve dont le solde est généralement égal au fonds d'amortissement constitué en vue de rembourser des obligations.

SIZE OF A BUSINESS
TAILLE D'UNE ENTREPRISE
(aff.) Importance qu'a une entreprise en raison de son chiffre d'affaires ou du total de son actif. *N.B.* On distingue généralement les grosses, les moyennes et les petites entreprises appelées généralement, dans les deux derniers cas, les P.M.E.

SKEWNESS
ASYMÉTRIE
(stat.) Mesure du caractère non symétrique d'une distribution de probabilités.

SLEEPING PARTNER
(ASSOCIÉ) COMMANDITAIRE, ASSOCIÉ PASSIF
Voir **limited partner**.

SLIP
BORDEREAU
(aff.) État qui récapitule et accompagne, en les analysant sommairement, un certain nombre de pièces comptables, financières ou commerciales, par exemple un bordereau de caisse, de banque, de marchandises ou de livraison. *V.a.* **delivery slip**, **deposit slip**, **packing slip**, **receiving slip**, **remittance slip**, **shipping slip** et **withdrawal slip**.

SLOW-MOVING STOCK
STOCK À ROTATION LENTE, ARTICLES DIFFICILES À ÉCOULER
(gest.) Articles que l'entreprise fabrique ou achète en vue de la revente, mais qu'elle a de la difficulté à écouler en raison de leur nature, de conditions économiques difficiles, etc.

SLUMP IN SALES
MÉVENTE
Voir **sales slowdown.**

SLUSH FUND
CAISSE NOIRE
(lang. cour.) Fonds recueillis par un parti politique et devant servir à la distribution de **pots-de-vin** ou à d'autres fins illicites. *N.B.* Le terme anglais *slush fund* désigne aussi des fonds recueillis pour des fins non déterminées ou encore un fonds appartenant à des employés qui l'utilisent à des fins récréatives ou à d'autres fins.

SMALL BUSINESS DEDUCTION (SBD)
DÉDUCTION ACCORDÉE AUX PETITES ENTREPRISES (DAPE)
(fisc. can.) Réduction d'impôt consentie à certaines sociétés fermées dont le revenu imposable n'excède pas le plafond des affaires. *N.B.* En France, on parle dans ce cas de **décote**. *V.a.* **business limit** et **total business limit**.

SMALL CHANGE
PETITE MONNAIE
(comm.) Ensemble des pièces d'argent qu'un commis utilise pour faire la monnaie. *V.a.* **change** *n.*

SMALL TOOLS
PETIT OUTILLAGE, PETITS OUTILS
(prod.) Outillage d'un coût minime et devant être parfois fréquemment renouvelé, que l'on porte généralement en comptabilité au débit d'un compte de charge appelé Petit outillage. *V.a.* **equipment** 2. et **tools**.

SOCIAL ACCOUNTING
COMPTABILITÉ SOCIALE
Comptabilité qui a pour objet d'identifier, de mesurer et de présenter des informations portant sur les coûts d'une activité économique pour la collectivité, et sur les avantages que celle-ci en retire. L'objectif de la comptabilité

sociale est d'évaluer les effets positifs (les **avantages** ou **bienfaits sociaux**) ou négatifs (les **coûts sociaux**) des activités d'un organisme sur la situation financière et le bien-être physique et moral à la fois des personnes associées directement à l'organisme en cause (personnel, membres, clients, fournisseurs, investisseurs, etc.) et des tiers que les activités de cet organisme favorisent ou lèsent en raison de son emplacement ou pour toute autre raison. *N.B.* La **comptabilité sociale** conduit au **bilan social**, document récapitulant les principales données chiffrées qui permettent d'apprécier la situation de l'entreprise dans le domaine social, d'enregistrer les réalisations effectuées et de mesurer les changements intervenus au cours de l'année écoulée. En France, le **bilan social** résulte d'une exigence légale et il contient notamment des données portant sur l'emploi, la rémunération, les conditions d'hygiène et de sécurité, la formation, les relations professionnelles et les autres conditions de vie relevant de l'entreprise. Toute cette information porte, en France, le nom d'**information sociale** et on emploie l'expression **information sociétale** pour désigner les données que les entreprises communiquent en réponse aux actions menées par les mouvements de consommateurs ou les défenseurs de l'environnement en vue de faire prendre conscience aux entreprises de la complexité et de l'importance des relations qu'elles entretiennent délibérément ou à leur insu avec le milieu naturel, humain et psychologique dans lequel elles s'insèrent. *Syn.* **social responsibility accounting**. *V.a.* **human resource accounting**, **social benefit** et **social cost**.

SOCIAL BENEFIT
AVANTAGE SOCIAL, BIENFAIT SOCIAL

(écon.) Avantage que les activités d'un organisme procurent à des particuliers ou à la société en général. *V.a.* **social accounting**.

SOCIAL COST
COÛT SOCIAL

(écon.) Perte ou inconvénient généralement difficile à mesurer, que subit parfois la collectivité en raison de certaines activités d'un organisme ou de son refus d'agir. *N.B.* Il importe de ne pas confondre le terme **coût social** avec les termes **charges sociales** et **cotisations sociales** qui désignent les sommes versées par une entreprise aux organismes professionnels auxquels elle adhère pour la bonne marche de son activité ou pour se conformer à la loi en matière de **sécurité sociale**. *V.a.* **externalities**, **fringe benefits** 2. et **social accounting**.

SOCIAL RESPONSIBILITY ACCOUNTING
COMPTABILITÉ SOCIALE

Voir **social accounting**.

SOCIAL SECURITY
SÉCURITÉ SOCIALE

(écon.) Organisation relevant le plus souvent de l'État, destinée, d'une part, à garantir les travailleurs et leurs familles contre les risques de toute nature susceptibles de réduire leur capacité de gain et, d'autre part, à couvrir les charges de maternité et les charges de famille qu'ils supportent.

SOCIAL SECURITY TAXES
CHARGES SOCIALES, COTISATIONS SOCIALES

Voir **payroll taxes**.

SOFT COPY
IMAGE D'ÉCRAN

(inf.) Représentation de données affichées sur un **écran cathodique**. *Comparer avec* **hard copy**.

SOFT COSTS
COÛTS ACCESSOIRES, COÛTS PÉRIPHÉRIQUES

Coûts relatifs à un élément d'actif corporel ou incorporel, engagés pour mettre cet élément en état de bon fonctionnement (frais de démarrage d'une usine) ou pour permettre l'utilisation d'un bien immobilier (honoraires professionnels, frais d'aménagement du terrain). Ces coûts peuvent être soit capitalisés, soit passés immédiatement en charges dans les livres comptables et ils sont généralement déductibles fiscalement dès qu'ils sont engagés. *N.B.* En Belgique, un arrêté royal prévoit que le prix d'acquisition d'un bien comprend, outre le prix d'achat, les frais accessoires tels que des impôts non récupérables et les frais de transport. *Comparer avec* **hard costs**. *V.a.* **incidental expenses**.

SOFT CURRENCY
MONNAIE FAIBLE, DEVISE FAIBLE

(fin.) Caractéristique de la monnaie d'un pays dont la valeur est plus faible que celle de la majorité des autres pays. *Comparer avec* **hard currency**.

SOFT DATA
DONNÉES INCERTAINES

(gest.) Expression utilisée parfois pour désigner des prévisions budgétaires et d'autres données revêtant un caractère d'incertitude.

SOFT LOAN
PRÊT (À CONDITIONS) DE FAVEUR

(fin.) Prêt que l'entreprise ou un individu obtient à des conditions avantageuses. *Comparer avec* **hard loan**.

SOFTWARE
LOGICIEL

(inf.) Ensemble de programmes, procédés et règles, et éventuellement de la documentation, relatifs à l'exploitation d'un **matériel informatique**. *Comparer avec* **hardware**. *V.a.* **audit software**, **in-house software**, **operating system**, **package**, **program** *n.* 2. et **system software**.

SOFTWARE CONTROLS
CONTRÔLES PROGRAMMÉS

(inf.) Mesures de contrôle intégrées au logiciel en vue d'assurer son bon fonctionnement et d'exercer un contrôle sur le matériel lui-même. *N.B.* Ces mesures permettent de déceler des erreurs de lecture, une transcription erronée des données sur les fichiers maîtres ou une mauvaise exécution des instructions que renferme un programme. *Syn.* **programmed controls**. *Comparer avec* **hardware controls**.

SOLE AGENT
CONCESSIONNAIRE

Voir **dealer** 2.

SOLE PRACTITIONER
PRATICIEN AUTONOME, PRATICIEN EXERCANT À TITRE INDIVIDUEL

(prof.) Professionnel libéral exerçant seul sa profession.

SOLE PROPRIETORSHIP
ENTREPRISE INDIVIDUELLE, ENTREPRISE PERSONNELLE

(org. des entr.) Entreprise non constituée en société de capitaux et appartenant à une seule personne. *Syn.* **proprietorship** et **single proprietorship**. *V.a.* **unincorporated business**.

SOLVENCY
SOLVABILITÉ

(dr.) État de l'entreprise qui est en mesure de régler ses dettes au moment où elles deviennent exigibles. *N.B.* En France, cette définition correspond simplement à la situation du commerçant qui n'est pas en faillite, ce qui en droit français s'appelle **être** *in bonis*. *Comparer avec* **bankruptcy** et **insolvency**.

SORTING
TRI

(inf.) Classement, selon certains critères, des données que renferme un fichier.

SOUND VALUE
JUSTE VALEUR, VALEUR RÉELLE

(écon.) Expression utilisée particulièrement dans le cas d'une **expertise** relative à une immobilisation pour désigner sa juste valeur marchande ou son coût de remplacement dans l'état où elle se trouve au moment de l'expertise. *V.a.* **fair value** et **value** *n.*

SOURCE AND APPLICATION OF FUNDS, STATEMENT OF
*(ÉTAT DE LA) PROVENANCE ET (DE L')UTILISATION DES FONDS (Can.), TABLEAU DE FINANCEMENT
(Fr. et Belg.), TABLEAU DES RESSOURCES ET EMPLOIS (Fr.)*
Voir **statement of source and application of funds**.

SOURCE DOCUMENT
DOCUMENT DE BASE, PIÈCE JUSTIFICATIVE
(lang. cour. et *compt.)* Document qui sert à l'enregistrement d'une opération et qui permet d'en constater l'existence. *V.a.* **voucher** 1.

SOURCE OF FUNDS
PROVENANCE DES FONDS, RESSOURCES
Partie de l'état de l'évolution de la situation financière (ou tableau de financement) où l'on décrit la façon dont l'entreprise a financé ses activités au cours de l'exercice. *Comparer avec* **application of funds**. *V.a.* **sources**, **statement of changes in financial position** et **statement of source and application of funds**.

SOURCE PROGRAM
PROGRAMME SOURCE
(inf.) Programme écrit en langage évolué et qui doit être compilé avant son exécution. *V.a.* **compiler** et **program** *n.* 2.

SOURCES
RESSOURCES
(écon. et *compt.)* Force d'où surgissent les possibilités de l'action. En comptabilité nationale et en comptabilité d'entreprise, les ressources indiquent l'origine d'un **flux de biens** (et services) ou d'un **flux financier**, elles permettent de repérer d'où provient ce flux et elles en indiquent la raison d'être. *N.B.* Il convient de distinguer les **ressources externes** (les financements permanents ou temporaires) et **les ressources internes**, c'est-à-dire les produits d'exploitation de l'entreprise qui lui permettent de poursuivre ses activités, compte tenu de ses charges diverses. Cette confrontation des ressources internes (les produits) avec les emplois consommés (les charges) se réalise dans l'état des résultats (ou compte de résultat). *V.a.* **source of funds**.

SOYD METHOD
*(MÉTHODE DE L')AMORTISSEMENT PROPORTIONNEL À L'ORDRE NUMÉRIQUE INVERSÉ DES
ANNÉES*
Abrév. de **sum-of-the-years' digits method (of depreciation)**.

SPARE PARTS
PIÈCES DE RECHANGE, PIÈCES DÉTACHÉES
(prod.) Pièces que l'entreprise conserve en stock et utilise pour la remise en bon état de machines, d'outillage ou de produits par remplacement des pièces de même type usées ou cassées.

SPECIAL ASSESSMENT
COTISATION SPÉCIALE, IMPOSITION SPÉCIALE
(fisc.) Impôt levé par l'État sur une propriété en vue de défrayer le coût d'une amélioration qu'on y a apportée ou d'un service dont seuls les propriétaires des biens en question tireront des avantages. *N.B.* Dans une comptabilité par fonds, l'organisme public qui prélève un tel impôt le comptabilise dans un fonds particulier intitulé **Fonds d'imposition spéciale**.

SPECIAL AUDIT
*VÉRIFICATION PARTICULIÈRE, RÉVISION PARTICULIÈRE, VÉRIFICATION SPÉCIALE, RÉVISION
SPÉCIALE*
(E.C.) Toute vérification (ou révision) autre que celle effectuée normalement chaque année. *V.a.* **audit** *n.* 3.

SPECIAL CONTRIBUTION
COTISATION SPÉCIALE

(rentes) Somme versée dans une caisse de retraite en vue d'éteindre en tout ou en partie une **dette actuarielle non provisionnée** ainsi que les intérêts s'y rapportant. Cette somme est généralement versée en vue de respecter les clauses du régime se rapportant aux avantages accordés en raison des services passés rendus par les participants au régime. *N.B.* La cotisation qui doit être versée durant la période prescrite afin de combler un manque de fonds, compte tenu des engagements du régime, s'appelle **cotisation d'équilibre**. *V.a.* **past service pension cost** et **pension costs** 1.

SPECIALIST
SPECIALISTE

(prof.) Professionnel d'une discipline particulière auquel un autre professionnel doit déléguer les travaux ou les missions qui ne sont pas de sa compétence.

SPECIAL ITEM
POSTE DE NATURE INHABITUELLE, ÉLÉMENT INHABITUEL

Voir **unusual item**.

SPECIAL JOURNAL
JOURNAL AUXILIAIRE

Journal exclusivement consacré à l'enregistrement d'une catégorie d'opérations donnée. *Syn.* **subsidiary journal**. *V.a.* **book of original entry**.

SPECIAL MEETING OF SHAREHOLDERS
ASSEMBLÉE EXTRAORDINAIRE DES ACTIONNAIRES, ASSEMBLÉE GÉNÉRALE EXTRAORDINAIRE

(dr.) Assemblée que doit convoquer le conseil d'administration pour modifier les statuts de la société et pour approuver des décisions importantes, par exemple la décision d'émettre des titres. *V.a.* **annual meeting of shareholders**.

SPECIAL ORDER WORK
TRAVAIL À FAÇON

(prod.) Travail confié à une personne (un **façonnier**) ou à une entreprise à laquelle on fournit les matières et parfois l'outillage requis. *N.B.* Les réparations ainsi que le traitement des données peuvent, par exemple, faire l'objet de **travail à façon**. *V.a.* **custom order**.

SPECIAL PURPOSE FINANCIAL STATEMENTS
ÉTATS FINANCIERS À VOCATION SPÉCIALE, ÉTATS FINANCIERS À USAGE PARTICULIER

États financiers destinés à combler les besoins particuliers d'une catégorie d'utilisateurs donnée. *Comparer avec* **general purpose financial statements**.

SPECIAL PURPOSE MACHINE
MATÉRIEL SPÉCIALISÉ

Matériel permettant d'effectuer des opérations spécifiques d'usinage.

SPECIFICATIONS 1.
CAHIER DES CHARGES

(dr.) Document annexé à un contrat ou à une convention et définissant certaines obligations administratives, techniques, financières ou autres imposées à l'un des contractants. *N.B.* Dans le cas des contrats de construction, le **cahier des charges** renferme un exposé des prescriptions qui régissent l'exécution des travaux, la nature des matériaux à utiliser, les délais d'exécution, les retenues de garantie, etc. L'état détaillé descriptif et estimatif de biens et de services, établi par un fournisseur en réponse à une demande s'appelle **devis**. *V.a.* **estimate** 2. et **tender**.

SPECIFICATIONS 2.
SPÉCIFICATIONS, CARACTÉRISTIQUES TECHNIQUES

(prod.) Indication précise des caractéristiques d'un produit ou d'une fourniture, incluant si nécessaire les

méthodes d'essai et de contrôle qui permettent de déterminer si ces conditions sont remplies. *V.a.* **bill of materials**.

SPECIFIC IDENTIFICATION METHOD
MÉTHODE DU COÛT D'ACHAT RÉEL, MÉTHODE DU COÛT PROPRE

Méthode qui consiste à attribuer, aussi bien aux unités vendues (titres ou marchandises) qu'aux unités non encore vendues, un prix qui correspond au coût d'achat réel de chacune de ces unités. *V.a.* **cost flow methods.**

SPECIFIC ITEM SAMPLING
SONDAGE D'INDIVIDUS SPÉCIFIQUES, SONDAGE D'ÉLÉMENTS SPÉCIFIQUES

(stat.) Sondage d'individus que l'on estime devoir examiner en raison de leur taille, de leur nature ou de leur mode d'enregistrement. *Comparer avec* **representative item sampling**. *V.a.* **sampling** 2.

SPECIFIC LEGACY
LEGS (À TITRE) PARTICULIER

(dr.) Legs d'un ou de plusieurs biens déterminés à des légataires que le testateur a expressément désignés dans son testament. *V.a.* **legacy**.

SPECIFIC PRICE INDEX
INDICE DE PRIX SPÉCIFIQUE

(stat.) Indice décrivant l'évolution des prix d'un bien ou d'une catégorie particulière de biens. *Comparer avec* **general price index**. *V.a.* **price index**.

SPECIMEN SIGNATURE
SIGNATURE TÉMOIN, SPÉCIMEN DE SIGNATURE

(lang. cour.) Signature de référence à laquelle doit correspondre celle qui figure sur un document, par exemple un chèque. *V.a.* **signature** et **signing officer**.

SPECULATION
SPÉCULATION

(fin. et *Bourse)* Opération financière ou commerciale dont l'objet est de tirer un bénéfice du seul fait de la variation des cours, des prix et des taux d'intérêt. *N.B.* En Bourse, le terme **spéculation** correspond à la recherche d'une plus-value à court terme reposant sur les différences de cours dans le temps. *V.a.* **arbitrage**.

SPECULATOR
SPÉCULATEUR

(Bourse) Personne qui effectue des opérations financières ou commerciales en vue de profiter des fluctuations naturelles du marché, dans l'espoir de réaliser un bénéfice. *Comparer avec* **hedger**.

SPENDING VARIANCE
ÉCART BUDGÉTAIRE SUR PRIX

Écart se rapportant essentiellement aux frais généraux variables de fabrication et égal à la différence entre les frais généraux réels et les frais généraux budgétés calculés en fonction du **niveau réel d'activité**. *V.a.* **overhead variances**.

SPLIT-OFF POINT
POINT DE SÉPARATION

(prod.) Moment où l'on obtient deux produits ou plus lors du traitement d'une même matière. *V.a.* **joint products**.

SPOILAGE
PRODUIT DÉFECTUEUX, PRODUIT AVARIÉ

(prod.) Produit qui ne correspond pas aux normes et qu'il faut mettre au rebut ou vendre à rabais. *V.a.* **abnormal spoilage**, **normal spoilage**, **scrap** *n.* et **waste** 1.

SPOT CHECK
SONDAGE AU HASARD
(E.C.) Type de sondage empirique utilisé parfois en vérification (ou révision). *V.a.* **auding testing**.

SPOT MARKET
MARCHÉ AU COMPTANT
(Bourse) Marché dans lequel le règlement et la livraison de marchandises (pétrole, métaux, etc.) ont lieu immédiatement, compte tenu toutefois du délai de quelques jours nécessaire à l'enregistrement de la transaction.

SPOT PRICE
PRIX AU COMPTANT
Prix demandé pour la livraison immédiate d'une marchandise. *N.B.* Lorsqu'il s'agit d'actions, on emploie l'expression **cours au comptant**. *Comparer avec* **forward price**.

SPOT RATE
COURS AU COMPTANT
(fin.) Taux de change auquel peut s'effectuer l'échange immédiat de deux devises. *Comparer avec* **forward rate**. *V.a.* **buying rate**, **current rate**, **historical rate**, **rate of exchange** et **selling rate**.

SPOT TRANSACTION
OPÉRATION (DE CHANGE) AU COMPTANT
(fin.) Achat ou vente de devises avec règlement immédiat ou dans les jours ouvrables (habituellement deux) suivant la conclusion du marché.

SPREAD *n.*
ÉTENDUE, ÉCART
(comm. et *fin.)* Différence entre deux quantités, par exemple la différence entre un coût de revient et un prix de vente, entre le cours acheteur et le cours vendeur d'une monnaie, d'un titre ou d'une marchandise, entre le taux d'intérêt demandé par un établissement financier à ses clients et le taux auquel celui-ci place son argent, etc.

SPREAD *v.*
ÉCHELONNER, ÉTALER
(fin. et *fisc.)* Répartir un élément sur un certain nombre de périodes, par exemple des versements et des impôts.

SPREAD SHEET
TABLEAU DE VENTILATION
Tableau sur lequel figure la répartition, par centres de responsabilité, par sections, etc., de certains frais ou charges de l'entreprise.

STABLE MONETARY UNIT CONCEPT
HYPOTHÈSE DE L'UNITÉ MONÉTAIRE STABLE
Dans le modèle comptable traditionnel (la comptabilité à la valeur d'origine), hypothèse qui consiste à respecter la valeur nominale de l'unité monétaire sans tenir compte des variations de son pouvoir d'achat. *N.B.* Cette hypothèse est parfois désignée par l'expression **principe de nominalisme** ou **principe de stabilité de l'unité monétaire**. *Syn.* **unit-of-measure concept**. *V.a.* **accounting concepts**.

STACKED BATCH PROCESSING
TRAITEMENT PAR LOTS, TRAITEMENT GROUPÉ, TRAITEMENT DIFFÉRÉ
Voir **batch processing**.

STAFF 1.
ÉTAT-MAJOR, PERSONNEL DE FONCTION
(gest.) Ensemble des personnes remplissant des fonctions de conseiller auprès des cadres hiérarchiques.

STAFF 2.
PERSONNEL, EFFECTIF

(rel. de tr.) Ensemble des personnes au service d'une entreprise.

STAFFING 1.
ENGAGEMENT DU PERSONNEL

(gest.) Action de fournir à l'entreprise le personnel nécessaire à son fonctionnement.

STAFFING 2.
AFFECTATION DU PERSONNEL

(gest.) Action de combler les postes vacants ou de constituer des équipes de travail à même le personnel de l'entreprise. *N.B.* La répartition des travaux ou tâches entre les divers ateliers, postes de travail ou missions de vérification (ou révision) constitue une **affectation de tâches**. *V.a.* **job assignment**.

STAFF OFFICER
CADRE FONCTIONNEL

(gest.) Personne chargée de conseiller, dans le domaine de sa spécialité, les cadres supérieurs de l'entreprise. *Syn.* **off-line executive**. *Comparer avec* **line officer**.

STAFF ORGANIZATION
STRUCTURE FONCTIONNELLE

(org. de l'entr.) Structure fondée sur la responsabilité des cadres mais où les notions de collaboration indirecte, de réflexion et de conseil prennent le pas sur les caractéristiques d'une **structure hiérarchique**. *Comparer avec* **line organization**. *V.a.* **line and staff organization**.

STAFF SERVICE
SERVICE FONCTIONNEL

(org. de l'entr.) Unité administrative dont la fonction n'est pas directement reliée à la mission fondamentale de l'entreprise mais qui assure des fonctions auxiliaires susceptibles d'aider ceux qui doivent prendre des décisions. *Comparer avec* **line service**.

STAGGERED WORKING HOURS
HORAIRE DÉCALÉ FIXE

(rel. de tr.) Échelonnement des heures d'arrivée et de départ effectué par l'employeur à partir de blocs horaires fixes. *N.B.* L'**horaire décalé** est dit **flottant** lorsque l'échelonnement des heures d'arrivée et de départ est choisi par l'employé, à partir de blocs horaires fixes que l'employeur établit et parmi lesquels le personnel a la possibilité de sélectionner celui qui lui convient le mieux. *V.a.* **fixed working hours**, **flexible working hours** et **variable working hours**.

STALE-DATED CHEQUE
CHÈQUE PÉRIMÉ

(banque) Chèque dont la validité est révolue au moment de sa réception pour traitement. *N.B.* Le bénéficiaire ne peut alors toucher ce chèque parce qu'il a tardé à le présenter à la banque sur laquelle il a été tiré et il doit le faire confirmer par l'émetteur avant paiement. *V.a.* **cheque**.

STALEMATE, IN A
AU POINT MORT

(aff.) Se dit d'une entreprise dont les affaires sont stagnantes.

STAMP
TIMBRE, VIGNETTE

(fisc.) Marque, cachet que doivent porter certains documents à caractère officiel et qui donne lieu à la perception d'un droit, le plus souvent, par l'État. *N.B.* On entend par **droit de timbre** la taxe existant dans différents pays sur certains contrats ou autres documents, et dont le paiement est attesté par l'apparition d'une **vignette** ou d'une **estampille**.

STANDARD 1.
NORME

(lang. cour.) Règle établie par une autorité compétente ou par voie de consensus, par exemple les normes comptables et les normes de vérification (ou révision). *V.a.* **accounting standards** 1. et **auditing standards**.

STANDARD 2.
NORME, STANDARD

(prod.) Formule qui définit un type d'objets, un produit, un procédé technique en vue de simplifier et de rendre plus efficace et plus rationnelle la production. *N.B.* Une **norme** se définit aussi comme une **donnée de référence** résultant d'un choix collectif raisonné en vue de servir à la solution de problèmes répétififs. *V.a.* **standardization** 1.

STANDARD COST
COÛT (DE REVIENT) STANDARD, COÛT (DE REVIENT) NORMALISÉ, PRIX DE REVIENT STANDARD,
*   PRIX DE REVIENT NORMALISÉ*

Coût préétabli avec précision, d'une activité, d'une opération, d'un procédé ou d'un produit, ou qu'une analyse, à la fois technique et économique, permet de déterminer *a priori*. Ce coût facilite certains traitements analytiques, permet le contrôle de gestion par l'analyse des écarts et facilite la présentation des résultats. *Comparer avec* **actual cost**, **budgeted cost** et **estimated cost**.

STANDARD COST SYSTEM
(MÉTHODE DU) COÛT DE REVIENT STANDARD, (MÉTHODE DU) PRIX DE REVIENT STANDARD,
*   (MÉTHODE DU) COÛT DE REVIENT NORMALISÉ, (MÉTHODE DU) PRIX DE REVIENT NORMALISÉ*

Méthode de coût de revient estimatif qui consiste à comptabiliser les éléments du coût de fabrication d'un produit à des montants qui reflètent des normes établies d'avance en vue d'exercer un meilleur contrôle au moyen de comparaisons entre les coûts réels et les coûts standards (ou normalisés). *Syn.* **standard costing**. *V.a.* **cost accounting methods** et **variance** 2.

STANDARD COST VARIANCES
ÉCARTS SUR COÛTS STANDARDS, ÉCARTS SUR COÛTS NORMALISÉS

Dans la méthode du coût de revient standard, différences que l'on trouve *a posteriori* en rapprochant les coûts standards et les coûts réels. *V.a.* **budget variance** 2., **efficiency variance**, **labour rate variance**, **labour usage variance**, **labour variance**, **material price variance**, **material usage variance**, **material variance**, **overhead variances**, **price variance**, **quantity variance**, **rate variance** et **variance** 2.

STANDARD COSTING
(MÉTHODE DU) COÛT DE REVIENT STANDARD, (MÉTHODE DU) PRIX DE REVIENT STANDARD,
*   (MÉTHODE DU) COÛT DE REVIENT NORMALISÉ, (MÉTHODE DU) PRIX DE REVIENT NORMALISÉ*
Voir **standard cost system**.

STANDARD DEDUCTION
DÉDUCTION FORFAITAIRE

(fisc. can.) Déduction d'un montant uniforme accordée à tous les contribuables au titre des dons de charité et des frais médicaux.

STANDARD DEVIATION
ÉCART-TYPE, ÉCART QUADRATIQUE MOYEN

(stat.) Mesure de la dispersion d'un ensemble de données par rapport à leur moyenne, que l'on obtient en calculant la racine carrée de la somme des carrés des différences entre chacune des données et leur moyenne arithmétique. *V.a.* **coefficient of variation**, **deviation** et **variance** 4.

STANDARDIZATION 1.
NORMALISATION, STANDARDISATION

Action de définir, en fonction des besoins, les méthodes de production, les caractéristiques des produits, les modèles d'analyse, etc., en réduisant le plus possible leur diversité afin d'abaisser les coûts de revient et rendre la production rationnelle. *V.a.* **standard** 2.

STANDARDIZATION 2.
NORMALISATION
Voir **standard setting**.

STANDARD HOURS
TEMPS STANDARD, NOMBRE NORMAL D'HEURES
(prod.) Nombre d'heures qui, selon des normes établies d'avance, doit être consacré à la fabrication d'un produit ou à la prestation d'un service.

STANDARD OF LIVING
NIVEAU DE VIE
(écon.) Situation d'une personne ou d'un groupe de personnes (famille, nation, etc.) sur une échelle de bien-être préalablement définie objectivement ou subjectivement, et implicitement admise. *N.B.* Le **niveau de vie** est aussi l'ensemble des biens et des services qui permet d'acquérir ou de se procurer le revenu national moyen ou le revenu moyen d'une catégorie de citoyens donnée.

STANDARD PROGRAM
PROGRAMME STANDARD
(inf.) Programme fourni par les constructeurs de matériel informatique et les sociétés de logiciel pour certains travaux ayant une nature répétitive, par exemple l'établissement de la paye. *N.B.* Le **programme standard** est généralement un des nombreux programmes que renferme un **progiciel**. *Comparer avec* **user's program**. *V.a.* **package** et **program** *n.* 2.

STANDARD REPORT
RAPPORT TYPE (DE VÉRIFICATION)
(E.C.) (Can.) Forme de rapport de vérification qui ne renferme ni réserve ni information supplémentaire. *V.a.* **auditor's report** 1.

STANDARD SETTING
NORMALISATION
Action de formuler des normes en matière de comptabilité ou de vérification (ou révision). *Syn.* **standardization** 2. *V.a.* **standard setting body**.

STANDARD SETTING BODY
ORGANISME DE NORMALISATION
(compt. et *E.C.)* Organisme investi de la responsabilité de formuler des normes portant sur l'établissement des états financiers (ou comptes annuels), la présentation de l'information financière et la vérification (ou révision) des comptes. *V.a.* **generally accepted accounting principles (GAAP)**, **generally accepted auditing standards (GAAS)** et **standard setting**.

STANDARDS OF DISCLOSURE
NORMES DE PRÉSENTATION (DE L'INFORMATION), NORMES DE PUBLICITÉ
Voir **disclosure standards**.

STANDARDS OF PERFORMANCE
NORMES DE RENDEMENT, NORMES D'ÉVALUATION
(rel. de tr. et *prof.)* Critères servant à déterminer la qualité que le travail exécuté par un ouvrier ou un professionnel doit avoir pour satisfaire aux exigences de l'exploitation ou de l'exercice d'une profession. *V.a.* **quota** 3.

STAND-BY CHARGES
FRAIS POUR DROIT D'USAGE, FRAIS POUR DROIT D'ACCÈS
Frais se rapportant à l'utilisation de ressources (biens matériels, marge de crédit, etc.).

STAND-BY COSTS
CHARGES DE STRUCTURE, FRAIS DE STRUCTURE, COÛTS DE STRUCTURE
Frais, par exemple les impôts fonciers, que l'entreprise doit engager même si elle n'exerce aucune activité. *Comparer avec* **enabling costs**. *V.a.* **capacity cost** et **committed costs**.

STAND-BY CREDIT
CRÉDIT DE SOUTIEN
(fin.) Crédit mis à la disposition de l'entreprise qui a le loisir de s'en prévaloir au moment où elle le désire. *N.B.* Le même genre de crédit accordé par le Fonds monétaire international à un État (ou par un consortium de banques à un pays) s'appelle **crédit de confirmation**.

STAND-BY EQUIPMENT
MATÉRIEL DE SECOURS, MATÉRIEL DE SOUTIEN
(lang. cour.) Matériel disponible pour usage en cas de panne. *Syn.* **backup equipment**.

STANDING EXPENSES
FRAIS GÉNÉRAUX
Voir **overhead**.

STANDING DATA
DONNÉES MAÎTRESSES, DONNÉES PERMANENTES
(inf.) Données incluses dans des fichiers, que l'on modifie rarement par rapport à des données qui changent constamment.

STANDING INSTRUCTION
INSTRUCTION PERMANENTE
(comm.) Instruction donnée par un client d'appliquer une certaine procédure à des opérations périodiques ou déterminées.

STANDING ORDER
ORDRE PERMANENT, COMMANDE PERMANENTE
(prod. et *comm.)* Commande dans laquelle l'entreprise donne l'autorisation de produire ou d'acheter des biens ou des services en quantité limitée, selon les besoins ou les circonstances. *Syn.* **blanket purchase order** et **open order**.

START-UP COSTS 1.
FRAIS DE DÉMARRAGE, FRAIS DE MISE EN MARCHE
Ensemble des frais engagés par l'entreprise avant la fabrication d'un produit ou avant la mise en exploitation d'une immobilisation, et incorporés généralement au coût d'acquisition des installations ou des biens en cause. *Syn.* **pre-operating expenses** et **preproduction expenses**. *V.a.* **preliminary expenses** 1. et **setup costs** 2.

START-UP COSTS 2.
FRAIS D'ÉTABLISSEMENT, FRAIS DE PREMIER ÉTABLISSEMENT
Voir **preliminary expenses** 1.

STATED CAPITAL
CAPITAL DÉCLARÉ
(fin.) (Can.) Expression utilisée dans différentes lois sur les sociétés par actions pour désigner le capital constitué de la contrepartie totale reçue lors d'une émission d'actions et dont une fraction est portée au compte Capital-actions et le reste, s'il y a lieu, dans le surplus d'apport. *V.a.* **capital stock**, **legal capital** et **permanent capital**.

STATED VALUE 1.
VALEUR ATTRIBUÉE
(fin.) (Can.) Montant qu'une société par actions porte au crédit du compte Capital-actions lorsqu'elle émet des actions. *N.B.* La **valeur attribuée** est égale à la valeur nominale des actions et, dans le cas des actions sans valeur nominale, à un montant déterminé par le conseil d'administration.

STATED VALUE 2.
VALEUR COMPTABLE
Voir **book value**.

STATEMENT 1.
RELEVÉ (DE COMPTE), EXTRAIT DE COMPTE, ÉTAT DE COMPTE
Voir **statement of account**.

STATEMENT 2.
*ÉTAT (FINANCIER), COMPTE, RAPPORT (FINANCIER), TABLEAU (COMPTABLE), RELEVÉ
    (COMPTABLE)*
Tout document sur lequel figurent des données financières ou comptables propres à une entreprise, présentées d'une façon organisée. *V.a.* **financial statements**.

STATEMENT 3.
ÉNONCÉ ·
(lang. cour.) Écrit dans lequel on expose des faits, des idées, des objectifs.

STATEMENT, CASH
*ÉTAT DE CAISSE, (ÉTAT DES) ENCAISSEMENTS ET DÉCAISSEMENTS, (ÉTAT DES) RENTRÉES ET
    SORTIES DE FONDS*
Voir **statement of receipts and disbursements**.

STATEMENT, CASH FLOW
*(ÉTAT DE L')ÉVOLUTION DE L'ENCAISSE, (ÉTAT DES) MOUVEMENTS DE LA TRÉSORERIE, (TABLEAU
    DES) VARIATIONS DE L'ENCAISSE*
État (ou tableau) financier faisant ressortir l'effet net, sur l'encaisse, de l'exploitation et des autres opérations effectuées au cours d'un d'exercice. *N.B.* Cet état ressemble à l'état de l'évolution de la situation financière (tableau de financement) avec la différence qu'il explique l'évolution de l'encaisse par l'étude des changements survenus non seulement dans les éléments à long terme du bilan mais aussi dans les éléments à court terme, exception faite de l'encaisse. *Comparer avec* **statement of receipts and disbursements**. *V.a.* **cash flow(s)** 1.

STATEMENT, INCOME
*(ÉTAT DES) RÉSULTATS (Can.), COMPTE DE RÉSULTAT (Fr. et Belg.), COMPTE DE PROFITS ET
    PERTES (C.E.E.)*
État financier (ou compte) où figurent les produits et les gains ainsi que les charges et les pertes d'un exercice. *N.B.* En Belgique, le compte de résultat est suivi d'un compte d'affectation des résultats. En France, le Plan comptable révisé prévoit que le résultat global de l'exercice doit apparaître en solde de l'unique compte de résultat qui remplace à la fois le **compte d'exploitation générale** où figuraient les produits et les charges de l'exercice, et le **compte de profits et pertes** qui regroupait les éléments principaux suivants : les résultats d'exploitation de l'exercice, les pertes et profits sur exercices antérieurs, les pertes et profits exceptionnels, les subventions d'équilibre reçues, les dotations de l'exercice aux comptes de provisions hors exploitation ou exceptionnelles, les impôts sur les bénéfices et le bénéfice net ou la perte nette. *Syn.* **profit and loss account** 1. *(U.K.),* **profit and loss statement**, **statement of earnings**, **statement, operating** 1., **statement of profit and loss** et **statement of revenue and expense**. *Comparer avec* **statement of revenue and expenditure** et **statement, operating** 2.

STATEMENT, MANUFACTURING
(ÉTAT DU) COÛT DE FABRICATION
État (ou tableau) financier où figurent les éléments du coût des produits fabriqués au cours d'un exercice. *V.a.* **cost of goods manufactured** et **cost of goods sold** 2.

STATEMENT OF ACCOUNT
RELEVÉ (DE COMPTE), EXTRAIT DE COMPTE, ÉTAT DE COMPTE
Document destiné à une personne ou à une entreprise sur lequel figure la transcription des mouvements inscrits dans un compte, de manière à faire ressortir son solde. Ainsi, dans le cas du relevé de compte établi par le

fournisseur, ce document contient une liste récapitulative des factures de la période, des sommes recouvrées ainsi que toutes les autres écritures qui ont pu être portées au compte du client au cours de la période en question. *Syn.* **statement** 1. *V.a.* **account** 2.

STATEMENT OF AFFAIRS
BILAN DE RÉALISATION ÉVENTUELLE, BILAN D'OUVERTURE DE LIQUIDATION
État financier présentant l'actif et le passif d'une entreprise en faillite ou sur le point de l'être, et faisant ressortir les effets de la liquidation éventuelle et la façon dont le produit de cette liquidation sera réparti, eu égard aux droits des diverses catégories de créanciers et d'actionnaires. *Syn.* **liquidation balance sheet**. *V.a.* **statement of realization and liquidation**.

STATEMENT OF CHANGES IN FINANCIAL POSITION
(ÉTAT DE L')ÉVOLUTION DE LA SITUATION FINANCIÈRE (Can.), TABLEAU DE FINANCEMENT (Fr. et Belg.), TABLEAU DES RESSOURCES ET EMPLOIS (Fr.)
État financier (ou tableau) ayant pour objet de faire ressortir la façon dont l'entreprise a financé ses activités au cours d'un exercice (**financement interne** et **externe**), l'utilisation qu'elle a faite de ses ressources financières et les effets de ces activités sur les fonds. *Syn.* **funds flow statement** 2. et **funds statement** 2. *Comparer avec* **statement of source and application of funds**. *V.a.* **all-financial resources concept, application of funds** et **source of funds**.

STATEMENT OF CHANGES IN NET ASSETS
(ÉTAT DE L')ÉVOLUTION DE LA VALEUR LIQUIDATIVE
État de l'évolution de la situation financière dressé par les sociétés de placement. *N.B.* Cet état, qui comprend un rapprochement de la **valeur liquidative** à la fin de l'exercice avec la valeur liquidative au début de l'exercice, met l'accent sur les opérations effectuées et les fluctuations de la valeur marchande du portefeuille de ces sociétés. *V.a.* **net asset value**.

STATEMENT OF CHANGES IN NET WORTH
(TABLEAU DES) VARIATIONS DE LA SITUATION NETTE
État (ou tableau) financier résumant les changements survenus dans la **situation nette** de l'entreprise au cours d'un exercice. *N.B.* En Belgique, la loi parle de **situation comptable**. *V.a.* **statement of shareholders' equity**.

STATEMENT OF CHARGE AND DISCHARGE
REDDITION DE COMPTES, COMPTE DE LIQUIDATION
(compt. succ.) État financier (ou tableau) portant à la fois sur le capital et le revenu d'une succession, dressé par l'exécuteur testamentaire pour rendre compte de la gestion d'une succession et, le cas échéant, de la façon dont les biens qui en font partie ont été distribués. *N.B.* Le terme **reddition** signifie aussi, en droit, le fait de présenter, pour vérification, l'état des biens d'autrui confiés à la gestion d'un tiers. *V.a.* **accounting** 2.

STATEMENT OF CONTRIBUTED SURPLUS
(ÉTAT DU) SURPLUS D'APPORT
(Can.) État financier résumant les changements survenus dans le surplus d'apport d'une société au cours d'un exercice. *V.a.* **contributed surplus** 1.

STATEMENT OF EARNINGS
(ÉTAT DES) RÉSULTATS (Can.), COMPTE DE RÉSULTAT (Fr. et Belg.), COMPTE DE PROFITS ET PERTES (C.E.E.)
Voir **statement, income**.

STATEMENT OF EARNINGS AND DEDUCTIONS
BULLETIN DE PAYE, FICHE INDIVIDUELLE DE SALAIRE, FICHE DE PAYE
État remis obligatoirement par l'employeur à ses salariés et sur lequel figurent notamment leur salaire brut, les retenues salariales et leur salaire net. *Syn.* **statement of remuneration** et **wage slip**. *V.a.* **payroll deductions**.

STATEMENT OF FINANCIAL POSITION
BILAN
Voir **balance sheet**.

STATEMENT OF INCOME
(ÉTAT DES) RÉSULTATS (Can.), COMPTE DE RÉSULTAT (Fr. et Belg.), COMPTE DE PROFITS ET
  PERTES (C.E.E.)
Voir **statement, income**.

STATEMENT OF MATERIAL FACTS
DÉCLARATION DE FAITS IMPORTANTS
(fin.) (Can.) Document qu'une société qui désire émettre des titres dans le cadre d'un placement initial, sans être tenue de publier un prospectus, doit remettre à la Commission des valeurs mobilières concernée. *N.B.* Ce document renferme des informations portant sur les titres à émettre, les circonstances entourant leur émission, les noms des membres de la direction et du conseil d'administration de la société, des statistiques diverses et d'autres données pertinentes.

STATEMENT OF OPERATIONS
(ÉTAT DES) RÉSULTATS D'EXPLOITATION, COMPTE D'EXPLOITATION GÉNÉRALE (Fr.)
Voir **statement, operating** 2.

STATEMENT OF PROFIT AND LOSS
(ÉTAT DES) RÉSULTATS (Can.), COMPTE DE RÉSULTAT (Fr. et Belg.), COMPTE DE PROFITS ET
  PERTES (C.E.E.)
Voir **statement, income**.

STATEMENT OF REALIZATION AND LIQUIDATION
ÉTAT DE (RÉALISATION ET DE) LIQUIDATION, BILAN DE CLÔTURE DE LIQUIDATION
État financier dressé par le liquidateur pour rendre compte de la liquidation d'une entreprise et indiquant notamment les sommes reçues lors de la vente des biens de l'entreprise liquidée et les montants versés aux créanciers. *V.a.* **statement of affairs**.

STATEMENT OF RECEIPTS AND DISBURSEMENTS
ÉTAT DE CAISSE, (ÉTAT DES) ENCAISSEMENTS ET DÉCAISSEMENTS, (ÉTAT DES) RENTRÉES ET
  SORTIES DE FONDS
État financier dans lequel figurent le solde de l'encaisse au début d'un exercice, un sommaire des rentrées et des sorties de fonds et le solde de l'encaisse à la fin de l'exercice. *Syn.* **cash statement**. *Comparer avec* **statement, cash flow**.

STATEMENT OF REMUNERATION
BULLETIN DE PAYE, FICHE INDIVIDUELLE DE SALAIRE, FICHE DE PAYE
Voir **statement of earnings and deductions**.

STATEMENT OF RETAINED EARNINGS
(ÉTAT DES) BÉNÉFICES NON RÉPARTIS
(Can.) État financier présentant un sommaire des changements survenus au cours d'un exercice dans les bénéfices non répartis. *V.a.* **retained earnings**.

STATEMENT OF REVENUE AND EXPENDITURE
(ÉTAT DES) RECETTES ET DÉPENSES
(compt. publ.) État financier dressé par les pouvoirs publics et par les organismes sans but lucratif dans lequel sont résumées les recettes et les dépenses d'un exercice. *Comparer avec* **statement, income**. *V.a.* **expenditure** 2. et **revenue** 4.

STATEMENT OF REVENUE AND EXPENSE
(ÉTAT DES) RÉSULTATS (Can.), COMPTE DE RÉSULTAT (Fr. et Belg.), COMPTE DE PROFITS ET
  PERTES (C.E.E.)
Voir **statement, income**.

STATEMENT OF SHAREHOLDERS' EQUITY
(ÉTAT DE L')AVOIR DES ACTIONNAIRES (Can.), (ÉTAT DES) CAPITAUX PROPRES, TABLEAU DES
*   VARIATIONS DE LA SITUATION NETTE (Fr. et Belg.)*

État (ou tableau) financier résumant les changements survenus dans chacun des éléments de l'avoir des actionnaires (ou capitaux propres d'une société) au cours d'un exercice. *V.a.* **statement of changes in net worth**.

STATEMENT OF SOURCE AND APPLICATION OF FUNDS
(ÉTAT DE LA) PROVENANCE ET (DE L')UTILISATION DES FONDS (Can.), TABLEAU DE FINANCEMENT
*   (Fr. et Belg.), TABLEAU DES RESSOURCES ET EMPLOIS (Fr.)*

État (ou tableau) de l'évolution de la situation financière qui ne tient compte que des opérations qui influent directement sur le fonds de roulement. *Syn.* **funds flow statement** 1. et **funds statement** 1. *Comparer avec* **statement of changes in financial position**. *V.a.* **application of funds** et **source of funds**.

STATEMENT, OPERATING 1.
(ÉTAT DES) RÉSULTATS (Can.), COMPTE DE RÉSULTAT (Fr. et Belg.), COMPTE DE PROFITS ET
*   PERTES (C.E.E.)*

Voir **statement, income**.

STATEMENT, OPERATING 2.
(ÉTAT DES) RÉSULTATS D'EXPLOITATION, COMPTE D'EXPLOITATION GÉNÉRALE (Fr.)

État (ou tableau) financier présentant un sommaire des éléments du bénéfice d'exploitation de l'exercice. *Syn.* **statement of operations**. *Comparer avec* **statement, income**. *V.a.* **operating income**.

STATIC BUDGET
BUDGET FIXE, BUDGET STATIQUE

Voir **fixed budget**.

STATISTICAL SAMPLING
ÉCHANTILLONNAGE STATISTIQUE, SONDAGE STATISTIQUE

(stat.) Technique de sondage qui consiste à se fonder sur la statistique et les lois de la probabilité pour déterminer la taille de l'échantillon, choisir les individus qui en feront partie et analyser les résultats obtenus. *V.a.* **sampling** 2.

STATISTICS 1.
STATISTIQUE

(stat.) Ensemble de techniques mettant en oeuvre la notion de probabilité et la loi des grands nombres, et portant sur l'interprétation mathématique des phénomènes pour lesquels une étude exhaustive de tous les facteurs est impossible en raison de leur grand nombre ou de leur complexité.

STATISTICS 2.
STATISTIQUES

(stat.) Ensemble de données numériques concernant une catégorie de faits ou d'événements.

STATUTORY AMALGAMATION
FUSION LÉGALE

(dr.) (Can.) Regroupement d'entreprises constituées en vertu d'une même loi, effectué en conformité avec les dispositions de cette loi. *V.a.* **amalgamation** et **business combination**.

STATUTORY AUDIT
VÉRIFICATION LÉGALE, RÉVISION LÉGALE, VÉRIFICATION RÉGLEMENTAIRE, CONTRÔLE LÉGAL DES
*   COMPTES (C.E.E.)*

(E.C. et dr.) Vérification (ou révision) effectuée en vertu des dispositions de la loi. *V.a.* **audit** *n.* 3.

STATUTORY AUDITOR
VÉRIFICATEUR LÉGAL, RÉVISEUR LÉGAL, COMMISSAIRE AUX COMPTES (Fr.), CONTRÔLEUR LÉGAL
   DES COMPTES (C.E.E.), COMMISSAIRE-REVISEUR (Belg.)
(E.C.) Personne qui, en vertu des dispositions d'une loi, effectue la vérification (ou révision) des comptes d'une société en vue d'assurer la protection et l'information des tiers et des petits actionnaires face aux dirigeants. *V.a.* **auditor** et **public accountant**.

STATUTORY DIVIDEND
DIVIDENDE STATUTAIRE
(dr.) Bénéfice distribuable d'une société, réparti entre les associés ou actionnaires en conformité avec ses statuts avant toute autre affectation. *V.a.* **dividend** 1.

STATUTORY RESERVE
RÉSERVE STATUTAIRE
(dr.) Réserve qu'une entreprise doit obligatoirement constituer en vertu de ses statuts. *V.a.* **legal reserve** et **reserve** 1.

STEP-BY-STEP ACQUISITION
ACQUISITION PROGRESSIVE, PRISE DE PARTICIPATION PROGRESSIVE
(écon. et *fin.)* Achat par étapes des actions d'une société en vue généralement d'en d'acquérir le contrôle. *Comparer avec* **single-step acquisition**. *V.a.* **business combination**.

STEP (VARIABLE) COSTS
FRAIS VARIABLES PAR PALIERS, COÛTS VARIABLES PAR PALIERS, CHARGES VARIABLES PAR
   PALIERS
Frais dont le montant change soudainement lorsque l'on passe d'un niveau d'activité à un autre parce que, par exemple, l'augmentation du volume de production nécessite la mise en service de nouveaux équipements ou l'engagement de nouveaux cadres. *V.a.* **semi-variable costs**.

STEWARDSHIP ACCOUNTING
CONCEPTION FIDUCIAIRE DE LA COMPTABILITÉ
Conception de la comptabilité dans laquelle on fait ressortir, particulièrement dans les états financiers (ou comptes annuels) destinés au public, la façon dont la direction de l'entreprise a géré les ressources qui lui ont été confiées par les actionnaires et les créanciers. *V.a.* **accountability**.

STOCK *n.* 1.
CAPITAL SOCIAL, CAPITAL-ACTIONS (Can.)
Voir **capital stock**.

STOCK *n.* 2.
ACTIONS
(Bourse) Terme désignant l'ensemble des actions d'une catégorie donnée, que l'entreprise a émises et qui ont fait l'objet d'une inscription à la cote officielle.

STOCK *n.* 3.
CERTIFICAT D'ACTION(S)
Voir **share certificate**.

STOCK *n.* 4.
STOCK, APPROVISIONNEMENTS
Voir **inventory** *n.* 1.

STOCK *v.*
STOCKER
(comm.) Conserver une certaine quantité de marchandises en magasin.

STOCKBROKER
AGENT DE CHANGE (Fr. et Belg.), COURTIER EN VALEURS MOBILIÈRES (Can.)
(Bourse) Personne ayant l'exclusivité d'effectuer, pour le compte de tiers, des opérations boursières sur les valeurs mobilières inscrites ou non à la cote officielle. *N.B.* En France, cette personne est un **officier ministériel** pourvu du privilège de négociation et appartenant à une compagnie nationale unique. *V.a.* **broker** 2. et **investment dealer**.

STOCK CARD
FICHE DE STOCK, FICHE D'INVENTAIRE
Voir **inventory card**.

STOCK CERTIFICATE
CERTIFICAT D'ACTION(S)
Voir **share certificate**.

STOCK DIVIDEND
*DIVIDENDE EN ACTIONS (Can.), DIVIDENDE-ACTIONS (Can.), (DISTRIBUTION D')ACTIONS
    GRATUITES (Fr.)*
(fin.) Dividende payé sous forme d'actions de la société qui le déclare. *N.B.* Les sociétés françaises et belges ne distribuent pratiquement jamais de dividendes autres qu'en numéraire. En revanche, elles peuvent procéder à des augmentations de capital par **incorporation de réserves** auquel cas elles distribuent des **actions gratuites**. Le droit rattaché aux anciennes actions et procurant aux actionnaires l'avantage de recevoir des actions gratuites (c'est-à-dire émises à un prix nul) porte le nom de **droit d'attribution**. *V.a.* **dividend** 1.

STOCK EXCHANGE
BOURSE DES VALEURS MOBILIÈRES, BOURSE (DES VALEURS)
(Bourse) Marché public où se négocient au comptant ou à terme des valeurs mobilières (le plus souvent des actions) émises par des sociétés ouvertes et parfois par les collectivités publiques. *Syn.* **stock market** 1. *V.a.* **commodity market**, **exchange** 2., **open market**, **over-the-counter market** et **securities market**.

STOCK EXCHANGE OFFICIAL LIST
COTE (OFFICIELLE)
Voir **securities listing**.

STOCK EXCHANGE ORDER
ORDRE (DE BOURSE)
Voir **order** 2.

STOCKHOLDER *(U.S.)*
ACTIONNAIRE
Voir **shareholder**.

STOCKHOLDERS' LEDGER
REGISTRE DES ACTIONNAIRES, GRAND LIVRE DES ACTIONNAIRES
Voir **share ledger**.

STOCKING
STOCKAGE
(gest.) Action consistant à regrouper et à disposer les biens qui constituent le stock, de préférence dans un ordre déterminé et dans des conditions matérielles favorables à leur conservation et à leur manutention.

STOCK-IN-TRADE
STOCK, APPROVISIONNEMENTS
Voir **inventory** *n.* 1.

STOCK MARKET 1.
BOURSE DES VALEURS MOBILIÈRES, BOURSE (DES VALEURS)
Voir **stock exchange**.

STOCK MARKET 2.
COURS DES VALEURS MOBILIÈRES
(Bourse) Prix des valeurs inscrites à la Bourse.

STOCK OPTION
OPTION DE SOUSCRIPTION À DES ACTIONS, OPTION D'ACHAT D'ACTIONS
(fin.) Droit qu'une société par actions accorde, par exemple à un cadre, d'acheter un nombre donné d'actions non encore émises de cette société, à un prix stipulé d'avance, au cours d'une période déterminée. *N.B.* L'**option de souscription** s'appelle aussi en France *stock option*. L'**option d'achat d'actions** consiste souvent, pour une société, à distribuer des actions déjà émises qu'elle a rachetées à cette fin. *Syn.* **share option**. *V.a.* **option**.

STOCK OPTION PLAN
RÉGIME D'OPTIONS D'ACHAT D'ACTIONS, PROGRAMME D'OPTIONS D'ACHAT D'ACTIONS, RÉGIME
   DE SOUSCRIPTION À DES ACTIONS, PROGRAMME DE SOUSCRIPTION À DES ACTIONS
(gest.) **Régime d'intéressement** qui consiste pour l'entreprise à offrir à ses cadres des options de souscription sur ses propres actions non encore émises ou des options d'achat d'actions rachetées à cette fin. *V.a.* **employee stock ownership plan (ESOP)**.

STOCK PURCHASE WARRANT
BON DE SOUSCRIPTIONS À DES ACTIONS
(fin.) Titre, le plus souvent détachable, conférant au détenteur d'obligations ou d'actions émises par une société le droit de souscrire un nombre déterminé d'actions non encore émises de cette société à un prix stipulé d'avance au cours d'une période donnée. *N.B.* En France, la législation ne fait nullement mention des obligations auxquelles est attaché ce droit, mais leur introduction a été envisagée sous le nom d'**obligations avec bon de souscription**. *Syn.* **share purchase warrant**, **stock warrant** et **warrant** 2. *Comparer avec* **share right**. *V.a.* **bond with detachable warrant** et **detachable warrant**.

STOCK RIGHT
DROIT (PRÉFÉRENTIEL) DE SOUSCRIPTION, DROIT
Voir **share right**.

STOCK ROOM
MAGASIN
Voir **store** 1.

STOCK SAVINGS PLAN
RÉGIME D'ÉPARGNE-ACTIONS (Can.), DÉTAXATION DE L'ÉPARGNE INVESTIE EN
   ACTIONS (Fr. et Belg.)
(fin. et *fisc.)* Régime qui permet à un contribuable d'acquérir des actions au moment de leur émission en vue notamment d'accorder à ce contribuable des avantages fiscaux en réduisant, du moins dans l'immédiat, ses impôts.

STOCK SPLIT
DIVISION D'ACTIONS, FRACTIONNEMENT D'ACTIONS (Can.)
(fin.) Augmentation du nombre d'actions d'une catégorie donnée, accompagnée d'une diminution inversement proportionnelle de la valeur nominale des actions en cause ou, selon le cas, de leur valeur attribuée *N.B.* Cette opération, qui ne change pas la valeur de la catégorie d'actions concernée, s'accomplit en remplaçant une ancienne action par un nombre déterminé de nouvelles actions et a pour but de faciliter l'écoulement des actions sur le marché en réduisant proportionnellement leur cours. *Syn.* **share split**. *Comparer avec* **consolidation of shares**.

STOCKTAKING
INVENTAIRE, DÉNOMBREMENT, RÉCOLEMENT

(gest.) Action de dénombrer les articles que l'entreprise a en stock à une date donnée. *Syn.* **inventory** *n.* 3. *V.a.*
physical inventory.

STOCK TRANSACTION
OPÉRATION DE BOURSE, TRANSACTION BOURSIÈRE

(Bourse) Action de vendre ou d'acheter en Bourse des titres, le plus souvent des actions.

STOCK TRANSFER AGENT
AGENT COMPTABLE DES TRANSFERTS, AGENT DES TRANSFERTS

Voir **transfer agent**.

STOCK WARRANT
BON DE SOUSCRIPTION À DES ACTIONS

Voir **stock purchase warrant**.

STOP PAYMENT
CONTRE-ORDRE, OPPOSITION

(banque) Interdiction de paiement signifiée, par le signataire d'un chèque, à la banque sur laquelle ce chèque est
tiré.

STOP THE PAYMENT OF A CHEQUE, TO
FAIRE OPPOSITION À UN CHÈQUE

(banque) S'opposer, de la part du signataire d'un chèque, au paiement de celui-ci par la banque.

STORAGE COST
COÛT DE STOCKAGE, FRAIS DE STOCKAGE

Voir **cost of carrying an inventory**.

STORAGE (DEVICE)
MÉMOIRE

Voir **memory**.

STORAGE LOCATION
EMPLACEMENT DE MÉMOIRE

(int.) Partie de mémoire qui peut être repérée individuellement et désignée explicitement par une adresse. *V.a.*
address.

STORAGE PROTECTION
PROTECTION DE MÉMOIRE

(inf.) Restriction d'accès à des zones de mémoire définies, grâce à des dispositifs matériels ou à des programmes
particuliers. *V.a.* **memory**.

STORE 1.
MAGASIN

(comm. et prod.) Local où l'on entrepose, en attendant de les vendre ou de les utiliser, des marchandises, des
produits finis, des matières premières, des pièces de rechange, un outillage, etc. *Syn.* **stock room**.

STORE 2.
MAGASIN

(comm.) Dans les entreprises commerciales, local où l'on reçoit les clients, où se traitent les ventes et où l'on
expose et stocke les marchandises.

STOREKEEPER
MAGASINIER
(org. de l'entr.) Employé chargé d'assurer le stockage et la distribution de matières, de produits ou de pièces.

STORES
MATIÈRES, FOURNITURES ET PIÈCES DE RECHANGE
(prod.) Matières premières, fournitures de consommation et pièces de rechange servant à la fabrication, à l'entretien ou à des travaux que l'entreprise exécute pour elle-même. *N.B.* L'endroit où ces articles sont conservés porte le nom de **magasin**.

STORES REQUISITION
BON DE SORTIE (DE MAGASIN), BON DE MAGASIN
(gest.) Document administratif servant au contrôle des mouvements de stock. *V.a.* **material requisition**.

STORE SUPPLIES
FOURNITURES DE MAGASIN
Fournitures qui concourent par leur consommation, d'une manière indirecte, à l'exploitation de l'entreprise et qui peuvent, selon leur importance, être portées à l'actif ou être immédiatement passées en charges. *V.a.* **supplies**.

STRAIGHT-LINE METHOD (OF DEPRECIATION)
(MÉTHODE DE L')AMORTISSEMENT LINÉAIRE, (MÉTHODE DE L')AMORTISSEMENT CONSTANT
Méthode d'amortissement dont la proportionnalité est constante par rapport à l'unité de temps choisie (généralement une année). Selon cette méthode, la **dotation** est **linéaire** et on impute à chaque année un montant égal au quotient de l'assiette de l'amortissement (la somme à amortir) par le nombre d'années correspondant à la durée probable d'utilisation du bien en cause, ce qui donne une **annuité d'amortissement** qui est toujours la même d'une année à l'autre. *V.a.* **depreciation methods**.

STRAIGHT-LINE METHOD OF DISCOUNT (OR PREMIUM) AMORTIZATION
(MÉTHODE DE L')AMORTISSEMENT LINÉAIRE DE L'ESCOMPTE (OU DE LA PRIME) D'ÉMISSION
Méthode qui consiste, pour chaque période, à ajouter aux intérêts versés ou reçus (ou à déduire de ces derniers) un montant constant égal à l'escompte (ou à la prime) divisé(e) par le nombre de périodes au cours desquelles les obligations émises ou acquises seront en circulation ou, le cas échéant, demeureront la propriété de l'investisseur. *Comparer avec* **effective interest method**. *V.a.* **bond discount (or premium) amortization methods**, **discount amortization methods** et **premium amortization methods**.

STRATEGY
STRATÉGIE
(gest.) Ensemble des choix d'objectifs et de moyens qui orientent à moyen et à long terme les activités d'un individu, d'un groupe ou d'une entreprise.

STRATIFICATION
STRATIFICATION
(stat.) Opération qui, dans un **sondage statistique**, consiste à grouper des unités semblables représentatives d'un ensemble ou d'une population. *N.B.* Cette méthode, qui consiste essentiellement à diviser une population en plusieurs tranches homogènes, permet généralement d'obtenir des informations plus précises sur la population étudiée.

STRATIFIED SAMPLING
ÉCHANTILLONNAGE STRATIFIÉ
(stat.) Méthode qui consiste à choisir au hasard les individus qui font partie d'un échantillon après avoir divisé la population en sous-groupes relativement homogènes appelés **strates**. *V.a.* **sampling** 1.

STREET SECURITY *(fam.)*
TITRE IMMATRICULÉ AU NOM D'UN COURTIER
(Bourse) (Can.) Titre immédiatement transférable parce qu'il est endossé en blanc et immatriculé au nom du courtier de l'épargnant auquel il appartient. *V.a.* **bearer security**.

STUB
SOUCHE, TALON

(lang. cour.) Partie d'un document qui demeure fixée à un carnet (**carnet à souche**), à un registre après que l'on en a détaché la partie mobile (**volant**). Ainsi la souche d'un chèque reste dans le carnet et sert de justificatif et de moyen de contrôle. *Comparer avec* **leaf**.

STUB PERIOD *(fam.)*
PÉRIODE TAMPON

(Can.) Période comprise entre la date des derniers états financiers véfifiés et la date des états financiers inclus dans un prospectus (ou note d'information).

STUDENT (IN ACCOUNTS)
STAGIAIRE

Voir **junior (auditor)**.

SUBCONTRACTING
SOUS-TRAITANCE

(aff.) Travail confié par le **maître d'oeuvre**, à une autre entreprise (le **sous-traitant**) qui doit l'exécuter selon les directives qui lui sont données. *N.B.* Par extension, la **sous-traitance** consiste aussi à faire fabriquer par un tiers (industriel, artisan ou façonnier), sous contrat et avec des spécifications déterminées, des pièces ou des ensembles incorporables dans les produits de l'entreprise.

SUBCONTRACTOR
SOUS-TRAITANT

(aff.) Tiers qui accepte d'exécuter, en tout ou en partie, les opérations d'un marché à la place de l'entrepreneur. *N.B.* En principe, un entrepreneur ne peut recourir à un **sous-traitant** que si le contrat qu'il a signé ou un accord ultérieur l'y autorise. Le titulaire du marché reste responsable de l'exécution totale des travaux mais, en certains cas, le sous-traitant peut obtenir directement du **maître de l'ouvrage** (c'est-à-dire celui qui a passé la commande) le règlement de ses prestations. *V.a.* **contractor** 1.

SUBJECT TO *(vieilli)*
SOUS RÉSERVE DE

(E.C.) (Can.) Expression que le vérificateur utilisait autrefois dans un rapport renfermant une réserve lorsque l'issue de la situation qui appelait la réserve était incertaine et qu'elle dépendait essentiellement d'événements futurs ou de décisions qui ne relevaient ni de la direction, ni du conseil d'administration, ni du propriétaire. *N.B.* L'emploi de cette expression est maintenant interdit car elle n'est pas considérée comme suffisamment claire et ferme. *V.a.* **except for**.

SUBLEASE
SOUS-LOCATION

(dr.) Action pour une personne de louer à un tiers (le **sous-locataire**) un bien dont elle est elle-même le locataire principal.

SUBNORMAL CAPACITY USAGE
SOUS-ACTIVITÉ

(prod.) Activité réelle inférieure à la capacité normale ou prévue donnant lieu à un coût appelé **coût de la sous-activité** qui est fonction de l'**imputation rationnelle** des charges fixes et du niveau normal d'activité. *V.a.* **idle capacity** et **overhead application**.

SUBORDINATE(D) DEBT
DETTE DE RANG INFÉRIEUR, DETTE DE SECOND RANG, DETTE SUBORDONNÉE

(dr.) Titre de créance donnant à son titulaire un droit sur l'actif et parfois sur les bénéfices de l'entreprise débitrice, droit qu'il ne peut exercer qu'après les autres créanciers. *N.B.* En France, il existe des **prêts participatifs** qui sont en réalité des **prêts de dernier rang**. *Comparer avec* **senior debt**.

SUBROGATION
SUBROGATION

(dr.) Opération par laquelle une personne autre que le débiteur exécute une obligation de celui-ci. Dans ce cas, le droit du créancier est éteint, mais le débiteur reste tenu vis-à-vis la personne qui a exécuté l'obligation pour le compte du créancier. *N.B.* La **subrogation** peut avoir lieu en vertu d'un contrat ou en vertu de la loi. *V.a.* **act of subrogation**.

SUBROUTINE
SOUS-PROGRAMME

(inf.) Groupe de séquences d'instructions, isolé et individualisé qui peut revenir à une ou plusieurs reprises au sein d'un même programme, ou dans des programmes divers.

SUBSCRIBED CAPITAL
CAPITAL SOUSCRIT

Montant des apports que des investisseurs ont effectués ou irrévocablement promis d'effectuer lors de la constitution d'une société ou à l'occasion d'une augmentation de capital. *N.B.* En règle générale, les actions souscrites ne sont émises que lorsqu'elles sont entièrement libérées. *V.a.* **capital stock**.

SUBCRIBER
SOUSCRIPTEUR

(fin. et *lang. cour.)* Personne qui souscrit à des actions, à des publications, etc.

SUBSCRIPTION 1.
ABONNEMENT

(lang. cour.) Convention d'une durée déterminée entre un fournisseur et un client, permettant à ce dernier de recevoir régulièrement des biens (en particulier des périodiques) ou de bénéficier de services ou d'avantages, moyennant le versement d'une somme forfaitaire.

SUBSCRIPTION 2.
SOUSCRIPTION

(fin.) Engagement pris par un investisseur d'acheter des titres (le plus souvent des actions) qu'une société a l'intention d'émettre.

SUBSCRIPTION 3.
PROMESSE DE DON

Voir **pledge** *n.* 1.

SUBSCRIPTION RIGHT
DROIT (PRÉFÉRENTIEL) DE SOUSCRIPTION, DROIT

Voir **share right**.

SUBSEQUENT AUDITOR
VÉRIFICATEUR SUCCESSEUR, RÉVISEUR SUCCESSEUR

(E.C.) Expert-comptable qui accepte de succéder à un confrère dans l'exécution d'une mission de vérification (ou révision).

SUBSEQUENT EVENT
ÉVÉNEMENT POSTÉRIEUR À LA (DATE DE) CLÔTURE (DE L'EXERCICE), ÉVÉNEMENT POSTÉRIEUR AU BILAN

Événement financier important survenu entre la date de clôture de l'exercice et la date de publication des états financiers (ou comptes annuels) et qui, de ce fait, doit être reflété dans ces états (ou comptes) ou, selon le cas, faire l'objet d'une note complémentaire. *Syn.* **post-balance sheet event** et **post-statement event**.

SUBSIDIARY (COMPANY)
FILIALE

(écon.) Société juridiquement indépendante mais placée sous la direction d'une société mère du fait que cette dernière possède directement ou indirectement (par l'intermédiaire d'une ou plusieurs autres sociétés) plus de 50% des actions, ce qui lui donne le droit d'élire la majorité des membres du conseil d'administration. *Comparer avec* **parent company**. *V.a.* **affiliated company**, **sub-subsidiary** et **wholly-owned subsidiary**.

SUBSIDIARY JOURNAL
JOURNAL AUXILIAIRE

Voir **special journal**.

SUBSIDIARY LEDGER
GRAND LIVRE AUXILIAIRE

Grand livre dans lequel on tient une série de **comptes homogènes** (par exemple les comptes clients) auxquels correspond un **compte collectif** (ou compte de contrôle) dans le grand livre général. *V.a.* **controlling account**, **general ledger (GL)** et **ledger**.

SUBSIDIARY TRIAL BALANCE
BALANCE DES COMPTES D'UN GRAND LIVRE AUXILIAIRE

Relevé des soldes des comptes d'un grand livre auxiliaire que l'on effectue en vue de vérifier si leur total est égal au solde du **compte collectif** correspondant dans le grand livre général. *V.a.* **trial balance**.

SUBSIDY
SUBVENTION

Voir **grant**.

SUBSTANCE OVER FORM (PRINCIPLE)
(PRINCIPE DE LA) PRIMAUTÉ DE LA SUBSTANCE SUR LA FORME, (PRINCIPE DE LA) PRÉÉMINENCE DE LA RÉALITÉ SUR L'APPARENCE

Règle qui consiste, d'une part, en comptabilité, à attacher plus d'importance à la substance économique des opérations même si leur forme juridique donne l'impression trompeuse qu'un traitement comptable différent est nécessaire et, d'autre part, en vérification (ou révision), à s'assurer, pour l'expert-comptable, que l'on a bien comptabilisé la substance de toutes les opérations plutôt que de tenir compte de leur forme seulement. *V.a.* **accounting principles** 2.

SUBSTANTIVE PROCEDURE
PROCÉDÉ DE CORROBORATION

(E.C.) Procédé ayant pour objet de s'assurer de la validité des données produites par le système comptable, c'est-à-dire d'obtenir la preuve que les opérations ont été bien comptabilisées et les soldes correctement établis. *N.B.* Les **procédés de corroboration** ou **de validation** comprennent notamment l'analyse de l'information financière et l'examen détaillé d'opérations et de soldes présélectionnés. *Comparer avec* **compliance procedure**. *V.a.* **substantive test**.

SUBSTANTIVE TEST
SONDAGE DE CORROBORATION, TEST DE CORROBORATION

(E.C.) Sondage qui s'inscrit dans le cadre de la vérification (ou révision) des postes en fin d'exercice après que l'expert-comptable a établi la mesure dans laquelle il peut s'appuyer sur le contrôle interne. Des procédés plus ou moins détaillés sont alors appliqués en vue de corroborer l'exactitude des soldes des comptes. *Comparer avec* **compliance test**. *V.a.* **audit test** et **substantive procedure**.

SUB-SUBSIDIARY
SOUS-FILIALE

(écon.) Société dans laquelle une filiale détient plus de 50% des actions et qui, par le fait même, est sous le contrôle (indirect) de la société mère. *V.a.* **subsidiary (company)**.

SUBTOTAL
SOMME PARTIELLE, TOTAL

(lang. cour.) Un des totaux qui composent le total général. *Comparer avec* **grand total**.

SUCCESSFUL EFFORTS ACCOUNTING
(MÉTHODE DE LA) CAPITALISATION DU COÛT DE LA RECHERCHE FRUCTUEUSE

Méthode de comptabilisation en usage dans l'industrie minière, pétrolière et gazière et qui consiste à porter à l'actif les seuls frais correspondant à des efforts de prospection couronnés de succès et à les amortir subséquemment à même le produit de l'exploitation du gisement découvert. *N.B.* Selon cette méthode, les frais de la recherche infructueuse sont immédiatement passés en charges. *Comparer avec* **discovery value accounting**, **full costing** 1. et **reserve recognition accounting**.

SUFFICIENT EVIDENCE
INFORMATION PROBANTE SUFFISANTE, JUSTIFICATION SUFFISANTE

(E.C.) En vérification (ou révision), quantité des données que l'expert-comptable doit examiner en vue de se former une opinion, eu égard à la qualité de l'information dont il dispose. *N.B.* On peut aussi parler de **justificatifs suffisants** pour désigner la mesure de la quantité des justificatifs déterminée par l'expert-comptable et dont il a besoin pour les contrôles qu'il doit effectuer. *Comparer avec* **appropriateness of evidence**.

SUGGESTED RETAIL PRICE
PRIX DE VENTE CONSEILLÉ

(comm.) Prix préconisé, pour un bien ou un service, par un fournisseur à ses revendeurs comme étant le juste prix de vente à pratiquer.

SUMMARY FINANCIAL STATEMENTS
ÉTATS FINANCIERS CONDENSÉS, ÉTATS FINANCIERS SIMPLIFIÉS, COMPTES DE SYNTHÈSE

Voir **condensed financial statements**.

SUM-OF-THE-DIGITS METHOD
MÉTHODE DE VENTILATION PROPORTIONNELLE À L'ORDRE NUMÉRIQUE INVERSÉ DES PÉRIODES

Méthode de ventilation, entre plusieurs périodes, du profit non gagné provenant de contrats à tempérament. La somme incorporée au bénéfice de la période se calcule au moyen d'une fraction dont le numérateur est le nombre de périodes non écoulées plus 1 et le dénominateur, la somme des chiffres représentant les périodes. Ainsi, pour un billet remboursable en versements égaux répartis sur douze mois, le dénominateur est de 78 et le numérateur, 12 pour le premier mois, 11 pour le second, et ainsi de suite. *V.a.* **rule of 78** *(fam.)*.

SUM-OF-THE-YEARS'-DIGITS (SOYD) METHOD (OF DEPRECIATION)
(MÉTHODE DE L')AMORTISSEMENT PROPORTIONNEL À L'ORDRE NUMÉRIQUE INVERSÉ DES ANNÉES

Méthode qui consiste à répartir l'**assiette de l'amortissement** en la multipliant par une fraction dont le numérateur est le nombre prévu d'années d'utilisation non écoulées (y compris l'année pour laquelle l'amortissement est calculé) et le dénominateur, la somme des nombres représentant les années d'utilisation prévues. Ainsi, pour un bien ayant une durée d'utilisation de cinq ans, le dénominateur est de 15 (1 + 2 + 3 + 4 + 5) et le numérateur, 5 pour le premier exercice, 4 pour le deuxième, et ainsi de suite. *V.a.* **depreciation methods**.

SUNDRY EXPENSES
FRAIS DIVERS, CHARGES DIVERSES

Voir **miscellaneous expenses**.

SUNDRY INCOME
PRODUITS DIVERS, PRODUITS ACCESSOIRES

Voir **miscellaneous revenue**.

SUNK COST
COÛT IRRÉCUPÉRABLE

Coût résultant d'une décision irrévocable prise dans le passé et constituant, par le fait même, une donnée non pertinente (à l'exception des effets fiscaux s'y rattachant) pour le gestionnaire qui doit prendre une décision. Ainsi le coût non amorti d'une machine n'influe nullement sur la décision de remplacer éventuellement cette machine ou de la mettre hors service.

SUNSET LAWS
LÉGISLATION-COUPERET, LOIS DE TEMPORISATION
(dr.) Loi instituant des programmes et comportant des dispositions assurant la cessation de ces programmes après un certain temps.

SUPERANNUATION
(PRESTATIONS DE) RETRAITE, RENTES DE RETRAITE, PENSIONS, ARRÉRAGES
Voir **pension benefits** 1.

SUPERANNUATION FUND
CAISSE DE RETRAITE, FONDS DE PENSION, FONDS DE RETRAITE
Voir **pension fund**.

SUPERVISION
SUPERVISION, CONTRÔLE IMMÉDIAT
(gest.) Surveillance directe du travail sans entrer dans les détails.

SUPERVISOR 1.
CHEF D'ÉQUIPE, CHEF DE MISSION, SUPERVISEUR (Can.)
Voir **senior-in-charge**.

SUPERVISOR 2.
CHEF DE SERVICE, CHEF DE BUREAU, AGENT DE MAÎTRISE, CONTREMAÎTRE
(gest.) Personne, le plus souvent un technicien, qui, dans une structure hiérarchique donnée, occupe un poste de **cadre moyen**. *V.a.* **lower management**.

SUPERVISOR 3.
SURVEILLANT, SUPERVISEUR
(gest.) Personne qui exerce des fonctions de simple surveillance. *N.B.* Le terme **surveillant** s'emploie aussi pour désigner les agents de maîtrise, les contremaîtres et les ouvriers qualifiés chargés de surveiller l'exécution du travail. En revanche, le terme **superviseur** se dit de celui qui contrôle l'exécution d'un travail sans entrer dans les détails.

SUPPLEMENTARY EARNINGS PER SHARE
BÉNÉFICE COMPLÉMENTAIRE PAR ACTION
(anal. fin. et *compt.) (U.S.)* Bénéfice par action (calculé en sus du bénéfice premier et du bénéfice dilué par action) qui tient compte d'opérations (conversions, exercice de droits de souscription, etc.), survenues au cours de l'exercice, ou peu de temps après, comme si elles avaient été effectuées au début de l'exercice, ou à la date d'émission des actions lorsque ces dernières ont été émises au cours de l'exercice. *V.a.* **earnings per share (EPS)** 1.

SUPPLEMENTARY INFORMATION
INFORMATION(S) SUPPLÉMENTAIRE(S), SUPPLÉMENT D'INFORMATIONS
Renseignements fournis en plus des états financiers (ou comptes annuels) et des notes qui y sont jointes, par exemple des états financiers indexés, des états financiers établis au coût actuel et des données prévisionnelles.

SUPPLIER
FOURNISSEUR
(comm.) Tiers à qui l'entreprise achète des marchandises, des matières premières ou d'autres biens ou services (et, par extension, des immobilisations) destinés à l'exploitation de l'entreprise ou à la revente.

SUPPLIES
FOURNITURES, MATIÈRES CONSOMMABLES

(compt. et *prod.)* Articles, produits et matières acquis par l'entreprise, qui concourent par leur consommation, d'une manière indirecte, à l'exploitation et à la production et qui parfois, en raison de leur importance minime, sont passés immédiatement en charges. *V.a.* **delivery supplies**, **indirect materials**, **office supplies**, **packing supplies** et **store supplies**.

SUPPLY
OFFRE

(écon.) Quantité d'un bien ou d'un service que les différents agents économiques d'un marché (producteurs, distributeurs, importateurs) sont disposés à fournir à un certain prix, à un moment donné. *Comparer avec* **demand**.

SUPPORTING DATA
ÉLÉMENTS JUSTIFICATIFS, DONNÉES JUSTIFICATIVES

Éléments ou données permettant aux utilisateurs de conclure que les états financiers qui lui sont remis sont fiables.

SURPLUS 1.
SURPLUS, EXCÉDENT

(Can.) Excédent des capitaux propres d'une société sur la somme portée au crédit du compte Capital-actions ou, dans le cas d'un organisme sans but lucratif, excédent de l'actif sur son passif. *N.B.* Le terme **surplus** n'est jamais utilisé dans ce sens en France et en Belgique. *V.a.* **capital surplus** 1. *(vieilli)* et 2., **contributed surplus** 1., **distributable surplus**, **donated surplus**, **earned surplus** *(vieilli)* et **retained earnings**.

SURPLUS 2.
EXCÉDENT (BUDGÉTAIRE), SURPLUS BUDGÉTAIRE

Voir **budgetary surplus**.

SURPLUS EARNINGS
TROP-PERÇU(S), EXCÉDENT

(O.S.B.L.) Bénéfice réalisé par une coopérative, qu'elle utilise à ses propres fins ou qu'elle ristourne aux coopérateurs. *V.a.* **co-operative**.

SURPRISE COUNT
CONTRÔLE INOPINÉ, CONTRÔLE À L'IMPROVISTE

(E.C.) **Comptage à l'improviste** d'espèces, de titres ou d'articles en magasin, effectué à des fins de contrôle. *V.a.* **count**.

SURRENDER VALUE
VALEUR DE RACHAT (D'UN CONTRAT D'ASSURANCE)

Voir **cash surrender value**.

SURVEY
ENQUÊTE, SONDAGE D'OPINIONS, ÉTUDE, INVESTIGATION

(lang. cour.) Recherche méthodique portant sur une question sociale, économique ou politique et reposant principalement sur le rassemblement des faits ainsi que sur les avis et les témoignages des intéressés. *V.a.* **appraisal**.

SUSPENSE ACCOUNT
COMPTE D'ATTENTE, COMPTE DE PASSAGE, COMPTE D'ORDRE

Compte destiné à enregistrer des opérations qui, au moment de leur comptabilisation, ne peuvent être inscrites de façon certaine et qui demeureront dans ce compte jusqu'au moment où l'on possédera une meilleure information permettant d'en arrêter l'affectation définitive. *N.B.* En comptabilité publique, les **comptes d'attente** servent à l'inscription de rentrées d'argent dont l'affectation présente des éléments d'incertitude. *Comparer avec* **clearing account**.

SUSPENSION
MISE À PIED DISCIPLINAIRE, SUSPENSION

(rel. de tr.) Suspension de brève durée du contrat de travail, décidée par l'employeur à titre de sanction disciplinaire. *V.a.* **disciplinary sanction**.

SUSPENSION OF PAYMENTS
CESSATION DE PAIEMENTS

(dr.) Situation de l'entreprise qui, faute de moyens de paiement, ne peut plus faire face à ses dettes. *N.B.* En France, les responsables de l'entreprise défaillante doivent faire déclaration de la cessation de paiements auprès du tribunal de commerce (c'est ce que l'on appelle le **dépôt du bilan**). Cette démarche a pour effet de lancer une procédure judiciaire qui aboutit soit au **règlement judiciaire**, soit à la **liquidation des biens**. Les créanciers non payés peuvent aussi saisir le tribunal et c'est ce dernier qui fixe la date de la cessation de paiements. Le commerçant qui est dans cette situation perd le contrôle de son patrimoine (**dessaisissement**), lequel devient pour lui indisponible. La situation française est voisine du droit belge. Il y a cependant des différences notables en Belgique. Ainsi l'issue de la procédure sera soit la **liquidation**, soit le **concordat judiciaire** qui permet au failli de retrouver le contrôle de son patrimoine. *V.a.* **bankruptcy** et **file a petition in bankruptcy**.

SWAP
(OPÉRATION DE) TROC, ÉCHANGE, COMPENSATION

Voir **barter transaction**.

SWAP FACILITIES
CRÉDITS CROISÉS, CRÉDITS RÉCIPROQUES

(fin.) Opération d'achat (ou de vente) au comptant d'une devise A contre une devise B conclue simultanément avec une opération de vente (ou d'achat) à terme de la devise A contre la devise B. Le **crédit croisé** est une **opération de troc** portant sur des monnaies différentes et effectué, entre banques, par un jeu croisé d'écritures, avec accord préalable et **clause de réméré** : on tire sur son crédit et on reconstitue ensuite, dans un court délai (en pratique trois mois), son droit de tirage. Ces échanges de monnaies se font aussi entre banques centrales pour limiter les risques de spéculation accompagnant les mouvements de devises à l'occasion, par exemple, de la dévaluation ou de la réévaluation d'une monnaie.

SYNDIC
SYNDIC

(prof.) (Québec) Cadre d'une corporation professionnelle désigné par celle-ci, dont le rôle est de recevoir les plaintes des membres et du public, de mener une enquête et, le cas échéant, de les soumettre au comité de discipline de la corporation.

SYNDICATE
SYNDICAT FINANCIER, CONSORTIUM FINANCIER

(Bourse) Groupe généralement constitué de plusieurs établissements financiers qui se réunissent pour mener à bien des opérations (par exemple la vente d'une émission d'actions ou d'obligations sur le marché) que les **moyens financiers** ou la **capacité de risque** d'un établissement ne lui permettent pas d'effectuer seul. *N.B.* Il existe trois sortes de syndicats financiers : les **syndicats de placement** (ils ne servent que d'intermédiaires), les **syndicats de prise ferme** (ils souscrivent toute l'émission et se chargent de son placement) et les **syndicats de garantie** (ils garantissent la bonne fin de l'émission en se portant eux-mêmes souscripteurs des titres non placés dans le public). Les opérations effectuées par un syndicat financier portent le nom d'**opérations consortiales**. *Syn.* **underwriting syndicate**. *V.a.* **best efforts offering** et **underwriter** 2.

SYNDICATED PROPERTIES
IMMEUBLES EXPLOITÉS EN CONSORTIUM

(aff.) Groupe d'immeubles dont on confie la gestion à un syndicat constitué d'un certain nombre de sociétés immobilières.

SYSTEM
SYSTÈME

(inf.) Ensemble des matériels et des logiciels d'un sous-ensemble du logiciel de base, par exemple le **système d'exploitation**.

SYSTEMATIC SAMPLING
ÉCHANTILLONNAGE SYSTÉMATIQUE

(stat.) Méthode qui consiste à choisir d'une façon systématique les individus à inclure dans l'échantillon après avoir choisi au hasard le premier. Dans ce cas, les intervalles qui séparent, les uns des autres, les individus choisis sont égaux. *Syn.* **fixed interval sampling**. *Comparer avec* **variable interval sampling**. *V.a.* **sampling** 1.

SYSTEM OF ACCOUNTS
SYSTÈME COMPTABLE, (SYSTÈME DE) COMPTABILITÉ

Voir **accounting system**.

SYSTEMS ANALYSIS
APPROCHE SYSTÉMIQUE, ANALYSE DE SYSTÈMES

(lang. cour. et *inf.)* Méthode d'analyse et de synthèse prenant en considération l'appartenance des systèmes à un ensemble et l'interdépendance d'un système avec les autres systèmes de cet ensemble. *N.B.* En informatique, l'analyse de systèmes consiste à faire une étude analytique d'une application de manière à établir le programme s'y rapportant.

SYSTEM-BASED AUDITING
VÉRIFICATION ANALYTIQUE, RÉVISION ANALYTIQUE

Voir **analytical audit(ing)**.

SYSTEMS ENGINEER
INGÉNIEUR-SYSTÈME

(inf.) Informaticien chargé de concevoir des programmes du système d'exploitation ou de les adapter en vue d'une application particulière. *V.a.* **electronic data processing engineer**.

SYSTEM SOFTWARE
LOGICIEL DE BASE

(inf.) Système fourni par le constructeur d'un matériel électronique et appelé aussi **système de programmation**. *V.a.* **software**.

T-ACCOUNT
COMPTE EN T
Mode simplifié de présentation d'un compte prenant la forme de la lettre T et dans lequel on porte les débits du côté gauche de la ligne verticale et les crédits, du côté droit.

TAG 1.
ÉTIQUETTE
(comm.) Petit morceau de papier ou de carton fixé à un objet pour en indiquer la nature, le prix, le possesseur ou la destination. *V.a.* **price tag**.

TAG 2.
ÉTIQUETTE
(inf.) Un ou plusieurs caractères liés à un groupe de données et destinés à identifier ce groupe. *N.B.* L'**étiquette** est représentée par un **nom symbolique** que prennent certaines instructions et elle est **numérique** ou **alphanumérique**, selon le langage utilisé. *V.a.* **label** 2.

TAILOR-MADE PROGRAM
PROGRAMME PERSONNALISÉ, PROGRAMME INDIVIDUALISÉ, PROGRAMME SUR MESURE
(E.C.) Programme établi pour répondre aux besoins particuliers d'un expert-comptable ou de l'utilisateur de données informatisées. *Syn.* **custom-made program**. *V.a.* **program** *n.* 2 et **user's program**.

TAKE-HOME PAY
SALAIRE NET
Voir **net salary**.

TAKEOVER
ACQUISITION, PRISE DE PARTICIPATION, PRISE DE CONTRÔLE, ABSORPTION
Voir **acquisition** 2.

TAKEOVER BID
OFFRE PUBLIQUE D'ACHAT (O.P.A.)
(fin.) Opération consistant, pour une entreprise désireuse d'acquérir le contrôle d'une autre société ou de le renforcer, à faire publiquement aux actionnaires de la société visée une proposition d'achat d'un certain nombre d'actions, dans un délai donné, à un prix généralement supérieur à leur cours, sous réserve qu'au terme de la période prévue, le nombre de titres que désire acquérir **l'initiateur** (la **société initiatrice**) sera atteint. L'O.P.A. peut se faire avec ou sans l'accord de la **société visée**. *N.B.* Lorsque l'opération s'effectue par l'échange des actions de la société visée contre des titres de la société initiatrice, on parlera plutôt d'**offre publique d'échange (O.P.E.)**. *Syn.* **tender offer** *(U.K.)*. *V.a.* **acquisition** 2., **increase in price**, **offeree**, **offeror** et **reverse takeover**.

TAKEOVER BID CIRCULAR
NOTE D'INFORMATION

(fin.) (Can.) Document décrivant une offre publique d'achat que doit publier l'auteur de cette offre pour se conformer aux exigences de la Loi sur les valeurs mobilières en cette matière.

TANGIBLE ASSET
BIEN CORPOREL, (ÉLÉMENT D')ACTIF CORPOREL, BIEN MATÉRIEL

Tout bien ayant une existence à la fois tangible et physique. *Comparer avec* **intangible asset**.

TANGIBLE ASSETS
ACTIF CORPOREL, IMMOBILISATIONS (CORPORELLES)

Ensemble des biens physiques meubles ou immeubles qui constituent l'**outil de production** de l'entreprise et dont elle fait l'acquisition ou qu'elle crée en vue de leur utilisation d'une manière durable plutôt que de leur vente ou de leur transformation. *Comparer avec* **intangible assets**.

TANGIBLE NET WORTH
VALEUR CORPORELLE NETTE

Valeur de l'entreprise que l'on trouve en retranchant le total du passif (le passif externe) du total de l'actif à l'exclusion des immobilisations incorporelles. *V.a.* **net worth**.

TAP A MARKET, TO
S'ATTAQUER À UN MARCHÉ

(mark.) Pour une entreprise, tenter d'écouler ses produits sur un marché qui lui était inconnu jusqu'à présent ou qu'elle n'avait pu encore exploiter.

TAPE
BANDE (MAGNÉTIQUE)

(inf.) Support d'information à **accès** uniquement **séquentiel** constitué habituellement par une bande souple en matière plastique revêtue, sur une face, d'un **enduit magnétique**, utilisé comme moyen d'entrée et de sortie dans un ordinateur.

TARIFF
TARIF

(fisc.) Tableau indiquant le montant des droits à payer, par exemple le **tarif douanier**.

TASK
TÂCHE

(lang. cour.) Ensemble des éléments constitutifs (activités, devoirs, responsabilités) reliés à un emploi.

TASK FORCE
GROUPE DE TRAVAIL, GROUPE D'ÉTUDE

(lang. cour.) Groupement temporaire de personnes, le plus souvent de formation et de spécialités différentes, chargé de faire l'étude d'une question ou de remplir une mission précise qui conduira généralement à la publication d'une **monographie**.

TAX *v.*
TAXER, LEVER UN IMPÔT, IMPOSER

(fisc.) Déterminer et imposer une taxe sur des biens, revenus, fournitures ou prestations de services.

TAX *n.* 1.
IMPÔT, CONTRIBUTION

(fisc.) Prélèvement pécuniaire et obligatoire des pouvoirs publics, effectué à des fins d'interventions économiques, financières et sociales sur les ressources des personnes physiques ou morales. *V.a.* **direct taxes**, **income tax** et **indirect taxes**.

TAX *n.* 2.
TAXE
(fisc.) Redevance résultant d'un procédé de répartition des charges publiques proportionnellement aux services rendus, que doit payer le bénéficiaire d'une prestation fournie par les pouvoirs publics et, par extension, le procédé de répartition lui-même. De même nature que l'impôt, la taxe s'en distingue par l'existence d'une contrepartie dont, en principe, bénéficie le contribuable. *N.B.* En France, l'**impôt de répartition** perçu par les collectivités locales, auquel sont assujetties les personnes physiques ou morales exerçant une profession industrielle, commerciale ou libérale, porte le nom de **taxe professionnelle**. Depuis juin 1976, cette taxe a remplacé l'impôt que l'on désignait alors par le terme **patente**. Les cotisations, contributions ou redevances que l'État perçoit et remet à certains organismes à compétence économique, sociale ou professionnelle sont des **taxes** dites **parafiscales**. *V.a.* **sales tax** et **value-added tax (VAT)**.

TAXABLE INCOME
REVENU IMPOSABLE, BÉNÉFICE IMPOSABLE
(fisc.) Revenu ou bénéfice, pour une année d'imposition donnée, calculé en conformité avec les exigences des lois fiscales pertinentes. *Comparer avec* **accounting income**.

TAXABLE MATTER
ASSIETTE FISCALE, ASSIETTE D'UN IMPÔT, ASSIETTE D'IMPOSITION
Voir **tax basis**.

TAX ALLOCATION
RÉPARTITION DES IMPÔTS, VENTILATION DES IMPÔTS
Processus qui consiste à répartir ou à ventiler les impôts sur les bénéfices entre les différents postes pertinents d'un exercice (postes extraordinaires, redressements affectés aux exercices antérieurs et bénéfice imposable) ou entre différents exercices. *Syn.* **income tax allocation**. *V.a.* **deferred income taxes**, **interperiod tax allocation methods** et **intraperiod tax allocation**.

TAX ALLOCATION BASIS
MÉTHODE(S) DU REPORT D'IMPÔT
Voir **interperiod tax allocation methods**.

TAX ASSESSMENT
AVIS DE COTISATION
(fisc. can.) Avis dans lequel l'Administration fiscale établit le montant des impôts sur le revenu ou sur les bénéfices d'un contribuable ou d'une société. *V.a.* **additional tax assessment**, **assessment** 1. et **tax notice**.

TAXATION 1.
TAXATION
(fisc.) Le fait de taxer ou de soumettre à une imposition, à une taxe et, par extension, son résultat.

TAXATION 2.
FISCALITÉ
(fisc.) Ensemble des lois relatives au fisc et à l'impôt (législation fiscale) et, par extension, domaine d'activité afférent à ces lois.

TAXATION AUTHORITIES
FISC, ADMINISTRATION FISCALE
Voir **tax authorities**.

TAX AUDIT
CONTRÔLE FISCAL, VÉRIFICATION FISCALE
(fisc.) Contrôle de la comptabilité d'un particulier ou d'une entreprise, effectué par l'Administration fiscale. *V.a.* **audit** *n.* 1.

TAX AUTHORITIES
FISC, ADMINISTRATION FISCALE
(fisc.) Ensemble des services publics chargés de l'application de la législation fiscale d'un pays ou d'une collectivité et, plus particulièrement, de leur recouvrement. *Syn.* **revenue department** et **taxation authorities**.

TAX AVOIDANCE
ÉVASION FISCALE (Fr.), FAIT D'ÉVITER L'IMPÔT
(fisc.) Ensemble des procédés que le contribuable utilise pour **éluder l'impôt**, c'est-à-dire pour réduire sa charge fiscale en se prévalant des failles de la loi et de toutes les déductions qu'elle accorde. *N.B.* Au Canada, on attribue souvent une connotation de fraude au terme **évasion fiscale**. En Belgique, on parle de **choix de la voie la moins imposée**. *Comparer avec* **tax evasion**. *V.a.* **tax planning**.

TAX BASIS
ASSIETTE FISCALE, ASSIETTE D'UN IMPÔT. ASSIETTE D'IMPOSITION
(fisc.) Matière assujettie à l'impôt. *Syn.* **taxable matter**. *V.a.* **base**.

TAX BENEFITS
AVANTAGES FISCAUX
(fisc.) Conséquences favorables pour le contribuable de certaines dispositions des lois fiscales, par exemple, les dispositions relatives au report prospectif ou rétrospectif des pertes.

TAX BRACKET
TRANCHE D'IMPOSITION, FOURCHETTE D'IMPOSITION
(fisc.) Tranche de l'**assiette fiscale** assujettie à un taux d'imposition déterminé à l'intérieur d'un **barème** qui donne lieu à des impôts progressifs.

TAX BURDEN
CHARGE FISCALE, FARDEAU FISCAL
(fisc.) Ensemble des impôts auxquels est assujetti un contribuable.

TAX CONSULTANT
CONSEIL(LER) FISCAL, FISCALISTE
(fisc.) Expert ayant une grande connaissance des lois fiscales. *V.a.* **tax planning** et **tax specialist**.

TAX CREDIT 1.
REPORT CRÉDITEUR D'IMPÔT
Voir **deferred tax credit**.

TAX CREDIT 2.
DÉGRÈVEMENT, CRÉDIT (D'IMPÔT)
Voir **abatement** 3.

TAX DEBIT
REPORT DÉBITEUR D'IMPÔT
Voir **deferred tax debit**.

TAX DEDUCTION AT SOURCE
RETENUE (D'IMPÔT) À LA SOURCE, PRÉCOMPTE FISCAL, IMPÔT PRÉCOMPTÉ
(fisc.) Système par lequel un impôt est prélevé sur certains revenus (salaires, intérêts et dividendes) par un intermédiaire qui le remet subséquemment à l'Administration fiscale pour le compte du bénéficiaire. *N.B.* Le système qui consite à prélever l'impôt à la naissance de la **créance fiscale** (par exemple à faire payer, par l'employeur, l'impôt sur le revenu relatif aux salaires versés à son personnel) permet à l'État de mieux étaler dans le temps ses recettes fiscales et facilite les contrôles de la part du fisc. *V.a.* **deduction at source** et **withholding tax**.

TAX DEFERRED DIVIDEND
DIVIDENDE À IMPOSITION REPORTÉE

(fisc. can.) Dividende distribué à même le surplus libéré d'impôt qui donne lieu à un rajustement du prix de base des actions et éventuellement à un gain en capital imposable, égal à la différence entre le produit de la vente des actions et leur prix de base rajusté.

TAX DUPLICATION
DOUBLE IMPOSITION

(fisc.) Effet de certaines lois fiscales dont les dispositions sont telles que les mêmes sommes font l'objet de deux prélèvements d'impôts. Ainsi les bénéfices d'une société donnent lieu à des impôts pour cette dernière puis pour le particulier au moment où ils lui sont distribués sous forme de dividendes. *N.B.* La **double imposition** donne lieu à ce que l'on appelle communément **application en cascade de l'impôt**. *Syn.* **double taxation**.

TAX EFFECT
EFFET FISCAL, INCIDENCE FISCALE

(fisc.) Effet qu'a sur les impôts d'un contribuable une opération ou un événement donné. *N.B.* On entend aussi par **incidence fiscale** le transfert de l'impôt, de celui qui le paie vers d'autres personnes sur lesquelles il le récupère. Dans le cas des impôts indirects, ce sont généralement les consommateurs qui en supportent le poids.

TAX EQUITY
MASSE FISCALE

(fisc. can.) Terme utilisé dans les lois fiscales pour désigner, d'une façon générale, l'actif net d'une société par actions.

TAXES PAYABLE BASIS
MÉTHODE DE L'IMPÔT EXIGIBLE

Méthode de comptabilisation des impôts sur les bénéfices qui consiste à inscrire, à titre de charge fiscale d'un exercice, les impôts que l'entreprise aura effectivement à payer pour cet exercice même s'il existe des écarts temporaires entre le bénéfice comptable et le bénéfice (ou revenu) imposable. *Syn.* **flow-through method (income taxes)**. *Comparer avec* **interperiod tax allocation methods**.

TAX EVASION
FRAUDE FISCALE, ÉVASION FISCALE (Can.)

(fisc.) Agissements par lesquels un contribuable dissimule délibérement une partie de ses revenus imposables et se soustrait de façon illégale aux impôts qu'il doit normalement payer. *Comparer avec* **tax avoidance**. *V.a.* **capital evasion** et **evasion**.

TAX EXEMPT
EXEMPT D'IMPÔT, EXEMPT DE TAXE, EXONÉRÉ D'IMPÔT, LIBRE D'IMPÔT, EN FRANCHISE D'IMPÔT
Voir **free of tax**.

TAX EXEMPTION
EXONÉRATION D'IMPÔT, EXONÉRATION FISCALE

(fisc.) Instrument de politique économique et sociale qui consiste à affranchir certaines opérations ou certaines personnes de l'impôt en vue de faciliter les investissements, d'assurer une répartition plus équitable de la richesse, etc.

TAX FREE
EXEMPT D'IMPÔT, EXEMPT DE TAXE, EXONÉRÉ D'IMPÔT, LIBRE D'IMPÔT, EN FRANCHISE D'IMPÔT
Voir **free of tax**.

TAX HAVEN
PARADIS FISCAL, REFUGE FISCAL

(fisc.) Pays ou territoire où les impôts à payer sont nettement inférieurs à ceux que le même contribuable, dans les mêmes circonstances, aurait à payer dans un autre pays ou territoire.

TAX INCENTIVE
INCITATION FISCALE, ENCOURAGEMENT FISCAL, STIMULANT FISCAL

(fisc.) Mesure adoptée par les pouvoirs publics pour encourager les particuliers ou les entreprises à orienter leurs dépenses, leurs investissements ou leurs productions dans une direction donnée. *V.a.* **incentive**.

TAX LIEN
PRIVILÈGE SUR BIENS IMPOSÉS

(fisc.) Charge grevant la propriété d'un contribuable et garantissant le paiement d'impôts arriérés.

TAX NOTICE
AVIS D'IMPOSITION

(fisc.) Document établissant le montant des impôts fonciers et taxes que le contribuable doit à une Administration. *N.B.* Au Canada, on parle généralement d'**avis de cotisation** alors qu'en France et en Belgique, ce document est désigné par les termes **avertissement** et **extrait de rôle**. *V.a.* **assessment notice**, **notice of assessment** et **tax assessment**.

TAX OFFICIAL
AGENT DU FISC

(fisc.) Personne à qui incombe la responsabilité de s'assurer du respect de la législation fiscale.

TAX ON CAPITAL 1.
TAXE SUR LE CAPITAL

(fisc. can.) Impôt prélevé par certaines provinces sur le capital permanent des sociétés de capitaux.

TAX ON CAPITAL 2.
IMPÔT SUR LA FORTUNE, IMPÔT SUR LE CAPITAL

(fisc.) Impôt prélevé dans certains pays sur la fortune ou certains éléments de la fortune.

TAX PAID
LIBÉRÉ D'IMPÔT

(fisc. can.) Se dit d'un surplus ou de tout élément sur lequel on a déjà payé l'impôt.

TAX (PAID BY) INSTALMENTS
ACOMPTES PROVISIONNELS (D'IMPÔTS)

(fisc.) Paiements partiels à valoir sur des impôts dont le montant ne sera définitivement arrêté qu'après la fin de l'année d'imposition, et que le contribuable remet mensuellement ou trimestriellement, selon le cas, à l'Administration fiscale. *N.B.* En France, l'acompte que doit verser d'avance en février et en mai toute personne assujettie à l'impôt sur le revenu, et qui est égal au tiers de l'imposition de l'année précédente, porte le nom de **tiers provisionnel**. Au Canada, comme le particulier qui est à son propre compte doit payer d'avance trimestriellement ses impôts d'une année donnée, on pourrait donner à chaque versement qu'il effectue le nom de **quart provisionnel**. La remise au fisc des impôts directs se fait généralement par anticipation sous la forme de **déductions à la source** ou de **versements anticipés**. *V.a.* **instalment**.

TAX PARTNER
ASSOCIÉ EN FISCALITÉ, ASSOCIÉ FISCALISTE

(prof. compt.) Associé qui, dans un cabinet d'experts-comptables, assume la responsabilité des travaux afférents à la fiscalité.

TAXPAYER
CONTRIBUABLE

(fisc.) Personne physique ou morale assujettie à l'impôt et qui, à ce titre, paie périodiquement des impôts ou des contributions conformément aux lois fiscales en vigueur.

TAX PENALTIES
PÉNALITÉS ET AMENDES FISCALES
(fisc.) Pénalités et amendes auxquelles est assujetti un contribuable qui fraude le fisc, ne produit pas les déclarations requises ou le fait en retard.

TAX PLANNING
PLANIFICATION FISCALE, GESTION FISCALE
(fisc.) Action d'établir un plan ou un programme, le plus souvent à l'aide d'un conseiller fiscal, en vue de réduire au minimum les impôts ou du moins d'en retarder le plus possible le paiement tout en respectant les dispositions des lois fiscales en vigueur. La planification fiscale consiste à rechercher les solutions fiscales optimales pour le contribuable. *V.a.* **estate planning**, **tax avoidance** et **tax consultant**.

TAX POOL
CATÉGORIE (DE BIENS)
Voir **class** 3.

TAX RELIEF
ALLÈGEMENT FISCAL
(fisc.) Mesure prise par le fisc dans le but de soulager le contribuable en réduisant son **fardeau fiscal**. *V.a.* **abatement** 3.

TAX RETURN
DÉCLARATION D'IMPÔT(S), DÉCLARATION FISCALE
(fisc.) Formule sur laquelle un particulier déclare ses revenus (ou une société, ses bénéfices) et calcule les impôts à payer à l'Administration fiscale. *Syn.* **income tax return**. *V.a.* **return** 1.

TAX REVENUE
RECETTES FISCALES
(fisc.) Recettes qu'une Administration publique tire des impôts directs et indirects ainsi que des taxes qui frappent les contribuables. *Comparer avec* **non-tax revenue**. *V.a.* **revenue** 4.

TAX ROLL
RÔLE (D'IMPOSITION), RÔLE D'IMPÔT
Voir **roll** 1.

TAX SCHEDULE
BARÈME D'IMPOSITION
(fisc.) Liste des taux d'impôt correspondant à différentes tranches ou fourchettes d'imposition.

TAX SHELTER
ABRI FISCAL
(fisc.) Entreprise, activité ou placement qui permet au contribuable d'obtenir certains avantages fiscaux particuliers et ainsi de protéger une partie de son revenu en reportant ses impôts ou même parfois en les éliminant complètement.

TAX SHIELD
PROTECTION FISCALE, AVANTAGE FISCAL
(gest.) Protection résultant du fait qu'une charge déductible, par exemple l'amortissement, diminue le bénéfice imposable sans réduire le fonds de roulement. *N.B.* Une telle **charge hors fonds** réduit les impôts et incite l'entreprise à donner suite à des projets d'investissement qu'elle n'exécuterait peut-être pas autrement. Dans certains cas, la protection fiscale peut provenir du fait qu'un revenu ou un gain n'est pas imposable, est imposable à un taux réduit ou donne lieu au report du paiement des impôts s'y rapportant.

TAX SHIELD FORMULA
FORMULE DE CALCUL DE LA VALEUR ACTUALISÉE DES RÉDUCTIONS D'IMPÔT

(gest.) Formule donnant la valeur actualisée des réductions d'impôt provenant de l'amortissement fiscal afférent au capital investi dans une immobilisation.

TAX SPECIALIST
EXPERT EN FISCALITÉ, FISCALISTE

(fisc.) Personne ayant une grande connaissance des lois fiscales appelée à résoudre des problèmes de fiscalité et à interpréter les lois et règlements fiscaux, le plus souvent pour le compte d'autrui. *V.a.* **tax consultant**.

TAX SYSTEM
SYSTÈME FISCAL, RÉGIME FISCAL (Can.)

(fisc.) Ensemble des lois, règlements et dispositions concernant la fiscalité d'un pays ou d'un territoire donné. *N.B.* En France et en Belgique, le terme **régime** s'emploie plutôt pour évoquer des opérations ou des personnes déterminées ou bien pour décrire le mode d'imposition de certains éléments du revenu ou bénéfice imposable. Ainsi on parlera, par exemple, du régime d'imposition des plus-values.

TELEMATICS
TÉLÉMATIQUE

(inf.) Ensemble de services à usage professionel ou domestique, permettant l'utilisation des ordinateurs et de leurs terminaux en vue de donner à l'homme des moyens presque illimités d'analyse, de synthèse, d'animation, de mémorisation et de transmission de connaissances et de l'information par la mise en oeuvre de techniques de **téléinformatique**. *Syn.* **computer communication**.

TELEPROCESSING
TÉLÉTRAITEMENT

(inf.) Traitement électronique de l'information fait à distance. Selon ce système, des données sont entrées dans un système central de traitement à partir d'un point extérieur puis sont retournées vers ce point. Ainsi des points de vente peuvent interroger une unité centrale située au siège social de l'entreprise sur les marchandises en stock et recevoir la réponse immédiatement. *N.B.* L'ensemble des techniques informatiques relatives à la transmission des données ou à l'exploitation automatisée de systèmes informatiques utilisant des réseaux de télécommunications s'appelle **téléinformatique**. *Syn.* **remote processing**. *V.a.* **data processing** 1. et **terminal**.

TEMPORAL METHOD
MÉTHODE TEMPORELLE

Méthode de conversion des bilans dressés en monnaie étrangère, qui consiste à convertir, d'une part, au taux de change à la date du bilan (le taux courant) les postes Encaisse, Comptes clients, Comptes fournisseurs ainsi que les autres biens et dettes comptabilisés à leur valeur actuelle et, d'autre part, au taux en vigueur à la date où les opérations correspondantes ont été effectuées (le taux historique) les éléments d'actif et de passif comptabilisés à des prix anciens. *V.a.* **translation of foreign currency methods**.

TEMPORARY ACCOUNTS
COMPTES DE RÉSULTATS, COMPTES DE GESTION (Fr. et Belg.), COMPTES TEMPORAIRES

Voir **nominal accounts**.

TEMPORARY DIFFERENCES
ÉCARTS TEMPORAIRES

Voir **timing differences**.

TEMPORARY INVESTMENT
PLACEMENT À COURT TERME, PLACEMENT TEMPORAIRE

Voir **short-term investment**.

TENANT
LOCATAIRE

(dr.) Personne qui prend à bail une maison, un appartement. *Comparer avec* **landlord**. *V.a.* **lessee**.

TENDER
SOUMISSION
(aff.) Écrit par lequel un candidat à un marché fait connaître ses conditions et s'engage à respecter les clauses du **cahier des charges**. *N.B.* La **soumission** fait ordinairement suite à un **appel d'offres** et le **soumissionnaire** l'établit, en règle générale, à l'aide du **cahier des charges**. *V.a.* **call for tenders**, **quotation** 1. et **specifications** 1.

TENDER OFFER *(U.K.)*
OFFRE PUBLIQUE D'ACHAT (O.P.A.)
Voir **takeover bid**.

TENTATIVE AUDIT STRATEGY
PLAN DE VÉRIFICATION INITIAL
(E.C.)(Can.) Plan établi par l'expert-comptable et portant sur les mesures à prendre en vue de se renseigner sur le contrôle interne et ainsi procéder à une première sélection des systèmes sur lesquels il pourra s'appuyer au cours de sa mission.

TERM 1.
DURÉE
(lang. cour.) Temps qui s'écoule entre deux dates, par exemple entre la date d'émission d'obligations et leur date d'échéance; temps accordé pour faire quelque chose; période au cours de laquelle il sera possible d'utiliser une immobilisation.

TERM 2.
DÉLAI
(dr.) Temps fixé par la loi ou dans un contrat pour s'acquitter d'une obligation, produire un acte, régler un compte, éteindre une dette, livrer des marchandises, etc.

TERM 3.
TERME, ECHÉANCE
(dr.) Expiration d'un délai pour l'accomplissement d'une obligation, le paiement d'une dette; date à laquelle une personne doit s'acquitter d'une obligation.

TERM BONDS
OBLIGATIONS À ÉCHÉANCE UNIQUE, OBLIGATIONS À TERME
(fin.) Obligations ayant une seule date d'échéance par opposition à des obligations échéant en série. *Comparer avec* **serial bonds**. *V.a.* **bond** 1.

TERM DEPOSIT
DÉPÔT À TERME (FIXE), DÉPÔT À ÉCHÉANCE FIXE
(fin.) Fonds déposés dans une banque ou un autre établissement financier et que le déposant ne peut retirer qu'à une date ultérieure déterminée d'avance. *Syn.* **fixed term deposit** et **time deposit**. *Comparer avec* **demand deposit**.

TERMINAL
TERMINAL
(inf.) Appareil permettant l'accès à un ordinateur pour y entrer des données ou en extraire. Cet appareil qui est connecté à l'ordinateur peut être situé à proximité de celui-ci ou en être éloigné. *V.a.* **processing**.

TERMINAL FUNDING
PROVISIONNEMENT À L'ÉCHÉANCE, CAPITALISATION À L'ÉCHÉANCE
(rentes) Pratique consistant à provisionner les prestations futures dues à un salarié sur la base d'une évaluation actuarielle effectuée à la date où ce dernier prendra sa retraite ou à la **date de la liquidation** de celle-ci. *V.a.* **pension calculation**.

TERMINATION DATE
DATE DE DÉPART
(rel. de tr.) Date où prend effet une cessation d'emploi.

TERM LIFE INSURANCE
ASSURANCE VIE TEMPORAIRE
(ass.) Contrat d'assurance sur la vie qui garantit, pour une durée limitée, une protection en cas de décès. *Comparer avec* **whole life insurance**. *V.a.* **insurance**.

TERM LOAN
PRÊT À TERME, EMPRUNT À TERME, CRÉDIT À LONG TERME
(fin.) Prêt consenti ou emprunt obtenu pour un temps déterminé, le plus souvent un certain nombre d'années. *Syn.* **time loan**. *V.a.* **demand loan**.

TERM NOTE
BILLET À TERME
(dr.) Effet payable à une date déterminée.

TERM OF DELIVERY
DÉLAI DE LIVRAISON
(comm.) Temps qui sépare la réception d'une commande de son exécution.

TERM PREFERRED SHARE
ACTION PRIVILÉGIÉE À ÉCHÉANCE PRÉDÉTERMINÉE
(fin.) (Can.) Action privilégiée qui juridiquement confère à son détenteur un titre de participation mais qui possède certaines caractéristiques propres à un titre d'emprunt (date d'échéance précise et taux de rendement fixe) ou dont les conditions de remboursement ou de rachat ne sont pas uniquement du ressort de la société émettrice. *N.B.* En matière de fiscalité, une **action privilégiée à échéance prédéterminée** désigne une sorte d'action soumise à des dispositions particulières. *V.a.* **share** 2.

TERM PURCHASE
ACHAT À CRÉDIT
Voir **credit purchase**.

TERM SALE
VENTE À CRÉDIT
Voir **credit sale**.

TERM OF PAYMENT
TERME D'ÉCHÉANCE, DÉLAI DE PAIEMENT
(comm.) Période au terme de laquelle un débiteur est tenu de régler sa dette.

TERMS AND CONDITIONS
CONDITIONS GÉNÉRALES
(comm.) Modalités d'un contrat de vente, de construction ou autre. *N.B.* Selon le cas, on parlera aussi de **conditions de vente**, de **conditions d'achat** et de **conditions de règlement**. *V.a.* **credit terms** et **sales conditions**.

TERMS OF PAYMENT
MODALITÉS DE PAIEMENT, CONDITIONS DE PAIEMENT, FACILITÉS DE PAIEMENT, CONDITIONS DE RÈGLEMENT, MODALITÉS DE RÈGLEMENT
(comm.) Ensemble des conditions précisant la façon dont un débiteur versera une somme, réglera une facture, etc. ainsi que la date du versement ou du règlement. *V.a.* **credit terms** et **purchase payment terms**.

TERMS OF REFERENCE
MANDAT, ATTRIBUTIONS

(lang. cour.) Description de la mission confiée à un comité, précisant notamment les objectifs des travaux à exécuter et délimitant les sujets qui seront abordés. *N.B.* On entend plus particulièrement par **attributions** les pouvoirs conférés au titulaire d'une fonction, à un corps constitué ou à un service.

TERMS OF SALE
CONDITIONS DE VENTE
Voir **sales conditions**.

TEST 1.
TEST

(lang. cour.) Procédé d'évaluation qualitative ou quantitative des caractéristiques d'un produit, d'un organisme ou d'une fonction.

TEST 2.
SONDAGE, ÉCHANTILLONNAGE
Voir **sampling** 2.

TEST AUDIT
VÉRIFICATION PAR SONDAGE(S), CONTRÔLE PAR SONDAGE(S)
Voir **audit testing**.

TESTAMENTARY TRUST
FIDUCIE TESTAMENTAIRE, FIDUCIE PAR TESTAMENT

(dr.) Fiducie créée par testament et qui produit ses effets au moment du décès du testateur. *Comparer avec* **inter-vivos trust**. *V.a.* **settlor** et **trust** 1.

TESTATOR
TESTATEUR
Voir **legator**.

TEST CHECK
CONTRÔLE PAR SONDAGE(S)

(E.C.) Contrôle effectué au moyen de sondages portant, par exemple, sur les articles stockés et sur les écritures comptables. *V.a.* **audit testing**.

TEST COUNT
DÉNOMBREMENT PAR SONDAGES

(E.C.) Procédé de contrôle qui consiste, pour l'expert-comptable, à s'assurer de l'existence des articles stockés en ne dénombrant qu'un certain nombre d'entre eux.

TEST DECK
JEU D'ESSAI

(inf.) Ensemble d'opérations donnant lieu à une simulation et traitées par un ordinateur en vue de générer des données que l'on compare par la suite à des résultats prédéterminés.

TEST FOOTING
SONDAGE DES ADDITIONS

(E.C.) Procédé de contrôle qui consiste, pour l'expert-comptable, à s'assurer de l'exactitude des additions en ne vérifiant qu'un certain nombre d'entre elles.

TESTING
SONDAGE, ÉCHANTILLONNAGE
Voir **sampling** 2.

TEST OF REASONABLENESS
TEST DE (LA) COHÉRENCE, CONTRÔLE DE (LA) VRAISEMBLANCE
Voir **reasonableness (test of)**.

T-GROUP
GROUPE DE DIAGNOSTIC, GROUPE DE BASE, GROUPE SOCIO-ANALYTIQUE
(rel. de tr.) Méthode de formation qui consiste essentiellement à réunir un groupe de personnes sous la direction d'un animateur psychologue, pour les amener par diverses techniques à se mieux connaître elles-mêmes, à prévoir et à comprendre leurs réactions.

THEORETICAL CAPACITY
CAPACITÉ (DE PRODUCTION) MAXIMALE, CAPACITÉ (DE PRODUCTION) THÉORIQUE
Voir **ideal capacity**.

THIN CAPITALIZATION
CAPITAL-ACTIONS RESTREINT, CAPITALISATION INSUFFISANTE
(fisc. can.) Situation dans laquelle se trouve une société par actions dont le capital provient en très grande partie de ses créanciers.

THIRD PARTY
TIERS
(dr.) Personne qui n'est et n'a pas été partie à un contrat, à un jugement et, par extension, une personne étrangère à un groupe.

THIRD PARTY CURRENCY
DEVISE TIERCE
(écon.) Monnaie autre que celle en usage dans les pays de chacune des parties intervenant dans une transaction ou une opération.

THIRD PARTY INSURANCE
ASSURANCE RESPONSABILITÉ CIVILE, ASSURANCE R.C.
Voir **public liability insurance**.

THROUGHPUT MAINTENANCE CONTRACT
CONTRAT D'ENTRETIEN À PRIX FORFAITAIRE
(dr.) Contrat portant sur des services d'entretien et requérant de la part du bénéficiaire qu'il paie le prix global convenu, que les services en question lui soient rendus ou non.

TICK *v.*
POINTER, COCHER, MARQUER D'UN SIGNE
Voir **check** *v.* 2.

TICKER TAPE
BANDE DE TÉLÉSCRIPTEUR
(Bourse) Bande produite par un appareil de transmission des données, et sur laquelle figurent les cours des titres cotés au fur et à mesure des opérations en Bourse.

TICKLER FILE
ÉCHÉANCIER
(aff.) Document où figurent, par ordre chronologique des échéances, les dettes à payer; classeur dans lequel on conserve des pièces, factures, etc. en fonction de la date à laquelle on doit les traiter.

TICK MARK
MARQUE DE POINTAGE
(E.C.) Symbole utilisé par l'expert-comptable pour indiquer le travail qu'il a effectué en comparant les chiffres

figurant dans les livres comptables avec ceux d'une pièce justificative ou en vérifiant l'exactitude d'une opération arithmétique. *Syn.* **check mark** et **vouch mark**. *V.a.* **check** *v.* 2.

TILL
TIROIR-CAISSE

(aff.) Tiroir dans lequel se trouve l'argent liquide confié à un caissier.

TIME ADJUSTED RATE OF RETURN
TAUX DE RENDEMENT INTERNE, TAUX DE RENDEMENT EFFECTIF

Voir **internal rate of return**.

TIME ADJUSTED RATE OF RETURN METHOD
MÉTHODE DU (TAUX DE) RENDEMENT EFFECTIF

Voir **internal rate of return method**.

TIME AND MOTION STUDY
ÉTUDE DES TEMPS ET MOUVEMENTS

(prod.) Analyse des méthodes, outillages et équipements utilisés, et détermination des temps requis en vue d'une plus grande rationalisation et d'un accroissement de la productivité.

TIME CARD
FEUILLE DE PRÉSENCE, FICHE DE PRÉSENCE

Voir **time sheet** 1.

TIME DEPOSIT
DÉPÔT À TERME (FIXE), DÉPÔT À ÉCHÉANCE FIXE

Voir **term deposit**.

TIME LOAN
PRÊT À TERME, EMPRUNT À TERME, CRÉDIT À LONG TERME

Voir **term loan**.

TIMELY DISCLOSURE
PUBLICATION EN TEMPS OPPORTUN, PUBLICATION RAPIDE

Communication des rapports financiers à ceux à qui ils sont destinés à un moment où l'information qu'ils renferment peut les aider à prendre les décisions appropriées. *N.B.* Le terme *timely disclosure* se rend aussi parfois par l'expression **information occasionnelle**, c'est-à-dire une information que les sociétés cotées doivent publier lorsque les circonstances l'exigent. *V.a.* **disclosure principle**.

TIME PERIOD CONCEPT
PRINCIPE DE L'INDÉPENDANCE DES EXERCICES, PRINCIPE DE L'AUTONOMIE DES EXERCICES,
*   PRINCIPE DE LA SPÉCIALISATION DES EXERCICES*

Principe qui est la conséquence du découpage de la vie de l'entreprise en exercices comptables. Selon ce principe, les produits et les charges qui sont comptabilisés au fur et à mesure qu'ils sont acquis ou engagés (et non lors de leur encaissement ou de leur paiement) figurent dans les états financiers de l'exercice concerné. *N.B.* Ce principe amène aussi les entreprises à établir chaque année un **inventaire**. *V.a.* **accounting concepts**, **accrual** et **cut-off**.

TIME SERIES ANALYSIS
ANALYSE CHRONOLOGIQUE

(stat.) Analyse d'une suite d'observations statistiques ordonnées dans le temps (par exemple les ventes mensuelles d'un produit) en vue de dégager les tendances à long terme, les **variations cycliques**, les **mouvements saisonniers** et les **fluctuations accidentelles**. *Comparer avec* **cross-section analysis**. *V.a.* **horizontal analysis** et **trend**.

TIME SHARING
(TRAITEMENT EN) TEMPS PARTAGÉ, EXPLOITATION EN TEMPS PARTAGÉ, EXPLOITATION PARTAGÉE
(inf.) Répartition du temps disponible de l'unité centrale d'un ordinateur entre plusieurs utilisateurs. *N.B.* Le mot **temps** s'entend ici du **temps machine**, c'est-à-dire du **temps de l'ordinateur**.

TIME SHARING COMPUTER
ORDINATEUR À TEMPS PARTAGÉ
(inf.) Ordinateur permettant de faire simultanément les opérations de traitement, de consultation et d'alimentation à partir de plusieurs terminaux, moyennant des temps d'attente extrêmement faibles. *N.B.* Selon ce système, plusieurs personnes ou entreprises utilisent les mêmes installations de traitement. Comme la saisie et le traitement des données de plusieurs utilisateurs se font en même temps, il faut établir un système d'information particulier pour effectuer un **partage** équitable **du temps** de manière à éviter les gênes réciproques et il devient nécessaire d'adopter des mesures de sécurité pour éviter tout accès non autorisé aux fichiers et en assurer la confidentialité.

TIME SHEET 1.
FEUILLE DE PRÉSENCE, FICHE DE PRÉSENCE
(rel. de tr.) Feuille collective ou individuelle où l'on consigne la présence de quelqu'un à son bureau ou à son lieu de travail. *N.B.* La **fiche de présence** est davantage une fiche individuelle où l'on consigne quotidiennement la présence de l'employé à son lieu de travail. *Syn.* **time card**. *Comparer avec* **clock card** et **job ticket**. *V.a.* **attendance sheet**.

TIME SHEET 2.
FEUILLE DE TEMPS, RELEVÉ DE TEMPS
(aff.) Feuille sur laquelle une personne consigne le temps consacré à ses activités ou un travail, et qui parfois peut servir, après ventilation s'il y a lieu, à la facturation des honoraires afférents aux activités exercées ou à la ventilation des frais entre divers comptes, centres ou travaux.

TIME VALUE OF MONEY
VALEUR DE RENDEMENT DE L'ARGENT, VALEUR TEMPORELLE DE L'ARGENT
(fin.) Valeur que l'argent acquiert en raison tout simplement du passage du temps et par suite de la possibilité d'en tirer un rendement si on l'investit dans une entreprise, le prête à des tiers, etc.

TIMING
CHOIX DU MOMENT
(gest.) Moment où un projet (par exemple un projet d'investissement) doit être exécuté, compte tenu d'un certain nombre de contraintes. N.B. Parfois, selon le sens, le terme anglais **timing** se rendra par **calendrier.**

TIMING DIFFERENCES
ÉCARTS TEMPORAIRES
(Can.) Différences entre le bénéfice comptable et le revenu imposable provenant du décalage entre le moment où l'entreprise tient compte de certaines charges et pertes ou de certains produits et gains lors du calcul de son bénéfice comptable et celui où elle inclut ces éléments dans le calcul de son revenu imposable. *N.B.* Cette façon de procéder s'impose au Canada en raison de l'**autonomie du droit fiscal** par rapport aux exigences de la comptabilité portant sur la meilleure détermination possible du bénéfice net d'une entreprise. *Syn.* **temporary differences**. *Comparer avec* **permanent differences**. *V.a.* **deferred income taxes** et **interperiod tax allocation methods**.

TITLE
TITRE
(dr.) Acte établissant un droit ou un privilège : titre de propriété, titre de créance, titre de transport, etc. *N.B.* Le **titre** est un **acte authentique** lorsqu'il se rapporte à une opération passée par devant notaire ou résultant d'un jugement.

TITLE OF AN ACCOUNT
INTITULÉ D'UN COMPTE, TITRE D'UN COMPTE
Voir **name of an account**.

TOKEN PAYMENT
PAIEMENT SYMBOLIQUE

(lang. cour.) Paiement qui, tout en étant réel, n'a pas de valeur en soi.

TOLERANCE LIMIT
LIMITE DE TOLÉRANCE

(stat.) Valeur limite spécifiée d'un caractère mesurable et qui, par exemple, en matière de contrôle de la qualité, amène le rejet d'un certain nombre d'articles et l'acceptation des autres.

TOOL EQUIPMENT
OUTILLAGE

Voir **equipment** 2.

TOOLS
OUTILS, OUTILLAGE

(prod.) Instruments servant à effectuer soit manuellement, soit mécaniquement des travaux de production, de transformation ou d'entretien. *V.a.* **equipment** 2. et **small tools**.

TOP MANAGEMENT
CADRES SUPÉRIEURS, DIRECTION GÉNÉRALE

(gest.) Échelon supérieur de la direction qui groupe les directeurs des différents services, les vice-présidents ou directeurs généraux et le président-directeur général. *Syn.* **senior management**. *Comparer avec* **lower management** et **middle management**. *V.a.* **executive** 1. et **manager** 2.

TORT
DÉLIT

(dr.) Atteinte aux droits d'une personne lui causant un **préjudice** et entraînant le droit à une réparation pour la personne lésée. *N.B.* La somme due au créancier par le débiteur qui n'exécute pas son obligation s'appelle **dommages-intérêts**, terme qui, par extension, désigne aussi l'indemnité due par l'auteur d'un délit ou d'un quasi-délit en réparation du préjudice causé.

TOTAL AMOUNT
(MONTANT) TOTAL, MONTANT GLOBAL, TOTAL GLOBAL

(lang. cour.) Somme de tous les éléments de quelque chose.

TOTAL BUSINESS LIMIT
PLAFOND GLOBAL DES AFFAIRES

(fisc. can.) Aux fins du calcul de la déduction accordée aux petites entreprises, limite du revenu imposable cumulatif réalisé par une entreprise exploitée activement depuis l'adoption de la loi fiscale pertinente. *V.a.* **business limit** et **small business deduction**.

TRACE
RETRACER, SUIVRE LA TRACE, REMONTER À L'ORIGINE

(E.C.) Remonter à la source d'une opération en recensant les divers documents qui s'y rapportent et en les comparant, ou en observant toutes les étapes de l'inscription d'une opération.

TRACK
PISTE

(inf.) Sur une surface magnétique utilisée comme **support** dans une mémoire externe dynamique, ensemble des cellules de mémoires contiguës, qui peuvent être desservies par une tête de lecture-écriture sans déplacement de celle-ci.

TRACT
TERRAIN, PARCELLE, LOT

Voir **parcel of land**.

TRADE ACCEPTANCE
ACCEPTATION COMMERCIALE

(dr.) Traite qu'une entreprise adresse à un client (l'**accepteur**) à qui elle a livré des marchandises ou rendu des services. *V.a.* **acceptance** 1.

TRADE ACCOUNTS PAYABLE
(COMPTES) FOURNISSEURS

Comptes de tiers dans lesquels l'entreprise enregistre le coût des marchandises qu'elle a achetées ou des services qui lui ont été rendus à crédit. *V.a.* **accounts payable**.

TRADE ACCOUNTS RECEIVABLE
(COMPTES) CLIENTS

Comptes de tiers dans lequel l'entreprise enregistre le prix des marchandises qu'elle a vendues ou des services qu'elle a rendus à crédit. *V.a.* **accounts receivable**.

TRADE AND OTHER ACCOUNTS RECEIVABLE
CLIENTS ET DÉBITEURS DIVERS, CLIENTS ET AUTRES DÉBITEURS

Poste du bilan où figurent les créances de l'entreprise résultant de la livraison de marchandises ou de la prestation de services, et les autres créances. *V.a.* **accounts receivable**.

TRADE CREDIT
CRÉDIT COMMERCIAL

(fin.) Crédit résultant, pour l'entreprise, de la possibilité que lui offrent ses fournisseurs d'acheter des marchandises à crédit. *Comparer avec* **consumer credit**.

TRADE DISCOUNT
RABAIS DE GROS, REMISE

(comm.) Réduction de prix consentie par un grossiste à un détaillant. *V.a.* **discount** *n.* 1.

TRADE-IN 1.
ACHAT AVEC REPRISE

(comm.) Action d'acheter un bien d'équipement généralement à l'état neuf, moyennant la cession d'un bien à l'état usagé de même nature et la remise d'une somme d'argent au concessionnaire qui a participé à l'opération. *N.B.* Pour ce dernier, l'opération en cause porte le nom de **vente avec reprise** puisqu'elle consiste à reprendre un bien usagé dont la **contre-valeur** vient en déduction du prix exigé pour un bien similaire neuf. Le terme **reprise** désigne aussi le rachat par un fabricant ou un distributeur d'un bien ancien et usagé, de sa marque ou non. La reprise, dans ce cas, peut avoir lieu en fonction d'un cours publié régulièrement. *V.a.* **trade-in allowance**.

TRADE-IN 2.
VENTE AVEC REPRISE

(comm.) Action, pour un concessionnaire, de vendre un bien d'équipement généralement à l'état neuf, moyennant une contrepartie constituée d'un bien à l'état usagé que lui remet l'acheteur et d'une somme d'argent égale à la différence entre le prix courant du bien à l'état neuf et la **valeur de reprise** attribuée au bien à l'état usagé. *V.a.* **trade-in allowance**.

TRADE-IN ALLOWANCE
VALEUR DE REPRISE

(comm.) Valeur attribuée par un concessionnaire à un bien d'équipement usagé que l'un de ses clients lui remet lorsqu'il en achète un neuf. *Syn.* **trade-in value**. *V.a.* **trade-in** 1. et 2.

TRADE-IN VALUE
VALEUR DE REPRISE

Voir **trade-in allowance**.

TRADEMARK
MARQUE

(comm.) Signe (nom, sigle, dessin, emblème, etc.) attribué par l'entreprise aux produits qu'elle fabrique (**marque de fabrique** ou **marque de fabricant**) ou distribue (**marque de commerce** ou **marque de distribution**), ou des services qu'elle rend (**marque de service**), pour les individualiser par rapport à ceux des concurrents et pour en revendiquer la responsabilité. Lorsque la marque est **déposée**, son usage devient exclusif pour le déposant. *N.B.* La marque personnelle, souvent en forme de signature manuscrite, apposée sur un ouvrage (notamment sur les créations des couturiers) pour éviter les contrefaçons porte le nom de **griffe**. *V.a.* **registered trademark**.

TRADEMARK RIGHTS
(DROITS DE) PROPRIÉTÉ INDUSTRIELLE ET COMMERCIALE

(aff.) Ensemble des droits incorporels d'une entreprise sur certains éléments de son patrimoine : brevets, marques de fabrique ou de commerce, appellations d'origine et noms commerciaux.

TRADE MART
CENTRE D'EXPOSITION, EXPOMARCHÉ

(comm.) Bâtiment d'exposition permanente destiné aux acheteurs professionnels : fabricants, importateurs, grossistes et distributeurs de certains produits qui pourront y louer, pour plusieurs années, une aire de présentation.

TRADE NAME
NOM COMMERCIAL

(comm.) Nom sous lequel une entreprise ou un produit est connu. *V.a.* **firm name**.

TRADE-OFF
ARBITRAGE, COMPROMIS

(lang. cour.) Choix entre deux solutions mutuellement exclusives.

TRADE SECRET
SECRET COMMERCIAL, FORMULES ET PROCÉDÉS SECRETS

(aff.) Biens incorporels représentés par des formules, des recettes, des procédés de fabrication, des programmes d'ordinateur et des données relatives à la mise en marché des produits de l'entreprise, c'est-à-dire des informations inconnues de ses concurrents et qu'elle considère comme étant confidentielles.

TRADE UNION
SYNDICAT (OUVRIER)

Voir **labour union**.

TRADING ACCOUNT
COMPTE D'EXPLOITATION

Compte dans lequel figurent, pour un exercice, les produits et les charges provenant de l'activité normale de l'entreprise.

TRADING ON THE EQUITY
FINANCEMENT PAR EMPRUNT SPÉCULATIF

(fin.) Le fait, pour une entreprise, de se financer largement au moyen de capitaux empruntés, ce qui donne généralement lieu à un risque plus élevé, particulièrement pour les actionnaires. *V.a.* **leverage** 1.

TRADING STAMPS
TIMBRES-PRIME

(comm.) Timbres distribués par les commerçants à leurs clients et qui parfois constituent une réduction sur le prix de vente. *N.B.* Les consommateurs qui collectionnent ces timbres peuvent généralement les échanger contre des marchandises, des primes ou de l'argent, sous réserve des dispositions légales s'y rapportant.

TRAINEE
STAGIAIRE
Voir **junior (auditor)**.

TRAINER
MONITEUR
(rel. de tr.) Personne qui supervise l'application d'un programme de formation et aide ceux qui y participent à en tirer le meilleur parti.

TRAINING 1.
FORMATION PRATIQUE
(prof.) Acquisition des connaissances pratiques nécessaires à l'exercice d'une profession durant une période appelée **stage**. *V.a.* **continuing education**, **practical training** et **professional development**.

TRAINING 2.
APPRENTISSAGE
(prof.) Le fait d'apprendre un métier manuel ou technique; ensemble des activités de l'apprenti.

TRAINING PERIOD
STAGE
Voir **practical training**.

TRANSACTION 1.
OPÉRATION
(comm.) Acte conclu entre deux parties soit dans le commerce (opération commerciale, opération financière), soit dans le domaine de la Bourse (opération boursière), soit dans la vie ordinaire. *N.B.* Employé au pluriel, le terme anglais *transactions* se réfère à l'ensemble de l'activité commerciale (les opérations commerciales) ou à un secteur de l'activité économique (par exemple les opérations boursières et les opérations bancaires). *V.a.* **business transaction**, **deal**, **internal transaction** et **operation(s)** 2.

TRANSACTION 2.
TRANSACTION
(aff.) Acte par lequel deux parties font des concessions réciproques de manière à régler un différend ou à prévenir une contestation en renonçant chacune à une partie de leurs prétentions.

TRANSACTION FILE
FICHIER MOUVEMENTS, FICHIER TEMPORAIRE
(inf.) Fichier contenant des informations non encore traitées, ou bien gardées pour éventuellement les mettre à jour et assurer la conservation d'un fichier principal.

TRANSACTION LOG
JOURNAL DES MOUVEMENTS
(inf.) Compte rendu des opérations transmises à l'ordinateur en vue de leur traitement. *V.a.* **computer log**, **console print-out** et **log book**.

TRANSFER 1.
VIREMENT
Opération strictement comptable, sans aucune portée économique, qui consiste à virer une somme d'un compte à un autre. *V.a.* **cross charge** et **transfer order**.

TRANSFER 2.
CESSION, TRANSPORT, TRANSFERT, TRANSMISSION
Voir **assignment** 1.

TRANSFER 3.
TRANSFERT
(Bourse) Transmission de la propriété d'un titre (action ou obligation) nominatif par l'intermédiaire d'un courtier (ou agent de change). *V.a.* **transfer agent**.

TRANSFER 4.
MUTATION, DÉPLACEMENT, PERMUTATION
(rel. de tr.) Affectation d'une personne d'un poste à un autre avec ou sans promotion. *N.B.* Une **mutation** suppose un changement de lieu ou de service tandis qu'une **permutation** est un échange de poste entre deux titulaires.

TRANSFER AGENT
AGENT COMPTABLE DES TRANSFERTS, AGENT DES TRANSFERTS
(Bourse) Mandataire auquel une société de capitaux confie la responsabilité d'émettre les certificats d'actions qui sont transmis à d'autres actionnaires par l'intermédiaire d'un courtier (ou agent de change) après annulation des certificats que détenaient les anciens actionnaires. *Syn.* **stock transfer agent**. *Comparer avec* **registrar**. *V.a.* **transfer** 3.

TRANSFER FEE
FRAIS DE TRANSFERT
(Bourse) Frais réclamés par une société pour le transfert d'un titre nominatif, d'un propriétaire à un autre.

TRANSFER ORDER
ORDRE DE VIREMENT
(banque) Ordre par lequel un client demande à une banque de débiter son compte pour transférer une somme d'argent à un tiers bénéficiaire qui possède un compte chez elle ou pour faire passer une somme d'un de ses comptes (un compte d'épargne) à un autre (un compte courant). *V.a.* **transfer** 1.

TRANSFER PAYMENT
PAIEMENT DE TRANSFERT
(écon.) Somme versée sans contrepartie par l'État, par exemple les pensions de sécurité de la vieillesse, les allocations familiales, les prestations d'assurance-chômage, etc. *N.B.* La somme ainsi versée donne généralement lieu à un **transfert social**.

TRANSFER PRICE
PRIX DE CESSION INTERNE, PRIX DE TRANSFERT, COÛT DE CESSION
(gest.) Prix demandé par un secteur de l'entreprise pour un produit livré ou un service rendu à un autre secteur de la même entreprise; prix auquel s'effectuent des opérations entre parties apparentées. *V.a.* **intercompany profit**, **inter-segment sale** et **negotiated price**.

TRANSLATOR
PROGRAMME DE TRADUCTION, TRADUCTEUR
(inf.) Programme qui transforme un programme écrit dans un langage donné en un programme écrit dans un autre langage.

TRANSLATION OF FOREIGN CURRENCY
CONVERSION DES COMPTES (OU D'OPÉRATIONS) EXPRIMÉ(E)S EN MONNAIE ÉTRANGÈRE
Procédé qui consiste à convertir en monnaie nationale les états financiers dressés en monnaie d'un autre pays ou à exprimer en monnaie nationale les opérations conclues en monnaie étrangère. *V.a.* **conversion of foreign currency** et **foreign currency transactions**.

TRANSLATION OF FOREIGN CURRENCY METHODS
MÉTHODES DE CONVERSION DES COMPTES EXPRIMÉS EN MONNAIE ÉTRANGÈRE
Méthodes qui peuvent être utilisées pour convertir en monnaie nationale les éléments des états financiers (ou comptes annuels) d'une entreprise étrangère. *V.a.* **current-noncurrent method**, **current rate method**, **monetary-nonmonetary method** et **temporal method**.

TRANSPORTATION CONDITIONS
CONDITIONS DE TRANSPORT

(transp.) Conditions légales ou contractuelles portant sur le transport de personnes ou de marchandises et réglant les relations entre les transporteurs et les usagers.

TRANSPORTATION EQUIPMENT
MATÉRIEL DE TRANSPORT

(transp.) Équipement servant au déplacement de choses tant à l'intérieur qu'à l'extérieur de l'entreprise. *V.a.* **automotive equipment**.

TRANSPORTATION EXPENSES
FRAIS DE TRANSPORT

Frais afférents au transport des biens, marchandises ou produits d'une entreprise, et que celle-ci prend à sa charge. *V.a.* **freight** 1., **freight-in** et **freight-out**.

TRANSPOSITION ERROR
(ERREUR D')INVERSION

Erreur de transcription portant sur l'ordre de deux chiffres consécutifs d'un nombre. Ainsi on inscrira 375 au lieu de 357. *N.B.* Il convient de noter que, dans ce cas, la différence entre les deux nombres en question est toujours divisible par neuf, ce qui permet parfois d'attribuer à une telle erreur une différence constatée dans la balance de vérification entre le total des débits et celui des crédits.

TRAVEL CLAIM
DEMANDE DE REMBOURSEMENT DE FRAIS DE VOYAGE

(rel. de tr.) Demande adressée par un employé à son employeur qui a convenu de le rembourser des frais de voyage engagés dans l'exercice de ses fonctions.

TRAVELLER'S CHEQUE
CHÈQUE DE VOYAGE

(fin.) Chèque d'un montant déterminé émis par un établissement financier et qui, en plus de permettre à son détenteur de l'utiliser aisément lorsqu'il voyage, lui évite les inconvénients dus à des vols ou pertes d'espèces.

TRAVELLING ALLOWANCE
INDEMNITÉ DE VOYAGE, INDEMNITÉ DE DÉPLACEMENT

(rel. de tr.) Somme allouée en compensation de frais occasionnés par un déplacement auquel oblige un métier, une charge.

TRAVELLING EXPENSES
FRAIS DE DÉPLACEMENT, FRAIS DE VOYAGE

Frais engagés par l'entreprise pour le transport et le séjour à l'extérieur de son personnel.

TREASURER
TRÉSORIER

(gest.) Dans une société de capitaux, cadre supérieur responsable de la gestion financière de l'entreprise.

TREASURY BILL
BON DU TRÉSOR

(fin.) Obligation à court terme émise par l'État dont le taux d'intérêt varie en fonction de l'échéance ainsi que de l'offre et de la demande sur le **marché financier** au moment de l'émission.

TREASURY SHARE 1.
ACTION AUTODÉTENUE, ACTION RACHETÉE ET NON ANNULÉE

(fin.) (Can.) Action de son propre capital qu'une société détient après en avoir fait le rachat et qu'elle a généralement l'intention de remettre en circulation à brève échéance si la loi le lui permet. *N.B.* Ces actions ne constituent pas un élément d'actif pour l'entreprise qui les détient et elles doivent figurer à leur coût d'acquisition en déduction de l'avoir des actionnaires. *V.a.* **share** 2.

TREASURY SHARE 2. *(fam.)*
ACTION NON ÉMISE
(fin.) (Can.) Action faisant partie du capital autorisé d'une société, qui pourra être émise à une date ultérieure si les besoins l'exigent. *V.a.* **unissued capital**.

TREND
TENDANCE
(stat. et *écon.)* Mouvement de longue durée ou d'évolution conjoncturelle d'un phénomène (par exemple l'accroissement du chiffre d'affaires) et mesurable indépendamment des fluctuations occasionnelles. *V.a.* **downward trend**, **general trend**, **time series analysis** et **upward trend**.

TRIAL BALANCE
BALANCE (DE VÉRIFICATION)
Document comptable dans lequel figure la liste de tous les comptes avec leur solde respectif (ou parfois avec la somme des débits et la somme des crédits) dont l'objet est de vérifier l'exactitude arithmétique des écritures comptables, c'est-à-dire de s'assurer que les opérations enregistrées dans les comptes l'ont été conformément au principe de la comptabilité en partie double. *N.B.* La **balance** est dite **générale** si on y retrouve un relevé des soldes de tous les comptes d'une entreprise et on parlera de **balance des fournisseurs, des clients** etc. si elle renferme les soldes d'une catégorie de comptes donnée. On établit une **balance avant inventaire**, appelée aussi **balance avant régularisations**, pour s'assurer de l'exactitude des comptes avant d'entamer la procédure d'inventaire. On établit également une **balance après inventaire**, appelée aussi **balance de vérification après clôture**, dans laquelle n'apparaissent que les comptes de situation, c'est-à-dire les comptes du bilan. *V.a.* **adjusted trial balance**, **post-closing trial balance**, **preclosing trial balance** et **subsidiary trial balance**.

TRUST 1.
FIDUCIE, FIDÉICOMMIS
(dr.) Disposition par laquelle une personne (le **constituant** ou **disposant**) confie un bien à une autre personne (le **fiduciaire**) à charge de le retourner au disposant ou de le remettre à un tiers (le **bénéficiaire**) après un temps convenu et à des conditions déterminées. *N.B.* On parle aussi en France, dans ce cas, de *trust*. *V.a.* **fiduciary accounting**, **inter-vivos trust** et **testamentary trust**.

TRUST 2.
TRUST
(fin.) Combinaison financière réunissant plusieurs entreprises sous une direction unique, par exemple un *trust* visant un monopole d'une marchandise : *trust* de l'acier, du pétrole. *N.B.* Dans le langage courant, le terme *trust* désigne une entreprise assez puissante pour exercer une influence prépondérante dans un secteur économique.

TRUST ACCOUNT
COMPTE EN FIDUCIE, COMPTE EN FIDÉICOMMIS
(dr.) Compte ouvert dans une banque par un membre d'une profession juridique (avocat ou notaire) ou un expert-comptable pour y déposer les valeurs qu'un client lui a confiées ou les sommes qu'un syndic a reçues en cas de faillite ou de règlement judiciaire. *V.a.* **in trust**.

TRUST AGREEMENT
ACTE DE FIDUCIE, CONVENTION DE FIDUCIE
(dr.) Acte en vertu duquel une fiducie est établie, et qui en constate l'existence. *Syn.* **trust deed** 1.

TRUST COMPANY
SOCIÉTÉ DE FIDUCIE
(dr.) (Can.) Société établie principalement pour gérer les biens que lui confient des tiers, compte tenu de leurs directives. *Syn.* **corporate trustee**.

TRUST DEED 1.
ACTE DE FIDUCIE, CONVENTION DE FIDUCIE
Voir **trust agreement**.

TRUST DEED 2.
ACTE DE FIDUCIE, ACTE FIDUCIAIRE
Voir **trust indenture**.

TRUSTEE 1.
FIDUCIAIRE, FIDÉICOMMISSAIRE
(dr.) Personne qui exerce les droits se rattachant au titre de propriété d'un bien pour le compte d'une autre personne, compte tenu des dispositions de l'**acte de fiducie**. *Comparer avec* **administrator** 2. *V.a.* **fiduciary**.

TRUSTEE 2.
ADMINISTRATEUR
(O.S.B.L.) Membre du conseil d'administration d'un organisme sans but lucratif. *V.a.* **board of trustees**.

TRUSTEE IN BANKRUPTCY
SYNDIC (DE FAILLITE), CURATEUR DE FAILLITE (Belg.)
(dr.) Mandataire désigné par le tribunal et chargé, pour le compte des créanciers d'une entreprise, d'administrer les biens de l'entreprise en cause jusqu'à leur liquidation et la répartition du produit de cette liquidation entre les créanciers. *N.B.* En France, le **syndic** est la personne désignée par le tribunal de commerce, qui représente la **masse des créanciers** d'une entreprise en situation de **règlement judiciaire**, c'est-à-dire une procédure judiciaire constatant l'état de cessation de paiements d'un commerçant ou d'une entreprise et visant à trouver un règlement satisfaisant de la situation créée. Cette procédure débouche sur le **concordat** ou sur la **liquidation des biens** du débiteur. *V.a.* **fiduciary**, **official receiver** et **receiver** 2.

TRUST ESTATE
PATRIMOINE FIDUCIAIRE
(dr.) Ensemble des biens transportés en fiducie.

TRUST FUND
FONDS EN FIDUCIE, FONDS EN FIDÉICOMMIS, FONDS FIDUCIAIRE(S)
(dr.) Biens, particulièrement de l'argent et des titres, confiés à un fiduciaire qui doit les administrer en conformité avec les instructions reçues. *V.a.* **fund accounting**.

TRUST INDENTURE
ACTE DE FIDUCIE, ACTE FIDUCIAIRE
(dr.) Acte qui, lors d'un emprunt, décrit les droits et les devoirs de l'emprunteur, des créanciers et du fiduciaire, jusqu'à extinction de la dette en cause. *Syn.* **trust deed** 2. *V.a.* **bond indenture** et **indenture**.

TRUTH TABLE
TABLE DE VÉRITÉ
(gest.) Table illustrant toutes les situations qui peuvent se présenter en théorie dans un système, par exemple un système ou sous-système de contrôle interne. Cette table représente le résultat de toutes les combinaisons possibles de deux ou plusieurs variables, résultat qui est alors exprimé sous la forme vrai ou faux.

TURN-KEY CONTRACT
CONTRAT CLÉS EN MAIN
(aff.) Contrat permettant, de la part d'une des parties, l'occupation d'un immeuble ou son exploitation immédiate, sans autres travaux. *N.B.* Le syntagme **clés en main** se retrouve aussi dans les expressions **commande d'installation clés en main**, **livraison clés en main**, **acheter une usine clés en main**, etc. On l'emploie également dans le domaine de la sous-traitance, en particulier en informatique où l'on parle **d'installations**, de **services** et de **systèmes clés en main** (prêts à fonctionner). *V.a.* **laid-down cost** 1.

TURNOVER 1.
(VITESSE DE) ROTATION, (TAUX DE) ROTATION
(anal. fin.) Mesure de l'activité de l'entreprise concernant généralement certains éléments de l'actif à court terme et indiquant le nombre de fois que ces éléments (par exemple les stocks et les comptes clients) ont été remplacés

en moyenne par des biens identiques au cours d'un temps donné. *Syn.* **turnover rate**. *V.a.* **accounts receivable turnover**, **asset turnover** et **inventory turnover**.

TURNOVER 2. *(U.K.)*
CHIFFRE D'AFFAIRES, (CHIFFRE DES) VENTES
Voir **sales**.

TURNOVER 3.
ROTATION DU PERSONNEL, ROTATION DE LA MAIN-D'OEUVRE
Voir **labour turnover**.

TURNOVER RATE
(VITESSE DE) ROTATION, (TAUX DE) ROTATION
Voir **turnover** 1.

UCC
FRACTION NON AMORTIE DU COÛT EN CAPITAL (F.N.A.C.C.) (Can.), COÛT (EN CAPITAL) NON AMORTI (Can.)
Abrév. de **undepreciated capital cost**.

UI
ASSURANCE-CHÔMAGE
Abrév. de **unemployment insurance**.

UNABSORBED OVERHEAD
COÛT DE LA SOUS-ACTIVITÉ, FRAIS GÉNÉRAUX NON IMPUTÉS
Partie des frais fixes que l'on estime inopportun d'incorporer au prix de revient des produits fabriqués en cas d'inactivité partielle de l'entreprise. *V.a.* **overhead**.

UNAMORTIZED COST
FRACTION NON AMORTIE DU COÛT, COÛT NON AMORTI
Voir **amortized cost**.

UNAMORTIZED VALUE
FRACTION NON AMORTIE DE LA VALEUR, VALEUR NON AMORTIE, VALEUR (NETTE) APRÈS AMORTISSEMENT, VALEUR COMPTABLE RÉSIDUELLE
Voir **amortized value**.

UNAPPROPRIATED RETAINED EARNINGS
BÉNÉFICES NON RÉPARTIS NON AFFECTÉS
(Can.) Partie des bénéfices non répartis qui n'a pas été virée à un compte de réserve. *Comparer avec* **appropriated retained earnings**. *V.a.* **retained earnings**.

UNAUDITED
NON VÉRIFIÉ, NON RÉVISÉ
(E.C.) Se dit d'états financiers (ou comptes) qui n'ont pas fait l'objet d'une vérification (ou révision) et, plus particulièrement, des états financiers périodiques (généralement trimestriels) publiés par une entreprise. Mention portée sur ces états (ou comptes).

UNAVOIDABLE COST
COÛT INÉVITABLE
Coût que l'entreprise ne peut éviter d'engager au moment où elle doit faire un choix entre plusieurs solutions de rechange. *Comparer avec* **avoidable cost**.

UNCALLED CAPITAL
CAPITAL NON (ENCORE) APPELÉ
(fin.) Fraction du prix d'émission d'actions dont la société n'a pas encore demandé le paiement. *V.a.* **capital stock**.

UNCLASSIFIED BALANCE SHEET
BILAN SANS PRÉSENTATION ORDONNÉE, BILAN NON ORDONNÉ, BILAN EN VRAC
Forme de présentation du bilan dans lequel on n'établit aucune distinction entre les éléments d'actif et de passif à court terme, d'une part, et à long terme, d'autre part. *Comparer avec* **classified balance sheet**. *V.a.* **balance sheet**.

UNCOLLECTIBLE ACCOUNT
CRÉANCE IRRÉCOUVRABLE, PERTE SUR CRÉANCE, PERTE SUR PRÊT
Voir **bad debt**.

UNCONTROLLABLE COST
COÛT NON CONTRÔLABLE
Voir **non-controllable cost**.

UNCOVERED
À DÉCOUVERT
Situation d'un client dont le compte courant est débiteur, sans aucune garantie compensatrice. *V.a.* **overdrawn account**.

UNDEPRECIATED CAPITAL COST (UCC)
FRACTION NON AMORTIE DU COÛT EN CAPITAL (F.N.A.C.C.), COÛT (EN CAPITAL) NON AMORTI
(fisc. can.) Expression utilisée dans la Loi de l'impôt sur le revenu pour désigner la partie du coût d'un bien que le contribuable n'a pas encore déduite par voie d'amortissement fiscal. *V.a.* **capital cost allowance** et **depreciated cost**.

UNDEPRECIATED COST
FRACTION NON AMORTIE DU COÛT, COÛT NON AMORTI
Voir **depreciated cost**.

UNDERABSORB
SOUS-IMPUTER
Imputer, aux produits fabriqués, des frais généraux estimatifs d'un montant inférieur aux frais généraux de fabrication réels. *Comparer avec* **overabsorb**.

UNDERABSORBED BURDEN
FRAIS GÉNÉRAUX SOUS-IMPUTÉS
Voir **underapplied burden**.

UNDERAPPLIED BURDEN
FRAIS GÉNÉRAUX SOUS-IMPUTÉS
Excédent des frais généraux réels sur les frais généraux imputés à des produits ou à un service. *N.B.* Cet excédent est attribuable à différents facteurs, notamment la **sous-activité**. *Syn.* **underabsorbed burden**. *V.a.* **burden rate** et **overhead**.

UNDERCAPITALIZATION
SOUS-CAPITALISATION, INSUFFISANCE DE CAPITAL
(fin.) Situation d'une entreprise dont le capital est trop faible eu égard à ses activités présentes et futures, ce qui la rend d'autant plus vulnérable. *Comparer avec* **overcapitalization**. *V.a.* **capital structure**.

UNDERSTATED
SOUS-ÉVALUÉ, SOUS-ESTIMÉ
Se dit d'un élément dont la valeur portée dans les comptes est inférieure à sa valeur réelle, différence attribuable parfois à une **erreur minorante**. *Comparer avec* **overstated**.

UNDERTAKING
ENTREPRISE
(aff.) Opération ou activité dans laquelle est engagé un établissement commercial ou industriel. *V.a.* **business firm**.

UNDER WARRANTY
SOUS GARANTIE
(comm.) Situation de biens, déjà détenus par l'acheteur, pendant le temps où ils restent sous la responsabilité du vendeur qui s'est engagé à en garantir le bon fonctionnement, c'est-à-dire les réparer, les entretenir, remplacer les pièces défectueuses, etc. *V.a.* **warranty**.

UNDERWRITER 1.
ASSUREUR
(ass.) Société qui assure, garantit quelque chose par un contrat d'assurance. *N.B.* La personne dont la tâche consiste à étudier les risques et à appliquer le tarif convenu s'appelle **tarificateur**. *V.a.* **insurance**.

UNDERWRITER 2.
PRENEUR FERME
(fin.) Personne qui souscrit une émission d'actions ou d'obligations et assure son placement auprès du public. *N.B.* Au Québec, le terme employé dans la Loi sur les valeurs mobilières pour désigner cette personne est **souscripteur à forfait**. *Syn.* **investment banker** *(U.S.)*. *V.a.* **best efforts offering** et **syndicate**.

UNDERWRITING AGREEMENT
CONVENTION DE PRISE FERME
(fin.) Convention conclue entre une société qui émet des titres et un courtier (ou agent de change) qui prend à son compte d'une manière ferme la vente de ces titres moyennant une commission qui lui est versée par la société émettrice.

UNDERWRITING COMMISSION
COMMISSION DE PRISE FERME, COMMISSION DE GARANTIE
(fin.) Commission versée à un preneur ferme qui prend à son compte la vente de titres émis par une société ou une Administration publique.

UNDERWRITING SYNDICATE
SYNDICAT FINANCIER, CONSORTIUM FINANCIER
Voir **syndicate**.

UNDISTRIBUTED EARNINGS
BÉNÉFICES NON RÉPARTIS, BÉNÉFICES NON DISTRIBUÉS, BÉNÉFICES RÉINVESTIS
Voir **retained earnings**.

UNDISTRIBUTED INCOME ON HAND
REVENU EN MAIN NON RÉPARTI
(fisc. can.) Expression à laquelle les lois fiscales donnent un sens particulier.

UNDIVIDED PROPERTY
BIEN INDIVIS
(dr.) Bien sur lequel plusieurs personnes ont un droit et qui n'est pas matériellement divisé entre elles, par exemple un **compte en banque indivis** et une **succession indivise**, c'est-à-dire, dans le dernier cas, une succession dont le partage n'est pas fait entre les héritiers. *N.B.* On dit de ces personnes qu'elles possèdent un **bien par indivis**. *V.a.* **joint (bank) account**.

UNEARNED
NON GAGNÉ, NON ACQUIS, NON MATÉRIALISÉ, LATENT
Voir **unrealized** 2.

UNEARNED INCOME
*PRODUIT COMPTABILISÉ D'AVANCE, PRODUIT REÇU D'AVANCE, PRODUIT REPORTÉ, CRÉDIT
   REPORTÉ*
Voir **deferred revenue** 1.

UNEARNED REVENUE
*PRODUIT COMPTABILISÉ D'AVANCE, PRODUIT REÇU D'AVANCE, PRODUIT REPORTÉ, CRÉDIT
   REPORTÉ*
Voir **deferred revenue** 1.

UNEMPLOYMENT INSURANCE (UI)
ASSURANCE-CHÔMAGE (A.-C.)
(ass.) Type d'assurance sociale qui a pour objet d'indemniser le travailleur en cas de non-emploi, et dont le financement provient en grande partie de cotisations à la fois salariales et patronales.

UNEXPIRED COST
COÛT NON ABSORBÉ, COÛT NON CONSOMMÉ, FRAIS NON ABSORBÉS
Coût ou fraction d'un coût qui n'a pas cessé de procurer des avantages. *Comparer avec* **expired cost**.

UNFAVORABLE VARIANCE
ÉCART DÉFAVORABLE
Excédent des produits d'exploitation prévus sur les produits réels; excédent des charges réelles sur les prévisions budgétaires; excédent des coûts réels engagés sur les coûts de revient standards (ou normalisés). *Comparer avec* **favorable variance**.

UNFILLED ORDERS
COMMANDES EN ATTENTE, CARNET DE COMMANDES, PORTEFEUILLE DE COMMANDES
Voir **backlog**.

UNFUNDED ACTUARIAL LIABILITY
DETTE ACTUARIELLE NON PROVISIONNÉE
(rentes) Excédent de la dette actuarielle à laquelle donne lieu un régime de retraite sur la valeur actuarielle actualisée des actifs de la caisse de retraite. *V.a.* **actuarial present value**, **actuarial liability** 1. et **pension liability**.

UNFUNDED LIABILITY
DETTE NON PROVISIONNÉE
Engagement que l'entreprise a contracté et pour lequel aucun fonds visant à faciliter son règlement n'a été constitué.

UNFUNDED PAST SERVICE LIABILITY
*DETTE NON PROVISIONNÉE AU TITRE DES SERVICES PASSÉS, ENGAGEMENT NON CAPITALISÉ AU
   TITRE DES SERVICES PASSÉS*
(rentes) Dette relative aux services passés qui n'a pas encore été réglée ou qui n'a pas encore fait l'objet d'un versement de sommes correspondantes dans la caisse de retraite même si les participants au régime de retraite ont des droits sur les sommes en cause. *V.a.* **past service pension liability** et **pension liability**.

UNFUNDED PENSION PLAN 1. *(fam.)*
RÉGIME DE RETRAITE PAR CAPITALISATION PARTIELLE
Voir **partially funded pension plan**.

UNFUNDED PENSION PLAN 2.
RÉGIME DE RETRAITE SANS CAPITALISATION
(rentes) Régime qui n'est pas assorti d'une caisse de retraite et dont les coûts sont comptabilisés en fonction uniquement des sommes versées aux employés à leur départ ou pendant leur retraite. *Comparer avec* **fully funded pension plan** et **funded pension plan**. *V.a.* **pay-as-you-go** *(fam.)* **pension plan** et **pension plan**.

UNIFORM BENEFIT PENSION PLAN
RÉGIME À PRESTATIONS FORFAITAIRES, RÉGIME À RENTES FORFAITAIRES
Voir **flat benefit pension plan**.

UNIFORM CODE OF ACCOUNTS
PLAN COMPTABLE NORMALISÉ
Comptabilité caractérisée par un traitement et un classement comptable normalisés. *V.a.* **chart of accounts**.

UNIFORMITY
UNIFORMITÉ
Qualité que doit avoir l'information comptable pour que les états financiers (ou comptes annuels) soient vraiment comparables d'un exercice à l'autre. *Comparer avec* **inconsistency**. *V.a.* **consistency principle**.

UNILATERAL CONTRACT
CONTRAT UNILATÉRAL
(dr.) Contrat ne faisant naître des prestations qu'à la charge d'une seule des parties, par exemple un contrat de prêt. *Comparer avec* **bilateral contract**. *V.a.* **contract**.

UNINCORPORATED BUSINESS
ENTREPRISE NON CONSTITUÉE EN SOCIÉTÉ DE CAPITAUX, ENTREPRISE SANS PERSONNALITÉ MORALE
(dr.) Entreprise qui, aux yeux de la loi, n'a pas une existence distincte de celle de ses propriétaires. *N.B.* En droit anglais, l'*unincorporated business* comprend les sociétés de personnes auxquelles le droit civil français, belge et québécois reconnaît au contraire la **personnalité morale**, bien que leurs membres ne jouissent pas de la **responsabilité limitée**. *V.a.* **sole proprietorship**.

UNION
SYNDICAT
(rel. de tr.) Association qui a pour objet la défense d'intérêts professionnels : améliorations des conditions de production et d'exploitation, relations entre employeurs et salariés, salaires, conditions de travail, représentation auprès des pouvoirs publics, etc. *V.a.* **labour union**.

UNION AGREEMENT
CONVENTION COLLECTIVE (DE TRAVAIL)
Voir **collective agreement**.

UNION DUES
COTISATIONS SYNDICALES
(rel. de tr.) Contributions fixées par le syndicat et généralement prélevées à la source sur la rémunération des salariés.

UNISSUED CAPITAL
CAPITAL NON ÉMIS
(fin.) (Can.) Partie du capital autorisé représentant des actions non encore émises. *V.a.* **capital stock** et **treasury share** 2. *(fam.)*.

UNIT 1.
PART, ACTION
(fin.) Une des quote-parts, de valeur égale, entre lesquelles sont répartis les capitaux propres. *N.B.* On parlera

d'**action** dans le cas d'une société d'investissement à capital variable et de **part** pour un fonds commun de placement, une fiducie de placement immobilier et toute entreprise non constituée en société. *V.a.* **net asset value**.

UNIT 2.
UNITÉ
(fin.) Ensemble constitué de titres différents d'une même société offerts en vente sur un marché primaire ou un marché secondaire. Ainsi un investisseur acquerra à la fois une obligation et une action de la même société en même temps.

UNIT BENEFIT PENSION PLAN 1.
RÉGIME DE RETRAITE À PRESTATIONS DÉTERMINÉES
Voir **benefit based pension plan**.

UNIT BENEFIT PENSION PLAN 2.
RÉGIME (DE RETRAITE) POURCENTAGE-SALAIRE
(rentes) Régime à prestations déterminées dans lequel la rente est calculée d'après un pourcentage du salaire du participant et le nombre de ses années de service. *V.a.* **pension plan**.

UNIT COST
COÛT UNITAIRE, COÛT À L'UNITÉ
(prod.) Coût d'un produit ou d'un service, égal au quotient du coût total engagé (soit au cours d'une période, soit pour effectuer une opération donnée) par le nombre d'unités produites durant cette période, ou le nombre d'unités que cette opération a permis d'obtenir. *V.a.* **unit price**.

UNIT DEPRECIATION
AMORTISSEMENT À L'UNITÉ
Voir **item depreciation**.

UNIT-OF-MEASURE CONCEPT
HYPOTHÈSE DE L'UNITÉ MONÉTAIRE STABLE
Voir **stable monetary unit concept**.

UNIT OF PENSION
ÉLÉMENT DE RETRAITE
Voir **pension unit**.

UNIT OF PRODUCTION METHOD (OF DEPRECIATION)
(MÉTHODE DE L')AMORTISSEMENT PROPORTIONNEL À L'UTILISATION,
*   (MÉTHODE DE L')AMORTISSEMENT PROPORTIONNEL AU RENDEMENT,*
*   (MÉTHODE DE L')AMORTISSEMENT FONCTIONNEL*
Voir **production method (of depreciation)**.

UNIT PRICE
PRIX UNITAIRE, PRIX À L'UNITÉ
(comm.) Prix d'achat, de vente, de revient, etc. par unité d'une marchandise déterminée. *N.B.* Pour les produits vendus à la pièce et non pas à l'unité de poids ou de mesure, on parle de **prix à la pièce**. *V.a.* **unit cost**.

UNIVERSE
POPULATION
Voir **population**.

UNLISTED SECURITIES
TITRES NON COTÉS, TITRES NON INSCRITS À LA COTE OFFICIELLE
(fin.) Titres qui, tout en étant négociables, ne sont pas inscrits à la cote officielle et ne font pas non plus l'objet d'opérations sur le **marché hors cote**. *Comparer avec* **listed securities**. *V.a.* **over-the-counter** *adj*.

UNOFFICIAL MARKET
MARCHÉ LIBRE, MARCHÉ HORS BOURSE, MARCHÉ HORS COTE

(fin.) Marché portant sur des valeurs mobilières non cotées et non introduites en Bourse. *N.B.* En matière de change, c'est l'offre et la demande qui détermine le cours d'une monnaie sur le **marché libre**. Par contre, le cours est contrôlé et soutenu sur le **marché officiel** qui n'est accessible que pour certains types d'opérations commerciales. *V.a.* **over-the-counter market**.

UNPAID DIVIDEND
DIVIDENDE NON VERSÉ

(fin.) Dividende qu'une société a déclaré et qu'elle est tenue légalement de verser mais qu'elle n'a pas encore servi à ses actionnaires. *V.a.* **dividend** 1. et **dividend payable**.

UNPRODUCTIVE CAPITAL
CAPITAL IMPRODUCTIF

(prod.) Biens qui, en raison de leur nature ou des circonstances, ne produisent aucun rendement.

UNQUALIFIED OPINION
OPINION SANS RÉSERVE

(E.C.) Opinion du vérificateur (ou réviseur) énonçant, sans aucune restriction, que l'information financière est présentée fidèlement eu égard aux principes comptables généralement reconnus (ou à d'autres règles comptables appropriées communiquées au lecteur). *Syn.* **clean opinion** *(fam.)* et **positive opinion**. *Comparer avec* **qualified opinion**. *V.a.* **auditor's opinion** et **clean report** *(fam.)*.

UNQUOTED
NON COTÉ, NON INTRODUIT EN BOURSE

(aff.) Se dit d'un titre, d'un produit agricole, d'une matière première ne faisant pas l'objet d'opérations sur un marché officiel et ne figurant pas comme tel sur un **tableau des cours**.

UNREALIZED 1.
NON RÉALISÉ

Se dit d'un profit gagné ou acquis résultant d'une opération, par exemple une opération de troc, qui n'a pas donné lieu à un accroissement des actifs monétaires nets ou, dans un sens plus restreint, à un accroissement des liquidités. *Comparer avec* **realized** 2.

UNREALIZED 2.
NON GAGNÉ, NON ACQUIS, NON MATÉRIALISÉ, LATENT

Se dit d'un profit ou d'un gain afférent à un élément d'actif (ou à un élément de passif) dont la valeur comptable est inférieure (ou supérieure) à sa valeur réelle. *N.B.* Si le profit en question ne résulte pas d'une opération avec un tiers, le principe de prudence interdit généralement de le comptabiliser. *Syn.* **unearned**. *Comparer avec* **realized** 2. *V.a.* **book profit** *(fam.)* 2., **gain** et **paper profit** *(fam.)*.

UNREALIZED 3.
NON MATÉRIALISÉE, NON SUBIE

Se dit d'une perte afférente à un élément d'actif (ou à un élément de passif) dont la valeur comptable est supérieure (ou inférieure) à sa valeur réelle. *N.B.* En vertu du principe de prudence, une telle perte est généralement comptabilisée par anticipation même si elle ne découle d'aucune opération avec un tiers dès lors qu'il est probable qu'elle se matérialisera un jour. *Comparer avec* **realized** 3.

UNREALIZED EXCHANGE GAINS OR LOSSES
DIFFÉRENCES DE CHANGE LATENTES, GAINS OU PERTES DE CHANGE NON MATÉRIALISÉS

Gains ou pertes résultant de redressements apportés aux éléments d'actif ou de passif monétaires afférents à des opérations conclues en monnaie étrangère, ou à la conversion des comptes d'un établissement situé dans un pays étranger, exprimés dans la monnaie de ce pays. *Comparer avec* **realized exchange gains or losses**. *V.a.* **foreign exchange gain** et **foreign exchange loss**.

UNRESTRICTED
SANS RESTRICTIONS, NON ASSUJETTI À DES RESTRICTIONS
(O.S.B.L.) Se dit de fonds ne comportant aucune restriction qu'auraient pu imposer des tiers quant à leur utilisation et qui, de fait, peuvent être utilisés aux fins déterminées par le Conseil d'administration. *Comparer avec* **restricted**.

UNSECURED ACCOUNT
COMPTE NON GARANTI
(dr.) Compte client ou compte fournisseur ne comportant aucune garantie.

UNSECURED BOND
OBLIGATION NON GARANTIE, DÉBENTURE (Can.)
Voir **debenture** 2.

UNSECURED CREDITOR
CRÉANCIER ORDINAIRE, CRÉANCIER CHIROGRAPHAIRE, CRÉANCIER NON GARANTI
Voir **ordinary creditor**.

UNSECURED LOAN
PRÊT NON GARANTI, CRÉDIT NON GARANTI, CRÉDIT EN BLANC, EMPRUNT NON GARANTI
(dr.) Prêt accordé sans être couvert par une garantie. *Comparer avec* **secured loan**.

UNSETTLED
NON RÉGLÉ, IMPAYÉ
Voir **outstanding** 1.

UNUSUAL ITEM
POSTE DE NATURE INHABITUELLE, ÉLÉMENT INHABITUEL
(Can.) Gain, perte ou provision pour pertes qui, tout en résultant de l'exploitation normale de l'entreprise, découle de circonstances inhabituelles et prend des proportions exceptionnelles. *N.B.* En vertu des normes comptables canadiennes, il convient de distinguer ces éléments des postes extraordinaires et de les présenter de la même façon que les éléments de nature courante en ayant soin toutefois de donner les explications appropriées. En France, on entend par **pertes et profits exceptionnels** des résultats acquis au cours de l'exercice et qui proviennent d'événements ou de faits exceptionnels : réalisation d'éléments de l'actif, différences de change, créances irrécouvrables nées durant l'exercice, etc. En Belgique, sous les **produits exceptionnels,** doivent figurer les produits et les charges ne provenant pas des activités habituelles de l'entreprise. *Syn.* **special item**. *Comparer avec* **extraordinary item**.

UPDATE
METTRE À JOUR
(inf.) Modifier un fichier ou un programme à l'aide d'informations nouvelles suivant un processus déterminé; ajouter certains éléments à un fichier ou en supprimer; corriger des données déjà enregistrées.

UPWARD TREND
TENDANCE À LA HAUSSE
(anal. fin.) Évolution de l'entreprise caractérisée particulièrement par des résultats qui s'améliorent sans cesse ou un chiffre d'affaires qui augmente d'un exercice à l'autre. *Comparer avec* **downward trend**. *V.a.* **trend**.

USAGE VARIANCE
ÉCART SUR QUANTITÉ, ÉCART SUR UTILISATION, ÉCART DE QUANTITÉ
Voir **quantity variance**.

USEFUL LIFE 1.
DURÉE D'UTILISATION, (DURÉE DE) VIE UTILE
(écon.) Période au cours de laquelle un bien est en usage. *Comparer avec* **physical life**. *V.a.* **depreciable life** et **estimated useful life**.

USEFUL LIFE 2.
DURÉE ÉCONOMIQUE
Voir **economic life**.

USER
UTILISATEUR
(lang. cour.) Personne qui met en service, à des fins professionnelles, un bien ou un service acheté par elle et, en matière d'information financière, personne à qui sont destinés les états financiers (ou comptes annuels). *N.B.* La personne qui utilise un service public (transport en commun, électricité, etc.) s'appelle **usager**. *Comparer avec* **preparer**.

USER'S PROGRAM
PROGRAMME (FAIT) SUR MESURE
(inf.) Programme établi en vue de répondre aux besoins particuliers d'un utilisateur donné. *Comparer avec* **standard program**. *V.a.* **program** *n.* 2 et **tailor-made program**.

USUFRUCT
USUFRUIT
(dr.) Droit réel de jouissance sur une chose dont la nue-propriété appartient à autrui à charge d'en conserver la substance. *N.B.* Ce droit s'éteint nécessairement à la mort de l'**usufruitier**. *Comparer avec* **bare property**. *V.a.* **life tenant**.

USURY
USURE
(fin.) Intérêt à taux excessif (taux usuraire) exigé sur le prêt d'une somme d'argent. *V.a.* **shylock**.

UTILITIES
SERVICES PUBLICS, SERVICES D'UTILITÉ PUBLIQUE
(écon.) Services d'intérêt général (téléphone, électricité, transport, etc.) rendus par des entreprises qui sont gérées selon des règles formulées par l'État, particulièrement en ce qui a trait à la **tarification**. *V.a.* **public utilities (company)**.

UTILITY PROGRAM
PROGRAMME UTILITAIRE
(inf.) Programme exécutant un travail fréquent et routinier et permettant des fonctions d'exploitation (copies de fichiers, liste de fichiers, transfert d'un support externe à un autre support externe, etc.) avec éventuellement des opérations simples comme le tri, l'addition, l'impression, la mise en groupes, etc. *V.a.* **program** *n.* 2.

UTILIZATION RATIO
RATIO D'UTILISATION
Rapport entre la production et la capacité de production.

V DAY
JOUR DE L'ÉVALUATION
Abrév. de **valuation day**.

VACANT LOT
TERRAIN VAGUE, TERRAIN NON BÂTI
(lang. cour.) Terrain sur lequel aucune construction n'a encore été érigée et que l'on détient le plus souvent à titre de placement. *V.a.* **raw land**.

VACANT POSITION
POSTE VACANT, VACANCE
(rel. de tr.) Poste inoccupé jusqu'à la nomination d'un nouveau titulaire.

VACATION PAY
INDEMNITÉ DE VACANCES, CONGÉS PAYÉS
(rel. de tr.) Somme versée aux employés durant leurs vacances. *N.B.* La somme destinée à dédommager l'employé absent du travail pour une raison quelconque constitue une **indemnité de congé**.

VALIDATE
VALIDER, AUTHENTIFIER
(dr.) Soumettre un acte, un document, aux formalités légales, afin de le rendre valide et de lui faire produire tous ses effets.

VALUATION
ÉVALUATION, VALORISATION
Action de porter un jugement sur la valeur ou le prix de quelque chose, par exemple les stocks et les valeurs mobilières de l'entreprise. *N.B.* Le terme **valorisation** signifie donner ou ajouter de la valeur à quelque chose, mais il s'utilise en comptabilité pour signifier le fait d'attacher une valeur à des quantités connues en leur appliquant un prix unitaire. *V.a.* **appraisal**.

VALUATION ACCOUNT
COMPTE DE PROVISION POUR MOINS-VALUE, COMPTE DE PROVISION POUR DÉPRÉCIATION,
  COMPTE DE RÉDUCTION DE VALEUR (Belg.)
Compte de contrepartie d'un compte d'actif dans lequel figure la moins-value qu'un élément d'actif (par exemple les comptes clients ou les stocks) a pu subir. *V.a.* **contra account** 1.

VALUATION ALLOWANCE
(PROVISION POUR) MOINS-VALUE, (PROVISION POUR) DÉPRÉCIATION, RÉDUCTION
  DE VALEUR (Belg.)
Montant estimatif dont on a réduit le solde d'un élément d'actif et qui figure à la fois dans un compte de charge et dans le compte de contrepartie de l'élément d'actif en cause. *V.a.* **allowance** 3. et **loss in value**.

VALUATION BASE
BASE D'ÉVALUATION, BASE DE VALORISATION

Base (par exemple le coût d'origine et le coût de remplacement) sur laquelle repose la valeur attribuée à un élément d'actif ou de passif.

VALUATION DAY (V DAY)
JOUR DE L'ÉVALUATION

(fisc. can.) Jour choisi par le fisc (le 22 décembre 1971 pour les actions et les obligations, et le 31 décembre 1971 pour les autres biens) à compter duquel les gains ou les pertes en capital s'accumulent sur les biens acquis avant le 31 décembre 1971 et deviennent assujettis à l'impôt. *Syn.* **evaluation day**.

VALUE *n.*
VALEUR

(écon.) Caractère économique et mesurable d'un bien ou d'un service, compte tenu de son coût, de l'offre et de la demande, etc.; qualité essentielle d'un bien ou d'un service qui le fait apprécier par celui qui le possède ou l'utilise. *V.a.* **appraised value, assessed value, book value, current value, entity value (of an asset), fair market value, fair value, going concern value, liquidation value, market value** 1., **net realizable value, rental value, residual value** 1., **salvage value, scrap value, sound value** et **value in use**.

VALUE *v.*
ÉVALUER, VALORISER, EXPERTISER

(écon.) Attribuer une valeur à un bien ou à un service à la suite, par exemple, d'une expertise. *V.a.* **assess** 1.

VALUE ADDED TAX (VAT)
TAXE SUR LA VALEUR AJOUTÉE (T.V.A.), TAXE À LA VALEUR AJOUTÉE

(fisc.) Impôt général sur la consommation. La taxe sur la valeur ajoutée est un impôt indirect qui, à chaque stade de la production et de la commercialisation, frappe la différence entre le prix de vente d'un produit à ce stade et son prix d'achat au stade antérieur. *N.B.* Pour les entreprises, la T.V.A. comprend deux éléments distincts : 1) **en amont**, la taxe recouvrée par l'Administration sur l'entreprise (la taxe sur les achats et services ainsi que sur les acquisitions d'immobilisations), et 2) **en aval**, la taxe perçue par l'entreprise sur son client (la taxe sur les ventes, les produits divers et les cessions d'immobilisations). *V.a.* **added value, indirect taxes, sales tax** et **tax** *n.* 2.

VALUE DATE
DATE DE VALEUR, JOUR DE VALEUR, DATE D'ENTRÉE EN VIGUEUR

(fin.) Date à partir de laquelle une banque commence à calculer des intérêts débiteurs sur un prêt qu'elle a consenti ou des intérêts créditeurs sur un dépôt qu'elle a reçu. *V.a.* **effective date**.

VALUE-FOR-MONEY AUDIT(ING)
VÉRIFICATION D'OPTIMISATION (DES RESSOURCES)

(E.C.) Vérification, principalement en usage dans le secteur public, dont l'objectif est d'apprécier si la valeur reçue correspond bien à l'argent dépensé ou aux efforts fournis, ce qui se fait en évaluant les activités en cause, compte tenu des notions d'économie, d'efficacité et d'efficience, en comparant les constatations aux prévisions et en signalant les écarts. *N.B.* En France, on emploie parfois l'expression *audit* **d'optimisation** pour désigner cette sorte de vérification. *V.a.* **audit** *n.* 3., **comprehensive audit(ing), financial auditing** et **management audit**.

VALUE IN USE
VALEUR D'USAGE

(écon.) Appréciation de la qualité d'un bien ou d'un service en fonction de la satisfaction que son possesseur tire de son usage ou des services que rend son utilisation. *N.B.* La **valeur d'usage** peut aussi être définie comme la valeur actualisée des rentrées nettes de fonds auxquelles donnera lieu un bien dont l'entreprise se sert pour son exploitation. *V.a.* **entity value (of an asset), going concern value** et **value** *n.*

VALUE JUDGMENT
JUGEMENT DE VALEUR

(lang. cour.) Évaluation, généralement subjective, d'une situation ainsi que des conséquences probables d'une décision, et dont l'acceptation par un tiers dépend de la compétence de la personne en cause, de son bon sens et, parfois, de son autorité morale.

VARIABLE
VARIABLE
(stat.) Élément auquel on peut attribuer plusieurs valeurs numériques différentes. *V.a.* **dependent variable** et **independent variable**.

VARIABLE BUDGET
BUDGET VARIABLE, BUDGET FLEXIBLE
Voir **flexible budget**.

VARIABLE COSTING
MÉTHODE DES COÛTS PROPORTIONNELS, MÉTHODE DES COÛTS VARIABLES
Voir **direct costing**.

VARIABLE COSTS
COÛTS VARIABLES, FRAIS VARIABLES, CHARGES VARIABLES
Frais dont le montant varie en fonction du volume de production de l'entreprise ou de son niveau d'activité. *N.B.* Comme ces frais fluctuent proportionnellement à l'activité de l'entreprise, on leur donne aussi le nom de **frais proportionnels**, **coûts proportionnels** et **charges proportionnelles**. *Syn.* **variable expenses**. *Comparer avec* **fixed costs** et **semi-variable costs**.

VARIABLE EXPENSES
COÛTS VARIABLES, FRAIS VARIABLES, CHARGES VARIABLES
Voir **variable costs**.

VARIABLE INTERVAL SAMPLING
ÉCHANTILLONNAGE À INTERVALLE VARIABLE
(stat.) Méthode qui consiste à déterminer les individus qui feront partie d'un échantillon après avoir choisi au hasard le premier. Dans ce cas, l'intervalle qui sépare les individus choisis l'un de l'autre est inégal. *Comparer avec* **systematic sampling**. *V.a.* **sampling** 1.

VARIABLE OVERHEAD
FRAIS GÉNÉRAUX VARIABLES
Frais indirects dont le montant varie proportionnellement au niveau d'activité. *Comparer avec* **fixed overhead**. *V.a.* **overhead**.

VARIABLE WORKING HOURS
HORAIRE LIBRE
(rel. de tr.) Horaire adopté par un employé de façon totalement indépendante, quand bon lui semble, dans un laps de temps fixé ou non par l'employeur. *V.a.* **fixed working hours**, **flexible working hours** et **staggered working hours**.

VARIABLES SAMPLING
SONDAGE DES VARIABLES, ÉCHANTILLONNAGE PAR VARIABLES
(stat.) Type de sondage dont l'objectif est de mesurer, à partir d'un échantillon, une caractéristique donnée d'une population, par exemple sa **valeur en numéraire**. *Comparer avec* **attribute(s) sampling**. *V.a.* **estimation sampling** et **sampling** 2.

VARIANCE 1.
ÉCART
(gest.) Différence entre les réalisations (le rendement obtenu) et les prévisions (le rendement prévu).

VARIANCE 2.
ÉCART
(gest.) Différence entre le coût préétabli d'un élément du coût de fabrication et le coût réel de cet élément. *V.a.* **budget variance** 1., **standard cost system** et **standard cost variances**.

VARIANCE 3.
ÉCART
(stat.) Valeur absolue de la différence entre deux données d'une série statistique. *V.a.* **deviation**.

VARIANCE 4.
VARIANCE
(stat.) Mesure de la dispersion des différents points d'une série d'observations, que l'on obtient en calculant le carré de la différence entre chacune des observations et la moyenne arithmétique de l'ensemble, puis en additionnant ces carrés et en divisant le total obtenu par le nombre d'observations. *N.B.* la **variance** est le carré de l'**écart-type**. *V.a.* **deviation** et **standard deviation**.

VARIANCE ANALYSIS
ANALYSE DES ÉCARTS
(gest.) Analyse pratiquée en gestion des entreprises et dont l'objet est de déceler les écarts entre les prévisions et les réalisations et d'en déterminer les causes afin d'adopter les mesures de correction appropriées.

VAT
TAXE SUR LA VALEUR AJOUTÉE (T.V.A.), TAXE À LA VALEUR AJOUTÉE
Abrév. de **value added tax**.

VENTURE
ENTREPRISE (RISQUÉE), OPÉRATION SPÉCULATIVE
(écon.) Exploitation risquée dont les résultats éventuels font l'objet d'une très grande incertitude.

VENTURE ACCOUNTING
COMPTABILITÉ PAR OPÉRATIONS
Méthode de comptabilisation d'opérations comportant le plus souvent des risques élevés, qui consiste à ne déterminer le résultat de ces opérations que lorsqu'elles sont terminées et à présenter entre temps au bilan l'excédent des produits sur les charges ou coûts ou, le cas échéant, l'excédent de ces derniers éléments sur les produits. *V.a.* **voyage accounting**.

VENTURE CAPITAL
CAPITAL DE RISQUE, CAPITAL-RISQUE
(fin.) Capital investi dans une opération ou une entreprise comportant des risques particulièrement élevés et dont la rémunération n'est fonction que de la bonne ou mauvaise fortune de l'entreprise. *N.B.* Souvent, une telle entreprise se distingue par l'esprit d'innovation de ses propriétaires qui n'ont ni le capital ni les moyens pour obtenir des ressources financières à long terme. Le terme **capital de risque** se dit aussi des sommes investies dans une entreprise dont les actions ne sont pas inscrites en Bourse, par des personnes qui ne participent pas à la gestion de l'entreprise. *Syn.* **risk capital**. *V.a.* **equity capital** 2. et **hot money**.

VERIFIABILITY
VÉRIFIABILITÉ
(E.C.) Caractéristique de l'information comptable qui permet à l'expert-comptable et aux analystes financiers de s'assurer que les informations communiquées représentent ce qu'elles sont censées représenter, que les méthodes de mesure utilisées l'ont été sans parti pris et qu'aucune erreur sérieuse n'a été commise. *V.a.* **auditability**.

VERIFICATION
VÉRIFICATION, CONTRÔLE
(E.C.) Processus qui consiste à s'assurer de la validité ou de l'exactitude des écritures, livres ou rapports comptables.

VERTICAL ANALYSIS
ANALYSE VERTICALE
(anal. fin.) Étude des relations entre différents postes des états financiers de l'entreprise pour un exercice donné. *Comparer avec* **horizontal analysis**. *V.a.* **cross-section analysis** et **ratio analysis**.

VERTICAL BUSINESS COMBINATION
CONCENTRATION VERTICALE, REGROUPEMENT VERTICAL

(écon.) Regroupement d'entreprises ou d'unités de production qui se situent à des stades différents de l'activité de production, souvent depuis l'acquisition de la matière première et son traitement jusqu'à la vente du produit fini. *N.B.* La **concentration verticale** se produit quand il y a regroupement à plusieurs stades de l'élaboration et de la commercialisation d'un produit. Suivant la position de l'entreprise, on distingue la **concentration verticale amont** de la **concentration verticale aval**. *Comparer avec* **horizontal business combination**. *V.a.* **business combination**, **merger** et **vertical integration**.

VERTICAL INTEGRATION
INTÉGRATION VERTICALE

(écon.) Expansion que prend l'entreprise dans des domaines reliés directement à la production ou à la commercialisation de produits qui, après avoir passé par différents stades (fabrication et commercialisation, par exemple), sont destinés aux consommateurs. *Comparer avec* **horizontal integration**. *V.a.* **integration** et **vertical business combination**.

VESTED BENEFITS 1.
RENTES ACQUISES

(rentes) Rentes immédiates ou différées sur lesquelles le participant à un régime de retraite a acquis un droit inaliénable en vertu du régime. *V.a.* **pension benefits** 1.

VESTED BENEFITS 2.
AVANTAGES ACQUIS

(rentes) Avantages consistant, pour le participant à un régime de retraite, dans l'acquisition du droit à des prestations qui découlent des cotisations de son employeur au régime. *V.a.* **pension benefits** 1.

VESTED RIGHTS
DROITS ACQUIS

(dr.) Droits conférés à un titulaire, par exemple le participant à un régime de retraite, et dont le bénéfice, sauf disposition législative expresse, ne peut lui être retiré par une décision ultérieure.

VESTING 1.
ACQUISITION DE DROITS

(rentes) Le fait, pour le participant à un régime de retraite, d'acquérir le droit à des prestations découlant des cotisations de son employeur au régime. *V.a.* **deferred vesting** et **fully vested benefits**.

VESTING 2.
ATTRIBUTION D'AVANTAGES

(rentes) Droit irrévocable accordé à un participant, après un certain nombre d'années de service, de bénéficier, lors de sa retraite, de prestations découlant des cotisations versées par son employeur dans la caisse de retraite. *V.a.* **fully vested benefits**.

VIDEO DISPLAY TERMINAL
TERMINAL À ÉCRAN CATHODIQUE, TERMINAL À ÉCRAN DE VISUALISATION
Voir **visual display unit**.

VISUAL DISPLAY UNIT
TERMINAL À ÉCRAN CATHODIQUE, TERMINAL À ÉCRAN DE VISUALISATION

(inf.) Matériel de sortie permettant de lire sur un écran des données stockées. Le **terminal à écran cathodique** peut également permettre la saisie directe **de données par l'ordinateur.** *Syn.* **cathodic ray tube terminal** et **video display terminal**. *V.a.* **display**.

VOLUME DISCOUNT
RISTOURNE

(comm.) Réduction calculée hors facture sur l'ensemble des opérations faites avec un même client (ristourne accordée) ou un même fournisseur (ristourne obtenue) au cours d'une période déterminée. *N.B.* La **ristourne** est

subordonnée à une ou plusieurs conditions définies contractuellement. Elle est calculée pour une période donnée en fonction du total des marchandises que le client en cause a achetées au fournisseur qui l'accorde. La ristourne est en fait un encouragement à la fidélité. *Comparer avec* **quantity discount**. *V.a.* **discount** *n.* 1.

VOLUME INDEX
INDICE DU VOLUME, INDICE DU NIVEAU D'ACTIVITÉ

(prod.) Indice sur lequel se fonde l'imputation des frais généraux et représenté par une **unité d'oeuvre** qui permet de mesurer l'ensemble des charges afférentes à une section ainsi que la part de ces charges qui est imputable aux produits fabriqués, aux prestations, etc. *N.B.* L'**unité d'oeuvre** permet d'imputer le coût d'un centre d'analyse aux comptes de coût de produits (biens ou services) ou de commandes (internes ou externes) intéressés. L'unité d'oeuvre est généralement exprimée en unité de temps (une heure, par exemple), sinon en une autre unité physique (kilogramme, mètre carré), ou en unité monétaire (dollar, franc, etc.). Grâce à l'unité d'oeuvre, les coûts d'un centre de travail ainsi que les frais généraux peuvent être équitablement imputés à d'autres centres de travail (les sections auxiliaires, par exemple) ou aux coûts des produits et des commandes par une simple règle de trois. *Syn.* **index of volume**. *V.a.* **overhead application**.

VOLUME VARIANCE
ÉCART SUR VOLUME (D'ACTIVITÉ), ÉCART D'ACTIVITÉ

Écart se rapportant essentiellement aux charges indirectes ou frais généraux imputés, et égal à la différence entre le produit de l'activité réelle par le coût unitaire d'oeuvre préétabli (le coefficient d'imputation déterminé d'avance) et le total des frais fixes préétablis et des frais variables prévus ajustés à l'activité réelle. *N.B.* Lorsque l'entreprise fonctionne à un niveau d'activité qui se situe très en dessous du degré d'activité normal, il en résulte un coût appelé **coût de la sous-activité**. *Syn.* **capacity variance**. *V.a.* **overhead variances**.

VOTING SHARE
ACTION AVEC DROIT DE VOTE

(dr.) Action donnant à son titulaire le droit de vote aux assemblées des actionnaires. *N.B.* On dit du détenteur d'une telle action qu'il a voix délibérative dans les assemblées auxquelles il est convoqué. *V.a.* **cumulative voting**, **majority rule voting** et **share** 2.

VOTING TRUST
CONVENTION DE VOTE (FIDUCIAIRE)

(dr.) (Can.) Entente en vertu de laquelle un groupe d'actionnaires donne à un fiduciaire le pouvoir d'exercer le droit de vote afférent aux actions qu'ils détiennent dans une société. *V.a.* **proxy** 2.

VOUCH
VÉRIFIER, ATTESTER, PROUVER

Vérifier, au moyen d'un examen des pièces justificatives pertinentes, l'existence d'une opération et l'enregistrement que l'on en a fait dans les livres comptables.

VOUCHER 1.
PIÈCE JUSTIFICATIVE, JUSTIFICATIF, PIÈCE COMPTABLE

Document constatant l'existence d'une opération qui a donné lieu à une écriture comptable. *N.B.* Les **pièces justificatives** revêtent en comptabilité une importance capitale car il est essentiel que chaque écriture soit justifiée par une pièce portant une date et susceptible d'être présentée à l'expert-comptable chargé de la vérification ou, selon le cas, de l'examen des livres. Ces pièces sont soit des pièces justificatives de base, soit des pièces récapitulatives d'un ensemble d'opérations et elles peuvent être d'origine externe ou interne. *V.a.* **bookkeeping voucher**, **cash voucher**, **journal voucher** et **source document**.

VOUCHER 2.
DOCUMENT COMMERCIAL

Document établi lors de la conclusion d'une opération (achat, vente, etc.) et servant à prouver l'authenticité de cette opération. *V.a.* **business papers**.

VOUCHER 3.
BON

(lang. cour.) Formule écrite constatant le droit d'une personne d'exiger une prestation ou de toucher une somme d'argent.

VOUCHER REGISTER
REGISTRE DES PIÈCES JUSTIFICATIVES

Journal auxiliaire dans lequel on inscrit les dépenses et autres éléments qui autrement figureraient dans le journal des achats et le journal des décaissements.

VOUCHER SYSTEM
MÉTHODE DES PIÈCES JUSTIFICATIVES

Méthode qui consiste à établir, après les vérifications d'usage, une pièce justificative pour chaque dépense qui, à une date précise, donnera lieu à une sortie de fonds, et à enregistrer ces pièces dans un livre distinct appelé **registre des pièces justificatives**, et le chèque émis, dans le **registre des chèques**.

VOUCH MARK
MARQUE DE POINTAGE
Voir **tick mark**.

VOYAGE ACCOUNTING
COMPTABILITÉ PAR VOYAGE(S) MARITIME(S)

Comptabilité analogue à la comptabilité par opérations avec la seule différence que le profit ou la perte qui en découle n'est porté dans l'état des résultats (ou compte de résultat) qu'à la fin du voyage en cause. *V.a.* **venture accounting**.

W

WAGES 1.

SALAIRES

Frais que l'entreprise engage au titre des rémunérations de toutes natures versées à ses ouvriers en fonction le plus souvent du nombre d'heures de travail qu'ils ont exécutées. *V.a.* **labour** et **salary** 1.

WAGES 2.

FRAIS DE PERSONNEL, SALAIRES ET CHARGES SOCIALES

Voir **salaries and wages**.

WAGE SLIP

BULLETIN DE PAYE, FICHE INDIVIDUELLE DE SALAIRE, FICHE DE PAYE

Voir **statement of earnings and deduction**.

WAITING PERIOD

DÉLAI DE CARENCE

(ass.) Période qui doit s'écouler avant qu'une compagnie d'assurances ne soit tenue de verser des prestations à un assuré victime d'invalidité partielle ou totale. *N.B.* La période pendant laquelle un salarié doit être au service d'une entreprise avant qu'il ne puisse bénéficier d'un régime mis en oeuvre par son employeur s'appelle **période probatoire**. *V.a.* **probation period** 2.

WAITING TIME

TEMPS D'ATTENTE

(prod.) Délai ou intervalle de temps qui s'écoule avant qu'une tâche (fabrication d'un produit ou prestation de service) ne soit exécutée.

WAIVE

DISPENSER, EXONÉRER

(lang. cour.) Libérer quelqu'un d'une obligation.

WAIVER

DISPENSE, EXONÉRATION

(rentes) Garantie prévue en faveur d'un participant en arrêt de travail par suite de maladie ou d'accident, qui a pour objet le maintien des avantages stipulés au contrat sans versement correspondant de cotisations.

WALK THROUGH TEST

(VÉRIFICATION DU CHEMINEMENT PAR) SONDAGE LIMITÉ, (RÉVISION DU CHEMINEMENT PAR) SONDAGE LIMITÉ

Voir **flow audit**.

WAREHOUSE
ENTREPÔT

(comm.) Bâtiment ou emplacement servant d'abri ou de lieu de dépôt pour des marchandises. *N.B.* Un **entrepôt** est aussi le lieu où l'on dépose provisoirement des marchandises pour lesquelles les droits de douane n'ont pas encore été acquittés et il y a lieu, dans ce cas, de distinguer l'**entrepôt réel** appartenant à l'Administration des douanes et l'**entrepôt fictif** situé dans les magasins de certains commerçants. *V.a.* **bonded warehouse** 1. et 2.

WAREHOUSE CERTIFICATE
CERTIFICAT D'ENTREPÔT, RÉCÉPISSÉ D'ENTREPÔT
Voir **warehouse receipt** 1.

WAREHOUSE RECEIPT 1.
CERTIFICAT D'ENTREPÔT, RÉCÉPISSÉ D'ENTREPÔT

(comm.) Document attestant qu'une personne a déposé des biens ou des marchandises dans un entrepôt. *Syn.* **warehouse certificate**.

WAREHOUSE RECEIPT 2.
RÉCÉPISSÉ-WARRANT, WARRANT

(dr.) **Titre de gage** transmissible et négociable destiné à une personne qui a mis une marchandise en dépôt dans un magasin général ou un entrepôt public. *N.B.* Le terme *warrant* (prononcer *varan*) est aussi employé en français pour désigner la mise en gage destinée à faciliter les avances sur marchandises avec ou sans **dessaisissement** du débiteur. Le **récépissé-warrant** délivré alors représente deux pièces qui peuvent circuler séparément. Le **récépissé** constitue le droit de propriété sur les marchandises et le **warrant** est un bulletin de gage. En cas d'emprunt sur les marchandises entreposées, le warrant sera endossé à l'ordre du prêteur et il devient alors un effet de commerce avec affectation, au profit du prêteur, des marchandises déposées. Il existe quelques warrants sans **dessaisissement** du débiteur : le **warrant agricole** (on donne en gage le matériel agricole et les récoltes), le **warrant hôtelier** (l'hôtelier affecte en gage le mobilier et le matériel de son exploitation) et le **warrant pétrolier** qui porte sur un stock de pétrole. *Syn.* **warrant** *(U.K.)*. *V.a.* **bonded warehouse** 1.

WARRANT 1. *(U.K.)*
RÉCÉPISSÉ-WARRANT, WARRANT
Voir **warehouse receipt** 2.

WARRANT 2.
BON DE SOUSCRIPTION À DES ACTIONS
Voir **stock purchase warrant**.

WARRANT 3.
MANDAT
(compt. publ.) (Can.) Titre négociable de l'État tiré sur le Receveur général du Canada.

WARRANTY
GARANTIE

(dr.) Obligation légale ou contractuelle, imposée au fabricant ou au vendeur, et qui assure l'acheteur de la bonne exécution d'un travail, d'un service, de la qualité et du bon fonctionnement d'un bien ou d'une installation pendant une certaine période ou un temps d'utilisation donné. *N.B.* La **garantie** peut être limitée au remplacement gratuit des pièces défectueuses. Elle est totale lorsque le vendeur prend en charge le remplacement des pièces défectueuses et le coût de la main-d'oeuvre nécessaire à la remise en bon état du bien en cause. Le document remis à l'acheteur attestant l'engagement du vendeur et fixant les modalités de cet engagement s'appelle **bon de garantie**, **carte de garantie** ou **garantie**. *Syn.* **guarantee** 3. *V.a.* **under warranty**.

WARRANTY REPAIRS
FRAIS RELATIFS AUX GARANTIES

Poste de l'état des résultats (ou compte de résultat) où figure le coût des réparations apportées à des biens sous garantie et que le fabricant prend à sa charge.

WASH SALE
VENTE FICTIVE
(comm.) Vente et achat portant sur le même bien ou un bien de même nature effectués au cours d'une période très courte.

WASTE 1.
PERTE, GASPILLAGE
(prod.) Perte de matières, de temps, etc. attribuable au mauvais fonctionnement d'une machine ou à la négligence du personnel. *V.a.* **abnormal spoilage**, **normal spoilage**, **scrap** *n.*, **shrinkage** 1. et **spoilage**.

WASTE 2.
REBUT, DÉCHET DE FABRICATION, PRODUIT RÉSIDUEL
Voir **scrap** *n.*

WASTING ASSET
BIEN CONSOMPTIBLE, BIEN SUJET À ÉPUISEMENT
(ind. extr.) Ressource naturelle dont la quantité s'épuise par voie d'extraction ou de consommation, par exemple un gisement minier ou pétrolifère et du bois sur pied. *V.a.* **depletable ressource**, **depletion** et **natural resources**.

WATERED CAPITAL
CAPITAL DILUÉ
(fin.) Excédent de la valeur attribuée aux actions émises sur la juste valeur des biens reçus en contrepartie lors de leur émission.

WATERED STOCK 1.
ACTIONS DILUÉES
(fin.) Actions auxquelles la direction, lors de leur émission, a attribué frauduleusement une valeur supérieure à la juste valeur de l'apport en nature qui en constitue la contrepartie.

WATERED STOCK 2. *(fam.)*
ACTIONS DILUÉES
(fin.) Actions dont la valeur a été réduite par un processus de dilution : émission de nouvelles actions, exercice de droits d'achat d'actions, conversion d'obligations en actions, etc. *V.a.* **dilution** 2.

WAYBILL
LETTRE DE VOITURE, LETTRE DE TRANSPORT
(transp.) Document sur lequel figurent le poids, la nature des marchandises transportées ainsi que les conditions de vente, que l'expéditeur remet au transporteur après l'avoir établi à l'intention du destinataire. *V.a.* **bill of lading** et **shipping slip**.

WEAKNESS INVESTIGATION
ANALYSE DES LACUNES, ANALYSE DES FAIBLESSES
(E.C.) Analyse de l'expert-comptable dont le but est de mesurer l'effet des lacunes constatées lors de l'étude du contrôle interne, afin de découvrir les erreurs importantes qui pourraient survenir en raison de ces lacunes ou faiblesses.

WEAR AND TEAR
USURE, DÉPRÉCIATION, DÉTÉRIORATION
(écon.) Détérioration, altération physique d'un bien provenant d'une cause naturelle ou de l'usage que l'on en fait. *Comparer avec* **obsolescence**.

WEIGHTED AVERAGE
MOYENNE PONDÉRÉE
(stat.) Moyenne correspondant à une valeur particulière attribuée à un ensemble d'éléments, compte tenu de l'importance proportionnelle ou réelle de chacun d'eux. *V.a.* **average**.

WEIGHTED AVERAGE COST METHOD
MÉTHODE DU COÛT MOYEN PONDÉRÉ

Méthode qui consiste à attribuer à une unité (article en stock ou titre de placement) une valeur fondée sur le coût moyen des unités que possédait l'entreprise au cours d'une période donnée, compte tenu de l'importance des quantités acquises à différentes dates. *V.a.* **average cost method** et **cost flow methods**.

WELFARE PLAN
RÉGIME DE PRÉVOYANCE (SOCIALE)

(ass.) Régime d'assurance qui assure la sécurité sociale d'un groupe de personnes.

WHOLE LIFE INSURANCE
ASSURANCE VIE ENTIÈRE

(ass.) Type d'assurance sur la vie couvrant la vie entière de l'assuré, dont le capital est versé aux ayants droit de ce dernier à son décès et dont une partie de la prime, après un certain temps, donne lieu à un placement correspondant à la **valeur de rachat** du contrat. *Comparer avec* **term life insurance**. *V.a.* **cash surrender value** et **insurance**.

WHOLESALE
VENTE EN GROS

(comm.) Vente pratiquée par une entreprise qui achète des marchandises par quantités importantes en vue de les vendre à des revendeurs, des utilisateurs et des collectivités, à l'exclusion des consommateurs finals.

WHOLESALE PRICE INDEX
INDICE DES PRIX DE GROS

(stat.) Indice décrivant l'évolution des prix d'un bien ou d'une catégorie particulière de biens vendus en gros. *V.a.* **price index**.

WHOLESALER
GROSSISTE, MARCHAND EN GROS, COMMERÇANT EN GROS

(comm.) Commerçant exerçant le **commerce de gros**; marchand agissant comme intermédiaire entre le détaillant et le producteur ou fabricant.

WHOLLY-OWNED SUBSIDIARY
FILIALE EN PROPRIÉTÉ EXCLUSIVE, FILIALE À 100%

(org. des entr.) Filiale dont la totalité des actions appartient à la société mère. *V.a.* **subsidiary (company)**.

WIDELY HELD CORPORATION
SOCIÉTÉ (OUVERTE) À GRAND NOMBRE D'ACTIONNAIRES

(org. des entr.) Société dont les actions sont généralement inscrites à la cote officielle et appartiennent à un grand nombre d'actionnaires qui, le plus souvent, ne détiennent chacun qu'un faible pourcentage du total des actions émises. *Comparer avec* **closely held corporation**. *V.a.* **public company**.

WILL
TESTAMENT

(dr.) Acte unilatéral, révocable jusqu'au décès de son auteur (le **testateur**) par lequel celui-ci dispose de tout ou partie des biens qu'il laissera en mourant. *N.B.* Le **testament** est **olographe** s'il est écrit entièrement de la main du testateur, il est **authentique** si c'est un notaire qui l'a rédigé et il est dit **sous la forme anglaise** s'il est signé par deux témoins et par le testateur qui a confié à une autre personne le soin de l'écrire.

WINDFALL PROFIT
PROFIT FORTUIT, PROFIT IMPRÉVU, PROFIT INATTENDU

(lang. cour.) Profit imprévu résultant d'une affaire, d'un marché et attribuable à des causes sur lesquelles le bénéficiaire ne peut exercer aucun contrôle.

WINDING-UP
LIQUIDATION
Voir **liquidation** 3.

WINDOW-DRESSING *(fam.)*
MAQUILLAGE, CAMOUFLAGE
Terme désignant les méthodes utilisées, parfois frauduleusement, pour donner aux états financiers ou, plus particulièrement, au fonds de roulement, une image plus favorable, par exemple en ne comptabilisant pas certaines charges, en enregistrant des ventes par anticipation, en ne présentant pas au bilan certaines dettes, en ne faisant pas connaître le résultat des opérations déficitaires, en sous-évaluant l'amortissement, en retardant le moment où certains éléments doivent être passés en charges et en effectuant des opérations pour la forme seulement.

WIND-UP
METTRE FIN À
(dr.) Mettre un terme à l'existence d'une société par actions soit en se conformant aux dispositions de la loi à cet égard, soit en abandonnant l'acte de constitution, soit en donnant suite aux procédures prévues en cas de faillite. *V.a.* **dissolution** et **liquidation** 3.

WITHDRAWAL
PRÉLÈVEMENT, RETRAIT
Voir **drawing**.

WITHDRAWAL OF REGISTRATION
RETRAIT D'AGRÉMENT
Voir **deregistration** 1.

WITHDRAWAL SLIP
BORDEREAU DE RETRAIT
(banque) Bordereau que le titulaire d'un compte en banque doit remplir lorsqu'il en effectue des retraits. *V.a.* **slip**.

WITHHOLDINGS FROM EMPLOYEES' SALARIES
RETENUES SALARIALES, PRÉCOMPTES
Voir **payroll deductions**.

WITHHOLDING TAX
RETENUE D'IMPÔT, RETENUE FISCALE, PRÉCOMPTE FISCAL
(fisc.) Impôt retenu à la source. *V.a.* **deduction at source** et **tax deduction at source**.

WORD PROCESSING
TRAITEMENT DE TEXTE(S)
(inf.) Transcription de textes à l'aide d'un **matériel électronique**, ce qui rend possible l'incorporation des changements que l'on désire apporter à ces textes, leur reproduction à une grande vitesse, et leur transmission sur **support magnétique**.

WORK ASSIGNMENT
ATTRIBUTION DES TÂCHES, AFFECTATION DE(S) TÂCHES
Voir **job assignment**.

WORKER
OUVRIER, TRAVAILLEUR
(rel. de tr.) Personne qui, dans une usine ou sur un chantier, exécute un travail manuel ou mécanique moyennant un salaire.

WORKING CAPITAL
FONDS DE ROULEMENT, ACTIF NET À COURT TERME

Excédent de l'actif à court terme sur le passif à court terme. *N.B.* Le chiffre ainsi obtenu que l'on désigne parfois par l'expression **fonds de roulement net** (par opposition au **fonds de roulement brut** ou **fonds de roulement total** qui représente l'**actif circulant** ou l'**actif à court terme**) est une mesure de la solvabilité à court terme de l'entreprise et de sa capacité à financer son exploitation courante et à rembourser ses dettes au moment où elles deviennent exigibles. On peut aussi dire du fonds de roulement qu'il représente : 1) la partie des capitaux permanents qui n'est pas utilisée pour le financement des immobilisations, 2) la marge de sécurité consitutée par l'excédent des actifs circulants sur les dettes à court terme, et 3) la marge de sécurité représentée par la fraction de l'actif circulant financée par les capitaux permanents. *Syn.* **net current assets** et **net working capital**. *Comparer avec* **fixed capital**. *V.a.* **circulating assets**, **current assets** et **current liabilities**.

WORKING CAPITAL DEFICIENCY
FONDS DE ROULEMENT DÉFICITAIRE, ENDETTEMENT À COURT TERME, FONDS DE ROULEMENT NÉGATIF

Insuffisance du fonds de roulement caractérisée par un excédent du passif à court terme sur l'actif à court terme. *Syn.* **negative working capital**.

WORKING CAPITAL RATIO
RATIO DU FONDS DE ROULEMENT, RATIO DE SOLVABILITÉ À COURT TERME, RATIO D'ENDETTEMENT À COURT TERME, RATIO DE LIQUIDITÉ GÉNÉRALE

Voir **current ratio**.

WORKING DAY
JOUR OUVRABLE

(lang. cour.) Jour consacré normalement au travail et aux activités professionnelles. *Comparer avec* **holiday**.

WORKING FUND
FONDS DE CAISSE

(fin.) Fonds servant à acquitter des dépenses courantes et reconstitué de temps à autre mais, à l'encontre de ce qui se fait pour la petite caisse, par le versement de sommes qui ne sont pas nécessairement égales au total des dépenses engagées.

WORKING HOURS
HEURES DE TRAVAIL, DURÉE DU TRAVAIL

(rel. de tr.) Nombre d'heures constituant l'unité normale de travail (jour, semaine, mois). *V.a.* **business hours**.

WORKING PAPERS 1.
FEUILLES DE TRAVAIL, PAPIERS DE TRAVAIL, DOSSIER DE VÉRIFICATION, DOSSIER DE RÉVISION

(E.C.) Tableaux, analyses, avis de confirmation, extraits de procès-verbaux ou de documents, et autres notes que l'expert-comptable établit ou recueille de façon systématique lors de l'exécution d'une mission de vérification (ou révision) ou d'une mission avec ou sans examen en vue de lui permettre de tirer les conclusions appropriées et lui faciliter la rédaction de son rapport. *V.a.* **current file**, **permanent file** et **work sheet** 2.

WORKING PAPERS 2.
CHIFFRIER, FEUILLE DE TRAVAIL

Voir **work sheet** 1.

WORK IN PROCESS 1.
PRODUITS EN COURS (DE FABRICATION), EN-COURS, PRODUITS EN VOIE DE FABRICATION, FABRICATION EN COURS, PRODUCTIONS EN COURS

Voir **goods in process**.

WORK IN PROCESS 2.
TRAVAUX EN COURS, TRAVAUX INACHEVÉS, PRESTATIONS DE SERVICES EN COURS

(prof.) Travaux qu'un entrepreneur ou un cabinet professionnel n'a pas encore terminés à la clôture de l'exercice. *Syn.* **work in progress** 2.

WORK IN PROGRESS 1.
*PRODUITS EN COURS (DE FABRICATION), EN-COURS, PRODUITS EN VOIE DE FABRICATION,
FABRICATION EN COURS, PRODUCTIONS EN COURS*
Voir **goods in process**.

WORK IN PROGRESS 2.
TRAVAUX EN COURS, TRAVAUX INACHEVÉS, PRESTATIONS DE SERVICES EN COURS
Voir **work in process** 2.

WORK LOAD
CHARGE DE TRAVAIL
(rel. de tr.) Quantité de travail que doit fournir une personne au cours d'une période donnée. *Syn.* **load** 1.

WORKMEN'S COMPENSATION
INDEMNITÉ POUR ACCIDENT DU TRAVAIL
(rel. de tr.) Somme versée à un ouvrier victime d'un accident de travail par une commission relevant de l'État (au Québec, la Commission de la santé et de la sécurité du travail) ou par une compagnie d'assurances.

WORK ORDER 1.
ORDRE DE FABRICATION, ORDRE D'EXÉCUTION
(prod.) Instructions données par écrit, portant sur la fabrication d'un produit ou l'exécution d'un travail particulier et précisant généralement les matériaux et la main-d'oeuvre qui devront être utilisés.

WORK ORDER 2.
ORDRE DE TRAVAIL, AUTORISATION DE TRAVAIL, ORDRE D'EXÉCUTION, COMMANDE
(prod.) Autorisation donnée par la direction à une personne, un atelier, d'entreprendre un travail. *Syn.* **job order**.

WORK OVERTIME, TO
FAIRE DES HEURES SUPPLÉMENTAIRES
(rel. de tr.) Exécuter un travail en dehors des heures normales de travail, ce qui entraîne généralement une rémunération supplémentaire appelée **majoration pour heures supplémentaires**. *V.a.* **overtime**.

WORK SHEET 1.
CHIFFRIER, FEUILLE DE TRAVAIL
Feuille constituée de différentes sections où figurent respectivement la balance de vérification initiale, les régularisations, la balance de vérification régularisée et, dans les deux dernières sections, les éléments qui feront respectivement partie de l'état des résultats (ou compte de résultat) et du bilan. *N.B.* En plus de servir de feuille de récapitulation, le chiffrier facilite la passation des écritures de régularisation et de fermeture ainsi que l'établissement des états financiers (ou comptes annuels). On emploie aussi le terme **chiffrier** pour désigner les feuilles de travail que le comptable utilise pour faciliter, par exemple, l'établissement des états financiers consolidés (ou comptes consolidés) et de l'état de l'évolution de la situation financière (ou tableau de financement). *Syn.* . **working papers** 2.

WORK SHEET 2.
FEUILLE DE TRAVAIL, DOCUMENT DE TRAVAIL
(E.C.) Feuille où sont indiquées les différentes tâches à accomplir par l'expert-comptable à qui l'on a confié une mission de vérification (ou révision). *V.a.* **working papers** 1.

WORK SHEET 3.
FICHE DE TRAVAIL, BON DE TRAVAIL, ATTACHEMENT (Fr.)
Voir **job ticket**.

WORKSHOP
ATELIER
Voir **shop** 2.

WORK STOPPAGE
ARRÊT DE TRAVAIL

(prod.) Interruption du travail attribuable à différentes causes : rupture de stock, grève etc.

WORK TICKET
FICHE DE TRAVAIL, BON DE TRAVAIL, ATTACHEMENT (Fr.)
Voir **job ticket**.

WRAPAROUND MORTGAGE
HYPOTHÈQUE INTÉGRANTE

(fin.) Deuxième hypothèque dont la valeur comprend le montant qu'elle garantit et le solde dû en vertu d'un contrat faisant l'objet d'une première hypothèque. Le deuxième créancier hypothécaire reçoit la somme exigible en vertu de l'hypothèque intégrante et rembourse subséquemment le premier créancier hypothécaire. *N.B.* Les taux d'intérêt afférents aux deux hypothèques permettent généralement au deuxième créancier hypothécaire de réaliser un taux de rendement supérieur au taux d'intérêt auquel il a prêté la somme faisant l'objet de l'hypothèque intégrante. *V.a.* **mortgage** *n.* 1.

WRITE DOWN *n.*
ABATTEMENT, MOINS-VALUE, DÉPRÉCIATION, DÉCOTE, RÉDUCTION DE VALEUR
Voir **allowance** 3.

WRITE DOWN *v.* 1.
DÉVALUER, AMORTIR, OPÉRER UNE DÉCOTE, RÉDUIRE

Inscrire la perte de valeur ou la moins-value d'un élément d'actif qui ne s'est pas encore matérialisée. *V.a.* **allowance** 3. et **depreciation** 2.

WRITE DOWN *v.* 2.
AMORTIR, RÉDUIRE, DIMINUER

Réduire le montant d'une dette sans que l'entreprise ait à verser une contrepartie correspondante.

WRITE DOWN *v.* 3.
CONSIGNER PAR ÉCRIT

Rapporter par écrit, dans un document officiel, par exemple un procès-verbal, les résolutions adoptées lors d'une réunion ou un sommaire des discussions engagées alors.

WRITE OFF *v.*
RADIER, PASSER EN CHARGES, IMPUTER À L'EXERCICE, PASSER PAR PERTES ET PROFITS (Fr.)

Virer à un compte de résultats ou de perte, le solde d'un compte d'actif. *Syn.* **charge off** 2. et **expense** *v. V.a.* **depreciation** 2.

WRITE OFF METHOD
(MÉTHODE DE LA) PASSATION DIRECTE EN CHARGES
Voir **direct charge off method**.

WRITE UP *v.* 1.
RÉÉVALUER

Inscrire la plus-value non matérialisée d'un élément d'actif en débitant le compte où figure cet élément et en créditant la même somme à titre d'**écart de réévaluation**. *V.a.* **appraisal increase credit**.

WRITE UP *v.* 2. *(fam.)*
ENREGISTRER, INSCRIRE, COMPTABILISER, PASSER (UNE ÉCRITURE)
Voir **enter**.

YARDSTICK
ÉTALON
(lang. cour.) Représentation matérielle d'une unité de mesure. *V.a.* **benchmark**.

YEAR-END
CLÔTURE DE L'EXERCICE, FIN DE L'EXERCICE
Voir **end of (fiscal) year**.

YEAR-END AUDIT 1.
VÉRIFICATION DE FIN D'EXERCICE, RÉVISION DE FIN D'EXERCICE, VÉRIFICATION DE CLÔTURE,
*   RÉVISION DE CLÔTURE, CONTRÔLE FINAL (Fr.)*
(E.C.) Travaux effectués à la fin d'un exercice ou peu de temps après par l'expert-comptable chargé d'une mission de vérification (ou révision). *Comparer avec* **interim audit** 1. et **pre-year-end audit**. *V.a.* **audit** *n.* 3.

YEAR-END AUDIT 2.
VÉRIFICATION DES ÉTATS FINANCIERS, RÉVISION DES COMPTES ANNUELS
(E.C.) Travail d'un expert-comptable portant sur la vérification (ou révision) des états financiers (ou comptes annuels). *Syn.* **balance sheet audit** 2. *(fam.). Comparer avec* **interim audit** 2. *V.a.* **audit** *n.* 3..

YEAR-END CLOSING
CLÔTURE DE L'EXERCICE
Action de clôturer les comptes à la fin d'un exercice, ce qui exige notamment de solder les comptes de produits et de charges et de dresser un inventaire.

YEAR-END PROCEDURES
PROCÉDURES D'INVENTAIRE, OPÉRATIONS D'INVENTAIRE
Voir **periodic procedures**.

YEARS OF CREDITED SERVICE
ANNÉES DÉCOMPTÉES, ANNÉES DE SERVICE RECONNUES
Voir **credited service**.

YEAR TO DATE
CUMUL (ANNUEL) JUSQU'À CE JOUR, CUMUL (ANNUEL) AU...
Expression employée pour désigner les chiffres figurant, par exemple, dans des rapports trimestriels portant à la fois sur la période écoulée depuis le début de l'exercice et sur la période correspondante de l'exercice précédent.

YIELD 1.
RENDEMENT, RAPPORT, PRODUIT
(fin.) Ce que rapporte un capital, un investissement, par exemple les dividendes tirés d'un placement en actions ou les bénéfices que procurent de nouvelles installations. *V.a.* **current yield**.

YIELD 2.
TAUX EFFECTIF, TAUX DE RENDEMENT
Voir **effective rate** 1.

YIELD METHOD
MÉTHODE DU (TAUX DE) RENDEMENT EFFECTIF
Voir **internal rate of return method**.

YIELD TO MATURITY
TAUX (DE RENDEMENT) ACTUARIEL, RENDEMENT À L'ÉCHÉANCE, TAUX ACTUARIEL BRUT
(fin.) Taux d'intérêt effectif en vigueur au moment où des obligations sont émises et représentant le taux de rendement que les investisseurs tireront de ces obligations s'ils les détiennent depuis la date d'émission jusqu'à la date d'échéance. *Comparer avec* **coupon rate**. *V.a.* **effective rate** 2.

Z

ZERO BASE BUDGETING (ZBB)
TECHNIQUE DU BUDGET (À) BASE ZÉRO, ÉTABLISSEMENT DU BUDGET SUR LA BASE ZÉRO, BUDGET (À) BASE ZÉRO (B.B.Z.)

(gest.) Système d'établissement de budgets axé sur la réévaluation des objectifs, qui consiste, pour chaque responsable ou cadre, à analyser en détail chaque activité ou programme, notamment les coûts, les objectifs poursuivis, les solutions de rechange, les mesures de rendement, les conséquences du non-exercice de l'activité ou de la non-exécution du programme, et les avantages qui en découlent comme si l'on devait repartir à zéro. *N.B.* L'analyse des **solutions de rechange** que cette technique demande de faire donne lieu à une nouvelle façon d'établir les budgets. Les responsables doivent identifier les différentes façons d'exercer une activité : faut-il par exemple opter pour la centralisation ou la décentralisation, ou est-il préférable, pour un organisme, d'avoir sa propre imprimerie plutôt que de recourir à un imprimeur de l'extérieur? De plus, le **système de budget à base zéro** exige que chaque responsable identifie les différents degrés d'intensité ou d'efforts qu'il peut ou doit mettre en oeuvre pour exercer chaque activité. *V.a.* **budgeting**, **decision package** et **decision unit**.

Index français – anglais

Le présent index a été conçu principalement dans le but de faciliter la consultation du dictionnaire. Le lecteur doit donc éviter de le considérer comme un lexique français-anglais autonome. Le choix des termes français dépend des équivalents donnés pour chacune des entrées anglaises du dictionnaire et il convient de rappeler que c'est le terme anglais qui est défini.

Les termes anglais figurant dans l'index sont ceux qui sont accompagnés d'une définition. Si un terme a des synonymes, ils sont donnés dans le dictionnaire immédiatement après le terme défini.

Dans certains équivalents français, on a utilisé des parenthèses qui indiquent la possibilité d'une double lecture. On peut donc se dispenser parfois des mots mis entre parenthèses. Ainsi le terme anglais *stores requisition* se rend par **bon de sortie** si le contexte est suffisamment clair et par **bon de sortie de magasin** s'il est nécessaire d'être plus explicite.

On trouvera dans l'index des termes français dont l'équivalent anglais n'est pas défini dans le dictionnaire. Les termes français en question se retrouvent toutefois dans une définition à laquelle le lecteur est prié de se référer par la lettre *V.* (mise pour *Voir*).

Certains termes anglais donnés comme équivalents de termes français sont suivis des lettres *V.a.* (*Voir aussi*) et d'un autre ou de plusieurs autres termes anglais. Le lecteur est invité à consulter les définitions de ces autres termes, dans lesquelles il retrouvera les termes français en cause, ce qui lui permettra de mieux en connaître la nature et la portée.

A

abandon   abandonment 2.
abandon   retirement 2.
abattement   allowance 3.
abattement   discount *n.* 1.   *V.a.* list price
abattement   *V.* abatement 3.
ab intestat   intestate
abondement   *V.* fringe benefits 2.
abonnement   subscription 1.
abri fiscal   tax shelter
absence d'option (*Fr.*)   *V.* disclaimer of opinion
absorption   acquisition 2.
absorption   merger
absorption par fusion   amalgamation
abus de confiance   breach of trust
abus de crédit   *V.* credit *n.* 3.
acceptation   acceptance 1., 2.
acceptation commerciale   trade acceptance
acceptation de banque   banker's acceptance
accepter   honour *v.* 1.
accepteur   *V.* trade acceptance
accepteur par complaisance   accommodation party
accès   access
accès à distance   remote access

accès à la mémoire de l'ordinateur   access
accès direct   random access
accès en série   sequential access
accès sélectif   random access
accès séquentiel   sequential access   *V.a.* tape
accès sériel   sequential access
accise   excise taxes
accord de regroupement conditionnel   contingent merger contact
accord des échéances   matching of maturities
accorder un prêt   extend a loan
accréditif renouvelable   revolving credit
accroissement   accretion
accroissement de valeur   increase in value
accusé de réception   acknowledgement of receipt *V.a.* order 1.
achalandage (*Can.*)   goodwill
achalandage d'acquisition (*Can.*)   goodwill on acquisition
achalandage de consolidation (*Can.*)   consolidated goodwill
achalandage négatif (*Can.*)   negative goodwill (*fam.*).
achat   purchase

achat   purchasing
achats   purchases
achat à crédit   credit purchase
achat à prix forfaitaire   lump-sum purchase
achat à un prix global   lump-sum purchase
achat avec reprise   trade-in 1.
achat de titres sur marge   margin buying
achat en bloc   block purchase
achats nets   net purchases
achat sur marge   margin buying
acheminement   routing
acheter une usine clés en main   *V.* turn-key
  contract
acheteur   purchaser
acheteur   purchasing agent
acompte   advance 2.   *V.a.* retainer fee
acompte   deposit 3.
acompte   downpayment
acompte   margin 2.
acompte   on account 1.
acompte   payment on account
acompte   progress payment
acomptes de dividende (*Fr.* et *Belg.*)
  V. declaration 1.
acompte provisionnel   *V.* instalment
acomptes provisionnels (d'impôts)   tax (paid
  by) instalments
acquéreur   purchaser
acquérir la compétence pour   qualify 3.
acquis   realized 2.
acquisition   acquisition 1., 2.
acquisition   purchase
acquisitions   additions
acquisition de droits   vesting
acquisition différée   deferred vesting
acquisition en une seule étape   single-step
  acquisition
acquisition progressive   step-by-step acquisition
acquit   discharge *n.* 1.
acquittement   payment 1.
acquitter   discharge *v.* 1., 2.
à crédit   on account 2.
acte   instrument 2.
acte authentique   *V.* title
acte constitutif (*Can.*)   instrument of
  incorporation
acte de cession   conveyance
acte de constitution (*Can.*)   instrument of
  incorporation
acte de disposition   *V.* disposal 1.
acte de faillite   act of bankruptcy
acte de fiducie   bond indenture
acte de fiducie   trust agreement
acte de fiducie   trust indenture
acte de subrogation   act of subrogation
acte de vente   bill of sale
acte fiduciaire   bond indenture
acte fiduciaire   trust indenture
acte sous seing privé   private deed
  V.a. receipt 3.
actif   asset

actif(s)   assets
actif à court terme   current assets
actif(s) à long terme   long-term asset(s)
actif à valeur vénale fixe   monetary asset
actif à valeur vénale variable   non-monetary
  asset
actifs circulants   circulating assets   *V.a.* current
  assets
actif corporel   tangible asset
actif corporel   tangible assets
actif corporel net   net tangible assets
actifs cycliques   circulating assets
actifs de couverture   *V.* pension fund
actif(s) d'exploitation   operating assets
actif disponible   quick assets
actif éventuel   contingent asset
actif fixe   fixed assets
actif(s) identifiable(s)   identifiable assets 2.
actif immobilisé   capital assets 1.
actif(s) immobilisé(s)   long-term asset(s)
actif immobilisé (corporel)   fixed assets
actif incorporel   intangible asset
actif incorporel   intangible assets
actif(s) liquide(s)   liquid assets
actif liquide net   net liquid assets
actif monétaire   monetary asset
actif net   net assets
actif net à court terme   working capital
actif non comptabilisé   non-ledger asset
actif non monétaire   non-monetary asset
actif potentiel   contingent asset
actif(s) sectoriel(s)   identifiable assets 1.
action   share 2.
action   unit 1.
actions   stock 2.
action à dividende cumulatif   cumulative share
actions à dividende cumulatif   cumulative stock
action à dividende différé   deferred share
action à dividende fixe   non-participating share
action à dividende non cumulatif   non-
  cumulative share
actions à dividende non cumulatif   non-
  cumulative stock
actions à dividende prioritaire   *V.* preferred
  share
action amortie   redeemed share
actions amorties   *V.* acquired share, redeemable
  share
action amortissable   redeemable share
actions amortissables   redeemable stock
actions à négociabilité restreinte   letter
  stock (*U.S.*)
action annulée   cancelled share
action à revenu variable   *V.* equity share
actions attribuées   alloted shares
action autodétenue   treasury share 1.
action avec droit de vote   voting share
action avec privilège de participation
  participating share
actions avec privilège de participation
  participating stock

action à vote plural   multiple vote share
actions bloquées   letter stock (*U.S.*)
action confisquée   forfeited share
action convertible   convertible share
actions convertibles   convertible stock
action cotée   quoted share
action d'apport   share issued for property
actions de capital   *V.* acquired share,
   redeemable share
action(s) de garantie (*Fr.*)   qualifying share(s)
actions de jouissance   *V.* acquired share,
   redeemable share
action(s) d'éligibilité (*Can.*)   qualifying share(s)
action de numéraire   share issued for cash
action de priorité   preferred share
actions diluées   watered stock 1.
actions diluées   watered stock 2. (*fam.*)
action donnée en prime   bonus share
actions émises   issued shares
action émise contre espèces   share issued
   for cash
action en contrefaçon   *V.* patent infringement
action entiercée (*Can.*)   escrowed share
action entièrement libérée   fully paid share
action gratuite   bonus share
actions gratuites (*Fr.* et *Belg.*)   stock dividend
action incessible   share with transfer limitations
action inscrite à la cote officielle   quoted share
action inscrite en Bourse   quoted share
action libérée   fully paid share
action mise en main tierce   escrowed share
actionnaire   shareholder
actionnaire dirigeant   shareholder officer
actionnaire immatriculé   registered shareholder
actionnaire inscrit   registered shareholder
actionnaire majoritaire   controlling shareholder
actionnariat des salariés   employee stock
   ownership plan (ESOP)
actions non amorties   *V.* acquired share
action non entièrement libérée   non-fully
   paid share
action non libérée   non-fully paid share
action non émise   treasury share 2. (*fam.*)
action non participante   non-participating share
action ordinaire   common share
actions ordinaires   common stock
action participante   equity share
action participante   participating share
actions participantes   participating stock
action partiellement libérée   non-fully paid share
action perdue par défaut   forfeited share
action prioritaire   senior share 1.
action privilégiée   preferred share
actions privilégiées   preferred stock
action privilégiée à échéance prédéterminée
   term preferred share
action rachetable   redeemable share
actions rachetables   redeemable stock
action rachetable au gré du détenteur
   retractable share
action rachetée   acquired share

action rachetée   redeemed share
action rachetée et non annulée   treasury
   share 1.
action remise à titre gratuit   donated share
actions réparties   alloted shares
action sans droit de vote   non-voting share
action sans privilège de participation
   non-participating share
action sans valeur nominale   no par value
   share
actions statutaires (*Can.*)   qualifying share(s)
activité   operation(s) 2.
activités auxiliaires   ancillary operations
activité de prospection   *V.* practice development
activité génératrice de recettes   revenue
   producing activity
activité normale   normal volume
activités poursuivies   continuing operations
actuaire   actuary
actualisation   discounting
actualiser   discount *v.* 2.
addenda   *V.* addendum
addition   bill *n.* 1.
addition   check *n.* 3. (*fam.*)
addition horizontale   crossfooting
additionner   foot
addition transversale   crossfooting
à découvert   uncovered
à distance (*fam.*)   arm's length
adjoint au directeur   assistant to the director
administrateur   administrator 1.
administrateur   director 1.
administrateur   trustee 2.
administrateur délégué   managing director
administrateur de liaison   interlocking director
administrateur externe   outside director
administrateur judiciaire (*Can.*)   administrator 2.
administrateur judiciaire (*Fr.*)   receiver 2.
administrateur non salarié   outside director
administrateur provisoire   administrator 2.
administration   management 1.
Administration   public administration
Administration fiscale   tax authorities
Administration publique   public administration
administrer   manage *v.*
admis en déduction   deductible *adj.*
admis en franchise   duty free
admissibilité   eligibility
admissible   deductible *adj.*
admissible   eligible
adresse   address
adresse directe   direct address
ad valorem   ad valorem
à exécuter   outstanding 5.
affacturage   factoring   *V.a.* assignment of
   receivables
affaire   deal
affaires   business 1.
affaires litigieuses   *V.* legal fees 2.
affectable   chargeable
affectation   allocation 2.

affectation   allotment 2.
affectation   appropriation 1.
affectation   assignment 2.
affectation budgétaire   appropriation 3.
affectation (de charges)   *V.* cost allocation
affectation des fonds   application of funds
affectation des opérations   loading 3.
affectation des ressources   allocation 2.
affectation de tâches   *V.* staffing 2.
affectation de(s) tâches   job assignment
  V.a. staffing 2.
affectation du personnel   staffing 2.
affecter des fonds à   appropriate funds for, to
affecter en garantie   *V.* hypothecate
affecter (une somme) à une fin
  particulière   earmark
affichage   display
affichage sur écran cathodique   *V.* hard copy
affranchissements   postage expenses
affrètement   chartering
affréteur   *V.* demurrage 1.
agence   agency
agence commerciale   sales office
agence de recouvrement   debt collector
agence de renseignements   credit agency
agence d'évaluation du crédit   credit agency
agencement   layout
agencements   fixtures
agencements, aménagements et
  installations   *V.* fixtures
agenda   diary
agent   agent
agent   broker 1.
agent   representative
agent commercial   salesman 1.
agent comptable   accountant 3.
agent comptable des registres   registrar
agent comptable des transferts   transfer agent
agent d'affaires   *V.* business 1.
agent de change   broker 2.
agent de change   stockbroker
agent de maîtrise   supervisor 2.
agents de maîtrise   lower management
agent de recouvrement   debt collector
agent des transferts   transfer agent
  V.a. registrar
agent du fisc   tax official
agent économique   economic unit 1.
agent immobilier   real estate broker
âge obligatoire de la retraite   automatic
  retirement age
agio(s)   bank charges
agrément   registration 2.
aide-comptable   bookkeeper
aide de l'État   government assistance
aide financière   financial support
aide fiscale à l'investissement   investment
  tax credit
aide-mémoire   check list
aide-réviseur   audit assistant
aide-vérificateur   audit assistant

aîné   *V.* senior (auditor)
ajout   addendum
ajustement   adjustment 3.
ajustement multiplicateur (*Fr.* et *Belg.*)
  financing adjustment
à la valeur   ad valorem
allègement fiscal   tax relief
à l'exception de   except for
algorithme   algorithm   *V.a.* language
aliénation   disposal 1.
alimenter (un compte)   fund *v.* 2.
allocataire de rente   annuitant
allocation   allowance 5.
allocation du coût en capital (*Can.*)   capital cost
  allowance
alotissement   *V.* batch 1.
alphanumérique   alphanumeric   *V.a.* tag 2.
amélioration   improvement
amélioration des terrains   land improvement
  (expenses) 2.
améliorations locatives   leasehold
  improvements
aménagement   layout
aménagement cellulaire   group layout
aménagement de l'usine   plant layout
aménagement des terrains   land improvement
  (expenses) 1.
aménagement fonctionnel   functional layout
aménagement linéaire   line layout
amont   *V.* diversification, flow
amorce   boot strap
amortir   redeem
amortir   write down *v.* 1., 2.
amortissement   accumulated depreciation
amortissement   amortization 1., 2.
amortissement (*Can.*)   amortization expense
amortissement   depreciation 2.
amortissement (*Can.*)   depreciation expense
amortissement   liquidation 1.
amortissements   accumulated depreciation
amortissement accéléré   accelerated
  depreciation
amortissement à l'unité   item depreciation
amortissement comptable   *V.* depreciation
  expense
amortissement constant   straight-line method
  (of depreciation)
amortissement cumulé   accumulated
  depreciation
amortissement décroissant (à taux constant)
  diminishing balance method (of depreciation)
amortissement décroissant à taux double
  double-declining-balance method (of depreciation)
amortissement dégressif (à taux constant)
  diminishing balance method (of depreciation)
amortissement de l'exercice (*Can.*)
  amortization expense
amortissement dérogatoire   *V.* depreciation
  expense
amortissement du capital social   *V.* acquired
  share, redeemable share

amortissement d'une dette   liquidation 1.
amortissement en retard   backlog depreciation
amortissement financier   amortization 2.
 V.a. redemption
amortissement fiscal   capital cost allowance
amortissement fonctionnel   production method
 (of depreciation)
amortissement linéaire   straight-line method
 (of depreciation)
**amortissement linéaire de l'escompte (ou de la
 prime) d'émission**   straight-line method of
 discount (or premium) amortization
**amortissement par classes hétérogènes (de
 valeurs actives)**   composite life depreciation
**amortissement par classes homogènes (de
 valeurs actives)**   group depreciation
amortissement pour dépréciation
 depreciation 2.
**amortissement proportionnel à l'ordre
 numérique inversé des années**   sum-of-the
 years'-digit (SOYD) method (of depreciation)
amortissement proportionnel à l'utilisation
 production method (of depreciation)
amortissement proportionnel au rendement
 production method (of depreciation)
analyse   analysis 1., 2.   *V.a.* auditing techniques
analyse au moyen de ratios   ratio analysis
analyse chronologique   time series analysis
analyse coûts-avantages   cost/benefit analysis
analyse coûts-rendements   cost/benefit analysis
analyse coût-volume-profit   cost/volume/profit
 analysis
analyse de cheminement   network analysis
analyse de circuit   network analysis
analyse de corrélation   correlation analysis
analyse d'entrées-sorties   input/output analysis
analyse de régression   regression analysis
analyse de rendement   cost/benefit analysis
analyse de réseau   network analysis
analyse des comptes annuels   analysis of
 financial statements
analyse des coûts   cost analysis
analyse des écarts   variance analysis
analyse des états financiers   analysis of
 financial statements
analyse des faiblesses   weakness investigation
analyse des interactions coût-volume-profit
 cost/volume/profit analysis
analyse des lacunes   weakness investigation
analyse de sensibilité   sensitivity analysis
analyse de systèmes   systems analysis
analyse différentielle   incremental analysis
analyse financière   financial analysis
analyse horizontale   horizontal analysis
analyse indiciaire   percentage analysis
analyse indiciaire   ratio analysis
analyse intrants-extrants   input/output analysis
analyse marginale   incremental analysis
analyse procentuelle   percentage analysis
analyse sectorielle   cross section analysis
analyse verticale   vertical analysis

analyste financier   financial analyst
anatocisme   *V.* compound interest
ancienneté   seniority
ancienneté d'un compte   age (of an account)
année civile   calendar year
année de base   base year
années décomptées   credited service
années de cotisations   contributory service
année de référence   base year
années de service reconnues   credited service
année normale d'exploitation   natural business
 year
annexe   exhibit 2.
annexe aux comptes annuels (*Fr.*)   notes to
 financial statements
annexe des comptes annuels (*Belg.*)   notes to
 financial statements
annuité   annuity 1.
annuité constante   *V.* annuity 1.
annuité d'amortissement   amortization expense
annuité d'amortissement   depreciation expense
annuité de début de période   annuity due 1.
annuité de fin de période   annuity in arrears
annuité de remboursement   annual (re)payment
annuité différée   deferred annuity 1., 2.
annulation de crédits   lapsing appropriations
annulation de démarque   mark-down
 cancellation
annulation de majoration   mark-up cancellation
annuler   cancel 1., 2.
annuler   offset
à nouveau   opening balance
antichrèse   *V.* collateral 1. (*fam.*)
antidaté   antedated
antidate   *V.* antedated
antidilution   *V.* anti-dilutive effect
à payer   payable
apériteur   *V.* co-insurance 2.
appareil périphérique   *V.* reader
apparentés   related parties
appariement   matching
appartement en copropriété   *V.* condominium 1.
appel   call
appel de fonds   assessment 2.
appel de fonds   call
appel de versement   call
appel d'offres   call for tenders   *V.a.* close of
 business, tender
appel public à l'épargne   public issue
application en cascade de l'impôt   *V.* dividend
 tax credit, double taxation
appoint   change *n.*
appointements   pay *n.*
appointements   salary 3.
apport (de capital)   contribution 1.
apport d'un produit   *V.* contribution margin 1.
apport en espèces   cash contribution
apport en industrie   *V.* contribution in kind
apport en nature   contribution in kind
apport en numéraire   cash contribution
apport financier   financial contribution

appréciation appraisal
appréciation appreciation
appréciation du rendement performance appraisal
apprentissage training 2.
apprêter edit 2.
approche systémique systems analysis
approvisionnement procurement
approvisionnements inventory *n.* 1.
  V.a. reorder
approvisionnement (fait à) la hâte rush order
après acquisition post-acquisition
après impôts net of tax(es)
après-vente customer service
apurement *V.* discharge *n.* 3.
arbitrage arbitrage
arbitrage arbitration
arbitrage trade-off
arbitrage comptant contre terme *V.* arbitrage
arbitrage dans l'espace *V.* arbitrage
arbitrage dans le temps *V.* arbitrage
arbitrage de place à place *V.* arbitrage
arbitrage spatial *V.* arbitrage
arbitrage temporel *V.* arbitrage
arbitragiste en couverture hedger
arbre de décision decision tree
archives commerciales *V.* accounting records
argent cash *n.* 1.
argent comptant cash *n.* 3.
argent en caisse cash on hand
argent frais *V.* assessment 2.
argus *V.* price list
armateur *V.* demurrage 1.
arrangement composition 2.
arrérage(s) annuity instalment
arrérages pension benefits 1.
arrêt de décharge *V.* discharge *n.* 3.
arrêt de travail work stoppage
arrêt du compte *V.* ruling of an account
arrêtés by-laws 1.
arrêté de compte ruling of an account
  V.a. balance an account, to
arrêté de compte bancaire bank statement
arrêté des comptes cut-off
arrêter un compte balance an account, to
arrêt-machine down time
arrhes advance 2.
arrhes deposit 3.
arrhes earnest money
arriéré arrears
arriéré overdue
arriéré de commande back order 2.
arriéré de dividende arrears of dividend
arriéré d'intérêts arrears of interest
arriver à échéance fall due, to
article item 1., 3., 4.
article record *n.* 3.
article section 2.
articles *V.* general journal
articles défectueux defective units
article de journal journal entry

article de réclame loss leader
articles de sécurité *V.* safety stock
articles difficiles à écouler slow-moving stock
article hors série *V.* sale 2.
articles manquants inventory shortage 1.
articles manquants shortage 2.
article refusé reject
article rejeté reject
assainissement de la situation financière
  V. reduction of capital
assainissement (des finances)
  V. reorganization 2.
assainissement d'un stock *V.* mark-down *n.* 2.
assemblée extraordinaire des actionnaires
  special meeting of shareholders
assemblée générale extraordinaire special meeting of shareholders
assemblée générale (ordinaire) annual meeting of shareholders
assemblée ordinaire annuelle des actionnaires
  annual meeting of shareholders
assembleur assembler
assiette base
assiette de l'amortissement depreciation base
  V.a. depreciated cost
assiette des cotisations basis of contributions
assiette d'imposition tax basis *V.a.*
  progressive tax, proportional tax, regressive tax
assiette d'un impôt tax basis
assiette fiscale tax basis
assistant audit assistant
assistant confirmé (*Fr.*) senior auditor
association company 1.
association organization 2.
association apparentée related non-profit organization
association de bienfaisance charitable corporation
association de co-propriétaires condominium 2.
association d'intérêt économique *V.* joint venture
association mutuelle membership corporation
association philanthropique charitable corporation
associé junior partner
associé partner
associé chargé du dossier partner in charge (of a client)
associé commanditaire limited partner
associé commandité general partner
associé conseil consulting partner
associé directeur partner in charge (of an office)
associé directeur général managing partner
associé en fiscalité tax partner
associé fiscaliste tax partner
associé fondateur *V.* senior partner
associé gérant general partner
associé local resident partner
associé national national partner
associé passif limited partner

associé principal   senior partner
associé résidant   resident partner
associé responsable du dossier   partner in charge (of a client)
assujetti à des restrictions   restricted
assurables   prospects 2.
assurance   insurance
assurance à couverture globale   blanket coverage
assurance à risques et à primes variables   blanket coverage
assurance caution   bond 2.
assurance-chômage (A.C.)   unemployment insurance (UI)
assurance collective   group insurance
assurance contre les pertes d'exploitation   business interruption insurance
assurance crédit   credit insurance
assurance de cautionnement   bond 2.
assurance-décès   life insurance
assurance de groupe   group insurance
assurance détournement et vol   fidelity bond
assurance globale   blanket coverage
assurance groupe   group insurance
assurance hypothèque   mortgage insurance
assurances I.A.R.D.   general insurance
assurance-maladie   health insurance
assurance multirisque   comprehensive insurance
assurance pertes d'exploitation   business interruption insurance
assurance-rachat de parts (d'associés)   buy-out insurance
assurance R.C.   public liability insurance
assurance responsabilité civile   public liability insurance
assurance responsabilité professionnelle   professional liability insurance
assurance risques divers   casualty insurance
assurance société   key man insurance
assurance sur la vie   life insurance
assurance tous risques   V. comprehensive insurance
assurance-vie   life insurance
assurance vie entière   whole life insurance
assurance vie temporaire   term life insurance
assuré   insured n.   V.a. insurance
assurés éventuels   prospects 2.
assurer   insure
assurer le suivi   follow up v.
assureur   insurer   V.a. insurance
assureur   underwriter 1.
asymétrie   skewness
atelier   department 1.
atelier   shop 2.
atelier de fabrication   producing department
atelier d'usinage   machine tool department
à titre gratuit   for free
à titre onéreux   for a valuable consideration
attachement (*Fr.*)   job cost sheet
attachement (*Fr.*)   job ticket

attaquer un marché   tap a market, to
attestation   declaration 1.
attestation   V. audit assurance 2., opinion paragraph
attestation de passif (*Can.*)   liability certificate
attestation d'inventaire   inventory certificate
attestation du reviseur (*Belg.*)   auditor's opinion
attester   vouch
attributaire   beneficiary 2.
attribution   allotment 1.
attribution d'avantages   vesting 2.
attribution des coûts   costing 1.
attribution des opérations   loading 3.
attribution des tâches   job assignment
attribution d'une valeur   pricing 1.
attribution d'un prêt   granting of a loan
attribution en propriété   V. beneficiary 2.
attributions   terms of reference
aubaine   bargain
au comptant   cash *adj.*
au comptant   for cash
augmentation   accretion
au pair   V. par 2.
au point mort   stalemate, in a
au porteur   V. bearer
au prorata   V. pro rata
auteur   preparer
auteur d'une fiducie   settlor
authentifier   validate
authentique   bona fide 2.
autoassurance   self-insurance
autocontrôle   internal check
autofinancement   internal financing   V.a. finance v.
autofinancement   self-financing
autofinancement brut   V. self-financing
autofinancement de croissance   V. self-financing
autofinancement de maintien   V. self-financing
autofinancement net   V. self-financing
automatisation   automation
autonome   off-line *adj.*
autonomie du droit fiscal   V. timing differences
autorisation   appropriation 2.
autorisation de crédit   line of credit
autorisation d'engager une dépense   appropriate 2.
autorisation de s'absenter   leave of absence
autorisation de travail   work order 2.
autorité hiérarchique   V. line and staff organization
autres actifs   other assets
autres éléments d'actif   other assets
autres valeurs actives   other assets
autres valeurs immobilisées   other assets
auxiliaire   casual employee
auxiliaire clients   accounts receivable ledger
auxiliaire fournisseurs   accounts payable ledger
aval   endorsement 3.
aval (*antonyme de* amont)   V. diversification, flow

avaliseur   guarantor 1.
avaliste   guarantor 1.
à valoir sur   V. on account 1.
avance   advance 1., 2., 3.
avance   cash credit
avance à justifier   accountable advance
avance sur note de frais   advance 1.
avant acquisition   pre-acquisition
avantage   benefit 4.
avantages accessoires   perquisites
avantages acquis   V. vested benefits
avantages complémentaires   fringe benefits 2.
avantages en nature   V. perquisites
avantage fiscal   tax shield
avantages hors salaires   fringe benefits 1.
avantage social   social benefit
avantages sociaux   fringe benefits 1.
avantages sociaux   tax benefits
avec dividende   cum dividend
avec droits   cum rights
avec lien de dépendance   non arm's length
avec restrictions   restricted
avenant   V. rider
avertissement (Fr. et Belg.)   notice of assessment   V.a. assessment notice, roll 1., tax notice
avilissement de l'argent   depreciation of money
avion cargo   V. freighter
avion d'affaires   V. corporate 1.
avion de fret   V. freighter
avis   notice 2.
avis aux lecteurs   notice to readers   V.a. non-review engagement
avis de cotisation (Can.)   notice of assessment   V.a. tax notice

avis de cotisation (Can.)   tax assessment   V.a. tax notice
avis de cotisation supplémentaire (Can.)   reassessment notice
avis de crédit   credit note
avis de nouvelle cotisation (Can.)   reassessment notice
avis de relance   follow-up letter
avis d'évaluation   assessment notice
avis d'expédition   shipping slip
avis d'imposition   notice of assessment
avis d'imposition   tax notice
avis du réviseur   auditor's opinion
avis du vérificateur   auditor's opinion
avocat-conseil   legal adviser
avoir   V. credit note
avoir de l'arriéré   in arrears, to be
avoir des actionnaires (Can.)   shareholders' equity
avoir des actionnaires (Can.)   statement of shareholders' equity
avoir des actionnaires négatif (Can.)   shareholders' deficiency
avoir des propriétaires (Can.)   owners' equity
avoir du crédit   credit n. 4.
avoir égalité de rang   rank pari passu, to
avoir fiscal (Fr.)   dividend tax credit
avoir infériorité de rang   rank junior, to
avoir la signature   V. signature
avoir priorité de rang   rank prior, to
avoir priorité sur   rank prior, to
avoir social   V. legal capital
à vue   on sight
ayant cause   V. assignee
ayant droit   V. assignee

B

bail   lease
bail avec option d'achat   lease-option agreement
bail financier   financing lease (vieilli)
bail hors frais d'entretien   net lease
bail irrévocable   irrevocable lease
bailleur   lessor   V.a. lease
bailleur de fonds   lender
bail net (Can.)   net lease
bail résiliable   cancellable lease
bail tous frais compris   maintenance lease
baissier   bear
balance   trial balance
balance après clôture   post-closing trial balance
balance après inventaire   V. trial balance
balance avant inventaire   preclosing trial balance   V.a. trial balance
balance avant régularisations   adjusted trial balance (Fr. et Belg.)   V.a. trial balance

balance chronologique   aged trial balance
balance commerciale   V. devaluation (of a currency)
balance des clients   V. trial balance
balance des comptes d'un grand livre auxiliaire   subsidiary trial balance
balance des fournisseurs   V. trial balance
balance de vérification   trial balance
balance de vérification après clôture   post-closing trial balance   V.a. trial balance
balance de vérification après inventaire (Fr. et Belg.)   adjusted trial balance
balance de vérification avant clôture   preclosing trial balance
balance de vérification avant inventaire (Fr. et Belg.)   preclosing trial balance
balance de vérification régularisée   adjusted trial balance
balance générale   V. trial balance

balance par antériorité des soldes   aged trial balance
balancer (*fam.*)   balance *v. tr.*
balancer un compte (*fam.*)   balance an account, to
bande   tape
bande de papier   paper tape
bande de téléscripteur   ticker tape
bande de vidage   file dump
bande magnétique   magnetic tape
bande magnétique   tape
bande perforée   paper tape
bande perforée   punched tape
banque   bank
banque   cash *n.* 2.
banque de données   data bank
banque d'informations   data bank
banque et caisse   cash *n.* 4.
banqueroute   fraudulent bankruptcy
banqueroute frauduleuse   *V.* fraudulent bankruptcy
banqueroute simple   *V.* fraudulent bankruptcy
barème   schedule *n.* 3.
barème de prix   price list
barème des salaires   salary scale
barème d'imposition   tax schedule
base   base
base commune de données   data base
base de données   data base
base de référence   *V.* materiality
base de valorisation   valuation base
base d'évaluation   valuation base
bâtiments   buildings
bénéfice   benefit 6.
bénéfice   income 1.
bénéfice avant impôts (*Can.*)   earnings before income taxes (EBIT)
bénéfice brut   gross margin 1.
bénéfice complémentaire par action   supplementary earnings per share
bénéfice comptable   accounting income
bénéfice comptable   book profit 1. (*fam.*)
bénéfice de l'exercice   income 1.
bénéfice d'exploitation   operating income
bénéfice dilué par action   fully diluted earnings per share
bénéfice distribuable   distribuable income
bénéfice imposable   taxable income
bénéfices industriels et commerciaux (*Fr.*)   *V.* business income
bénéfice net   bottom line (figure) (*fam.*)
bénéfice net (de l'exercice)   income 1.
bénéfice non dilué par action   basic earnings per share
bénéfices non distribués   retained earnings
bénéfices non répartis   retained earnings
bénéfices non répartis   statement of retained earnings
bénéfices non répartis affectés   appropriated retained earnings
bénéfices non répartis depuis la

réorganisation   dated retained earnings
bénéfices non répartis non affectés   unappropriated retained earnings
bénéfice par action (B.P.A.)   earnings per share (EPS) 1.
bénéfice par action en circulation   basic earnings per share
bénéfice premier par action   primary earnings per share
bénéfice pro forma par action   pro-forma earnings per share
bénéfices réinvestis   retained earnings
bénéfice résiduel   residual income
bénéfice sectoriel   segment (operating) margin
bénéfice tiré des secteurs (d'activité) abandonnés   income from discontinued operations
bénéfice tiré des secteurs (d'activité) en exploitation   income from continuing operations
bénéficiaire   beneficiary 1., 2.
bénéficiaire   payee 1.   *V.a.* promissory note
bénéficiaire   recipient   *V.a.* bond 2., trust 1.
besoins de liquidités   cash requirements
besoins de trésorerie   cash requirements
biais   bias
bibliothèque de programmes   program library
bien   asset
bien   property
biens   assets
biens   goods
bien à court terme   current asset
bien à croissance naturelle   natural growth asset
bien affecté en garantie   collateral 1. (*fam.*)
bien(s) à long terme   long-term asset(s)
bien à valeur vénale fixe   monetary asset
bien à valeur vénale variable   non-monetary asset
bien consomptible   wasting asset
bien corporel   tangible asset
biens de consommation   consumer goods
biens de consommation courante   *V.* consumer goods
biens de consommation durables   *V.* consumer goods
biens de production   property, plant and equipment
biens d'équipement   capital goods
bien désaffecté   *V.* retirement 2.
bien donné en gage   collateral 1. (*fam.*)
bien donné en garantie   collateral 1. (*fam.*)
bien donné en nantissement   collateral 1. (*fam.*)
biens du fonds d'immobilisations   capital assets 2.
biens d'usage   *V.* consumer goods
bien en immobilisations   capital property
bien éventuel   contingent asset
bienfait social   social benefit
biens finals   *V.* consumer goods
biens-fonds   real estate
biens-fonds, usine et matériel   property, plant

and equipment
biens fongibles   interchangeable goods
bien grevé d'une hypothèque
collateral 1. (*fam.*)
biens immatériels   *V.* intangible asset
biens immobiliers   real estate
bien immobilisé   capital asset
bien immobilisé   capital item
biens immobilisés   capital assets 2.
bien immobilisé (corporel)   fixed asset
bien incorporel   intangible asset
bien indivis   undivided property
bien intermédiaire   *V.* direct materials
biens liquides   liquid assets
biens liquides nets   net liquid assets
bien matériel   tangible asset
biens meubles   chattel
biens meubles   personal property
biens mobiliers   chattel
biens mobiliers   personal property
bien monétaire   monetary asset
biens non durables   *V.* consumer goods
bien non monétaire   non-monetary asset
bien par indivis   *V.* undivided property
bien productif de revenu(s)   revenue producing
property
bien sujet à épuisement   wasting asset
bien transporté en garantie   pledge *n.* 2.
bien transporté en nantissement   pledge *n.* 2.
bilan   balance sheet
bilan avec présentation ordonnée   classified
balance sheet
bilan commercial   *V.* flow-through method
(investment tax credit)
bilan comptable   *V.* deferred income taxes
bilan consolidé   consolidated balance sheet
bilan de clôture de liquidation   statement of
realization and liquidation
bilan de réalisation éventuelle   statement of
affairs
bilan d'ouverture   opening balance sheet
bilan d'ouverture de liquidation   statement of
affairs
bilan en vrac   unclassified balance sheet
bilan fiscal   *V.* deferred income taxes, flow-
through method (investment tax credit)
bilan initial   opening balance sheet
bilan non ordonné   unclassified balance sheet
bilan ordonné   classified balance sheet
bilan prévisionnel   budgeted balance sheet
bilan sans présentation ordonnée   unclassified
balance sheet
bilan social   *V.* social accounting
bilan technique   *V.* actuarial valuation
billet   promissory note
billet à ordre   *V.* promissory note
billet à terme   term note
billet au porteur   *V.* promissory note
billet de banque   bank note   *V.a.* paper money
billet de complaisance   accommodation paper
billet garanti   collateral note

billet ne portant pas intérêt   non-interest
bearing note
billet portant intérêt   interest bearing note
billet refusé   dishonored note
«bit»   binary digit
bloc d'actions   block of shares
bloc de contrôle   controlling interest 1.
V.a. effectively controlled company
boîte postale scellée   lock box
bon   voucher 3.
bon de caisse   *V.* short-term borrowing
bon de commande   purchase order
V.a. order 1.
bon de garantie   *V.* warranty
bon de livraison   packing slip   *V.a.* delivery slip
bon de magasin   material requisition
bon de magasin   stores requisition
bon de réception   receiving slip
bon de sortie   material requisition
bon de sortie (de magasin)   stores requisition
bon de sortie de matières   material requisition
bon de souscription à des actions   stock
purchase warrant
bon de souscription (d'actions) détachable
detachable warrant
bon de travail   job ticket
bon du trésor   treasury bill
boni   *V.* budget variance 1.
boni de liquidation   dividend 2.
bonification   dividend 5.
boni sur reprise d'emballages consignés
V. returnable container
bonne foi   *V.* bona fide 1.
bon pour aval   *V.* endorsement 3.
bonus   *V.* insurance premiun
bordereau   slip
bordereau de contrôle   check list
bordereau de dépôt   deposit slip
bordereau de livraison   delivery slip
bordereau de paiement   remittance slip
bordereau de paye   payroll 2.
bordereau de réception   receiving slip
bordereau de retrait   withdrawal slip
bordereau de vente   sales order
bordereau de versement   deposit slip
bordereau d'expédition   packing slip
bordereau d'expédition   shipping slip
borne d'acceptation   *V.* acceptance sampling
boucle   loop
boucle de rétroaction   feedback
Bourse   exchange 2.
Bourse   stock exchange
Bourse de commerce   commodity market
Bourse de marchandises   commodity market
Bourse des valeurs (mobilières)   stock
exchange
boutique   shop 1.
boutique franche   duty free shop
boutique hors taxe   duty free shop
branche d'activité   industry 2.
branche d'activité   industry segment

branche d'industrie   industry 2.
brevet   patent
brevet d'invention   patent
brevet en instance   patent pending
breveté *n.*   patentee
breveté *adj.*   patented
brisé   out of order
brouillard   day book
brouillard de caisse   petty cash book
brut   gross *adj.*
budget   budget *n.* 1., 3.
budget (à) base zéro (B.B.Z)   zero-base
  budgeting (ZBB)
budget continu   continuous budget
budget d'administration   administration budget
budget de caisse   cash budget
budget de fonctionnement   operating budget 2.
budget de gestion   *V.* cash budget
budget de production   production budget
budget des achats   purchase budget
budget des approvisionnements   purchase
  budget
budget des dépenses en capital   capital budget
budget des immobilisations   capital budget
budget des investissements   capital budget
budget des ventes   sales budget
budget de trésorerie   cash budget

budget d'exploitation   operating budget 1.
budget directeur   master budget
budget équilibré   balanced budget
budgéter   budget *v.* 1.
budget financier   financial budget
budget fixe   fixed budget
budget flexible   flexible budget
budget général   master budget
budget global   master budget
budgétisation   *V.* budget *v.* 2.
budgétiser   budget *v.* 2.
budget perpétuel   continuous budget
budget roulant   continuous budget
budget statique   fixed budget
budget variable   flexible budget
bulletin de commande   purchase order
bulletin de consigne   *V.* receipt 3.
bulletin de gage   *V.* warehouse receipt 2.
bulletin de paye   statement of earnings and
  deductions
bulletin de réception   receiving slip
bulletin de vente   sales order
bureau   executive committee 2.
bureau   office
bureau de représentation régionale   sales office
bureau régional   branch office
bureautique   office technology

C

cabinet   firm 2.
cabinet   practice 2.
cabinet affilié   affiliated firm
cabinet associé   affiliated firm
cabinet de reviseur d'entreprises (*Belg.*)
  accounting firm
cabinet d'expert(s)-comptable(s)   accounting
  firm
cabinet d'expertise comptable   accounting firm
cadastre   assessment roll
cadre   manager 2.
cadre   officer
cadres de maîtrise   lower management
  V.a. manager 2.
cadre dirigeant   senior executive officer
cadre fonctionnel   staff officer
cadre hiérarchique   line officer
cadre intermédiaire   junior executive
  V.a. manager 2.
cadres intermédiaires   middle management
cadre moyen   junior executive
  V.a. supervisor 2.
cadres moyens   middle management
cadre supérieur   executive 2.
cadres supérieurs   top management
  V.a. manager 2.

cadre théorique (de la comptabilité)   conceptual
  framework (for financial reporting)
cahier des charges   specifications 1.
caisse   cash *n.* 2.
caisse   petty cash
caisse d'amortissement   sinking fund
caisse de crédit   credit union
caisse de retraite   pension fund
caisse de retraite excédentaire   funding excess
caisse en gestion commune   pooled fund
caisse noire   slush fund
caisse populaire   *V.* credit union
calculateur analogique   analog computer
calculateur électronique   *V.* medium
calculateur numérique   digital computer
calculatrice de bureau   *V.* digital computer
calculer   figure *v.* 1.
calendrier   schedule *n.* 1.   *V.a.* timing
calendrier de production   production
  schedule *V.a.* schedule *n.* 1.
calendrier de travail   *V.* production control 1.,
  schedule *n.* 1.
cambiste   broker 3.
camouflage   window-dressing (*fam.*)
campagne de financement   fund raising
  campaign

campagne de souscription   fund raising campaign

canal hiérarchique   line of authority

capacité   capacity 2.

capacité d'autofinancement   self-financing

capacité de fonctionnement   capacity 1.

capacité de gain   earning power

capacité (de mémoire)   capacity 2.

capacité d'emprunt   borrowing power

capacité de production   capacity 1.

capacité de production inexploitée   idle capacity

capacité de production maximale   ideal capacity

capacité de production non utilisée   idle capacity

capacité de production théorique   ideal capacity

capacité de service   service potential

capacité excédentaire   excess capacity

capacité inexploitée   idle capacity

capacité maximale   ideal capacity

capacité non utilisée   idle capacity

capacité normale   normal capacity

capacité normale d'activité   normal capacity

capacité normale de production   normal capacity

capacité pratique   practical capacity

capacité pratique d'activité   practical capacity

capacité pratique de production   practical capacity

capacité théorique   ideal capacity

capital   benefit 3.

capital   capital 1., 2., 3.

capital   contributed capital

capital   principal 1.

capital-actions (*Can.*)   capital 2.

capital-actions (*Can.*)   capital stock

capital-actions à dividende cumulatif (*Can.*)   cumulative stock

capital-actions à dividende non cumulatif (*Can.*)   non-cumulative stock

capital-actions amortissable (*Can.*)   redeemable stock

capital-actions avec privilège de participation (*Can.*)   participating share

capital-actions convertible (*Can.*)   convertible stock

capital-actions ordinaire (*Can.*)   common stock

capital-actions privilégié (*Can.*)   preferred stock

capital-actions rachetable (*Can.*)   redeemable stock

capital-actions restreint (*Can.*)   thin capitalization

capital appelé   called-up capital

capital apporté   *V.* legal capital

capital assuré   insurance carried 2.

capital autorisé (*Can.*)   authorized capital

capital bloqué   permanent capital

capital d'apport   contributed capital

capital-décès   death benefit

capital-décès   lump-sum death benefit

capital déclaré (*Can.*)   legal capital

capital déclaré (*Can.*)   stated capital

capital de départ   seed money

capital de risque   equity capital

capital de risque   venture capital

capital dilué   watered capital

capital émis   issued capital

capital fixe   fixed capital   *V.a.* legal capital

capital gelé   permanent capital

capital improductif   unproductive capital

capital investi   invested capital

capitalisation   capitalization 1., 2.

capitalisation   funding

capitalisation à l'échéance   terminal funding

capitalisation boursière   *V.* going concern value, price-earnings ratio

capitalisation de la valeur à la découverte   discovery value accounting

capitalisation de la valeur des gisements   reserve recognition accounting

capitalisation des bénéfices   capitalization of earnings

capitalisation des gisements   reserve recognition accounting

capitalisation du coût de la recherche fructueuse   successful efforts accounting

capitalisation du coût entier   full costing 1.

capitalisation insuffisante   thin capitalization

capitaliser   capitalize 1., 2., 3., 4.

capital légal   legal capital

capital libéré   paid-up capital

capital non appelé   uncalled capital

capital non émis   unissued capital

capital non encore appelé   uncalled capital

capital permanent   capital 3.

capital permanent   invested capital

capital-risque   venture capital

capital social   capital 2.

capital social   capital stock

capital social autorisé (*Can.*)   authorized capital

capital souscrit   subscribed capital

capital versé   paid-up capital

capitaux   funds 1.

capitaux circulants   circulating assets

capitaux d'amorçage   seed money

capitaux de lancement   seed money

capitaux empruntés   liabilities

capitaux empruntés   long-term liabilities   *V.a.* long-term borrowing

capitaux fébriles   hot money

capitaux fixes   fixed capital

capitaux flottants   hot money

capitaux permanents   capital 3.   *V.a.* long-term borrowing

capitaux propres   capital 1.

capitaux propres   owners' equity

capitaux propres   shareholders' equity

capitaux propres   statement of shareholders' equity

caractère   digit 2.

caractère de commande   control character
caractère significatif   materiality
caractéristique mesurée   attribute measured
caractéristiques techniques   specifications 2.
carence en capital   capital impairment
cargaison   cargo
cargo   freighter
carnet à souche   V. stub
carnet de banque   passbook
carnet de chèques   cheque book
carnet de commandes   backlog
carte   card
carte d'affaires   business card
carte de crédit   credit card
carte de garantie   V. warranty
carte de pointage   clock card
cartel   cartel
carte perforée   punched card
carte professionnelle   business card
carte-réponse   business reply mail
catégorie   class 1., 2., 3.
catégorie d'actions   class 2.
catégorie de biens   class 3.
catégorie professionnelle   occupational category
caution   bond 2. V.a. performance bond
caution   guarantor 2.
caution de bonne exécution   performance bond
caution de soumission   bid bond
cautionné   V. bond 2.
cautionnement   bond 2.
cautionnement   deposit 6.
cautionnement   guarantee 1.
cautionnement définitif   V. bid bond
cautionnement de soumission   bid bond
cautionnement provisoire   V. bid bond
caution réelle   V. guarantee 1.
cédant   assignor
centile   V. quartile
Centrale de bilans   V. financial analysis
centre commercial   shopping center V.a. mall
centre d'activité   responsibility centre
centre d'analyse   responsibility centre V.a. cost centre
centre de coûts   cost centre
centre de fabrication   producing department
centre de frais   cost centre V.a. responsibility centre
centre de gestion agréé   V. management consultant
centre de profit   profit center V.a. responsibility centre
centre de rentabilité   investment centre . V.a. responsibility centre
centre de responsabilité   responsibility centre
centre de traitement à façon   service bureau
centre de traitement de l'information   data centre
centre de travail   V. section 1.
centre d'exploitation élémentaire (Fr.)   profit centre
centre d'exposition   trade mart

centre d'informatique   data centre
centre d'investissement   investment centre
centre externe d'informatique   service bureau
centre informatique   data centre
certain   V. rate of exchange
certificat   certificate
certificat d'action(s)   share certificate
certificat de dépôt   deposit certificate
certificat de destruction de documents   cremation certificate
certificat de dividende provisoire   dividend in scrip
certificat de droit   right certificate
certificat de droit de souscription   right certificate
certificat d'entrepôt   warehouse receipt 1.
certificat de placement   deposit certificate
certificat de placement garanti   guaranteed investment certificate
certificat d'exonération   sales tax license
certificat d'obligation   bond certificate
certification (Fr. et Belg.)   attest function
certification (Fr. et Belg.)   auditor's opinion V.a. opinion paragraph, audit assurance 2.
certificat provisoire   interim certificate
certitude   audit assurance 1.
cessation d'emploi   V. termination date
cessation de paiements   suspension of payments V.a. insolvency
cessibilité   V. negotiability
cession   assignment 1.
cession   disposal 1.
cessions   disposals
cession-bail   sale and leaseback
cession de créances   assignment of receivables 1.
cession de droits mobiliers   V. assignment 1.
cession de prestations   V. cost centre
cession d'une créance   V. assignment 1.
cession d'usufruit   V. assignment 1.
cession interne   inter-segment sale
cessions intersectorielles   V. segment revenue
cessionnaire   assignee
chaîne (de magasins)   chain of stores
chaîne de montage   assembly line
chambre de compensation   clearing house
champ   field 1.
champ de la révision   V. audit scope 2.
champ de la vérification   V. audit scope 2.
change   foreign exchange 1.
change   rate of exchange
changement   alteration
changement de convention comptable   accounting change 2.
changement de méthode comptable   accounting change 2.
chapardage   pilferage
charge   encumbrance 2.
charge   revenue expenditure 1.
charges   expenses V.a. expenditure 1.
charges abonnées   accruals 2.

charges administratives   administrative expenses
charge à payer   accrual
charge à payer   accrued liability
charge au titre des services courants   current service pension cost
charges calculées   V. expenses
charges communes   common costs   V.a. direct costs
charge comptabilisée d'avance   deferred charge
charge constatée par régularisation   accrued expense
charges d'approvisionnement   buying expenses
charges de l'exercice   period costs
charges de personnel   payroll 3.
charges de production   production costs
charges de retraite   pension costs 1.
charge de retraite au titre des services courants   current service pension cost
charge de retraite au titre des services passés   past service pension cost
charges de structure   committed costs,   V.a. direct costs, fixed costs
charges de structure   stand-by costs
charges déterminées par abonnement   accruals 2.
charge de travail   work load
charge d'exploitation   revenue expenditure 1.
charges d'exploitation   expenses
charges d'exploitation   operating expenses
charges directes   direct costs
charges diverses   miscellaneous expenses
charges du siège social   corporate expenses
charge estimative   estimated expense 1.
charges exceptionnelles   V. extraordinary item
charges financières   financial expenses
charges financières calculées   V. imputed cost 2.
charge fiscale   income tax expense
charge fiscale   tax burden
charge fixe   fixed charge
charges fixes   fixed costs
charge flottante   floating charge
charge hors fonds   V. tax shield
charge hypothécaire   encumbrance 2.
charges imputées   applied burden
charges incorporables   product costs
charges indirectes   indirect costs 1.
charges locatives   building occupancy expenses 2.
charges locatives   rental expenses
chargement   cargo
chargement   loading 2.
charge non admissible   disallowed deduction
charge non déductible   disallowed deduction
charges non incorporables   period costs
charges opérationnelles   V. direct costs
charges payées d'avance   prepaid expenses
charge potentielle   V. estimated expense 1.
charges proportionnelles   V. variable costs

charges réelles   V. expenses
charge reportée   deferred charge
charges sectorielles   segment expenses
charges semi-directes   semi-direct costs
charges semi-proportionnelles   V. semi-variable costs
charges semi-variables   semi-variable costs
charges sociales   fringe benefits 2.   V.a. social cost
charges sociales   payroll taxes
charges spécifiques   V. common costs, direct costs
charge supplétive   imputed cost 2.   V.a. expenses
charge théorique   imputed cost 2.
chargeur   loader 1.
charges variables   variable costs   V.a. direct costs
charges variables par paliers   step (variable) costs
charte   charter
chauffage et énergie   light, heat and power
chécographe   cheque writer
chef comptable   chief accountant
chef de bureau   supervisor 2.
chef de la direction   chief executive officer
chef de groupe   manager 5.
chef de mission   senior-in-charge   V.a. audit assistant
chef d'entreprise   businessman
chef d'entreprise   manager 1.
chef d'équipe   senior-in-charge   V.a. senior (auditor)
chef de service   department head
chef de service   director 2.
chef de service   supervisor 2.
chef des services financiers   financial officer
chef du personnel   personnel officer
chemin critique   V. critical path method (CPM), network analysis, program evaluation and review technique (PERT)
chemin de révision   audit trail 1.
chemin de vérification   audit trail 1.
cheminement   process n.
chèque   cheque
chèque au porteur   bearer cheque
chèque barré   crossed cheque
chèque certifié   certified cheque
chèque de voyage   traveller's cheque
chèque en blanc   blank cheque 2.
chèque oblitéré   cancelled cheque
chèque payable au porteur   bearer cheque
chèque payé   cancelled cheque
chèque périmé   stale-dated cheque
chèque sans provision   not sufficient funds (NSF) cheque
chèque visé   certified cheque
chéquier   cheque book
chiffrage   costing 1.
chiffre   figure n. 1., 2.
chiffre approximatif   ball park figure (fam.)

chiffre binaire   binary digit   *V.a.* parity check
chiffre cheville   plug figure 1.
chiffres correspondants de l'exercice
  précédent   comparative figures
chiffre d'affaires   sales
chiffre d'affaires   sales figure
chiffre d'affaires brut   gross sales
chiffre d'affaires consolidé   consolidated sales
  figure
chiffre d'affaires critique   break-even point
chiffre d'affaires de référence   *V.* marginal
  revenue
chiffre d'affaires net   net sales
chiffre d'autocontrôle   self-checking digit
chiffre de l'exercice précédent   comparative
  figures
chiffre de parité   *V.* parity check
chiffre des ventes   sales
chiffre des ventes   sales figure
chiffre erroné   misstated figure
chiffrer   figure 1.
chiffre tampon   plug figure 1.
chiffre trouvé par différence   plug figure 2.
chiffrier   work sheet 1.
choix   *V.* alternatives
choix de la voie la moins imposée   (*Belg.*)
  V. tax avoidance
choix des investissements   capital budgeting 2.
choix du moment   timing
circuit commercial   *V.* marketing of a product
circuit économique   *V.* sales tax
circulaire de sollicitation de procurations
  information circular
circulaire d'information   information circular
circulaire du conseil d'administration   directors'
  circular
classe (d'actions)   class 2.
classe de rémunération   *V.* salary scale
classement   classification
classement chronologique des comptes
  clients   aging of accounts receivable
classement fonctionnel   *V.* one-write system
classement par activités   functional
  classification 2.
classement par antériorité (des soldes) des
  comptes clients   aging of accounts receivable
classement par destinations   functional
  classification 1.
classement par fonctions   functional
  classification 1.
classement par nature   natural classification
classement par programmes   functional
  classification 2.
classer   file *v.* 2.
classification par nature   natural classification
clause   clause
clause   covenant
clause additionnelle   rider
clause afférente aux bénéfices futurs   earn-out
  provision
clause de réméré   *V.* swap facilities

clause d'échelle mobile   escalator clause
clause de droits acquis   grandfather clause
clause de garantie   *V.* pari passu
clause de non-concurrence   covenant not to
  compete
clause de pari passu   pari passu
clause de rachat   *V.* buy-out insurance
clause de réserve de propriété   retention of title
  clause   *V.a.* instalment sale
clause d'indexation   *V.* escalator clause
clause d'intéressement   *V.* incentive plan
clause non financière   non-monerary clause
clause normative   (*Can.*)   non-monetary clause
clause pénale   penalty clause   *V.a.* forfeit
  payment
clause résolutoire   resolutive clause   *V.a.*
  cancel 1.
clause restrictive   covenant
clause restrictive (d'un contrat de prêt)   debt
  covenant
clavier   *V.* keyboard console
clé(s) de répartition   *V.* allocation 1., applied
  cost
clés en main   *V.* turn-key contract
clients   accounts receivable
clients   trade accounts receivable
clients et autres débiteurs   trade and other
  accounts receivable
clients et débiteurs divers   trade and other
  accounts receivable
clients éventuels   prospects 1.
clientèle   accounting practice 1.
clientèle   practice 1.
clientèle d'un expert-comptable   accounting
  practice 1.
clignotants   *V.* operating report
clore un marché   close a deal
clos le   ended on
clôture de l'exercice   end of (fiscal) year
clôture de l'exercice   year-end closing
clôturer   close
clôturer un compte   *V.* balance an account, to
club de placement   investment club
club d'investissement   investment club
coassurance   co-insurance 2.
cobol   cobol
cocher   check *v.* 2.
co-commissaires   (*Fr.*)   joint auditors
co-commissariat   (*Fr.*)   joint audit
code de déontologie   code of ethics
  V.a. professional responsibility
codification des comptes   coding of accounts
codétenteur   joint holder
coefficient   ratio
coefficient d'actualisation   discount factor
coefficient de dispersion   coefficient of variation
coefficient de liquidité   acid test ratio
coefficient de rotation de l'actif   asset turnover
coefficient de rotation des comptes clients
  accounts receivable turnover
coefficient de rotation des stocks   inventory

turnover
coefficient de variation   coefficient of variation
coefficient d'exploitation   operating ratio
**coefficient d'imputation des frais
généraux**   burden rate
**coefficient prédéterminé d'imputation des frais
généraux de fabrication**   predetermined factory
overhead rate
coentreprise   joint venture
cogestion   *V.* participative management
colisage   *V.* packaging
collaborateur essentiel   key employee
collationnement   call and check
collecte de données   data collection
collectivité   *V.* organization 2.
collège de commissaires (*Belg.*)   joint auditors
collège de reviseurs (*Belg.*)   joint auditors
collusion   collusion
combinaison   mix
combinaison (optimale) de(s) produits
product mix
comité de direction   executive committee 1.
comité d'entreprise   *V.* participative
management
comité de vérification (*Can.*)   audit committee
comité mixte   joint committee
comité paritaire   *V.* joint committee
commande   order 1.
commande   purchase order
commande   work order 2.
commande à façon   custom order
commande d'installation clés en main   *V.* turn-
key contract
commandes en attente   backlog
commande en retard   back order 2.
commande en souffrance   back order 2.
commandes non exécutées   *V.* backlog
commande permanente   standing order
commande urgente   rush order
commanditaire   limited partner
commandité   general partner
commentaires de l'expert-comptable
accountant's comments   *V.a.* disclaimer
of opinion, review engagement
commentaires sans opinion   disclaimer of
opinion
commerçant   merchant
commerçant en gros   wholesaler
commerce de détail   *V.* retail sale
commerce de gros   *V.* wholesaler
commerce de gros en libre-service   cash and
carry
commercialisation   marketing 2.
commercialisation d'un produit   marketing of a
product
commettant   principal 3.   *V.a.* broker 2.
commis aux écritures   bookkeeper
commis comptable   bookkeeper
commissaire aux apports   *V.* contribution in
kind, organization expenses
commissaire aux comptes (*Fr.*)   statutory

auditor   *V.a.* audit *n.* 2., auditor
commissaire-réviseur (*Belg.*)   statutory
auditor   *V.a.* audit *n.* 2.
commissariat aux comptes (*Fr.*)   *V.* auditor
commission   commission 1., 2.
commission de démarcheur   finder's fees
commission de financement   *V.* factoring
commission de garantie   underwriting
commission
commission de placement   *V.* best efforts
offering
commission de prise ferme   underwriting
commission
commissionnaire   broker 2.
communication de l'information de gestion
internal reporting
**communication de l'information
financière**   financial reporting
compagnie   company 1., 2.
compagnie à fonds social (*Québec*)   business
corporation
compagnie à fonds social (*Québec*)
company 2.
compagnie à fonds social (*Québec*)   limited
(liability) company 2.
compagnie mère (*Québec*)   parent company
comparabilité   comparability
comparaison   cross-checking
compensation   barter transaction
compensation   set-off   *V.a.* offset
compenser   offset
compétence   expertise
compilateur   compiler   *V.a.* operating system
complément d'impôt   *V.* reassessment notice
composition (*vieilli*)   composition 2.
composition   mix
composition du chiffre d'affaires   sales mix
composition du chiffre des ventes   sales mix
compressions budgétaires   budgetary cuts
comprimer les dépenses   cut expenditures, to
compromis   composition 2.
compromis   trade-off
comptabilisation à la valeur d'acquisition   cost
method (for intercorporate investments)
**comptabilisation à la valeur de
consolidation** (*Can.*)   equity method
**comptabilisation des charges par
abonnement**   *V.* accruals 2.
**comptabilisation des participations à la valeur
d'acquisition**   cost method (for intercorporate
investments)
**comptabilisation des participations à la valeur
de consolidation** (*Can.*)   equity method
**comptabilisation d'un regroupement
d'entreprises**   business combination, methods of
accounting for a
comptabilisation du profit   income recognition
methods
**comptabilisation du profit à l'achèvement des
travaux**   completed contract method
comptabilisation du profit à la

livraison   completed sales basis
comptabilisation du profit au prorata des encaissements   instalment method
comptabilisation du profit au prorata des travaux   percentage-of-completion method
comptabilisation du profit en fonction de la production   production method of revenue recognition
comptabilisation du profit en fonction de l'avancement des travaux   percentage-of-completion method
comptabiliser   account for 1.
comptabiliser   enter
comptabiliser   recognize
comptabilité   accountancy 1.
comptabilité   accounting 1.
comptabilité   accounting system
comptabilité (*fam.*)   bookkeeping
comptabilité administrative (*vieilli*) management accounting
comptabilité à la valeur actuelle   current value accounting
comptabilité à la valeur d'origine   historical cost accounting
comptabilité analytique (d'exploitation)   cost accounting
comptabilité au coût actuel   current cost accounting
comptabilité au coût d'origine   historical cost accounting
comptabilité au coût historique   historical cost accounting
comptabilité autonome   self-balancing fund
comptabilité avec répartition   allocation basis of accounting
comptabilité avec ventilation   allocation basis of accounting
comptabilité d'affectations   appropriation accounting
comptabilité de caisse   cash basis of accounting
comptabilité de caisse modifiée   modified cash basis (of accounting)
comptabilité de gestion   ·management accounting
comptabilité de la paye   payroll accounting
comptabilité d'engagements (*Fr.*)   accrual basis (of accounting) *V.a.* commitment
comptabilité d'engagements   encumbrance accounting
comptabilité d'engagements budgétaires   encumbrance accounting
comptabilité d'entreprise   *V.* accounting income
comptabilité de prix de revient   cost accounting
comptabilité des effets de l'inflation   accounting for inflation
comptabilité des ressources humaines   human resource accounting
comptabilité des succursales   branch accounting
comptabilité d'exercice   accrual basis (of accounting)

comptabilité d'exercice modifiée   modified accrual method
comptabilité d'inflation   accounting for inflation
comptabilité économique   national income accounting
comptabilité en coûts actuels   current cost accounting
comptabilité en coûts historiques   historical cost accounting
comptabilité en coûts historiques indexés   price-level accounting
comptabilité en créances et dettes   accrual basis (of accounting)
comptabilité en dollars constants   constant dollar accounting (*Can.*)
comptabilité en partie double   double entry bookkeeping
comptabilité en partie simple   single entry bookkeeping
comptabilité en valeurs actuelles   current value accounting
comptabilité fiduciaire   fiduciary accounting
comptabilité financière   *V.* financial accounting
comptabilité fiscale   *V.* accounting income
comptabilité fondée sur les flux de l'encaisse   cash flow basis of accounting
comptabilité générale   financial accounting
comptabilité indexée   general price-level (GPL) accounting
comptabilité indexée sur le niveau général des prix   general price-level (GPL) accounting
comptabilité industrielle   cost accounting
comptabilité informatisée   electronic accounting system
comptabilité mécanisée   electric accounting system
comptabilité nationale   national income accounting *V.a.* input/output analysis
comptabilité par branche d'activité   functional accounting
comptabilité par centres de responsabilité   responsibility accounting
comptabilité par décalque   one-write system
comptabilité par destination (*Belg.*)   responsibility accounting
comptabilité par fonds   fund accounting
comptabilité par opérations   venture accounting
comptabilité par secteurs d'activité   functional accounting
comptabilité par voyage(s) maritime(s)   voyage accounting
comptabilité publique   government accounting
comptabilité publique   *V.* public accounting
comptabilité sectorielle   functional accounting
comptabilité sociale   social accounting
comptabilité sur feuilles mobiles   loose-leaf accounting
comptable *adj.*   accountable *V.a.* financial *adj.*
comptable *n.*   accountant 1.
comptable *n.* (*Fr.*)   paymaster
comptable de prix de revient   cost accountant

comptable public (*Belg.*)   paymaster
comptage   *V.* physical count
comptage à l'improviste   *V.* surprise count
comptage de caisse   cash count
comptant   cash *adj.*
compte   account 1., 2.
compte   bill *n.* 1.
compte   charge account
compte   exhibit 1.
compte   statement 2.
comptes   accounts 2.
compte à découvert   overdrawn account
compte à intérêt quotidien   daily interest
account
comptes analytiques   cost ledger
comptes annuels (*Fr., Belg.* et *C.E.E.*)   financial
statements
comptes annuels   set of financial statements
comptes annuels à usage général   general
purpose financial statements
comptes annuels à vocation générale   general
purpose financial statements
comptes annuels consolidés   consolidated
financial statements
comptes annuels de la société mère   corporate
financial statements
comptes annuels en pouvoir d'achat général
general purchasing power financial statements
comptes annuels indexés (sur le niveau général
des prix)   general purchasing power financial
statements
comptes annuels intégrés   consolidated
financial statements
compte à vue   *V.* current account 2.
compte bancaire   bank account
compte bancaire de contrôle   imprest fund 2.
compte bancaire en commun   joint (bank)
account
comptes budgétaires   budgetary accounts
compte capital   capital account
compte chèques   chequing account
compte client   account receivable 1.
comptes clients   accounts receivable
comptes clients   trade accounts receivable
compte client douteux   doubtful account
compte clos   closed account
compte collectif   controlling account   *V.a*
general ledger, subsidiary ledger
comptes consolidés   consolidated financial
statements
compte correspondant   contra account 2.
compte courant   current account 1., 2., 3.
compte courant   open account 2.
compte courant   personal account 2.
compte courant bancaire   current account 2.
compte créditeur   account payable 1.
compte créditeur intersociétés   intercompany
account payable
compte d'achats à crédit   charge account
compte d'affectations   appropriation account 1.
compte d'associé   current account 3.

V.a. drawing account
compte d'attente   suspense account
comptes de bilan   real accounts
compte débiteur   account receivable 1.
compte débiteur intersociétés   intercompany
account receivable
compte de capital   capital account
comptes de charges   expense accounts
compte de chèques   chequing account
compte de contrepartie   contra account 1.
compte de contrôle   *V.* controlling account
compte de crédits   appropriation account 2.
compte de créditeur   account payable 1.
compte de débiteur   account receivable 1.
compte de déficit   deficiency account 2.
compte de dépôts   deposit account
compte de fabrication   manufacturing account
compte de frais   expense account
comptes de frais   expense accounts
comptes de gestion (*Fr.* et *Belg.*)   nominal
accounts
comptes de groupes   group accounts (*U.K.*)
compte de la caisse   cash count
compte de l'associé   *V.* personal account 2.
compte de l'exploitant   *V.* personal account 2.
comptes de liaison   reciprocal accounts 2.
V.a. self-balancing fund
compte de liquidation   realization account
compte de liquidation   statement of charge and
discharge
compte de mandataire   account current
compte de membre   house account 2.
comptes d'engagement   *V.* commitment
compte de passage   clearing account
compte de passage   suspense account
compte de passif   liability account
compte de prélèvements   drawing account
comptes de produits   revenue accounts
compte de profits et pertes (*C.E.E.*)   statement,
income
compte de provision pour dépréciation
valuation account
compte de provision pour moins-value
valuation account
compte de réalisation   realization account
compte de réduction de valeur (*Belg.*)
valuation account
comptes de régularisation   accruals 1.
comptes de régularisation-actif   *V.* accruals 1.,
current assets
comptes de régularisation-passif   *V.* accruals 1.,
current liabilities
compte de réserve   rest account
compte de résultat (*Fr.* et *Belg.*)   statement,
income
comptes de résultats   nominal accounts
compte de résultat présenté en échelle (*Fr.*)
multiple-step income statement
compte de retraits   drawing account
compte dérogatoire   *V.* chart of accounts
compte des affectations budgétaires

appropriation account 2.
comptes de situation   real accounts
comptes de synthèse   condensed financial
statements
compte détaillé   itemized account
compte de tiers   personal account 1.
comptes de tiers   *V.* trade accounts payable,
trade accounts receivable
comptes de valeurs   real accounts
compte d'exploitation   trading account
compte d'exploitation générale (*Fr.*)   statement,
operating 2.   *V.a.* statement, income
compte d'insolvabilité   deficiency account 2.
compte d'ordre   suspense account
V.a. account 1., commitment
compte en banque   bank account
compte en banque à montant prédéterminé
imprest fund 2.
compte en banque indivis   *V.* undivided property
compte en commun   joint (bank) account
compte en fidéicommis   trust account
compte en fiducie   trust account
compte en T   T-account
comptes établis en monnaie étrangère   foreign
currency financial statements
compte fermé   closed account
compte fournisseur   account payable 1.
comptes fournisseurs   accounts payable
comptes fournisseurs   trade accounts payable
comptes homogènes   *V.* subsidiary ledger
compte hors commission   house account 1.
compte indivis   *V.* joint (bank) account
comptes intégrés   consolidated financial
statements
comptes interfonds   interfund accounts
comptes intersociétés   intercompany accounts
compte joint   joint account
compte non garanti   unsecured account
compte non soldé   open account 1.
compte ouvert   open account 1., 2.
comptes permanents   real accounts
comptes prévisionnels   *V.* master budget
comptes pro forma   pro-forma statements
comptes publics (*Can.*)   public accounts
compte provisoire   clearing account
compter   count *v.* 1.
compter   figure *v.* 1.
comptes réciproques   intercompany accounts
comptes réciproques   reciprocal accounts 1.
V.a. reconciliation of accounts
comptes réfléchis   *V.* cost accounting
compte rendu   report *V.a.* minutes
compte rendu comptable   accounting 2.
compte rendu de mission   accountant's
comments *V.a.* review engagement
compte rendu de l'expert-comptable
V. accountant's comments
**compte rendu des opérations de
consignation**   account sales
compte-rendu des travaux (*Fr.*)   *V.* notice to
readers

comptes sociaux   corporate financial
statements.   *V.a.* financial statements
compte soldé   closed account
comptes temporaires   nominal accounts
comptes trimestriels   quarterly financial
statements
concédant   *V.* franchise
concentration   integration
concentration horizontale   horizontal business
combination
concentration par absorption   merger
concentration par fusion   amalgamation
concentration verticale   vertical business
combination
concentration verticale amont   *V.* vertical
business combination
concentration verticale aval   *V.* vertical business
combination
conception fiduciaire de la comptabilité
stewardship accounting
**conception globale du tableau de
financement** (*Fr.*)   all-financial-resources
concept
concession   franchise
concessionnaire   dealer 2. *V.a.* franchise
conciliation (*Can.*)   *V.* reconciliation of accounts
conciliation bancaire (*Can.*)   *V.* bank
reconciliation
conciliation de banque (*Can.*)   *V.* bank
reconciliation
conclure une affaire   close a deal
concordance des comptes   *V.* documentary
evidence
concordat   arrangement   *V.a.* trustee in
bankruptcy
concordat amiable   *V.* arrangement
concordat après faillite   *V.* bankruptcy
concordat judiciaire   *V.* suspension of payments
concordat par abandon d'actif   *V.* arrangement
conditions d'achat   *V.* terms and conditions
conditions d'admission   eligibility
requirements 1.
conditions d'admission à la cote   listing
requirements
conditions d'attribution   eligibility
requirements 2.
conditions de livraison   delivery conditions
conditions de paiement   credit terms
conditions de paiement   purchase payment
terms
conditions de paiement   terms of payment
conditions de règlement   credit terms
conditions de règlement   terms of
payment *V.a.* terms and conditions
conditions de transport   transportation
conditions
conditions de vente   sales conditions
V.a. terms and conditions
conditions d'introduction en bourse   listing
requirements
conditions d'octroi des prestations   eligibility

requirements 2.

conditions générales   terms and conditions

conditions générales de vente   *V.* sales condition

conditions particulières de vente   *V.* sales condition

conditionnement   packaging

confetti   chip 1.

configuration   configuration

confirmation   confirmation   *V.a.* auditing techniques, reconciliation of accounts

confirmation bancaire   bank confirmation

confirmation de banque   bank confirmation

confirmation du contentieux   lawyer's letter

confirmation expresse   positive confirmation

confirmation tacite   negative confirmation

confiscation   forfeiture 2.

congé   holiday

congé   leave of absence

congédiement   discharge *n.* 4.

congé non payé   leave without pay

congés payés   vacation pay

congé sans salaire   leave without pay

congé sans traitement   leave without pay

conglomérat   conglomerate company

connaissances spécialisées   expertise

connaissement   bill of lading

connecté   on-time *adj.*

conseil   board of trustees

conseil   consultant

conseil d'administration   board of directors

conseil (d'administration)   board of trustees

conseil de direction   executive committee 1.

conseil de gestion   management consulting

conseils de gestion   management advisory service (MAS)

conseil d'entreprise   *V.* participative management

conseil de surveillance   *V.* board of directors

conseil en administration   management consultant

conseil en gestion   management consultant

conseil fiscal   tax consultant

conseil juridique   legal adviser

conseiller   consultant

conseiller en administration   management consultant

conseiller en gestion   management consultant

conseiller fiscal   tax consultant

conseiller juridique   legal adviser

consentir un prêt   extend a loan

conservateur des hypothèques   registrar of mortgages

consignataire   consignee   *V.a.* account sales, goods on consignment

consignateur   consignor   *V.a.* account sales, goods on consignment

consignation   consignment (sale)

consignation   deposit 5.

consigne   deposit 5.

consigner par écrit   write down *v.* 3.

consolidation   consolidation 1., 2.

consolidation (globale)   full consolidation

consolidation intégrale   full consolidation

consolidation proportionnelle   proportionate consolidation

consolider   fund *v.* 3.

consortium   consortium

consortium bancaire   banking group

consortium financier   syndicate

constance des marges (bénéficiaires) brutes   *V.* gross profit method

constatation des produits   revenue recognition

constatation du profit   income recognition methods

constatation du profit à l'achèvement des travaux   completed contract method

constatation du profit à la livraison   completed sales basis

constatation du profit au prorata des encaissements   instalment method

constatation du profit au prorata des travaux   percentage-of-completion method

constatation du profit en fonction de la production   production method of revenue recognition

constater   recognize

constituant   settlor   *V.a.* trust 1.

constitution en société   incorporation

constitution en société de capitaux   incorporation

constitution en société par actions   incorporation

consultant   consultant

consultation   *V.* management advisory services

conteneur   container 2.

contentieux   *V.* legal fees 2.

contingent   quota 1.

contracter (une dette)   incur 2.

contraction   shrinkage 1.

contrat   contract

contrat à exécution successive   *V.* cancel 1.

contrat à forfait   fixed price contract

contrat à long terme   long-term contract

contrat à prestations échelonnées   *V.* contract

contrat à prix coûtant majoré   cost-plus contract

contrat à prix fixe   fixed price contract

contrat à prix forfaitaire   fixed price contract

contrats à terme   futures 2.

contrat bilatéral   bilateral contract

contrat certain   executory contract

contrat clés en main   turn-key contract

contrat d'affrètement   demurrage 1.

contrat d'assurance   insurance policy 1.

contrat de cession-bail   sale and leaseback

contrat de change   foreign exchange contract

contrat de change à terme   forward exchange contract

contrat de comportement   *V.* limited partner

contrat de concession   franchise

contrat de crédit   finance contract

contrat de financement   finance contract

contrat de gérance   *V.* manager 3.
contrat de location   lease
contrat de location-acquisition   capital lease
contrat de location avec option d'achat   lease-option agreement
contrat de location-exploitation   operating lease
contrat de location-financement   direct financing lease
contrat de location résiliable   cancellable lease
contrat de location-vente   sales-type lease
contrat de longue durée   long-term contract
contrat de louage   lease
contrat de louage de services   *V.* salesman 1.
contrat de maintenance   service contract
contrat de mise en main tierce   escrow (agreement)
contrat d'entreprise   *V.* contractor 1.
contrat d'entretien   service contract
contrat d'entretien à prix forfaitaire   throughput maintenance contract
contrat de prêt   finance contract
contrat de rente à versements invariables   income averaging annuity contract
contrat de représentation   *V.* covenant not to compete
contrat de société   partnership agreement
contrat de vente   bill of sale
contrat de vente   sale 1.
contrat en régie intéressée   cost-plus contract
contrat forfaitaire   fixed price contract
contrat instantané   *V.* cancel 1., contract
contrat irrévocable   binding contract
contrat synallagmatique   bilateral contract
contrat synallagmatique   indenture
contrat unilatéral   unilateral contract
contrebalancer   offset
contre-expertise   *V.* appraisal
contrefaçon   patent infringement
contrefacteur   *V.* counterfeiter
contrefaire (une signature)   forge
contremaître   foreman
contremaître   supervisor 2.
contre-ordre   stop payment
contrepartie   consideration
contrepartie conditionnelle   contingent consideration
contrepassation   reversal
contre remboursement (C.R.)   cash on delivery (COD)
contre-révision du dossier   cold review
contresigner   countersign
contre-valeur   *V.* trade-in
contre-vérification   cross-checking
contribuable   taxpayer
contribution   tax *n.* 1.
contribution immobilière   property tax
contributions reportées   deferred revenue 2.
contrôlabilité   auditability
contrôle   check *n.* 1.
contrôle   control 1., 2., 3.
contrôle   verification

contrôle à 100%   *V.* quality control 2.
contrôle à l'improviste   surprise count
contrôle au second degré (*Fr.* et *Belg.*)   cold review
contrôle budgétaire   budgetary control
contrôle comptable   accounting control
contrôle corrélatif   internal check
contrôle dans un cadre informatique   computer control
contrôle dans un environnement informatique   computer control
contrôle de caisse   cash audit
contrôle de cohérence   *V.* analytical review
contrôle de détection   detective control
contrôle de gestion   management audit
contrôle de gestion   management control
contrôle de la production   production control 2.
contrôle de la qualité   quality control 1., 2.
contrôle de la vraisemblance   reasonableness (test of)
contrôle de parité   parity check
contrôle de qualité   quality control 1., 2.
contrôles des entrées-sorties   input/output controls
contrôle des stocks   inventory control
contrôle de vraisemblance   reasonableness (test of)
contrôle externe (*Fr.* et *Belg.*)   external audit
contrôle final (*Fr.*)   year-end audit 1.
contrôle fiscal   tax audit
contrôle immédiat   supervision
contrôle indiciaire   percentage analysis
contrôle indiciaire   ratio analysis
contrôle inopiné   surprise count
contrôle(s) intérimaire(s) (*Fr.* et *Belg.*)   interim audit 1.
contrôle interne   internal control 1., 2.
contrôle légal des comptes (*C.E.E.*)   statutory audit *V.a.* control 2.
contrôle limité (*Belg.*)   limited audit engagement
contrôles mécaniques   hardware controls
contrôle par attributs   quality control 2.
contrôle par échantillonnage   *V.* quality control 2., rejection number
contrôle par exceptions   control by exception
contrôle par mesures   quality control 2.
contrôle par nombre de défauts   *V.* quality control 2.
contrôle par sondage(s)   audit testing
contrôle par sondage(s)   test check
contrôle partiel   limited check
contrôle préalable ·   pre-audit
contrôle préventif   preventive control
contrôles programmés   software controls
contrôler   check *v.* 1.
contrôleur   controller
contrôleur de gestion   controller
contrôleur de gestion   management auditor
contrôleur des contributions   assessor
contrôleur du siège social   *V.* corporate 2.
contrôleur général   *V.* corporate 2.

contrôleur légal des comptes (*C.E.E.*)
statutory auditor
convention   covenant
convention accessoire   covenant
convention collective (de travail)   collective
agreement
conventions comptables   accounting policies
conventions comptables de base   accounting
concepts
convention de cautionnement   *V.* performance
bond
convention de fiducie   pension trust agreement
convention de fiducie   trust agreement
convention de gestion   *V.* pension trust
agreement
convention de gestion financière   funding
instrument
convention de la continuité de l'exploitation
going concern concept
**convention de la non-personnalité de
l'entreprise**   proprietorship concept
**convention de la permanence de
l'entreprise** (*Can.*)   going concern concept
**convention de la personnalité de
l'entreprise**   entity concept
convention de placement   *V.* best efforts
offering
convention de prise ferme   underwriting
agreement
convention de rachat d'actions   buy and sell
agreement
convention de rachat de parts d'associés   buy
and sell agreement
convention de tiers gestionnaire   pension trust
agreement
convention de vote (fiduciaire)   voting trust
convergence des efforts   goal congruence
conversion   conversion
conversion de devises (étrangères)   conversion
of foreign currency
conversion de monnaies (étrangères)
conversion of foreign currency
**conversion des comptes exprimés en monnaie
étrangère**   translation of foreign currency
conversion d'obligations   bond conversion
**conversion d'opérations exprimées en monnaie
étrangère**   translation of foreign currency
convertible   convertible 1., 2.
conviction   audit assurance 1.
coopérative   co-operative
coopérative de crédit   credit union
coopérative d'épargne et de crédit   credit union
coordination par réduction directe   direct offset
approach
copie   dump *n.*
copie   duplicata 1.
copie conforme (c.c.)   *V.* copy
copie en clair   *V.* hard copy
copossesseur   joint holder
co-produit   co-product
co-produits   joint products

copropriété   condominium 1., 3.
copropriété divise   condominium 3.
copropriété en parts divises   condominium 1.
copropriété indivise   *V.* condominium 3.
copyright   copyright 1.
coréviseurs   joint auditors
corévision   joint audit
corporation associée (*Can.*)   associated
company 2.
corporation opérant à l'étranger (*Can.*)   foreign
business corporation
corporation professionnelle   corporation 3.
correcteur   call-checker
correction   adjustment 2.
correction d'erreurs   correction of errors
correspondant   correspondent auditor
corrigé   restated
corriger   edit 1.
cotation   quotation 2.
cote   securities listing
cote   *V.* price list
cote de crédit   credit rating
cote de solvabilité   credit rating   *V.a.* credit
agency, credit department, factoring, short-term
credit
cote (officielle)   securities listing
coter   quote *v.* 2.
coter le certain   *V.* rate of exchange
coter l'incertain   *V.* rate of exchange
coter un cours   quote *v.* 2.
cotisant   contributor
cotisation   assessment 1.
cotisation   contribution 2.
cotisation   dues
cotisation d'équilibre   *V.* special contribution
cotisations patronales   employer's contributions
cotisations salariales   employees' contributions
cotisations sociales   fringe benefits 2.
V.a. social cost
cotisations sociales   payroll taxes
cotisation spéciale   special assessment
cotisation spéciale   special contribution
V.a. past service pension cost
cotisations syndicales   union dues
cotiser   assess 2.
cotiser   contribute
cotitulaire   joint holder
coulage (*fam.*)   pilferage
coulisse   over-the-counter market
coup d'accordéon (*fam.*)   *V.* reduction of capital
coup de bélier (*fam.*)   cash flow squeeze
couper dans les dépenses   cut expenditures, to
coupon   coupon 1., et 2.
coupon   leaf
coupon attaché (*Fr.* et *Belg.*)   cum dividend
coupon attaché (*Fr.* et *Belg.*)   cum rights
coupon détaché (*Fr.* et *Belg.*)   ex dividend
coupon détaché (*Fr.* et *Belg.*)   ex rights
coupon d'intérêt   interest coupon
coupure   denomination
coupure de l'exercice   cut-off

courbe d'apprentissage   learning curve
courbe de Laplace-Gauss   normal curve
courbe de régression   V. least squares method
courbe en (forme de) cloche   bell-shaped
  curved
courbe normale (centrée réduite)   normal curve
courir   accrue v. intr.
courrier recommandé   registered mail
cours   price 2.
cours   quoted market price
cours acheteur   bid price
cours acheteur   buying rate
cours acheteur et vendeur   bid/asked price
cours actuel   current rate
cours à terme   forward rate
cours au comptant   spot rate   V.a. spot price
cours coté   quoted market price
cours en Bourse   quoted market price
cours de clôture   closing quotation
cours de clôture   current rate
cours d'émission   issue price
cours des valeurs mobilières   stock market 2.
cours de vente   asked price
cours d'origine   historical rate
cours du change   rate of exchange
cours du marché   quoted market price
cours historique   historical rate
cours sans intérêts   flat quotation
cours vendeur   asked price
cours vendeur   selling rate
courtage   brokerage
courtage   brokerage fees
courtier   broker 2.
courtier en immeubles   real estate broker
courtier en marchandises   commodity broker
courtier en valeurs mobilières (Can.)
  investment dealer
courtier en valeurs mobilières (Can.)
  stockbroker
coût   cost 1.
coût absorbé   expired cost
coûts accessoires   soft costs
coût actuariel normal   normal actuarial
  cost   V.a. current service pension cost
coût actuel   current cost
coût affecté   applied cost
coût à l'unité   unit cost
coût amortissable   depreciable cost (fam.)
coût approché   estimated cost
coût, assurance et fret (C.A.F.)   cost, insurance
  and freight (CIF)
coût budgété   budgeted cost
coûts capitalisés   V. hard costs
coût commun   joint cost
coûts communs   common costs
coût complet   absorption costing
coût consommé   expired cost
coût contrôlable   controllable cost
coût d'achat   acquisition cost
coût d'achat   cost 1.
coût d'achat   purchase price

coût d'achat des marchandises vendues
  (C.M.V.)   cost of goods sold 1.
coût d'achat rendu   laid-down cost 2.
coût d'acquisition   acquisition cost
coût d'activité   capacity cost
coût de base   V. prime cost
coûts de base   hard costs
coût de capacité   capacity cost
coût de cession   transfer price
coût de défaillance   V. inventory shortage 2.
coût de distribution   V. distribution costs
coût de fabrication   production cost
coût de fabrication   statement, manufacturing
coûts de fabrication   production costs
coût de la main-d'oeuvre   labour cost
coût de la sous-activité   idle capacity cost
coût de la sous-activité   unabsorbed
  overhead   V.a. subnormal capacity usage,
  volume variance
coût de production   production cost
coût de reconstitution   reproduction cost
coût de référence   V. marginal cost
coût de remplacement   replacement cost 1., 2.
coût (de remplacement) actuel   current cost
coût de remplacement à l'état neuf
  replacement cost new
coût de renonciation   opportunity cost
coût de revient   cost 2.
coût de revient   production cost
coût de revient complet   absorption costing
coût de revient de base   prime cost
coût de revient normalisé   standard cost
coût de revient normalisé   standard cost system
coût de revient par commande   job cost system
coût de revient par stades   process cost system
coût de revient standard   standard cost
coût de revient standard   standard cost system
coût de revient usine   V. cost 2.
coût de rupture   V. inventory shortage 2.
coût des marchandises achetées   cost of goods
  purchased
coût des marchandises destinées à la
  vente   goods available for sale
coût des marchandises vendues (C.M.V.)   cost
  of goods sold 1.
coût des produits destinés à la vente   goods
  available for sale
coût des produits fabriqués   cost of goods
  manufactured
coût des produits vendus (C.P.V.)   cost of
  goods sold 2.
coût des services courants   current service
  pension cost
coût de stockage   cost of carrying an inventory
coûts de structure   committed costs
coûts de structure   stand-by costs
coût de transformation   conversion cost
coût différentiel   incremental cost
coûts directs   direct costs
coûts discrétionnaires   managed costs
coût d'opportunité   V. opportunity cost

coût d'option   opportunity cost
coût d'origine   historical cost
coût du capital   cost of capital   V.a. net present value method
coût d'un bien en place   laid-down cost 1.
coût d'un bien installé   laid-down cost 1.
coûts d'un régime de retraite   pension costs 2.
coût en capital non amorti (Can.)   undepreciated capital cost (UCC)
coût en magasin   laid-down cost 2.
coût en place   laid-down cost 1.
coûts essentiels   hard costs
coût estimatif   estimated cost
coût et fret (C.F.)   cost and freight (C & F)
coût évitable   avoidable cost
coûts externés   externalities
coûts fixes   fixed costs
coût fonctionnel   functional cost
coût historique   historical cost
coût imputé   applied cost
coûts incorporables   product costs   V.a. acquisition cost
coûts indirects   indirect costs 1.
coût inévitable   unavoidable cost
coût installé   laid-down cost 1.
coût irrécupérable   sunk cost
coût marginal   incremental cost
coût marginal   marginal cost 1.
coût marginal déboursé   out-of-pocket cost
coût moyen   average cost
coût nominal   V. nominal dollars
coût non absorbé   unexpired cost
coût non amorti   amortized cost
coût non amorti   depreciated cost
coût non consommé   unexpired cost
coût non contrôlable   non-controllable cost
coûts non incorporables   period costs
coût normalisé   standard cost
coût passé en charges   expired cost
coûts périphériques   soft costs
coût pertinent   relevant cost
coût préétabli   V. standard cost
coût prévu   budgeted cost
coûts proportionnels   V. variable costs
coût rationnel global   normal cost   V.a. applied burden, overhead application
coût réel   actual cost
coût réellement engagé   actual cost
coût relatif aux services passés   past service pension cost
coût réparti   applied cost
coût réparti   imputed cost 1.
coûts semi-proportionnels   V. semi-variable costs
coûts semi-variables   V. semi-variable costs
coût social   social cost
coût standard   standard cost
coût théorique   imputed cost 2.
coût unitaire   unit cost
coût variable   V. incremental cost
coûts variables   variable costs

coûts variables par paliers   step (variable) costs
coût ventilé   imputed cost 1.
couverture   cover 2.
couverture   coverage 1.
couverture   float n. 1.
couverture   hedge n.
couverture   margin 2.
couverture boursière obligatoire   margin requirement 2.
couverture de l'intérêt   interest coverage ratio
couverture des dividendes   dividend coverage ratio
couverture obligatoire   V. margin requirement 2.
couvrir par une assurance   insure
covérificateurs (Can.)   joint auditors
covérification (Can.)   joint audit
crayon à mine conductrice   V. mark sense, to
créance   claim n. 2.
créance   account receivable 2.
créances   accounts receivable
créances   V. trade accounts receivable
créance à long terme   long-term receivable
créance à plus d'un an   long-term receivable
créance arriérée   V. overdue
créance d'exploitation   V. long-term receivable
créance douteuse   doubtful account
créance en nature   V. prepaid expenses
créance fiscale   V. tax deduction at source
créance hypothécaire   mortgage loan receivable
créance irrécouvrable   bad debt
créance litigieuse   contested claim
créance subordonnée   V. ordinary creditor
créance sur   receivable from
créancier   creditor   V.a. debt 1.
créancier concordataire   V. arrangement
créancier chirographaire   ordinary creditor
créancier garanti   secured creditor
créancier hypothécaire   mortgagee
créancier nanti   V. secured creditor
créancier non garanti   ordinary creditor
créancier obligataire   bondholder
créancier ordinaire   ordinary creditor
créancier partiellement garanti   partially secured creditor
créancier partiellement nanti   V. partially secured creditor
créancier pleinement garanti   fully secured creditor
créancier pleinement nanti   V. fully secured creditor
créancier privilégié   preferred creditor
crédibilité   audit assurance 3.
crédibilité   credibility
crédirentier   annuitant
crédit   abatement 3.
crédit   appropriation 3.
crédit   credit n. 1., 2., 3.
crédit   credit item
crédits   budget n. 3.
crédit à court terme   short-term credit
crédit à la consommation   consumer

credit   *V.a.* instalment sale
crédit à l'exportation   export credit
crédit à long terme   term loan
crédit à tempérament   instalment credit
crédit autorisé   line of credit
crédit aux grandes sociétés   corporate credit
crédit, avoir du   credit *n.* 4.
crédit à vue   demand loan
crédit-bail   leasing
crédit bancaire   bank loan 2.
crédits budgétaires   budget *n.* 3.
crédit commercial   trade credit
crédits croisés   swap facilities
crédit de caisse   cash credit
crédit de caisse (*Belg.*)   demand loan
crédit de campagne   seasonal credit
crédit de confirmation   *V.* stand-by credit
crédit d'équipement   equipment credit
crédit de relais   bridging advance
crédit d'escompte   bank discount 1.
crédit de soudure   *V.* bridging advance
crédit de soutien   stand-by credit
crédit de trésorerie   cash credit   *V.a.* short-term credit
crédit de trésorerie   liquidity credit   *V.a.* short-term credit
crédit d'impôt   abatement 3.
crédit d'impôt à l'emploi   employment tax credit
crédit d'impôt à l'investissement   investment tax credit
crédit d'impôt pour dividendes (*Can.* et *Belg.*)   dividend tax credit
crédit documentaire   *V.* letter of credit
crédit en blanc   unsecured loan
créditer   credit *v.*
créditeur   *V.* creditor
créditeurs   accounts payable

crédit foncier   real estate credit
crédit garanti   secured loan
crédit hypothécaire   mortgage loan
crédit immobilier   real estate credit
crédit non garanti   unsecured loan
crédit personnel   personal loan
crédit de dépenses en capital   capital expenditures vote
crédit professionnel   equipment credit
crédits réciproques   swap facilities
crédit renouvelable   revolving credit
crédit reporté   deferred revenue 1.
crédit saisonnier   seasonal credit
créneau (commercial)   business opportunity
critère d'accceptation   *V.* acceptance sampling, discovery sampling
critère de rejet   rejection number
croissance   accretion
croissance   expansion
croissance   growth
croissance externe   *V.* expansion
croissance interne   *V.* expansion
cumul annuel au . . .   year to date
cumul annuel jusqu'à ce jour   year to date
cumul au . . .   year to date
cumul jusqu'à ce jour   year to date
curateur (à succession vacante)   administrator 2.
curateur de faillite (*Belg.*)   trustee in bankruptcy
curriculum vitae   *V.* personal record
cycle commercial   operating cycle
cycle comptable   accounting cycle
cycle de facturation   *V.* cycle billing
cycle de production   production cycle
cycle d'exploitation   operating cycle   *V.a* natural business year, trade accounts receivable

D

dans le rouge (*fam.*)   in the red (*fam.*)
date d'échéance   maturity date
date de clôture de l'exercice   balance sheet date
date de clôture des registres   record date
date de déclaration   declaration date
date de départ   termination date
date d'effet   effective date
date de l'arrêté des comptes   balance sheet date   *V.a.* cut-off
date de liquidation   settlement date
date d'entrée en vigueur   effective date
date d'entrée en vigeur   value date
date de paiement   payment date
date de paiement (d'un dividende)   date of payment (of a dividend)

date de règlement   payment date
date de règlement   settlement date
date d'établissement du bilan   balance sheet date
date de valeur   value date   *V.a.* effective date
date de versement (d'un dividende)   date of payment (of a dividend)
date d'exigibilité   maturity date
date du bilan   balance sheet date
date limite   deadline
dation en paiement   *V.* payment 1.
débarrasser de ses erreurs   debug
débenture (*Can.*)   debenture 2.
débit   debit *n.* 1., 2.
débit   debit item
débiter   debit *v.*

débiteur   debtor   *V.a.* debt 1.
débiteurs   accounts receivable
débiteur défaillant   delinquent debtor
débiteur en défaut   delinquent debtor
débiteur hypothécaire   mortgagor
débit interne   cross charge
débit interservice   cross charge
de bonne foi   bona fide 1.
débordement   overflow
débouché   outlet 2.
débours   disbursement
déboursé   *V.* disbursement
décaissement   cash outflow
décaissement   disbursement
décalages successifs   *V.* moving average
décharge   discharge *n.* 2.
déchéance   forfeiture 1.
déchet   scrap *n.*
déchet de fabrication   scrap *n.*
déchet de route   loss in transit
déchu   lapsed *adj.*
décideur   decision maker
décile   *V.* quartile
décision anticipée   ruling
décision de fabriquer ou d'acheter
  make-or-buy decision
déclaration   declaration 1., 2.
déclaration   disclosure 2.
déclaration   return 1.
déclaration d'abstention (*Belg.*)   *V.* denial of
  opinion, disclaimer of opinion
déclaration de faits importants   statement of
  material facts
déclaration de fiabilité   audit assurance 2.
déclaration de fiabilité présumée   negative
  assurance
déclaration de forme négative   negative
  assurance
déclaration de la direction au reviseur (*Belg.*)
  letter of representation
déclaration de passif (*Can.*)   liability certificate
déclaration de sinistre   claim *n.* 4.
déclaration d'impôt(s)   tax return
déclaration d'initié   insider report
déclaration d'inventaire   inventory certificate
déclaration d'un dividende   declaration 2.
déclaration en douane   customs declaration
déclaration erronée   misstatement
déclaration fiscale   tax return
déclaration inexacte   misrepresentation 2.
déclaration restreinte de fiabilité   limited (audit)
  assurance
déclaration restreinte de forme
  négative   negative assurance
déclaration trompeuse   misrepresentation 2.
décote   allowance 3.   *V.a.* exemption 2., net
  realizable value, small business deduction
découvert   overdraft 2.
découvert (bancaire)   bank overdraft
découvert de trésorerie   cash deficit
découvert (en banque)   bank overdraft

dédit   *V.* earnest money, forfeit money, option
dédit sur achat   *V.* forfeit payment
dédit sur vente   *V.* forfeit payment
dédommagement   indemnity
déductible   deductible *adj.*
déduction   *V.* abatement 3.
déduction accordée aux petites entreprises
  (DAPE)   small business deduction (SBD)
déduction faite des impôts   net of taxes
déduction forfaitaire   standard deduction
déduire   claim *v.*
déduire   deduct
défaillance   default   *V.a.* defective units
défaillant   defaulter
défalcation   abatement 2.
défalquer   deduct
défaut   defect 1.
défaut   failure to pay
défaut de fonctionnement   *V.* bug
défaut de paiement   dishonour *n.* 2.
défaut de paiement   failure to pay
défectuosité   *V.* defect 2.
déficit   budgetary deficit
déficit   deficit 1., 3.   *V.a.* reduction of capital
déficit   loss 2.
déficit   shortage 2.
déficit actuariel   experience loss
déficitaire   in the red (*fam.*)
déficit budgétaire   budgetary deficit
déficit d'acquisition   negative goodwill (*fam.*)
déficit de caisse   cash deficit
déficit de caisse   cash shortage
déficit de caisse   shortage 2.
déficit de trésorerie   cash deficit
définition de fonction   position description
définition d'emploi   job description
définition de poste(s)   job description
de gré à gré   private agreement, by
degré de certitude   audit assurance 1.
degré de conviction   audit assurance 1.
degré de solvabilité   credit standing
degré raisonnable de certitude   reasonable
  assurance
degré raisonnable de conviction   reasonable
  assurance
dégrèvement   abatement 3.
dégrèvement d'impôt pour investissements
  investment tax credit
dégrèvement fiscal afférent aux stocks
  inventory tax allowance
dégrèvement pour dividendes (*Can.*)   dividend
  tax credit
dégrèvement pour impôt étranger   foreign tax
  credit
dégriffage   *V.* mark-down *n.* 2.
délai   term 2.
délai d'approvisionnement   lead time 1.
délai de carence   waiting period.   *V.a.* insurance
  benefit
délai de démarrage   lead time 2.
délai de garantie   *V.* holdback

délai de grâce   days of grace
délai de lancement   processing lead time
délai de livraison   delivery lead time
délai de livraison   term of delivery
délai de mise au point   setup time 1.
délai de mise en marche   lead time 2.
délai de mise en oeuvre   processing lead time
délai de mise en production   lead time 2.
délai de mise en route   setup time 1.
délai de paiement   term of payment
délai de réapprovisionnement   lead time 1.
  V.a. minimum stock, safety stock
délai de récupération   payback period
délai de récupération actualisé   discounted
  payback period
délai de récupération (base actualisée)
  discounted payback period
délai d'escompte   discount period
délai de service   service time
délai d'exécution   lead time 3.
délai d'exigibilité   V. long-term borrowing, short-
  term borrowing
délai moyen de recouvrement (des
  créances)   collection period (of receivables)
délai moyen de règlement des comptes
  clients   collection period (of receivables)
délai moyen de règlement des comptes
  fournisseurs   number of days' purchases in
  average payables
délai moyen de rotation des stocks   number of
  days' sales in average inventory
délai réglementaire   prescribed time
délaissement   abandonment 2.
de la société   corporate 2.
délégué   agent
délégué   representative
délégué à la gestion journalière (Belg.)
  V. managing director
de l'entreprise   corporate 2.
délimitation de la révision   audit scope 2.
délimitation de la vérification   audit scope 2.
délit   tort
demande   bid price
demande   demand
demande   requisition
demande d'achat   purchase requisition
demande d'approvisionnement   purchase
  requisition
demande de confirmation   confirmation request
demande de crédit   loan application
demande de matières   material requisition
demande d'emprunt   loan application
demande de prêt   loan application
demande de prix   request for quotation
demande de règlement   claim n. 4.
demande de remboursement de frais de
  voyage   travel claim
demande de renseignements   enquiry
demande de révision (Can.)   deficiency letter
demande d'indemnité   claim n. 4.
demander confirmation   circularize 2.

demander un prix   charge v. 2.
démarcation   cut-off
démarchage   V. finder's fees
démarcheur   V. salesman 1.
démarquage   mark-down n. 2.
démarque (des prix)   mark-down n. 1.
démarque inconnue   V. inventory shortage 1.,
  shoplifting
démarques nettes   net mark-downs
démarquer   mark down v.
de même rang   pari passu
démission   resignation
déni de responsabilité   disclaimer of opinion
dénombrement   physical count   V.a. periodic
  inventory (method), shortage 2.
dénombrement   stocktaking
dénombrement par sondages   test count
dénombrer   count v.
dénomination sociale   corporate name
dénomination sociale   firm name
denrée   commodity
denrée périssable   V. commodity
déontologie   ethics
dépassement (de capacité)   overflow
dépassement de crédit   overexpenditure
  V.a. bank overdraft
dépassement des coûts   cost overrun
dépense   expenditure 1.
dépense   revenue expenditure 2.
dépenses   expenditure 2.
dépenses admissibles   V. eligible
dépense budgétaire   budgetary expenditure
dépense capitalisée   capitalized expenditure
dépenses de fonctionnement   operating
  expenditures
dépenses d'exploitation   operating
  expenses   V.a. expenditure 1.
dépense d'exploitation   revenue expenditure 1.
dépense d'investissement   capital expenditure
dépense en capital   capital expenditure
dépense en immobilisations   capital
  expenditure   V.a. expenditure 1.
dépense estimative   estimated expense 2.
dépense immobilisée   capitalized expenditure
dépense non déductible   disallowed deduction
déplacement   transfer 4.
de pleine concurrence   arm's length
déplétion   V. depletion
déport   discount n. 2.
déposant   consignor   V.a. deposit 1.
déposer   file v. 1.
déposer son bilan   file a petition in
  bankruptcy, to
dépositaire   consignee   V.a. deposit 1.
dépositaire légal   escrow agent
dépôt   deposit 1., 2., 6.
dépôt à échéance fixe   term deposit
dépôt à terme (fixe)   term deposit
dépôt à vue   demand deposit
dépôt à vue   sight deposit
dépôt de garantie   deposit 6.

dépôt du bilan   *V.* suspension of payments
dépôt en main tierce   deposit in escrow
dépôt légal   legal deposit
dépréciation   allowance 3.
dépréciation   depreciation 1.
dépréciation   loss in value
dépréciation   valuation allowance
dépréciation   wear and tear
dépréciation de l'argent   depreciation of money
dépréciation fonctionnelle   *V.* depreciation 1.
dépréciation monétaire   *V.* redemption premium, revaluation
dépréciation physique   *V.* depreciation 1.
dépréciation qualitative   *V.* obsolescence
de rang égal   pari passu
déréglé   out of order
dernier cours   closing quotation
dernier entré, premier sorti   last in, first out (LIFO) method
désaffectation   *V.* retirement 2.
description de(s) fonction(s)   job description
description de poste   position description
désinvestissement   disinvestment
dessaisissement   *V.* suspension of payments
destinataire   recipient
désuet   obsolete *adj.*
désuétude   obsolesence
détacher un coupon   clip a coupon, to
détaillant   retailer
détaxation de l'épargne investie en actions (*Fr.* et *Belg.*)   stock savings plan
détenteur   bearer
détenteur à la date de clôture des registres   holder of record
détenteur d'obligations   bondholder
détenteur inscrit à la date de clôture des registres   holder of record
détenteur régulier (*Can.*)   holder in due course
détérioration   wear and tear
détermination de l'assiette d'imposition   assessment 1.
détermination des prix   *V.* price determination
détournement (de fonds)   embezzlement
détournement par virements bancaires   kiting 2.
détraqué   out of order
dette   account payable 2.
dette   debt 1.
dette(s)   indebtedness
dettes   liabilities
dette à court terme   current liability
dettes à court terme   current liabilities
dette actuarielle   actuarial liability 1.
dette actuarielle   actuarial reserve
dette actuarielle non provisionnée   unfunded actuarial liability *V.a.* special contribution
dettes à long terme   funded debt 1.
dette à long terme   long-term liability
dette(s) à long terme   long-term liabilities
dette à moins d'un an   current liability
dette à plus d'un an   long-term liability
dette(s) à plus d'un an   long-term liabilities

dette arriérée   *V.* overdue
dette assortie d'une garantie   secured liability
dette au titre des services passés   past service pension liability
dette au titre d'un régime de retraite   pension liability
dette à valeur vénale fixe   monetary liability
dette à valeur vénale variable   non-monetary liability
dette ayant priorité de rang   senior debt
dette consolidée   consolidated debt
dette consolidée   funded debt 2.
dette de premier rang   senior debt
dette de rang inférieur   subordinate(d) debt
dette de second rang   subordinate(d) debt
dette d'un régime de retraite au titre des services passés   past service pension liability
dette échue   debt due
dette en nature   *V.* deferred revenue 1.
dette estimative   estimated liability
dette estimative   provision 4.
dette éventuelle   contingent liability
dette exigible   debt due
dette exigible à moins d'un an   current liability
dette fiscale latente   *V.* deferred income taxes
dette flottante   floating debt *V.a.* public debt
dette garantie   secured liability
dette générale   general debt
dette monétaire   monetary liability
dette non monétaire   non-monetary liability
dette non provisionnée   unfunded liability
dette non provisionnée au titre des services passés   unfunded past service liability
dette obligataire   bonded debt
dette perpétuelle   *V.* public debt
dette potentielle   *V.* provision 4.
dette prioritaire   senior debt
dette provisionnée   *V.* provision 4.
dette publique   public debt
dette subordonnée   subordinate(d) debt
dette unifiée   consolidated debt
deuxième vérificateur   secondary auditor
dévalorisation de la monnaie   depreciation of money
dévaluation (d'une monnaie)   devaluation (of a currency)
dévaluer   write down *v.* 1.
devenir caduc   *V.* lapse
devenir exigible pour quelqu'un   accrue to someone *v. intr.*
devis   estimate 2. *V.a.* quotation 1., specifications 1.
devis décisionnel   decision package
devise   foreign currency
devises   *V.* foreign currency
devise bloquée   *V.* blocked currency
devise étrangère   foreign currency
devise faible   soft currency
devise forte   hard currency
devise inconvertible   *V.* blocked currency
devise non convertible   *V.* blocked currency

devise tierce   third party currency
diagnostic financier   financial analysis
diagramme à bâtons   bar chart
diagramme de circulation   flow chart 1.
diagramme de décision   decision tree
diagramme de dispersion   scatter diagram
différence de caisse   cash over/short
différence de change   discount *n.* 2.
différence de change   exchange adjustment
différence de change   premium 3.
différences de change latentes   unrealized
  exchange gains or losses
différences de change matérialisées   realized
  exchange gains or losses
différence de première consolidation
  consolidated goodwill
différence d'inventaire   inventory difference
différentiel   incremental *adj.*
diligence   due care
diligences comptables (*Fr.*)   *V̇.* due care
diligences extra-comptables (*Fr.*)   *V.* due care
diligences normales (*Fr.*)   *V.* due care
dilution   dilution 1., 2.
dilution maximale   *V.* fully diluted earnings per
  share
dilution négative   anti-dilutive effect
diminuer   write down *v.* 2.
diminuer les dépenses   cut expenditures, to
diminution   abatement 1.
diminution (de volume)   shrinkage
directeur   principal 5.
directeur   director 2.
directeur adjoint   assistant director
directeur commercial   sales director
directeur des services comptables   chief
  accountant
directeur de succursale   branch manager
directeur des ventes   sales director
directeur du crédit   loan officer
directeur du personnel   personnel officer
directeur financier   financial officer
directeur général   chief executive officer
directeur général   senior executive officer
directeur général adjoint   executive
  vice-president –
directeur non associé   principal 5.
directeur régional   district manager
direction   management 2.
direction de projet   project management
  V.a. management 1.
direction du personnel   personnel department
direction générale   top management
direction générale de la comptabilité
  V. corporate 2.
direction par clignotants   *V.* management by
  exception
direction par exceptions (D.P.E.)   management
  by exception
direction par objectifs (D.P.O.)   management by
  objectives (M.B.O.)
direction participative par objectifs
  participative management by objectives

directive   *V.* policy 3.
directives   guidelines 1.
directoire   *V.* board of directors
dirigeant   executive 2.
dirigeant   manager 1.
dirigeant   officer
dirigeant d'entreprise   businessman
dirigeant de société   corporate executive
dispense   waiver
dispense de vérification (*Can.*)   exemption from
  audit
dispenser   waive
dispersion   deviation
disponibilités   quick assets
disponible *n.*   *V.* liquid assets
disposant   settlor   *V.a.* trust 1.
dispositifs de serrage   *V.* one-write system
dispositif d'introduction frontale   *V.* one-write
  system
disposition   *V.* clause, disposal 1.
disposition de roulement   roll-over provision
disposition horizontale (du bilan)   account form
  (of balance sheet)
disposition relative aux droits acquis
  grandfather clause
disposition verticale   report form (of balance
  sheet)
dissolution   dissolution
distraire   deduct
distribution   distribution 1.
distribution automatisée du crédit   automated
  credit distribution
distribution d'actions gratuites (*Fr.*)   stock
  dividend
distribution de fréquences   frequency
  distribution   *V.a.* normal distribution
distribution de Laplace-Gauss   normal
  distribution
distribution de probabilités   probability
  distribution
distribution normale   normal distribution
diversification   diversification
diversification horizontale   *V.* diversification
diversification latérale   *V.* diversification
diversification verticale   *V.* diversification
dividende   dividend 1., 3.
dividende-actions (*Can.*)   stock dividend
dividende à imposition reportée   tax deferred
  dividend
dividende à payer   dividend payable
dividende arriéré   arrears of dividend
dividende attaché   cum dividend
dividende cumulatif   cumulative dividend
dividende de liquidation   dividend 2., 3.
dividende détaché   ex dividend
dividende en actions (*Can.*)   stock dividend
dividende en espèces   cash dividend   *V.a.*
  dividend 1.
dividende en nature   dividend in kind
dividende en numéraire   cash dividend

dividende majoré   *V.* gross-up
dividende non déclaré (*Can.*)   passed dividend
dividende non versé   unpaid dividend
dividende omis   passed dividend
dividende présumé   deemed dividend
dividende statutaire   statutory dividend
dividende supplémentaire   extra dividend
division   entity 1.
division comptable   accounting entity 1.
division d'actions   stock split
divulgation   disclosure 1.
document   record *n.* 2.
documents annexes   *V.* notes to financial
   statements
document commercial   voucher 2.
documents commerciaux   business papers
documents comptables   accounting records
document d'accompagnement   *V.* delivery slip
document de base   source document
document de bord   *V.* manifest
documents de synthèse (*Fr.*)   financial
   statements
document de travail   discussion memorandum
document de travail   memorandum 4.
document de travail   work sheet 2.
documents en circulation   float *n.* 2.
documents et registres d'une société
   V. corporate 1.
dollars constants   constant dollars
dollars d'origine   nominal dollars
dollars historiques   nominal dollars
dollars indexés   common dollars
dollars millésimés   common dollars
dollars non indexés   nominal dollars
dollars non millésimés   nominal dollars
domicile   *V.* head office
domiciliation   *V.* commercial paper 1.
dominante   mode
dommages-intérêts   indemnity   *V.a.* penalty
   clause, tort
don   donation
donataire   recipient
donateur   grantor   *V.a.* donation
donation   donation
donnée(s)   data 1.
données comparatives   *V.* comparative figures
donnée d'entrée   input *n.* 3.
donnée de référence   *V.* standard 2.
donnée de sortie   output 3.
données incertaines   soft data
données justificatives   supporting data
données maîtresses   standing data
données permanentes   standing data
données prévisionnelles   budget *n.* 2.
donner en gage   pledge *v.*
donner en nantissement   *V.* hypothecate
donner la monnaie   change *v.*
donner suite   follow up *v.*
donner un prix   quote *v.* 1.
donneur d'aval   guarantor 1.
   V.a. endorsement 3.

dosage   mix
dosage des facteurs de commercialisation
   marketing mix
dossier actif   active file
dossier clos   closed file
dossier courant   current file
dossier courant   open item file
dossier de crédit   credit file
dossier de l'exercice   current file
dossier de révision   working papers 1.
dossier des factures impayées   open item file
dossier des sinistres   loss experience
dossier de vérification   working papers 1.
dossier ouvert   active file
dossier permanent   permanent file
dossier personnel   personal record
dotation   allocation (to a provision)   *V.a.* legal
   reserve
dotation à la provision pour épuisement
   depletion expense
dotation à la provision pour reconstitution des
   gi**≥**ments   depletion expense
dotation aux amortissements   amortization
   expense
dotation aux amortissements   depreciation
   expense
dotation aux provisions   estimated expense 1.
dotation linéaire   *V.* straight-line method
   (of depreciation)
doter en capital   fund *v.* 1.
double   copy
double   duplicata 1., 2.
double imposition   tax duplication
dresser l'inventaire   inventory *v.*
droit   share right
droits acquis   vested rights
droit à des prestations   pension benefits 2.
droits à l'actif   equities
droit au bail   *V.* lease renewal
droits attachés   cum rights
droit coutumier et jurisprudentiel   common law
droits d'accise   excise taxes
droit d'adhésion   dues
droit d'attribution   *V.* stock dividend
droit d'auteur   copyright 1.   *V.a.* royalty
droits de courtage   brokerage fees
droit de créance   *V.* assigment of receivables 1.
droits de douane   customs duties
droit de jouissance   *V.* life tenant
droit de mutation   *V.* preliminary expenses 1.
droits d'enregistrement   registration fees
droit de préemption   pre-emptive right
droit de préférence   *V.* lien
droits de propriété industrielle et commerciale
   trademark rights
droits de régie   excise taxes
droit de rétention   *V.* lien
droit des affaires   business law
droit de souscription   share right
droit des sociétés   *V.* corporate 1.
droit de stationnement   demurrage 2.

droit(s) détaché(s)   ex rights
droit de timbre   *V.* stamp
droits de vote cumulatifs   cumulative voting
droit d'exploitation   royalty
droit d'option   option
droite de régression   *V.* least squares method
droit fiscal   *V.* register *v.* 2.
droits indirects   excise taxes
droits indirects   indirect taxes
droits miniers   mineral rights
droits pleinement acquis   fully vested benefits
droits pleinement attribués   fully vested benefits
droit préférentiel de souscription   pre-emptive right
droit préférentiel de souscription   share right
droit réel   *V.* guarantee 1., mortgage *n.* 1.
ducroire   del credere
du groupe   corporate 2.
duplicata   duplicata 2.
durée   term 1.
durée amortissable   depreciable life
durée de conservation   retention period
durée de règlement des comptes clients   *V.* operating cycle
durée de règlement des comptes fournisseurs   *V.* operating cycle

durée de stockage   *V.* operating cycle
durée de vie   depreciable life
durée de vie   service life
durée de vie restante   remaining life
durée de vie utile   useful life
durée du bail   lease term
durée du cycle d'exploitation   *V.* operating cycle
durée d'utilisation   useful life 1.
durée d'utilisation prévue   estimated useful life
durée d'utilisation probable   estimated useful life
durée du travail   working hours
durée économique   economic life
durée matérielle   physical life
durée moyenne de règlement des comptes clients   collection period (of receivables)
durée moyenne de règlement des comptes fournisseurs   number of days' purchases in average payables
durée moyenne du stockage   number of days' sales in average inventory
durée non écoulée   *V.* remaining life
durée physique   physical life
durée résiduelle d'utilisation   *V.* replacement cost 1.
du siège social   corporate 2.

E

ébauche des comptes annuels   draft financial statements
ébauche des états financiers   draft financial statements
écart   deviation
écart   spread *n.*
écart   variance 1., 2., 3.
écart budgétaire   budget variance 1.
écart budgétaire global   budget variance 2.
écart budgétaire sur prix   spending variance
écart d'acquisition   purchase discrepancy
V.a. purchase method
écart d'activité   volume variance
écart d'actualisation   discount *n.* 5.
écart de caisse   cash over/short
écart de caisse négatif   cash shortage
écart de caisse positif   cash overage
écart de conversion   *V.* exchange adjustment
écart défavorable   unfavorable variance
écart de prix   price variance
écart de prix sur les matières   material price variance
écart de quantité   quantity variance
écart de quantité sur les matières   material usage variance
écart de réévaluation   appraisal increase credit *V.a.* revaluation, write-up *v.* 1.
écart de rendement   efficiency variance

écart de taux sur la main-d'oeuvre   labour rate variance
écart de temps sur la main-d'oeuvre   labour usage variance
écart d'inventaire   inventory difference
V.a. perpetual inventory
écart d'inventaire négatif   inventory shortage 1.
écart d'inventaire positif   inventory overage 1.
écart favorable   favorable variance
écarts permanents   permanent differences
V.a. accounting income
écart quadratique moyen   standard deviation
écart statistique   sampling deviation
écart sur budget   budget variance 1.
écarts sur coûts normalisés   standard cost variances
écarts sur coûts standards   standard cost variances
écarts sur frais généraux   overhead variances
écart sur main-d'oeuvre (directe)   labour variance
écart sur matières   material variance
écart sur prix   price variance
écart sur prix des matières   material price variance
écart sur quantité   quantity variance
écart sur quantité des matières   material usage variance

écart sur taux   rate variance
écart sur taux de la main-d'oeuvre   labour rate variance
écart sur utilisation   quantity variance
écart sur utilisation de la main-d'oeuvre   labour usage variance
écart sur volume (d'activité)   volume variance
écarts temporaires   timing differences
   V.a. accounting income
écart-type   standard deviation
échange   barter transaction
échantillon   sample 1., 2.
échantillonnage   sampling 1., 2.
échantillonnage à intervalle variable   variable interval sampling
échantillonnage aléatoire   random sampling
échantillonnage de dépistage   discovery sampling
échantillonnage discrétionnaire   judgment(al) sampling
échantillonnage en unités monétaires   monetary unit sampling
échantillonnage en unités physiques   physical unit sampling
échantillonnage fondé sur des nombres aléatoires   random number sampling
échantillonnage par attributs   attribute(s) sampling
échantillonnage par variables   variables sampling
échantillonnage pour acceptation   acceptance sampling *V.a.* discovery value sampling
échantillonnage pour estimation   estimation sampling
échantillonnage probabiliste   random sampling
échantillonnage raisonné   judgment(al) sampling
échantillonnage statistique   statistical sampling
échantillonnage stratifié   stratified sampling
échantillonnage systématique   systematic sampling
échantillon représentatif   representative sampling
échappatoire   loophole *(fam.)*
échéance   deadline
échéance   maturity date
échéance   term 3.
échéancier   tickler file
échelle des salaires   salary scale
échelle mobile   escalator clause
échelon de commandement   *V.* lower management
échelon de rémunération   *V.* salary scale
échelonner   spread
échoir   fall due, to
échoir   mature v.
échu   overdue
écoulé   lapsed *adj.*
écran cathodique   *V.* hard copy, soft copy
écran juridique   *V.* dummy corporation
écriture   entry

écriture comptable   entry
écriture d'ajustement   adjusting entry 2.
écriture d'annulation   eliminating entry
écriture de clôture   closing entry
écriture de compensation   offsetting entry
écritures de contrepassation   reversing entries
écriture de correction   correcting entry
écriture de fermeture   closing entry
écriture de journal   journal entry
écriture d'élimination   eliminating entry
écriture de redressement   adjusting entry 1.
écriture de redressement   correcting entry
écriture de régularisation   adjusting entry 1.
écritures de réouverture   reversing entries
écriture d'extourne   correcting entry
écriture d'inventaire (*Fr.* et *Belg.*)   adjusting entry 1.
écriture d'ouverture   opening entry
écriture originaire   original entry
écriture pour mémoire   memorandum (entry)
écriture rectificative   correcting entry
édition en clair   *V.* output 3., print-out
effectif   staff 2.
effet   bill *n.* 2.
effet   instrument 1.
effet accepté   acceptance 2.
effet antidilution   anti-dilutive effect
effet à payer   bill payable
effet à payer   note payable
effets à payer   notes payable
effet à recevoir   bill receivable
effet à recevoir   note receivable
effets à recevoir   notes receivable
effet au porteur   bearer bill
effet de cavalerie   accommodation paper
effet de commerce   bill *n.* 2.
effet de commerce   commercial paper 1.
effet de commerce négociable   negotiable instrument
effet de complaisance   accommodation paper
effet de dilution   dilutive effect
effet de levier (de la dette)   leverage 1.
effet de levier (de l'exploitation)   leverage 2.
effet escompté non échu   note receivable discounted
effet financier   commercial paper 2.
effet fiscal   tax effect
effet garanti   collateral note
efficacité   effectiveness
efficacité de la révision   audit effectiveness
efficacité de la vérification   audit effectiveness
efficience   efficiency
efficience de la révision   audit efficiency
efficience de la vérification   audit efficiency
efforts de prospection   *V.* prospects 1.
égalité fondamentale   accounting equation
élaboration du budget   budgeting
élasticité du bénéfice   *V.* leverage 2.
élection à la majorité simple   majority rule voting
élection par droits de vote cumulatif

cumulative voting
élément   item 2.
élément à valeur vénale fixe   monetary item
élément à valeur vénale variable   non-monetary item
élément comptable   *V.* inventory *n.* 4.
élément d'actif   asset
éléments d'actif   assets
élément d'actif à court terme   current asset
élément d'actif à valeur vénale fixe   monetary asset
élément d'actif à valeur vénale variable   non-monetary asset
élément d'actif corporel   tangible asset
élément d'actif éventuel   contingent asset
éléments d'actif identifiables   identifiable assets 2.
élément d'actif incorporel   intangible asset
élément d'actif monétaire   monetary asset
élément d'actif non monétaire   non-monetary asset
éléments d'actif non sectoriels   corporate assets
éléments d'actif sectoriels   identifiable assets 1.
élément de passif   liability 2.
élément de passif à court terme   current liability
élément de passif à valeur vénale fixe   monetary liability
élément de passif à valeur vénale variable   non-monetary liability
élément de passif éventuel   contingent liability
élément de passif monétaire   monetary liability
élément de passif non monétaire   non-monetary liability
élément de retraite   pension unit   *V.a.* contributory service, credited service
élément d'information   item 4.
élément en capital   capital item
éléments en circulation   float *n.* 2.
élément exceptionnel hors exploitation   extraordinary item
élément hors caisse   non-cash item 2.
élément hors fonds   non-fund item 2.
élément inhabituel   unusual item
éléments justificatifs   supporting data
élément monétaire   monetary item
élément non monétaire   non-monetary item
élément quantificateur   measuring unit
éléments supplétifs   *V.* imputed cost 2.
éluder l'impôt   *V.* tax avoidance
émarger   sign
émarger au budget   payroll, to be on the
emballage   container 1.
emballage   packaging
emballage à rendre   returnable container
emballage consigné   returnable container
emballage jetable   non-returnable container
emballage non consigné   non-returnable container
emballage perdu   non-returnable container

emballage récupérable   returnable container
émetteur   issuer
émetteur   preparer
émettre   float *v.*
émettre   issue *v.*
émettre des actions dans le public   go public, to
émission   issuance
émission   issue *n.*   *V.a.* distribution 2.
émission à diffusion restreinte   private issue
émission au robinet (*Belg.*)   *V.* distribution 2.
émission d'actions   share issue
émission (d'actions) éventuelle   contingent issuance
émission de droits   rights issue
émission d'obligations   bond issue
émission faisant appel public à l'épargne   public issue
émoluments   fee(s) 1.
émoluments   pay *n.*
emplacement   *V.* location 1.
emplacement de mémoire   storage location
emplois   application of funds   *V.a.* assets, balance sheet
emplois cycliques   *V.* application of funds
emplois définitifs   *V.* application of funds
emplois des fonds   application of funds
emplois fixes   *V.* application of funds
emploi temporaire   interim job
employé   employee
employé auxiliaire   casual employee
employé occasionnel   casual employee
emprunt   loan 2.   *V.a.* finance *v.*
emprunt à long terme   long-term borrowing
emprunt à moins d'un an   short-term borrowing
emprunt à plus d'un an   long-term borrowing
emprunt assorti d'un remboursement forfaitaire   balloon loan
emprunt à terme   term loan
emprunt à vue   demand loan
emprunt bancaire   bank loan 2.
emprunt d'État   government bond
emprunteur   *V.* credit *n.* 3., loan 1.
emprunt garanti   collateral loan
emprunt garanti   secured loan
emprunt hypothécaire   mortgage loan payable
emprunt hypothécaire non plafonné   open-end mortgage
emprunt hypothécaire plafonné   closed-end mortgage
emprunt non garanti   unsecured loan
emprunt obligataire   bonded debt
emprunt-obligations   bonded debt
emprunt remboursable à vue   demand loan
emprunt remboursable sur demande (*Can.*)   demand loan
encadrement du crédit   credit squeeze
encaisse   cash *n.* 2., 4.
encaisse   cash on hand
encaisse   funds 2.
encaissement   cash inflow

encaissement   receipt 1.
encaissements et décaissements   statement of receipts and disbursements
encaissement par banque   bank collection
encaisser   cash v.
en circulation   outstanding 2., 4.
encodeuse   data encoder
en concurrence   arm's length
encouragement   incentive
encouragement fiscal   tax incentive
en-cours   goods in process
encours de crédit   credit outstanding
en dérangement   out of order
endettement   indebtedness
endettement à court terme   working capital deficiency
en direct   real time
endos   endorsement 1.
endos de complaisance   accommodation endorsement
endossataire   endorsee
endossement   endorsement 2.
endossement en blanc   blank endorsement
endossement restrictif   restrictive endorsement
endosseur   endorser
endosseur par complaisance   accommodation party
en douane   in bond
en double   in duplicate
en espèces   V. cash n. 3.
en faillite   bankrupt adj.
en faillite   receivership, in
en fidéicommis   in trust
en fiducie   in trust
en franchise de droits   duty free
en franchise d'impôt   free of tax
en franchise postale   postage free
engagement   commitment
engagement   encumbrance 1.
engagement actuariel   actuarial liability
engagement actuariel   actuarial reserve
engagements (contractés) au titre d'un régime de retraite   pension obligations
engagement du personnel   staffing 1.
engagements donnés   V. commitment
engagement hors bilan   off-balance sheet commitment
engagement non capitalisé au titre des services passés   unfunded past service liability
engagements reçus   V. commitment
engager (une dépense)   incur 1.
en liaison   on-line adj.
en ligne   on-line adj.
en mauvais état   out of order
énoncé   statement 3.
énoncé fautif   misstatement
en numéraire   monetary 3.
en panne   out of order
enquête   enquiry
enquête   survey
enquêter   investigate

enregistrement   record n. 3.
enregistrement   registration 1.
enregistrement direct   direct posting
enregistrement par décalque   V. one-write system
enregistrer   account for 1.
enregistrer   enter
enregistrer   register v. 2.
en retard   overdue
en rouge (fam.)   in the red (fam.)
enseigne   firm name
en souffrance   overdue
en suspens   V. overdue
en temps partagé   time sharing
en temps réel   real time
en-tête   heading
entiercement (Can.)   escrow (agreement)
entité   V. organization 2.
entité comptable   accounting entity 2.
entité économique   economic unit 2.
entrée   input n. 2., 3.
entrée en vigueur   effective date
entrepôt   warehouse
entrepôt de douane   bonded warehouse 2.
entrepôt fictif   V. bonded warehouse 2., warehouse
entrepôt public (Can.)   bonded warehouse 1.
entrepôt réel   V. bonded warehouse 2., warehouse
entrepôt sous douane   bonded warehouse 2.
entrepreneur   businessman
entrepreneur   contractor 1.
entrepreneur   promoter
entrepreneur de transports   carrier
entrepreneur général   general contractor
entreprise   business firm
entreprise   enterprise
entreprise   organization 2.
entreprise   profit-oriented organization
entreprise   undertaking
entreprise   venture
entreprise à exploitation diversifiée   V. segmented information
entreprises apparentées   related parties
entreprise à succursales   multiple stores
entreprise à tarifs réglementés   regulated enterprise   V.a. public utilities (company)
entreprise au stade de la mise en valeur   development stage enterprise
entreprise commerciale   commercial concern
entreprise concédante   V. franchising
entreprise conjointe   joint venture
entreprise d'amont   V. direct materials
entreprise d'aval   V. direct materials
entreprise de fabrication   manufacturing concern
entreprise de services   service concern
entreprise de services publics   public utilities (company)   V.a. regulated enterprise
entreprise de vente par correspondance   mail order house

entreprise en activité   going concern
entreprise en exploitation   going concern
entreprise en participation   joint venture
entreprise en pleine activité   going concern
entreprise exploitée activement (*Can.*)   active
business
entreprise générale   *V.* contractor 1.
entreprise individuelle   sole proprietorship
entreprise industrielle   manufacturing concern
entreprise marginale   *V.* marginal *adj.*
entreprise non constituée en société de
capitaux   unincorporated business
entreprise nouvelle   development stage
enterprise
entreprise personnelle   sole proprietorship
entreprise publique   *V.* public utilities (company)
entreprise risquée   venture
entreprise sans personnalité morale
unincorporated business
entreprise supranationale   *V.* multinational
corporation (MNC)
entretien   maintenance 1.
entretien courant   *V.* maintenance 1.
entretien différé   deferred maintenance
entretien préventif   *V.* maintenance 1.
enveloppe budgétaire   *V.* budget *n.* 1.
enveloppe-réponse   business reply mail
en vigueur   in effect
en vrac   bulk, in
épargnant   investor 1.
épargne-logement   *V.* registered home
ownership savings plan (RHOSP)
épargne nette   *V.* self-financing
épreuve   hard copy
éprouver une perte   incur 3.
épuisement   depletion
épuisement à rebours   last in, first out (LIFO)
method
épuisement (progressif) des disponibilités
cash drain
épuisement successif   first in, first out (FIFO)
method
épurer   edit 1.
équation comptable   accounting equation
équation de regroupement   acquisition equation
équilibre coûts-avantages   cost/benefit
effectiveness
équipe   shift
équipe de révision   audit team
équipe de vérification   audit team
équipement   equipment 1.
équipement portable   portable equipment
équipement portatif   portable equipment
érosion monétaire   depreciation of money
erreur   bug
erreur   error
erreur arithmétique   clerical error 1., 2.
erreur comptable   accounting error
erreur d'écriture(s)   clerical error 1.
erreur d'inversion   transposition error
erreur en numéraire   monetary error 1., 2.

escompte   bank discount 1., 2., 3.
escompte   discount *n.* 1.
escompte accordé   sales discount
escompte à l'émission d'actions (*Can.*)   share
discount
escompte à l'émission d'obligations (*Can.*)
bond discount
escompte au comptant   cash discount
V.a. list price
escompte commercial   bank discount 1., 2.
escompte de caisse   cash discount
escompte d'émission (*Can.*)   discount *n.* 3.
escompte d'émission d'actions (*Can.*)   share
discount
escompte d'émission (d'obligations) (*Can.*)
bond discount
escompte de règlement   cash discount
escompte obtenu   purchase discount
escompter   discount *v.* 1.
escompte rationnel   bank discount 3.
escompte sur achats   purchase discount
escompte sur ventes   sales discount
escroquerie   fraud
espèces   cash *n.* 3.
estampille   *V.* stamp
estimation   appraisal
estimation   estimate 1.
estimations ponctuelles   single value forecasts
établi antérieurement   previously reported
établir   assess 3.
établir le budget   budget *v.* 1.
établir une facture   invoice *v.* 2.
établissement   business firm
établissement   entity 1.
établissement   establishment
établissement   place of business
établissement de budgets par programmes
program budgeting 1.
établissement étranger autonome   self-
sustaining foreign operation
établissement étranger intégré   integrated
foreign operation
établissement de crédit   lending institution
établissement des prix de revient   costing 2.
établissement des prix   price determination
établissement du budget   budgeting
établissement du budget des investissements
capital budgeting 1.
établissement du budget sur la base zéro   zero
base budgeting (ZBB)
établissement étranger   foreign operation
établissement financier   financial institution 1.
établissement principal   home office
étalement   deferment *V.a.* depreciation 2.
étalement du revenu (imposable)   averaging of
income
étalement général   general averaging
étalement sur les années suivantes   forward
averaging
étaler   spread *v.*
étalon   yardstick

étalon de mesure   *V.* foreign currency approach
étalon monétaire   *V.* revaluation of a currency
état   exhibit 1.
état   statement 2.
état comparatif   comparative statement
état de caisse   statement of receipts and disbursements
état de compte   statement of account
état de compte bancaire   bank statement
état de la provenance et de l'utilisation des fonds   statement of source and application of funds
état de l'avoir des actionnaires *(Can.)*   statement of shareholders' equity
état de l'évolution de la situation financière *(Can.)*   statement of changes in financial position
état de l'évolution de la valeur liquidative   statement of changes in net assets
état de l'évolution de l'encaisse   statement, cash flow
état de liquidation   statement of realization and liquidation
état de rapprochement   *V.* reconciliation of accounts
état de rapprochement bancaire   bank reconciliation
état de rapprochement de banque   bank reconciliation
état de réalisation et de liquidation   statement of realization and liquidation
état des bénéfices non répartis   statement of retained earnings
état des capitaux propres   statement of shareholders' equity
état des encaissements et décaissements   statement of receipts and disbursements
états de service   record of service
état des mouvements de la trésorerie   statement, cash flow
état des recettes et dépenses   statement of revenue and expenditure
état des rentrées et sorties de fonds   statement of receipts and disbursements
état des résultats *(Can.)*   statement, income
état des résultats à groupements multiples   multiple-step income statement
état des résultats à groupements simples   single-step income statement
état des résultats d'exploitation   statement, operating 2.
état des résultats et des bénéfices non répartis   combined statement of income and retained earnings
état dressé en pourcentages   common-size statement
état du coût de fabrication   statement, manufacturing
état d'une société en participation   joint account
état du surplus d'apport   statement of

contributed surplus
état financier   statement 2.
états financiers   financial statements
états financiers   set of financial statements
états financiers à usage général   general purpose financial statements
états financiers à usage particulier   special purpose financial statements
états financiers à vocation générale   general purpose financial statements
états financiers à vocation spéciale   special purpose financial statements
états financiers collectifs   group accounts *(U.K.)*
états financiers condensés   condensed financial statements
états financiers consolidés   consolidated financial statements
états financiers cumulés   combined financial statements
états financiers de la société mère   corporate financial statements
états financiers dressés en monnaie étrangère   foreign currency financial statements
états financiers en pouvoir d'achat général   general purchasing power financial statements
états financiers indexés (sur le niveau général des prix)   general purchasing power financial statements
états financiers intégrés   consolidated financial statements
état financier périodique   interim financial statement
états financiers personnels   personal financial statements
états financiers prévisionnels   budgeted statements   *V.a.* financial forecasts 1., master budget
états financiers pro forma   pro-forma statements
états financiers provisoires   draft financial statements
états financiers simplifiés   condensed financial statements
états financiers trimestriels   quarterly financial statements
état-major   staff 1.
états prévisionnels   budgeted statements
éteindre une hypothèque   pay off a mortage, to
étendue   range
étendue   spread *n.*
étendue de la révision   audit scope 1.   *V.a.* implications of an audit
étendue de la vérification   audit scope 1.   *V.a.* implications of an audit
étendue et intensité des sondages de révision   extent of audit testing
étendue et intensité des sondages de vérification   extent of audit testing
étiquetage   labelling
étiquette   label 2.
étiquette   tag 1.

étiquette   tag 2.
étiquette de prix   price tag
être admis (dans une profession)   quality 2.
être en équilibre   balance *v. intr.*
être en retard (dans ses paiements)   in arrears, to be
être équilibré   balance *v. intr.*
être in bonis   *V.* solvency
être subordonné à   rank junior, to
étude   survey
étude de faisabilité   feasibility study
   V.a. profitability study
étude de praticabilité   feasibility study
étude de rentabilité   profitability study
étude des temps et mouvements   time and motion study
étude d'implantation   organization planning 2.
étude du rendement   performance review
étude préalable à l'acquisition   purchase investigation
étude préregroupement   purchase investigation
étude spéciale   investigation
évaluation   appraisal
évaluation   costing 1.
évaluation   pricing 1.
évaluation   valuation
évaluation actuarielle   actuarial valuation
évaluation à dire d'expert   appraisal
évaluation à la valeur minimale   lower of cost and market method
évaluation de la performance   performance review
évaluation des stocks au prix coûtant   cost method (for inventories)
évaluation des tâches   job evaluation
évaluation du rendement   performance appraisal
évaluer   assess 1.
évaluer   value v.
évaporation (d'un liquide)   shrinkage 1.
évasion de(s) capitaux   capital evasion
évasion fiscale (*Fr.*)   tax avoidance
évasion fiscale (*Can.*)   tax evasion
événement fortuit   act of god
événement postérieur à la clôture   subsequent event
événement postérieur à la date de clôture (de l'exercice)   subsequent event
événement postérieur au bilan   subsequent event
éventail de prévisions   multiple value forecasts
éventualité   contingency
évitement fiscal (*Can.*)   tax avoidance
évolution de la situation financière (*Can.*)   statement of changes in financial position
évolution de la valeur liquidative   statement of changes in net assets
évolution de l'encaisse   statement, cash flow
examen (*vieilli*)   examination
examen analytique   analytical review
examiner soigneusement   scrutinize
examiner sommairement   scan

excédent   budgetary surplus
excédent   inventory overage 1.
excédent   surplus 1.
excédent   surplus earnings
excédent actuariel   experience gain
excédent budgétaire   budgetary surplus
excédent d'acquisition   purchase discrepancy
excédent de caisse   cash overage
excédent de caisse   cash surplus
excédent de capital   capital surplus 1., 2.
   (*vieilli*) *V.a.* overcapitalization
excédent de provisionnement   funding excess
excédent de réévaluation   appraisal increase credit
excédent de trésorerie   cash surplus
excédent distribuable (*Can.*)   distributable surplus
excédent du déficit sur le capital d'apport   shareholders' deficiency
ex-coupon   *V.* ex dividend
ex-dividende   ex dividend
ex-droit(s)   ex rights
exécuter une commande   fill an order, to
exécuteur testamentaire   executor
exemplaire   copy
exemplaire   duplicata 1.
exempt de droits   duty free
exempt de taxe   free of tax
exempt d'impôt   free of tax
exemption   exemption 1.
exemptions personnelles (*Can.*)   personal exemptions
exercice   fiscal period 3.
exercice   fiscal year
exercice comptable   fiscal period 3.
exercice comptable   fiscal year
exercice écourté   broken period (*fam.*)
exercice financier   fiscal period 3.
exercice financier   fiscal year
exercice tronqué   broken period (*fam.*)
exiger un prix   charge v. 2.
exigibilités   *V.* current liabilities
exigible   payable
existant   *V.* inventory *n.* 1.
existants   inventory *n.* 1.   *V.a.*, physical inventory, periodic inventory (method)
existant comptable   *V.* inventory *n.* 1.
existant en écriture   *V.* inventory *n.* 1.
existant physique   *V.* inventory *n.* 1.
existant réel   *V.* inventory *n.* 1.
exonération   exemption 2.
exonération   waiver
exonération d'impôt   tax exemption
exonération fiscale   tax exemption
exonérations personnelles (*Fr.* et *Belg.*)   personal exemptions
exonéré d'impôt   free of tax
exonérer   waive
expansion   expansion
expéditeur   *V.* shipper
expédition   shipping

expéditionnaire shipper
expéditrice *V.* shipper
expérience record of service
expérience de service record of service
expert insurance adjuster
expert professional *n.* *V.a.* appraisal, appraised value
expert-comptable public accountant
expert en fiscalité tax specialist
expert de minorité *V.* minority group
expert en sinistres insurance adjuster
expert gardien (*Belg.*) *V.* receiver 2.
expertise appraisal *V.a.* sound value
expertise investigation
expertise actuarielle actuarial valuation
expertise comptable public accounting
expertiser value *v.*
expiré lapsed *adj.*
expirer lapse

exploitant operator 2.
exploitation operations 1.
exploitation en temps partagé time sharing
exploitation partagée time sharing
exploiter operate
expomarché trade mart
exposé complet, clair et véridique full disclosure
exposé-sondage exposure draft
exprimer une réserve qualify 1.
extinction d'hypothèque redemption of a mortgage 2.
extourne correcting entry
extourne reversal
extraction d'informations information retrieval
extrait de compte statement of account
extrait de rôle (*Fr.*) assessment notice
extrants output 1. *V.a.* efficient audit

F

fabrication manufacturing
fabrication manufacturing process 1.
fabrication production
fabrication en cours goods in process
fabrication sur commande custom work *V.a.* manufacturing
fabrication sur stock *V.* manufacturing
facilité de caisse *V.* bank overdraft
facilité de crédit availability of credit
facilités de paiement purchase payment terms
facilités de paiement terms of payment
facilité de trésorerie *V.* bank overdraft
façonnier jobbing workman *V.a.* custom order, service bureau, special order work
facteur d'accroissement leverage factor
facteur d'actualisation discount factor
facteur d'amplification leverage factor
facteur de production input *n.* 1. *V.a.* productivity
facturation billing
facturation au prorata des travaux progress billing
facturation avec majoration dégressive front-end loading 1.
facturation avec pièces justificatives country club billing
facturation cyclique cycle billing
facturation énumérative descriptive billing
facturation par anticipation advance billing
facturation proportionnelle progress billing
facturation sans pièces descriptive billing
facture bill *n.* 1.
facture invoice *n.*
facture pro forma pro-forma invoice
facturer bill *v.*

facturer invoice *v.* 1.
facturer quelque chose à quelqu'un invoice *v.* 1.
faille loophole (*fam.*)
failli bankrupt *n.*
failli bankrupt *adj.*
failli concordataire *V.* arrangement
faillite bankruptcy
faillite frauduleuse fraudulent bankruptcy
faire acte de candidature apply for a job
faire appel public à l'épargne go public, to *V.a.* private company
faire confirmer circularize 2.
faire de la monnaie *V.* change *v.*
faire des heures supplémentaires work overtime, to
faire des recherches investigate
faire enregistrer register *v.* 2.
faire faillite go bankrupt, to
faire la balance (des comptes) balance *v. tr.*
faire l'appoint change *v.*
faire la somme foot
faire opposition à un chèque stop the payment of a cheque, to
faire parvenir à circularize 1.
faire payer assess 2.
faire payer charge *v.* 2.
faire saisir par input *v.*
faire une analyse-mémoire dump *v.*
faire un premier appel public à l'épargne go public, to
faire un prix quote *v.* 1.
fait d'éviter l'impôt tax avoidance
falsification forgery
falsifier (un document) forge

famille de produits   line of products
fardeau fiscal   tax burden   *V.a.* tax relief
faussaire   counterfeiter
fausse déclaration   misrepresentation 2.
faux   *V.* forgery
faux frais   incidental expenses
fermer   close
fermeture des bureaux   close of business
fête légale   legal holiday
feuille de comptage   count sheet
feuille de dénombrement   count sheet
feuille de machine   machine time record
feuille d'émargement   *V.* sign
feuille de présence   attendance sheet
feuille de présence   time sheet 1.
feuille de temps   time sheet 2.
feuille de travail   work sheet 1., 2.
feuilles de travail   working papers 1.
fiabilité   audit assurance 3.
fiabilité   reliability
fiche   card
fiche d'appréciation   performance report
fiche de casier   bin card
fiche de compte   ledger card
fiche de fabrication   job cost sheet
fiche d'émargement   *V.* sign
fiche de paye   statement of earnings and
  deductions
fiche de présence   time sheet 1.
fiche de prix de revient   job cost sheet
fiche de rendement   performance report
fiche de stock   inventory card
fiche de travail   job ticket
fiche d'inventaire   bin card
fiche d'inventaire   inventory card
fiche individuelle de salaire   statement of
  earnings and deductions
fichier   file
fichier d'adresses   mailing list
fichier des clients   *V.* file
fichier des stocks   *V.* file
fichier maître   master file
fichier mouvements   transaction file
fichier permanent   master file
fichier principal   master file
fichier temporaire   transaction file
fidéicommis   trust 1.
fidéicommissaire   trustee 1.
fiduciaire (*Fr.*)   accounting firm
fiduciaire   fiduciary   *V.a.* trust 1.
fiduciaire   trustee 1.
fiducie   trust 1.
fiducie de placement immobilier   real estate
  investment trust (REIT)
fiducie d'investissement immobilier   real estate
  investment trust (REIT)
fiducie entre vifs   inter-vivos trust
fiducie non testamentaire   inter-vivos trust
fiducie par testament   testamentary trust
fiducie testamentaire   testamentary trust
figurer   figure *v.* 2.

file d'attente   queuing
filiale   subsidiary (company)
filiale à 100%   wholly-owned subsidiary
filiale en propriété exclusive   wholly-owned
  subsidiary
financement externe   external financing
financement interne   internal financing
financement par actions   equity financing
financement par capitaux propres   equity
  financing
financement par emprunt   debt financing
financement par emprunt spéculatif   trading on
  the equity
financement provisoire   interim financing
financement sans effet sur le bilan   off-balance
  sheet financing (*fam.*)
financement spéculatif (d'un bien
  loué)   leveraged lease
finances privées   private finance
finances publiques   government finance
financer   finance v.
financer   fund v. 1.
financier *adj.*   financial
financier *n.*   financier
financier *adj.*   monetary 2.
fin de l'exercice   end of (fiscal) year
fin de série   *V.* mark-down *n.* 2.
firme   business firm
fisc   tax authorities
fiscaliste   tax consultant
fiscaliste   tax specialist
fiscalité   taxation 2.
fixation des prix   price determination
fléchissement (d'un titre)   shrinkage 2.
flotte   *V.* fleet
fluctuations des prix   price-level changes
flux   flow
flux de biens   *V.* sources
flux de l'encaisse   cash flow(s) 1.
flux des coûts   flow of costs
flux externe   *V.* flow
flux financier   *V.* flow, sources
flux interne   *V.* flow
flux monétaire   cash flow(s) 1.   *V.a.* flow
flux monétaire actualisé   discounted cash
  flow (DCF)
flux réel   *V.* flow
folio   folio 1., 2.
fonction   function
fonction   occupation 2.
fonction   position 1.
fonction commerciale   *V.* sales budget, sales
  department
fonction d'attestation   attest function
fonction de probabilités   probability distribution
fondé de pouvoir   agent
fondé de pouvoir   attorney
fondé de pouvoir   representative
fondé de pouvoir   signing officer
fonds   fund *n.* 1., 2., 3.
fonds   funds 1., 2.

fonds à capital permanent   non-expendable fund

fonds affectés à des fins particulières   designated funds

fonds autogénérés   cash flow 2. (*fam.*)

fonds autogénérés par action   cash flow per share

fonds autonome   self-balancing fund

fonds bloqués   frozen funds

fonds commercial (*Fr.*)   goodwill

fonds commun de placement (F.C.P.)   investment pool

fonds commun de placement (F.C.P.)   mutual fund 2.

fonds d'administration générale   general fund

fonds d'amortissement   sinking fund

fonds d'appoint   change fund

fonds d'assurance   insurance fund

fonds de caisse   float *n.* 3.

fonds de caisse   petty cash

fonds de caisse   working fund

fonds de caisse à montant fixe   imprest fund 1.

fonds de capital et d'emprunt   capital fund

fonds de commerce   business 3.

fonds de commerce (*Belg.*)   goodwill

fonds de dotation   endowment fund

fonds de fonctionnement   general fund

fonds de forage   drilling fund

fonds de pension   pension fund

fonds de prévoyance   contingency fund

fonds de prévoyance   fund *n.* 2.

fonds de remboursement   sinking fund

fonds de réserve   fund *n.* 2.

fonds de retraite   pension fund

fonds de roulement   funds 5.

fonds de roulement   working capital

fonds de roulement brut   current assets *V.a.* working capital

fonds de roulement déficitaire   working capital deficiency

fonds de roulement négatif   working capital deficiency

fonds de roulement net   *V.* working capital

fonds de roulement total   *V.* working capital

fonds des immobilisations   fixed assets fund

fonds d'imposition spéciale   *V.* special assessment

fonds disponibles en banque   cash in bank

fonds en banque   cash in bank

fonds en caisse   cash on hand

fonds en fidéicommis   agency fund

fonds en fidéicommis   trust fund

fonds en fiducie   agency fund

fonds en fiducie   trust fund

fonds entiercés (*Can.*)   escrow funds

fonds fiduciaire(s)   trust fund

fonds gelés   frozen funds

fonds mis en main tierce   escrow funds

fonds mutuel (*Can.*)   mutual fund 1.

fonds non distribuable   non-expendable fund

fonds pour éventualités   contingency fund

fonds propres   capital 1.

fonds propres   owners' equity

fonds renouvelable   revolving fund

fonds utilisable sans restrictions   expendable fund

force de vente   sales force

forclusion   foreclosure 1.

forfait   lump sum

formation à la prévention des accidents   job safety training

formation à la sécurité du travail   job safety training

formation aux relations humaines   job relations training

formation brute de capital fixe   *V.* capital expenditure

formation continue   continuing education

formation de capital   capital formation

formation des cadres   executive development 1.

formation des cadres   management training

formation des dirigeants   management training

formation en cours d'emploi   on-the-job training

formation en méthodologie industrielle   job methods training

formation en pédagogie industrielle   job instruction training

formation extérieure   off-the-job training

formation externe   off-the-job training

formation interne   in-house training

formation permanente   continuing education

formation pratique   training 1. *V.a.* practical training

formation professionnelle continue   continuing education

formation sur le tas (*fam.*)   on-the-job training

formulaire   form

formulaire commercial   business form

formule   form

formule commerciale   business form

formule de calcul de la valeur actualisée des réductions d'impôt   tax shield formula

formule de chèque   cheque specimen

formule de demande   application form 1.

formule de la marge brute   contribution approach

formule de la marge sur coûts variables   contribution approach

formule des bénéfices non répartis hors postes non courants   clean surplus concept

formule du bénéfice net global   all-inclusive income concept

formule du bénéfice net hors postes non courants   current operating performance concept

formule du report d'impôt fixe   deferral method (of tax allocation)

formule du report d'impôt variable   accrual method of tax allocation

formule du report "net d'impôt(s)"   net-of-tax method

formules et procédés secrets   trade secret

fourchette range
fourchette d'activité pertinente relevant range
fourchette de prévisions range forecasts
fourchette de prix price range
fourchette des cours range of market price
fourchette des prix range of market price
fourchette d'imposition tax bracket
fourchette pertinente relevant range
fournisseur supplier
fournisseurs accounts payable
fournisseurs trade accounts payable
fournitures supplies
fournitures consommables indirect materials
fournitures de bureau office supplies
fournitures de fabrication indirect materials
fournitures de livraison delivery supplies
fournitures de magasin store supplies
fournitures d'emballage packing supplies
fournitures et pièces de rechange stores
fraction amortie de la valeur *V.* amortized value
fraction amortie du coût *V.* amortized cost, depreciated cost
fraction d'action fractional share
fractionnement d'actions (*Can.*) stock split
fraction non amortie de la valeur amortized value
fraction non amortie du coût amortized cost
fraction non amortie du coût depreciated cost
fraction non amortie du coût en capital (F.N.A.C.C.) (*Can.*) undepreciated capital cost (UCC)
frais expenses
frais revenue expenditure 1.
frais absorbés expired cost
frais accessoires executory costs
frais accessoires incidental expenses
frais administratifs administrative expenses
frais à long terme payés d'avance deferred charge
frais bancaires bank charges
frais bancaires (d'administration) *V.* service charges
frais communs common costs
frais complémentaires incidental expenses
frais constants fixed costs
frais d'acquisition (d'actions ou d'unités de fonds mutuels) load 2.
frais d'actes legal fees 1., 2. *V.a.* preliminary expenses 1.
frais d'actes et de contentieux *V.* legal fees 2.
frais d'administration administrative expenses
frais d'affranchissement postage expenses
frais d'amélioration des terrains land improvement (expenses) 2.
frais d'aménagement development expenses 2.
frais d'aménagement des terrains land improvement (expenses) 1.
frais d'approvisionnement buying expenses
frais d'augmentation de capital share issue expenses
frais de banque bank charges

frais de clôture (d'une transaction) closing costs
frais de commercialisation distribution costs *V.a.* marketing costs
frais de commercialisation selling expenses
frais de conception design expenses
frais de conclusion (d'une opération) closing costs
frais de constitution organization expenses
frais de contentieux legal fees 2.
frais de courtage brokerage fees
frais de couverture carrying charges 3.
frais de crédit finance charges
frais de démarrage start-up costs 1.
frais de déplacement travelling expenses
frais de développement development expenses 1.
frais de distribution selling expenses
frais de fabrication production costs
frais de fermeture shutdown costs
frais de gestion administrative expenses
frais de gestion management fees 1.
frais de gestion service charges *V.a.* fee(s) 2.
frais de greffe *V.* organization expenses
frais de jouissance carrying charges 1.
frais de lancement development expenses 3.
frais de lancement d'obligations bond issue expenses
frais de maintenance maintenance charges 2.
frais de marketing marketing costs
frais de mise au point development expenses 1.
frais de mise au point setup costs 2.
frais de mise en exploitation development expenses 2.
frais de mise en marche start-up costs 1.
frais de mise en marché distribution costs *V.a.* marketing costs
frais de mise en route setup costs 2.
frais de mise en valeur development expenses 2.
frais d'émission floatation costs
frais d'émission d'actions share issue expenses
frais d'émission d'obligations bond issue expenses
frais d'emprunt cost of borrowing
frais d'encaissement exchange 1.
frais de notaire *V.* organization expenses
frais d'entreposage *V.* cost of carrying an inventory
frais d'entretien maintenance charges 1.
frais de personnel payroll 3.
frais de personnel salaries and wages
frais de possession carrying charges 1.
frais de premier établissement preliminary expenses 1.
frais de promotion promotional expenses
frais de publicité advertising expenses
frais de réaménagement rearrangement costs
frais de réception entertainment expenses

frais de recherche   research expenses
frais de recherche et de développement
research and development expenses
frais de recouvrement   collection charges
frais de recouvrement   exchange 1.
frais de réparations   repair expenses
frais de représentation   entertainment expenses
frais de reproduction   reproduction expenses
frais de reprographie   reproduction expenses
frais de siège   management fees 2.
frais de stationnement   demurrage 2.
frais de stockage   cost of carrying an inventory
frais de structure   committed costs
   V.a. shutdown costs
frais de structure   stand-by costs
frais de structure éliminables   enabling costs
frais de surestarie(s)   demurrage 1.
frais d'établissement   preliminary expenses 1.
frais de transfert   transfer fee
frais de transport   freight 1.
frais de transport   transportation expenses
frais de transport à l'achat   freight-in
frais de transport à la vente   freight-out
frais de vente   selling expenses
frais de viabilisation   land improvement
(expenses) 1.
frais de voyage   travelling expenses
frais d'exploitation   operating expenses
frais d'exploitation   revenue expenditure 1.
frais d'insertion   *V.* organization expenses
frais directs   direct costs
frais discrétionnaires   managed costs
frais divers   miscellaneous expenses
frais d'occupation   building occupancy
expenses 1.
frais d'utilisation   building occupancy
expenses 1.
frais estimatifs   estimated expense 1.
frais et débours divers   out-of-pocket costs
frais financiers   finance charges
frais financiers   financial expenses
frais fixes   fixed costs
frais généraux   general expenses
frais généraux   overhead
frais généraux de fabrication   factory overhead
frais généraux de production   factory overhead
frais généraux directs   direct overhead
frais généraux fixes   fixed overhead
frais généraux imputés   applied burden
frais généraux non imputés   unabsorbed
overhead
frais généraux sous-imputés   underapplied
burden
frais généraux spécifiques   direct overhead
frais généraux surimputés   overapplied burden
frais généraux variables   variable overhead
frais imputés   applied burden
frais imputés rationnels   *V.* applied burden
frais incorporables   product costs
frais indirects   indirect costs 1.
frais initiaux directs   initial direct costs

frais judiciaires   legal fees 2.
frais juridiques   legal fees 1.
frais marginaux   incremental cost
frais non absorbés   unexpired cost
frais non incorporables   period costs
frais non proportionnels   fixed costs
frais payés d'avance   prepaid expenses
frais postaux   postage expenses
frais pour droit d'accès   stand-by charges
frais pour droit d'usage   stand-by charges
frais promotionnels   development expenses 3.
frais promotionnels   promotional expenses
frais proportionnels   *V.* variable costs
frais relatifs aux garanties   warranty repairs
frais remboursables   out-of-pocket costs
frais reportés   deferred charge
frais semi-directs   semi-direct costs
frais semi-proportionnels   *V.* semi-variable costs
frais semi-variables   semi-variable costs
frais théoriques   imputed cost 2.
frais variables   variable costs
frais variables par paliers   step (variable) costs
franc   *V.* duty free shop
francs constants   *V.* constant dollars 1.
franchisage   franchising
franchise   deductible *n.*
franchisé   *V.* franchising
franchiseur   *V.* franchising
franc de port   prepaid
franco   prepaid   *V.a.* free on board (FOB)
franco à bord (F.A.B.) (F.O.B.)   free on
board (F.O.B.)
franco à quai (F.A.S.)   free alongside (FAS)
franco de port   prepaid
franco de port et d'emballage   *V.* free on
board (FOB), prepaid
franco le long du navire   free alongside (FAS)
frappe   *V.* mark-on
fraude   evasion
fraude   fraud
fraude fiscale   tax evasion
fraude par reports différés   lapping
fraude par tirage à découvert   kiting 1.
fraude par tirage en l'air   kiting 1.
freinte   inventory shrinkage
freinte   shrinkage 1.
freinte de route   loss in transit   *V.a.* inventory
shortage
freinte (de stock)   inventory shrinkage
fréquence   *V.* frequency distribution
fréquences par classes   *V.* histogram
fret   cargo
fret   freight 1.   *V.a.* cost and freight (C.F)
fuite de(s) capitaux   capital evasion
fusion   amalgamation
fusion   merger
fusion absorption   *V.* merger
fusion combinaison   *V.* merger
fusion légale   statutory amalgamation
fusion par conglomérat   conglomerate business
combination

G

gâchage des prix   *V.* price policy
gage   pawn
gage   pledge *n.* 2.   *V.a.* collateral 1. (*fam.*)
gager   pledge *v.*
gagné   realized 2.
gain   gain
gain actuariel   actuarial gain 1. (*vieilli*)
gain de change   foreign exchange gain
gain de détention   holding gain
gain de détention sur stocks   inventory
  holding gain
gain de pouvoir d'achat   general price-level gain
gain dû à l'évolution (du niveau général) des
  prix   general price-level gain
gain en capital   capital gain 1.
gain en capital (*Can.*)   capital gain 2.
gain fictif   illusory profit (*fam.*)
gain intersociétés   intercompany profit
gains ou pertes de change matérialisés
  realized exchange gains or losses
gains ou pertes de change non matérialisés
  unrealized exchange gains or losses
gain sur règlement de dettes   capital
  gain 3. (*fam.*)
gain sur remise de dettes   capital gain 3. (*fam.*)
gains théoriques   imputed earnings
galerie marchande   mall
gamme d'articles   line of items
gamme de produits   line of products
garant   guarantor 2.   *V.a.* performance bond
garantie   coverage 2.
garantie   guarantee 1.
garantie   pledge *n.* 2.
garantie   warranty
garantie d'achèvement   *V.* performance bond
garantie de bonne exécution   performance bond
garantie de bonne fin   performance bond
garantie de remboursement   *V.* performance
  bond
garantie excédentaire   margin 4.
garantie réelle   collateral 2.
garantir par une hypothèque   *V.* hypothecate
garantir par un gage   pledge *v.*
gaspillage   abnormal spoilage
gaspillage   waste 1.
général   corporate 2.
générateur de programmes   program generator
gérant   general partner   *V.a.* limited partnership
gérant   manager 3.   *V.a.* administrator 1.
gérant de succursale   branch manager
gérant d'immeubles   *V.* manager 3.
gérant libre   *V.* manager 3.
gérant salarié   *V.* manager 3.
gérer   manage *v.*
gestion   management 1.
gestion budgétaire   budgetary control
gestion décentralisée   decentralized operation

gestion de la qualité   quality control 3.
gestion de la trésorerie   cash management
gestion de portefeuille   portfolio management
gestion des risques   risk management
gestion des stocks   inventory management
gestion du personnel   personnel management
gestion financière   financial management
gestion fiscale   tax planning
gestionnaire   administrator 1.
gestionnaire   funding agency
gestionnaire   manager 1.
gestionnaire financier   funding agency
gestion par centres de responsabilité
  management by responsibility centre
gestion par exceptions   management by
  exception
gestion par objectifs   management by objectives
  (M.B.O.)
gestion participative   participative management
gestion participative par objectifs   participative
  management by objectives
gestion prévisionnelle   management planning
goulot d'étranglement   bottleneck
grand investisseur   institutional investor
grand livre   ledger
grand livre autonome   self-balancing ledger
grand livre auxiliaire   subsidiary ledger
grand livre auxiliaire des clients   accounts
  receivable ledger
grand livre auxiliaire des fournisseurs
  accounts payable ledger
grand livre confidentiel   private ledger
grand livre de la fabrication   cost ledger
grand livre de la production   cost ledger
grand livre de l'usine   cost ledger
grand livre des actionnaires   share ledger
grand livre des affectations budgétaires
  appropriation ledger
grand livre des autorisations budgétaires
  appropriation ledger
grand livre des clients   accounts receivable
  ledger
grand livre des comptes clients   accounts
  receivable ledger
grand livre des comptes fournisseurs
  accounts payable ledger
grand livre des crédits   appropriation ledger
grand livre des fournisseurs   accounts payable
  ledger
grand livre des loyers   rent roll
grand livre des prix de revient   cost ledger
grand livre général (G.L.G.)   general ledger (GL)
grand magasin   department store
graphe   *V.* critical path method (CPM), net work
  analysis
graphique   chart
graphique à barres   bar chart

graphique à tuyaux d'orgue   bar chart
graphique d'acheminement   flow
chart 1. *(fam.)*   *V.a.* flow audit
graphique de rentabilité   break-even chart
graphique du point mort   break-even chart
graphique PERT   program evaluation and review
technique (PERT)
graphiter   mark sense, to
gratification   bonus   *V.a.* profit sharing
grever d'une hypothèque   mortgage *v.*
V.a. hypothecate
griffe   *V.* trademark
grille de décision   decision model
grille de rémunération   salary scale
gros oeuvre   *V.* contractor 1., general contractor
grossiste   wholesaler
groupe   class 1.
groupe   economic unit 2.
groupe   group   *V.a.* full consolidation,
organization 2.

groupe de base   T-group
groupe de diagnostic   T-group
groupe de travail   task force
groupe d'étude   task force
groupe majoritaire   majority group
groupement   pool *n.*   *V.a.* organization 2.
groupement d'intérêt économique (G.I.E.)
V. joint venture
groupe minoritaire   minority group
groupe organisationnel   organization unit
groupe socio-analytique   T-group
guelte   *V.* commission 1.
guichet   *V.* cash *n.* 2.
guide   handbook
guide comptable   accounting manual
guide de comptabilité   accounting manual
guide de révision   auditing manual
guide des procédés et méthodes   procedure
manual
guide de vérification   auditing manual

H

haussier   bull
hedging   hedge *n.*
héritage   inheritance
héritier   legatee
héritier appelé   remainderman 2.
héritier du capital   remainderman 1.
héritier substitué   remainderman 2.
heures de bureau   business hours
heure de pointe   rush hour
heures de travail   working hours
heures d'ouverture   business hours
heures facturables   chargeable hours
heure-homme   man-hour
heure limite   deadline
heure-machine   machine-hour
heures normales   regular hours
heure-personne   man-hour
heures supplémentaires   overtime
histogramme   histogram
holding   holding (company)
homme d'affaires   businessman
homme de loi   *V.* legal fees 1.
homme de paille *(fam.)*   dummy
homologuer   probate
honoraires   fee(s) 1.
honoraires conditionnels   contingent fees
honoraires d'avocat   legal fees 1.
honoraires de démarcheur   finder's fees
honoraires éventuels   contingent fees
honoraires payés d'avance   *V.* retainer fee
honoraires versés   fee(s) 2.
honorer   honour *v.* 2.
honorer un effet   honour *v.* 2.

horaire   schedule *n.* 1.
horaire décalé fixe   staggered working hours
horaire décalé flottant   *V.* staggered working
hours
horaire de travail   *V.* schedule *n.* 1.
horaire fixe   fixed working hours
horaire libre   variable working hours
horaire variable   flexible working hours
horodateur   *V.* clock card
hors cote   over-the-counter *adj.*
hors ligne   off-line *adj.*
hors taxe   duty free
hypothèque   mortgage *n.* 1.
hypothèque de premier rang   first mortgage
hypothèque de rang inférieur   junior mortgage
hypothèque de second rang   junior mortgage
hypothèque générale   general mortgage
hypothèque intégrante   wraparound mortgage
hypothèque inversée   reverse mortgage
hypothèque mobilière   chattel mortgage
hypothéquer   hypothecate
hypothéquer   mortgage *v.*
hypothèses actuarielles   actuarial assumptions
hypothèse de l'efficience du marché des
capitaux (H.E.M.C.)   efficient market
hypothesis (EMH)
hypothèse de l'unité monétaire stable   stable
monetary unit concept
hypothèse du marché efficient   efficient market
hypothesis (EMH)
hypothèse portant sur le flux des coûts   flow
assumption

I

identité fondamentale   accounting equation
image d'écran   soft copy
image de marque   *V.* packaging
image fidèle   fair presentation   *V.a.* present fairly
imitations frauduleuses   counterfeited goods
immatriculation   registration 1.   *V.a.* partnership agreement
immeuble à logements multiples   multiple unit residential building (MURB) (*Can.*)
immeuble de rapport   *V.* revenue producing property
immeuble d'habitation   *V.* revenue producing property
immeubles exploités en consortium   syndicated properties
immeubles par destination   *V.* buildings
immeubles par nature   *V.* buildings
immeuble résidentiel à logements multiples   multiple unit residential building (MURB) (*Can.*)
immobilisation   capital asset
immobilisation   capital item
immobilisation   fixed asset
immobilisations   capital assets 1.
immobilisations   fixed assets
immobilisations   tangible assets
immobilisation corporelle   fixed asset
immobilisations corporelles   fixed assets
immobilisations corporelles   tangible assets
immobilisations en cours   construction work in progress
immobilisation financière   long-term investment 1.
immobilisations financières   *V.* capital assets 1.
immobilisation incorporelle   intangible asset
immobilisations incorporelles   intangible assets
immobilisations non professionnelles   *V.* fixed assets
immobilisations professionnelles   *V.* fixed assets
impartialité   independence
impartialité   neutrality
impartition   contracting out
impayé   outstanding 1., 2.
impenses   *V.* building occupancy expenses 1.
imperfection   bug
implantation   layout
implantation en groupe   group layout
implantation fonctionnelle   functional layout
implantation linéaire   line layout
importance (relative)   materiality
important   material *adj.*
imposer   tax *v.*
imposition   assessment 1.
imposition spéciale   special assessment
impossibilité de certifier (*Fr.*)   *V.* denial of opinion
impôt   tax *n.* 1.

impôt dégressif   regressive tax
impôt(s) de l'exercice   income tax expense
impôt de répartition (*Fr.*)   *V.* tax *n.* 2.
impôts différés (*Fr.* et *Belg.*)   deferred income taxes
impôts directs   direct taxes
impôt foncier   property tax   *V.a.* direct taxes
impôt immobilier   property tax
impôts indirects   indirect taxes
impôts latents (*Fr.* et *Belg.*)   *V.* deferred income taxes
impôt précompté   tax deduction at source
impôt progressif   progressive tax
impôt proportionnel   proportional tax
impôts reportés (*Can.*)   deferred income taxes
impôt sur la fortune   tax on capital 2.
impôt sur le capital   tax on capital 2.
impôt sur le revenu   income tax
impôts sur le revenu des personnes physiques (I.R.P.P.)   *V.* direct taxes
impôts sur le revenu reportés (*Can.*)   deferred income taxes
impôt sur les bénéfices   income tax
impôt sur les (bénéfices des) sociétés   corporate (income) tax   *V.a.* corporate 1., direct taxes
impôt sur les sociétés   corporate (income) tax   *V.a.* income tax
imprimante   printer   *V.a.* list *v.* 2.
imprimé   form
imprimé   print-out
imprimé commercial   business form
imprimé de demande   application form 1.
imprimé d'ordinateur   print-out   *V.a.* hard copy
imprimé machine   print-out
imputabilité   *V.* accountability
imputable   chargeable
imputation   debit *n.* 1.   *V.a.* cost allocation, indirect costs
imputation axée sur la cession   retirement accounting
imputation axée sur l'amortissement   depreciation accounting
imputation axée sur le remplacement   replacement accounting
imputation des frais généraux   overhead application
imputation des paiements   payment 1.
imputation fondée sur la constitution d'une provision   allowance method
imputation fondée sur les sorties de fonds   pay-as-you-go method
imputation rationnelle   *V.* overhead application, capacity cost, subnormal capacity usage
imputer   apply against
imputer   credit *v.*
imputer   debit *v.*

imputer à l'exercice   charge off 1.
imputer à l'exercice   write off *v.*
imputer à l'exploitation   charge off 1.
incertain   *V.* rate of exchange
incidence fiscale   tax effect
incitation   incentive
incitation fiscale   tax incentive
incompatibilité   *V.* independence
incorporation des réserves au capital
  V. reserve 2., stock dividend
indemnité   allowance 4.
indemnité   benefit 2.
indemnité   compensation 1.
indemnité   indemnity
indemnité d'assurance   insurance benefit
indemnité de cherté de vie   cost of living
  allowance
indemnité de congé   *V.* vacation pay
indemnité de décès   death benefit
indemnité de départ   severance pay
indemnité de départ à la retraite
  V. severance pay
indemnité de déplacement   travelling allowance
indemnité de licenciement   *V.* severance pay
indemnité d'éloignement   *V.* allowance 4.
indemnité de logement   accommodation
  allowance   *V.a.* allowance 4.
indemnité de mise à la retraite
  V. severance pay
indemnité de non-exécution   forfeit payment
indemnité de repas   *V.* allowance 4.
indemnité de séjour   living allowance
indemnité de sinistre   insurance benefit
indemnité de surestarie(s)   demurrage 1.
indemnité de transport   *V.* allowance 4.
indemnité de vacances   vacation pay
indemnité d'éviction   *V.* lease renewal
indemnité de vie chère   cost of living
  allowance   *V.a.* allowance 4.
indemnité de voyage   travelling allowance
indemnité en cas de décès   death benefit
indemnité journalière   per diem allowance
indemnité pour accident du travail   workmen's
  compensation
indemnité quotidienne   per diem allowance
indépendance   independence
indépendance statutaire   *V.* independence
indexation   indexation
indicateur prévisionnel   predictor
indication   disclosure 2.
indice   index
indice   ratio   *V.a.* ratio analysis
indice de classe   *V.* frequency distribution
indice de liquidité   acid test ratio
indice de(s) prix   price index
indice de prix spécifique   specific price index
indice de référence   *V.* indexed bond
indice de rentabilité   profitability index
indice des prix à la consommation (I.P.C.)
  consumer price index (CPI) *V.a.* general
  price index

indice des prix de détail (*Belg.*)   cost of living
  index
indice des prix de gros   wholesale price
  index   *V.a.* general price index
**indice des prix de la dépense nationale brute
  (D.N.B.)** (*Can.*)   gross national expenditure
  (GNE) implicit price index
**indice des prix du produit national
  brut** (*Belg.*)   general price index
indice du coût de la vie   cost of living index
indice du niveau d'activité   volume index
indice du produit intérieur brut (P.I.B.) (*Fr.* et
  Belg.)   gross national expenditure (GNE) implicit
  price index   *V.a.* general price index
indice du volume   volume index
indice général des prix   general price index
**indice implicite des prix de la dépense
  nationale brute (D.N.B.)** (*Can.*)   gross national
  expenditure (GNE) implicit price index
  V.a. general price index
indivision   *V.* mutual fund 2.
induction statistique   *V.* sample 1.
industrie   industry 1.
industrie agro-alimentaire   *V.* industry 1.
industrie à prédominance de capital   capital
  intensive industry
industrie à prédominance de main-d'oeuvre
  labour intensive industry
industrie capitalistique   capital intensive industry
industrie de capital   capital intensive industry
industrie de main-d'oeuvre   labour intensive
  industry
industrie de transformation   *V.* industry 1.
industrie légère   *V.* industry 1.
industrie lourde   *V.* industry 1.
industrie travaillistique   labour intensive industry
inexécution   breach of contract
inexécution   default
influence   control 1.
influence dominante   control 1.
influence marquée   significant influence
influence notable   significant influence
influence sensible   significant influence
informaticien   electronic data processing
  engineer   *V.a.* programmer
information   data 2.
information(s)   disclosure 3.
information adéquate   appropriateness of
  evidence
information de gestion   internal reporting
information fausse et trompeuse
  misrepresentation 1.
information financière   financial reporting
information non financière   non-financial
  information
information occasionnelle   *V.* timely disclosure
information par secteurs   segmented
  information
information périodique   periodic disclosure
information prévisionnelle   budget information
  V.a. financial forecasts 1., forecasts

information probante audit evidence
information probante evidence
information probante adéquate
appropriateness of evidence
information probante suffisante sufficient
evidence
information sectorielle segmented information
informations sectorielles segment reporting
information sociale *V.* social accounting
information sociétale *V.* social accounting
information(s) supplémentaire(s)
supplementary information
information trompeuse misleading information
informatique data processing 1.
informatique electronic data processing (EDP)
informatique de gestion management
information system (MIS)
ingénieur-système systems engineer
initiateur offeror *V.a.* takeover bid
initié insider
inscription comptable entry
inscription directe direct posting
inscrire account for 1.
inscrire enter
inscrire à la cote list *v.*1.
inscrire des charges à payer accrue *v. tr.*
inscrire des produits à recevoir accrue *v. tr.*
insolvabilité insolvency *V.a.* bankruptcy
inspecteur inspector 1., 2.
inspecteur des impôts assessor
inspecteur professionnel professional inspector
inspection inspection
inspection professionnelle professional
inspection
installations plant 1.
installations clés en main *V.* turn-key contract
installations de production plant 1.
installations générales *V.* plant 1.
installations spécialisées *V.* plant 1.
installations spécifiques *V.* plant 1.
institution *V.* organization 2., plan 2.
institution financière financial institution 2.
instruction instruction
instruction permanente standing instruction
insuffisance actuarielle experience loss
insuffisance de caisse cash deficiency
insuffisance de capital capital impairment
insuffisance de capital undercapitalization
insuffisance de l'actif deficiency in assets
insuffisance des capitaux propres capital
impairment
intégralité completeness
intégralité consolidation 1.
intégration integration
intégration globale full consolidation
intégration horizontale horizontal integration
intégration proportionnelle proportionate
consolidation
intégration verticale vertical integration
interactif *V.* interactive mode
interaction *V.* interactive mode

interclasser collate
intéressement profit sharing
intérêt interest 1.
intérêts arriérés arrears of interest
intérêt assurable insurable interest
intérêts composés compound interest
intérêts courus accrued interest
intérêts créditeurs interest income
intérêt d'assurance insurable interest
intérêts débiteurs interest expense
intérêts de pénalisation interest on arrears
intérêts de retard interest on arrears
**intérêt des créanciers et des
propriétaires** equity 1.
intérêts échus interest due
intérêts en souffrance arrears of interest
intérêts exigibles interest due
intérêts implicites imputed interest 1., 2., 3.
intérêt indivis *V.* condominium 2.
intérêts majoritaires majority interest
intérêts minoritaires minority interest 1.
intérêts moratoires interest on arrears
intérêts simples simple interest
intérêt statutaire (*Fr.* et *Belg.*) *V.* dividend 1.
intérêts théoriques imputed interest 1., 2., 3.
interface interface
intermédiaire broker 1.
intermédiaire intermediary
intermédiaire jobber 2.
intermédiaire financier financial intermediary
V.a. real estate investment trust (REIT)
interprétation interpreter
interprète interpreter
interpréteur *V.* compiler
intervalle range
intervalle de confiance confidence interval
intestat intestate
intitulé heading
intitulé d'un compte name of an account
intrant(s) input *n.* 1. *V.a.* efficient audit
introduction input *n.* 2.
introduire dans input *v.*
invendus *V.* return 3.
inventaire inventory *n.* 2., 4. *V.a.* periodic
procedures
inventaire stocktaking
inventaire comptable book inventory 2.
V.a. perpetual inventory (method)
inventaire extra-comptable physical inventory
inventaire intermittent periodic inventory
(method)
inventaire matériel physical inventory
inventaire périodique periodic inventory
(method)
inventaire permanent perpetual inventory
(method)
inventaire physique physical inventory
V.a. perpetual inventory (method)
inventaire tournant continuous inventory
V.a. perpetual inventory (method)
inventorier count *v.*

inventorier   inventory v.
inversion   transposition error
investigation   survey
investissement   capital expenditure
investissement   investment 1., 2.
investissements de remplacement
   V. investment 1.
investissements financiers   V. investment 1.
investissements intellectuels   V. investment 1.

investissements productifs   V. investment 1.
investissements stratégiques   V. investment 1.
investisseur   investor 1.
investisseur institutionnel   institutional
   investor   V.a. primary distribution
investisseur professionnel   institutional investor
irrégularité   irregularity
irrégularité comptable   accounting deficiency

J

jalon   benchmark
jetons de présence   directors' fees
jeu de comptes annuels   set of financial
   statements
jeu d'essai   test deck
jeu d'états financiers   set of financial statements
jonction   interface
jour chômé   holiday
jour chômé   legal holiday
jour de fête légale   legal holiday
jours de grâce   days of grace
jour de la liquidation   V. long position 1.
jour de l'évaluation   valuation day   (V day)
jour de l'inventaire   V. going concern value
jour de planche   V. demurrage 1.
jour de travail   business day
jour de valeur   value date   V.a. effective date
jour férié   holiday
jour férié   legal holiday
journal   book of original entry
journal   record n. 1.
journal américain   combined journal and ledger
journal auxiliaire   special journal
journal de bord   computer log
journal de bord   log book
journal de caisse   cash book
journal de fonds   V. one-write system
journal de l'ordinateur   computer log
journal de marche   computer log
journal de marche   log book
journal des achats   purchase journal
journal des décaissements   cash disbursements

journal
journal des encaissements   cash receipts
   journal
journal des mouvements   transaction log
journal des O.D.   general journal
journal des opérations diverses   general journal
journal des rentrées de fonds   cash receipts
   journal
journal des sorties de fonds   cash
   disbursements journal
journal des ventes   sales journal
journal de trésorerie   cash book
journal du terminal   console print-out
journal général (J.G.)   general journal
journal-grand livre   combined journal and ledger
journaliser   journalize
journal originaire   book of original entry
journaux auxiliaires   V. general journal
journée de travail   V. shift
jour ouvrable   business day
jour ouvrable   working day
jugement déclaratif   V. receiving order
jugement de valeur   value judgment
juriste d'entreprise   V. legal adviser
juste prix   fair value
juste prix de location   fair rental
juste valeur   fair value
juste valeur   sound value
juste valeur marchande   fair market value
justificatif   voucher 1.
justificatifs suffisants   V. sufficient evidence
justification suffisante   sufficient evidence

L

label   label 1., 2.
label de bande   label 2.
lacune   loophole (fam.)
lacune comptable   accounting deficiency
lacune dans la révision   auditing deficiency

lacune dans la vérification   auditing deficiency
laissez-passer   pass
lancement d'un produit   marketing of a product
lancer   float v.
langage   language

langage de programmation programming language
langage machine computer language
latent unrealized 2.
lecteur reader
lecteur optique optical reader
lecture de caractères magnétiques magnetic ink character recognition (MICR)
lecture graphique *V.* mark sense, to
lecture optique optical character recognition (OCR)
légataire legatee
législation-couperet sunset laws
législation fiscale taxation 2.
legs legacy
legs à titre particulier specific legacy
legs à titre universel general legacy
legs à titre universel residuary legacy
legs particulier specific legacy
legs universel general legacy
léguer un bien-fonds devise
lettre-contrat engagement letter
lettre d'accord présumé comfort letter
lettre d'assentiment consent letter
lettre de change bill of exchange
lettre déclarative de responsabilités (*Fr.*) letter of representation
lettre de confirmation du contentieux lawyer's letter
lettre de consentement consent letter
lettre de crédit letter of credit
lettre de déclaration letter of representation
lettre de mission engagement letter
lettre de rappel follow-up letter
lettre de recommandations management letter
lettre de transport bill of lading
lettre de transport waybill
lettre de voiture waybill
lettres patentes letters patent
lettre sur le contrôle interne internal control letter
lever un impôt tax *v.*
levier d'exploitation leverage 2.
levier financier leverage 1.
levier opérationnel leverage 2.
liaison interface
liasse manifold
libellé explanation (of an entry)
libellé en monnaie étrangère denominated in foreign currency
libellé explicatif explanation (of an entry)
libération conditionnelle conditional discharge
libération sous condition conditional discharge
libéré d'impôt tax paid
libérer discharge *v.* 2., 3.
libre d'impôt free of tax
libre-service self-service
libre-service de gros cash and carry
licence license 1., 2.
licence de taxe de vente (fédérale) (*Can.*) sales tax license

licenciement lay off 1.
licenciement collectif *V.* lay off 2.
licenciement individuel *V.* lay off 2.
ligne budgétaire appropriation 3.
ligne d'action policy 3.
ligne de conduite policy 3.
lignes de conduite guidelines 1.
ligne de conduite en matière de dividendes dividend policy
ligne de crédit line of credit *V.a.* revolving credit
ligne de découvert line of credit
ligne de montage assembly line
ligne de produits line of products
limite de tolérance tolerance limit
liquidateur liquidator
liquidation liquidation 2., 3.
liquidation settlement 2. *V.a.* liquidation 1.
liquidation boursière settlement 2.
liquidation de la pension *V.* pension calculation
liquidation de retraite pension calculation
liquidation des biens *V.* bankruptcy, suspension of payments, trustee in bankruptcy
liquide liquid *adj.*
liquidité liquidity
liquidités liquid assets
liquidités nettes net liquid assets
lissage des bénéfices income smoothing
listage listing 1.
liste list *n.*
liste roll 2.
liste schedule *n.* 3.
liste d'adresses mailing list
liste d'anomalies discrepancy report
liste de colisage *V.* packing slip
liste de contrôle check list
liste de paye payroll 2.
liste de pointage check list
liste de prix price list
liste d'erreurs discrepancy report
liste de vérification check list
liste imprimée listing 2.
lister list *v.* 2.
listing *V.* listing 2.
livraison delivery
livraison à terme forward delivery
livraisons à terme futures 1.
livraison clés en main *V.* turn-key contract
livraison différée back order 3.
livre record *n.* 1.
livre (comptable) book of account
livres comptables accounting records
livres comptables accounts 2.
livre de caisse cash book
livre de caisse petty cash book
livre de comptes book of account
livre de paye payroll 1.
livre de petite caisse petty cash book
livre des chèques cheque register
livre des procès-verbaux minute book
livre-journal book of original entry

livre synoptique   combined journal and ledger
livret de banque   passbook
localisation   location 1.
locataire   lessee   *V.a.* lease
locataire   tenant   *V.a.* lease
location   rental
location-acquisition   capital lease
location avec option d'achat   lease-option
agreement
location-exploitation   operating lease
location-financement   direct financing lease
location-financement *(Belg.)*   leasing
location-vente   hire purchase
location-vente   sales-type lease
locaux commerciaux   business premises
logiciel   software
logiciel de base   system software
logiciel de révision   audit software
logiciel de vérification   audit software
logiciel-maison   in-house software

logistique   logistics
lois de temporisation   sunset laws
lopin   *V.* parcel of land
lot   batch 1., 2.
lot   parcel of land
lot de fabrication   run 1.
lot de taille anormale   odd lot
lot de taille normale   round lot
lot économique   economic order quantity (EOQ)
lot irrégulier   odd lot
lotissement   *V.* raw land
lot régulier   round lot
louage   rental
louage d'industrie   *V.* contractor 1.
louage d'ouvrage   *V.* contractor 1.
louer   rent *v.*
loueur   lessor   *V.a.* lease
loyer   rent *n.*   *V.a.* lease
loyer conditionnel   contingent rental
loyer de l'argent   *V.* interest 1.

M

machine à pointer   *V.* clock card
machine comptable   accounting machine
machine de bureau   business machine
machinerie   *V.* machinery and equipment
magasin   store 1., 2
magasin à prix réduits   discount house
magasin à succursales multiples   multiple
stores
magasin de vente au rabais   discount house
magasins généraux   bonded warehouse 1.
magasinier   storekeeper
magasin mini-marge   discount house
magasin sous douane   bonded warehouse 2.
mail   mall
main courante   day book
main-d'oeuvre   labour
main-d'oeuvre directe   direct labour
main-d'oeuvre indirecte   indirect labour
mainlevée   *V.* redemption of a mortgage 2.
mainlevée d'hypothèque   *V.* redemption of a
mortgage 2.
maintenance   maintenance 2.
maison   business firm
maison de rapport   *V.* revenue producing
property
maison de vente par correspondance   mail
order house
maître de l'ouvrage   *V.* contractor 1.,
subcontractor
maître des travaux   contractor 2.
maître d'oeuvre   contractor 2.
maître d'oeuvre   general contractor
V.a. subcontracting
maîtrise   lower management

majoration   gross-up
majoration   mark-up 1.
majorations nettes   net mark-ups
majorations pour heures supplémentaires
overtime premium   *V.a.* regular hour, work
overtime, to
majorité   majority group
majorité qualifiée   *V.* majority interest
majorité simple   *V.* majority interest
malfaçon   defect 2.
mali sur emballages rendus   *V.* returnable
container
malus   *V.* insurance premium
malversation   embezzlement
management   management 1.
mandant   principal 3.
mandat   money order
mandat   power of attorney
mandat   terms of reference
mandat   warrant 3.
mandataire   agent   *V.a.* principal 3.
mandataire   representative
mandat de banque *(Can.)*   bank money
order   *V.a.* money order
mandat postal   postal money order
mandat poste   postal money order   *V.a.* money
order
manifeste   manifest
manifeste de cargaison   *V.* manifest
manquant   *V.* inventory shortage 1., 2.
manquants   inventory shortage 1.
manquants   shortage 2.
manque   shortage 1.
manque à gagner   *V.* opportunity cost

manque de continuité   inconsistency
manquement (à ses engagements)   default
manuel   handbook
manuel de révision   auditing manual
manuel des procédés et méthodes   procedure
  manual
manuel de vérification   auditing manual
manufacture   plant 2.
manutention   handling
maquillage   window-dressing (fam.)
marchand   merchant
marchand en gros   wholesaler
marchandise   commodity
marchandises   goods
marchandises   merchandise
marchandises contrefaites   counterfeited goods
marchandises destinées à la vente   goods
  available for sale
marchandise d'occasion   second-hand good
marchandises en consignation   goods on
  consigment
marchandises en souffrance   goods on
  demurrage
marchandises en transit   goods in transit
marchandises fongibles   interchangeable goods
marchandises sous douane   bonded goods
marché   contract
marché   market 1.
marché acheteur   buyer's market
marché à forfait   fixed price contract
marché à la baisse   bear market
marché à la baisse   buyer's market
marché à la hausse   bull market
marché à la hausse   seller's market
marché à prix coûtant majoré   V. cost-plus
  contract
marche à suivre   procedure 1.
marché à terme   futures market
marché à terme des titres financiers   interest
  rate futures market
marché à terme sur (les) taux d'intérêt   interest
  rate futures market
marché à terme sur marchandises   commodity
  futures market
marché au comptant   cash transaction 2.
marché au comptant   spot market
marché des capitaux   financial market
marché des changes   foreign exchange market
marché des obligations   bond market
marché des valeurs mobilières   securities
  market
marché favorable à l'acheteur   V. buyer's
  market
marché favorable au vendeur   V. seller's market
marché ferme   firm deal
marché financier   financial market
  V.a. treasury bill
marché financier   securities market
  V.a. marketable security
marché hors Bourse   unofficial market
marché hors cote   over-the-counter market

marché hors cote   unofficial market
marché libre   open market
marché libre   unofficial market
marché monétaire   money market
marché obligataire   bond market
marché primaire   primary market
marché public   procurement contract   V.a. call
  for tenders, cost-plus contract
marché secondaire   secondary market
marché sur adjudication   V. call for tenders
marchés sur dépenses contrôlées   V. cost-plus
  contract
marché vendeur   seller's market
marge   margin 1., 3.
marge bénéficiaire   profit margin
marge bénéficiaire brute   gross margin 1., 2.
marge bénéficiaire brute   mark-on
marge brute   contribution margin 1.
marge brute   gross margin 1., 2.
marge brute   mark-on
marge brute d'autofinancement (M.B.A.)   cash
  flow 2. (fam.)
marge brute d'autofinancement (M.B.A.) par
  action   cash flow per share
marge commerciale   gross margin 2.
marge commerciale   mark-on
marge contributive   V. contribution margin 1.
marge de crédit (Can.)   line of credit
marge de profit   profit margin
marge de sécurité   margin of safety
marge de tolérance   allowance 6.
marge de tolérance   materiality level
marge obligatoire   margin requirement 1.
marge sectorielle   segment (operating) margin
marge sur coût d'achat   gross margin 2.
  V.a. margin 1.
marge sur coût d'achat   mark-on
marge sur coût de production   V. margin 1.
marge sur coût de revient   gross margin 2.
marge sur coût de revient   mark-on
marge sur coûts variables   contribution
  margin 1.
marge sur frais variables   V. margin 1.
marginal   incremental adj.
marginal   marginal adj.
marketing   marketing 1.
marketing d'un produit   marketing of a product
marquage   V. mark v.
marqué   material adj.
marque   trademark
marque collective   label 1.
marque de commerce   V. trademark
marque de distribution   V. trademark
marque de fabrication   V. trademark
marque de pointage   tick mark
marque déposée   registered trademark
  V.a. trademark
marque de service   V. trademark
marquer   mark v.
marquer d'un signe   check v. 2.
masse (des biens)   corpus

masse des créanciers   *V.* trustee in bankruptcy
masse des obligataires   *V.* bondholder, bond
indenture
masse fiscale   tax equity
masse monétaire   money supply   *V.a.* credit
squeeze, rediscount
masse successorale   corpus
matérialisé   realized 2., 3.
matériaux   *V.* materials
matériel   equipment 1.
matériel   hardware
matériel de bureau   office equipment
matériel d'emballage   packing equipment
matériel de saisie   *V.* optical reader
matériel de secours   stand-by equipment
matériel de soutien   stand-by equipment
matériel de transport   transportation equipment
matériel et outillage   machinery and equipment
matériel hors service   *V.* scrap *n.*
matériel informatique   hardware   *V.a.* software
matériel périphérique   peripheral
equipment   *V.a.* operator 1.
matériel roulant   automotive equipment
matériel spécialisé   special purpose machine
mathématiques actuarielles   *V.* financial
mathematics
mathématiques financières   financial
mathematics
matières   goods
matières   materials
matières   stores
matières consommables   indirect materials
matières consommables   supplies
matières directes   direct materials
matières indirectes   indirect materials
matières premières   raw materials
matrice   matrix
maximisation   maximization
maximisation du profit   profit maximization
mécanographie   electric accounting system
médiane   median
membre de la direction   executive 2.
membre de la direction   officer
membre d'une profession libérale
professional *n.*
mémo *(fam.)*   memorandum 3.
mémoire   memorandum 4.
mémoire   memory
mémoire à accès sélectif   random access
memory (RAM)
mémoire associative   associative storage
mémoire auxiliaire   auxiliary storage
mémoire centrale   main storage
mémoire de masse   mass storage
mémoire effaçable   *V.* random access
memory (RAM)
mémoire fixe   read only memory (ROM)
mémoire morte   read only memory (ROM)
mémoire principale   main storage
mémoire tampon   buffer storage
mémoire vive   random access memory (RAM)

mémorandum   memorandum 1.
mensualité   monthly payment
mention   disclosure 2.
menues dépenses   *V.* petty cash book
mercuriale   *V.* price list
mesurage   *V.* physical inventory
mesure de contrôle préventif   preventive control
mesure de tendance centrale   *V.* median
mesure incitative   incentive
mesure monétaire   *V.* price 1.
méthode   procedure 2.
**méthodes actuarielles d'attribution des
coûts**   actuarial cost methods
méthodes comptables   accounting procedures 1.
méthodes d'amortissement   depreciation
methods
méthodes d'amortissement de la prime (*Fr.* et
Belg.)   discount amortization methods
**méthodes d'amortissement de la
prime**   premium amortization methods
méthodes d'amortissement de l'escompte (*Can.*)
discount amortization methods
**méthodes d'amortissement de l'escompte (ou
de la prime) d'émission**   bond discount (or
premium) amortization methods
méthodes de commercialisation
V. merchandising
**méthodes de comptabilisation d'un
regroupement d'entreprises**   business
combination, methods of accounting for a
**méthodes de comptabilisation du
profit**   income recognition methods
méthodes de constatation du profit   income
recognition methods
**méthodes de conversion des comptes exprimés
en monnaie étrangère**   translation of foreign
currency methods
**méthode de détermination de l'intérêt
réel**   effective interest method
**méthodes de détermination du prix de
revient**   cost accounting methods
**méthode de la capitalisation de la valeur à la
découverte**   discovery value accounting
**méthode de la capitalisation (de la valeur) des
gisements**   reserve recognition accounting
**méthode de la capitalisation du coût de la
recherche fructueuse**   successful efforts
accounting
méthode de la capitalisation du coût entier   full
costing 1.
méthode de l'achat pur et simple   purchase
method
méthode de l'achèvement des travaux
completed contract method
**méthode de la comptabilisation (des
participations) à la valeur d'acquisition**   cost
method (for intercorporate investments)
**méthode de la comptabilisation (des
participations) à la valeur de
consolidation** (*Can.*)   equity method
méthode de la comptabilisation du profit à

l'achèvement des travaux completed contract method

méthode de la comptabilisation du profit à la livraison completed sales basis

méthode de la comptabilisation du profit au prorata des encaissements instalment method

méthode de la comptabilisation du profit au prorata des travaux percentage-of-completion method

méthode de la comptabilisation du profit en fonction de la production production method of revenue recognition

méthode de la comptabilité avec répartition allocation basis of accounting

méthode de la comptabilité avec ventilation allocation basis of accounting

méthode de la comptabilité de caisse cash basis of accounting

méthode de la comptabilité d'exercice accrual basis (of accounting)

méthode de la constatation du profit à l'achèvement des travaux completed contract method

méthode de la constatation du profit à la livraison completed sale basis

méthode de la constatation du profit au prorata des encaissements instalment method

méthode de la constatation du profit au prorata des travaux percentage-of-completion method

méthode de la constatation du profit en fonction de la production production method of revenue recognition

méthode de l'actualisation du flux monétaire discounted cash flow method

méthode de la fusion à la juste valeur new entity method

méthode de la fusion d'intérêts communs pooling of interests method

méthode de la fusion d'intérêts communs à la juste valeur new entity method

méthode de la livraison completed sales basis

méthode de la marge (bénéficiaire) brute gross profit method

méthode de la mise en équivalence (*Fr.* et *Belg.*) equity method

méthode de la monnaie d'arrivée parent currency approach

méthode de la monnaie d'origine foreign currency approach

méthodes de l'amortissement à intérêts composés compound interest methods (of depreciation)

méthode de l'amortissement à intérêts composés (dotation croissante) sinking fund method (of depreciation)

méthode de l'amortissement à intérêts composés (dotation uniforme) annuity method (of depreciation)

méthode de l'amortissement constant straight-line method (of depreciation)

méthode de l'amortissement décroissant (à taux constant) diminishing balance method (of depreciation)

méthode de l'amortissement décroissant à taux double double-declining-balance method (of depreciation)

méthode de l'amortissement dégressif (à taux constant) diminishing balance method (of depreciation)

méthode de l'amortissement fonctionnel production method (of depreciation)

méthode de l'amortissement fondé sur une expertise appraisal method (of depreciation)

méthode de l'amortissement linéaire straight-line method (of depreciation)

méthode de l'amortissement linéaire de l'escompte ou de la prime d'émission straight-line method of discount (or premium) amortization

méthode de l'amortissement proportionnel à l'ordre numérique inversé des années sum-of-the-years'-digits (SOYD) method (of depreciation)

méthode de l'amortissement proportionnel à l'utilisation production method (of depreciation)

méthode de l'amortissement proportionnel au rendement production method (of depreciation)

méthode de la moyenne mobile moving average method

méthode de la passation directe en charges direct charge off method

méthode de la radiation directe des créances irrécouvrables *V.* direct charge off method

méthode de l'arbre de décision *V.* decision tree

méthode de la valeur actualisée discounted cash flow method

méthode de la valeur actualisée nette net present value method

méthode de la valeur minimale lower of cost and market method *V.a.* market 4.

méthode de l'avancement des travaux percentage-of-completion method

méthode de l'épuisement à rebours last in, first out (LIFO) method

méthode de l'épuisement à rebours avec indexation dollar value lifo method

méthode de l'épuisement successif first in, first out (FIFO) method

méthode de l'impôt exigible taxes payable basis

méthode de l'intérêt réel effective interest method

méthode de l'inventaire au prix de détail retail inventory method

méthode de l'inventaire intermittent periodic inventory method

méthode de l'inventaire périodique periodic inventory (method)

méthode de l'inventaire permanent perpetual inventory (method)

méthode de l'inventaire tournant *V.* perpetual inventory (method)

méthode delphi delphi technique

méthode de prélèvement des frais d'acquisition sur les premiers versements   front-end loading 1.

méthode de programmation optimale   program evaluation and review technique (PERT)

méthode des coûts différentiels   marginal costing 1.

méthode des coûts marginaux   marginal costing 1.

méthode des coûts proportionnels   direct costing

méthode des coûts variables   direct costing

méthode des moindres carrés   least squares method

méthode des pièces justificatives   voucher system

méthode des postes monétaires et non monétaires   monetary-nonmonetary method

méthode des valeurs vénales fixes et variables   monetary-nonmonetary method

méthodes de valorisation des stocks   inventory valuation methods

méthode de valorisation des stocks au prix coûtant   cost method (for inventories)

méthode d'évaluation à la valeur minimale   lower of cost and market method

méthode d'évaluation au coût ou à la valeur du marché, selon le moins élevé des deux (*Can.*)   *V.* lower of cost and market method

méthode d'évaluation au prix de vente net   net selling price method

méthodes d'évaluation des stocks   inventory valuation methods

méthode d'évaluation des stocks au coût de remplacement   replacement cost method

méthode d'évaluation des stocks au prix coûtant   cost method (for inventories)

méthode d'évaluation des stocks au prix de vente net   net selling price method

méthodes d'évaluation des stocks fondées sur le flux des coûts   cost flow methods

méthode de ventilation proportionnelle à l'ordre numérique inversé des mois   rule of 78 (*fam.*)

méthode de ventilation proportionnelle à l'ordre numérique inversé des périodes   sum-of-the-digits method

méthode d'imputation à l'exercice des dégrèvements d'impôt pour investissements   flow-through method (investment tax credit)

méthode d'imputation axée sur la cession   retirement accounting

méthode d'imputation axée sur l'amortissement   depreciation accounting

méthode d'imputation axée sur le remplacement   replacement accounting

méthode d'imputation fondée sur la constitution d'une provision   allowance method

méthode du chemin critique   critical path method (CPM)

méthode du cours actuel   current rate method

méthode du cours de clôture   current rate method

méthode du court terme-long terme   current-noncurrent method

méthode du coût approché   estimated cost system

méthode du coût complet   absorption costing

méthode du coût d'achat réel   specific identification method

méthode du coût de revient complet   absorption costing

méthode du coût de revient normalisé   standard cost system

méthode du coût de revient par commande   job cost system

méthode du coût de revient par stades   process cost system

méthode du coût de revient standard   standard cost system

méthode du coût moyen   average cost method

méthode du coût moyen pondéré   weighted average cost method

méthode du coût propre   specific identification method

méthode du dernier entré, premier sorti   last in, first out (LIFO) method

méthode du fonds de caisse à montant fixe   imprest system

méthode du premier entré, premier sorti   first in, first out (FIFO) method

méthode du prix de revient complet   absorption costing

méthode du prix de revient en cycles continus   process cost system

méthode du prix de revient en fabrication uniforme et continue   process cost system

méthode du prix de revient estimatif   estimated cost system

méthode du prix de revient normalisé   standard cost system

méthode du prix de revient par commande   job cost system

méthode du prix de revient standard   standard cost system

méthode du prochain entré, prochain sorti   next in, first out (NIFO) method

méthode du rendement effectif   internal rate of return method

méthode du report (des dégrèvements d'impôt pour investissements)   deferral method (investment tax credit)

méthode du report d'impôt   interperiod tax allocation methods

méthode du stock indispensable   base stock method

méthode du stock minimal   base stock method

méthode du stock-outil   base stock method

méthode du taux courant   current rate method

méthode du taux de rendement effectif   internal rate of return method

méthodes fondées sur le flux des coûts   cost flow methods

méthode indiciaire   *V.* revaluation
méthode PERT-coût   PERT/cost (method)
méthode prospective   projected benefit valuation method
méthode rétrospective   accrued benefit valuation method
méthode temporelle   temporal method
métier   occupation 1.
mettre à jour   update
mettre à la ferraille   scrap *v.* (*fam.*)
mettre à la poste   mail *v.*
mettre à la réforme   retire
mettre au point   debug
mettre au point un programme   debug
mettre au rancart   scrap *v.* (*fam.*)
mettre au rebut   scrap *v.* (*fam.*)
mettre en commun   pool *v.*
mettre fin à   wind up
mettre hors service   retire
mévente   sales slowdown   *V.a.* cash flow squeeze
micro-image optique   chip 2.
micromodule   *V.* chip 1.
microplaquette   chip 1.
mille   K
millier   K
mini-marge   discount house
ministère   department 2.
minoration   mark-down *n.* 1.
minorer   mark down *v.*
minorité   minority group
minorité de blocage   *V.* minority group
minute   *V.* minutes
mise à la réforme   retirement 2.
mise à pied   *V.* lay off 1.
mise à pied disciplinaire   suspension
mise au rancart   disposal 2.
mise au rebut   disposal 2.
mise de fonds   investment 2.
mise de fonds initiale   seed money
mise en chômage technique   lay off 2.
mise en main tierce   escrow (agreement)
mise hors service   retirement 2.
mission   engagement
mission   *V.* management advisory services (MAS)
mission avec examen   review engagement
mission comptable   accounting engagement
mission de certification   (*Fr.* et *Belg.*)   attest function
mission de comptabilité   accounting engagement   *V.a.* notice to readers
mission de l'expert-comptable   professional engagement of a public accountant
mission de révision   audit engagement
mission de révision limitée   (*Fr.* et *Belg.*)   limited audit engagement
mission de vérification   audit engagement
mission de vérification restreinte   (*Can.*)   limited audit engagement
mission d'examen   review engagement

mission particulière   investigation
mission sans examen   non-review engagement   *V.a.* notice to readers
mobilier   furniture
mobilier et agencements   furniture and fixtures
mobilisation de capitaux   raising of capital
mobilisation de créances   assignment of receivables 2.
mobilisation de(s) comptes clients   assignment of receivables 2.
modalités de paiement   terms of payment
modalités de règlement   terms of payment
mode   mode
mode de présentation du bilan   balance sheet, form of
mode dialogué   conversational mode   *V.a.* iterative mode
mode interactif   interactive mode
modèle décisionnel   decision model
modèle d'équilibre des actifs financiers   capital asset pricing model (CAPM)
modèle d'équilibre des marchés financiers   capital asset pricing model (CAPM)
modèle d'équilibre rendement-risque   capital asset pricing model (CAPM)
mode opératoire   procedure 2.
modification   alteration
modification comptable   accounting change 1.
moins-value   allowance 3.
moins-value   capital loss 1. (*fam.*)
moins-value   (*Fr.* et *Belg.*)   capital loss 2.
moins-value   holding loss
moins-value   loss in value
moins-value   valuation allowance
moins-value de cession   capital loss 1. (*fam.*)   *V.a.* disposal 1.
moins-values latentes   *V.* loss in value
moins-value matérialisée   capital loss 1 (*fam.*)
moins-values matérialisées   *V.* loss in value
moins-values potentielles   *V.* loss in value
moins-values subies   *V.* loss in value
monétaire   monetary 1., 3.
moniteur   trainer
monnaie   change *n.*
monnaie   currency 1.
monnaie   money 1.
monnaie bloquée   blocked currency
monnaie constante   constant monetary unit
monnaie courante   *V.* constant monetary unit
monnaie d'appoint   change *n.*
monnaie de papier   paper money
monnaie de référence   *V.* devaluation (of a currency)
monnaie d'exploitation   functional currency
monnaie divisionnaire   *V.* cash *n.* 3., currency 1., hard cash, money
monnaie étrangère   foreign currency
monnaie faible   soft currency
monnaie fiduciaire   *V.* bank note cash *n.* 3., currency 1., money 1., paper money
monnaie forte   hard currency

monnaie inconvertible   blocked currency
monnaie légale   cash *n.* 1.
monnaie légale   legal tender
monnaie métallique   hard cash   *V.a.* money 1.
monnaie non convertible   blocked currency
monnaie scripturale   *V.* currency 1., facilities of
payment, money 1.
monographie   *V.* task force
monopole   corner
montant   amount
**montant admissible des immobilisations
cumulatives**   *V.* eligible
montant à reporter   amount brought (carried)
forward 1.
montant cumulé des amortissements
accumulated depreciation
montant d'assurance   insurance carried 1.
**montant de la dépense en immobilisations
admissible**   *V.* eligible
montant global   total amount
montant nominal   par value
montant reporté   amount brought (carried)
forward 2.
montant total   total amount
montant trouvé par différence   plug figure 2.

mot de passe   password
mouvement   *V.* organization 2.
mouvements de caisse   cash flow(s) 1.
mouvements de la trésorerie   statement, cash
flow
mouvements de l'encaisse   cash flow(s) 1.
mouvements de trésorerie   cash flow(s) 1.
mouvements saisonniers   *V.* time series
analysis
moyens de paiement   facilities of payment
V.a. liquid assets
moyenne   average
moyenne   mean
moyenne arithmétique   *V.* average
moyenne géométrique   *V.* average
moyenne harmonique   *V.* average
moyenne mobile   moving average
moyenne pondérée   weighted average
multicarte   *V.* salesman 1.
multinationale   multinational corporation (MNC)
multiplet   byte
multiplication   extension
multitraitement   multiprocessing
mutation   transfer 4.
mutuelle   membership corporation

N

nantir   hypothecate
nantir   pledge *v.*
nantir un bien   pledge *v.*
nantissement   *V.* collateral 1. (*fam.*)
nantissement avec dépossession
V. collateral 1. (*fam.*)
nantissement sans dépossession
V. collateral 1. (*fam.*)
nantissement mobilier   *V.* collateral 1. (*fam.*)
néant   nil
négligeable   immaterial *adj.*
négociabilité   negotiability
négociant   merchant
négociation   *V.* bank discount 1.
net   net *adj.*
net à payer   net cash
net d'impôts   net of taxes
neutralité   neutrality
niveau d'acceptation   *V.* acceptance sampling
niveau d'activité   activity ratio   *V.a.* overhead
application
niveau de confiance   confidence level
niveau de réapprovisionnement   reordering
level
niveau de vie   standard of living
niveau normal d'activité   normal volume
V.a. normal capacity
niveau pratique d'activité   *V.* practical capacity

niveau réel d'activité   *V.* spending variance
nivellement des bénéfices   income smoothing
nolisement   chartering
nombre   figure *n.* 2.
nombres-indices   *V.* price index
nombre normal d'heures   standard hours
nom commercial   firm name
nom commercial   trade name
nomenclature   bill of materials
nomenclature   schedule *n.* 3.
nomenclature comptable   *V.* account 1.
nominal   par value   *V.a.* bond 1.
nomination   appointment 1.
nom symbolique   *V.* tag 2.
non acquis   unrealized 2.
non assujetti à des restrictions   unrestricted
non-compensation   *V.* offset
non compensé   outstanding 2.
non connecté   off-line *adj.*
non coté   unquoted
non déposé   outstanding 3.
non exécuté   outstanding 5.
non favorisé   *V.* arm's length
non gagné   unrealized 2.
non introduit en bourse   unquoted
non matérialisé(e)   unrealized 2., 3.
non paiement   dishonour *n.* 2.
non privilégié   arm's length

non réalisé   unrealized 1.
non récurrent   non-recurring
non réglé   outstanding 1.
non résiliable   non-cancellable
non révisé   unaudited
non significatif   immaterial *adj.*
non subie   unrealized 3.
non susceptible de se répéter   non-recurring
non-valeurs   nothings (*fam.*)   *V.a.* deferred charge
non vérifié   unaudited
normalisation   standardization 1.
normalisation   standard setting
norme   standard 1., 2.
normes comptables   accounting principles 3.
normes comptables   accounting standards 1.
normes comptables   financial accounting standards
normes concernant le rapport du réviseur reporting standards 2.
normes concernant le rapport du vérificateur reporting standards 2.
normes concernant le travail de vérification examination standards (*Can.*)
normes de présentation   disclosure standards
normes de présentation de l'information disclosure standards
norme de productivité   performance standard
normes de publicité   disclosure standards
norme de qualité   quality standard
norme de rendement   performance standard
norme de rendement   quota 3.
normes de rendement   standards of performance
normes de révision   auditing standards
normes de révision généralement admises generally accepted auditing standards (GAAS)
normes d'évaluation   standards of performance
normes de vérification   auditing standards
normes de vérification généralement reconnues (N.V.G.R.)   generally accepted auditing standards (GAAS)
norme générale de révision   general auditing standard
norme générale de vérification   general auditing

standard
notation des obligations   bond rating
notation du personnel   personnel rating
note   bill *n.* 1.
note   footnote
note   memorandum 1., 2., 3.
notes afférentes aux états financiers   notes to financial statements
note de chargement   bill of lading
note de colisage   *V.* packing slip
notes complémentaires   notes to financial statements
note de crédit   credit note
note de débit   debit note
note de frais   expense account
note de service   memorandum 2.
note d'information   prospectus
note d'information   takeover bid circular
note d'information définitive   final prospectus
note d'orientation   guidelines 2.
notes d'orientation en comptabilité et en vérification   guidelines 2.
note explicative   footnote
notification de redressement (*Fr.*) *V.* reassessment notice
notion de la préservation de la capacité de fonctionnement   operating capability maintenance concept
notion de la préservation de la capacité de production   physical capital maintenance concept
notion de la préservation de la capacité d'exploitation   operating capability maintenance concept
notion de la préservation du capital   financial capital maintenance concept
notion de la préservation du patrimoine   capital maintenance concept
nue-propriété   bare property   *V.a.* usufruct
numéraire   cash *n.* 1.   *V.a.* currency 1., facilities of payment
numérique   digital   *V.a.* tag 2.
numéro   *V.* folio 1., 2.
nu-propriétaire   bare owner
nu-propriétaire   remainderman 1.

O

objet breveté   *V.* patent infringement
objet de la révision   audit scope 2.
objet de la vérification   audit scope 2.
obligataire   bondholder
obligation   bond 1.
obligation   bond certificate
obligation   obligation
obligation à coupons   coupon bond

obligations à échéance reportable   extendible bond
obligations à échéance unique   term bonds
obligations à fonds d'amortissement   sinking fund bonds
obligation à intérêts composés   compound interest bond
obligation à intérêt conditionnel   income bond

obligation à revenu variable   income bond
obligations à terme   term bonds
obligation au porteur   bearer bond
obligation avec bon de souscription
  détachable   bond with detachable warrant
  V.a. stock purchase warrant
obligation avec *warrant* (*Fr.* et *Belg.*)
  V. detachable warrant
obligation convertible   convertible bond
obligation convertible en actions   convertible
  bond
obligation d'épargne (*Can.*)   savings bond
obligation de première hypothèque   first
  mortgage bond
obligation de rendre compte   accountability
obligation de rendre des comptes
  accountability
obligation de répondre de   accountability
obligation d'État   government bond
obligations d'information   disclosure
  requirements
obligations échéant en série   serial bonds
obligations échéant par tranches   serial bonds
obligations échues   matured bonds
obligation encaissable par anticipation
  retractable bond
obligation garantie   guaranteed bond
obligation garantie par nantissement de titres
  collateral trust bond
obligation hypothécaire   mortgage bond
obligation immatriculée   registered bond
obligation indexée   indexed bond
obligation nominative   registered bond
obligation non garantie   debenture 2.
obligation participante   participating bond
  V.a. income bond
obligation redditionnelle   accountability
obligation remboursable à vue   callable bond
obligation remboursable en nature   commodity
  bond
obligation remboursable par anticipation
  callable bond
observation   observation   *V.a.* auditing
  techniques
obsolescence   obsolescence
  V.a. depreciation 1.
obsolescent   obsolete *adj.*
obsolète   *V.* obsolete
obtention de capitaux   raising of capital
occasion   bargain
occasion   second-hand good
occasionnel   casual employee
octet   byte
octroi d'un prêt   granting of a loan
office de commercialisation   marketing board
officiel   official *adj.*
officier   *V.* officer
officieuse   *V.* official *adj.*
offre   asked price
offre   offer
offre   supply

offre d'achat   bid
offre d'achat au comptant   cash offer
offre d'achat en numéraire   cash offer
offre en vente   *V.* distribution 2.
offre publique d'achat (O.P.A.)   takeover bid
  V.a. directors' circular, increase in price, offeree
offre publique d'échéance (O.P.E.)
  V. takeover bid
offrir un pot-de-vin   pay off, to 2. (*fam.*)
opérateur   operator 1.
opération   operation(s) 2.
opération   transaction 1.
opérations à terme   futures 2.
opération au comptant   cash transaction 2.
opération au comptant   spot transaction
opérations bancaires   *V.* transaction 1.
opérations boursières   *V.* transaction 1.
opération commerciale   business
  transaction   *V.a.* transaction 1.
opération comptable   internal transaction
opérations conclues en monnaie étrangère
  foreign currency transactions
opération consortiale   *V.* syndicate
opération d'arbitrage   arbitrage
opération de Bourse   stock transaction
opération de caisse   cash transaction 1.
opération de cession   *V.* section 1.
opération de change   foreign exchange 1.
opération de change à terme   forward exchange
  contract
opération de change au comptant   spot
  transaction
opération de consignation   consignment (sale)
opération de couverture   hedge *n.*
opération de crédit-bail   leasing
opération d'entrée   input *n.* 2.
opération de recensement   *V.* natural business
  year, periodic procedures
opération de répartition   *V.* section 1.
opération de trésorerie   cash transaction 1.
opération de tri   *V.* routine
opération de troc   barter transaction   *V.a.* swap
  facilities
opération d'imputation   *V.* section 1.
opération d'initié   insider trading
opérations d'inventaire   periodic procedures
opération en capital   capital transaction 2.
opérations entre apparentés   related party
  transactions
opération entre initiés   insider trading
opérations entre personnes apparentées
  related party transactions
opérations financières   financial operations
opération intersociétés   intercompany
  transaction
opération portant sur les capitaux propres
  capital transaction 1.
opération réciproque   intercompany transaction
opération spéculative   venture
opérer une décote   write down *v.* 1.
opinion avec réserve   qualified opinion

opinion défavorable (*Can.*)   adverse opinion
opinion du réviseur   auditor's opinion
opinion du vérificateur   auditor's opinion
opinion nuancée par une réserve   qualified
  opinion
opinion partielle   piecemeal opinion *V.a.* partial
  audit
opinion sans réserve   unqualified opinion
opposition   stop payment
optimisation   optimization *V.a.* maximization
optimum de Pareto   Pareto optimality
option   option
options   alternatives
option d'achat   call (option)
option d'achat   purchase option
option d'achat à prix de faveur   bargain
  pruchase option
option d'achat à un prix préférentiel   bargain
  purchase option
option d'achat d'actions   stock option
**option de renouvellement à prix de
  faveur**   bargain renewal option
**option de renouvellement à un prix
  préférentiel**   bargain renewal option
option de souscription à des actions   stock
  option
option de vente   put (option)
ordinateur   computer
ordinateur à temps partagé   time sharing
  computer
ordonnance de séquestre   receiving order
  V.a. go bankrupt, in receivership
ordonnancement   *V.* payment authorization
ordonnancement   scheduling
ordonnancer   schedule *v.*
ordre   order 1., 2.
ordre au mieux   market order
ordre (d'achat)   order 1.
ordre (de Bourse)   order 2.
ordre de fabrication   work order 1.
ordre de paiement   payment authorization
ordre de réapprovisionnement   *V.* minimum
  stock
ordre de travail   work order 2.
ordre de virement   bank money order
ordre de virement   transfer order
ordre d'exécution   work order 1., 2.
ordre du jour   agenda

ordre permanent   standing order
ordre professionnel   corporation 3.
organe central de commande   instruction control
  unit
organe de calcul   *V.* digital computer
organe d'entrée   input device
organigramme   flow chart 2.
organigramme   organization chart
organigramme de données   data flow chart
organisation   management 3.
organisation   organization 1.
organisme   organization 2.
organisme à but lucratif   profit-oriented
  organization
organisme affilié   related non-profit organization
organisme d'attribution des licences   licensing
  body
organisme de normalisation   standard setting
  body
organisme de réglementation   regulatory
  agency
organisme de régulation (*Can.*)   regulatory
  agency
organisme d'intérêt public   *V.* Crown
  corporation
organisme d'intervention (*Fr.*)   regulatory
  agency
organisme sans but lucratif   non-profit
  organization
organisme sans but lucratif affilié   related non-
  profit organization
organisme sans personnalité morale
  unincorporated business
original   original
outils   tools
outil de production   plant 1.   *V.a.* tangible
  assets
outillage   equipment 2.
outillage   tools
outillage de fabrication   production machinery
outillage de production   production machinery
ouverture de crédit   line of credit
  V.a. credit *n.* 3., current account 2., opening
  of an account, performance bond
ouverture d'un accréditif   *V.* letter of credit
ouverture d'un compte   opening of an account
ouvrier   worker
ouvrier à la tâche   jobber 1.

P

pacte d'atermoiement   *V.* arrangement
page   folio 1.
paie   pay *n.*
paiement   liquidation 1.
paiement   payment 1.
paiement annuel   annual (re)payment

paiement anticipé   advance payment
paiement anticipé   prepayment
paiement au comptant   cash payment
paiement au prorata des travaux   progress
  payment
paiement à valoir   *V.* deposit 3., payment on

account

paiement comptant   cash payment
paiement de capital et d'intérêts réunis
blended interest payment
paiement de transfert   transfer payment
paiement différé   deferred payment
paiements échelonnés   instalment payments
paiement en espèces   cash payment
paiement en nature   payment in kind
paiement en numéraire   cash payment
paiement mensuel   monthly payment
paiements minimaux exigibles en vertu d'un bail   minimum lease payments
paiement par anticipation   advance payment
paiement proportionnel   progress payment
paiement symbolique   token payment
paiement trimestriel   quarterly payment
paiement unique   V. lump sum
pair   par 1., 2.
pair comptable   V. par 2.
papier   paper
papier commercial   commercial paper 3.
V.a. paper
papiers d'affaires   business papers
papiers de travail   working papers 1.
papier en continu   V. print-out
papier financier   commercial paper 4.
V.a. paper
papier-monnaie   paper money V.a. paper
paquet d'actions   block of shares
paradis fiscal   tax haven
parafer   initial v.
paragraphe de délimitation   scope paragraph
paragraphe d'énoncé de restriction(s)
reservation paragraph
paragraphe d'énoncé d'opinion (Can.)   opinion paragraph
paraître   figure v. 2.
parapher   initial v.
parapher   sign
parc   fleet
parcelle   parcel of land
pari passu   pari passu
parité   parity
part   interest 2.
part   share 3.
part   unit 1.
partage du temps   V. time sharing computer
part des actionnaires minoritaires   minority interest 2.
part du marché   V. marketing policy
partialité   bias
participant   participant
participation   dividend 5.
participation   interest 2.
participation   investment 4.
participation aux bénéfices   profit sharing
participation croisée   reciprocal shareholding
participation majoritaire   majority interest
participation minoritaire   minority interest 1.
participation permanente   long-term

intercorporate investment
participation réciproque   reciprocal shareholding
parti-pris   bias
part sociale   share 3.
pas de porte   V. lease renewal
passage   computer run
passage en ordinateur   computer run
passage-machine   computer run
passation directe en charges   direct charge off method
passation d'une commande   V. purchase requisition
passation en charges   debit n. 1.
passer en charges   charge off 1.
passer en charges   debit v.
passer en charges   write off v.
passer par pertes et profits (Fr.)   write off v.
passer (une écriture)   account for 1.
passer (une écriture)   enter
passer une écriture de journal   journalize
passif   equities
passif   liabilities
passif   liability 2.
passif à court terme   current liabilities
passif à long terme   long-term liabilities
passif à valeur vénale fixe   monetary liability
passif à valeur vénale variable   non-monetary liability
passif éventuel   contingent liability
passif exigible   V. current liabilities
passif externe   V. accounting equation, balance sheet, liabilities
passif interne   V. accounting equation, balance sheet, liabilities
passif interne et externe   equities
passif monétaire   monetary liability
passif non monétaire   non-monetary liability
passif social   V. partnership
patente (Fr.)   V. tax n. 2.
patrimoine fiduciaire   trust estate
patrimoine immobilier   V. secret reserve
payable   payable
payable à vue   due on demand
payable sur demande (Can.)   due on demand
payable sur présentation   due on demand
payé   paid
paye   pay n.
payer   honour v. 2
payer   pay v. 1.
payer comptant   pay cash, to
payer en argent   pay cash, to
payer et emporter   cash and carry
payer immédiatement   pay cash, to
payer un effet   honour v. 2.
payeur   paymaster
pécuniaire   monetary 2.
pénalité   forfeit payment
pénalités et amendes fiscales   tax penalties
pension   annuity 3.
pensions   pension benefits 1.
pension de sécurité de la vieillesse   old age

pension
pension de vieillesse   old age pension
pension d'invalidité   disability pension
pensionné   annuitant
pénurie   shortage 1.
pénurie de stock   inventory shortage 2.
perception   collection 2.
percevoir   V. cash v.
perfectionnement des cadres   executive development 2.
perfectionnement des cadres   management development
perfectionnement professionnel   professional development
perforateur   key punch
perforatrice à clavier   key punch
performance   V. performance appraisal
périmé   lapsed *adj.*
périmé   obsolete *adj.*
périmètre de consolidation   V. consolidation 1., minority interest 2.
périmètre de la révision   V. audit scope 2.
périmètre de la vérification   V. audit scope 2.
période comptable   financial period 1.
période d'amortissement   amortization period
période d'attente   probation period 2.
période de conversion   conversion period
période de pointe   peak period
période de récupération   payback period
période de référence   V. general price index, price index
période d'essai   probation period 1.
période moyenne de recouvrement (des créances)   collection period (of receivables)
période probatoire   probation period 1. *V.a.* waiting period
période tampon   stub period (*fam.*)
périphériques   peripheral equipment
périphérique d'entrée   input device
permis (*Can.*)   license 2.
permis   license 3.
permis d'absence   leave of absence
permis d'exemption de taxe sur les ventes sales tax license
permutation   transfer 4.
personnalité morale   V. unincorporated business
personne   person
personne à charge   dependent
personnes apparentées   related parties
personne à son compte   self-employed person
personne juridique   legal entity
personnel   personnel
personnel   staff 2.
personnel administratif   non-professional staff
personnel clé   key employee
personnel commercial   sales force
personnel de bureau   clerical staff
personnel de soutien   non professional staff
personnel de vente   sales force
personnel d'exécution   V. on-the-job training
personnel de fonction   professional staff

personnel en fonction   staff 1.
personnel occasionnel   V. regular staff
personnel permanent   regular staff
personnel technique   professional staff
personnel temporaire   V. regular staff
personne morale   artificial person
personne morale   body corporate
personne morale   legal entity
personne physique   natural person
PERT   program evaluation and review technique (PERT)
perte   loss 1., 2., 3.
perte   waste 1.
perte actuarielle   actuarial loss 1. (*vieilli*)
perte de change   foreign exchange loss
perte de détention   holding loss
perte de l'exercice   loss 2.
perte de pouvoir d'achat   general price-level loss
perte de valeur   loss in value
perte due à l'évolution (du niveau général) des prix   general price-level loss
perte en capital   capital loss 1. (*fam.*)
perte en capital (*Can.*)   capital loss 2.
perte (en poids)   shrinkage 1.
pertes et profits exceptionnels   V. extraordinary item, unusual item
pertes et profits sur exercices antérieurs (*Fr.*) prior period adjustments
perte fiscale récupérable   V. loss carry forward
perte nette (de l'exercice)   loss 2.
perte normale   normal spoilage
perte récupérable   V. loss carry forward
perte sur change   foreign exchange loss
perte sur créance   bad debt
perte sur prêt   bad debt
pertinence   relevance
pertinence de l'information   appropriateness of evidence
pesage   V. physical inventory
petite caisse   petty cash
petite monnaie   hard cash
petite monnaie   small change
petit outillage   small tools
petits outils   small tools
photocopie   V. copy
pièce comptable   bookkeeping voucher
pièce comptable   voucher 1.
pièce de caisse   cash voucher
pièces de rechange   spare parts
pièces détachées   spare parts
pièce justificative   bookkeeping voucher
pièce justificative   source document
pièce justificative   voucher 1.
pièce justificative de caisse   cash voucher
pièce justificative (du journal)   journal voucher
pièce refusée   reject
pièce rejetée   reject
piste   track
piste de contrôle de gestion   management trail
piste de révision   audit trail 1.

piste de vérification   audit trail 1., 2.
placement   distribution 2.
placement   investment 3., 5.
placement à court terme   short-term investment
placement à long terme   long-term investment 1.
placement collectif   V. mutual fund 2.
placement de portefeuille   portfolio investment
placement d'un bloc de titres   secondary distribution
placement initial (de titres)   primary distribution
placements liquides   liquid investments
placement pour compte   best efforts offering
placement primaire (de titres)   primary distribution
placement temporaire   short-term investment
plafond de crédit   credit ceiling
plafond de la dette   debt celling
plafond des affaires (Can.)   business limit
plafond du salaire   earnings ceiling
plafond global des affaires (Can.)   total business limit
plage de salaire   salary range
plage fixe   core hours
plage mobile   flexible hours
plan   plan 1.
plan   program n. 1.
plan comptable   chart of accounts
plan comptable général (P.C.G.)   V. chart of accounts
plan comptable normalisé   uniform code of accounts   V.a. chart of accounts
plan comptable professionnel   V. chart of accounts
plan d'amortissement   amortization plan V.a. redemption
plan d'amortissement   amortization table 1.
plan d'amortissement   depreciation schedule V.a. depreciation 2.
plan de comptes   V. chart of accounts
plan de développement des produits   product planning
plan de financement   financing plan
plan de remboursement   amortization plan
plan de trésorerie   V. cash flow forecasts
plan de vérification initial   tentative audit strategy
plan d'investissement   V. capital budget
plan financier   financing plan
planification   planning
planification budgétaire   budget planning
planification commerciale   commercial planning
planification de gestion   management planning
planification de l'organisation   organization planning 1.
planification financière   financial planning
planification fiscale   tax planning
planification successorale   estate planning
plaque de décalque   V. one-write system
plaquette (Fr. et Belg.)   V. annual report
plus-value   appreciation
plus-value   capital gain 1.

plus-value (Fr.)   capital gain 2.
plus-value   holding gain
plus-value   increase in value
plus-value constatée par expertise   appraisal increase credit
plus-value de cession   capital gain 1. V.a. disposal 1.
plus-value de réalisation (Belg.)   capital gain 2.
plus-value de réévaluation   appraisal increase credit
plus-value d'expertise   appraisal increase credit
plus-values latentes   V. increase in value, secret reserve
plus-value matérialisée   capital gain 1. V.a. increase in value
plus-value non matérialisée   paper profit (fam.) V.a. increase in value
plus-values potentielles   V. increase in value
plus-values réalisées   V. increase in value
poids à vide   V. net weight
poids brut   gross weight
poids net   net weight
point   item 3.
point d'arrêt   V. restart
point de commande   reorder point
point de contrôle   check point V.a. restart
point de réapprovisionnement   V. economic order quantity (EOQ)
point de référence   V. horizontal analysis
point de repère   benchmark
point de reprise   check point
points de retraite   V. pension unit
point de séparation   split-off point
point de vente   outlet 1.
pointe (fam.)   peak period
pointer   check v. 2.
point mort   break-even point
points saillants   highlights
polarisation magnétique   V. magnetic tape
police d'assurance   insurance policy 2.
police flottante   floating policy
politique   policy 2.
politique commerciale   V. price policy
politique d'amortissement   depreciation policy
politique de dividende   dividend policy
politique de marché   marketing policy
politique de marketing   marketing policy
politique de mise en marché   marketing policy
politique de prix   price policy
politique de réapprovisionnement   reorder policy
politique générale   business policies
pool   pool n.
population   population V.a. sampling 2.
population de référence   V. sample 1.
port à percevoir   collect adj.
port dû   collect adj.
portée de la révision   implications of an audit
portée de la vérification   implications of an audit
portefeuille   portfolio
portefeuille de commandes   backlog

portefeuille de contrats d'assurance
V. portfolio
portefeuille des effets de commerce
V. portfolio
portefeuilliste   portfolio manager
porter au crédit   credit v.
porter au débit   debit v.
porter au journal   journalize
porter en diminution de   apply against
porteur   bearer
porteur de bonne foi   holder in due course
porteur d'obligations   bondholder
port payé   prepaid
poser sa candidature à un poste   apply for a
job
position   position 2.
position acheteur   long position 1.
position à couvert   long position 1., 2.
V.a. foreign exchange positon
position à découvert   short position 1., 2.
V.a. foreign exchange position
position courte   short position 2.
position créditrice   long position 2.
position débitrice   short position 2.
position de change   exchange position exposure
position de change   foreign exchange position
position de place   V. long position 1.
position de trésorerie   cash position
position en compte   long position 1.
position équilibrée   V. foreign exchange position
position longue   long position 2.
position longue   short position 2.
position mixte   spread n. 2.
position nette créditrice   exposed net liability
position
position nette débitrice   exposed net asset
position
position vendeur   short position 1.
possesseur   bearer
possibilités   alternatives
post-acquisition   post-acquisition
postdaté   postdated
poste   item 2.
poste   occupation 2.
poste   position 1.
poste   shift
poste à valeur vénale fixe   monetary item
poste à valeur vénale variable   non-monetary
item
poste créditeur   credit item
poste débiteur   debit item
poste de jour   V. shift
poste de nature inhabituelle   unusual item
poste de nuit   V. shift
postes de travail   V. line layout
poste du bilan   balance sheet item
poste extraordinaire   extraordinary item
poste hors caisse   non-cash item 1., 2.
poste hors fonds   non-fund item 1., 2.
poste hors trésorerie   non-cash item 1.
poste monétaire   monetary item

poste non monétaire   non-monetary item
poster   mail v.
poste vacant   vacant position
postulats comptables   accounting concepts
postulats, normes et conventions comptables
accounting conventions
pot-de-vin   V. pay off, to 2., slush fund
potentiel de l'entreprise   V. capacity 1.
potentiel de production   capacity 1.
pour acquit   paid   V.a. discharge v. 2.,
payment 1.
pourcentage de marge (bénéficiaire) brute
gross profit ratio
pourcentage de marge bénéficiaire nette   net
profit ratio
pour mémoire   memorandum (entry)
pour solde de tout compte   V. discharge n. 1.
pourvoir à un poste   fill a position, to
pourvoir en capital   fund v. 1.
pouvoir   V. proxy 2.
pouvoir d'achat (de l'argent)   purchasing power
(of money)
praticien autonome   sole practitioner
praticien exerçant à titre individuel   sole
practitioner
pratiques comptables   accounting procedures 1.
pré-acquisition   pre-acquisition
préavis   advance notice
préavis   notice 1.
précision   precision
précompte   deduction at source
précomptes   payroll deductions
précompte fiscal   tax deduction at source
précompte fiscal   withholding tax
précompte mobilier (Belg.)   V. deduction at
source
précompte professionnel (Belg.)   V. deduction
at source
précontrôle   pre-audit
prééminence de la réalité sur l'apparence
substance over form principle
préemption   V. pre-emptive right
préfinancement   interim financing
préjudice   V. tort
prélèvement   deduction at source
prélèvement   draw-down
prélèvement   drawing
prélèvement des frais d'acquisition sur les
premiers versements   front-end loading 1.
prélèvement sur les impôts reportés
draw-down
prélever une somme sur   appropriate a sum
from, to
première hypothèse   first mortgage
premier entré, premier sorti   first in, first out
(FIFO) method
premier vérificateur   primary auditor
premier vérificateur (Can.)   senior (auditor)
prenant fin le   ending
prendre une image-mémoire   dump v.
preneur   lessee   V.a. lease

preneur à bail   payee 1.
preneur à bail   lessee
preneur ferme   underwriter 2.
préposé au crédit   loan officer
préposé aux registres   registrar
prescription   prescription
présence à l'inventaire (physique)   physical inventory attendance
présentation   disclosure 2.
présentation axée sur le fonds de roulement   financial position form (of balance sheet)
présentation de renseignements   disclosure 2.
présentation d'informations par voie de notes   note disclosure
présentation du bilan axée sur le fonds de roulement   financial position form (of balance sheet)
présentation du bilan en deux volets   account form (of balance sheet)
présentation du bilan en tableau   account form (of balance sheet)
présentation en deux volets   account form (of balance sheet)
présentation en forme de compte   account form (of balance sheet)
présentation en liste   report form (of balance sheet)
présentation en tableau   account form (of balance sheet)
présentation en tableau   account form (of statement)
présentation en tableau du compte de résultat (*Fr.* et *Belg.*)   single-step income statement
présentation fidèle   fair presentation
présentation horizontale (du bilan)   account form (of balance sheet)
présentation intégrale des ressources financières   all-financial-resources concept
présentation verticale   report form (of balance sheet)
présenter fidèlement   present fairly
présenter un relevé de compte   account for 2.
préservation de la capacité de fonctionnement   operating capability maintenance concept
préservation de la capacité de production   physical capital maintenance concept
préservation de la capacité d'exploitation   operating capability maintenance concept
préservation du capital   financial capital maintenance concept
préservation du patrimoine   capital maintenance concept
préservation du patrimoine   safeguarding of assets
président   *V.* chairman of the board
président-directeur général   *V.* chairman of the board
président du conseil d'administration   chairman of the board
prestataire   annuitant
prestataire   recipient

prestation   benefit 1.
prestation d'assurance   insurance benefit
prestation de décès   death benefit
prestations de retraite   pension benefits 1.
prestation de services   rendering of services
prestations de services   services
prestations de services en cours   work in process 2.
prestation en espèces   cash benefit
prestation en nature   benefit in kind
prestations locatives   *V.* rental expenses
prestations pleinement acquises   fully vested benefits
prestations réciproques   *V.* estimated cost
prestation uniforme   flat-rate benefit
prêt   advance 3.
prêt   loan 1.
prêt à conditions de faveur   soft loan
prêt à conditions rigoureuses   hard loan
prêt à tempérament   instalment credit
prêt à terme   term loan
prêt à terme renouvelable   revolving credit
prêt au jour le jour   day loan
prêt à vue   demand loan
prêt bancaire   bank loan 1.
prêt de banque   bank loan 1.
prêt de faveur   soft loan
prête-nom   dummy
prêteur   lender *V.a.* credit *n.* 3., loan 1.
prêteur sur gage(s)   pawnbroker
prêt garanti   collateral loan
prêt garanti   secured loan
prêt hypothécaire   mortgage loan
prêt hypothécaire   mortgage loan receivable
prêt hypothécaire à montant fixe   closed-end mortgage
prêt non garanti   unsecured loan
prêt participatif (*Fr.*)   *V.* subordinated debt, ordinary creditor
prêt personnel   personal loan
prêt personnel à tempérament   instalment credit
prêt remboursable à vue   demand loan
prêt remboursable par versements   instalment loan
prêt remboursable sur demande (*Can.*)   demand loan
prêt subordonné   *V.* ordinary creditor
prêt-subvention   forgivable loan
prêt sur hypothèque   mortgage loan
prêt sur police d'assurance   policy loan
preuve   evidence
preuve de sinistre   proof of claim
preuves documentaires   documentary evidence
prévision   forecast
prévisions   forecasts
prévisions budgétaires   budget *n.* 2.
prévisions de caisse   cash flow forecasts
prévisions de résultats   earnings forecasts
prévisions de trésorerie   cash budget
prévisions de trésorerie   cash flow forecasts
prévisions financières   forecasts

prévisions financières globales   financial
forecasts 1.
prévisions par intervalle   range forecasts
prévisions ponctuelles   single value forecasts
primauté de la substance sur la forme
substance over form principle
prime   bonus   *V.a.* dividend 4.
prime   premium 1., 2., 4.
prime à l'émission d'actions   share premium
prime à l'émission d'obligations   bond premium
prime d'apport   share premium
prime d'assurance   insurance premium
V.a. insurance
prime de conversion   conversion premium
prime de départ   severance pay
prime de départ à la retraite   *V.* severance pay
prime de fusion   *V.* merger
prime de licenciement   *V.* severance pay
prime de mise à la retraite   *V.* severance pay
prime d'émission (*Fr.* et *Belg.*)   bond discount
prime d'émission   bond premium
prime d'émission (*Fr.* et *Belg.*)   discount *n.* 3.
prime d'émission   premium 1.
prime d'émission (d'actions)   share premium
prime d'émission d'obligations   bond premium
prime d'encouragement   incentive
prime de poste   shift premium
prime de productivité   production bonus
V.a. bonus
prime d'équipe   shift premium
prime de remboursement   redemption premium
prime de remboursement (anticipé)   call
premium
prime de rendement   production bonus
V.a. bonus, incentive pay
prime d'objectifs   *V.* bonus
prime double   *V.* bond discount
prime en dedans   *V.* bond discount
prime en dehors   *V.* bond discount
principal   principal 1.   *V.a.* bond 1.
principal d'une succession   *V.* remainderman 1.
principes comptables   accounting
principles 2., 3.
principes comptables généralement admis
generally accepted accounting principles (GAAP)
**principes comptables généralement reconnus
(P.C.G.R.)**   generally accepted accounting
principles (GAAP)
principe d'annualité   accrual principle
principe de bonne information   disclosure
principle
principe de la continuité (des méthodes) (*Can.*)
consistency principle
principe de la permanence (des méthodes) (*Fr.*
et *Belg.*)   consistency principle
**principe de la prééminence de la réalité sur
l'apparence**   substance over form principle
**principe de la primauté de la substance sur la
forme**   substance over form principle
**principe de la spécialisation des
exercices**   time period concept

principe de l'autonomie des exercices   time
period concept
principe de la valeur d'acquisition   cost
principle
principe de l'importance relative   materiality
principle
principe de l'indépendance des exercices   time
period concept
principe de l'unité monétaire stable   stable
monetary unit concept
principe de nominalisme   *V.* stable monetary
unit concept
principe de prudence   conservatism
principle   *V.a.* unrealized 2., 3.
principe de réalisation   realization principle
principe de stabilité de l'unité monétaire
V. stable monetary unit concept
principe directeur   policy 3.
principes directeurs   guidelines 1.
principe d'objectivité   objectivity principle
principe du coût   cost principle
**principe du rapprochement (des produits et des
charges)**   matching principle 1.
**principe du rattachement (des produits et des
charges) à l'exercice**   matching principle 1.
prise de contrôle   acquisition 2.
prise de contrôle à rebours   reverse takeover
prise de contrôle inversée   reverse takeover
prise de décision(s)   decision making 2.
prise de participation   acquisition 2.
prise de participation progressive   step-by-step
acquisition
privation de rémunération   *V.* opportunity cost
privilège   *V.* lien
privilège sur biens imposés   tax lien
privilégié   non arm's length
prix   price 1.
prix à la casse   scrap value
prix à la pièce   *V.* unit price
prix à l'unité   unit price
prix à terme   forward price
prix au comptant   cash price
prix au comptant   spot price
prix au consommateur   retail price
prix bradés   *V.* price policy
prix comptant   cash price
prix contractuel   contract price
prix convenu   agreed price
prix courant   list price
prix courant   market value 1.
prix coûtant   cost 1.
prix coûtant   purchase price
**prix coûtant des marchandises vendues
(P.C.M.V.)**   cost of goods sold 1.
prix d'achat   purchase price
prix d'acquisition   acquisition cost
prix de base   base price
prix de base   cost base
prix de base rajusté (*Can.*)   adjusted cost base
prix de catalogue   *V.* list price, selling price
prix de cession interne   transfer price

V.a. negotiated price
prix de consignation   deposit 5.   *V.a.* returnable
   container
prix de détail   retail price
prix de levée d'option   exercice price
   V.a. option
prix de liquidation   liquidation price
prix de liquidation   liquidation value
prix demandé   charge *n.* 3.
prix démarqué   *V.* mark-down cancellation
prix d'émission   issue price
prix d'entrée courant   current entry price
prix départ usine   price ex-works
prix de rachat   redemption price
prix de référence   base price
prix de remboursement   redemption price
prix de revient   cost 2.
prix de revient   production cost
prix de revient commercial   *V.* cost 2.
prix de revient complet   absorption costing
prix de revient de base   prime cost
prix de revient de fabrication   *V.* cost 2.
prix de revient en cycles continus   process
   cost system
**prix de revient en fabrication uniforme et
   continue**   process cost system
prix de revient estimatif   estimated cost system
prix de revient normalisé   standard cost
prix de revient normalisé   standard cost system
prix de revient par commande   job cost system
prix de revient standard   standard cost
prix de revient standard   standard cost system
prix de sortie courant   current exit price
prix de soutien   guaranteed price
prix de transfert   transfer price
prix de vente   selling price
prix de vente conseillé   suggested retail price
prix de vente net   net selling price
   V.a. selling price
prix du marché   market value 1.
prix exigé   charge *n.* 3.
prix forfaitaire   contract price
prix forfaitaire   flat price
prix franco de port et d'emballage   *V.* free on
   board (FOB), prepaid
prix gâchés   *V.* price policy
prix garanti   guaranteed price
prix global   *V.* flat price
prix négocié   negotiated price
prix net   net price
prix plafond   ceiling price   *V.a.* price range,
   range of market price
prix plancher   floor price   *V.a* price range,
   range of market price
prix unitaire   unit price
procédé   procedure 2.
procédés comptables   accounting procedures 1.
procédés d'amortissement   depreciation
   methods
procédé de contrôle interne   internal control 2.
procédé de corroboration   substantive

procedure
procédé de fabrication   manufacturing
   process 2.
procédés de révision   auditing techniques
procédés de validation   *V.* substantive
   procedures
procédés de vérification   auditing techniques
procédé de vérification de (la) conformité
   compliance procedure
procédé par décalque   *V.* one-write system
procéder à l'inventaire   inventory *v.*
procédure   procedure 1., 3.
procédures comptables   accounting
   procedures 2.
procédures de révision   auditing procedures 1.
procédures de vérification   auditing
   procedures 1.
procédure d'inventaire   periodic procedures
processus   process *n.*
processus comptable   accounting process
processus décisionnel   decision making 1.
processus de décision   decision making 1.
processus de fabrication   manufacturing
   process 1.
procès-verbal   minutes
procès-verbaux   minute book
procuration   power of attorney
procuration   proxy 2.
procuration écrite   power of attorney
production   output 1.
production   production
production à la chaîne   line production
production de petite série   job lot production
production en chaîne   line production
productions en cours   goods in process
production par lot(s)   job lot production
productivité   productivity
productivité globale   *V.* productivity
productivité partielle   *V.* productivity
produit   proceeds 1.
produit   product
produit   yield 1.
produits   goods
produits   revenue 1.
produit accessoire   by-product
produits accessoires   miscellaneous revenue
produit à recevoir   accrual
produit à recevoir   accrued asset
produit avarié   spoilage
produit commun   common revenue
produit comptabilisé d'avance   deferred
   revenue 1.
produit constaté par régularisation   accrued
   revenue
produit d'appel   loss leader
produit défectueux   spoilage
produit dérivé   by-product
produits destinés à la vente   goods available for
   sale
produits d'exploitation   revenue 1.
produit d'exploitation commun   common

revenue
produit d'exploitation marginal   marginal revenue
produits divers   miscellaneous revenue
produits divers   non-tax revenue
produits en cours   goods in process
produits en cours de fabrication   goods in process
produits en voie de fabrication   goods in process
produits exceptionnels   *V.* extraordinary item
produit financier   income 4.
produit financier   investment income
produits financiers   financial revenue
produits finis   finished goods
produits intermédiaires   *V.* semi-finished goods
produits liés   joint products
produit marginal   marginal revenue
produit net   net proceeds
produits ouvrés   finished goods
produits par destination   *V.* revenue 1.
produit par nature   *V.* revenue 1.
produit reçu d'avance   deferred revenue 1.
produit reporté   deferred revenue 1.
produit résiduel   scrap *n.*
produit secondaire   by-product
produits sectoriels   segment revenue
produits semi-finis   semi-finished goods
produits semi-ouvrés   semi-finished goods
profession   industry 2.
profession   occupation 1.
profession   profession
profession comptable   accountancy 2.
professionnel   professional *n.*
professionnel libéral   professional *n.*
professionnels libéraux   *V.* professional staff
profit   benefit 5.
profit   gain
profit   income 1.
profit brut   gross margin 1., 2.
profit comptable   book profit 1., 2. *(fam.)*
profit de détention   holding gain
profit de détention sur stocks   inventory holding gain
profit d'exploitation   operating income
profit fictif   illusory profit *(fam.)*
profit fictif sur stocks   inventory profit
profit fortuit   windfall profit
profit imprévu   windfall profit
profit inattendu   windfall profit
profit intersociétés   intercompany profit
profit latent   book profit 2. *(fam.)*
profit net   income 1.
profit non matérialisé   book profit 2. *(fam.)*
profit non matérialisé   paper profit *(fam.)*
profit non réalisé   book profit 2. *(fam.)*
profit sectoriel   segment (operating) margin
profit sur change   foreign exchange gain
profits théoriques   imputed earnings
progiciel   package   *V.a.* standard program
progiciel de révision   audit package

progiciel de vérification   audit package
programmation   programming 1., 2.
programmation linéaire   linear programming
programme   plan 1.
programme   program *n.* 1., 2.
programme   schedule *n.* 1.
programme d'application   *V.* operating system
programme de chargement   loader 2.
programme de reprise   rerun routine
programme de révision   audit program
programme de révision généralisé   generalized purpose audit program
programme de service   service routine   *V.a.* operating system
programme de souscription à des actions   stock option plan
programme de traduction   translator
programme de tri et d'édition   *V.* program generator
programme de vérification   audit program
programme de vérification généralisé   generalized purpose audit program
programme d'interprétation   interpreter
programme d'options d'achat d'actions   stock option plan
programme d'organisation   *V.* operating system
programme fait sur mesure   user's program   *V.a* program *n.* 2.
programme invidualisé   tailor-made program
programme-objet   *V.* compiler
programme personnalisé   tailor-made program
programme-produit   package
programmer   program *v.*
programmer   schedule *v.*
programme-source   source program   *V.a.* compiler
programme standard   standard program   *V.a.* package, program *n.* 2.
programme sur mesure   tailor-made program
programme sur mesure   user's program
programmeur   programmer
programme utilitaire   utility program
projet d'états financiers   draft financial statements
projet d'investissement   investment project
projets mutuellement exclusifs   mutually exclusive projects
promesse de don   pledge *n.* 1.
promesse de vente   sales commitment
promoteur   promoter
promoteur   real estate developer
promoteur de construction   *V.* promoter
promoteur immobilier   real estate developer   *V.a.* promoter
promotion des ventes   sales promotion
pronostic   projection
pronostics   projections 2.
pronostics financiers   projections 2.
proposer un prix   quote *v.* 1.
proposition   application form 2.
proposition   proposal

proposition   quotation 1.
proposition concordataire   proposal
proposition de prix   quotation 1.
propre assurance   self-insurance
propriétaire   beneficial owner
propriétaire   landlord
propriétaire   owner
propriétaire à titre d'intermédiaire
nominal owner
propriétaire exploitant   owner manager
propriétaire pour compte   nominal owner
propriétaire véritable   beneficial owner
propriétés foncières et immobilières
V. real estate
propriété indivise   V. mutual fund 2.
propriété industrielle et commerciale
trademark rights
propriété louée à bail   leasehold
prorata   pro rata
prorogation   prorogation
prospection   practice development
prospection de la clientèle   practice
development
prospectus   prospectus
prospectus définitif   final prospectus
prospectus d'émission   prospectus
prospectus préliminaire   preliminary prospectus
prospectus provisoire   preliminary prospectus
protection   insurance coverage
protection de mémoire   storage protection
protection des biens   safeguarding of assets
protection fiscale   tax shield
protêt   protest
prouver   vouch
provenance des fonds   source of funds
provenance et utilisation des fonds (Can.)
statement of source and application of funds
provision   provision 2., 3., 4.   V.a. fund v. 2.
provision   reserve 3.
provision   retainer fee
provision de propre assureur   self-insurance
reserve
provisions mathématiques   policy reserves
provisionnement   funding
provisionnement à l'échéance   terminal funding

provisionnement excédentaire   funding excess
provisionner (une dette)   fund v. 2.
provision pour créances douteuses   allowance
for doubtful accounts
provision pour dépréciation   provision 3.
V.a. investment 4.
provision pour dépréciation   valuation
allowance
**provision pour dépréciation des comptes
clients**   allowance for doubtful accounts
provision pour dépréciation des comptes clients
allowance for doubtful accounts
provision pour dette   provision 4.
provision pour épuisement   accumulated
depletion
provision pour moins-value   valuation
allowance
provision pour reconstitution de gisements
accumulated depletion
provision pour renouvellement   V. accumulated
depletion
provision réglementée (Fr.)   V. depreciation
expense
publication   disclosure 2.
publication de l'information financière   financial
reporting
publication d'information par secteurs
segment reporting
publication d'informations sectorielles
segment reporting
publication en temps opportun   timely
disclosure
publication rapide   timely disclosure
publicité   disclosure 2.
publicité directe   V. mail order selling
publié antérieurement   previously reported
publipostage   mailing
puce (fam.)   chip 1.
pupitre à clavier   keyboard console
pupitre (de commande)   console   V.a. keyboard
console
purge d'hypothèque   redemption of a
mortgage 2.
purger une hypothèque   pay off a mortgage, to

Q

quantifiant   measuring unit   V.a. attribute
measured
quantificateur   measuring unit
quantifié   V. attribute measured
quantité de réapprovisionnement   reorder
quantity
quantité économique de réapprovisionnement
economic order quantity (EOQ)

quantité manquante   shortage 1.
quantité optimale de commande   optimum order
size
quantité optimale de réapprovisionnement
optimum size order
quantum   V. guaranteed price
quart   V. shift
quartile   quartile

quart provisionnel *V.* tax (paid by) instalments
quasi-espèces cash equivalents
quasi-réorganisation quasi-reorganization
questionnaire d'évaluation du contrôle interne internal control questionnaire
questionnaire sur le contrôle interne internal control questionnaire
quittance discharge *n.* 1.

quittance receipt 3.
quittance pour solde de tout compte discharge *n.* 1.
quitus discharge *n.* 3. *V.a.* qualifying share(s)
quota quota 2. *V.a.* guaranteed price
quota de vente *V.* quota 2.
quote-part share 1.
quote-part des bénéfices dividend 5.

R

rabais discount *n.* 1. *V.a.* list price
rabais rebate
rabais de gros trade discount
rabais sur achats purchase allowances
rabais sur ventes sales allowances
rachat redemption
rachat retirement 1.
racheter (des actions) redeem
radiation deregistration 2.
radiation directe des créances irrécouvrables *V.* direct charge off method
radier write off *v.*
raison sociale firm name
rappel cross-reference
rappel follow-up *n.*
rappel d'impôts additional tax assessment
rapport ratio
rapport report
rapport statement 2.
rapport yield 1.
rapport annuel annual report
rapport annuel de gestion annual report
rapport assorti d'une réserve qualified report
rapport avec réserve qualified report
rapport court short-form report
rapport d'activité progress report
rapport de gestion annual report
rapport de l'expert-comptable auditor's report 3.
rapport de rendement performance report
rapport de révision auditor's report 2.
rapport de solvabilité credit report
rapport détaillé long-form report
rapport d'étape progress report
rapport de vérification (*Can.*) auditor's report 1.
rapport d'exercice annual report
rapport d'exploitation operating report
rapport d'insolvabilité deficiency account 1.
rapport du reviseur (*Belg.*) auditor's report 2.
rapport du réviseur (*Fr.*) auditor's report 2.
rapport du vérificateur (*Can.*) auditor's report 1.
rapport financier statement 2.
rapport financier périodique interim financial statement
rapport long long-form report

rapport périodique interim report
rapport périodique progress report
rapport sans réserve clean report (*fam.*)
rapport sinistres-primes loss ratio
rapport succinct short-form report
rapport sur les opérations de consignation account sales
rapport type (de vérification) standard report
rapprochement matching
rapprochement bancaire bank reconciliation
rapprochement bancaire de contrôle cut-off bank reconciliation
rapprochement de banque bank reconciliation
rapprochement de comptes reconciliation of accounts
rareté shortage 1.
ratio ratio *V.a.* ratio analysis
ratio avantages-coûts benefit/cost ratio
ratio cours-bénéfice price-earnings ratio
ratio coûts-avantages *V.* benefit/cost ratio
ratio d'activité activity ratio
ratio d'autonomie financière debt ratio(s)
ratio de conversion conversion rate
ratio de couverture de l'intérêt interest coverage ratio
ratio de distribution dividend payout ratio
ratio(s) de financement capital to fixed assets ratio(s)
ratio de la marge (bénéficiaire) brute gross profit ratio
ratio de la marge bénéficiaire nette net profit ratio
ratio de levier leverage ratio
ratio de liquidité acid test ratio
ratio de liquidité générale current ratio *V.a.* liquid assets
ratio de liquidité immédiate *V.* liquid assets
ratio de liquidité restreinte *V.* liquid assets 3.
ratio de marge bénéficiaire nette profit-volume ratio
ratio d'endettement debt ratio(s)
ratio d'endettement à court terme current ratio
ratio de rentabilité *V.* return on assets, return on equity
ratio de rotation des stocks inventory turnover

ratio des avantages aux coûts engagés
benefit/cost ratio

ratio des dividendes au bénéfice   dividend
payout ratio

ratio de solvabilité à court terme   current ratio

ratio de solvabilité à long terme   debt ratio(s)

ratio(s) de structure financière   *V.* debt ratio(s)

ratio de trésorerie   acid test ratio

ratio de versement   *V.* dividend payout ratio

ratio d'exploitation   operating ratio

ratios d'exploitation   operating ratios

ratio du fonds de roulement   current ratio

ratio du prix coûtant au prix de détail   cost
ratio

ratio d'utilisation   utilization ratio

ratio financier   financial ratio

ratio intrants-extrants   input/output ratio

**rationalisation des choix budgétaires
(R.C.B.)**   planning, programming and budgeting
system (PPBS)

rationnement du capital   capital rationing

ratio ponctuel de rotation des stocks
V. inventory turnover

ratio sinistres-primes   loss ratio

rattrapage d'amortissement   backlog
depreciation

rayon   department 3.

rayon (de magasin)   department 3.
V.a. department store

réalisable *n.*   *V.* liquid assets

réalisation   liquidation 2.

réalisé   realized 1., 2.

réaliser   realize

réapprovisionnement   procurement

réapprovisionner   reorder *v.*

réassurance   reinsurance

rebut   scrap *n.*

récépissé   receipt 3.   *V.a.* warehouse receipt 2.

récépissé d'entrepôt   warehouse receipt 1.

récépissé-warrant   warehouse receipt 2.

réception   receipt 2.

réceptionnaire   receiving clerk

recette   receipt 1.

recette   revenue 4., 5.

recette budgétaire   budgetary revenue

recette estimative   estimated revenue

recettes et dépenses   statement of revenue and
expenditure

recettes fiscales   tax revenue

recettes non fiscales   non-tax revenue

recette présumée   constructive receipt

recherche   search

recherche appliquée   *V.* research expenses

recherche de clients   practice development

recherche d'informations   information retrieval

recherche documentaire   information retrieval

recherche opérationnelle   operational research

recherche pure   *V.* research expenses

réclamation   claim *n.* 1.

récolement   physical count   *V.a.* physical
inventory, shortage 2.

récolement   stocktaking   *V.a.* cash count

récolements successifs   *V.* perpetual inventory
(method)

récoler   count *v.*

réconciliation *(Belg.)*   *V.* reconciliation of
accounts

reconduction du bail   *V.* lease renewal

reconnaissance de dette   IOU *(fam.)*

recoupement   cross-checking

recours collectif   class action

recouvrable   collectible

recouvrement   collection 1.

recouvrement   recovery 1.

recouvrement de banque   bank collection

**recouvrement sur créance (entièrement)
provisionnée**   *V.* bad debt recovered

recouvrement sur créance radiée   bad debt
recovered

recouvrer   cash *v.*

reçu   receipt 3.

recueil des procédés et méthodes   procedure
manual

récupération d'amortissement   recapture of
depreciation

récupération d'informations   information
retrieval

récurrent   recurring *adj.*

récusation   denial of opinion

reddition   *V.* statement of charge and discharge

reddition de comptes   accounting 2.

reddition de comptes   statement of charge and
discharge

redevance   annuity 3.

redevance   royalty   *V.a.* franchising

redressé   restated

redressement   adjustment 1., 2.

redressement   restatement

redressement   *V.a.* assessment notice

**redressements affectés aux exercices
antérieurs** *(Can.)*   prior period adjustments

**redressement au titre de la structure
financière**   financing adjustment

**redressement au titre du coût des
marchandises vendues**   cost of sales
adjustment

redressement financier   financing adjustment

redressement fiscal   additional tax assessment

réduction   abatement 1.

réduction de(s) prix   price cut

réduction de valeur   allowance 3.

réduction de valeur *(Belg.)*   valuation allowance

réduction de valeur sur créances *(Belg.)*
V. allowance for doubtful accounts

réduction du capital   reduction of capital

réductions budgétaires   budgetary cuts

réduire   write down *v.* 1., 2.

réduire les dépenses   cut expenditures, to

réduire   write down *v.* 1., 2.

réescompte   rediscount

réévaluation   revaluation

réévaluation d'une devise   revaluation of a

currency
réévaluer revalue
réévaluer write up *v.* 1.
réexécution rerun
réfaction allowance 1. *V.a.* discount *n.* 1.
référence cross-reference
référence folio 2.
référence label 3.
référence reference 2.
références references 3.
refinancement (de l'entreprise) refinancing
refinancement d'obligations bond refunding
refinancement (d'une dette) refunding
refonte de capital recapitalization
réforme retirement 2.
réformer retire
refuge fiscal tax haven
refus d'acceptation dishonour *n.* 1.
refus de certifier (*Fr.* et *Belg.*) adverse opinion
refus de paiement dishonour *n.* 2.
régie *V.* Crown corporation
régie d'attribution des permis (*Can.*) licensing body
régime plan 2.
régime à cotisations et prestations déterminées fixed benefit, fixed contribution plan
régime à prestations forfaitaires flat benefit pension plan
régime à rentes forfaitaires flat benefit pension plan
régime d'épargne-actions (*Can.*) stock savings plan
régime d'épargne-logement agréé *V.* registered home ownership savings plan (RHOSP)
régime d'épargne-retraite agréé *V.* registered retirement savings plan (RRSP)
régime de participation aux bénéfices profit-sharing plan
régime de participation différée aux bénéfices deferred profit-sharing plan
régime de prévoyance welfare plan
régime de prévoyance sociale welfare plan
régime de prix imposé price maintenance
régime de rémunération différée deferred compensation plan
régime de retraite pension plan
régime de retraite à cotisations déterminées cost based pension plan
régime de retraite agréé registered pension plan (RPP)
régime de retraite à participation différée aux bénéfices deferred profit-sharing pension plan
régime de retraite à prestations déterminées benefit based pension plan
régime de retraite contributif contributory pension plan
régime de retraite derniers salaires final average earnings pension plan
régime de retraite entièrement provisionné fully funded pension plan
régime de retraite fin de carrière final average

earnings pension plan
régime de retraite garanti insured pension plan 1.
régime de retraite géré par une compagnie d'assurances insured pension plan 2. (*U.S.*)
régime de retraite mixte contributory pension plan
régime de retraite non contributif non-contributory pension plan
régime de retraite par capitalisation funded pension plan
régime de retraite par capitalisation intégrale fully funded pension plan
régime de retraite par capitalisation partielle partially funded pension plan
régime de retraite par répartition (pure) pay-as-you-go (*fam.*) pension plan *V.a.* pension unit
régime de retraite pourcentage-salaire unit benefit pension plan 2.
régime de retraite provisionné funded pension plan
régime de retraite sans capitalisation unfunded pension plan 2.
régime de souscription à des actions stock option plan
régime d'intéressement incentive plan *V.a.* deferred profit-sharing plan, stock option plan
régime d'intéressement profit-sharing plan
régime d'intéressement différé deferred profit-sharing plan
régime d'options d'achat d'actions stock option plan
régime enregstré d'épargne-logement registered home ownership savings plan (RHOSP)
régime enregistré d'épargne-retraite (R.E.É.R.) registered retirement savings plan (RRSP)
régime enregistré de retraite *V.* registered pension plan (RPP)
régime fiscal (*Can.*) tax system
régime garanti insured pension plan 1.
régime général de retraite public pension plan
régime géré par une compagnie d'assurances insured pension plan 2. (*U.S.*)
régime par répartition (pure) pay-as-you-go (*fam.*) pension plan *V.a.* pension unit
régime pourcentage-salaire unit benefit pension plan 2.
régime salaires de carrière carreer earnings pension plan
registre book of account
registre record *n.* 1.
registre comptable book of account
registres comptables accounts 2.
registres comptables accounting records
registre des actionnaires share ledger *V.a.* registered shareholder
registre des chèques cheque register *V.a.* voucher register
registre des loyers rent roll
registre des pièces justificatives voucher register

registre des procès-verbaux   minute book
registres et pièces comptables   accounting records
règles comptables   accounting principles 3.
règle de 72 (*fam.*)   rule of 72 (*fam.*)
règle de 78 (*fam.*)   rule of 78 (*fam.*)
règle de l'équilibre financier   matching principle 2.
règle de non-compensation   *V.* offset
règle de rattachement (à l'exercice)   accrual principle
règles d'exonération   safe harbour rules
règles libératoires   safe harbour rules
règlement   by-laws 2.
règlement   liquidation 1.
règlement   payment 1.
règlements   by-laws 1.
règlement d'une société   by-laws 2.
  V.a. articles of association
règlement judiciaire   *V.* arrangement, bankruptcy, suspension of payments, trustee in bankruptcy
règle proportionnelle   co-insurance 1.
régler   discharge *v.* 1.
règles refuge   safe harbour rules
regroupement d'actions   consolidation of shares
regroupement d'entreprises   business combination
regroupement horizontal   horizontal business combination
regroupement par conglomérat   conglomerate business combination
regroupement vertical   vertical business combination
régularisation   adjustment 1.
régulateur (du trafic)   dispatcher
régulation de la production   production control 1.
réhabilitation du failli   *V.* discharge *v.* 3.
réhabiliter   discharge *v.* 3.
réinvestir   plow back
relatif à une société   corporate 1.
relation de mandataire   agency relationship
relations publiques   public relations
relevé   statement 2.
relevé   statement of account
relevé bancaire   bank statement
relevé cadastral   assessment roll
relevé comptable   statement 2.
relevés comptables   accounting summaries
relevé de banque   bank statement
relevé de caisse   *V.* cash count
relevé de compte   account 2.
relevé de compte   statement of account
relevé de compte détaillé   open item account
relevé de compte en banque   bank statement
relevé de temps   time sheet 2.
relevé d'inventaire   count sheet
relevé d'une société en participation   joint account
reliquat   balance of account 2.

remaniement de capital   recapitalization
remboursement   liquidation 1.
remboursement   payment 1.
remboursement   redemption
remboursement   reimbursement
remboursement   retirement 1.
remboursement anticipé   prepayment
remboursement d'une dette   debt redemption
remboursement d'un emprunt hypothécaire   redemption of a mortgage 1.
rembourser   discharge *v.* 1.
rembourser (des obligations)   redeem
remise   discount *n.* 1.
remise   quantity discount
remise   rebate
remise   trade discount
remise de dette   remission of a debt
remise en fabrication   rework
remise en route   restart
remise quantitative   quantity discount
remise sur quantité   quantity discount
remonter à l'origine   trace
remplacement   replacement
rémunération   compensation 2.
rémunération   remuneration   *V.a.* salaries and wages
rendement   performance
rendement   rate of return
rendement   return 2.
rendement   yield 1.
rendement à l'échéance   yield to maturity
rendement boursier   dividend yield
rendement comptable   accounting rate of return
rendement de l'actif   return of assets
rendement des actions   dividend yield
rendement des capitaux propres   return on equity
rendement des investissements   return on investment (ROI)
rendement du capital investi   return on investment (ROI)
rendement moyen   average yield
rendement nominal   accounting rate of return
rendement technique   input/output ratio
rendez-vous   appointment 2.
rendre compte   account for 3.
rendre la monnaie   change *v.*
rendu   return 3.
rendu sur achats   purchase return
rendu sur ventes   sales return
renonciation à une créance   remission of a debt
renouvellement de bail   lease renewal
renseignements à fournir   disclosure 3.
rentabilité   earning power
rentabilité   profitability
rentable   in the back (*fam.*)
rente   annuity 3.
rente   benefit 1.
rentes acquises   vested benefits
rente certaine   annuity certain
rentes de retraite   pension benefits 1.

rente d'étalement   *V.* income averaging annuity contract
rente différée   deferred annuity 1., 2.
rente d'invalidité   disability pension
rente payable d'avance   annuity due 2.
rente perpétuelle   perpetuity
rente viagère   life annuity
rentier   annuitant
rentrée d'argent   cash inflow
rentrée d'argent   receipt 1.
rentrée de fonds   cash inflow
rentrée de fonds   receipt 1.
rentrées et sorties de fonds   statement of receipts and disbursements
rentrée sur créance passée en charges   bad debt recovered
rentrée sur créance radiée   bad debt recovered
renvoi   cross-reference
renvoi   *V.* lay off 1.
renvoi   reference 1.
réorganisation   reorganization 1., 2.
réouverture   *V.* ruling of an account
réparation(s)   repair
réparations   repair expenses
répartir   allocate
répartition   allocation 1., 2.   *V.a.* cost allocation, indirect costs 1.
répartition   allotment 1.
répartition   apportionment 2.
répartition   break down *n.*
répartition   distribution 1.
répartition des impôts   tax allocation
répartition des ressources   allocation 2.
répartition d'un coût   cost allocation
répertoire   directory
répétitif   recurring *adj.*
répondant   guarantor 2.
report   amount brought (carried) forward 1., 2.
report   balance brought (carried) forward 2.
report   carry-over
report   deferment
report   posting
report   premium 3.
report à nouveau   balance brought (carried) forward 2.
report à nouveau (*Fr.*)   *V.* income 1., retained earnings
report à nouveau bénéficiaire (*Fr.*)   *V.* income 1.
report à nouveau déficitaire (*Fr.*)   *V.* income 1.
report créditeur d'impôt   deferred tax credit
report débiteur d'impôt   deferred tax debit
report de perte   loss carry-over
report de perte en amont   loss carry back
report de perte en aval   loss carry forward
report de perte prospectif   loss carry forward
report de perte rétrospectif   loss carry back
report d'impôt fixe   deferral method (of tax allocation)
report d'impôt variable   accrual method of tax allocation
reporté   *V.* premium 3.

report en amont   carry back
report en aval   carry forward
reporter   post *v.*
reporteur   *V.* premium 3.
report prospectif   carry forward   *V.a.* carry-over
report rétrospectif   carry back   *V.a.* carry-over
report sur les exercices précédents   carry back
report sur les exercices suivants   carry forward
représentant   broker 1.
représentant   representative
représentant   salesman 1.
représentant de commerce   salesman 1.
représentant statutaire (*Fr.*)   *V.* salesman 1.
reprise   recovery 2.
reprise   rerun
reprise   restart
reprise de possession   repossession   *V.a.* trade-in 1.
reprise de réduction de valeur d'une créance (*Belg.*)   bad debt recovered
reprise du bail   *V.* lease renewal
reprises sur provisions antérieures   *V.* prior period adjustments
réputation de la société   corporate image
réputation de solvabilité   credit standing
requête de mise en faillite   petition in bankruptcy
rescision   *V.* firm deal
réseau   *V.* critical path method (CPM), network analysis
réserve   fund *n.* 3.
réserve   qualification 1.
réserve   reserve 1., 2., 3.
réserve contractuelle   *V.* reserve 1., 2.
réserve de garantie   reserve for contingencies 2.
réserve disponible (*Belg.*)   *V.* reserve 2.
réserve facultative   *V.* reserve 1., 2.
réserve immunisée (*Belg.*)   *V.* accounting inome, reserve 2.
réserve indisponible (*Belg.*)   *V.* reserve 2.
réserve latente   inner reserve   *V.a.* secret reserve
réserve légale   legal reserve
réserves mathématiques   policy reserves
réserve occulte   secret reserve
réserve potentielle   *V.* secret reserve
réserve pour éventualités   reserve for contingencies 2.
réserve pour fonds d'amortissement   sinking fund reserve
réserve pour imprévus   reserve for contingencies 1.
réserves pour risques généraux   reserve for contingencies 1.
réserves prouvées   proved reserves
réserve statutaire   statutory reserve   *V.a.* reserve 1., 2.
résidu   *V.* scrap *n.*
résilier   cancel 1.
résoudre   cancel 1.
respecter un délai   meet a deadline, to

responsabilité   accountability
responsabilité   liability 3.
responsabilité conjointe   V. partnership
responsabilité déontologique   professional
  responsibility
responsabilité fonctionnelle   V. accountability
responsabilité illimitée   V. partnership
responsabilité limitée   limited liability
  V.a. unincorporated business
responsabilité professionnelle   professional
  responsibility
responsabilité sociale   V. accountability
responsabilité solidaire   V. partnership
responsable   accountable
responsable des prêts   loan officer
resserrement du crédit   credit squeeze
resserrement (du crédit)   shrinkage 3.
ressort   V. mark-on
ressources   equities   V.a. balance sheet
ressources   sources
ressources   source of funds   V.a. sources
ressources externes   V. sources
ressources financières   funds 1.
ressources internes   V. sources
ressources naturelles   natural resources
ressource non renouvelable   depletable
  resource
reste de commande   back order 1.
restriction   reservation (of opinion)
restrictions budgétaires   budgetary cuts
restructuration du capital   recapitalization
restructuration du capital   reorganization 1., 2.
résultat   performance
résultats (Can.)   statement, income
résultat à répartir (Fr.)   income summary
  account   V.a. income 1.
résultat déficitaire   loss 2.
résultats d'exploitation   operating results
résultats d'exploitation   statement, operating 2.
résultat en instance d'affectation   V. income 1.
résultats et bénéfices non répartis   combined
  statement of income and retained earnings
résultats exceptionnels   V. extraordinary item
résultat net   bottom line (figure) (fam.)
résultat net   income 1.
résultat par action   earnings per share (EPS) 1.
résultats périodiques   interim results
résultats prévisionnels   earnings forecasts
résultats sur exercices antérieurs (Belg.)
  prior period adjustments
résultat technique   loss experience
résumé   memorandum 5.
résumé de la révision   audit memorandum
résumé de la vérification   audit memorandum
rétention   V. reinsurance
retenue   deduction at source
retenue à la source   deduction at source
retenue à la source   tax deduction at source
retenue de garantie   holdback
retenue d'impôt   withholding tax
retenue d'impôt à la source   tax deduction at

source
retenue fiscale   withholding tax
retenues salariales   payroll deductions
retour   return 3.
retour sur achats   purchase return
retour sur ventes   sales return
retracer   trace
retrait   drawing
retrait d'agrément   deregistration 1.
  V.a. deregistration 2.
retraite   pension benefits 1.
retraite   retirement 3.
retraité   restated
retraite ajournée   late retirement
retraite anticipée   early retirement
retraite différée   late retirement
retraitement   restatement
retraitement de consolidation   V. consolidated
  financial statements
retraite pour invalidité   disability retirement
retraite-vieillesse   old age pension
rétrécissement (d'une étoffe)   shrinkage 1.
rétribution   compensation 2.
rétribution   remuneration
rétroaction   feedback
réusinage   rework
revalorisation   V. revalue
révélation   disclosure 1.
revendication   claim n. 1.
revenir à quelqu'un   accrue to someone v. intr.
revente   V. sale 1.
revenu   income 2., 4.
revenu   return 2.
revenu de placement   investment income
revenu de référence   V. coverage 1.
revenu d'une succession   estate revenue
revenu du travail   earned income 2.
revenu en main non réparti (Can.)   undistributed
  income on hand
revenu imposable   taxable income
revenu gagné   earned income 1., 2.
revenu marginal   marginal revenue
revenu mobilier   investment income
revenu national   national income
revenu tiré d'une entreprise (Can.)   business
  income
revenu tiré d'une entreprise exploitée
  activement (Can.)   active business income
réviser (Fr. et Belg.)   audit v.
reviseur (Belg.)   auditor
réviseur (Fr.)   auditor
réviseur adjoint   assistant senior
réviseur externe   external auditor
réviseur légal   statutory auditor
réviseur mandataire   correspondent auditor
réviseur représentant   correspondent auditor
réviseur successeur   subsequent auditor
révision   audit n. 2.
révision analytique   analytical audit(ing)
révision comptable   financial auditing
  V.a. audit n. 2.

révision conjointe   *V.* joint audit
révision continue   continuous audit
révision de clôture   year-end audit 1.
révision de fin d'exercice   year-end audit 1.
révision des comptes   audit *n.* 2.
révision des comptes   financial auditing
révision des comptes annuels   year-end audit 2.
révision détaillée   detailed audit
révision du bilan   balance sheet audit 1.
révision du cheminement par sondage limité flow audit
révision efficace   effective audit
révision efficiente   efficient audit
révision en collège (*Belg.*)   joint audit
révision externe   external audit
révision hors logiciel   audit around the computer
révision incomplète   auditing deficiency
révision informatisée   computer assisted audit (techniques) (CAAT)
révision intégrée   comprehensive audit(ing)
révision intérimaire (*Fr.* et *Belg.*)   pre-year-end audit
révision légale   statutory audit   *V.a.* audit *n.* 2.
révision par logiciel   audit through the computer
révision particulière   special audit
révision partielle   partial audit
révision périodique   interim audit 2.
révision permanente   continuous audit
révision spéciale   special audit
révision sur place   field work 1.
révision trans-logiciel   audit through the computer
revisorat   *V.* auditor
richesses naturelles   natural resources

risque   risk 1., 2.
risque assurable   *V.* insurable interest
risque assuré   insurance coverage
risque de change   foreign exchange risk   *V.a.* exchange position exposure
risque de crédit   credit risk
risque financier   financial risk
ristourne   discount *n.* 1.   *V.a.* list price
ristourne   dividend 4.
ristourne   volume discount
rôle   roll 1.
rôle d'évaluation   assessment roll
rôle d'imposition   roll 1.
rôle d'impôt   roll 1.
rompu   fractional share
rompu de regroupement   *V.* fractional share
rompu de souscription   *V.* fractional share
rotation   turnover 1.
rotation de l'actif   asset turnover
rotation de l'actif immobilisé   fixed assets turnover
rotation de la main-d'oeuvre   labour turnover
rotation des capitaux circulants   *V.* operating cycle
rotation des comptes clients   accounts receivable turnover
rotation des stocks   inventory turnover
rotation du personnel   labour turnover
roulement   *V.* labour turnover
routine   routine
rubrique   *V.* heading
rubrique hors bilan   *V.* commitment
rupture de contrat   breach of contract
rupture de stock   inventory shortage 2.

S

s'accroître   accrue *v. intr.*
s'accumuler   accrue *v. intr.*
saisie   input *n.* 2.
saisie   seizure
saisie-arrêt   *V.* seizure
saisie directe   *V.* visual display unit
saisie d'un bien hypothéqué   foreclosure 2.
saisie en direct   *V.* real time processing
saisie immobilière   foreclosure 2.
salaire   pay *n.*
salaire   salary 1.
salaires   wages 1.
salaire à la pièce   *V.* piecework
salaire à la tâche   job wage
salaire au rendement   incentive pay
salaire aux pièces   *V.* piecework
salaires et charges sociales   salaries and wages

salaire majoré de 100%   double basic salary rate
salaire net   net salary
salaire plafonné   earnings ceiling
salaire supplémentaire   extra pay
salarial   monetary 2.
salarié   employee
salarié   salaried employee
sanction disciplinaire   disciplinary sanction
sans concurrence   non arm's length
sans importance   immaterial *adj.*
sans lien de dépendance   arm's length
sans restrictions   unrestricted
s'assurer   buy insurance, to
s'assurer   insure
satellite   company subject to significant influence
s'attaquer à un marché   tap a market, to
sauf erreurs ou omissions (S.E.O.)   errors and omissions excepted (E & EO)

savoir-faire   know-how
schéma de décision   decision tree
schéma en forme de liste (*Belg.*)   multiple-step income statement
sciences comptables   *V.* accounting 1.
scruter   investigate
second dividende (*Fr. et Belg.*)   dividend 1.
se couvrir   hedge *v.*
se couvrir par une assurance   insure
secret commercial   trade name
secteur   segment 1., 2.
secteur abandonné   discontinued operations
secteur d'activité   industry 2. *V.a.* segmented information
secteur d'activité   industry segment
secteur d'activité abandonné   discontinued operations
secteur(s) d'activité (encore en) exploitation   continuing operations
secteurs de pointe à haute technicité   *V.* obsolescence
secteur géographique   geographic segment
secteur privé   private sector
secteur public   public sector
secteur tertiaire   *V.* service concern
section   department 1.
section   section 1.
section auxiliaire   service department
section comptable   accounting entity 1.
section de calcul   *V.* section 1.
section de fabrication   producing department
section de fonctionnement (*Fr.*)   *V.* general fund
section de frais   cost centre
section d'investissement (*Fr.*)   *V.* capital fund
section d'investissement   investment centre
section fictive   *V.* section 1.
section homogène   *V.* cost centre, section 1.
section principale   *V.* service department
sécurité sociale   social security *V.a.* payroll taxes
segmentation   segmentation
sensible   material *adj.*
se périmer   *V.* lapse
se qualifier   qualify 3.
séquestre (*Belg.*)   receiver 2. *V.a.* escrow (agreement)
séquestre officiel (*Can.*)   official receiver
série   run 1.
série chronologique   *V.* moving average
série statistique   *V.* median
service   department 1.
service   entity 1.
service   *V.* organization 2.
services   services
service à la clientèle   customer service
service après-vente   customer service
services à recevoir   *V.* prepaid expenses
services auxiliaires   ancillary operations
services clés en main   *V.* turn-key contract
service commercial   sales department
services commerciaux   business services

services comptables   accounting department
service de la comptabilité   accounting department
service de la dette   debt service
service de la paye   payroll department
service de l'approvisionnement   purchasing department 2.
service de la production   production department 1.
service de la publicité   publicity department
service de la réception   receiving department
service de la rente   annuity payment 2.
service de l'emprunt   debt service
service de l'expédition   shipping department
service de l'informatique   electronic data processing department
service de placement   employment service
service des achats   purchasing department 1.
service des paiements directs   automated credit distribution
service des ventes   sales department
service d'exploitation   line service
service d'informations financières   credit agency
service du contentieux   legal department 2. *V.a.* legal fees 2.
service du crédit   credit department
service du personnel   personnel department
service du recouvrement   collection department
services d'utilité publique   utilities
services en gestion   *V.* management advisory services (MAS)
service fonctionnel   staff service
service juridique   legal department 1.
service logistique   *V.* logistics
services passés   past service
services publics   utilities
services publics   public utilities (company)
services validables   pensionnable service
servitude   easement
servitude foncière   land servitude
se terminant le   ending
seuil de commande   reorder point
seuil de réapprovisionnement   reorder point
seuil de remise   discount order quantity
seuil de rentabilité   break-even point
seuil de signification   materiality level
seuil de tolérance   materiality level
siège social   head office
signataire autorisé   signing officer
signature   signature
signature sociale   *V.* credit *n.* 3
signature témoin   specimen signature
signer   sign
signes binaires   *V.* programming language
significatif   material *adj.*
simple associé   junior partner
sinistre   claim *n.* 3. *V.a.* insurance
sinistre   loss 4.
s'introduire en bourse   go public, to
situation à couvert   *V.* long position 1.

situation à découvert   *V.* short position 1.
situation comptable   *V.* statement of changes in net worth
situation d'autocontrôle   *V.* reciprocal shareholding
situation de trésorerie   cash position
situation financière   financial position
situation intercalaire   *V.* accruals 2.
situation nette   capital 1.
situation nette   net worth
situation nette   owners' equity
situation nette comptable   *V.* net worth
situation nette réelle   *V.* net worth
situation provisoire *(Fr.)*   interim financial statement
société   company 1.
société   limited (liability) company 2.
société   organization 2.
société absorbante   *V.* merger, pooling of interest method, reverse takeover
société absorbée   *V.* merger, pooling of interest method, reverse takeover
société à capital public   *V.* government controlled corporation, public company
société active   operating company
société à exploitation diversifiée   diversified company
société affiliée *(Can.)*   affiliated company
société à fort potentiel de croissance   growth company
société à grand nombre d'actionnaires   widely held corporation
société anonyme (S.A.) *(Fr.* et *Belg.)*   business corporation
société apéritrice   *V.* co-insurance 2.
société à peu d'actionnaires   closely held corporation
société à portefeuille *(Belg.)*   *V.* holding (company)
société apparentée   affiliated company
société à responsabilité limitée (S.A.R.L.) *(Fr.)*   business corporation
société associée *(Can., Belg.* et *C.E.E.)*   affiliated company
société civile   *V.* company 1., partnership
société commerciale *(Can.)*   business corporation
société commerciale   *V.* company 1., partnership
société commune d'intérêts   corporate joint venture
société contrôlée   company subject to significant influence
société contrôlée   controlled company
société contrôlée par l'État   government controlled corporation
société cotée   *V.* quoted share
société d'affacturage   factor
société de capitaux   business corporation
société de capitaux   limited (liability) company 2.
sociétés d'économie mixte   *V.* Crown corporation, government controlled corporation

société de crédit   finance company
société de crédit-bail   *V.* sale and leaseback
société de fiducie   trust company
société de financement   finance company
société de fonds mutuel *(Can.)*   mutual fund 1.
société de frais   nominal partnership
société de la Couronne *(Can.)*   Crown corporation *V.a.* public company
société de moyens   nominal partnership
société dépendante   company subject to significant influence
société dépendante   controlled company
société dépendante   investee
société de personnes   partnership
société de personnes à responsabilité limitée (S.P.R.L.) *(Belg.)*   business corporation
société de placement   investment company 2.
société de placement collectif   *V.* investment company 2.
société de portefeuille   holding (company)
société de prêts   finance company
société de service et de conseils en informatique (S.S.C.I.)   *V.* service bureau
société d'État   Crown corporation *V.a.* public company
société d'investissement   investment company 2.
société d'investissement à capital fixe   closed-end investment company
société d'investissement à capital variable (SICAV)   mutual fund 1.
société dominante   controlling company
société dominante   investor 2.
société-écran   dummy corporation
société émettrice *(Can.)*   investee
société émettrice   issuer
société en commandite   limited partnership
société en commandite par actions   *V.* limited partnership
société en commandite simple   limited partnership
société en croissance   growth company
société en exploitation   operating company
société englobante   *V.* pooling of interests method
société englobée   *V.* pooling of interests method
société en nom collectif   *V.* partnership
société en participation   joint venture
société en participation par actions   corporate joint venture
société en pleine croissance   growth company
société en sommeil   dormant company
société exploitante   operating company
société fermée   private company
société fermée à peu d'actionnaires   closely held corporation
société fiduciaire *(Fr.)*   accounting firm
société *holding* mixte   *V.* holding (company)
société *holding* pure   *V.* holding (company)
société immobilière   real estate company
société inactive   dormant company

société initiatrice   offeror   *V.a.* increase in price, takeover bid

société liée   affiliated company

société mère   parent company

société mise en sommeil   dormant company

société momentanée (*Belg.*)   *V.* joint venture

société multinationale   multinational corporation (MNC)

société nationale   *V.* Crown corporation

société ouverte   public company   *V.a.* private company

société ouverte à grand nombre d'actionnaires   widely held corporation

société par actions   business corporation

société par actions à participation restreinte   constrained-share company

société par actions à responsabilité illimitée   joint stock company

société participante (*Can.*)   investor 2.

société prête-nom   dummy corporation

société publique   *V.* public company

société satellite   company subject to significant influence

société sous contrôle effectif   effectively controlled company

société sous contrôle minoritaire   effectively controlled company

société transnationale   multinational corporation (MNC)

société visée   offeree   *V.a.* increase in price, takeover bid

soin   due care

sol   *V.* land

solde   balance *n.* 1.   *V.a.* ruling of an account

solde   sale 2.

solde à nouveau   balance brought (carried) forward 2.

solde à nouveau   opening balance   *V.a.* ruling of an account

solde à reporter   balance brought (carried) forward 1.

solde compensateur   compensating balance

solde créditeur   credit balance

solde débiteur   debit balance

solde de clôture   closing balance

solde de compte   balance *n.* 1.

solde de fermeture   closing balance

solde d'ouverture   opening balance

solde d'un compte   balance *n.* 1.

solde d'une commande   back order 1.

solde d'un fonds   fund balance

soldes intermédiaires de gestion   *V.* multiple-step income statement

solder   close

solde reporté   balance brought (carried) forward 2.

solder un compte   balance an account, to

sollicitation   canvassing

solution de continuité   inconsistency

solutions de rechange   alternatives   *V.* zero base budgeting (ZBB)

solvabilité   solvency

sommaire des résultats (*Can.*)   income summary account

somme à payer   account payable 2.

somme à recouvrer   account receivable 2.

somme assurée   benefit 3.

sommes assurées   proceeds 2.

somme à valoir   *V.* advance 2.

sommes dues   proceeds 2.

somme forfaitaire   lump sum

somme globale   grand total

somme globale   lump sum

somme partielle   subtotal

sommes payées d'avance   *V.* prepaid expenses

somme totale   grand total

somme versée à titre d'escompte .   retainer fee

sondage   sampling 2.   *V.a.* auditing techniques

sondage au hasard   spot check

sondage de conformité   compliance test

sondage de corroboration   substantive test

sondage de dépistage   discovery sampling

sondages d'éléments représentatifs   representative item sampling

sondage d'éléments spécifiques   specific item sampling

sondage des additions   test footing

sondage des attributs   attributes sampling

sondage des unités monétaires   monetary unit sampling

sondage des unités physiques   physical unit sampling

sondage des variables   variables sampling

sondage d'évaluation   estimation sampling

sondage de vérification   audit test

sondage d'individus représentatifs   representative item sampling

sondage d'individus spécifiques   specific item sampling

sondage d'opinions   survey

sondage fondé sur la constance de la marge (bénéficiaire) brute   gross profit test

sondage limité   flow audit

sondage pour acceptation   acceptance sampling

sondage pour estimation   estimation sampling

sondage statistique   statistical sampling

sortie   output 2.

sortie   output 3.

sortie d'argent   cash outflow

sortie d'argent   disbursement

sortie de fonds   cash outflow

sortie de fonds   disbursement

sortie sur écran   *V.* real time processing

sortie sur imprimante   print-out

sortie sur papier   hard copy

sortie sur support en papier   hard copy

souche   stub

soumission   tender

soumissionnaire   *V.* tender

sous-activité   subnormal capacity usage   *V.a.* underapplied burden

sous-capitalisation   undercapitalization
souscripteur   maker *V.a.* promissory note
souscripteur   principal 4.
souscripteur   subcriber
souscripteur à forfait *(Québec)*
 V. underwriter 2.
souscripteur par complaisance   accommodation
 party
souscription   subscription 2.
souscription à titre de mandataire   best efforts
 offering
souscription sans responsabilité   best efforts
 offering
sous douane   in bond
sous-estimé   understated
sous-évalué   understated
sous-filiale   sub-subsidiary
sous garantie   under warranty
sous-imputer   underabsorb
sous-locataire   *V.* sublease
sous-location   sublease
sous-produit   by-product
sous-programme   routine
sous-programme   subroutine
sous réserve de   subject to *(vieilli)*
sous séquestre   *V.* receivership, in
sous-sol   *V.* land
soustraire   deduct
sous-traitance   subcontracting
sous-traitant   jobber 1.
sous-traitant   subcontractor *V.a.* general
 contractor
soutien financier   financial support
spécialiste   professional *n.*
spécialiste   specialist
spécialiste fonctionnel   *V.* line and staff
 organization
spécifications   specifications 2.
spécimen de signature   specimen signature
spéculateur   speculator
spéculation   speculation
stage   practical training *V.a.* training 1.
stage probatoire   probation period 1.
stagiaire   junior (auditor)
standard   standard 2.
standardisation   standardization 1.
statistique   statistics 1.
statistiques   statistics 2.
statuts   articles of association
statuts   by-laws 2.
statuts   instrument of incorporation
statuts constitutifs   instrument of incorporation
statuts d'une société   articles of association
statuts d'une société   by-laws 2.
stellage   call and put option
stimulant   incentive
stimulant fiscal   tax incentive
stimulant salarial   incentive pay
stimulation des ventes   sales promotion
stock   inventory *n.* 1.
stockage   stocking

stock à la fin (de l'exercice)   ending inventory
stock à rotation lente   slow-moving stock
stock au début (de l'exercice)   beginning
 inventory
stock comptable   book inventory 1.
stock critique   buffer inventory 1.
stock d'alerte   buffer inventory 1.
stock de clôture   ending inventory
stock de fermeture   ending inventory
stock de produits finis   finished goods inventory
stock de produits ouvrés   finished goods
 inventory
stock de sécurité   safety stock
stock d'opportunité   *V.* base stock
stock dormant   inactive inventory
stock d'ouverture   beginning inventory
stocker   stock *v.*
stock excédentaire   inventory overage 2.
stock final   ending inventory
stock indispensable   base stock
stock initial   beginning inventory
stock maximal   maximum stock
stock minimal   base stock
stock minimal   minimum stock
stock-outil   base stock
stock stratégique   *V.* base stock
stock tampon   buffer inventory 2.
stock tampon   safety stock
strate   *V.* stratified sampling
stratégie   strategy
stratégie commerciale   *V.* merchandising
stratégie du vérificateur *(Can.)*   auditor's
 approach
stratification   stratification
structure des capitaux permanents   capital
 structure
structure d'organisation   organization structure
structure du capital   capital structure
structure financière   *V.* capital structure
structure fonctionnelle   staff organization
structure hiérarchico-fonctionnelle   line and
 staff organization   *V.a.* organization structure
structure hiérarchique   line organization
 V.a. organization structure
structure mixte   line and staff organization
structure organisationnelle   organization
 structure
structure pyramidale   *V.* organization structure
subie   realized 3.
subir (une perte)   incur 3.
subrogation   subrogation
subside   *V.* grant
subvention   grant
subvention d'équilibre   *V.* grant
subvention d'équipement   *V.* grant
subvention d'exploitation   *V.* grant
subvention privée   *V.* grant
subvention publique   *V.* grant
subvention remboursable sous
 condition   forgivable loan
succession   estate

succession indivise   *V.* undivided property
succursale   branch
succursale   entity 1.
succursale de vente   sales office
suivi   follow-up *n.*
suivre la trace   trace
superdividende (*Fr.* et *Belg.*)   *V.* dividend 1.
superviseur (*Can.*)   senior-in-charge
superviseur   supervisor 3.
supervision   supervision
supplément d'informations   supplementary
information
support   medium   *V.a.* on-line processing,
reader
support de mémoire   *V.* record *n.* 3.
support de papier   *V.* print-out
supports d'information   *V.* operator 1., paper
tape, punched tape
support publicitaire   *V.* mail order selling
suractivité   *V.* overapplied burden
surcapacité   excess capacity
surcapitalisation   overcapitalization
surcharge d'une écriture   amendment (of an
entry) by alteration
sur demande   on demand
surenchère   increase in price
surestarie(s)   demurrage 1.
surestimé   overstated
sûreté accessoire   collateral security 1.
sûreté personnelle   guarantee 1.
sûreté réelle   collateral 2.
sûreté réelle   lien
sûreté supplémentaire   collateral security 1.
surévalué   overstated
surimputer   overabsorb
sur la valeur   ad valorem
surmarquage   mark-up 1.
surplus   surplus 1.
surplus budgétaire   budgetary surplus
surplus d'apport (*Can.*)   contributed surplus 1., 2.
surplus d'apport (*Can.*)   statement of contributed
surplus
surplus d'apport obtenu à titre gratuit (*Can.*)
donated surplus
surplus désigné (*Can.*)   designated surplus
surplus distribuable (*Can.*)   distributable surplus
surplus en capital (*vieilli*)   capital
surplus 1., 2. (*vieilli*)
surplus gagné (*vieilli*)   earned surplus (*vieilli*)
sur présentation   on demand
surprime   extra premium
sursalaire   extra pay
sursis de paiement   deferment of a debt
sur-sol   *V.* land
surstock   inventory overage 2.

surstockage   inventory overage 2.
surstocker   overstock *v.*
survaleur   consolidated goodwill
survaleur   goodwill
survaleur   goodwill on acquisition
surveillant   surpervisor 3.
susceptible de se répéter   recurring *adj.*
suspension   suspension
suspension provisoire des poursuites
V. bankruptcy
syndic   receiver 2.
syndic   syndic
syndic   trustee in bankruptcy
syndicat   labour union
syndicat   union   *V.a.* organization 2.
syndicats de garantie   *V.* syndicate
syndicats de placement   *V.* best efforts offering,
syndicate
syndicats de prise ferme   *V.* syndicate
syndicat financier   syndicate
syndicat ouvrier   labour union
syndic de faillite   trustee in bankruptcy
V.a. fiduciary
synthèse   memorandum 5.
synthèse de la révision   audit memorandum
synthèse de la vérification   audit memorandum
système   system   *V.a.* plan 2.
système binaire   binary (number) system
système comptable   accounting system
systèmes clés en main   *V.* turn-key contract
système d'abonnement   *V.* accruals 2.
système de budgets-programmes   program
budgeting 1.
système de comptabilité   accounting system
système de contrôle   control system
**système de gestion d'une base de
données**   data base management system
système de la gestion   *V.* cash basis of
accounting
système de l'exercice   *V.* accrual basis of
accounting
système de numération binaire   binary
(number) system
système de programmation   *V.* systems
software
système d'essai intégré   integrated test faciltiy
système de télévirement   electronic funds
transfer system (EFTS)
système d'exploitation   operating system
V.a. system
système d'information comptable   reporting
system
système d'information de gestion   management
information system (MIS)
système fiscal   tax system

T

tableau   exhibit 2.
tableau   roll 2.
tableau   statement 2.
tableaux annexes   *V.* notes to financial statements
tableau comparatif   comparative statement
tableau complémentaire   exhibit 2.
tableau comptable   statement 2.
tableau d'amortissement   amortization table 1., 2.
tableau d'amortissement   depreciation schedule
tableau de bord   operating report
tableau de données ordonnées   array
tableau de financement (*Fr.* et *Belg.*)   statement of changes in financial position
tableau de financement (*Fr.* et *Belg.*)   statement of source and application of funds
tableau d'entrées-sorties   *V.* input/output analysis
tableau de remboursement   amortization table 1.
tableau des cours   *V.* price list, unquoted
tableau des ressources et emplois (*Fr.*)   statement of changes in financial position
tableau des ressources et emplois (*Fr.*)   statement of source and application of funds
tableau des variations de la situation nette   statement of changes in net worth
tableau des variations de la situation nette (*Fr.*)   statement of shareholders' equity
tableau des variations de l'encaisse   statement, cash flow
tableau de ventilation   spread sheet
tableau en chiffres relatifs   common-size statement
tableau matriciel   matrix
table de vérité   truth table
tâche   task
taille d'une entreprise   size of a business
tailler dans les dépenses   cut expenditures, to
talon   stub
tantième   *V.* directors' fees
tare   *V.* gross weight, net weight
tarif   price list
tarif   rate 1.
tarif   schedule *n.* 3.
tarif   tariff
tarif douanier   *V.* tariff
tarificateur   *V.* underwriter 1.
tarification   price determination
tarif modérateur   deterrent fee
tarif normal   *V.* regular hours
tarif quotidien   per diem rate
taux   rate 1., 2.
taux actuariel   yield to maturity
taux actuariel brut   yield to maturity
taux contractuel   nominal rate

taux courant   current rate
taux d'actualisation   discount rate 1.
taux d'amortissement   depreciation rate
taux de base bancaire (*Fr.* et *Belg.*)   *V.* prime rate
taux de capitalisation   capitalization rate
taux de capitalisation des bénéfices   price-earnings ratio
taux de change   rate of exchange
taux de change acheteur   buying rate
taux de change à terme   forward rate
taux de change vendeur   selling rate
taux de conversion   conversion rate
taux de couverture   *V.* margin 2.
taux de l'escompte   discount rate 2.
taux de marge   *V.* mark-on
taux de marque   *V.* mark-on
taux de rendement   effective rate 1., 2.
taux de rendement   rate of return
taux de rendement actuariel   yield to maturity
taux de rendement comptable   accounting rate of return
taux de rendement courant   current yield
taux de rendement de l'actif   return on assets
taux de rendement des actions   dividend yield
taux de rendement des capitaux propres   return on equity
taux de rendement du capital investi   return on investment (ROI)
taux de rendement effectif   internal rate of return
taux de rendement interne   internal rate of return
taux de rendement minimal   accounting rate of return
taux de rendement nominal   hurdle rate
taux de rendement moyen   average yield
taux de rentabilité moyen   average yield
taux de rotation   turnover 1.
taux de rotation de l'actif   asset turnover
taux de rotation des comptes clients   accounts receivable turnover
taux de rotation des stocks   inventory turnover
taux de salaire majoré de 100%   double basic salary rate
taux d'escompte   discount rate 2.
taux des salaires   salary rate
taux d'imposition effectif   average tax rate
taux d'imposition marginal   marginal tax rate
taux d'imposition moyen   average tax rate
taux d'intérêt   interest rate
taux d'intérêt contractuel   coupon rate
taux d'intérêt contractuel   nominal interest rate
taux d'intérêt effectif   effective rate 2.
taux d'intérêt légal   legal interest rate
taux d'intérêt nominal   coupon rate
taux d'intérêt nominal   nominal interest rate

taux d'intérêt préférentiel   prime rate
taux du salaire   salary rate
taux effectif   effective rate 1., 2.
taux étalon   hurdle rate
taux horaire   hourly rate
taux horaire majoré   V. overtime
taux légal   legal interest rate
taux moyen par jour   per diem rate
taux nominal   nominal rate
taux par jour   per diem rate
taux préférentiel   prime rate
taux uniforme   flat rate
taux usuraire   V. usury
taxation   assessment 1.
taxation   taxation 1.
taxe   tax n. 2.
taxe à la valeur ajoutée   value added tax (VAT)
taxe de vente   sales tax
taxes parafiscales (Fr.)   V. tax n. 2.
taxe professionnelle (Fr.)   V. tax n. 2.
taxer   tax v.
taxe sur la valeur ajoutée (T.V.A.)   value added tax (VAT)
taxe sur le capital   tax on capital 1.
taxe sur les ventes   sales tax
taxe sur les ventes au détail   V. sales tax
technicité   V. obsolescence
techniques de révision   auditing techniques
techniques de révision informatisée (T.R.I.)   computer assisted audit (techniques) (CAAT)
techniques de vérification   auditing techniques
techniques de vérification informatisée (T.V.I.)   computer assisted audit (techniques) (CAAT)
technique du budget (à) base zéro   zero-base budgeting (ZBB)
techniques marchandes   merchandising
téléinformatique   V. telematics, teleprocessing
télématique   telematics
télétraitement   teleprocessing
télétraitement par lots   remote batch processing
temps d'accès   access time
temps d'accès à l'information   retrieval time
temps d'arrêt des comptes   cut-off
temps d'attente   V. service time
temps d'attente   waiting time
temps de base   V. demurrage 1.
temps de l'ordinateur   V. time sharing
temps de panne   down time
temps de planche   V. demurrage 1.
temps d'exécution   V. service time
temps improductif   down time
temps machine   V. time sharing
temps mort   down time
temps partagé   time sharing
temps standard   standard hours
tendance   trend
tendance à la baisse   downward trend
tendance à la hausse   upward trend
tendance des prix   V. price index
tendance générale   general trend
teneur de livres   bookkeeper

tenue des livres   bookkeeping
tenue des livres à partie double   double entry bookkeeping
tenue des livres à partie simple   single entry bookkeeping
tenue des livres par décalque   one-write system   V.a. loose-leaf accounting
terme   rent n.
terme   term 3.
terme d'échéance   term of payment
terme de grâce   days of grace
terme de référence   V. measuring unit
terminal   terminal   V.a. output 2., remote access
terminal à écran cathodique   visual display unit
terminal à écran de visualisation   visual display unit
terminal d'édition   V. print-out
terminal d'impression sur livret   V. passbook
terminé le   ended on
terrain   parcel of land
terrain(s)   land
terrains bâtis   V. land
terrain(s), construction et matériel   property, plant and equipment
terrain en friche   raw land
terrain non bâti   vacant lot   V.a. land, raw land
terrain vague   raw land
terrain vague   vacant lot
test   test 1.
testament   will
testament authentique   V. will
testament olographe   V. will
testament sous la forme anglaise   V. will
testateur   legator
test de cohérence   reasonableness (test of)
test de conformité   compliance test
test de corroboration   substantive test
test de la cohérence   reasonableness (test of)
théorie de la présentation intégrale des ressources financières   all-financial-resources concept
théorie dite de l'entité   entity theory
théorie dite du propriétaire   proprietary theory
théorie du portefeuille   portfolio theory
théorie générale de la comptabilité   conceptual framework (for financial reporting)
thésauriser   hoard
ticket modérateur   deterrent fee
tiers   third party
tiers gestionnaire   funding agency
tiers gestionnaire financier   funding agency
tiers provisionnel   V. tax (paid by) instalments
timbre   stamp
timbres fiscaux   V. organization expenses
timbres-prime   trading stamps
tirage à découvert   kiting 3.
tirage au hasard   random number sampling
tirage en l'air   kiting 3.
tiré   drawee
tiré   principal 4.
tireur   drawer

tireur maker
tireur de complaisance accommodation party
tiroir-caisse till
titre certificate
titre security 1.
titre title
titre au porteur bearer security
titre ayant priorité de rang senior security
titre comptable professionnel accounting
designation
titres cotés listed securities
titre de créance debt security 2. *V.a.* title
titre de gage warehouse receipt 2.
titre d'emprunt debt security 1.
titre de participation equity share
titres de participation investment 4. *V.a.* long-
term intercorporate investment
titre de placement investment 5.
titre de placement security 1.
titre de placement coté marketable security
titres de placement(s) liquides liquid
investments
titre de premier rang senior security
titre de propriété ownership title *V.a.* title
titre de rang inférieur junior security
titre de second rang junior security
titre de transport *V.* title
titre d'un compte name of an account
titres équivalant à des actions ordinaires
common stock equivalent
titre garanti par nantissement du matériel
equipment trust certificate
titre immatriculé au nom d'un courtier street
security *(fam.)*
titre immobilisé long-term investment 1.
titres inscrits à la bourse listed securities
titre mixte *V.* registered security
titre négociable marketable security
titre négociable negotiable instrument
titre nominatif registered security
titres non cotés unlisted securities
titres non inscrits à la cote officielle unlisted
securities
titre prioritaire senior security
titre provisoire interim certificate
titulaire bearer
titulaire incumbent
titulaire de rente annuitant
titulaire d'une créance garantie secured
creditor
tolérance materiality level
total grand total
total subtotal
total total amount
total-bidon *(fam.)* hash total
total de contrôle control total
total de contrôle hash total
total général grand total
total global grand total
total global total amount
totaliser foot

total vérifié footed
tous droits réservés copyright 2.
tradition *V.* negotiability
traducteur translator
train de marchandises *V.*freighter
traite bill of exchange
traite à vue sight draft
traite bancaire bank draft
traite bancaire cashier's cheque
traite de banque bank draft
traite de banque cashier's cheque
traitement pay *n.*
traitement salary 2.
traitement analogique *V.* analog computer
traitement comptable accounting treatment
traitement décentralisé distributed data
processing
traitement de l'information data processing 2.
traitement de l'information sur place in-house
data processing
traitement des données data processing 2.
traitement de texte(s) word processing
traitement différé batch processing
traitement différé off-line processing
traitement direct in-line processing
traitement direct real time processing
traitement électronique de l'information
electronic data processing (EDP)
traitement en différé off-line processing
traitement en direct on-line processing
traitement en temps partagé time sharing
traitement en temps réel real time processing
traitement groupé batch processing
traitement immédiat in-line processing
traitement intégré de l'information integrated
data processing
traitement par lots batch processing
traitement réparti distributed data processing
traiter process *v.* 1., 2.
**tranche de la dette à long terme (échéant) à
moins d'un an** current maturities
tranche d'imposition tax bracket
tranche homogène *V.* stratification
transaction transaction 2.
transactions *V.* transaction 1.
transaction boursière stock transaction
transfert assignment 1.
transfert transfer 3. *V.a.* registered security
transfert en franchise d'impôt *V.* roll-over
provision
transfert social *V.* transfer payment
transfert sur les registres *V.* negotiability
transformer process *v.* 2.
transmettre à input *v.*
transmission assignment 1.
transmission d'un bien *V.*assignment 1.
transport assignment 1.
transporter en garantie pledge *v.*
transporter en nantissement pledge *v.*
transporteur carrier
transports sur achats freight-in

transports sur ventes   freight-out
travail à façon   special order work
travail à forfait   fixed price contract
travail à la pièce   piecework
travail aux pièces   piecework
travail de bureau   clerical work
travail de l'expert-comptable   field work 2.
travail de révision   field work 2.
travail de superposition   *V.* one-write system
travail de vérification   examination
travail de vérification   field work 2.
travail exécuté sur commande   custom work
travail noir   moonlighting (*fam.*)
travailleur   worker
travailleur autonome   self-employed person
travailleur indépendant   self-employed person
travailleur salarié   salaried employee

travail par équipes   shift work
travail par postes   shift work
travail par roulement   shift work
travaux en cours   work in process 2.
travaux en régie   *V.* cost-plus contract
travaux inachevés   work in process 2.
trésorerie   cash *n.* 2.
trésorerie   cash position
trésorier   treasurer
tri   sorting
tripotage des données   data tampering
troc   barter transaction
trop-perçus   surplus earnings
trust   trust 2.
trust d'accaparateurs   corner
trust de monopolisateurs   corner

U

uniformité   uniformity
unité   unit 2.
unité binaire   binary digit
unité cadasdrale   *V.* parcel of land
unité centrale de traitement   central processing unit (CPU)   *V.a.* peripheral equipment
unité comptable   accounting entity 1., 2.
unité comptable   accounting unit 2.
unité comptable d'exploitation   accounting unit 2.
unité d'amortissement   depreciation unit
unité décisionnelle   decision unit
unité de compte européenne   **(U.C.E.** ou **ECU)**   European currency unit (ECU)
unité de mémorisation   *V.* binary digit
unité de mesure   measuring unit
unité de mesure de mémoire   *V.* binary digit
unité de pouvoir d'achat (U.P.A.)   purchasing power unit   *V.a.* measuring unit
unité de travail   organization unit
unité d'inventaire   *V.* inventory *n.* 4.
unités d'oeuvre   *V.* cost centre, depreciable life, overhead application, predetermined factory overhead rate, production method of depreciation,

section 1., volume index
unité économique   economic unit 1., 2.
unités équivalentes   equivalent units
unité marginale   *V.* marginal cost 1., marginal revenue
unité monétaire   monetary unit   *V.a.* measuring unit
unité périphérique   *V.* on-line *adj.*
unité technique d'exploitation   enterprise
usine   factory (building)
usine   plant 2.
usufruit   usufruct
usufruitier   life tenant   *V.a.* remainderman 1., usufruct
usure   usury   *V.a.* depreciation 1.
usure   wear and tear
usurier   shylock
utilisateur   user
utilisation des fonds   application of funds
utilisation du travail d'un autre réviseur   reliance on another auditor
utilisation du travail d'un autre vérificateur   reliance on another auditor

V

vacance   vacant position
vacation   *V.* fee(s) 1.
valeur   security 1.
valeur   value *n.*
valeur active   asset

valeurs actives   assets
valeur actualisée   present value
valeur actualisée des rentrées nettes de fonds   discounted cash flow (DCF)
valeur actualisée nette (V.A.N.)   discounted

cash flow (DCF)
valeur actualisée nette (V.A.N.) excess present value
valeur actuarielle actualisée actuarial present value
valeur actuarielle de l'actif actuarial value of assets
valeur actuelle current value
valeur actuelle present value
valeur à dire d'expert appraised value
valeur ajoutée added value
valeur à la casse scrap value
valeur à la cote quoted market price
valeur à l'échéance maturity value
valeur à l'inventaire V. assets
valeur à neuf replacement cost new
valeur après amortissement amortized value
valeur attribuée stated value 1.
valeur au comptant cash equivalent value
valeur boursière V. secret reserve
valeur capitalisée capitalized value 1.
valeur capitalisée future value
valeur commerciale V. market value 1.
valeur comptable book value
valeur comptable net book value (NBV)
valeur comptable d'une action book value per share
valeur comptable d'une entreprise book value of a business
valeur comptable nette net book value (NBV)
valeur comptable résiduelle amortized value
valeur constatée par expertise appraised value
valeur corporelle nette tangible net worth
valeurs cotées listed securities V.a. quoted share
valeur d'achat acquisition cost
valeur d'acquisition acquisition cost
valeur d'assurance insurance carried 1.
valeur d'avenir growth stock
valeur de bon père de famille blue chip (stock)
valeur d'échange exchange value V.a. assets, market value 1.
valeur de confirmation feedback value
valeur de croissance growth stock
valeur de liquidation liquidation value
valeur de père de famille blue chip (stock)
valeur de portefeuille portfolio investment
valeur de prédiction predictive value
valeur de premier ordre blue chip (stock)
valeur de prévision predictive value
valeur de rachat cash surrender value V.a. whole life insurance
valeur de rachat redemption price
valeur de rachat d'un contrat d'assurance cash surrender value
valeur de réalisation realizable value
valeur de réalisation nette net realizable value
valeur de réalisation nette hors marge normale net realizable value less normal margin
valeur de rebut scrap value
valeur de récupération salvage value

valeur de remboursement redemption price
valeur de remplacement replacement cost 1., 2.
valeur de rendement de l'argent value of money
valeur de renonciation opportunity cost
valeur de reprise trade-in allowance
valeur de rétroaction feedback value
valeur d'estimation appraised value
valeur d'expertise appraised value
valeur d'exploitation going concern value
valeurs d'exploitation operating assets V.a. current assets
valeur d'inventaire V. inventory n. 4., secret reserve
valeurs disponibles V. current assets, quick assets
valeurs disponibles et réalisables quick assets
valeur dominante mode
valeur d'origine historical cost
valeur du marché market 4.
valeur du marché market value 1.
valeur d'usage value in use
valeur d'utilité going concern value
valeur en espèces cash equivalent value
valeur en numéraire V. variables sampling
valeur escomptée present value
valeur estimative appraised value
valeur immobilisée capital asset
valeur immobilisée fixed asset
valeurs immobilisées capital assets 1.
valeurs immobilisées fixed assets
valeur immobilisée corporelle fixed asset
valeurs immobilisées corporelles fixed assets
valeur imposable assessed value
valeurs inscrites en Bourse listed securities
valeur interpolée V. median
valeur liquidative net asset value V.a. mutual fund 1., 2.
valeur locative rental value
valeur marchande market value 1.
valeur mathématique comptable d'une action book value per share
valeur mathématique comptable d'une entreprise book value of a business
valeur mathématique intrinsèque d'une entreprise V. book value of a business
valeur minimale nominal value 2.
valeur mobilière security 1.
valeur mobilière cotée marketable security
valeur mobilière immobilisée long-term investment 1.
valeur modale mode
valeur négociable negotiable instrument
valeur nette net worth
valeur nette après amortissement amortized value
valeur nette réelle equity value 2.
valeur nominale par value
valeur nominative registered security
valeur non amortie amortized value

valeur optimale　*V.* optimization
valeur pécuniaire　monetary value
valeur portée en écriture　*V.* inventory *n.* 4.
valeur pour l'entreprise　entity value (of an asset)
valeurs réalisables (à court terme)　*V.* current assets, quick assets
valeur réelle　sound value　*V.* secret reserve
valeur résiduelle　residual value 1.
valeur sûre　blue chip (stock)
valeur symbolique　nominal value 2.
valeur taxable　assessed value
valeur temporelle de l'argent　time value of money
valeur vénale　market value 1.
valeur vénale　monetary value
validation　*V.* substantive procedure
valider　validate
valorisation　costing 1.
valorisation　pricing 1.
valorisation　valuation
valorisation des stocks au prix coûtant　cost method (for inventories)
valoriser　value *v.*
variable　variable
variable aléatoire　*V.* probability distribution
variable continue　continous variable
variable dépendante　dependent variable *V.a.* regression analysis, scatter diagram
variable discontinue　discrete variable
variable discrète　discrete variable
variable explicative　independent variable
variable expliquée　dependent variable
variable indépendante　independent variable *V.a.* regression analysis, scatter diagram
variance　variance 4.
variations cycliques　*V.* time series analysis
variations de la situation nette　statement of changes in net worth
variations de l'encaisse　statement, cash flow
variation(s) des prix　price-level changes
vénal　monetary 3.
vendeur　salesman 2.
vendeur　seller
vendeur à découvert　*V.* short sale
vendeur ambulant　*V.* salesman 2.
vendre à découvert　sell short
vendre à la casse　*V.* scrap value
vendre en solde　*V.* mark-down *n.* 2.
venir à échéance　fall due, to
venir à échéance　mature *v.*
vente　sale 1.
ventes　sales
ventes　sales figure
vente à condition　*V.* conditional sales agreement
vente à crédit　credit sale
vente à découvert　short sale
vente à prix imposé　*V.* price maintenance
vente à prix réduits　*V.* sale 2.
vente à réméré　*V.* sale 1.

vente à tempérament　instalment sale
vente au comptant　cash sale
vente au détail　retail sale
vente au rabais　*V.* mark down *v.*, rebate, sale 2.
vente aux enchères　auction sale
vente avec reprise　trade-in 2.
vente avec réserve de propriété　*V.* retention of title clause
ventes brutes　gross sales
vente conditionnelle　conditional sales agreement
vente contre remboursement　*V.* cash on delivery (COD)
vente-débarras　garage sale
vente de gré à gré　sale by private agreement
vente en bloc　block sale
vente en consignation　consignment (sale)
vente en dépôt　consignment (sale)
vente en gros　wholesale
vente en solde　*V.* mark down *v.*
vente fictive　wash sale
vente forcée　*V.* liquidation value
vente intersectorielle　inter-segment sale
ventes nettes　net sales
vente par correspondance (V.P.C.)　mail order selling
vente sous condition　condition sales agreement
ventilation　allocation 1.
ventilation　breakdown *n.*
ventilation des impôts　tax allocation
ventilation des impôts (de l'exercice)　intraperiod tax allocation
ventilation d'un coût　cost allocation
ventiler　allocate
vérifiabilité　auditability
vérifiabilité　verifiability
vérificateur *(Can.)*　auditor
vérificateur adjoint　assistant senior
vérificateur de gestion *(Can.)*　management auditor
vérificateur externe　external auditor
vérificateur général *(Can.)*　auditor general
vérificateur interne　internal auditor
vérificateur légal　statutory auditor
vérificateur mandataire　correspondent auditor
vérificateur représentant　correspondent auditor
vérificateur successeur　subsequent auditor
vérification *(Can.)*　audit *n.* 1., 3.
vérification　check *n.* 1.
vérification　examination
vérification　verification
vérification analytique　analytical audit(ing)
vérification anticipée　pre-year-end audit
vérification à rebours　*V.* audit trail 2.
vérification comptable　financial auditing
vérification conjointe　*V.* joint audit
vérification continue　continuous audit
vérification dans un cadre informatique　computer audit
vérification de caisse　cash audit

vérification de clôture   year-end audit 1.
vérification de conformité   compliance procedure
vérification de fin d'exercice   year-end audit 1.
vérification de gestion (*Can.*)   management audit
vérification de la concordance   *V.* control 1.
vérification de la conformité   compliance procedure
vérification de la conversion (de systèmes)   conversion audit
vérification des comptes   audit *n.* 3.
vérification des comptes   financial auditing
vérification des états financiers   year-end audit 2.
vérification des systèmes   interim audit 1.
vérification détaillée   detailed audit
vérification d'optimisation (des ressources)   value-for-money audit(ing)
vérification du bilan   balance sheet audit 1.
vérification du cheminement par sondage limité   flow audit
vérification d'un compte   checking of an account
vérification efficace   effective audit
vérification efficiente   efficient audit
vérification externe   external audit
vérification fiscale   tax audit
vérification hors logiciel   audit around the computer
vérification incomplète   auditing deficiency
vérification informatisée   computer assisted audit (techniques) (CAAT)
vérification intégrée   comprehensive audit(ing)
vérification intérimaire   interim audit 1.
vérification interne   internal audit
vérification légale   statutory audit
vérification opérationnelle (*Can.*)   management audit
vérification par logiciel   audit through the computer
vérification par sondage(s)   audit testing
vérification particulière   special audit
vérification partielle   partial audit
vérification périodique   interim audit 2.
vérification permanente   continuous audit
vérification permanente informatisée   continuous process auditing
vérification préalable   pre-audit
vérification préliminaire   interim audit 1.
vérification réglementaire   statutory audit
vérification rétrospective   *V.* audit trail 2.
vérification simultanée   continuous process auditing
vérification spéciale   special audit
vérification sur place   field work 1.
vérification trans-logiciel   audit through the computer
vérifier (*Can.*)   audit *v.*
vérifier   check *v.* 1.
vérifier   vouch
véritable   bona fide 2.
versement   contribution 3.
versement   instalment
versement   payment 1.
versement annuel   annual (re)payment
versements échelonnés   instalment payments
versement forfaitaire et final   balloon payment
versement initial   downpayment
versement mensuel   monthly payment
versement périodique   annuity 2.
versement(s) sur la dette à long terme exigible(s) à court terme   current maturities
versement trimestriel   quarterly payment
verser au dossier   *V.* file *v.* 1.
viabilisation   land improvement (expenses) 1.
vice   defect 2.
vice-président directeur   executive vice-president
vice-président du conseil d'administration   deputy chairman
vidage   dump *n.*
vider   dump *v.*
vie utile   useful life 1.
vie utile estimative   estimated useful life
vignette   stamp
virement   transfer 1.
visa de chèque   *V.* certified cheque
visualisation   display
vitesse de rotation   turnover 1.
voie d'exécution   *V.* seizure
voie hiérarchique   line of authority
voie piétonnière   mall
voix délibérative   *V.* voting share
voix prépondérante   casting vote
vol à l'étalage   shoplifting
volant   leaf *V.a.* stub
volatilité des résultats   *V.* leverage 1.
volet   leaf
volume de crédit   *V.* rediscount
volume des ventes   sales volume
volume normal   normal volume
voyageur, représentant, placier (V.R.P.)   *V.* salesman 1.
vrac, en   bulk, in

W

wagon de marchandises   *V.* freighter
warrant   warehouse receipt 2.
   V.a. collateral 1. (*fam.*)

warrant agricole   *V.* warehouse receipt 2.
warrant hôtelier   *V.* warehouse receipt 2.
warrant pétrolier   *V.* warehouse receipt 2.

Z

zone   field 1., 2.

zéro   nil

Appendice A

ABRÉVIATIONS, SIGLES ET ACRONYMES ANGLAIS ET LEURS ÉQUIVALENTS FRANÇAIS

Abréviation, sigle et acronyme anglais	Terme anglais*	Abréviation, sigle et acronyme français	Terme français
AAA	American Accounting Association (U.S.)	—	—
ACB	Adjusted cost base	—	prix de base rajusté
AICPA	American Institute of Certified Public Accountants (U.S.)	—	—
AISG	Accountants International Study Group	—	—
APB	Accounting Principles Board of the AICPA (U.S.)	—	—
ARB	Accounting Research Bulletin (U.S.)	—	—
ARC	Accounting Research Committee of the CICA (Can.)	C.R.C.	Comité de recherche comptable de l'I.C.C.A. (Can.)
ASC	Auditing Standards Committee of the CICA	C.N.V.	Comité des normes de vérification de l'I.C.C.A. (Can.)
ASR	Accounting Series Release of the SEC (U.S.)	—	—
CA	Chartered Accountant	C.A.	comptable agréé
CAAA	Canadian Academic Accounting Association	A.C.P.C.	Association canadienne des professeurs de comptabilité
CAAT	computer assisted audit (techniques)*	T.V.I.	(techniques de) vérification informatisée (Can.)
		T.R.I.	(techniques de) révision informatisée (Fr. et Belg.)
CAPM	capital asset pricing model*	—	modèle d'équilibre des marchés financiers
		—	modèle d'équilibre rendement-risque
		—	modèle d'équilibre des actifs financiers
CASB	Cost Accounting Standards Board (U.S.)	—	—
CBCA	Canada Business Corporations Act	L.S.C.C.	Loi sur les sociétés commerciales canadiennes
CCA	capital cost allowance* (Can.)	—	amortissement fiscal
		—	amortissement du coût en capital (Can.)
CCA	current cost accounting*	C.C.A.	comptabilité au coût actuel
C & F	cost and freight*	C.F.	coût et fret
CGA	Certified General Accountant	C.G.A.	comptable général licencié
CIA	Certified Internal Auditor		
CICA	Canadian Institute of Chartered Accountants	I.C.C.A.	Institut Canadien des Comptables Agréés
CIF	cost, insurance and freight*	C.A.F.	coût, assurance et fret
Co.	company*	Cie	compagnie
COD	cash on delivery*	C.R.	contre remboursement

*Termes définis dans le dictionnaire.

Abréviation, sigle et acronyme anglais	Terme anglais*	Abréviation, sigle et acronyme français	Terme français
CPA	Certified Public Accountant (*U.S.*)	—	—
CPI	consumer price index (*Can.*)	*I.P.C.*	indice des prix à la consommation (*Can.*)
CPP	Canada Pension Plan	*R.P.C.*	Régime de pensions du Canada
CPU	central processing unit*	—	unité centrale de traitement
CPM	critical path method*	—	méthode du chemin critique
Cr.	credit *n.* 2.*	*Ct*	crédit
CRT	cathodic ray tube	—	écran cathodique
CSA	Canadian Standards Association	*ACNOR*	Association canadienne de normalisation
CUM DIV	cum dividend*	—	avec dividende
		—	dividende attaché
		—	coupon attaché (*Fr.* et *Belg.*)
DCF	discounted cash flow*	—	flux monétaire actualisé
		—	valeur actualisée des rentrées nettes de fonds
		V.A.N.	valeur actualisée nette
Dr.	debit *n.* 2.*	*Dt*	débit
EBIT	earnings before income taxes*	—	bénéfice avant impôts
ECU	European currency unit*	*ECU*	Unité de compte européenne
		U.C.E.	*idem*
EDP	electronic data processing*	—	informatique
		—	traitement électronique de l'information
EEC	European Economic Community	*C.E.E.*	Communauté économique européenne
EFTS	electronic funds transfer system*	—	système de télévirement
EMH	efficient market hypothesis*	*H.E.M.C.*	hypothèse de l'efficience du marché des capitaux
E & OE	errors and omissions excepted*	*S.E.O.*	sauf erreurs ou omissions
EOQ	economic order quantity*	—	quantité économique de réapprovisionnement
EPS	earnings per share 1. et 2.*	*B.P.A.*	bénéfice par action
		—	résultat par action
ESOP	employee stock ownership plan*	—	actionnariat des salariés
EX DIV	ex dividend*	—	ex-dividende
		—	dividende détaché
		—	coupon détaché (*Fr.* et *Belg.*)
FAS	free alongside*	*F.A.Q.*	franco (à) quai
		F.A.S.	franco le long du navire
FASB	Financial Accounting Standards Board (*U.S.*)	—	—
FCA	Fellow Chartered Accountant	—	—
FEIC	Financial Executives Institute of Canada	—	—
FICA	Federal Insurance Contribution Act (*U.S.*)		
FIFO	first in, first out (*Voir* first in, first out method*)	—	(méthode de l')épuisement successif
		PEPS	(méthode du) premier entré, premier sorti

Abréviation, sigle et acronyme anglais	Terme anglais*	Abréviation, sigle et acronyme français	Terme français
FIRA	Foreign Investment Review Agency (*Can.*)	—	Agence de tamisage des investisse-ments étrangers (*Can.*)
Fᵒ	folio 1.* et 2.*	*Fᵒ*	folio
		—	page
		—	référence
FOB	free on board*	*F.A.B.*	franco à bord
		F.O.B.	*idem*
GAAP	generally accepted accounting principles*	*P.C.G.R.*	principes comptables généralement reconnus (*Can.*)
		—	principes comptables généralement admis (*Fr.* et *Belg.*)
GAAS	generally accepted auditing standards	*N.V.G.R.*	normes de vérification généralement reconnues (*Can.*)
		—	normes de révision généralement admises (*Fr.* et *Belg.*)
GAO	General Accounting Office (*U.S.*)	—	
GJ	general journal*	*J.G.*	journal général
GL	general ledger	*G.L.G.*	grand livre général
GNE	gross national expenditure	*D.N.B.*	dépense nationale brute
GNI	gross national income	*P.N.B.*	produit national brut (*Can.*)
		P.I.B.	produit intérieur brut (*Fr.* et *Belg.*)
GPL	general price level	—	niveau général des prix
IAG	international audit guideline	—	—
IAPC	International Auditing Practices Committee	*C.I.N.V.*	Comité international de normalisation de la vérification
IAS	international auditing standard	—	norme de vérification internationale
IASC	International Accounting Standards Committee	*C.I.N.C.*	Comité international de normalisation de la comptabilité
ICAEW	Institute of Chartered Accountants in England and Wales	—	—
IFAC	International Federation of Accountants	—	Fédération internationale des comptables
IIA	Institute of International Auditors (*U.S.*)	—	—
IMF	International Monetary Fund	*F.M.I.*	Fonds monétaire international
INC.	incorporated (*Voir* business corporation)*	*INC.*	incorporée (*Can.*)
IOU	IOU* (I owe you)	—	reconnaissance de dette
IRS	International Revenue Service (*U.S.*)	—	—
LIFO	last in, first out (*Voir* last in, first out method*)	—	(méthode de l')épuisement à rebours
		DEPS	(méthode du) dernier entré, premier sorti
LTD.	limited (*Voir* business corporation*)	*Ltée*	limitée
MAS	management advisory services*	—	conseils de gestion
MBO	management by objectives*	*D.P.O.*	direction par objectifs
MICR	magnetic ink character recognition*	—	lecture de caractères magnétiques
MIS	management information system*	—	système d'information de gestion
		—	informatique de gestion

Abréviation, sigle et acronyme anglais	Terme anglais*	Abréviation, sigle et acronyme français	Terme français
MNC	multinational corporation*	—	(société) multinationale
MURB	multiple unit residential building*	I.R.L.M.	immeuble résidentiel à logements multiples
NBV	net book value*	—	valeur comptable (nette)
NIFO	next in, first out (Voir next in, first out method*)	—	(méthode du) prochain entré, premier sorti
NSF	not sufficient funds (Voir not sufficient funds cheque*)	— —	sans provision provision insuffisante
OECD	Organization for Economic Cooperation and Development	O.C.D.E.	Organisation de coopération et de développement économique
OCR	optical character recognition*	—	lecture optique
PD	professional development*	—	perfectionnement professionnel
P/ER	price-earnings ratio	— —	ratio cours-bénéfice taux de capitalisation des bénéfices
PERT	program evaluation and review technique	PERT —	méthode de programmation optimale graphique PERT
PPBS	planning, programming and budgeting system*	R.C.B.	rationalisation des choix budgétaires
PPU	purchasing power unit*	U.P.A.	unité de pouvoir d'achat
PR	public relations*	—	relations publiques
RAM	random access memory*	— —	mémoire à accès sélectif mémoire vive
R & D	research and development (Voir research and development expenses*)	R.D.	recherche et développement
REIT	real estate investment trust*	— —	fiducie de placement immobilier fiducie d'investissement immobilier
RHOSP	registered home ownership plan*	R.E.É.L. —	régime enregistré d'épargne-logement régime d'épargne-logement agréé
RIA	Management Accountant	r.i.a.	comptable en management
ROI	return on investment*	— —	(taux de) rendement du capital investi rendement des investissements
ROM	read only memory*	— —	mémoire morte mémoire fixe
RPP	registered pension plan*	— —	régime de retraite agréé régime enregistré de retraite (Can.)
RRA	reserve recognition accounting*	—	(méthode de la) capitalisation (de la valeur) des gisements
RRSP	registered retirement savings plan	R.E.É.R.	régime enregistré d'épargne-retraite régime d'épargne-retraite agréé
SAS	Statement on Auditing Standards (U.S.)	—	—
SBD	small business deduction*	DAPE	déduction accordée aux petites entreprises (Can.)
SDR	Special drawing rights	D.T.S.	droits de tirage spéciaux
SEC	Securities and Exchange Commission (U.S.)	C.V.M.	Commission des valeurs mobilières (Québec)
SFAS	Statement of Financial Accounting Standards (U.S.)	—	—

Abréviation, sigle et acronyme anglais	Terme anglais*	Abréviation, sigle et acronyme français	Terme français
SOYD	sum-of-the-years' digits (method)*	—	(méthode de l')amortissement proportionnel à l'ordre numérique inversé des années
TAB	Technical Advisory Bureau	B.C.T.	Bureau de consultation technique
UCC	undepreciated capital cost*	F.N.A.C.C.	fraction non amortie du coût en capital (Can.)
		—	coût (en capital) non amorti (Can.)
UI	unemployment insurance*	A.C.	assurance-chômage
V day	valuation day* (Can.)	—	jour de l'évaluation (Can.)
VAT	value added tax*	T.V.A.	taxe sur la valeur ajoutée
		T.V.A.	taxe à la valeur ajoutée
VDT	video display terminal (Voir video display unit*)	—	terminal à écran cathodique
		—	terminal à écran de visualisation
ZBB	zero base budgeting*	B.B.Z.	budget base-zéro
		—	technique du budget (à) base zéro
		—	établissement du budget sur la base zéro

Appendice B

ABRÉVIATIONS, SIGLES ET ACRONYMES FRANÇAIS ET LEURS ÉQUIVALENTS ANGLAIS

Abréviation, sigle et acronyme français	Terme français	Abréviation, sigle et acronyme anglais	Terme anglais*
A.C.	assurance-chômage	U.I.	unemployment insurance*
ACNOR	Association canadienne de normalisation	CSA	Canadian Standards Association
A.C.P.C.	Association canadienne des professeurs de comptabilité	CAAA	Canadian Academic Accounting Association
AFNOR	Association française de normalisation (*Fr.*)	—	—
A.R.	Arrêté royal (*Belg.*)	—	—
BALO	Bulletin des annonces légales obligatoires (*Fr.*)	—	—
B.B.Z.	budget (à) base zéro	ZBB	zero base budgeting*
B.C.T.	Bureau de consultation technique	TAB	Technical Advisory Bureau
B.I.C.	bénéfices industriels et commerciaux (*Fr.*)	—	—
B.N.B.	Banque nationale de Belgique	—	—
B.N.C.	bénéfices non commerciaux (*Fr.*)	—	—
BODAC	Bulletin officiel des annonces civiles et commerciales (*Fr.*)	—	—
B.P.A.	bénéfice par action (*Can.*)	EPS	earnings per share 1. et 2.*
C.A.	comptable agréé	CA	Chartered Accountant
C.A.F.	coût, assurance et fret	CIF	cost, insurance and freight*
C.B.N.C.R.	Centre belge de normalisation de la comptabilité et du revisorat	—	—
C.C.A.	comptabilité au coût actuel	CCA	current cost accounting*
C.C.P.	Compte de chèques postaux (*Fr.* et *Belg.*)	—	—
C.E.E.	Communauté économique européenne	EEC	European Economic Community
C.F.	coût et fret	C & F	cost and freight*
C.G.A.	comptable général licencié	CGA	Certified General Accountant
C.G.I.	Code général des impôts (*Fr.*)	—	—
Cie	compagnie	Co.	company*
C.I.N.C.	Comité international de normalisation de la comptabilité	IASC	International Accounting Standards Committee
C.I.N.V.	Comité international de normalisation de la vérification	IAPC	International Auditing Practices Committee
C.M.C.C.	crédit de mobilisation des créances commerciales (*Fr.*)	—	—
C.M.V.	coût des marchandises vendues	—	cost of goods sold 1.*
C.N.C.	Commission des normes comptables (*Belg.*)	—	—

*Termes définis dans le dictionnaire.

Abréviation, sigle et acronyme français	Terme français	Abréviation, sigle et acronyme anglais	Terme anglais*
C.N.C.	Conseil national de la comptabilité (Fr.)	—	—
C.N.C.C.	Compagnie nationale des commissaires aux comptes (Fr.)	—	—
C.N.E.C.B.	Collège national des experts comptables de Belgique	—	—
C.N.E.J.C.	Compagnie nationale des experts judiciaires en comptabilité (Fr.)	—	—
C.N.V.	Comité des normes de vérification de l'I.C.C.A.	ASC	Auditing Standards Committee of the CICA
COB	Commission des opérations de Bourse (Fr.)	—	—
COFACE	Compagnie française d'assurance pour le commerce extérieur	—	—
C.P.C.G.A.	Corporation professionnelle des comptables généraux licenciés (Québec)	—	—
C.P.R.I.A.	Corporation professionnelle des comptables en administration industrielle (Québec)	—	—
C.P.V.	coût des produits vendus	—	cost of goods sold 2.*
C.R.	contre remboursement	COD	cash on delivery*
C.R.C.	Comité de recherche comptable de l'I.C.C.A.	ARC	Accounting Research Committee of the CICA
Ct	crédit	Cr.	credit n. 2.*
C.V.M.	Commission des valeurs mobilières (Québec)	SEC	Securities and Exchange Commission (U.S.)
DAPE	déduction accordée aux petites entreprises (Can.)	SBD	small business deduction*
DATAR	délégation à l'aménagement du territoire et à l'action régionale (Fr.)	—	—
DEPS	Dernier entré, premier sorti	LIFO	last in, first out (Voir last in, first out method*)
D.G.I.	Direction générale des impôts (Fr.)	—	—
D.N.B.	dépense nationale brute (Can.)	GNE	gross national expenditure
D.P.E.	direction par exceptions	—	management by exception*
D.P.O.	direction par objectifs	MBO	management by objectives*
Dt	débit	Dr.	debit n. 2.*
D.T.S.	droits de tirage spéciaux	SDR	special drawing rights
ECU	Unité de compte européenne	ECU	European currency unit*
F.A.B.	franco à bord	FOB	free on board*
F.A.Q.	franco (à) quai	FAS	free alongside*
F.A.S.	franco (à) quai	FAS	idem
F.C.P.	fonds commun de placement	—	investment pool*
		—	mutual fund 2.*
F.M.I.	Fonds monétaire international	IMF	International Monetary Fund
F.N.A.C.C.	Fraction non amortie du coût en capital (Can.)	UCC	Undepreciated capital cost*
Fo	folio, page, référence	Fo	folio 1. et 2.*
F.O.B.	franco à bord	FOB	free on board*

Abréviation, sigle et acronyme français	Terme français	Abréviation, sigle et acronyme anglais	Terme anglais*
G.E.E.C.	Groupe d'étude des experts comptables de la C.E.E.	—	—
G.I.E.	groupe d'intérêt économique	—	—
G.L.G.	grand livre général	GL	general ledger*
H.L.M.	habitation à loyer modéré (Fr.)	—	—
H.L.M.	habitation à loyer modique (Can.)	—	—
H.T.	hors taxes	—	—
I.A.R.D.	incendies, accidents, risques divers	—	Voir general insurance*
I.B.L.C.	Institut belgo-luxembourgeois du change	—	—
I.C.C.A.	Institut Canadien des Comptables Agréés	CICA	Canadian Institute of Chartered Accountants
I.D.I.	Institut de développement industriel (Fr.)	—	—
I.F.E.C.	Institut français des experts comptables (Fr.)	—	—
INC.	incorporée (Can.)	INC.	incorporated (Voir business corporation*)
I.N.S.	Institut national de statistiques (Belg.)	—	—
I.N.S.E.E.	Institut national de la statistique et des études économiques (Fr.)	—	—
I.P.C.	Indice des prix à la consommation	CPI	consumer price index*
I.P.P.	impôt sur les personnes physiques	—	Voir direct taxes*
I.R.E.	Institut des reviseurs d'entreprises (Belg.)	—	—
I.R.L.M.	immeuble résidentiel à logements multiples	MURB	multiple unit residential building
J.G.	journal général	GJ	general journal*
J.O.	Journal officiel (Fr.)	—	—
J.O.C.E.	Journal officiel des communautés européennes	—	—
L.C.S.C.	Lois coordonnées sur les sociétés commerciales (Belg.)	—	—
L.S.C.C.	Loi sur les sociétés commerciales canadiennes	CBCA	Canadian Business Corporation Act
LTÉE	Limitée	LTD.	limited (Voir business corporation*)
M.B.	Moniteur belge (Journal officiel)	—	—
M.B.A.	marge brute d'autofinancement	—	cash flow 2. (fam.)*
N.G.R.	Normes générales de revision (Fr. et Belg.)	—	—
N.V.G.R.	normes de vérification généralement reconnues (Can.)	GAAS	generally accepted auditing principles*
O.C.A.Q.	Ordre des comptables agréés du Québec	—	—

Abréviation, sigle et acronyme français	Terme français	Abréviation, sigle et acronyme anglais	Terme anglais*
O.C.D.E.	Organisation de coopération et de développement économique	OECD	Organization for Economic Cooperation and Development
O.D.	opérations diverses	—	Voir general journal*
O.L.F.	Office de la langue française (Québec)	—	—
O.P.A.	offre publique d'achat	—	takeover bid*
O.P.E.	offre publique d'échange	—	takeover bid*
O.S.	ouvrier spécialisé (Fr.)	—	—
P.C.G.	Plan comptable général (Fr.)	—	—
P.C.G.R.	principes comptables généralement reconnus (Can.)	GAAP	generally accepted accounting principles*
P.C.M.N.	Plan comptable minimum normalisé (Belg.)	—	—
P.C.M.V.	prix coûtant des marchandises vendues	—	cost of goods sold 1.*
P.D.G.	président-directeur général	—	Voir chairman of the Board*
PEPS	premier entré, premier sorti	FIFO	first in, first out (Voir first in, first out method*)
PERT	méthode de programmation optimale	PERT	program evaluation and review technique*
P.I.B.	produit intérieur brut (Fr. et Belg.)	—	—
P.L.V.	publicité sur le lieu de la vente	—	—
P.M.E.	petite et moyenne entreprise	—	—
P.N.B.	produit national brut	GNI	gross national income
R.A.M.Q.	Régime d'assurance-maladie du Québec	—	—
R.C.	Registre de commerce (Fr.)	—	—
R.C.	responsabilité civile	—	Voir public liability insurance*
R.C.B.	rationalisation des choix budgétaires	PPBS	planning, programming and budgeting system*
R.D.	recherche et développement	R & D	research and development (Voir research and development expenses*)
R.E.E.R.	Régime enregistré d'épargne-retraite (Can.)	RRSP	registered retirement savings plan*
r.i.a.	comptable en management	RIA	Management Accountant
R.P.C.	Régime de pensions du Canada	CPP	Canada pension plan
R.R.Q.	Régime de rentes du Québec	—	—
S.A.	société anonyme (Fr. et Belg.)	—	Voir business corporation*
S.A.R.L.	société à responsabilité limitée (Fr.)	—	Voir business corporation*
S.C.I.	société civile immobilière (Fr.)	—	—
S.E.O.	sauf erreurs et omissions	E & OE	except errors and omissions*
SICAV	société d'investissement à capital variable	—	mutual fund 1.*
S.M.I.C.	salaire minimum interprofessionnel de croissance (Fr.)	—	—
S.P.R.L.	société de personnes à responsabilité limitée (Belg.)	—	Voir business corporation*
S.S.C.I.	société de services et de conseils en informatique	—	Voir service bureau*

Abréviation, sigle et acronyme français	Terme français	Abréviation, sigle et acronyme anglais	Terme anglais*
T.R.I.	techniques de révision informatisée (Fr.)	CAAT	computer assisted audit (techniques)*
T.T.C.	toutes taxes comprises	—	—
T.V.A.	taxe sur la valeur ajoutée	VAT	value added tax*
T.V.I.	techniques de vérification informatisée (Can.)	CAAT	computer assisted audit (techniques)*
U.E.C.	Union Européenne des Experts Comptables Économiques et Financiers	—	—
U.P.A.	unité de pouvoir d'achat	PPU	purchasing power unit*
URSSAF	Union pour le recouvrement des cotisations de sécurité sociale (Fr.)	—	—
V.A.N.	valeur actualisée nette	DCF	discounted cash flow*
		—	excess present value*
V.P.C.	vente par correspondance	—	mail order selling* (Voir salesman 1.*)
V.R.P.	voyageur, représentant, placier (Fr.)	—	
ZUP	zone à urbaniser en priorité (Fr.)	—	—

Appendice C

PRINCIPALES DIFFÉRENCES ENTRE LES TERMINOLOGIES EN USAGE AU CANADA, EN FRANCE ET EN BELGIQUE

Terme anglais	Terme en usage au Canada	Terme en usage en France	Terme en usage en Belgique
accounting firm	cabinet d'expertise comptable	*idem*	*idem*
	cabinet d'experts-comptables	*idem*	*idem*
	—	(société) fiduciaire	cabinet de reviseurs d'entreprises
accrual basis of accounting	comptabilité d'exercice	—	comptabilité d'exercice
	—	comptabilité d'engagements	—
	—	comptabilité en créances et dettes	—
accumulated depreciation	amortissement cumulé	amortissement	amortissement
adjusted trial balance	balance de vérification régularisée	balance de vérification après inventaire	balance de vérification après inventaire
adjusting entry	écriture de régularisation	écriture d'inventaire	écriture d'inventaire
	écriture de redressement		
adverse opinion	opinion défavorable	refus de certifier	refus de certifier
affiliated company	société liée	*idem*	*idem*
	société apparentée	*idem*	—
	société associée	—	*idem*
	société affiliée	—	—
annual report	rapport annuel	*idem*	*idem*
	rapport d'exercice	plaquette annuelle	plaquette annuelle
	rapport (annuel) de gestion	—	—
attest function	fonction d'attestation	(mission de) certification	(mission de) certification
	—		(mission d') attestation
audit *n.*	vérification (des comptes)	révision (des comptes)	revision (des comptes)
		audit	*audit*
auditor	vérificateur	réviseur	reviseur
auditor's opinion	opinion du vérificateur	opinion du réviseur	attestation du reviseur
	—	avis du réviseur	—
		certification	
auditor's report	rapport du vérificateur	rapport du réviseur	rapport du reviseur
	rapport de vérification	rapport de révision	
bad debt recovered	rentrée sur créance passée en charges	*idem*	reprise de réduction de valeur d'une créance
	rentrée sur créance radiée	—	—
	recouvrement sur créance radiée	—	—
bank reconciliation	rapprochement bancaire	*idem*	*idem*
	conciliation bancaire	—	—
bond discount	escompte d'émission (d'obligations)	prime d'émission	prime d'émission
	escompte à l'émission d'obligations	—	—

Terme anglais	Terme en usage au Canada	Terme en usage en France	Terme en usage en Belgique
business corporation	société par actions	*idem*	*idem*
	société de capitaux	*idem*	*idem*
	société commerciale	société à responsabilité limitée	société de personnes à responsabilité limitée
	compagnie à fonds social (Québec)	—	
	—	société anonyme	société anonyme
capital gain	gain en capital	plus-value	plus-value de réalisation
capital loss	perte en capital	moins-value	moins-value
capital stock	capital social	*idem*	*idem*
	capital-actions	—	—
common stock	actions ordinaires	*idem*	*idem*
	capital-actions ordinaire	—	—
consistency principle	principe de la continuité des méthodes	principe de la permanence des méthodes	principe de la permanence des méthodes
consolidated goodwill	survaleur	*idem*	*idem*
	différence de première consolidation	*idem*	*idem*
	achalandage de consolidation	—	—
cum dividend	avec dividende	coupon attaché	coupon attaché
	dividende attaché	—	—
cum rights	avec droits	coupon attaché	coupon attaché
	droits attachés	—	—
debenture	obligation non garantie	*idem*	*idem*
	débenture	—	—
deferred income taxes	impôts (sur le revenu) reportés	impôts différés	impôts différés
demand loan	prêt remboursable sur demande		
	prêt remboursable à vue	*idem*	*idem*
	emprunt remboursable sur demande	—	—
	emprunt remboursable à vue	*idem*	*idem*
	—	—	crédit de caisse
denial of opinion	récusation	impossibilité de certifier	déclaration d'abstention
depreciation expense	dotation aux amortissements	*idem*	*idem*
	annuité d'amortissement	*idem*	*idem*
	amortissement (de l'exercice)	—	—
discount *n.*	escompte d'émission	prime d'émission	prime d'émission
dividend tax credit	dégrèvement pour dividendes	avoir fiscal	—
	crédit d'impôt pour dividendes	—	crédit d'impôt
due on demand	payable à vue	*idem*	*idem*
	payable sur présentation	*idem*	*idem*
	payable sur demande	—	—
equity method	(méthode de la) comptabilisation à la valeur de consolidation	méthode de la mise en équivalence	méthode de la mise en équivalence
escrow agreement	(contrat de) mise en main tierce	*idem*	*idem*
	entiercement	—	—
escrowed share	action mise en main tierce	*idem*	*idem*
	action entiercée	—	—

Terme anglais	Terme en usage au Canada	Terme en usage en France	Terme en usage en Belgique
escrow funds	fonds (mis en main tierce)	idem	idem
	fonds entiercés	—	—
field work	travail de l'expert-comptable	idem	travail de revision
financial statements	états financiers	comptes annuels	comptes annuels
	—	documents de synthèse	
financing adjustment	ajustement au titre de la situation financière	ajustement multiplicateur	—
	redressement financier	—	—
general contractor	maître d'oeuvre	idem	idem
	entrepreneur général	—	—
going concern concept	principe de la permanence de l'entreprise	principe de la continuité de l'exploitation	principe de la continuité de l'exploitation
goodwill	achalandage	—	fonds de commerce
	survaleur	fonds commercial	survaleur
	—	goodwill	goodwill
income summary account	sommaire des résultats	résultat à répartir	—
instrument of incorporation	statuts (constitutifs)	idem	idem
	acte de constitution	—	—
	acte constitutif	—	—
interim audit	vérification des systèmes	contrôle(s) intérimaire(s)	contrôle(s) intérimaire(s)
interim audit	vérification périodique	révision périodique	
	—	révision intérimaire	revision intérimaire
		audit intérimaire	—
interim financial statement	état financier périodique	—	—
	rapport financier périodique	idem	idem
	—	situation provisoire	—
internal audit	vérification interne	audit interne	audit interne
investee	société dépendante	idem	idem
	société émettrice	—	—
investor 2.	société dominante	idem	idem
	société participante	—	—
job ticket	fiche de travail	idem	idem
	bon de travail	idem	idem
	—	attachement	—
joint audit	covérification	corévision	corevision
	—	cocommissariat	—
joint auditors	covérificateurs	coréviseurs	collège de reviseurs
	—	cocommissaires	collège de commissaires
letter of representation	lettre de déclaration	lettre déclarative de responsabilités	déclaration de la direction au reviseur
	—		lettre de déclaration au reviseur
license	licence	idem	idem
	permis	—	—
licensing body	organisme d'attribution des licences	idem	idem
	régie d'attribution des permis	—	—
limited audit engagement	mission de vérification restreinte	mission de révision limitée	contrôle limité

Terme anglais	Terme en usage au Canada	Terme en usage en France	Terme en usage en Belgique
limited (liability) company	société de capitaux	*idem*	*idem*
	compagnie à fonds social (Québec)	—	—
line of credit	ligne de crédit	*idem*	*idem*
	ouverture de crédit	*idem*	*idem*
	autorisation de crédit	*idem*	*idem*
	ligne de découvert	*idem*	*idem*
	crédit autorisé	*idem*	*idem*
	marge de crédit	—	—
management audit	vérification de gestion	—	—
	vérification opérationnelle	*audit* opérationnel	*audit* opérationnel
	contrôle de gestion	*idem*	*idem*
management auditor	vérificateur de gestion	—	—
	contrôleur de gestion	*idem*	*idem*
managing director	administrateur délégué	*idem*	délégué à la gestion journalière
multiple-step income statement	état des résultats à groupements multiples	compte de résultat présenté en échelle	schéma en forme de liste
mutual fund	(société de) fonds mutuel	—	—
	société d'investissement à capital variable (SICAV)	*idem*	*idem*
nagative goodwill	déficit d'acquisition	*idem*	*idem*
	achalandage négatif	—	—
non-monetary clause	clause non financière	*idem*	*idem*
	clause normative	—	—
notes to financial statements	notes afférentes aux états financiers	annexe aux comptes annuels	annexe des comptes annuels
	—	notes explicatives	—
	notes complémentaires	—	—
notice of assessment	avis d'imposition	*idem*	*idem*
	avis de cotisation	avertissement	avertissement
	—	extrait de rôle	—
owners' equity	capitaux propres	*idem*	*idem*
	fonds propres	*idem*	*idem*
	situation nette	*idem*	*idem*
	avoir des propriétaires	—	—
parent company	société mère	*idem*	*idem*
	compagnie mère	—	—
paymaster	payeur	comptable	comptable public
personal exemptions	exemptions personnelles	exonérations personnelles	exonérations personnelles
preclosing balance	balance de vérification avant clôture	balance avant inventaire	balance avant inventaire
preferred stock	actions privilégiées	*idem*	*idem*
	capital-actions privilégié	—	—
prior period adjustments	redressements affectés aux exercices antérieurs	pertes et profits sur exercices antérieurs	résultats sur exercices antérieurs
public accountant	expert-comptable	*idem*	*idem*
	comptable *public* (Québec)	—	—
qualifying share(s)	actions statutaires	actions de garantie	—
	actions d'éligibilité	—	—
receiver	syndic	administrateur judiciaire	séquestre

Terme anglais	Terme en usage au Canada	Terme en usage en France	Terme en usage en Belgique
reconciliation of accounts	rapprochement conciliation	*idem* —	*idem* réconciliation
redeemable stock	actions rachetables actions amortissables capital-actions rachetable capital-actions amortissable	*idem* *idem* — —	*idem* *idem* — —
regulatory agency	organisme de réglementation organisme de régulation	*idem* organisme d'intervention	*idem* —
responsibility accounting	comptabilité par centres de responsabilité	*idem*	comptabilité par destination
senior (auditor)	premier vérificateur	assistant confirmé	—
senior-in-charge	chef d'équipe chef de mission superviseur	*idem* *idem* —	*idem* *idem* —
shareholders' equity	capitaux propres avoir des actionnaires	*idem* —	*idem* —
single-step income statement	état des résultats à groupements simples	présentation en tableau du compte de résultat	présentation en tableau du compte de résultat
statement, income	état des résultats	compte de résultat	compte de résultat
statement of changes in financial position	état de l'évolution de la situation financière —	tableau de financement tableau des ressources et emplois	tableau de financement —
statement of shareholders' equity	état des capitaux propres état de l'avoir des actionnaires	*idem* tableau des variations de la situation nette	*idem* —
statement of source and application of funds	état de la provenance et de l'utilisation des fonds —	tableau de financement tableau des ressources et emplois	tableau de financement —
statutory auditor	vérificateur légal —	commissaire aux comptes contrôle légal	commissaire-reviseur contrôleur légal
stock dividend	dividende en actions dividende-actions	(distribution d')actions gratuites	(distribution d')actions gratuites
stock savings plan	régime d'épargne-actions	détaxation de l'épargne en actions	détaxation de l'épargne en actions
stockbroker	courtier en valeurs mobilières	agent de change	agent de change
trustee in bankruptcy	syndic de faillite	syndic	curateur de faillite
valuation account	compte de provision pour moins-value compte de provision pour dépréciation	— *idem*	compte de réduction de valeur —

Bibliographie

Agence de coopération culturelle et technique, *Vocabulaire de l'administration*, Paris, Hachette, 1972.

ANDERLA, Georges et SCHMIDT-ANDERLA, Georgette, *Dictionnaire des affaires,* 2e édition, Paris, J. Delmas et Cie, 1979.

ATTAL, Jean-Pierre, *Vocabulaire et lexique de l'anglais des affaires,* Paris, Les éditions d'organisation, 1979.

AUMAGE, Maurice et THOUVENOT, Bernard, *Guide-Lexique des opérations financières internationales,* Paris, Les Éditions d'organisation, 1978.

BAGLIN, P.R., *Assurance-vie et capitalisation,* Paris, Éditions Sirey, 1962.

BALLENTINE, James A., *Ballentine's Law Dictionary,* 3e édition, Rochester, N.Y., The Lawyers Co-operative Publishing Company, 1969.

BANNOCK, S. et BAXTER, R., *Dictionary of Economics,* London, Penguin, 1972.

BARRAINE, Raymond, *Dictionnaire de droit,* Paris, Librairie générale de droit et de jurisprudence, 1967.

BERNARD, Yves, COLLI, Jean-Claude et LEWANDOWSKI, Dominique, *Dictionnaire économique et financier,* Éditions du Seuil, Paris, 1973.

BLACK, Henry Campbell, *Black's Law Dictionary,* St. Paul Minn., West Publishing Co., 1979.

BLIND, Serge, *Démystification des bilans de sociétés,* 4e édition, Paris, Les Éditions d'organisation, 1974.

BOUDINOT, André et FRABOT, Jean-Claude, *Lexique de la banque, de la bourse et du crédit,* Paris, Entreprise moderne d'édition, 1970.

BOUDINOT, André et FRABOT, Jean-Claude, *Technique et pratique bancaires,* 3e édition, Paris, Éditions Sirey, 1974.

BRIÈRE DE L'ISLE, Georges, *Droit des assurances,* Collection Thémis, Presses Universitaires de France, 1973.

BURCH, John G., *Computer Control and Audit: A Total Systems Approach*, New York, John Wiley & Sons Inc., 1979.

Bureau des traductions, Centre de terminologie, *Vocabulaire général,* Secrétariat d'État, Ottawa, 1973.

Bureau des traductions, Division de la recherche terminologique et linguistique, *Termes fiscaux, financiers et administratifs,* Secrétariat d'État, Ottawa, 1974.

BUREAU, Jacques, *Dictionnaire de l'informatique,* Paris, Librairie Larousse, 1972.

CENECO, *Le dixeco de l'entreprise,* Paris, Bordas, 1980.

Centre d'enseignement supérieur des affaires, *Encyclopédie du management,* Paris, France-Expansion, 1973.

Centre international du droit des affaires, *Lexique commercial,* Paris, REGIF, 1973.

CHABRIOL, F., *Mathématiques financières,* Paris, Les Éditions Foucher, 1972.

CHARDONNET, Léo, *Comptabilité usuelle,* Paris, J. Delmas et Cie, 1975.

CHEVALIER, Jean, *Organisation,* Paris, Dunod, 1966.

CLARK, Donald T. et GOTTFRIED, Bert A., *University Dictionary of Business and Finance,* New York, Thomas Y. Crowell Company, 1974.

CLAS, André, HORGUELIN, Paul A., *Le français, langue des affaires,* McGraw-Hill Éditeurs, Montréal, 1979.

CLÉON, Y., *Code de l'analyse financière et économique de l'entreprise,* Paris, Édition Pragnos, 1975.

Comité d'étude des termes techniques français, *Termes techniques français,* Paris, Éditions Hermann, 1972.

Comité national de l'épargne mobilière, *Lexique de termes économiques et financiers,* Troisième édition, Bruxelles, 1972.

Compagnie nationale des commissaires aux comptes, *Guide des commissaires aux comptes,* Paris, 1949.

Conseil international de la langue française, *Vocabulaire de l'administration,* Paris, Hachette, 1972.

Conseil international de la langue française et Académie des sciences commerciales, *Dictionnaire commercial,* Paris, Hachette, 1979.

Conseil national de la comptabilité, *Plan comptable général,* Paris, Imprimerie Nationale, 1965.

CONSO, Pierre, LAVAUD, Robert et COLASSE, Bernard, *Dictionnaire de gestion financière,* Paris, Dunod, 1979.

CÔTÉ, Yves-Aubert, HARDY, Siméon, *Termes comptables, français-anglais, anglais-français,* Toronto, Institut Canadien des Comptables Agréés, 1963.

DAGENAIS, Gérard, *Difficultés de la langue française au Canada,* Québec-Montréal, Éditions Pedagogia Inc., 1967.

DAVIAULT, Pierre, *Langage et traduction,* Bureau fédéral de la traduction, Secrétariat d'État, Ottawa, 1961.

DAVIDS, Lewis E., *Dictionary of Insurance,* Littlefield, Adams & Co., 1970.

DAVIDSON, Sydney, STICKNEY, Clyde P. et WEIL, Roman, *Accounting the Language of Business,* 4ᵉ édition, Thomas Horton and Daughters, Inc., Glen Ridge, N.J., 1979.

DÉFOSSÉ, Gaston, *La gestion financière des entreprises,* Paris, Presses Universitaires de France, vol. 1, 1970 et vol. 2, 1971.

DE GARFF, André, *Dictionnaire de l'informatique,* Paris, Presses universitaires de France, 1980.

DEJAX, C. et PEYROU, S., *Commerce,* Aide-Mémoire TECHNOR, Paris, Delagrave, 1968.

DE LA VILLEGUÉRIN, Jean, *Dictionnaire de la comptabilité,* Collection les Dictionnaires Fiduciaires, Paris, Éditions des Publications Fiduciaires, 1980.

DE LA VILLEGUÉRIN, Jean, *Le code annoté de la comptabilité,* Paris, Éditions des Publications Fiduciaires, 1979.

DE LEMBRE, E., *Principes comptables,* Bruxelles, Centre belge de normalisation de la comptabilité et du revisorat, 1980.

DELMAS, *Dictionnaire des affaires,* Paris, J. Delmas & Cie et Georges G. Harrap, 1972.

DEPALLENS, Georges, *Gestion financière de l'entreprise,* 6ᵉ édition, Paris, Éditions Sirey, 1977.

DEPREZ, Michel et DUVANT, Marcel, *Le nouveau plan comptable,* Paris, Collection La Villeguérin, Éditions des publications fiduciaires, 1980.

DE RENTY, Ivan, *Lexique de l'anglais des affaires,* Paris, Librairie générale française, 1974.

DEROME, René et LEFEBVRE, Louis, *Éléments d'analyse financière,* Montréal, Éditions Commerce, Centre éducatif et culturel, Inc. 1976.

DE VILLERS-SIDANI, Marie-Éva, *Vocabulaire des imprimés administratifs,* Québec, Office de la langue française, 1978.

DE VILLERS-SIDANI, Marie-Éva, *Vocabulaire de la gestion de la production,* Québec, Office de la langue française, 1980.

DE VILLERS-SIDANI, Marie-Éva, *Vocabulaire de l'informatique de gestion,* Québec, Office de la langue française, 1980.

DE VILLERS-SIDANI, Marie-Éva, *Vocabulaire des marchés administratifs,* Québec, Office de la langue française, 1981.

DION, Gérard, *Dictionnaire canadien des relations du travail,* Québec, Les Presses de l'Université Laval, 1976.

DOSSE, Christiane, *Pour comprendre un bilan en anglais,* Paris, Dalloz, 1975.

DOUGIER, Henry, *L'entreprise moderne,* Paris, Hachette, Les sciences de l'action, 1972.

DUBUC, R. et al., *Dictionnaire anglais-français et français-anglais de l'informatique,* Québec, Dunod, 1971.

DUBUC, Robert, *Vocabulaire de la gestion,* Montréal, Société Radio-Canada, Service de linguistique, 1972.

DUNN, Guillaume, *L'impôt sur le revenu,* Glossaire établi en collaboration avec l'équipe de traduction de la réforme fiscale, Ottawa.

FERRONNIÈRE, Jacques et DE CHILLAZ, Emmanuel, *Les opérations de banque,* Paris, Dalloz, 1980.

FONTANEL, Bernard et al., *Stratégies financières & techniques comptables,* 3e édition, Paris, 1977.

GANDOUIN, Jacques, *Correspondance et rédaction administratives,* 6e édition, Paris, A. Collin, 1977.

GARNIER, Pierre, *Comptabilité commerciale,* 4e édition, Paris, Dunod, 1975.

GENDROT, Guy, *Comment interpréter les états financiers anglo-saxons,* Paris, Dunod, 1977.

GIBERT, Patrick et de LAVERGNE, Philippe, *L'analyse des coûts pour le management,* Paris, Économica, 1978.

GILLY, L. et al., *Formulaire commercial français-anglais,* Paris, Dunod, 1970.

GINGUAY, Michel, *Dictionnaire d'informatique,* 5e édition, Paris, Masson, 1979.

GINGUAY, Michel et LAURET, Annette, *Lexique d'informatique,* Paris, Masson et Cie, Éditeurs, 1973.

GIOVANOLI, Mario, *Le crédit-bail en Europe : développement et nature juridique,* Paris, Litec, 1980.

GIQUEL, François, *La Commune, son budget, ses comptes,* Paris, Les éditions ouvrières, 1947.

GREENER, Michael, *The Penguin Dictionary of Commerce,* London, Penguin Books, 1975.

GUILLIEN, Raymond et VINCENT, Jean, *Lexique de termes juridiques,* Paris, Dalloz, 1971.

Harrap's Standard French and English Dictionary, Londres, George G. Harrap & Company Ltd., 1966.

HAZEBROUCQ, Pierre, *Dictionnaire commercial,* Paris, Académie des sciences commerciales, 1973.

HERBST, Robert, *Dictionnaire des termes commerciaux, financiers et juridiques,* Zoug, Suisse, Translegal, 1968.

HETMAN, François, *Le langage de la prévision,* Paris, S.E.D.E.I.S., 1969.

HUGOT, J. et LEPELTIER, D., *Code de la construction et de l'habitation commenté et annoté,* Paris, Librairies techniques, 1980.

IMBS, Paul, *Trésor de la langue française : Dictionnaire de la langue du XIXe et du XXe siècles,* Paris, Éditions du Centre national de la recherche scientifique, 1971.

Institut Canadien des Comptables Agréés, *Manuel de l'I.C.C.A.,* Toronto, 1968-1982.

Institut canadien des valeurs mobilières, *Le placement : termes et définitions,* Montréal, 1974.

International Accounting Lexicon, Comptes de groupe, Düsseldorf, Union européenne des experts comptables économiques et financiers (UEC), 1980.

International Business Machines Corporation (IBM), *Terminologie du traitement de l'informatique,* Paris, 1972.

JACOB, Nicolas, *Les assurances,* 2e édition, Paris, Dalloz, 1979.

JÉRAUTE, Jules, *Vocabulaire français-anglais et anglais-français de termes et locutions juridiques, administratifs, commerciaux, financiers et sujets connexes,* Paris, Librairie générale de droit et de jurisprudence, 1972.

JUGLART, Michel de, *Leçons de droit civil,* Paris, Éditions Montchrestien, 1976.

KETTRIDGE, Julius Ornon, *Dictionnaire français-anglais, anglais-français de termes, locutions, formules de commerce et finance,* London, Routledge & Kegan Paul Limited, 1973.

KOHLER, Eric L., *A Dictionary for Accountants,* 5e édition, Englewood Cliffs, N.J., Prentice-Hall, Inc., 1975.

LAMBERT, Denis-Clair, *Terminologie économique et monétaire,* Paris, Les éditions ouvrières, 1970.

Larousse de la langue française LEXIS, Paris, Librairie Larousse, 1977.

LAROUSSE, *Grand Larousse encyclopédique,* Paris, Librairie Larousse, 1968.

LASSÈGUE, Pierre, *Gestion de l'entreprise et comptabilité,* 8e édition, Paris, Dalloz, 1978.

LAUZEL, Pierre et MUSSIER, G., *Lexique de la gestion,* Paris, Entreprise moderne d'Édition, 1970.

LEBEL, Wilfrid, *Le dictionnaire des affaires,* Les Éditions de l'homme, Montréal, 1967.

LEFEBVRE, Francis, *Mémento pratique Francis Lefebvre, Comptable,* Paris, Éditions Francis Lefebvre, 1980.

LEMEUNIER, F., *Dictionnaire juridique, économique et financier,* Paris, Éditions J. Delmas et Cie, 1970.

LEONARD, W.G., *Canadian Accountant's Handbook,* Toronto, McGraw-Hill Ryerson Limited, 1968.

LEVY, Michael H., *Handbook of Personal Insurance Terminology,* New York, Farnsworth Publishing Company Limited, 1968.

LLEU, Jacques, *Glossaire anglais-français du marketing,* Paris, Jacques Lleu, 1977.

MACINNIS, J. Lyman, *A Handbook of Business Terminology,* Don Mills, General Publishing Company, 1978.

MAGNET, Jacques, *Comptabilité publique,* Collection Thémis, Paris, Presses Universitaires de France, 1978.

MAGNET, Jacques, *Droit budgétaire et comptabilité publique,* Paris, Presses Universitaires de France, 1979.

MANSAT, André, *Vocabulaire d'anglais commercial,* Paris, Didier, 1976.

MARGERIN, Jacques et AUSSET, Gérard, *Comptabilité analytique — Outil de gestion,* 2e édition, Institut d'Administration des entreprises de Grenoble, 1979.

MORICE, E., *Dictionnaire de statistique,* Paris, Dunod, 1977.

Office de la langue française, *Vocabulaire bilingue des assurances sur la vie,* Gouvernement du Québec, 1969.

Office de la langue française, *Vocabulaire des assurances sociales,* Gouvernement du Québec, Québec, 1971.

Office de la langue française, *Lexique anglais-français de la banque et de la monnaie,* Gouvernement du Québec, Québec, 1972.

Office de la langue française, *Vocabulaire correctif des assurances,* Gouvernement du Québec, Québec, 1972.

Office de la langue française, *Lexique anglais-français de la Bourse et du commerce des valeurs mobilières,* Gouvernement du Québec, Québec, 1973.

Ordre des comptables agréés du Québec, Comité de terminologie française, *Terminologie comptable,* Montréal, 1966-1982.

Ordre des experts comptables et des comptables agréés, *Les rapports annuels des sociétés françaises,* Paris, Conseil supérieur de l'Ordre des experts comptables et des comptables agréés, 1978 et 1980.

Ordre des experts comptables et des comptables agréés, *L'évaluation des avantages et coûts sociaux,* Paris, Conseil supérieur de l'Ordre des experts comptables et des comptables agréés, 1980.

PAGÉ, Dominique, *Petit dictionnaire de droit québécois et canadien,* Montréal, Fides, 1979.

PAIN-SAVANIER, R., *Pour comprendre le langage de votre comptable,* Paris, Les Éditions d'organisation, 1970.

PÉRON, Michel et al., *Dictionnaire français-anglais, anglais-français des affaires,* Paris, Librairie Larousse, 1968.

PERRIER, Maurice, *Lexique budgétaire, comptable et financier,* Ottawa, Bureau des traductions, Secrétariat d'État, 1982.

POIRÉE, Michel et HUBERT, Xavier, *La comptabilité analytique — Outil de gestion,* Paris, Les Éditions d'organisation, 1978.

PUJOL, Rosemonde, *Petit dictionnaire de l'économie,* Paris, Éditions Gonthier-Denoël, 1970.

QUEMNER, Thomas, A., *Dictionnaire juridique, anglais-français, français-anglais,* Paris, Éditions de Navarre, 1974.

Radio-Canada, *Fiches terminologiques de Radio-Canada,* Montréal, Radio-Canada.

RAFFEGEAU, J., DUFILS, P. et CORRE, J., *Plan comptable révisé : guide pratique et étude méthodologique,* Paris, Éditions Francis Lefebvre, 1980.

Régie de la langue française, *Vocabulaire de l'informatique de gestion,* Gouvernement du Québec, Québec, 1975.

Régie de la langue française, *Vocabulaire des rentes de retraite,* Gouvernement du Québec, Québec, 1976.

REY, Françoise, *Développements récents de la comptabilité,* Paris, Entreprise moderne d'édition, 1979.

RIEBOLD, Gilbert, *Comptabilité pour dirigeants non comptables — Méthodes françaises et méthodes américaines,* Paris, Desforges, 1976.

RIGAUD, Louis, *Comptabilité générale,* Paris, Armand Colin, Série Sciences économiques et gestion, 1971.

RIVOLI, Jean, *Le budget de l'État,* Paris, Éditions du Seuil, 1975.

ROBERT, Paul, *Le Petit Robert, Dictionnaire alphabétique et analogique de la langue française,* Paris, Société du Nouveau Littré, 1977.

ROBERT, Paul et COLLINS, R., *Dictionnaire français-anglais, anglais-français,* Paris, Société du Nouveau Littré, 1978.

ROCHE, François G., *Lexique du marketing,* Paris, Entreprise moderne d'édition, 1968.

ROMEUF, Jean et GUINOT, Jean-Pierre, *Manuel du chef d'entreprise,* Paris, Presses Universitaires de France, 1960.

SCHEID, Jean et TESTON, Jean-Claude, *La comptabilité,* Paris, Hachette, 1974.

SERVOTTE, J.V., *Dictionnaire commercial et financier français-anglais et anglais-français,* Verviers (Belgique), Marabout, 1978.

SICARD, Jean, *Rentes viagères,* Paris, Éditions Sirey, 1961.

SIMON, Yves, *Bourses de commerce et marchés à terme de marchandises,* Paris, Dalloz, 1977.

SNOZZI, Ermenegildo G., *L'interprétation du bilan,* Dunod, Paris, 1970.

STEIN, Jess et URDANG, Laurence, *Random Dictionary of the English Language,* 1972.

STETTLER, Howard F., *Audit : principes et méthodes générales,* Publi-union, Paris, 1974.

SUAVET, Thomas, *Dictionnaire économique et social,* Paris, Les Éditions Ouvrières, Économie et Humanisme, 1962.

Téléglobe Canada, Termiglobe, *Bulletins de terminologie et de linguistique,* Montréal.

TÉZENAS DU MONTCEL, Henri, *Dictionnaire des sciences de la gestion,* France, Maison Mame, 1972.

TÉZENAS, J., *Dictionnaire de l'organisation et de la gestion,* Paris, Les Éditions d'organisation, 1968.

Travaux publics, *Lexique bilingue des termes et expressions utilisés dans les bureaux,* Ottawa, 1972.

TROTABAS, Louis et COTTERET J.-M., *Droit budgétaire et comptabilité publique,* Paris, Dalloz, 1972.

Union européenne des experts comptables, économiques et financiers (U.E.C.), *Lexique U.E.C. : Dictionnaire comptable,* Paris, Dunod, 1978.

Université de Montréal, *Observations grammaticales et terminologiques,* Montréal, 1977-1982.

Université Laval, *Bulletins de terminologie,* Québec, 1970-1982.

VAES, Michel C., *Comptabilité : outil principal de la gestion des entreprises,* Paris, Dunod, 1970.

VAJDA, Pierre, *Les finances modernes,* Paris, Hachette, Les sciences de l'action, 1971.

VAN HOOF, Henri, *Economic terminology, English-French, Terminologie économique, anglais-français,* Munich, Max Hueber Verlag, 1967.

VIDAL, André et Associés, *Les mille et quelques mots du management,* Dunod, Paris, 1971.

VUITTON, Jacques et Philippe, *Nouveau lexique d'économie,* Paris, Collection Activités, La documentation pratique, 1978.

Webster's Third New International Dictionary of the English Language Unabridged, edited by Philip BabcockGove, Springfield, Mass., Merriam, 1976.